TK_uALejt42oBYPio

LA SUFICIENCIA Y LA SOSTENIBILIDAD DE LAS PENSIONES DESDE UNA PERSPECTIVA INTERNACIONAL: ESPECIAL ATENCIÓN A LAS PERSONAS MAYORES

Dirección:

FRANCISCO VILA TIERNO

MIGUEL GUTIÉRREZ BENGOECHEA

Subdirección y Coordinación:

MIGUEL ÁNGEL GÓMEZ SALADO

LA SUFICIENCIA Y LA SOSTENIBILIDAD DE LAS PENSIONES DESDE UNA PERSPECTIVA INTERNACIONAL: ESPECIAL ATENCIÓN A LAS PERSONAS MAYORES

Autores

Carlos David Aguilar Segado
Luísa Andias Gonçalves
Lucía Aragüez Valenzuela
Jennifer Batista Torres
Nuria Benítez Llamazares
Raquel Castro Medina
Matthieu Chabannes
Elisa Isabel del Cubo Arroyo
Marina Fernández Ramírez
Miguel Ángel Gómez Salado
Miguel Gutiérrez Bengoechea
Reynaldo Jorge Lam Peña
Juan Antonio Maldonado Molina
Carlos José Martínez Mateo

Gloria María Montes Adalid
María Ascensión Morales Ramírez
Fuminobu Okabe
María del Carmen Ordóñez de Haro
Giuseppina Pensabene Lionti
Antonio J. Pérez Martínez
Víctor Ribes Moreno
Carlos José Rivas Sánchez
Alfonso Ruiz Rubio
José Luis Ruiz Santamaría
José Luis Sánchez Ollero
Adriana Topo
Francisco Vigo Serralvo
Francisco Vila Tierno

THOMSON REUTERS

ARANZADI

Primera edición, 2021

THOMSON REUTERS PROVIEW™ eBOOKS
Incluye versión en digital

Esta monografía se enmarca dentro de los siguientes proyectos y grupos de investigación: a) Proyecto Estatal de I+D+i "Retos Investigación" orientado a los retos de la sociedad (ref. RTI2018-094696-B-I00), titulado *"Retos, reformas y financiación del sistema de pensiones: ¿sostenibilidad versus suficiencia?"*, financiado por el Ministerio de Ciencia e Innovación; b) Proyecto Autonómico de I+D+i del Plan Andaluz de Investigación, Desarrollo e Innovación (PAIDI 2020) orientado a los retos de la sociedad andaluza (ref. P18-RT-2585), titulado *"Los mayores en el contexto del empleo y la protección social: un reto para el crecimiento y el desarrollo económico. Un análisis de la realidad andaluza"*, cofinanciado por la Unión Europea (FEDER) y la Junta de Andalucía; c) Proyecto Autonómico de I+D+i (ref. UMA18-FEDERJA-028), titulado *"Las nuevas tecnologías y su impacto en el ámbito laboral y de la Seguridad Social: el impacto socio económico de la economía digital"*, cofinanciado por la Unión Europea (FEDER) y la Junta de Andalucía; d) Grupo de Investigación PAIDI SEJ-347 sobre "Políticas de empleo, igualdad e inclusión social", financiado por la Consejería de Educación y Ciencia de la Junta de Andalucía; e) Grupo de Investigación PAIDI SEJ-587 sobre *"Economía y fiscalidad frente al envejecimiento poblacional"*, financiado por la Consejería de Educación y Ciencia de la Junta de Andalucía.

Editorial Aranzadi, S.A.U.
Camino de Galar, 15
31190 Cizur Menor (Navarra)
ISBN: 978-84-1391-352-0
DL NA 2171-2021
Printed in Spain. Impreso en España
Fotocomposición: Editorial Aranzadi, S.A.U.
Impresión: Rodona Industria Gráfica, SL
Polígono Agustinos, Calle A, Nave D-11
31013 – Pamplona

Índice general

CAPÍTULO 3

EL DISCURSO DE LA UNIÓN EUROPEA EN MATERIA DE PENSIONES EN EL MARCO DE LA ESTRATEGIA EUROPA 2020

Matthieu Chabannes

CAPÍTULO 2

LA MOCHILA AUSTRIACA 149

Antonio J. Pérez Martínez

Alfonso Ruiz Rubio

CAPÍTULO 9

EL SISTEMA DE PENSIONES EN CUBA. UNA APROXIMACIÓN NORMATIVA 307

Jennifer Batista Torres
Reynaldo Jorge Lam Peña

CAPÍTULO 2

LOS INSTRUMENTOS DE PREVISIÓN PRIVADOS EN ESPAÑA: LOS PLANES DE PENSIONES Y SU FISCALIDAD 479
Miguel Gutiérrez Bengoechea

B. SOSTENIBILIDAD DEL SISTEMA EN ESPAÑA: VARIABLES

CAPÍTULO 3

ALGUNAS REFLEXIONES SOBRE LA INCIDENCIA DE LOS CAMBIOS DEL CICLO Y OTRAS VARIABLES ECONÓMICAS EN LA SOSTENIBILIDAD DE LAS PENSIONES 507

José Luis Sánchez Ollero

Elisa Isabel del Cubo Arroyo

C. MAYORES, PROTECCIÓN Y EMPLEO

CAPÍTULO 6

EL IMPACTO DE LA COVID-19 EN LA PROTECCIÓN SOCIAL DE LAS PERSONAS MAYORES

Juan Antonio Maldonado Molina

CAPÍTULO 7

REDES SOCIALES Y TRABAJO MÁS ALLÁ DE LA EDAD DE JUBILACIÓN

María del Carmen Ordóñez de Haro

Carlos José Rivas Sánchez

Thomson Reuters ProView. Guía de uso

Relación de autores

FRANCISCO VILA TIERNO
Catedrático de Derecho del Trabajo y de la Seguridad Social

Universidad de Málaga

JOSÉ LUIS SÁNCHEZ OLLERO
Catedrático de Economía Aplicada

Universidad de Málaga

ADRIANA TOPO
Catedrática de Derecho del Trabajo y de la Seguridad Social

Università degli Studi di Padova, Italia

FUMINOBU OKABE
Catedrático de Derecho del Trabajo y de la Seguridad Social

Universidad de Soka, Japón

JUAN ANTONIO MALDONADO MOLINA
Profesor Titular (Acreditado como Catedrático) de Derecho del Trabajo y de la Seguridad Social

Universidad de Granada

ELISA ISABEL DEL CUBO ARROYO
Jefa de Sección del Servicio de Investigación

Universidad de Málaga

MIGUEL GUTIÉRREZ BENGOECHEA
Profesor Titular de Derecho Financiero y Tributario

Universidad de Málaga

MARINA FERNÁNDEZ RAMÍREZ
Profesora Titular de Derecho del Trabajo y de la Seguridad Social

Universidad de Málaga

MARÍA ASCENSIÓN MORALES RAMÍREZ
Profesora Titular de Derecho del Trabajo y de la Seguridad Social

Universidad Nacional Autónoma de México

ANTONIO J. PÉREZ MARTÍNEZ
Profesor Titular de Economía Financiera

Universidad de Málaga

GIUSEPPINA PENSABENE LIONTI
Profesora Titular de Derecho del Trabajo y de la Seguridad Social
Università degli Studi di Padova, Italia

MARÍA DEL CARMEN ORDÓÑEZ DE HARO
Profesora Contratada Doctora de Hacienda Pública
Universidad de Málaga

CARLOS JOSÉ RIVAS SÁNCHEZ
Profesor Contratado Doctor de Hacienda Pública
Universidad de Málaga

JOSÉ LUIS RUIZ SANTAMARÍA
Profesor Ayudante Doctor (acreditado como Profesor Contratado Doctor) de Derecho del Trabajo y de la Seguridad Social
Universidad de Málaga

CARLOS JOSÉ MARTÍNEZ MATEO
Profesor de Derecho del Trabajo y de la Seguridad Social (acreditado como Profesor Contratado Doctor)
Universidad de Almería

MIGUEL ÁNGEL GÓMEZ SALADO
Profesor Ayudante Doctor (acreditado como Profesor Contratado Doctor) de Derecho del Trabajo y de la Seguridad Social
Universidad de Málaga

LUCÍA DOLORES ARAGÜEZ VALENZUELA
Profesora Ayudante Doctora de Derecho del Trabajo y de la Seguridad Social
Universidad de Málaga

FRANCISCO VIGO SERRALVO
Profesor Ayudante Doctor de Derecho del Trabajo y de la Seguridad Social
Universidad de Málaga

CARLOS DAVID AGUILAR SEGADO
Profesor de Derecho Financiero y Tributario
Universidad de Málaga

LUÍSA ANDIAS GONÇALVES
Profesora Adjunta de la Escuela de Tecnología y Gestión
Instituto Politécnico de Leiria, Portugal

JENNIFER BATISTA TORRES
Profesora Auxiliar de Derecho del Trabajo y de la Seguridad Social
Universidad de La Habana, Cuba

NURIA BENÍTEZ LLAMAZARES
Profesora de Hacienda Pública

Universidad de Málaga

REYNALDO JORGE LAM PEÑA
Profesor Asistente de Derecho del Trabajo y de la Seguridad Social

Universidad de La Habana, Cuba

GLORIA MARÍA MONTES ADALID
Profesora de Derecho del Trabajo y de la Seguridad Social

Universidad de Málaga

ALFONSO RUIZ RUBIO
Profesor de Economía Financiera

Universidad de Málaga

RAQUEL CASTRO MEDINA
Trabajadora Social. Coordinadora de Centros de Participación Activa

Granada

VÍCTOR RIBES MORENO
Doctor en Derecho del Trabajo y de la Seguridad Social

Polonia

MATTHIEU CHABANNES
Profesor e Investigador Contratado Predoctoral (FPU)

Universidad Complutense de Madrid

TÍTULO I

UNA PRIMERA APROXIMACIÓN AL MARCO INTERNACIONAL

Capítulo 1

Pensiones, mayores, reformas y perspectiva internacional[1]

Francisco Vila Tierno
Catedrático de Derecho del Trabajo y de la Seguridad Social
Universidad de Málaga
Of Counsel GVA Gómez Villares & Atencia
Magistrado (supl) TSJA

I. EL MARCO INTERNACIONAL

1. CON CARÁCTER PRELIMINAR

No es preciso, según entendemos, desarrollar el conjunto de este trabajo para plantear una conclusión que nos parece de partida: en el contexto internacional ha de partirse del concepto de Suficiencia, en tanto garantía

---

[1]. Este trabajo se basa en la siguiente aportación realizada por este mismo autor: Vila Tierno, F., "La protección de los mayores frente a la carencia de rentas en un contexto de reformas por la sostenibilidad", *Revista General de Derecho del Trabajo y de la Seguridad Social*, núm. 61, 2022.

de recursos, como parámetro sobre el que debe articularse cualquier Sistema de Pensiones. Cierto es que, para alcanzar tal objetivo de suficiencia, no son iguales los caminos que pueden adoptarse, de manera que los enfoques estrictamente nacionales no responden a los mismos parámetros, a los mismos diseños, ni siquiera a los mismos modelos. Y es que, no debemos obviar que partimos de un concepto jurídico indeterminado.

Es preciso, en este orden, la realización de un estudio comparado que nos lleve por sistema de reparto frente a los de capitalización, un análisis que nos permita describir la construcción por pilares en los distintos modelos. El panorama internacional es rico en este sentido y son diferentes muestras de cómo afrontar la protección social de sus mayores[2]. Pero particularmente importantes resultan, por lo común, dos aspectos esenciales: la determinación o indeterminación de los umbrales de protección que garanticen la suficiencia –o, en su defecto, los criterios que sirvan para fijarla o darle forma–, de una parte; y, de otra, la posición que ocupa dicha suficiencia en su difícil equilibrio frente a la sostenibilidad[3]. Lo cierto es que una crisis –la financiera– nos situó a esta última –la sostenibilidad– como el referente y otra más actual –la pandémica–, nos ha traído, dada la importancia de las situaciones de necesidad, a la suficiencia como punto de clave del sistema.

Pero nunca, en realidad, se perdió la perspectiva de la garantía de recursos como un bien universal y una propuesta común.

2. CONTEXTO MUNDIAL

Pensemos, en este punto, en los Objetivos de Desarrollo Sostenible (ODS) de Naciones Unidas (ONU)[4]. Entre ellos, son dos los que tienen una especial transcendencia en el marco que nos ocupa: el Objetivo 1, "Poner fin a la pobreza en todas sus formas en todo el mundo" y el Objetivo 8, "Promover el crecimiento económico inclusivo y sostenible, el empleo y el trabajo decente para todos". Objetivos que, en lo que respecta a la Protección Social, van de la mano. Especialmente en la fijación de los estándares mínimos de protección.

---

2. A tal efecto, la monografía incluye estudios de diferentes países. *Vid. infra.*
3. *Vid.* al respecto: Vila Tierno, F., "El difícil equilibrio entre la sostenibilidad y la suficien-cia. Una visión general de la situación general del sistema de pensiones pensando en el futuro", en AA.VV., *La incidencia de los diferentes factores endógenos y exógenos sobre soste-nibilidad y suficiencia en el sistema de pensiones* / coord. por Miguel Ángel Gómez Salado; Francisco Vila Tierno (dir.), Miguel Gutiérrez Bengoechea (dir.), 2020, pp. 3-28.
4. Resolución aprobada por la Asamblea General el 25 de septiembre de 2015. Trans-formar nuestro mundo: la Agenda 2030 para el Desarrollo Sostenible. En la misma se fijan 17 Objetivos básicos: https://www.un.org/ga/search/view_doc.asp?sym-bol=A/RES/70/1&Lang=S.

Si nos detenemos en el primero de ellos, en la lucha contra la pobreza, la primera reflexión enlaza con un dato objetivo claro, y es las dificultades añadidas para la consecución de este objetivo derivadas de la situación de pandemia[5]. Pero, no obstante, ello no supone el abandono de las metas que se formulan dentro de este Objetivo, en particular:

- Para 2030, reducir al menos a la mitad la proporción de hombres, mujeres ... de todas las edades que viven en la pobreza en todas sus dimensiones con arreglo a las definiciones nacionales.

- Poner en práctica a nivel nacional sistemas y medidas apropiadas de protección social para todos y, para 2030, lograr una amplia cobertura de los pobres y los más vulnerables.

- Para 2030, garantizar que todos los hombres y mujeres, en particular los pobres y los más vulnerables, tengan los mismos derechos a los recursos económicos...

- Crear marcos normativos sólidos en el ámbito nacional, regional e internacional ... medidas para erradicar la pobreza.

No menos transcendente resulta el Objetivo 8 que se vincula al Trabajo decente, por cuanto que éste se encuentra unido de un modo directo a la Protección Social[6], pero también, a través de ellos, a la lucha contra la pobreza.

Piénsese que entre las acepciones del concepto "trabajo decente" que se vienen utilizando[7], se podría hablar de una relación de trabajo que lleva aparejada un conjunto de derechos que puede hacerla reconocible como una prestación de servicios que responde a unos estándares mínimos de suficiencia. Unos estándares mínimos que se refieren a los derechos fundamentales, no ya como trabajador, sino como ciudadano, que ostenta cualquier persona física[8]. Y, en este contexto, es preciso centrar el alcance

---

5. https://www.un.org/sites/un2.un.org/files/sg_report_socio-economic_impact_ of_COVID-19.pdf.
6. Expresamente, entre las metas perseguidas se incluyen:
   – Promover políticas orientadas al desarrollo que apoyen ... la creación de puestos de trabajo decentes...
   – De aquí a 2030, lograr el empleo pleno y productivo y el trabajo decente para todas las mujeres y los hombres.
   – Proteger los derechos laborales...
7. V.gr. Vila Tierno, F., "Trabajo decente y extinción del contrato de trabajo", en AA.VV., *El futuro del derecho del trabajo y de la seguridad social en un panorama de reformas estructurales: Desafíos para el trabajo decente: Congreso internacional* / José Luis Monereo Pérez (dir.), Fábio Túlio Barroso (dir.), Horacio Las Heras (dir.), Juan Antonio Maldonado Molina (aut.), María Nieves Moreno Vida (aut.), 2018, pp. 255-270.
8. El tratamiento doctrinal sobre el trabajo decente se ha incrementado en los últimos años, especialmente, por la proliferación de formas atípicas de prestación de servicios, así pueden citarse: Molina Navarrete, C., "¿Libertad de empresa versus derecho

de la expresión "trabajo decente" como un "trabajo con derechos" y, en consecuencia, con el derecho a la protección social.

Siendo así, un trabajo que podemos denominar decente, debe incluir, entre otros, el derecho a unas condiciones justas y una protección suficiente. Derechos que se verían cercenados si se permite la prestación de servicios sin mecanismos que garanticen de manera suficiente la expectativa del trabajador a una pensión digna[9]. Es, por tanto, decente, aquel trabajo que conlleva una protección social adecuada, puesto que, en caso contrario, se desvaloriza, se convierte en un bien menor y, se somete, en un marco de mercantilización, a la ley de la oferta y la demanda.

Su propia mercantilización ya incide en la rebaja de su carácter como digno, pero es que, además, somete al referido trabajo a unas condiciones laborales a la baja que chocan frontalmente con su consideración de decente. Se suma, por tanto, el mismo efecto de la propia crisis económica –con una reducción de derechos consecuencia del alcance y de su duración–, con una posible legislación que tienda a favorecer la minoración de garantías legales y que nos sitúa frente a una nueva posible caracterización –a la baja– de lo que veníamos considerando trabajo decente.

Colisionan, de este modo, dos visiones del trabajo que, sin embargo, no deberían ser contrapuestas: por una parte, la visión economicista que trata de adaptar el valor del trabajo a la realidad de mercado y, por otra parte, la visión garantista que trata de mantener los umbrales mínimos de protección.

Pero el trabajo decente no es un mero concepto abstracto, indeterminado, sino dotado de contenido. Un contenido que, aunque haya sido formulado en sentido genérico en el ámbito internacional, precisa de una concreción en el derecho interno. Ello supone el deber, para

---

al trabajo decente? En busca de un estatuto jurídico-laboral para el 'empresario-empleador indirecto', la 'mano invisible' que mece el mercado" (Presentación), *Estudios financieros. Revista de trabajo y seguridad social: Comentarios, casos prácticos: recursos humanos*, Núm. 409, 2017, pp. 91-102; Monereo Pérez, J.L. y López Insua, B.M., "La garantía internacional del derecho a un 'trabajo decente'", *Nueva revista española de derecho del trabajo*, Núm. 177, 2015, pp. 27-72; Ghai, D., "Trabajo decente: concepto e indicadores", *Revista internacional del trabajo*, Año 2003, Vol. 122, Número 2. Dedicado a: La medición del trabajo decente, pp. 125-160; Lozano Lares, F., "La Eficacia Jurídica del concepto de Trabajo Decente", *Revista Internacional y Comparada de Relaciones Laborales y Derecho del Empleo*, Vol. 4, Núm. 4, 2016, pp. 1-36; Gil Gil, J.L., "Trabajo decente y reformas laborales", *Revista Derecho social y empresa*, Núm. 7, 2017 (Ejemplar dedicado a: Eficiencia económica y protección social), pp. 21-78; Doherty, M., "Trabajo Decente y Creación de Empleo: una Visión Angloirlandesa", *Revista Internacional y Comparada de Relaciones Laborales y Derecho del Empleo*, Vol. 4, Núm. 4, 2016, pp. 82-108.

9. En extenso: Vila Tierno, F., "Emprendimiento y trabajo autónomo como formas de huida del estándar de trabajo decente", *Estudios financieros. Revista de trabajo y seguridad social*, Núm. 421, 2018, pp. 45-76.

los poderes públicos, de articular medidas legales de carácter protector que permitan distinguir un trabajo decente, del que no lo es porque se encuentre absolutamente desprovisto de mecanismos protectores o de suficiencia. Y de ahí que, de la propia concepción y regulación legal se desprenda su configuración como digno. En conclusión, de las manifestaciones del trabajo decente, en plano nacional e internacional, un referente es su conexión con la vertiente de Protección Social, en cuanto existencia de derechos vinculados a la prestación laboral que revisten a éste de un mayor valor y protegen la salud e integridad del propio trabajador, y lo dotan de los mecanismos que facilitan su subsistencia futura como pensionista[10].

Es en este marco internacional en el que existen diversos referentes que reconocen el derecho a trabajar en un marco de libertad y con respecto a la dignidad de la persona. Dignidad que únicamente queda garantizada si el reconocimiento del derecho individual a la prestación de servicios remunerada, coexiste con el mantenimiento de unas condiciones mínimas. Y así, la Declaración Universal de Derechos Humanos[11], en su art. 22 dispone expresamente que "Toda persona, como miembro de la sociedad, tiene derecho a la seguridad social, y a obtener, mediante el esfuerzo nacional y la cooperación internacional, habida cuenta de la organización y los recursos de cada Estado, la satisfacción de los derechos económicos, sociales y culturales, indispensables a su dignidad y al libre desarrollo de su personalidad". Lo que se completa en su art. 23 con el derecho al trabajo y a unas condiciones equitativas y satisfactorias de trabajo y a la protección contra el desempleo. Con una remuneración que debe ser satisfactoria, permitiéndole junto a su familia "una existencia conforme a la dignidad humana y que será completada, en caso necesario, por cualesquiera otros medios de protección social" (párr. 1 y 3)[12].

---

10. Vila Tierno, F., "Empleo, reformas laborales y sostenibilidad del sistema de pensiones", *Estudios financieros. Revista de trabajo y seguridad social*. Núm. 417, 2017, pp. 21-56.
11. Adoptada y proclamada por la Resolución de la Asamblea General (217 A) del 10 de diciembre de 1948.
12. Previsión completada en similares términos por el Pacto Internacional de Derechos Económicos, Sociales y Culturales. Adoptado y abierto a la firma, ratificación y adhesión por la Asamblea General en su resolución 2200 A (XXI), de 16 de diciembre de 1966. Y Protocolo Facultativo del Pacto Internacional de Derechos Civiles y Políticos (10 de diciembre de 2008).
"Artículo 7. Los Estados Partes en el presente Pacto reconocen el derecho de toda persona al goce de condiciones de trabajo equitativas y satisfactorias que le aseguren en especial:
a) Una remuneración que proporcione como mínimo a todos los trabajadores:
i) Un salario equitativo e igual por trabajo de igual valor, sin distinciones de ninguna especie; en particular, debe asegurarse a las mujeres condiciones de trabajo no inferiores a las de los hombres, con salario igual por trabajo igual;

Pero es en el ámbito de la OIT en el que se ha desarrollado de un modo más avanzado el concepto de trabajo decente y sus mecanismos de protección. Línea en la que ha consolidado con el desarrollo que esta materia ha experimentado en su seno en los últimos 20 años, mediante el Programa de Trabajo Decente de la OIT, apoyado sobre sus cuatro pilares esenciales: la inclusión social, la erradicación de la pobreza o la realización personal y que se caracteriza por responder a una serie de perfiles concretos: los derechos en el trabajo, las oportunidades de empleo, la protección social y el diálogo social[13].

De este modo, el "trabajo que dignifica y permite el desarrollo de las propias capacidades no es cualquier trabajo; no es decente el trabajo que se realiza sin respeto a los principios y derechos laborales fundamentales... ni el que se lleva a cabo sin protección social..."[14] o dicho de otro modo, "sintetiza las aspiraciones de las personas durante su vida laboral. Significa la oportunidad de acceder a un empleo productivo que genere un ingreso justo, la seguridad en el lugar de trabajo y la protección social para las familias, mejores perspectivas de desarrollo personal e integración social..."[15]. En este contexto, el trabajo decente se sitúa como un elemento de referencia en el seno de un proceso de cambio social y de desarrollo sostenible que, sitúa la defensa de los derechos sociales en el entorno de un sistema jurídico internacional multinivel de garantía de los derechos fundamentales, concluyendo en un necesario nuevo Derecho del Trabajo que recupere su función garantista, en nuestro caso, en el ámbito de la Europa Social[16]. Más aún a partir de la crisis económica surgida de la pandemia, puesto que se hace absolutamente imprescindible garantizar un desarrollo económico sostenible e inclusivo sobre la base de empleos de calidad provistos de derechos y protección social.

Pero esta apuesta por el trabajo decente ha rebasado ya los límites de la propia OIT, hasta llegar, como se ha advertido, a considerarse como un

---

ii) Condiciones de existencia dignas para ellos y para sus familias conforme a las disposiciones del presente Pacto...

Artículo 9. Los Estados Partes en el presente Pacto reconocen el derecho de toda persona a la seguridad social, incluso al seguro social".

13. Cada uno de ellos cumple, además, una función en el logro de metas más amplias como la inclusión social, la erradicación de la pobreza, el fortalecimiento de la democracia, el desarrollo integral y la realización personal. Véase en sentido amplio: http://www.oit.org/global/topics/decent-work/lang--es/index.htm.

14. Levaggi, V. *op. cit.*

15. http://www.oit.org/global/topics/decent-work/lang--es/index.htm.

16. En sentido amplio, un recorrido por la extensa transformación del Derecho Social y sus propuestas de evolución futura, sobre la base de garantizar los derechos fundamentales y, por ende, el trabajo decente, *vid.* Monereo Pérez, J.L., *La metamorfosis del Derecho del Trabajo*, Editorial Bomarzo, Colección: Historia y cultura del Trabajo, Albacete, 2017.

objetivo universal que se ha integrado en el conjunto de instrumentos que contribuyen a la regulación y desarrollo de los derechos humanos[17]. Todo ello en el contexto de los ODS.

En torno a ello, e insistiendo sobre la idea de que no se tratan de declaraciones programáticas, hay una referencia expresa a "resultados" concretos en materia en Trabajo Decente[18]. Resulta relevante, al respecto, el Informe Mundial sobre la Protección Social 2017-2019, en el que se aborda "La protección social universal para alcanzar los Objetivos de Desarrollo Sostenible", y en el que se pone de manifiesto que: "En muchos países, la consolidación fiscal y la presión a favor de la austeridad siguen poniendo en peligro la suficiencia de las pensiones a largo plazo; teniendo en cuenta el envejecimiento de la población, es preciso mantener un adecuado equilibrio entre sostenibilidad y equidad.

- Se observa una tendencia a revertir la privatización de las pensiones: las políticas de privatización en décadas anteriores no arrojaron los resultados previstos, y países como [...] están restableciendo los sistemas públicos basados en la solidaridad"[19].

Mensaje más claro y nítido que el posterior incluido en el Informe para 2020-2022[20] en el que se señala que "Los países se encuentran en una encrucijada en la trayectoria de sus sistemas de protección social. Si hay un resquicio de esperanza en esta crisis, es el potente recordatorio que ha proporcionado de la importancia crítica de invertir en protección social; sin embargo, muchos países también se enfrentan a importantes restricciones fiscales. Este informe muestra que casi todos los países,

---

17. La propia OIT se ha hecho eco del impacto de sus políticas en esta materia, de manera que refleja que se ha integrado en las más importantes declaraciones de derechos humanos, las Resoluciones de la ONU y los documentos finales de las principales conferencias, incluyendo el Artículo 23 de la Declaración Universal de los Derechos Humanos (1948), la Cumbre Mundial sobre desarrollo social (1995), el Documento de la Cumbre mundial (2005), el segmento de alto nivel de ECOSOC (2006), la Segunda década de las Naciones Unidas para la erradicación de la pobreza (2008-2017), la Conferencia sobre el desarrollo sostenible (2011) y en la Agenda 2030 para desarrollo sostenible de las Naciones Unidas (2015).

18. Ello implica, necesariamente, el establecimiento de criterios de medición objetivos respecto de aquel. Este ha sido un tema objeto de largo tratamiento en el marco de la OIT, por cuanto que únicamente puede constatarse el nivel de trabajo decente y su evolución si previamente es mensurado. Nos remitimos, en este punto, al exhaustivo análisis sobre la evolución de los indicadores en esta materia en Lozano Lares, F. *op. cit.* que a lo largo de cinco páginas (18 a 22, inclusive), se dedica a reflexionar sobre el modo de medir el trabajo decente y sus avances, así como el desarrollo de esta cuestión en el seno de la OIT.

19. *Vid.* resumen ejecutivo: http://www.ilo.org/wcmsp5/groups/public/---dgreports/---dcomm/---publ/documents/publication/wcms_605075.pdf.

20. Resumen ejecutivo: https://www.ilo.org/wcmsp5/groups/public/@ed_protect/@soc_sec/documents/publication/wcms_817576.pdf.

independientemente de su nivel de desarrollo, tienen una opción: seguir un 'camino óptimo' de inversión en el refuerzo de sus sistemas de protección social o un 'camino fácil' de provisión minimalista, sucumbiendo con ello a las presiones fiscales o políticas. Los países pueden utilizar la ventana política abierta por la pandemia y basarse en las medidas de respuesta a las crisis adoptadas para fortalecer sus sistemas de protección social y cerrar progresivamente las brechas de protección a fin de garantizar que todas las personas estén protegidas tanto contra los impactos sistémicos como contra los riesgos ordinarios del ciclo de vida. Para ello sería necesario dedicar más esfuerzos a construir sistemas de protección social universal, integrales, adecuados y sostenibles, incluido un piso de protección social sólido que garantice al menos un nivel básico de seguridad social para todas las personas a lo largo de sus vidas. La alternativa sería optar por un camino fácil que no invirtiera en protección social, dejando a los países atrapados en una trayectoria de 'bajo costo y bajo desarrollo humano'. Esta opción conllevaría la oportunidad perdida de fortalecer los sistemas de protección social y reconfigurar las sociedades para un futuro mejor. Establecer la protección social universal y hacer realidad el derecho humano a la seguridad social para todos es la piedra angular de un enfoque centrado en las personas para alcanzar la justicia social. Con ello se contribuye a la prevención de la pobreza y a la contención de las desigualdades, a la mejora de las capacidades humanas y de la productividad, al fomento de la dignidad, la solidaridad y la equidad, y a la revitalización del contrato social".

Planteamiento que se refuerza con la idea huir de las políticas de austeridad y la lucha contra la pobreza: "Hay que evitar la tentación de volver a la consolidación fiscal para hacer frente a los enormes desembolsos de gasto público que requiere la COVID-19. Las crisis anteriores han demostrado que la austeridad deja profundas cicatrices sociales, perjudicando a los más vulnerables de la sociedad... es preciso construir sistemas de protección social universal y permanentes que proporcionen una cobertura adecuada e integral a todos, orientados por un diálogo social tripartito eficaz. Estos sistemas son esenciales para prevenir la pobreza y la desigualdad, así como para hacer frente a los retos de hoy y de mañana, en particular promoviendo el trabajo decente, apoyando a las mujeres y a los hombres para que puedan afrontar mejor sus transiciones vitales y laborales...".

La relación entre trabajo decente y lucha contra la pobreza se hace patente, pero es preciso concretar cómo.

3. CONTEXTO EUROPEO

Si nos remitimos al ámbito europeo, encontramos una reproducción del mismo esquema. Tomando como referencia las denominadas Cartas Europeas sobre Derechos Sociales[21] aparece la misma apuesta por un derecho laboral que se caracteriza por la garantía de unas determinadas condiciones de vida para los trabajadores: "es necesario garantizar en los niveles adecuados el desarrollo de los derechos sociales de los trabajadores de la Comunidad Europea, en particular de los trabajadores por cuenta ajena y de los trabajadores por cuenta propia". En este contexto, situamos en un primer nivel, como derecho fundamental, el Derecho a una Protección Social suficiente con una serie de garantías mínimas[22]. El reconocimiento no puede ser más taxativo en este sentido:

- "Todo trabajador de la Comunidad Europea tiene derecho a una protección social adecuada y, sea cual fuere su estatuto o la dimensión de la empresa en que trabaja, debe beneficiarse de niveles de prestaciones de seguridad social de nivel suficiente..."[23].

- "Todos los trabajadores y las personas a su cargo tienen derecho a la Seguridad Social"[24] –entendiendo por trabajador en sentido amplio[25]–.

- "La Unión reconoce y respeta el derecho de acceso a las prestaciones de seguridad social *[...]* que garantizan una protección en casos como *[...]* la vejez, así como en caso de pérdida de empleo, según las modalidades establecidas por el Derecho de la Unión y las legislaciones y prácticas nacionales"[26].

---

21. De la Villa de la Serna, P., "Las tres 'Cartas' Europeas sobre Derechos Sociales", núm. 32, pp. 273 y ss.
22. Artículo 12. Derecho a la Seguridad Social.
    Para garantizar el ejercicio efectivo al derecho a la Seguridad Social, las partes contratantes se comprometen:
    A establecer o mantener un régimen de Seguridad Social.
    A mantener el régimen de Seguridad Social en un nivel satisfactorio, equivalente, por lo menos, al exigido para la ratificación del Código Europeo de Seguridad Social;
    A esforzarse por elevar progresivamente el nivel del régimen de Seguridad Social...
23. Carta Comunitaria de los Derechos Sociales de los Trabajadores, Estrasburgo, 9 de diciembre de 1989.
24. Parte I y Art. 1.1 de la Carta Social Europea, hecha en Turín el 18 de octubre de 1961. Instrumento de Ratificación de 29 de abril de 1980.
25. Sobre el concepto de trabajador: Comunicación de la Comisión al Parlamento europeo, al Consejo, al Comité económico y social europeo y al Comité de las regiones. Una Agenda Europea para la economía colaborativa; Bruselas, 2.6.2016; COM (2016) 356 final.
26. Art. 34 de la Carta de los Derechos Fundamentales de la Unión Europea. Hecha en Estrasburgo de 12 de diciembre de 2007. Órgano Parlamento Europeo, Consejo y

A tal efecto, no debemos olvidar que, atendiendo a lo previsto en el artículo 12 de la Carta Social Europea, debe reconocerse que es "responsabilidad directa del Estado la organización y la financiación correspondiente para garantizar pensiones suficientes y adecuadas... se debe entender que la Seguridad Social es derecho social fundamental (en el sentido amplio atribuido a este último término en el Derecho Internacional de los Derechos Fundamentales; paradigmáticamente en la Carta de los Derechos Fundamentales de la Unión Europea, elevada a rango de Tratado de la Unión Europea por el artículo 6.1 del Tratado de la Unión Europea)... Efectivamente, conforme al artículo 12 CSE... 'Para garantizar el ejercicio efectivo del derecho a la Seguridad Social, las Partes se comprometen: 1. a establecer o mantener un régimen de Seguridad Social. 2. a mantener el régimen de Seguridad Social en un nivel satisfactorio, equivalente, por lo menos, al exigido para la ratificación del Código Europeo de la Seguridad Social. 3. a esforzarse por elevar progresivamente el nivel [alcanzado] del régimen de Seguridad Social...'. Como se ve la obligación de 'mantener un régimen de Seguridad Social' viene acompañada de la identificación de un estándar mínimo delimitador del alcance dinámico de los derechos de Seguridad Social, que materializan ese derecho matriz de estructura compleja, pues comprende diversos derechos prestacionales. La referencia al Código Europeo de la Seguridad Social (como en la versión anterior de 1961 que se hacía al Convenio OIT, núm. 102, norma mínima de Seguridad Social), es precisa respecto a la concreción de ese contenido mínimo esencial y conforma un estándar prestacional; un ideal de cobertura que integra un amplio conjunto de prestaciones contributivas y no contributivas que debe ser mantenido (y según el apartado 3 del artículo 12 CSE elevado progresivamente en atención a la necesidad de cobertura de nuevas necesidades sociales, pues la Seguridad Social presenta un contenido variable y en constante evolución con límites inestables) por el Estado, como típica responsabilidad pública"[27].

Comisión de la Unión Europea. Publicado en DOUEC núm. 303 de 14 de Diciembre de 2007.

27. Monereo Pérez, J. L., "La garantía de las pensiones: desafíos para la sostenibilidad económica y social", *Revista de Estudios Jurídico Laborales y de Seguridad Social (RE-JLSS)*, Núm. 3, 2021, pp. 21-84. https://doi.org/10.24310/rejlss.vi3.13533. *Vid.* al respecto: Monereo Pérez, J.L. y Fernández Bernat, J.A., "El Convenio OIT núm. 102 (1952) sobre norma mínima de Seguridad Social como delimitador del estándar mundial y sus límites actuales", *Revista Internacional y Comparada de Relaciones Laborales y Derecho del Empleo*, Vol. 7, Núm. Extra 0, 2019, pp. 90-123; Monereo Pérez, J.L., "Derechos a la Seguridad Social (Artículo 12)", en Monereo Atienza, C. y Monereo Pérez, J.L. (Dirs. y Coords.) *et al.*: *La garantía multinivel de los derechos fundamentales en el Consejo de Europa. El Convenio Europeo de Derechos Humanos y la Carta Social* Europea, Granada, Comares, 2017, pp. 629-659.

El "problema" –entrecomillado– es que la regulación por el Derecho Comunitario se remite a las legislaciones y prácticas nacionales. Esto es, se dispone una obligación de resultado, pero se deja libertad para alcanzarlo. Y lo preocupante es la libertad de configuración que puede plantear inconvenientes para alcanzar dicho resultado o hacerlo irreconocible. Lo importante es que la seguridad social, entendida desde su vertiente garantista, encuentra, también en el ámbito europeo, su configuración como índice de trabajo decente. Lo que ha supuesto, además, elaborar el referido modelo europeo de seguridad social basado en un nivel mínimo de cobertura o basado en un estatus de suficiencia adecuado. Nivel que, por cierto, no se ha concretado, aunque sí apuntado de manera genérica.

En la línea que hemos venido definiendo, algunos instrumentos han venido dando las pautas, como en la Resolución del Parlamento Europeo, de 14 de enero de 2014, sobre la protección social para todos, incluidos los trabajadores autónomos (2013/2111(INI)) que viene a reflejar una serie de principios o elementos básicos:

- El acceso a la seguridad social es un derecho fundamental que, de conformidad con el Derecho de la UE y la legislación y las prácticas nacionales, constituye un elemento fundamental del modelo social europeo; que la Organización Internacional del Trabajo (OIT) ha adoptado recomendaciones relativas a los pisos nacionales de protección social que aspiran a garantizar el derecho fundamental de toda persona a la seguridad social y a un nivel de vida digno;

- Que, no obstante, es una competencia nacional, coordinada a nivel de la UE;

- Que la protección social facilita la adaptación a la evolución del mercado de trabajo, lucha contra la pobreza y la exclusión social, asegura la integración en el mercado de trabajo e invierte en recursos humanos; y que viene a funcionar como un efecto estabilizador en la economía, con carácter anticíclico que puede impulsar la demanda y el consumo internos;

- Pero que, para superar la crisis, algunos Estados miembros han recortado drásticamente el gasto público en el mismo momento en que crecía la demanda de protección social como consecuencia del aumento del desempleo; que las asignaciones de los presupuestos nacionales destinadas a la cobertura social se han reducido aún más, al haber disminuido las cotizaciones como consecuencia de la pérdida de empleos a gran escala o de la disminución de los salarios, lo que pone en grave peligro la economía de mercado social europea...

¿Plantea, por tanto, un cambio de dirección respecto de políticas anteriores de austeridad? ¿unas pautas hacia un resultado?

Lo cierto es que este planteamiento que lejos de disiparse, se confirma. Concluyente es, en esta línea, la Recomendación del Consejo de 8 de noviembre de 2019 relativa al acceso a la protección social para los trabajadores por cuenta ajena y por cuenta propia (2019/C 387/01). Las afirmaciones contenidas en la misma suponen un claro refuerzo por un concepto de Protección Social basado en un criterio de suficiencia prestacional. Y así, "la protección social se considera adecuada cuando permite que las personas mantengan un nivel de vida digno... En algunos casos, las prestaciones pueden ser inadecuadas, es decir, ser insuficientes o no llegar a tiempo. Pueden no permitir a las personas a mantener un nivel de vida digno o vivir con dignidad, y no evitar que caigan en la pobreza, sustituyan su pérdida de ingresos de manera razonable y vivan con dignidad, y evita que caigan en la pobreza...". Conforme a ello se recomienda a los Estados miembros que ofrezcan el acceso a una protección social "adecuada" a todos los trabajadores, entendiendo por adecuada –de manera reiterada–, "un nivel adecuado de protección que mantenga un nivel de vida digno y ofrezca un grado adecuado de sustitución de los ingresos, evitando en todos los casos que esos miembros caigan en la pobreza" (de acuerdo con las circunstancias nacionales).

En este sentido, ya el año 2017 nos traía el Pilar europeo de Derechos Sociales[28] cuyo Capítulo III se centraba –y centra– en la Protección e Inclusión Social, bien, con carácter previo nos recuerda –como en los instrumentos anteriores– cuáles son los preceptos de referencia en materia de Protección Social en el marco europeo: art. 3 TUE, arts. 9 y 158 TFUE. Preceptos que reconocen y reclaman el carácter de Derecho Social Fundamental a una Protección Social adecuada En el citado capítulo III se incluyen, dentro de la relación de principios básicos y derechos clave, el derecho a una protección social adecuada para trabajadores por cuenta ajena y propia (12), el derecho a unas prestaciones de renta mínima adecuadas que garanticen una vida digna a lo largo de todas las etapas de la vida (14), pero, muy especialmente, el derecho de trabajadores por cuenta ajena o propia, a recibir una pensión de jubilación acorde a sus contribuciones que garantice una renta adecuada y que toda persona en la vejez tiene derecho a los recursos que garanticen una vida digna (15). Derechos que, en suma, constituyen un compromiso político común a UE y Estados[29].

---

28. https://ec.europa.eu/info/sites/default/files/social-summit-european-pillar-social-rights-booklet_es.pdf.

29. Recordándonos el reparto competencial en esta materia: "Cumplir los objetivos del pilar europeo de derechos sociales constituye un compromiso y una responsabilidad políticos compartidos. El pilar europeo de los derechos sociales debe aplicarse tanto

A tal fin, se estructura el Plan de acción del pilar europeo de derechos sociales[30] –a tenor de lo solicitado por los Estados en el marco de la Agenda Estratégica para 2019–2024, acordada en el Consejo Europeo de junio de 2019. Plan que establece las medidas que debe adoptar la Comisión con el objeto de posibilitar dar satisfacción a los veinte principios del pilar. Resultado que exige el esfuerzo conjunto de aquellos, es decir, en el doble ámbito estatal y europeo y que se pretende conseguir, de momento, articulando o fijando tres objetivos a nivel de la UE entre los que se fija los relativos a la protección social. Todo ello con un horizonte marcado por el año 2030[31].

La senda que nos marca viene perfectamente delimitada: "La Comisión propone tres objetivos principales de la Unión en las áreas de empleo, capacidades y protección social que deben alcanzarse para finales de la presente década, en consonancia con los Objetivos de Desarrollo Sostenible de las Naciones Unidas. Estos tres objetivos, junto con los objetivos consagrados en los principios del pilar y el apoyo financiero del marco financiero plurianual (MFP) 2021-2027 y *Next Generation EU*, guiarán nuestros esfuerzos conjuntos hacia una Europa social fuerte y hacia la consecución de un impacto sostenible". Senda que, de un lado, no se aparta de lo ya reflejado respecto al plano internacional y, de otro, vinculado al programa *Next Generation EU*, programa que, teniendo presente que la mayor parte de las herramientas para conseguir tales objetivos están en manos de los Estados, establece la necesidad de planificar, a su vez, una agenda reformista –ligada a la obtención de financiación– por éstos.

Con relación a los mayores y los instrumentos que posibiliten el acceso a unas rentas suficientes, plantea cuestiones en la esfera de cada uno de los tres objetivos de actuación. De un lado, se propone revisar el concepto de población activa, de manera que, debido al proceso de envejecimiento de la sociedad europea, se prevea un incremento de edad que permita incorporar a personas con 65 años y más, haciendo, en este sentido, un mercado laboral más inclusivo para un colectivo que se considera especialmente vulnerable. Esta vía puede suponer, en consecuencia, un cambio en el acceso a las Pensiones, así como el contenido cuantitativo de las mismas. De otro lado,

---

a nivel de la Unión como de los Estados miembros, en sus competencias respectivas, teniendo debidamente en cuenta las diferencias entre los entornos socioeconómicos y la diversidad de los sistemas nacionales, en particular el papel de los interlocutores sociales, y de conformidad con los principios de subsidiariedad y proporcionalidad".

30. Comunicación de la Comisión al Parlamento europeo, al Consejo, al Comité económico y social europeo y al Comité de las regiones. Plan de Acción del Pilar Europeo de Derechos Sociales (COM/2021/102 final): https://eur-lex.europa.eu/legal-content/ES/TXT/?uri=COM%3A2021%3A102%3AFIN&qid=1614928358298.

31. *Vid.* v.gr. https://op.europa.eu/webpub/empl/european-pillar-of-social-rights/en/.

pero relacionado directamente con lo anterior, parece preciso adaptar a tales mayores al cambio tecnológico, mediante políticas de formación dirigidas a tal finalidad. Por último, se hace una llamada directa a la necesidad de reducción –concretando cifras– de los niveles de pobreza y exclusión social. Y esto último pasa por acciones que supongan una garantía de niveles de rentas suficientes[32].

No obstante, no se pierde la perspectiva de la sostenibilidad, pero una sostenibilidad estrechamente vinculada a otros elementos como la equidad. El problema de la financiación no solo no se ha resuelto, sino que el debate se intensifica y debe mantenerse para buscar soluciones en tanto que la mecánica de las cotizaciones y la vía impositiva se ven afectadas por un descenso del porcentaje de población activa[33]. Sobre este particular, se asume, con posterioridad, el Compromiso Social de Oporto –7 de mayo de 2021 en el marco de la Cumbre Social desarrollada en esa fecha– en el que se asume la necesidad de "tomar medidas para reforzar los sistemas nacionales de protección social a fin de garantizar una vida digna para todos y al mismo tiempo preservar su sostenibilidad".

II. POBREZA, REFORMAS Y SUFICIENCIA EN ESPAÑA

En esta línea, si tomamos como referencia España, es ilustrativa la Encuesta de Condiciones de Vida del año 2020, publicada, con carácter definitivo con fecha 15 de julio de 2021[34] –o e "El estado de la pobreza en España, 2021, Avance de resultados" realizado por la *European Anti-Poverty Network (EAPN)* en las mismas fechas[35]–. En la misma, se hace eco de la tasa de riesgo de pobreza o exclusión *social AROPE (At Risk Of Poverty or social Exclusion)*, que se construye con la población que se encuentra en riesgo de pobreza, o con carencias materiales o con baja intensidad en el empleo. Y, la misma se situaba en 2020 en el 26,4% de la población residente en nuestro país (con un incremento de 1,1 punto sobre el año anterior). Datos en los que no se recogen, todavía, los efectos

---

32. Y, a estos efectos, se afirma en el mismo Plan que "Unos regímenes de renta mínima resultan esenciales para garantizar que nadie se queda atrás" y "Propondrá una Recomendación del Consejo sobre renta mínima en 2022 para apoyar y complementar de forma eficaz las políticas de los Estados miembros".

33. "Se debe seguir reflexionando sobre la financiación de la protección social, y especialmente sobre los modelos de financiación que permiten la solidaridad continuada entre las generaciones y dentro de estas, con el fin de garantizar un acceso equitativo y sostenible a la protección social en términos de grupos y riesgos cubiertos, mientras se tiene en cuenta que las cotizaciones sociales y los impuestos sobre el trabajo pueden descender debido a la disminución de la población en edad laboral".

34. https://www.ine.es/prensa/ecv_2020.pdf.

35. https://www.eapn.es/estadodepobreza/.

de la pandemia. Especialmente relevante es el incremento en mayores de 65 años, con un incremento de 4,8 puntos (datos de 2020: 20,5%). Siendo éste el perfil prototipo del beneficiario de pensiones de jubilación, no se descarta que la función de garantías de rentas suficientes no se vea por entero satisfecha. De hecho, una revisión de la serie histórica más reciente señala un punto de inflexión en el año 2013 coincidente con las fechas de la reforma de las pensiones que antecede a este período actual de reformas (fuente INE).

Año de la encuesta:	2011	2012	2013	2014	2015	2016	2017	2018	2019	2020
Ingresos del año:	2010	2011	2012	2013	2014	2015	2016	2017	2018	2019
Total	26,7	27,2	27,3	29,2	28,6	27,9	26,6	26,1	25,3	26,4
65 y más años	21,2	16,5	14,5	12,9	13,7	14,4	16,4	17,6	15,7	20,5

Como nos indica el mismo documento de referencia, "Siguiendo los criterios de Eurostat, el umbral de riesgo de pobreza se fija en el 60% de la mediana de los ingresos por unidad de consumo de las personas", cuya cuantía se fija para personas en hogares sin más acompañantes en 9.626 € (año 2020), lo que, a la vista de las cuantías mínimas, no solo para las pensiones no contributivas[36], sino también contributivas para beneficiarios sin cónyuge a cargo (para 2021)[37], sitúan, potencialmente, a pensionistas con derecho a una renta pública, en el referido umbral de riesgo de pobreza. Si observamos como se va produciendo su evolución, observamos, nuevamente, como el punto de inflexión se produce en el mismo momento, coincidiendo con los ingresos desde el año de la reforma en materia de pensiones de 2013.

Año de la encuesta:	2011	2012	2013	2014	2015	2016	2017	2018	2019	2020
Ingresos del año:	2010	2011	2012	2013	2014	2015	2016	2017	2018	2019
65 y más años	19,8	14,8	12,7	11,4	12,3	13,0	14,8	15,6	14,5	18,8

Fuente: INE.

---

36. Jubilación e invalidez: 5.639,20. *Vid.* https://www.seg-social.es/wps/portal/wss/internet/Pensionistas/Revalorizacion/36869#40882.

37. Así, Pensión de jubilación para beneficiario sin cónyuge (unidad económica unipersonal): 9.655,80 anual, y con cónyuge NO a cargo: 9.164,40. *Vid.* https://www.seg-social.es/wps/portal/wss/internet/Pensionistas/Revalorizacion/30434.

Parece transcendente, a tenor del ejemplo planteado, situar en un primer plano la suficiencia, ya que no se garantiza que, en el sentido de los ODS, podamos tener un ordenamiento que contribuya a erradicar la pobreza, sino que parece favorecerla[38]. Se hace necesaria, de este modo, una reforma que vaya en otra línea. Parámetro común que debería observarse si se hace un estudio de cualquier configuración nacional del Sistema de Pensiones en una perspectiva comparada.

No es menos cierto, sin embargo, que, de acuerdo a las Recomendaciones específicas que se habían realizado a España para el 2019-2020, el Plan o Mecanismo de Recuperación, Transformación y Resiliencia[39] (MRR), la primera idea que aporta es la de "garantía de la sostenibilidad del sistema público de pensiones" –p. 66– o la "Sostenibilidad a largo plazo del sistema público de pensiones en el marco del Pacto de Toledo"[40] –p. 70, sin vincular a

---

38. Si pensamos, por ejemplo, en la condición de carencia material severa, deben reunirse cuatro de los nueve elementos que a continuación se enumeran:
   1. No puede permitirse ir de vacaciones al menos una semana al año.
   2. No puede permitirse una comida de carne, pollo o pescado al menos cada dos días.
   3. No puede permitirse mantener la vivienda con una temperatura adecuada.
   4. No tiene capacidad para afrontar gastos imprevistos (de 750 euros)3.
   5. Ha tenido retrasos en el pago de gastos relacionados con la vivienda principal (hipoteca. o alquiler, recibos de gas, comunidad...) o en compras a plazos en los últimos 12. meses.
   6. No puede permitirse disponer de un automóvil.
   7. No puede permitirse disponer de teléfono.
   8. No puede permitirse disponer de un televisor.
   9. No puede permitirse disponer de una lavadora.
   Sobran las palabras...
39. https://www.lamoncloa.gob.es/temas/fondos-recuperacion/Documents/30042021-Plan_Recuperacion_%20Transformacion_%20Resiliencia.pdf.
40. Componente 30. Sostenibilidad a largo plazo del sistema público de pensiones en el marco del Pacto de Toledo. Retos y objetivos.
   La reforma de las pensiones está orientada a asegurar la sostenibilidad financiera del sistema en el corto, medio y largo plazo, mantener el poder adquisitivo, preservando su papel en la protección frente a la pobreza y garantizando la equidad intergeneracional. Apoyándose en el amplio consenso parlamentario sustanciado en la aprobación de las recomendaciones del marco del Pacto de Toledo, se propone la puesta en marcha de un paquete de medidas complementarias entre sí que serán elevadas al diálogo social e incluyen: i) la separación de fuentes de financiación; ii) la puesta en marcha de un mecanismo de revalorización de las pensiones que garantice el mantenimiento del poder adquisitivo; iii) la continuación del proceso de acercamiento de la edad efectiva de jubilación a la edad legal a través de incentivos a la demora de la jubilación y ajustando los elementos distorsionantes en la regulación de las jubilaciones anticipadas; iv) adecuación a los nuevos modelos de carrera profesional del periodo de cómputo para el cálculo de la pensión de jubilación; v) la integración y convergencia de los distintos regímenes de pensiones, como los de los autónomos; y vi) la revisión del sistema de previsión social complementaria, fomentando su desarrollo en el ámbito de las empresas.
   La experiencia internacional muestra como las reformas duraderas y efectivas en el ámbito de las pensiones han de surgir del más amplio consenso.
   Por ello, el Pacto de Toledo ha sido convocado para alcanzar grandes acuerdos a través de todo el arco parlamentario, con el objetivo de reforzar el sistema y adaptarlo a los cambios demográficos y sociales, dando certidumbre a pensionistas y traba-

ninguno de los seis pilares del Reglamento del Mecanismo de Recuperación y Resiliencia–. Y hasta tal punto es así que cuando se señalan los mecanismos de "Contribución del Plan de Recuperación, Transformación y Resiliencia al cumplimiento de las Recomendaciones Específicas (CSR) de la zona euro para 2021" se afirma que "al tiempo que se refuerzan los sistemas sanitarios y de protección social, las políticas públicas siguen y seguirán apoyando la economía con medidas dirigidas a mitigar el impacto de la crisis y a activar la recuperación. El Gobierno de España está también profundamente comprometido con la búsqueda de soluciones coordinadas en el marco de la Unión Europea para luchar eficazmente contra la pandemia, sostener la economía y apoyar una recuperación sostenible. A medio plazo, existe el compromiso firme de recuperar la senda de sostenibilidad de las finanzas públicas, especialmente a través del refuerzo del sistema fiscal, de la mejora de la eficiencia del gasto público y de la adopción de reformas en el sistema de pensiones, en el marco del Pacto de Toledo..." –p. 71–.

En este orden, cuando en el Plan se plantea la reforma de las pensiones "en el Pacto de Toledo", se hace en términos de sostenibilidad, no de suficiencia "Para reequilibrar el sistema, se incorporarán ajustes e incentivos para aproximar la edad efectiva de jubilación a la legal, se modificará el sistema de cotización de trabajadores autónomos, se promoverá el desarrollo de sistemas complementarios de pensiones y se culminará la separación las fuentes de financiación, entre otras medidas"[41] –p. 76–.

---

jadores de cara a tomar decisiones de gasto e inversión de medio plazo. De ahí la importancia del acuerdo alcanzado en su seno, y ratificado por el pleno del Congreso el pasado 19 de noviembre de 2020 sin ningún voto en contra, en el que se recoge una veintena de recomendaciones orientadas a garantizar la sostenibilidad del sistema.

La consecución de este objetivo general, el de preservar la sostenibilidad a largo plazo del sistema de pensiones, se articula a través de otros objetivos más concretos que han de marcar las principales líneas de actuación. El primero de estos objetivos es la eliminación del déficit del sistema. El segundo gran objetivo pasa por profundizar los ajustes paramétricos que han permitido incrementar la edad efectiva de jubilación de manera constante, hasta situarla por encima de la media europea, e impulsar a través de nuevos incentivos positivos la prolongación voluntaria del acceso a la jubilación y, como tercer objetivo, desplegar sistemas complementarios de pensiones en el ámbito empresarial y profesional.

Con el fin de lograr el máximo apoyo social y poner en marcha el proceso de reforma lo antes posible, algunos de los elementos de la reforma ya han sido incorporados en los Presupuestos Generales del Estado para 2021 con el fin de ir elevando los diferentes componentes al diálogo social en el curso del año.

Inversión total estimada 0 millones €.

41. En este sentido, se alude a materias sobre la que ha existido un constante debate: vid. v.gr. Moreno Romero, F. "Las jubilaciones anticipadas y el RDL 5/2013, de 15 de marzo, en AA.VV. García Ninet, J.I. (Dir.) y Burriel Rodríguez-Diosdado, P. (Coord.), *El impacto de la gran crisis mundial sobre el Derecho del Trabajo y de la Seguridad Social: su incidencia en España, Europa y Brasil* (2008-2014), Edit. Atelier, 2014, págs. 705 y ss; Moreno Romero, F. "La acción protectora del sistema de Seguridad Social para los trabajadores incorporados al régimen especial de trabajadores por cuenta propia o autónomos", en AAVV (coord. por Monereo Pérez y Vila Tierno), *El trabajo autónomo en el marco del Derecho del*

Esto es, nuevamente volvemos la vista a términos estrictamente cuantitativos y vinculados a necesidades de carácter económico. No olvidemos que esta reforma del Sistema viene sujeta a un plan más amplio de reformas que se conectan al programa *Next Generation* y a la percepción de financiación –y que atienden, por tanto, a las recomendaciones realizadas por la Comisión a cada Estado miembro–. Y es que "nuestro país, al igual que el resto de los europeos ... está enfrentándose a los efectos económicos derivados de la crisis sanitaria provocada por el coronavirus COVID-19, lo cierto es que el espacio europeo ha puesto en marcha una política de fondos para financiar la recuperación y la resiliencia de la Unión Europea. Estrategia que va unida a una mutación en la política de la deuda pública de los Estados y que ofrece y exige la posibilidad y la necesidad de que nuestros sistemas productivos se transformen para enfrentarse a los nuevos retos. Por tanto, estamos en un momento histórico casi único que nos permitirá o, mejor dicho, que nos ofrece los medios para realizar las reformas... El espacio descrito que tiene tiempos escalonados y vinculados a la programación y ejecución de programas de reforma, explica... la estructuración de una reforma escalonada de nuestro sistema de seguridad social... Y, en este contexto, se integran los cambios que afectaran a las Pensiones y a los elementos que determinan su sostenibilidad y suficiencia"[42].

Se puede afirmar, en consecuencia, que estamos ante una reforma por fases, por tiempos, por escalones[43]. Y los tiempos lo determinan, de un lado, nuestros

---

Trabajo y de la Seguridad Social: Estudio de su régimen jurídico. Actualizado a la Ley 6/2017, de 24 de octubre de Reformas Urgentes del Trabajo Autónomo / 2017, pp. 501 y ss.

42. Tortuero Plaza, J.L., "Editorial", *Revista de Estudios Jurídico Laborales y de Seguridad Social (REJLSS)*, Núm. 3, 2021, pp. 14-19. https://doi.org/10.24310/rejlss.vi3.13532.

43. Las reformas planteadas en el seno del MRR, concretamente en el Componente 30 –Sostenibilidad a largo plazo del sistema público de pensiones en el marco del Pacto de Toledo–, son las siguientes:
C30.R1 Separación de fuentes de financiación de la Seguridad Social, con la culminación del proceso de separación de fuentes de financiación de la protección contributiva y no contributiva del sistema para recuperar el equilibrio financiero en el corto plazo. C30.R2-A Mantenimiento del poder adquisitivo de las pensiones, para lo que se deroga el Índice de Revalorización de Pensiones introducido por la reforma de 2013 con el fin de garantizar el mantenimiento del poder adquisitivo de las pensiones en los términos que plantea el Pacto de Toledo. C30.R2-B Alineación de la edad efectiva de jubilación con la edad legal de jubilación a través de incentivos a la demora de la jubilación y ajustando los elementos distorsionantes en la regulación de las jubilaciones anticipadas. C30.R2-C Adecuación a las nuevas carreras profesionales del periodo de cómputo para el cálculo de la pensión de jubilación, que pretende reforzar la progresividad y el carácter contributivo del sistema haciendo que la pensión de jubilación refleje en mayor medida la vida laboral del trabajador y atienda la realidad de un mercado laboral en el que las interrupciones y las lagunas son cada vez menos excepcionales. C30.R2-D Sustitución del factor de sostenibilidad por un mecanismo de equidad intergeneracional, lo que implica incorporar, junto a la evolución de la esperanza de vida, otros indicadores complementarios que en conjunto ofrezcan una imagen más fidedigna del desafío que para el sistema supone el envejecimiento de la población. C30.R3 Nuevo sistema de cotización a la Se-

compromisos con Europea, de otro, la eficacia y urgencia de las medidas propuesta y, por último, de las políticas de pactos y acuerdos en el seno del Pacto de Toledo, primero, y del escenario político en genera, en segundo término.

Y, en la planificación por fases, las primeras decisiones "se integraron en la LPGE para 2021 y en normativa de urgencia en el peor espacio de la pandemia, singularmente la creación del Ingreso Mínimo Vital y la creación del complemento de pensiones contributivas para la reducción de la brecha de género. Los segundos conforman un doble escenario, por un lado, la Ley de reforma que está en trámite parlamentario y, por otro, los que se incorporarán a la LPGE para 2022. Tras ellos, las últimas reformas se efectuarán en la última fase de la legislatura"[44].

Es en la segunda de las fases en la que se pretenden los cambios que afectarán a la sostenibilidad del Sistema. Cuestión distinta es que se consagre la suficiencia y adecuación, pero vayamos por partes. Recordemos que nuestro país se encuentra vinculado a la percepción de Fondos para la recuperación, en el escenario de superación de la pandemia, mediante el cumplimiento de los compromisos de reformas que aseguren el buen funcionamiento y la correcta ordenación de las cuentas públicas y ello pasa por cuadrar las de Seguridad Social. Con este fin, se ordenan en esta segunda tacada la consagración de la separación de fuentes y el "descargo" de los gastos ajenos al propio mantenimiento de las pensiones –los llamados gastos impropios–, la fijación del parámetro de los ingresos reales como referente del nuevo sistema de cotización para autónomos o el posible incremento de topes de cotización para los trabajadores por cuenta ajena. Este panorama, sin embargo, no supone alcanzar el tan deseado equilibrio financiero, ni tampoco vía transferencias estatales. Puede que únicamente explorar nuevas fórmulas o herramientas de financiación pueden dotar

---

guridad Social de los trabajadores autónomos por sus ingresos reales, por el que se busca implantar gradualmente un nuevo sistema de cotización en el Régimen Especial de Trabajadores Autónomos (RETA) basado en los rendimientos por la actividad económica desempeñada. C30.R4 Modificación del complemento de maternidad de pensiones mediante un nuevo diseño, como se expresó en el Real Decreto-ley 3/2021, con el objetivo de compensar el coste que el nacimiento y el cuidado de los hijos tiene para los progenitores, fundamentalmente para las madres, de manera que se contribuya decisivamente a la reducción de la brecha de género en pensiones C30.R5 Reforma e impulso de los sistemas complementarios de pensiones, por la que se prevé la aprobación de un nuevo marco jurídico que impulse los planes de pensiones de empleo y contemple la promoción pública de fondos de pensiones permitiendo dar cobertura a colectivos de trabajadores sin planes de empleo en sus empresas o autónomos. C30.R6 Adecuación de la base máxima de cotización del sistema: La adaptación del sistema requiere de una adecuación gradual las bases de cotización máxima que deberá ser concurrente con una modificación de la pensión máxima para no afectar a la naturaleza contributiva del sistema.

44. Tortuero Plaza, J.L., *op. cit.*

de futuro el sistema público de pensiones. A dónde nos llevará esta reforma escalonada, ya se verá, pero siempre encontrará como límite, el ordenamiento constitucional. Ordenación que, como veremos, incorpora una serie de matices relevantes.

III. A MODO DE EJEMPLO: EL TRATAMIENTO CONSTITUCIONAL EN ESPAÑA Y SU RELACIÓN CON LA REFORMA ESCALONADA DEL SISTEMA

En nuestro país –en el marco de un contexto común europeo–, como hemos visto, se está produciendo un importante cambio en la regulación y ordenación de nuestro Sistema de Pensiones. La vista, en este sentido –como hemos reiterado de manera insistente en un gran número de trabajos anteriores[45]–, siempre ha estado puesta en un doble plano. De una parte, en la garantía del futuro, esto es, en una regulación que asegure que el Sistema se sostiene. Preocupación de enorme trascendencia puesto que de ello depende el mantenimiento de nuestro Estado del Bienestar. Si se pierde el Sistema Público, se pierde la red de cobertura y de solidaridad que permite dar respuesta a las necesidades de un núcleo de población que se identifica, principalmente, con nuestros mayores.

Mayores tienen que ver satisfechas sus necesidades básicas. O lo que es lo mismo, el Sistema debe garantizar a éstos la suficiencia de rentas para hacer frente a los requerimientos de su vida diaria. Esto es, de nada sirve si garantizamos aquel primer plano (sostenibilidad), pero obviamos el segundo (suficiencia).

Con este objetivo se plantean las modificaciones o reformas que protagonizan el proceso de cambios que nos toca vivir en el presente... pero pensando en el futuro. Y así, el panorama que sirve de referencia viene dado por dos elementos: la dinámica o el diseño seguido por otros países, sean o no de nuestro entorno; y la construcción constitucional de nuestro modelo, sobre unas premisas de base irrenunciables.

En este sentido, en este punto, tras aquel planteamiento común en el marco internacional, nos hemos centrado en dar unas pautas a título de ejemplo respecto a España, pero siendo éste un esquema que podría repetirse fácilmente en otros países de nuestro entorno. Y de ahí que, la presente monografía, vaya a desarrollar un completo y exhaustivo estudio de los modelos sobre los que se conforman sus Sistemas de Protección Social, específicamente en materia de Pensiones. De este modo, por la vía comparativa, se podrán analizar las ventajas y desventajas de la

---

45. *Ibid.*

implementación de aquellos frente a las características de nuestro modelo.

Fruto del análisis de nuestra ordenación, vemos que España, en este orden, ha apostado, y sigue apostando, por un Sistema de reparto, en el que las Pensiones tienen como fuente de ingresos aquellos que vienen expresamente incluidos en su normativa (art. 109 LGSS). Entre ellas, las principales referencias son las aportaciones del Estado y las cotizaciones sociales, sin que, de momento, se prevea modificar esta realidad sustancial. Pero, en esta reforma se debe ser consciente que cualquier formulación o reformulación del sistema para garantizar su sostenibilidad, puede adquirir dos caminos: o modificar las fuentes de ingresos o reducir gastos. Dependiendo de cómo se haga y en qué consiste, es en este marco en el que adquiere especial trascendencia la jurisprudencia constitucional.

En este sentido, en el seno de la Comisión del Pacto de Toledo y en la tramitación de la reforma, se apuesta, en los términos adelantados, por una separación entre fuentes y finalidad de las mismas, siendo las aportaciones del Estado las dirigidas a la cobertura de las prestaciones no contributivas y las cotizaciones las que deben cubrir las prestaciones de carácter contributivo. De tal forma que, para garantizar la sostenibilidad del Sistema, habría de asegurarse un equilibrio entre estas últimas.

En tiempos de bonanza y crecimiento económico, las cotizaciones no solo cubrían este equilibrio, sino que soportaban otros gastos y generaban un excedente. Pero cuando la incidencia de la crisis económica revierte esta situación, se empieza a incidir –aunque este es un debate antiguo– sobre las dudas en torno al futuro del sistema público de pensiones. Concretamente, puede observarse como desde 2010 los ingresos por cotizaciones no cubren, como hasta esa fecha, los gastos a los que se hace frente en el Presupuesto de la Seguridad Social. Si hasta entonces, como hemos reflejado, se habían manifestado dudas sobre el mantenimiento futuro en el Sistema (y así se refleja, por ejemplo, en el texto inicial del Pacto de Toledo), es a partir de esas fechas cuando las peores previsiones se ponen sobre el mes aludiendo a los llamados factores de riesgo: evolución demográfica, inmigración y economía y empleo. Y ello coincide, por tanto, con la necesidad de hacer cambios legislativos que nos permitieran superar la situación de incertidumbre e inseguridad. De ahí, los distintos pronunciamientos, en especial del TC, sirven para definir el contenido del Derecho fundamental de Protección Social, como un derecho subjetivo perfecto en el que se encierra la posibilidad de ser beneficiario de prestaciones suficientes y adecuadas. Qué será esto último, es lo que centra el debate constitucional.

El problema viene cuando la Sostenibilidad se plantea, en un determinado momento, en términos exclusivos de sostenibilidad financiera, obviando, de esta forma, parámetros de orden constitucional como la Suficiencia, la

Solidaridad o la Adecuación. Elementos, todos ellos que se pueden situar dentro de la esfera de la misma Sostenibilidad, pero en su aspecto más Social. Y es que un Sistema Público de Pensiones, solo es sostenible si garantiza un nivel de rentas suficiente y adecuado al conjunto de sus beneficiarios, tanto presentes como futuros. En esta línea, si por efecto –o como consecuencia– del cambio demográfico, el porcentaje de población mayor se incrementa exponencialmente –y, por tanto, el número, la cuantía y la extensión en años de las rentas públicas de los perceptores de pensiones de jubilación como prestación de mayor incidencia–, ello lleva, de manera indefectible, a la necesidad de garantizar que el 25% de la población disponga de los recursos precisos para participar en la sociedad de consumo, contribuyendo y participando, de manera decidida en el ciclo económico y en la generación de riqueza.

Si se quiere dar otra lectura, también de un marcado carácter economicista, la exclusión de estos sujetos de un sistema de prestaciones suficientes, se traduce, en una potenciación de red asistencial, como menor retorno y con una incidencia directa en la referida producción de riqueza. Y, en consecuencia, en el mantenimiento de la propia economía de mercado y el Estado de Bienestar que viene ligado a la misma.

Al margen de esta visión más economicista, puede entenderse o afirmarse que la exclusión social de sujetos derivada de su insuficiencia de fondos, si ésta se generaliza, se evoluciona, irremediablemente, a un escenario de insostenibilidad social. La cuestión es que hay que replantearse la construcción del sistema a partir, únicamente, del factor estricto del equilibrio entre ingresos y gastos, puesto que esto es confundir el medio con el fin. De esta manera, sabiendo que la función social y constitucional que deben cumplir las pensiones –desde la perspectiva de nuestro derecho interno, pero también desde el respeto a nuestros compromisos internacionales–, es el de garantizar un modo de vida digno, con rentas suficientes y adecuadas para los beneficiarios del sistema, va a ser, este fin, el que debe condicionar como reconfigurar al mismo para que éste sea sostenible. No a la inversa, esto es, no rebajar las garantías de la cláusula social, como mecanismo de sostenibilidad.

En este contexto, el 22 de julio de 2021, el pleno del Congreso de los Diputados aprobó el Dictamen sobre la Reconstrucción Económica y Social[46]. Una comisión que dividida en cuatro grupos de trabajo disjuntos (entre los que se encuentran los de reactivación económica y el de políticas sociales) ha formulado sus propuestas sobre la base de las intervenciones de expertos comparecientes. En el apartado dedicado a políticas sociales

---

46. https://www.congreso.es/docu/comisiones/reconstruccion/153_1_Dictamen.pdf.

y sistema de cuidados, concretamente en el Bloque a: igualdad, derechos sociales, inclusión y vivienda, se dedica una previsión específica a las pensiones, viene a señalar, de un modo muy gráfico, lo siguiente:

"9. Pensiones

9.1. Recuperar la centralidad del Pacto de Toledo y buscar la generación de consensos para garantizar la suficiencia y la sostenibilidad del sistema de pensiones, para asumir los retos de un futuro inmediato y asegurar prestaciones suficientes y una acción protectora capaz de dar cobertura a las realidades sociales emergentes.

9.2. Elaborar un informe sobre la adecuación de la normativa de Seguridad Social a la actividad de colectivos que presentan particularidades en su actividad y valorar si es preciso ajustarla a las circunstancias derivadas de la pandemia causada por el COVID-19...".

No cabe duda, por tanto, de la intención de situar la suficiencia y la sostenibilidad como elementos prioritarios a garantizar. Respecto de la primera, la Recomendación número 15 del Acuerdo de la Comisión de Seguimiento y Evaluación de los Acuerdos del Pacto de Toledo de 27 de octubre (aprobado por el Pleno del Congreso en sesión de 19 de noviembre de 2020), incluye, bajo la denominación "Solidaridad y garantía de suficiencia", dos conceptos propios y merecedores de un tratamiento autónomo[47].

La primera dificultad, se centra en fijar esos niveles mínimos por debajo de los cuales la suficiencia deja de ser una garantía real para ser una mera garantía formal. Y, para ello, distinguimos entre prestaciones contributivas y no contributivas. El mismo Acuerdo de la Comisión del Pacto de Toledo, cuando desarrolla el contenido de la Recomendación, viene a señalar que "Con arreglo a los artículos 41 y 50 de nuestra Constitución, la Comisión considera que [...] la garantía de suficiencia son valores fundamentales del sistema de pensiones que, como [tal, debe...] seguir reforzándose. Como tal principio básico, la solidaridad se articula en las dos esferas, contributiva y no contributiva, de nuestra Seguridad Social. En el nivel contributivo, los mecanismos de solidaridad sirven para modular el principio de adecuación, vinculado a la proporcionalidad entre cotizaciones y pensiones, en la relación entre base máxima y pensión máxima y en la garantía de suficiencia. Por eso, puede afirmarse que el modo más coherente y equilibrado de reforzar la contributividad del

---

47. Tortuero Plaza, J.L. y Vila Tierno, F., "Solidaridad y Suficiencia. La construcción silenciosa de un cambio de modelo", en *Perspectivas jurídicas y económicas del informe de evaluación y reforma del pacto de toledo*, (J. Hierro, dir.), Thomson Reuters Aranzadi, Cizur Menor, 2021.

sistema es el que, en paralelo, fortalece el componente solidario de la acción protectora como condición necesaria para garantizar en todo caso la suficiencia de las prestaciones. Por su parte, el nivel no contributivo es, por definición, un ámbito de protección basado en la solidaridad, pues las personas beneficiarias carecen de una carrera de cotización y de recursos económicos para hacer frente a una situación de necesidad. Sólo a través de prestaciones suficientes se evita el riesgo de pobreza. En este sentido, la suficiencia actúa como garantía de la dignidad de la persona a la que se refiere el artículo 10 de nuestra Constitución, asegurando el nivel mínimo de recursos establecido en el Protocolo Adicional de la Carta Social Europea. De ahí la importancia de contar con indicadores de suficiencia que a través de la delimitación de umbrales de referencia sirva para reforzar la efectividad de la lucha contra la pobreza. Por ello, la Comisión considera necesario establecer alguna referencia adecuada (como puede ser la tasa de sustitución que relaciona la pensión media del sistema con el salario medio de los trabajadores ocupados) y un ámbito territorial de medición comparada (países más avanzados de la Unión Europea), que permita realizar un seguimiento continuo de su evolución y, en caso de desviación, adoptar las medidas oportunas. Así, del mismo modo que la Carta Social Europea establece una fórmula para considerar que un salario es digno, resulta necesario establecer un objetivo que defina la suficiencia de las pensiones [...]

La Comisión reitera su apoyo al mantenimiento de las cuantías mínimas para las diferentes modalidades de pensión de nuestro sistema, con objeto de asegurar un umbral mínimo de rentas a todos los pensionistas que no dispongan de rentas alternativas. No obstante, la cuantía de tales complementos no debe ser superior a la cuantía de las pensiones no contributivas vigentes en cada momento para no desincentivar la cotización".

Se reconoce, de este modo, como "objetivo que defina la suficiencia de las pensiones", un concepto básico y unitario de suficiencia, que se identifica con el umbral o paraguas que debe abarcar a cualquier ámbito prestacional. Pero, como se señala expresamente por nuestra mejor doctrina: "debemos destacar que por primera vez la recomendación inserta su contenido en el espacio constitucional que le es propio, a saber, en el marco de los artículos los 41 y 50 de nuestra Constitución, como valores fundamentales del sistema de pensiones. No obstante, el referido marco constitucional no sería suficiente para establecer con las debidas garantías una 'suficiencia tasada' propia o referencial, como apunta la recomendación..."[48].

---

48.   Tortuero Plaza, *ibid*.

Este planteamiento nos invita a diferenciar la suficiencia en un doble nivel de garantía. Y así, a partir de aquel criterio o concepto único, es posible diferenciar, claramente, entre dos niveles de distintos, pudiendo, en tal caso, distinguir entre una *suficiencia de sustitución o contributiva* y una *suficiencia asistencial*[49] dentro de lo que se viene reconociendo como un Sistema de protección multinivel. Y así, nos permite identificar, en la base, un estándar mínimo de protección y, a partir de ahí, una mejora sobre el mismo.

A estos efectos, fija la reiterada Recomendación núm. 15 que es preciso, en términos generales:

- Concretar una referencia adecuada, que podría ser la tasa de sustitución (porcentaje de la pensión media sobre el salario medio de los trabajadores ocupados)
- Fijar un ámbito territorial de medición comparada, en concreto el de los países más avanzados de Europa.

De esta forma, la suficiencia implica que el beneficiario de una prestación pueda disponer de las rentas adecuadas para garantizar una vida digna. Una suficiencia que se integra, como otros tantos elementos, en un origen común: el concepto de trabajo decente.

Si tal suficiencia se desdibuja para situar a la Sostenibilidad financiera como elemento central de referencia, supondría ignorar determinados principios constitucionales. Para construir el nuevo modelo no podemos ignorar que los parámetros de referencia son de orden constitucional y que requieren, o su cumplimiento, o una reforma de la CE (con los límites, no obstante, de nuestras obligaciones internacionales que no nos permitirían una libertad absoluta de regulación). De este modo, aunque la vía de reforzar las fuentes de ingresos, no resulte, –por sí misma y respecto de cualquiera de ellos– bastante para la supervivencia del sistema, tampoco será adecuada aquella que pretenda garantizar la misma mediante la rebaja de costes poniendo como presupuesto de partida la sostenibilidad. Ello supone invertir los términos de manera indebida, puesto que dicha sostenibilidad es un factor que debe medirse a partir de que queden garantizados los niveles de suficiencia y adecuación de las pensiones y no a la inversa. Por lo que el primer paso será fijar una tasa de sustitución de rentas que permita un adecuado nivel de vida. Otra fórmula supondría desconocer los mandatos constitucionales y las referencias internacionales[50].

---

49. En este sentido, ya de manera clásica, el Maestro Vida Soria, entendía que esta doble referencia del precepto constitucional respondía a la inclusión en el sistema de garantías del art. 41 CE del doble sistema, asistencial y prestacional de la Seguridad Social.

50. En este sentido, ya hemos aludido, en trabajos anteriores, a los planteamientos de orden constitucional vinculados a la suficiencia. Sobre el particular, tomando como referente los propios preceptos constitucionales, habremos de recordar que los con-

La solución no pasa, sin embargo, por un cambio radical de modelo que permita garantizar la sostenibilidad sin afectar la suficiencia. Así, por ejemplo, se han presentado las cuentas nocionales como una posible solución[51]. No obstante, estas apuestas no terminan por ser definitivas puesto que a elementos de incertidumbre que se mantienen –en sus propios términos nada categóricos y sujetos a previsiones–, se suman experiencias que no gozan de buen predicamento –v.gr. Chile– o de la previsible influencia que sobre otros aspectos de la ordenación de la jubilación se producirían, como la posiblemente necesaria prolongación de la vida activa laboral, la permanente previsión y revisión por parte del trabajador, o la adición de complementos para garantizar unos mínimos o de Sistemas complementarios de ahorro, pero que, en gran medida, no evitarían –aunque se afirma que no necesariamente– que el cálculo para la determinación de la pensión inicial se vería reducida[52]. No es suficiente

---

ceptos de suficiencia y adecuación se recogen en los arts. 41 y 50 CE:

Artículo 41: Los poderes públicos mantendrán un régimen público de Seguridad Social para todos los ciudadanos, que garantice la asistencia y prestaciones sociales suficientes ante situaciones de necesidad, especialmente en caso de desempleo. La asistencia y prestaciones complementarias serán libres.

Artículo 50: Los poderes públicos garantizarán, mediante pensiones adecuadas y periódicamente actualizadas, la suficiencia económica a los ciudadanos durante la tercera edad...

Al amparo de los mismos, el Pacto de Toledo nace con la finalidad "de hacer viable financieramente el actual modelo de reparto y solidaridad intergeneracional de Seguridad Social y continuar avanzando en su perfeccionamiento y consolidación" –sinopsis del art. 41 CE elaborada por el Congreso de los Diputados: P. Peña y actualizada por S. Sieria–.

De este modo, se reconocen como premisas básicas del Sistema:

a) la existencia de un mandato expreso a los poderes públicos;

b) mandato que obliga al mantenimiento de la suficiencia económica y adecuación de las pensiones mediante su actualización;

c) y que no se discute el modelo de reparto y solidaridad intergeneracional.

Así, desde un primer momento, el Pacto de Toledo asume que existe la obligación de mantener el poder adquisitivo de las pensiones. Lo que se conseguirá a través la configuración de fórmulas estables y de un mecanismo de revalorización automática basado en la evolución del IPC. Sea cual sea, por tanto, la vía que se adopte para reformar el Sistema, conviene tener presente que, junto al concepto de sostenibilidad, aparece desde un primer instante, incluso en un plano superior dado su expreso reconocimiento constitucional –que antes no alcanzaba al primero– las nociones de suficiencia y adecuación.

Es más, el art. 50 CE no admite dudas: expresamente se encomienda a los poderes públicos garantizar la suficiencia económica a los ciudadanos durante la tercera edad. La lectura que ello debe implicar, necesariamente, que ante la contraposición de dos referencias económicas como sostenibilidad y suficiencia, no puede obtenerse la primera a costa de la segunda porque ello resulta contrario al precepto constitucional.

51. Cfr. Devesa, E. y Doménech, R., "Las cuentas nocionales individuales: elemento central de la reforma del sistema de pensiones en España", *Fedea Policy Papers* - 2021/02, Diciembre 2020.

52. Estos autores defienden que esta opción resulta mucho más eficiente que otras, ya que aquellas no aportan, realmente, soluciones a las disfunciones contempladas:

para garantizar una suficiencia de rentas.

Lo importante es concluir que no cabe la construcción de un sistema en el que no se garantice –sea el marco nacional en el que se produzca– al margen de la consideración del Derecho fundamental a una Protección Social suficiente, puesto que, recordémoslo, así debe desprenderse de "una interpretación sistemática que atiende al grupo o bloque normativo constitucional regulador de este derecho de estructura jurídica compleja (artículos 41, 43, 49, 50 en relación con el artículo 10.2 Constitución española, que es la norma de apertura constitucional de engarce y remisión al sistema multinivel de garantía del derecho a la seguridad social, y los artículos 93 a 96 Norma Fundamental)...". En este contexto, situamos al "derecho a la Seguridad Social y de su contenido esencial tal como se impone deducir del sistema multinivel de garantías de los derechos fundamentales (que incluye, evidentemente, a los derechos fundamentales sociales) por el cauce del artículo. 10.2 CE (en relación los artículos 93 a 96 de la Constitución). Y para decirlo con la mayor brevedad y precisión esa configuración y delimitación del contenido esencial se contiene lege data en el artículo. 12 de la Carta Social Europea Revisada (1996), que significativamente utiliza los mismos términos y precisa su alcance... De nuevo, hay que decir que es necesario tomarse en serio los derechos sociales fundamentales... Lo que se acaba de decir es crucial, porque la garantía del contenido esencial de los derechos de Seguridad Social –y dentro de ellos del derecho social a la pensión pública– actúa como núcleo resistente de los derechos y como restricción a las restricciones del legislador infraconstitucional de desarrollo de las previsiones constitucionales. La intangibilidad del contenido esencial de los derechos y libertades fundamentales reenvían al núcleo de valor que se halla encerrado en cada derecho fundamental y que resulta la inserción del derecho mismo en el sistema de valores constitucionales... La interpretación de los artículos 41 y 50 de la Constitución Española (y

---

"Las alternativas para resolver este problema de sostenibilidad son básicamente tres. La primera consiste en traspasar toda la incertidumbre sobre la sostenibilidad del sistema a los futuros contribuyentes, con un importante aumento de impuestos para financiar unas necesidades crecientes de gasto en pensiones, blindando a los pensionistas presentes y futuros a cambio de una importante redistribución interge- neracional. La segunda alternativa es mantener el cálculo de la pensión inicial y el actual desequilibrio actuarial, y proteger a los contribuyentes de cualquier aumento de impuestos, de manera que la única variable de ajuste termine siendo las pensiones vigentes con revalorizaciones por debajo de la inflación en la cuantía necesaria para corregir el déficit del sistema. La tercera alternativa consiste en implantar un sistema de reparto de cuentas nocionales individuales que elimine el desequilibrio actuarial y financiero del sistema e incentive el retraso de la edad de jubilación. Al garantizar la sostenibilidad de manera automática en el cálculo de las pensiones iniciales, el sis- tema permite que las pensiones puedan revalorizarse con la inflación y no requiera de recursos tributarios adicionales". *Ibid.*

en general de todo el bloque o grupo normativo regulador de los derechos de Seguridad Social contemplados en el Capítulo III), deberá hacerse necesariamente –por mandato del artículo 10.2 CE– en el marco del sistema internacional multinivel de garantía de los derechos fundamentales. En este contexto sistemático hay que interpretar la referencia del artículo 41 CE a que los poderes públicos deberán 'mantener' un régimen público de Seguridad Social y el artículo 50 CE ('Los poderes públicos garantizarán mediante pensiones adecuadas y periódicamente actualizadas la suficiencia económica a los ciudadanos durante la tercera edad...'). Y ello por más que el Tribunal Constitucional haya hecho una interpretación excesivamente forzada y flexible"[53].

Parece que de ellas se apartan las nuevas Recomendaciones de la Comisión de seguimiento del Pacto de Toledo, en la línea de lo ya lo advertido sugiere que "la Comisión considera necesario establecer alguna referencia adecuada (como puede ser la tasa de sustitución que relaciona la pensión media del sistema con el salario medio de los trabajadores ocupados) y un ámbito territorial de medición comparada (países más avanzados de la Unión Europea), que permita realizar un seguimiento continuo de su evolución y, en caso de desviación, adoptar las medidas oportunas. Así, del mismo modo que la Carta Social Europea establece una fórmula para considerar que un salario es digno, resulta necesario establecer un objetivo que defina la suficiencia de las pensiones [...]"[54]

Es así como enlaza con los estándares mínimos establecidos en el contexto internacional. Un vínculo que supone, de manera indubitada, la fijación de un suelo que garantiza el mantenimiento de un nivel de suficiencia adecuado a los cambios del costo de la vida. Pero recuérdese que la finalidad sustitutoria de rentas no agota, de manera absoluta, el

---

53. SSTC 49/2015, de 5 de marzo y 135/2015, de 15 de junio, siguiendo una línea que ya había consolidado –vid. SSTC 114/1987, de 6 de julio; 134/1987, de 21 de julio o 127/1987, de 16 de julio, SSTC 100/1990, de 30 de mayo.

54. Las sucesivas revisiones del Pacto de Toledo a través de las comisiones de seguimiento han ido, sin embargo, incidiendo en algunos aspectos que priman la sostenibilidad, como reforzar el principio contributividad.
Pero no es menos cierto que nunca se ha abandonado la senda del mantenimiento del poder adquisitivo y la mejora de las pensiones, así como de solidaridad y garantía de suficiencia. Sin embargo, a pesar del reconocimiento de los esfuerzos realizados para consolidar estos principios, la propia comisión los vincula a las posibilidades económicas. En este orden, se apuesta por mantener las cuantías mínimas, revisar las prestaciones que hayan podido perder eficacia protectora y, lo que nos parece esencial: determinar que las mejoras que sean precisas para garantizar la suficiencia económica se financie a cargo de la imposición general atendiendo, a su vez, al principio de solidaridad –en este sentido, recuérdese que el 22 de abril de 2008 se acordó la creación de la Comisión no permanente de seguimiento y evaluación de los acuerdos del Pacto de Toledo–.

concepto de suficiencia. En este sentido, si no responden a una misma naturaleza las pensiones contributivas o no contributivas, no tiene por qué existir un mismo alcance los mínimos de suficiencia. Pero para las pensiones no contributivas no mediríamos respectos de las percepciones anteriores – las propias Recomendaciones del Pacto de Toledo establecen diferencias–.

No obstante, parte de la doctrina ha señalado que "no es de recibo evaluar la situación de 'suficiencia' de la prestaciones según se refiera al nivel contributivo o asistencial como se ha hecho en algún caso por la doctrina, indicándose que en el nivel profesional la 'suficiencia' está en relación con la contribución previa para cumplir la función de rentas de sustitución y en el nivel asistencial las prestaciones serán suficientes si garantizan un mínimo de ingresos, de compensación, para cubrir situaciones de necesidad[55]. No puede estarse de acuerdo con tal tesis porque no parece lógico que la 'suficiencia' de una prestación sea distinta según si se ha cotizado o no a la Seguridad Social[56]".

La nueva regulación de la Recomendación núm. 15 de la Comisión no ha ayudado a resolver las dudas sobre la interpretación sobre el debate de la suficiencia y las posibles diferencias entre prestaciones contributivas y no contributivas: "el nivel no contributivo es, por definición, un ámbito de protección basado en la solidaridad, pues las personas beneficiarias carecen de una carrera de cotización y de recursos económicos para hacer frente a una situación de necesidad. Sólo a través de prestaciones suficientes se evita el riesgo de pobreza. En este sentido, la suficiencia actúa como garantía de la dignidad de la persona a la que se refiere el artículo 10 de

---

55. Respecto de una prestación por familiares a cargo, la STC 3/1993 indicó que la delimitación de criterios para determinar las situaciones de necesidad no es una cuestión que pueda quedar a criterios más o menos arbitrarios ya que "el carácter predominantemente asistencial de estas prestaciones no permite afirmar ni que el legislador pueda realizar cualquier configuración normativa de los estados de necesidad emergentes, fuera del sistema contributivo o profesional, ni que dicha configuración aparezca exenta de las exigencias del artículo 14 de la CE...".

56. Sobre todo, porque el complemento para mínimos concedido para pensionistas del nivel contributivo que sirve para conseguir una prestación "mínima" o "suficiente" tiene carácter asistencial, esto es, se trata de una "cuña" al sistema establecido rompiendo la lógica contributiva. Y es que, en cualquier caso, no hay distintas necesidades para los cotizantes y para los no cotizantes. Además, y en sentido contrario, no puede argumentarse que la suficiencia se mide por la contribución previa ya que, de un lado, en nuestro ordenamiento, según el Tribunal Constitucional, no rige el principio de sinalagmaticidad de las prestaciones y, de otro lado, los ciudadanos que se acogen al nivel no contributivo, aunque no han cotizado, si han contribuido a la financiación de las prestaciones a través de los impuestos (directos o indirectos). Respecto de la primera cuestión, en las SSTC 65 y 209/1987 se apunta el distanciamiento de anteriores concepciones en las que primaba "el principio contributivo" y la falta de correspondencia y proporcionalidad de las prestaciones y cotizaciones de los afiliados y en las SSTC 103, 104 y 121 de 1983 y 97/1990 donde se señala la ruptura de la relación automática entre cuota y prestación.

nuestra Constitución, asegurando el nivel mínimo de recursos establecido en el Protocolo Adicional de la Carta Social Europea. De ahí la importancia de contar con indicadores de suficiencia que a través de la delimitación de umbrales de referencia sirva para reforzar la efectividad de la lucha contra la pobreza".

Concluyamos con lo esencial: no estamos aludiendo a la existencia de otra suficiencia o de otro concepto distinto, sino que, dentro del mismo, se reconocen dos niveles. Y es, precisamente, en este último nivel, en el más básico y más esencial, dónde de un modo más claro se sitúa, de un modo más directo, la lucha contra la pobreza. Una pobreza que, como vimos, se enlaza con el concepto de trabajo decente, pero también con su propia realidad como reto a superar. Y, en esta línea, se había trazado ya un importante recorrido internacional ¿tenemos las pautas? En síntesis, el plano internacional ha trazado las líneas y, en España, como en el resto de países que se hayan podido analizar, el diseño constitucional del Sistema no puede diferir mucho de la ordenación en aquel ámbito supranacional. Ámbito en el que, insistamos, se requiere la garantía de sostenibilidad de los Sistemas, pero sin perder de vista el derecho a una prestación suficiente y adecuada, de una parte, y, de otra, de unos objetivos comunes entre los que destaca la protección frente a la pobreza.

IV. BIBLIOGRAFÍA

De la Villa de la Serna, P., "Las tres 'Cartas' Europeas sobre Derechos Sociales", *Revista del Ministerio de Trabajo y Asuntos Sociales*, núm. 32, 2001.

Devesa, E. y Doménech, R., "Las cuentas nocionales individuales: elemento central de la reforma del sistema de pensiones en España", *Fedea Policy Papers* - 2021/02, Diciembre 2020.

Doherty, M., "Trabajo Decente y Creación de Empleo: una Visión Angloirlandesa", *Revista Internacional y Comparada de Relaciones Laborales y Derecho del Empleo*, Vol. 4, Núm. 4, 2016.

Ghai, D., "Trabajo decente: concepto e indicadores", *Revista internacional del trabajo*, Vol. 122, Núm. 2, 2003.

Gil Gil, J.L., "Trabajo decente y reformas laborales", *Revista Derecho social y empresa*, Núm. 7, 2017.

Lozano Lares, F., "La Eficacia Jurídica del concepto de Trabajo Decente", *Revista Internacional y Comparada de Relaciones Laborales y Derecho del Empleo*, Vol. 4, Núm. 4, 2016.

Molina Navarrete, C., "¿Libertad de empresa versus derecho al trabajo decente? En busca de un estatuto jurídico-laboral para el 'empresario-empleador indirecto', la 'mano invisible' que mece el mercado" (Presentación), *Estudios financieros. Revista de trabajo y seguridad social: Comentarios, casos prácticos: recursos humanos*, Núm. 409, 2017.

Monereo Pérez, J.L., "Derechos a la Seguridad Social (Artículo 12)", en Monereo Atienza, C. y Monereo Pérez, J.L. (Dirs. y coords.) *et al.: La garantía multinivel de los derechos fundamentales en el Consejo de Europa. El Convenio Europeo de Derechos Humanos y la Carta Social* Europea, Granada, Comares, 2017.

– "La garantía de las pensiones: desafíos para la sostenibilidad económica y social", *Revista de Estudios Jurídico Laborales y de Seguridad Social (REJL-SS)*, Núm. 3, 2021, https://doi.org/10.24310/rejlss.vi3.13533.

–*La metamorfosis del Derecho del Trabajo*, Editorial Bomarzo, Colección: Historia y cultura del Trabajo, Albacete, 2017.

Monereo Pérez, J.L. y Fernández Bernat, J.A., "El Convenio OIT núm. 102 (1952) sobre norma mínima de Seguridad Social como delimitador del estándar mundial y sus límites actuales", *Revista Internacional y Comparada de Relaciones Laborales y Derecho del Empleo*, Vol. 7, Núm. Extra 0, 2019.

Monereo Pérez, J.L. y López Insua, B.M., "La garantía internacional del derecho a un 'trabajo decente'", *Nueva revista española de derecho del trabajo*, Núm. 177, 2015.

Moreno Romero, F. "Las jubilaciones anticipadas y el RDL 5/2013, de 15 de marzo, en AA.VV. García Ninet, J.I. (Dir.) y Burriel Rodríguez-Diosdado, P. (Coord.), *El impacto de la gran crisis mundial sobre el Derecho del Trabajo y de la Seguridad Social: su incidencia en España, Europa y Brasil* (2008-2014), Edit. Atelier, 2014, págs. 705 y ss.

– "La acción protectora del sistema de Seguridad Social para los trabajadores incorporados al régimen especial de trabajadores por cuenta propia o autónomos", en AAVV (coord. por Monereo Pérez y Vila Tierno), *El trabajo autónomo en el marco del Derecho del Trabajo y de la Seguridad Social: Estudio de su régimen jurídico. Actualizado a la Ley 6/2017, de 24 de octubre de Reformas Urgentes del Trabajo Autónomo* / 2017, págs. 501 y ss.

Tortuero Plaza, J.L., "Editorial", *Revista de Estudios Jurídico Laborales y de Seguridad Social (REJLSS)*, Núm. 3, 2021, https://doi.org/10.24310/rejlss.vi3.13532.

Tortuero Plaza, J.L. y Vila Tierno, F., "Solidaridad y Suficiencia. La construcción silenciosa de un cambio de modelo", en *Perspectivas jurídicas y económicas del informe de evaluación y reforma del pacto de Toledo*, (J. Hierro, dir.), Thomson Reuters Aranzadi, Cizur Menor, 2021.

Vila Tierno, F., "El difícil equilibrio entre la sostenibilidad y la suficiencia. Una visión general de la situación general del sistema de pensiones pensando en el futuro", en AA.VV., *La incidencia de los diferentes factores endógenos y exógenos sobre sostenibilidad y suficiencia en el sistema de pensiones* / coord. por Miguel Ángel Gómez Salado; Francisco Vila Tierno (dir.), Miguel Gutiérrez Bengoechea (dir.), 2020.

– "Empleo, reformas laborales y sostenibilidad del sistema de pensiones", *Estudios financieros. Revista de trabajo y seguridad social*. Núm. 417, 2017.

– "Emprendimiento y trabajo autónomo como formas de huida del estándar de trabajo decente", *Estudios financieros. Revista de trabajo y seguridad social*, Núm. 421, 2018.

– "Trabajo decente y extinción del contrato de trabajo", en AA.VV., *El futuro del derecho del trabajo y de la seguridad social en un panorama de reformas estructurales: Desafíos para el trabajo decente: Congreso internacional* / José Luis Monereo Pérez (dir.), Fábio Túlio Barroso (dir.), Horacio Las Heras (dir.), Juan Antonio Maldonado Molina (aut.), María Nieves Moreno Vida (aut.), 2018.

Capítulo 2

Estudio económico de los sistemas nacionales de pensiones: una comparativa internacional[1]

Nuria Benítez Llamazares
Profesora de Hacienda Pública
Universidad de Málaga

SUMARIO: I. INTRODUCCIÓN. II. LOS SISTEMAS NACIONALES DE PENSIONES: UNA APROXIMACIÓN TEÓRICA. III. LOS SISTEMAS NACIONALES DE PENSIONES: UNA APROXIMACIÓN APLICADA. 1. *Europa.* 2. *Norteamérica.* 3. *Latinoamérica.* 4. *África y Oriente Medio.* 5. *Asia y Oceanía.* IV. CONCLUSIONES DEL ESTUDIO ECONÓMICO A NIVEL INTERNACIONAL. V. BIBLIOGRAFÍA CITADA. VI. ANEXO.

I. INTRODUCCIÓN

La *Declaración Universal de los Derechos Humanos* es un documento que marca un hito en la historia de los derechos humanos al definir un ideal común para todos los pueblos y naciones del mundo (ONU, s.f). Esta epístola de derechos fundamentales –redactada en 1948 por representantes de todas aquellas regiones con antecedentes jurídicos y culturales, y traducida a más de 500 idiomas– consta de treinta artículos de diversa índole en materia de derechos inalienables para el ser humano, tales como la dignidad, la libertad o la igualdad de derechos sin distinción de condiciones.

En cuestiones de derechos económicos y sociales, los artículos vigésimo segundo a vigésimo quinto de esta Carta Magna exponen los mínimos esenciales que toda persona debería poseer para poder desarrollar su vida dignamente, como son el derecho a un trabajo remunerado en igualdad de oportunidades y de condiciones, el derecho al descanso y al disfrute del

1. Proyecto RTI-2018-094696-B-I00 "Retos, reformas y financiación del Sistema de Pensiones: ¿sostenibilidad versus suficiencia?", subvencionado por el Programa Estatal de I+D+i Orientada a los Retos de la Sociedad a través de las ayudas a los Proyectos I+D+i "Retos de la sociedad" (BOE núm. 201, 2018).

tiempo libre, el derecho de sindicación, el derecho a la seguridad social, etc. Asimismo, en el caso de situaciones de especial vulnerabilidad –como la enfermedad, la invalidez o la vejez, entre otras– el artículo 25.° sintetiza con elevado acierto la responsabilidad que los Estados tienen con sus ciudadanos al señalar:

> Toda persona tiene derecho a un nivel de vida adecuado que le asegure, así como a su familia, la salud y el bienestar, y en especial la alimentación, el vestido, la vivienda, la asistencia médica y los servicios sociales necesarios, tiene asimismo derecho a los seguros en caso de desempleo, enfermedad, invalidez, viudez, vejez y otros casos de pérdida de sus medios de subsistencia por circunstancias independientes de su voluntad. [Resolución 217 A (III), 1948]

Atendiendo al tema que nos concierne, el estudio de los sistemas nacionales de pensiones, queda promulgado en la Declaración Universal de los Derechos Humanos que las prestaciones sociales con motivo del envejecimiento de la población son un derecho fundamental de la ciudadanía y que los Estados deben procurar garantizar el bienestar económico de este rango poblacional, bien por la vía contributiva o por la vía no contributiva.

Desde el punto de vista económico, cuando se establece un sistema de pensiones contributivo obligatorio, se está exigiendo a los perceptores de las rentas del trabajo presente a que detraigan parte de su renta actual y la acumulen para su transformación en renta futura de envejecimiento. En el caso de las pensiones no contributivas, entra en juego el principio de redistribución de la renta, al proporcionar unos ingresos por envejecimiento a determinados ciudadanos que no han podido contribuir en cuantía suficiente durante su vida laboral. La combinación de ambos escenarios –contributivo obligatorio y no contributivo–, generan beneficios socioeconómicos para las naciones como la generación de confianza económica en la población, la estabilización del consumo, la reducción de la pobreza y la redistribución de riqueza entre la ciudadanía (Domínguez Martínez, 2012).

El objetivo del presente capítulo consiste en intentar conocer, a rasgos generales, las características de los sistemas nacionales de pensiones predominantes a nivel internacional; profundizando en la medida de lo posible en el estudio de las principales variables socioeconómicas que nos permitan encontrar similitudes y divergencias por áreas geográficas. Para ello, hemos empleado como fuente de información primaria las bases de datos de la Organización para la Cooperación y el Desarrollo Económico (OCDE), que facilitan información estadística tanto de sus estados miembros como de terceros países.

II. LOS SISTEMAS NACIONALES DE PENSIONES: UNA APROXIMACIÓN TEÓRICA

El origen de los sistemas nacionales de pensiones tiene lugar en la Alemania de Otto von Bismark, más concretamente en 1881, cuando se establece en dicho país un sistema asegurador de rentas ante determinadas contingencias (vejez o incapacidad). El *sistema Bismarckiano* se caracterizaba por ser de reparto con prestaciones contributivas: es decir, un sistema en el que existía una relación directa entre las contribuciones de los trabajadores y sus pensiones; siendo introducido a consecuencia de las crecientes presiones de la clase media alemana en confluencia con los sindicatos industriales de la época (Conde-Ruiz y González, 2018).

Durante ese mismo período de tiempo, en la Inglaterra Victoriana (1837–1901) de forma natural empezaron a erigirse los sistemas de seguros privados y voluntarios como una forma de protección económica para las clases sociales más acomodadas del país. Reino Unido se caracteriza por una gran tradición liberal y democrática, de modo que los movimientos obreros tuvieron un impacto moderado durante la segunda mitad del siglo XVIII y parte del XIX. De este modo, la nación británica tuvo que esperar hasta 1945 para instaurar el denominado Estado del Bienestar Británico a manos del primer gobierno laborista después de la Segunda Guerra Mundial. Este modelo de seguridad social denominado *plan Beveridge*, cimentaba sus pilares en el informe elaborado por William Henry Beveridge[2] titulado *Report to the Parliament on Social Insurance and Allied*[3], cuyo propósito era establecer un modelo de Seguridad Social de reparto, alternativo al Bismarckiano, que garantizara una prestación mínima e igual para todos los trabajadores. La finalidad última del sistema propuesto era reducir la pobreza y elevar los ingresos de las rentas mínimas para garantizar un nivel básico de subsistencia. En ese caso, la acción del Estado debía limitarse a redistribuir en favor de los pobres, en tanto que las clases medias y altas tenían libertad para invertir sus ingresos de forma privada (Conde-Ruiz y González, 2018).

---

2. William Henry Beveridge (1879-1963) fue un reputado economista y político británico que llegó a ostentar altos cargos públicos en el Ministerio de Economía de su país y fue director de la prestigiosa London School of Economics.

3. En español, *Informe al parlamento sobre Seguridad Social y servicios relacionados*.

Tabla 2.1. Sistemas primarios de Seguridad Social: modelo Bismarck vs modelo Beveridge.

	Modelo Bismarck	**Modelo Beveridge**
Tipología	De reparto intergeneracional	De reparto intergeneracional
Nivel	Contributivo	Universal o de Renta básica
Población beneficiaria	Clases de renta media en su mayoría. Cotizantes del sistema	Clases de renta mínima o sin renta. No cotizantes en su mayoría
Sistema de financiación	Aportaciones de los cotizantes del sistema	Contribuciones de las rentas media-altas
Otras características	Mayor gasto público en pensiones en relación al PIB[4] Menor gasto privado en pensiones en relación al PIB	Menor gasto público en pensiones en relación al PIB Mayor gasto privado en pensiones en relación al PIB

Fuente: Elaboración propia a partir de Conde-Ruiz y González, 2018.

Cabe destacar que ambos sistemas se fundamentaban en la *premisa del reparto intergeneracional de las rentas* frente a la alternativa ofrecida por los sistemas de capitalización. Como hemos comentado en investigaciones previas (Benítez-Llamazares, 2020), las técnicas financieras de reparto intergeneracional conllevan una distribución inmediata de las cotizaciones sociales de la población activa que, sin tiempo para ser capitalizadas, se convierten en prestaciones a percibir por los sujetos beneficiarios o pensionistas. Por el contrario, las técnicas de capitalización implican la creación y acumulación de un capital compuesto por las cuotas o primas –contribuciones– más los intereses acumulados, que se destinará a satisfacer prestaciones económicas de períodos futuros (Ministerio de inclusión, Seguridad Social y Migraciones, 2020).

Durante las décadas de los años 50 a 70 del siglo pasado se implantaron progresivamente sistemas nacionales de pensiones en los países más avanzados en derechos sociales, tomando como referencia los modelos alemán y británico. La trascendencia de este nuevo paradigma socioeconómico propició en el desarrollo de estudios por parte de la comunidad científica con el objetivo de analizar la idoneidad de tales propuestas. De este modo, en 1977 el instituto de la Seguridad Social de la Universidad Católica de Lovaina (Bélgica) inició una serie de estudios sobre los modelos internacionales de seguridad social que concluyeron con la elaboración del denominado *Código Lovaina* o *Teoría de los tres pilares*

---

4.   Producto Interior Bruto.

de la previsión social, empleado como referencia en la actualidad para la configuración de la mayoría de los sistemas nacionales de pensiones. El Código Lovaina propone que los sistemas de pensiones deben ser estructurados sobre la base de tres niveles de protección:

Tabla 2.2. Método de reparto intergeneracional vs método de capitalización: ventajas e inconvenientes

	Método de reparto	**Método de capitalización**
Ventajas	Elevada capacidad redistributiva	Mayor transparencia en la gestión
	Sencillez en la gestión de recursos a corto plazo	Los afiliados del sistema pueden conocer el estado de sus contribuciones en todo momento
	Prestaciones de cuantía definida	Menor dependencia de factores demográficos y/o laborales del país
Inconvenientes	Dependencia de la estructura demográfica de la población	Carencia de elementos redistributivos
	Dependencia de la coyuntura del mercado de trabajo	Posibles fallos de previsión por parte de la población
	Riesgo de insostenibilidad del sistema a largo plazo	Posible mala gestión de los fondos
	Posible freno al empleo y al ahorro	Complejidad en la gestión financiera de los recursos a largo plazo

Fuente: Elaboración propia a partir de Domínguez Martínez, 2012.

– *Nivel básico de protección* (primer pilar) universal, público y no contributivo. El objetivo primordial de este nivel, tal y como proponía Beveridge, debe ser ofrecer una protección social en la vejez que aporte unos recursos mínimos a quienes no hayan podido contribuir suficientemente durante su vida laboral.

– *Nivel contributivo obligatorio* (segundo pilar) vinculado a los ingresos derivados del trabajo en el ámbito empresarial –por cuenta propia– y de las relaciones laborales –por cuenta ajena–. Este segundo nivel puede adoptar múltiples formas: pública o privada, de capitalización o de reparto.

- *Nivel voluntario y privado* (tercer pilar), compuesto por cuentas individuales de ahorro previsor a largo plazo.

Continuando con esta premisa, la OCDE en su informe "Pension at glance" (OECD, 2019) realiza una clasificación bastante exhaustiva de los distintos sistemas de pensiones que nos podemos encontrar a nivel internacional (Tabla 2.3)

Tabla 2.3. Estructura de los sistemas de pensiones a nivel internacional según OCDE.

Fuente: Adaptado de OECD, 2019.

Como podemos observar, el primer nivel se caracteriza por ser de financiación o provisión esencialmente pública, obligatoria y universal. Asimismo, se puede configurar en distintas modalidades en función de los criterios establecidos para optar a este tipo de prestaciones básicas:

- *Modalidad básica con criterio de residencia*: para obtener una prestación básica en esta modalidad se han de cumplir una serie de requisitos relacionados con un criterio de residencia en el territorio nacional. De este modo, el importe de la prestación podrá variar en función del número de años de residencia, con independencia del nivel de ingresos obtenidos durante la vida activa del trabajador.

- *Modalidad básica contributiva*: para obtener una prestación básica en esta modalidad se han de cumplir una serie de requisitos relacionados con un criterio de periodo de cotización. En este caso, el importe de la prestación variará en función del número de años de cotización del individuo, con independencia del nivel de ingresos obtenidos durante la vida activa del trabajador.

– *Modalidad básica personalizada*: Es una versión más eficiente y equitativa que las anteriores, pues además del criterio de residencia se tienen en cuenta variables de ingresos del individuo para el cálculo de la pensión básica –como por ejemplo otras fuentes de ingresos distintas a las del trabajo o el patrimonio preexistente del futuro pensionista–. Este tipo de prestaciones así definidas conllevan un componente progresivo y redistribuidor, puesto que los pensionistas más pobres cobrarán una pensión básica mayor que los pensionistas más acomodados.

– *Modalidad de pensión mínima*: Ese sistema puede hacer referencia tanto a un primer nivel de pensión mínima específico, como al importe mínimo de las prestaciones establecidas dentro de un esquema general y combinado de pensiones contributivas y no contributivas. Por lo general para su cálculo no se tienen en cuenta otras fuentes de ingresos distintas a las de la pensión, siendo su importe definido por todo el período de jubilación o recalculado periódicamente en función de determinados parámetros de renta.

El segundo nivel se caracteriza por establecer un pilar contributivo y obligatorio para los ciudadanos que les permita mejorar los ingresos de las pensiones del primer nivel. Una de sus principales características es la multitud de opciones de configuración que dan lugar a las siguientes modalidades:

– *Modalidad de prestación definida (PD)*: Cumple con el principio del beneficio[5] en términos de equidad, de modo que el cotizante pagará en función de la prestación que desee recibir en forma de jubilación. Esta modalidad puede ser gestionada tanto por el sector público como por el sector privado, siendo en este último escenario la

---

5. La disciplina de Hacienda Pública define el principio del beneficio como uno de los criterios posibles a considerar en la financiación del Sector Público. Este principio establece que los individuos deben contribuir a la financiación del Sector Público en proporción a la utilización que realicen de los servicios públicos. Así pues, aquellos individuos que se beneficien en mayor medida de los servicios públicos pagarán más que los que realicen un uso menor de los mismos. Este principio se contrapone al de capacidad de pago, que es el empleado para la financiación del grueso del gasto público, pues es el que justifica nuestro actual sistema impositivo. El principio de capacidad de pago permite reducir las desigualdades económicas al admitir la progresividad de los sistemas tributarios, en tanto que el principio del beneficio no modifica la estructura económica de la población al convertir el pago en un sistema de precios públicos.

contribución de carácter obligatorio. Por lo general, el importe de la pensión dependerá del número de años cotizados, de los tipos de interés del mercado del ahorro y de las cotizaciones acumuladas a lo largo de la vida laboral.

- *Sistema de puntos (SP)*: en esta modalidad los trabajadores ganan puntos a lo largo de su vida activa en función de sus retribuciones laborales. En el momento de la jubilación, los puntos acumulados se multiplican por un valor de puntos de pensión para reconvertirlos en una prestación indefinida regular.

- *Sistema de cuentas nocionales (SCN)*: es una de las modalidades más recientes implantada en algunos países. En este sistema, las contribuciones de los cotizantes se acumulan en una cuenta teórica o virtual gestionada por la Administración Pública del país en cuestión. Para el cálculo de la pensión de jubilación se tienen en cuenta las cotizaciones totales realizadas por cada trabajador, los rendimientos teóricos que se habrían obtenido en los mercados financieros si se hubieran capitalizado en fondos de inversión y un factor de conversión de naturaleza actuarial –en el que se incluye la esperanza de vida del individuo como factor corrector– que convierte el fondo acumulado de cada trabajador en una renta vitalicia de jubilación. Este sistema así definido se configura como un modelo de reparto intergeneracional basado en el principio del beneficio.

- *Modalidad de contribuciones definidas financiadas (CDF)*: estos planes de pensiones consisten en la realización de aportaciones obligatorias y definidas de los futuros jubilados durante toda su vida laboral. Las contribuciones se capitalizan en cuentas de inversión de los cotizantes que se convertirán en el momento de la jubilación en una pensión mensual vitalicia. Este sistema se puede configurar tanto en la modalidad de reparto como en la de capitalización y puede ser gestionado tanto por el sector público como por el sector privado de forma concertada con la Administración Pública.

Por último, el tercer nivel se caracteriza por tener naturaleza complementaria, voluntaria y contributiva; siendo canalizado fundamentalmente por el sector previsor privado a través de dos posibles modalidades: sistema de prestación definida (PD) o sistema de contribuciones definidas financiadas (CDF). Este pilar suplementario estará compuesto mayoritariamente por los ahorros de las rentas más altas, normalmente incentivados a través del Sector Público mediante beneficios fiscales.

III. LOS SISTEMAS NACIONALES DE PENSIONES: UNA APROXIMACIÓN APLICADA

La aplicación de sistemas nacionales de pensiones a nivel internacional ha conformado un panorama de elevada diversidad entre las distintas regiones geográficas a nivel mundial; variedad que se puede observar incluso a nivel intrarregional. En este apartado vamos a intentar exponer las similitudes y diferencias de estos sistemas distinguiendo por grandes áreas geográficas: Europa, Norteamérica, Latinoamérica, África, Asia y Oceanía.

1. EUROPA

La región europea se caracteriza por ser la pionera en la aplicación de sistemas de pensiones nacionales, algunos con una antigüedad cercana al siglo. La mayoría de estos sistemas se encuentran comprendidos dentro de las llamadas *Economías del Bienestar* −predominantes en las economías occidentales− cuya premisa se basa en el libre funcionamiento del mercado, aparejado a cierto grado de intervencionismo del Sector Público para corregir los problemas que el propio mercado no puede modificar internamente. La mayor o menor implicación del sector público en las economías nacionales incide directamente sobre el tipo de sistema de pensiones implantado en los países, como vemos a continuación.

Los estados de ascendencia anglosajona −de tradición capitalista liberal− se caracterizan por el establecimiento de sistemas de pensiones que ofrecen menores niveles de protección y generalmente son gestionados por el sector privado. Así se aprecia en Reino Unido e Irlanda, que ofrecen únicamente un nivel básico de prestación contributiva (primer pilar) sin aplicar un nivel contributivo obligatorio complementario o segundo nivel.

Tabla 3.1. Estructura de los sistemas de pensiones en Europa.

Europa	Primer Nivel					Segundo Nivel
	Criterio Residencia		Criterio contributivo			
	Básico	Personalizado	Básico	Mínimo	Público	Privado
Alemania		✔			SP	
Austria				✔	PD	
Bélgica				✔	PD	
Dinamarca	✔	✔			CDF	CDF
Eslovaquia				✔	SP	

Europa	Primer Nivel					Segundo Nivel
	Criterio Residencia		Criterio contributivo			
	Básico	Personalizado	Básico	Mínimo	Público	Privado
Eslovenia				✔	PD	
España				✔	PD	
Estonia			✔		SP	CDF
Finlandia		✔			PD	
Francia				✔	PD + SP	
Grecia	✔				PD	
Hungría				✔	PD	
Irlanda			✔			
Islandia	✔	✔				PD
Italia					SCN	
Letonia				✔	SCN + CDF	
Lituania			✔		SP	
Luxemburgo				✔	PD	
Noruega		✔			SCN	CDF
Países Bajos	✔					PD
Polonia				✔	SCN	
Portugal				✔	PD	
Reino Unido			✔			
República Checa			✔	✔	PD	
Suecia		✔			SCN + CDF	
Suiza				✔	PD	PD

Notas:

PD: Prestación definida

CDF: Contribución definida financiada

SP: Sistema de Puntos

SCN: Sistema de cuentas nocionales

Fuente: Adaptado de OECD, 2019.

La región escandinava, compuesta por Islandia, Dinamarca, Noruega, Suecia y Finlandia aplican una particular visión de las economías mixtas que ha sido denominada *modelo nórdico de bienestar*; caracterizado por un elevado nivel de gasto público en protección social, mercados laborales relativamente poco regulados y fuertes sindicatos (Pampillón Olmedo, 2008). Los países nórdicos se caracterizan por una elevada estabilidad política y democrática, y elevados niveles de participación y concienciación ciudadana con relación al bienestar conjunto de la población. Estas características socioeconómicas de estos países son el resultado, entre otras, de determinadas variables geográficas y demográficas tales como bajas densidades de población, poblaciones generalmente pequeñas concentradas en grandes núcleos urbanos costeros y grandes territorios despoblados a consecuencia de la extrema latitud norte de estos países. Este tamaño y distribución geográfica de la población, unidos a una concepción universalista del estado del bienestar, les ha permitido el desarrollo de sistemas de pensiones en los que el criterio de asignación de prestaciones en el primer nivel toma como referencia el período de residencia en el territorio nacional, con independencia del nivel de ingresos de los ciudadanos (sistema no contributivo). La implantación del segundo nivel contributivo se ha producido de forma heterogénea, de modo que nos encontramos con países donde la gestión se realiza exclusivamente a través del sector privado –Islandia y Dinamarca– y otros países –Noruega, Suecia y Finlandia– que gestionan sistemas públicos de pensiones de distintas modalidades.

Los países de Europa Oriental y Meridional que pertenecieron al antiguo eje comunista ruso–de los que figuran en la OCDE: Eslovenia, Eslovaquia, Estonia, Letonia, Lituania, Hungría, Polonia y República Checa– se han visto sometidos en los últimos 30 años a una transición económica acelerada desde posiciones comunistas a las actuales de corte mixto o del bienestar. La mayoría de estos países han experimentado en estas décadas unos niveles de crecimiento y estabilización económicos que les ha permitido ingresar como estados miembros en la Unión Europea y desarrollar políticas de bienestar social entre las que se encuentra el desarrollo de sus sistemas de pensiones nacionales. Según datos de la OCDE, disponen del primer pilar universal que se rige según el modelo contributivo básico o mínimo; y complementan con el segundo pilar contributivo que en algunos casos se configura siguiendo un modelo público de prestación definida –Eslovenia y República Checa– y en el resto, como un modelo de gestión pública con cuentas individuales (cuentas nocionales) incorporando desde el principio factores correctores sobre el envejecimiento de la población.

Por último, nos encontramos con los países de corte continental –Alemania, Austria, Bélgica, Francia, Luxemburgo, Países Bajos y Suiza– y mediterráneo –España, Grecia, Italia y Portugal–. Las economías mediterráneas se caracterizan por una alta intervención del Estado en la economía, de forma que en gran parte de estos países los sistemas de pensiones recaen casi exclusivamente en el sector público. En contraste, las economías continentales tienden hacia un modelo híbrido que combina gestión pública y privada en el nivel contributivo. La mayoría de estos países aplican un primer pilar contributivo mínimo o básico –salvo Alemania, Grecia y Países Bajos que aplican criterios de residencia, e Italia que no dispone de primer nivel– y un segundo nivel público de prestación definida –a excepción de Francia, Alemania e Italia que disponen de sistemas basados en puntos o en cuentas nocionales–.

2. NORTEAMÉRICA

Esta región está compuesta principalmente por Canadá y Estados Unidos, ambos países con sistemas económicos de corte anglosajón. Se observa que Estados Unidos no dispone de primer nivel básico, en tanto que Canadá presenta un primer pilar fundamentado en el criterio de residencia –pues sus características demográficas y geográficas son similares a las mencionadas para los países nórdicos–. Ambas naciones cuentan con un segundo nivel contributivo de carácter público en la modalidad de prestaciones definidas.

Tabla 3.2. Estructura de los sistemas de pensiones en Norteamérica.

América del Norte	Primer Nivel				Segundo Nivel	
	Criterio Residencia		Criterio contributivo			
	Básico	Personalizado	Básico	Mínimo	Público	Privado
Canadá	✔	✔			PD	
EE.UU					PD	

Nota: PD: Prestación definida.

Fuente: Adaptado de OECD, 2019.

3. LATINOAMÉRICA

En 1981, Chile realizó una reforma de su sistema de pensiones que supuso una ruptura con el sistema de reparto intergeneracional –presente en la mayoría de los países de la OCDE–y su sustitución por un modelo de gestión privada, obligatorio y basado en cuentas individuales de capitalización. En la década de los 90, la mayoría de los países latinoamericanos –Costa Rica, Colombia, México, Perú, República Dominicana y Uruguay, entre otros– intentaron imitar el modelo chileno con ciertas variaciones, en un intento de evitar los problemas de sostenibilidad financiera de las pensiones de los modelos de reparto.

Tabla 3.3. Estructura de los sistemas de pensiones en Latinoamérica.

Latinoamérica	Primer Nivel				Segundo Nivel	
	Criterio Residencia		Criterio contributivo			
	Básico	Personalizado	Básico	Mínimo	Público	Privado
Argentina			✔	✔	PD	
Brasil				✔	PD	
Chile		✔				CDF
México				✔		CDF

Notas:

PD: Prestación definida

CDF: Contribución definida financiada

Fuente: Adaptado de OECD, 2019.

Sin embargo, en la última década, se ha puesto de manifiesto que la aplicación de estos sistemas de pensiones basados en fórmulas de capitalización genera problemas difíciles de solventar que han conducido a la mayoría de estos países a una vuelta progresiva a los sistemas de reparto –sería el caso de Argentina y Brasil, como podemos ver en la tabla 3.3–.

4. ÁFRICA Y ORIENTE MEDIO

El continente africano presenta escasa información sobre el grado de implantación de sistemas de pensiones en los países de esta región geográfica. Como podemos observar en la tabla 3.4., la OCDE sólo dispone de datos en materia de pensiones de 4 países en todo el continente: Arabia Saudí, Israel, Sudáfrica y Turquía. Estas naciones se sitúan entre las economías con mayores niveles de desarrollo en África, circunstancia estrechamente relacionada con una mayor estabilidad política y legislativa de estos países en comparación con otras naciones de su entorno. Podemos determinar que Israel y Sudáfrica presentan sistemas de pensiones basados en la premisa del modelo anglosajón, con niveles primarios basados en el criterio de residencia y niveles secundarios inexistentes –Sudáfrica– o de gestión exclusivamente privada –Israel–. Por el contrario, Arabia Saudí y Turquía presentan niveles básicos contributivos sobre mínimos y niveles contributivos de segundo nivel de gestión pública en la modalidad de prestación definida.

Tabla 3.4. Estructura de los sistemas de pensiones en África y Oriente Medio.

África y Oriente Medio	Primer Nivel				Segundo Nivel	
	Criterio Residencia		Criterio contributivo			
	Básico	Personalizado	Básico	Mínimo	Público	Privado
Arabia Saudí				✔	PD	
Israel	✔		✔			CDF
Sudáfrica		✔				
Turquía				✔	PD	

Notas:

PD: Prestación definida

CDF: Contribución definida financiada

Fuente: Adaptado de OECD, 2019.

Dada la ausencia de sistemas de protección social en la mayoría de los países africanos, y con el objetivo de generar un marco de discusión y debate sobre la necesidad e idoneidad de su implantación; en 1993 se crea la Conferencia Interafricana de Bienestar Social (CIPRES), a la que actualmente se encuentran adheridos 16 países africanos de habla francófona: Benín, Burkina Faso, Camerún, República Centroáfricana, Comoras, Congo, Costa de Marfil, Gabón, Guinea Ecuatorial, Madagascar, Mali, Níger, República Democrática del Congo, Senegal, Chad y Togo. Los objetivos marcados por la CIPRES (2021) son:

- Establecer reglas comunes de gestión entre los países miembros.
- Implementar sistemas de control de la gestión de las Entidades de Seguridad Social en aras a una mayor racionalización en su funcionamiento.
- Desarrollar estudios y propuestas de armonización, así como las disposiciones legales correspondientes aplicables a las entidades y regímenes de la Seguridad Social.
- Ofrecer formación inicial y permanente a los directores y técnicos de las Entidades de Seguridad Social de los estados Miembros.
- Promoción de la Seguridad Social y apoyo a las acciones encaminadas a su extensión en los Estados miembros.
- Establecimiento de un sistema de apoyo, asesoramiento y asistencia a las Entidades de Seguridad Social de los Estados Miembros.

5.   ASIA Y OCEANÍA

Por último, el continente asiático presenta similitudes con respecto al africano en relación con la ausencia de información sobre los sistemas de pensiones de un elevado número de países con niveles de desarrollo económico escaso y elevada inestabilidad política. Como podemos observar en la tabla 3.5., Australia y Nueva Zelanda muestran características del modelo anglosajón, ambos con niveles básicos de prestaciones basadas en el criterio de residencia. Australia cuenta además con un segundo nivel de prestaciones contributivas gestionado por entidades privadas. Otro país que combina gestión pública y privada del sistema de contribuciones es Rusia, que cuenta adicionalmente con un nivel básico contributivo. El resto de los países combinan el primer nivel contributivo universal con el segundo nivel contributivo público, en su mayoría de prestación definida complementado con contribuciones definidas.

Tabla 3.5. Estructura de los sistemas de pensiones en Asia y Oceanía.

Asia y Oceanía	Primer Nivel					Segundo Nivel
	Criterio Residencia		Criterio contributivo			
	Básico	Personalizado	Básico	Mínimo	Público	Privado
Australia		✔				CDF
China				✔	SCN + CDF	
Corea del Sur			✔		PD	
Japón			✔		PD	
India				✔	PD + CDF	
Indonesia				✔	PD + CDF	
Nueva Zelanda	✔					
Rusia			✔		SP	CDF

Notas:

PD: Prestación definida

CDF: Contribución definida financiada

SP: Sistema de Puntos

SCN: Sistema de cuentas nocionales

Fuente: Adaptado de OECD, 2019.

Gráfico 3.1. Sistemas básicos de pensiones a nivel internacional según OCDE
(primer pilar)

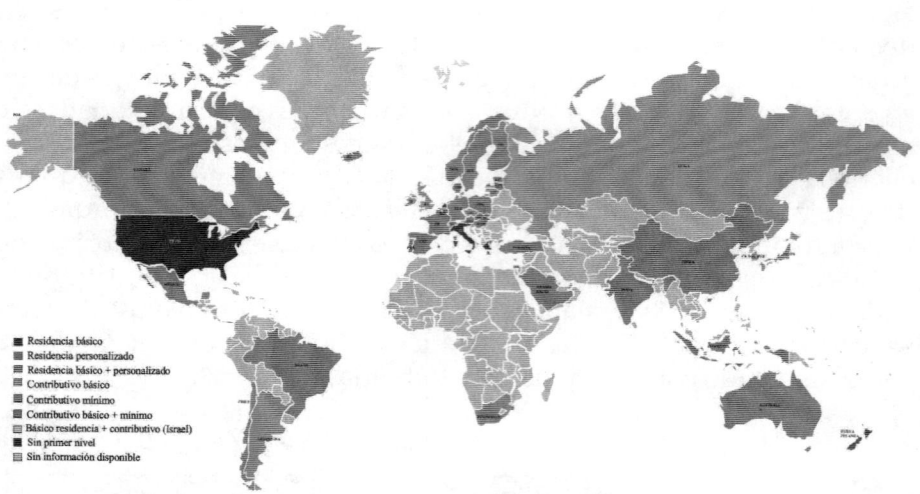

Fuente: Elaboración propia a partir de datos de OECD (2019).

Gráfico 3.2. Sistemas contributivos de pensiones a nivel internacional según OCDE
(segundo pilar)

Fuente: Elaboración propia a partir de datos de OECD (2019).

IV. CONCLUSIONES DEL ESTUDIO ECONÓMICO A NIVEL INTERNACIONAL

A lo largo del presente capítulo hemos intentado presentar de manera clara y sencilla un esquema general de la distribución de los sistemas nacionales de pensiones en el paradigma internacional actual. Podemos concluir dos cuestiones esenciales del estudio realizado: en primer lugar, la pluralidad de modelos de pensiones existentes en el paradigma internacional, y en segundo lugar, las grandes brechas existentes –en términos de protección social– entre los países desarrollados y los que se encuentran en vías de desarrollo. Asimismo, otro factor clave en la configuración de los sistemas de pensiones nacionales es el peso que el sector público tiene en la economía de los países. Una mayor consolidación del Estado del Bienestar en un país tendrá efectos positivos sobre el desarrollo de un sistema de pensiones suficiente, estable y sostenible en el tiempo.

El principal reto al que se enfrentan los sistemas de pensiones de reparto intergeneracional en los próximos años es la posible insolvencia de estos sistemas a medio plazo como consecuencia del envejecimiento de la población unido a la caída de las tasas de natalidad de las últimas décadas. Este desfase generacional se calcula que durará aproximadamente hasta 2050, fecha en la que las cifras demográficas se estabilizarían de nuevo según estimaciones de los principales organismos económicos a nivel internacional. Estos problemas se plantean en los países desarrollados, pues son lo que poseen mayores ratios de esperanza de vida y menores tasa de nacimientos por habitantes. Además, a la situación demográfica se le añade como agravante la mayor volatilidad del mercado de trabajo, con porcentajes elevados de contratos precarios que aportan contribuciones insuficientes al sistema. Europa sería la principal afectada por estas cuestiones.

Los países que han implantado sistemas de pensiones de capitalización individual en los últimos 30 años, como ha ocurrido en Latinoamérica, han visto cómo estos no han mejorado los niveles de desigualdad existentes. En la mayoría de los casos se ha demostrado que la capacidad de ahorro de la población ha sido insuficiente para garantizar una pensión digna a los jubilados, además de perpetuar efectos negativos del mercado laboral como la brecha económica de género. En esta modalidad, el efecto envejecimiento también puede incidir negativamente en el cómputo de la pensión si se tienen en cuenta variables relacionadas con la esperanza de vida en las fórmulas de cálculo.

Por último, los países de África y Asia –en su mayoría en vías de desarrollo–, se enfrentan a corto y medio plazo a la necesidad de establecer sistemas de pensiones adecuados a sus frágiles sistemas económicos. La inestabilidad política, la dificultad de acceso a los recursos naturales y tecnológicos, los altos niveles de pobreza, la desigualdad económica existente en estos países, una educación y formación precaria o inexistente, la ausencia de recursos sociales por parte de las Administraciones Públicas, etc. Son los hándicaps a los que se enfrentan estas sociedades a la hora de intentar garantizar prestaciones por envejecimiento en estos países, pues para asegurar el bienestar futuro de los ciudadanos hay que garantizar previamente el bienestar presente.

V.   BIBLIOGRAFÍA CITADA

Benítez Llamazares, N., "El Covid-19 y sus efectos sobre la financiación del sistema público de pensiones español (I): el impacto demográfico de la pandemia". En Vila Tierno, F. y Gutiérrez Bengoechea (dir.), *La incidencia de los diferentes factores endógenos y exógenos sobre la sostenibilidad y suficiencia en el sistema de pensiones* (1.ª edición, pp. 29-44), Editorial Comares, 2020. ISBN: 978-84-1369-058-2.

Conde Ruiz, I.J. y González, C.I., *European Pension System: Bismark or Beveridge?* Documento de Trabajo 2018/1, FEDEA, Madrid, 2018. Recuperado de: https://documentos.fedea.net/pubs/dt/2018/dt2018-01.pdf.

Conferencia Interafricana de Bienestar Social (CIPRES). *CIPRES: historia y objetivo*s, 2021, [consulta online: 10 de octubre, 2021]. http://www.laci-pres.org/presentation/article/historique-objectifs.

Declaración Universal de los Derechos Humanos. *Resolución 217 A (III) de 10 de diciembre de 1948*. Asamblea General de las Naciones Unidas, París. Recuperado de: https://www.ohchr.org/EN/UDHR/Documents/UDHR_Translations/spn.pdf.

Domínguez Martínez, J.M., *La reforma de las pensiones en España: una aproximación económica*. Serie Documentos de Trabajo, núm. 2/2012. Instituto Universitario de Análisis Económico y Social, Universidad de Alcalá, España, 2012. ISSN 2172-7856.

Instituto de Estudios de Sanidad y Seguridad Social, "Un nuevo modelo europeo de seguridad social: el proyecto del código de Lovaina", *Colección Seguridad Social*, vol. 78, núm. 1, Serie Seguridad Social, España, 1978. ISBN 8450028515.

Ministerio de Inclusión, Seguridad Social y Migraciones, *Aula de la Seguridad Social. Área de profesores. Unidad 5: Sistema de financiación*, 2020 [consulta online: 15 de septiembre, 2020]. http://www.seg-social.es/wps/portal/wss/internet/PortalEducativo/Profesores/Unidad5/PESS501/PESS503.

OECD [OCDE], *Pensions at glance 2019: OECD and G20 indicators*, OECD Publishing, Paris, 2019. En: https://doi.org/10.1787/b6d3dcfc-en.

Organización de Naciones Unidas [ONU] (s.f). *La Declaración Universal de Derechos Humanos*. Recuperado de: https://www.un.org/es/about-us/universal-declaration-of-human-rights.

Pampillón Olmedo, R., "EL modelo nórdico", *Revista de Economía Mundial*, núm. 18, pp. 155-165, Hueva, España, 2008. Recuperado de: https://www.redalyc.org/pdf/866/86601813.pdf.

Pieschacón Velasco, C., *Sistemas de pensiones; experiencia española e internacional. Tomo I*, Fundación Inverco, Madrid, 2005. Recuperado de: http://www.inverco.es/archivosdb/sistema-de-pensiones-experiencia-espao-la-e-internacional-tomo-i.pdf.

– *Sistemas de pensiones; experiencia española e internacional. Tomo II*, Fundación Inverco, Madrid, 2005. Recuperado de: http://www.inverco.es/archivosdb/sistema-de-pensiones-experiencia-espaola-e-internacional-tomo-ii.pdf.

Rabadán Forniés, M. [INVERCO], "Sistema de pensiones en España (parte 1 de 4)", *Comparecencia ante la Comisión de seguimiento y evaluación del Pacto de Toledo*, Congreso de los Diputados, Madrid, 2009. Recuperado de [European Commission, Speech Repository]: https://webgate.ec.europa.eu/sr/speech/sistema-de-pensiones-en-espa%C3%B1a-parte-1-de-4.

Rico Paradas, L., Análisis de las deficiencias del sistema de pensiones español y comparativa internacional (Trabajo Fin de Grado), Universidad de Málaga, España, 2020.

VI. ANEXO

Tabla 6.1. Comparativa de los sistemas de pensiones de los países de la OCDE.

País	Índice de pobreza personas mayores 66 años	Porcentaje de ingresos de personas mayores de 66 años con respecto a la media de ingresos	Edad actual de jubilación (2018)	Porcentaje de gasto público (2015)
Alemania	9,6%	88,6%	65,5	23,1%
Australia	23,2%	72,3%	65,0	11,4%
Austria	8,7%	93,8%	62,5	26,1%
Bélgica	8,2%	79,7%	65,0	19,9%
Canadá	12,2%	90,5%	65,0	11,5%
Chile	17,6%	93,5%	62,5	-
Corea del Sur	43,8%	65,1%	61,0	9,0 %
Dinamarca	3,0%	80,9%	65,0	14,8%
Eslovenia	12,3%	89,6%	61,8	23,3%
España	9,4%	95,3%	65,0	25,2%
EEUU	23,1%	93,8%	66,0	18,7%
Estonia	35,7%	66,7%	63,3	17,4%
Finlandia	6,3%	83,2%	65,0	20,0 %
Francia	3,4%	103,2%	63,3	24,4%
Grecia	7,8%	96,8%	62,0	31,3%
Hungría	5,2%	94,5%	62,75	18,4%
Irlanda	6,0%	84,1%	66,0	12,4%
Islandia	2,8%	94,3%	67,0	4,9%
Israel	19,9%	191,2%	64,5	12,0%
Italia	10,3%	99,6%	66,8	32,2%
Japón	19,6%	87,8%	64,5	23,9%
Letonia	32,7%	71,3%	62,8	18,5%
Lituania	25,1%	74,1%	62,75	19,2%
Luxemburgo	7,7%	105,3%	62,0	20,1%
México	24,7%	92,5%	65,0	7,9%
Noruega	4,3%	91,6%	67,0	13,5%
Nueva Zelanda	10,6%	86,2%	65,0	12,7%
Países Bajos	3,1%	85,6%	65,8	12,0%
Polonia	9,3%	88,7%	62,9	26,4%

País	Índice de pobreza personas mayores 66 años	Porcentaje de ingresos de personas mayores de 66 años con respecto a la media de ingresos	Edad actual de jubilación (2018)	Porcentaje de gasto público (2015)
Portugal	9,5%	99,0 %	65,2	27,7%
Reino Unido	15,3%	83,6%	65,0	14,8%
República Checa	4,5%	75,6%	62,95	19,4%
República Eslovaca	4,3%	87,2%	62,2	16,2%
Suecia	11,3%	85,5%	65,0	14,4%
Suiza	19,5%	80,0 %	64,5	19,1%
Turquía	17,0%	86,0 %	49,5	21,4%

Fuente: Adaptado de Rico Paradas, 2020.

Capítulo 3

El discurso de la Unión Europea en materia de pensiones en el marco de la Estrategia Europa 2020

Matthieu Chabannes
Profesor e Investigador Contratado Predoctoral (FPU)
Universidad Complutense de Madrid

SUMARIO: I. INTRODUCCIÓN. II. EL LIBRO VERDE SOBRE SISTEMAS DE PENSIO-
NES ADECUADOS, VIABLES Y SEGUROS DE 2010. III. EL LIBRO BLANCO
SOBRE PENSIONES ADECUADAS, SEGURAS Y SOSTENIBLES DE 2012. IV.
LA REFORMA DE LAS PENSIONES DESPUÉS DE LA CRISIS: UNA MAYOR
PREOCUPACIÓN POR LA ADECUACIÓN (2015-2020). V. BIBLIOGRAFÍA.

I.   INTRODUCCIÓN

Dadas las circunstancias demográficas, la evolución de las estructuras
familiares, las transformaciones del mercado laboral y los problemas para
el mantenimiento de los sistemas de protección social y en concreto de las
pensiones, en los últimos años, hay una respuesta a nivel comunitario en aras
a modernizar los sistemas de protección social para que respondan a una
situación acorde a las circunstancias actuales. Más allá de la coordinación de
los sistemas nacionales de Seguridad Social para asegurar la libre circulación
de los trabajadores, la Unión Europea (UE) no tiene competencias directas
en la materia. Sin embargo, respondiendo al mandato del artículo 153.1 c)
del Tratado de Funcionamiento de la Unión Europa (TFUE), las instituciones
europeas (el Consejo Europeo, la Comisión Europea) han apoyado y
complementado la acción de los Estados miembros en materia de Seguridad
Social desempeñando un papel importante con el objetivo pretendido
de adaptar, modernizar y ajustar los sistemas de protección social a las
realidades y necesidades actuales y futuras. Y ello porque los retos que
pesan sobre los sistemas de protección social en general, y sobre los sistemas
públicos de pensiones en particular, empezaron a ser percibidos como un

asunto clave que afectaba a las finanzas públicas y por ende, la capacidad de los Estados miembros de poder cumplir con los criterios económicos. La política social se ha ido integrando gradualmente en la construcción europea, después de convertirse en una preocupación común. Esto ha llevado a los países de la Unión Europea a coordinar más sus políticas de protección social. Una tendencia ahora reforzada por las consecuencias de la crisis económica y social derivada de la pandemia Covid-19. En este sentido el presente capítulo se propone identificar y analizar las recomendaciones básicas realizadas por la UE con respecto a esta materia durante los diez últimos años.

El comienzo de la década 2010-2020 marcó el inicio de un nuevo rumbo para la política social europea. Europa 2020 es la estrategia de crecimiento de la UE para la década. Sucede a la Estrategia de Lisboa (2000-2010) y tiene como objetivo crear una economía social de mercado que sea "competitiva, innovadora, sostenible e integradora". Tiene como objetivo promover la sostenibilidad del modelo económico europeo de tres formas. En primer lugar, la sostenibilidad económica, denominada "crecimiento inteligente": en un contexto de globalización y de cara a las economías emergentes, la economía europea debe basar su ventaja comparativa en la competitividad, la innovación y el conocimiento. En segundo lugar, la sostenibilidad social, denominada "crecimiento integrador": la estrategia Europa 2020 hace hincapié en el empleo, reforzando la participación, la formación y las competencias para la empleabilidad. También tiene como objetivo la plena igualdad entre mujeres y hombres en el empleo y la reducción de la pobreza. Por último, la sostenibilidad medioambiental, denominada "crecimiento sostenible": el objetivo es asegurar la transición a un modelo económico con bajas emisiones de CO_2 para luchar contra el cambio climático y crear nuevas fuentes de crecimiento económico.

En materia de pensiones, una especial atención ha sido acordada a éstas en el marco de la Estrategia Europa 2020. Todo empezó con la publicación de un Libro Verde sobre "en pos de unos sistemas de pensiones adecuados, viables y seguros en Europa" en 2010. A continuación, salió a la luz un Libro Blanco sobre "Agenda para unas pensiones adecuadas, seguras y sostenibles" de 2012. Por último, es de obligada referencia el Semestre Europeo, el Pilar europeo de Derechos Social, así como los distintos Informes sobre envejecimiento del Comité de Política Económica y los Informes sobre la adecuación de las pensiones del Comité de Protección Social que la Comisión publica cada tres años. Seguidamente centraremos nuestro estudio sobre esta documentación comunitaria.

II. EL LIBRO VERDE SOBRE SISTEMAS DE PENSIONES ADECUADOS, VIABLES Y SEGUROS DE 2010

En julio de 2010, la Comisión Europea publicó un Libro Verde titulado "en pos de unos sistemas de pensiones adecuados, viables y seguros en Europa"[1]. La puesta en práctica del Método Abierto de Coordinación tiene como elementos centrales el Libro Verde de 2010 y el Libro Blanco de 2012[2]. Por su parte, este Libro Verde llega al final de una década de reformas de los sistemas de pensiones como parte de una estrategia de coordinación abierta que comenzó en el año 2000 y que desde entonces ha sido objeto de varias olas de reformas en la UE. Marca el punto de partida para el discurso político de la UE durante la crisis económica y financiera de 2008.

Sea como fuere, tras una década de reformas, las instituciones europeas proponen revisar por completo el marco de la UE en materia de pensiones. Después de recordar que los Estados miembros son los responsables de diseñar sus sistemas de pensiones, y que no existe un modelo ideal con un diseño válido para todos, la Comisión afirma que la finalidad del Libro Verde es impulsar un debate y un proceso de reflexión conjunto sobre los principales retos a los que se enfrentan los sistemas de pensiones y sobre la manera en que la UE puede ayudar a los países a ofrecer pensiones adecuadas y sostenibles[3].

El documento resalta la necesaria interconexión y las sinergias existentes entre las reformas de las pensiones, la Estrategia Europa 2020 y el Pacto de Estabilidad y Crecimiento. Para contribuir al éxito de la nueva estrategia, las reformas de las pensiones deben ser coherentes con los objetivos marcados en materia de empleo y sostenibilidad a largo plazo de las finanzas públicas. La finalidad de la estrategia de mejorar el mercado de trabajo con más y mejores puestos de trabajo son decisivos para consolidar derechos a pensión. El objetivo de alcanzar una tasa de empleo del 75% hace necesario mejorar las tasas de empleo de los trabajadores de más edad para conseguir el objetivo. En este sentido, la Comisión critica que "menos del 50% de la gente sigue trabajando a la edad de 60 años", un resultado claramente

---

1. Comisión Europea, *"Libro Verde, en pos de unos sistemas de pensiones europeos adecuados, sostenibles y seguros"*, SEC (2010) 830, COM (2010) 365 final, de 7 de julio de 2010.
2. Aparicio Tovar, J., "La Unión Europea ante las pensiones. Orientaciones para la sostenibilidad", *Trabajo y derecho: nueva revista de actualidad y relaciones laborales*, núm. 2 extra, 2015, p. 144.
3. Un resumen de las respuestas puede consultar en el documento de la Comisión Europea, *Summary of Consultation Responses to the Green Paper. Towards Adequate, Sustainable and Safe European Pension Systems*, Unión Europea, Bruselas, 2011 y para el análisis crítico de éstas ver a Cairós Barreto, D. M.ª "Las orientaciones europeas en materia de pensiones: adecuación, sostenibilidad y seguridad", *Documentación Laboral*, núm. 103, 2015, pp. 223-227.

insuficiente que va contra los objetivos de la Estrategia de Lisboa y de la Estrategia Europa 2020. Por otro lado, solventar las deficiencias de la adecuación de las pensiones contribuiría a alcanzar el objetivo marcado por Europa 2020 de combatir y reducir el riesgo de pobreza entre las personas mayores.

No obstante, la consecución de estos objetivos se vio entorpecido por el estallido de la crisis financiera y económica de 2008 que ha agravado y acelerado el problema subyacente del envejecimiento demográfico. Se reconoce que la desaceleración del crecimiento económico, el incremento de la deuda y del desempleo ha hecho más urgente las reformas en materia de pensiones para ajustar las prácticas de jubilación y la manera en que se adquieren los derechos a pensión. Por su parte, el Pacto de Estabilidad y Crecimiento ofrece el marco para hacer un seguimiento de las finanzas públicas, incluidos los sistemas de pensiones. Hace hincapié en la sostenibilidad financiera y refleja la necesidad de reforzar la contención de gastos tras el aumento de las presiones financieras por la crisis económica y financiera. Es importante señalar que el discurso mantenido a lo largo del documento es particularmente pesimista y alarmante. La crisis ha dado la señal de aviso con respecto a todas las pensiones, ya sean de reparto o de capitalización[4]. Se reconoce que "con las tendencias actuales, la situación es insostenible" y que "la crisis tendrá graves repercusiones sobre las futuras pensiones" por lo que "si no cambian las políticas, una consolidación fiscal será ineludible ante el horrible estado de las finanzas públicas y el insostenible aumento previsto de los niveles de deuda pública".

Como es habitual en la documentación emanada de la UE, el Libro Verde comienza por recordar los principales retos a los que se enfrentan los sistemas de pensiones y que de manera sucinta podemos resumir como sigue:

- El envejecimiento demográfico: Se pone de manifiesto que el fenómeno demográfico se ve agravado con la llegada de las primeras cohortes de la generación del *baby boom* a la edad de jubilación. Por otro lado, debido al incremento de la esperanza de vida y las bajas tasas de natalidad, la población en edad de trabajar empieza a disminuir por lo que la tasa de dependencia se vuelve insostenible. Si actualmente hay cuatro personas en edad de trabajar para cada pensionista, se prevé que, en 2060, de mantenerse las previsiones, habrá tan solo dos.

---

4. Barceló Fernández, J., "El reto de la prolongación de la vida activa y del retraso en la jubilación" en AA.VV. *"Estudios sobre seguridad social. Libro homenaje al profesor José Ignacio García Ninet"*, Atelier, Barcelona, 2017, p. 581.

- Cambios en el mercado de trabajo: la población activa cuenta con una vida laboral cada vez más corta y un periodo de jubilación más largo debido a que, por un lado, los cotizantes se incorporan más tarde por la prolongación de la etapa de formación y por otro lado, se accede a la jubilación a una edad más temprana a causa de la gestión de la edad que promueve la expulsión de los trabajadores de más edad.

- Transformaciones en la sociedad: el auge de familias monoparentales, parejas sin hijos, o de generaciones que habitualmente conforman el núcleo familiar (padres e hijos) viven alejados los unos de los otros, acarrea un recurso mayor a servicios de cuidados que antes se daban en el seno de la familia. Ello ejerce una presión adicional sobre la financiación del coste de la asistencia sanitaria y de los cuidados de larga duración.

A continuación, se definen las prioridades para modernizar la política de pensiones en la UE. Para ello los objetivos globales presentados por el documento son la adecuación y la sostenibilidad de los sistemas de pensiones que configuran las dos caras de la misma moneda. No obstante, la balanza no está equilibrada. Sobre la adecuación, el Libro Verde recuerda que el propósito de los sistemas de pensiones es asegurar unos ingresos adecuados para el pensionista, sobre la base de una solidaridad intergeneracional. Pero para la Comisión la adecuación es claramente deficiente. Y ello porque las reformas recientes se centraron de manera prioritaria en mejorar la sostenibilidad financiera de los sistemas prestando poca atención a la adecuación. En consecuencia, se prevé que las tasas de reemplazo disminuyan lo que se traduce en que los beneficiarios verán mermadas las cuantías de sus futuras prestaciones de jubilación. Como posibles soluciones propuestas para solventar el problema de la adecuación, la Comisión desplaza la responsabilidad a los trabajadores y sugiere a los Estados miembros de adoptar medidas adicionales para que los futuros pensionistas puedan adquirir derechos complementarios bien sea mediante la prolongación de su vida activa (retrasando la edad de jubilación) y/o compensando la perdida de la parte de la pensión pública con el acceso a un plan de pensión complementario. Respecto al objetivo de sostenibilidad, en la misma línea que lo anterior, la Comisión recuerda que las finanzas públicas de los Estados miembros están sometidas a unas reglas de estabilidad económica dentro del marco del Pacto de Estabilidad y Crecimiento en el que se incluyen los sistemas de pensiones por el considerable peso que suponen para los gastos públicos. Pues bien, a pesar de reconocer que muchas reformas se centraron en limitar el aumento de gasto, para la Comisión nada es suficiente y "urge tomar más medidas (...) sobre todo en los países donde se prevé que el gasto público en pensiones sea elevado".

Partiendo de estas premisas el Libro Verde se centra a continuación en el desarrollo de tres objetivos centrales: lograr un mejor equilibrio entre los períodos de trabajo y de jubilación, eliminar los obstáculos a la movilidad en la UE y garantizar la seguridad y la transparencia mediante una mejor concienciación e información a los beneficiarios. Y para cada uno de ellos, se hace una serie de propuestas para afrontar los retos a corto y largo plazo para la protección de la vejez en Europa. La Comisión subraya el impacto de la edad media de abandono del mercado de trabajo sobre la tasa de dependencia de la vejez y advierte que una dolorosa combinación de reducción de prestaciones y aumento de cotizaciones sería inevitable si el aumento de la tasa de dependencia de la vejez no se ve acompañada de medidas para prolongar la vida profesional. La introducción de un sistema de ajuste automático para aumentar la edad legal de jubilación, alineándolo con la evolución futura de la esperanza de vida se presenta como "una opción de actuación prometedora para fortalecer la sostenibilidad de los sistemas de pensiones". La mayor responsabilidad individual resultante de las reformas implica, según el documento, que la futura adecuación de las pensiones se basará en las oportunidades del mercado de trabajo y los rendimientos ofrecidos por los mercados financieros.

Por último, el Libro Verde también focaliza su atención sobre el rendimiento de los fondos de pensiones y la necesidad de una regulación más eficaz y una mejor gobernanza para reducir los costes y riesgos para los beneficiarios[5]. Sin embargo, en comparación con comunicaciones anteriores, debemos subrayar que por primera vez la Comisión matiza su discurso sobre los sistemas de financiación privada que ya no se presentan en sí mismos como una respuesta segura a los problemas. Los fondos de pensiones se han visto fuertemente golpeados por la crisis y esto ha demostrado su potencial debilidad. Apoyándose sobre un estudio de la OCDE[6], los sistemas de capitalización han visto las tasas de rendimiento y la solvencia afectados por las caídas de los tipos de interés y los valores de los activos. En consecuencia, los fondos de pensiones privados perdieron más

---

5.   Al respecto ver Monereo Pérez, J.L. y Fernández Bernat, J. A.: "Los planes y fondos de pensiones en el contexto de la reforma de los sistemas de protección social: ¿continuidad o renovación?", *Revista General de Derecho del Trabajo y de la Seguridad Social*, núm. 31, 2012, pp. 26-84 en donde los autores afirman con razón que la publicación del Libro Verde es una muestra de esta preocupación de la UE por alentar a los Estados miembros a tomar medidas para relanzar los planes y fondos de pensiones. Prueba de ello, de las catorce preguntas que se plantean a lo largo del documento para responder, ocho se refieren específicamente al marco legal de los planes complementarios privados, en particular al control de su solvencia o la transferibilidad de derechos de un Estado miembro a otro.

6.   Antolín, P. y Stewart, F.: "Private Pensions and Policy Responses to the Financial and Economic Crisis", *OECD Working Papers on Insurance and Private Pensions*, núm. 36, OECD publishing, 2009.

del 20% de su valor en 2008 y, a pesar de la recuperación de 2009, muchos todavía están lejos de volver a los niveles de solvencia requeridos. Por el contrario, se resalta la solidez de los esquemas públicos de reparto para amortiguar los efectos de la crisis. Las pensiones públicas han demostrado ser decisivas en la protección de las personas mayores "puesto que cuentan con unos ingresos seguros de las pensiones públicas, a las que, en general, se ha dejado desempeñar su papel de estabilizadores automáticos, los actuales pensionistas han sido de los menos afectados hasta ahora por la crisis".

En definitiva, el Libro Verde ofrece un enfoque holístico del debate sobre las pensiones al tiempo que subraya la interdependencia de los objetivos de adecuación y viabilidad. Por un lado, la sostenibilidad financiera de los sistemas refleja la necesidad urgente de reforzar la contención de gastos públicos a raíz del aumento de las presiones financieras por la crisis económica y financiera. Por otro lado, se señala la necesidad de solventar las deficiencias en la adecuación de las prestaciones, que se han hecho especialmente evidentes desde la crisis. Y, por último, si bien es cierto que la sostenibilidad financiera sigue predominando, no es menos cierto que la preocupación por la adecuación de las prestaciones, aunque con menor atención, ha crecido. No obstante, echamos en falta que el Libro Verde haga alguna mención sobre el fortalecimiento del primer pilar. La ausencia de una evaluación más profunda de los resultados de las reformas de las pensiones plantea riesgos limitando el análisis de soluciones a los retos futuros. El primer y más evidente efecto de las reformas es la contención del gasto público y la futura reducción de los derechos de pensiones. La generosidad del primer pilar está disminuyendo como consecuencia de las medidas adoptadas y de las características del contexto socioeconómico (mercado laboral más flexible). En algunos países las pensiones públicas caerán en las próximas décadas con el consiguiente aumento de las brechas en la adecuación. Los efectos de los recortes no se distribuyen por igual entre los diferentes grupos económicos. Es muy probable que los trabajadores con relaciones laborales atípicas que afectan a las mujeres, jóvenes o migrantes se vean más afectados. Este es un problema que el Libro Verde no aborda.

III. EL LIBRO BLANCO SOBRE PENSIONES ADECUADAS, SEGURAS Y SOSTENIBLES DE 2012

Como continuación al Libro Verde de 2010 y a la consulta pública, en febrero de 2012, la Comisión Europea publicó el Libro Blanco titulado "Agenda para unas pensiones adecuadas, seguras y sostenibles"[7]. Si el

---

7. Comisión Europea, "Libro Blanco. Agenda para unas pensiones adecuadas, seguras y sostenibles", COM (2012) 55 final, de 16 de febrero de 2012.

principal objetivo del Libro Verde era iniciar un debate sobre los desafíos socioeconómicos relacionados con los sistemas de pensiones y sobre el papel de la UE en términos de apoyo y de vigilancia a los Estados miembros, el Libro Blanco viene a culminar el proceso proponiendo una serie de estrategias a nivel europeo y recomendaciones a cada país. De hecho, por sus propuestas, el Libro Blanco constituye uno de los documentos de la UE sobre pensiones que más polémica y debate ha causado entre la doctrina científica[8]. Como se ha dicho, su objetivo no es otro que el de orientar los instrumentos políticos de la UE para respaldar las medidas adoptadas por los Estados miembros por reformar sus sistemas de pensiones proponiendo una serie de iniciativas que van "desde la legislación de incentivos financieros hasta la coordinación de políticas y el seguimiento de los progresos hacia los objetivos definidos en el marco de la Estrategia Europa 2020"[9].

Su publicación coincide con el inicio del 2012: "Año Europeo del Envejecimiento Activo y la Solidaridad Intergeneracional"[10], lo que muestra la gran preocupación de la UE por el envejecimiento de su población. Pero, también sale a la luz en un período de crisis, agravado por la presión de los mercados financieros y los fuertes impactos sobre los sistemas de pensiones con severas reducciones en las cuantías de las prestaciones. A pesar de haber salido a la luz hace ya una década, su contenido sigue todavía plenamente válido y vigente. Actualmente sus propuestas guían las posibles recomendaciones específicas sobre las reformas de los sistemas de pensiones que emiten la Comisión y el Consejo a los países en el marco del Semestre Europeo.

El Libro Blanco abre su análisis con una frase que resume a la perfección el mensaje clave del documento y que sentencia que "el envejecimiento de la población es un reto importante para los sistemas de pensiones en todos

---

8. Para un análisis crítico del Libro Blanco ver Panizo Robles, J. A. y Presa García-López, R., "La reforma de las pensiones en el ámbito de la Unión Europea. (A propósito del Libro Blanco 'Agenda para unas pensiones adecuadas, seguras y sostenibles')", *Foro de Seguridad Social*, núm. 25, 2012, pp. 8-31; Bravo Fernández, C. y Martín Serrano Jiménez, E., "Las reformas de pensiones en Europa: alternativas negociadas vs. el modelo del Libro Blanco", *Lan Harremanak*, núm. 26, 2012, pp. 75-97; De La Fuente, M., "Pensiones dignas. Análisis del Libro Blanco sobre pensiones adecuadas, seguras y propuestas para un sistema vasco de pensiones", *Estado europeo de bienestar: retos para Euskadi en el siglo XXI*, 2013, pp. 55-73; Aparicio Tovar, J., "La sostenibilidad como excusa para una reestructuración del sistema de la Seguridad Social", *Cuadernos de Relaciones Laborales*, Vol. 33, núm. 2, 2015, pp. 289-309.
9. Camós Victoria, I.; García de Cortazar, C y Suárez Corujo, B., *La reforma de los sistemas de pensiones en Europa. Los sistemas de pensiones de países Bajos, Dinamarca, Suecia, Reino Unido, Italia, Francia y Alemania vistos desde España*, Laborum, Murcia, 2017, pp. 32-33.
10. Decisión núm. 940/2011/UE del Parlamento Europeo y del Consejo de 14 de septiembre de 2011 sobre el Año Europeo del Envejecimiento Activo y de la Solidaridad Intergeneracional (2012). Diario Oficial de la Unión Europea, núm. L 246/5, de 23 de septiembre de 2011.

los Estados Miembros. A menos que las mujeres y los hombres, ya que viven más tiempo, también prolonguen su vida laboral y ahorren más en vistas a la jubilación, no es posible garantizar unas pensiones adecuadas, ya que el incremento del gasto sería insostenible". El tono está marcado.

El documento comienza por exponer los retos ante los que se enfrentan los sistemas de pensiones europeos que podemos resumir de la siguiente forma:

– Garantizar la sostenibilidad financiera de los sistemas de pensiones: este es el gran desafío de la UE pues en opinión de las instituciones europeas las pensiones representan un peso muy elevado sobre el gasto público. Del actual 10% se prevé que alcance el 12,50% en 2060 lo que evidencia la necesidad de replantear los sistemas de pensiones. No obstante, subraya que, aunque los Estados miembros afrontan problemas demográficos similares, la situación varia considerablemente de un país a otro.

– Mantener la adecuación de las prestaciones por jubilación: siempre después del enfoque económico, aparece un atisbo de luz sobre la parte más social y humana del discurso: la adecuación. La Comisión reconoce que las pensiones públicas constituyen la principal fuente de ingresos en la vejez de sus europeos que les permite disfrutar de un nivel de vida adecuado y tener independencia económica. No obstante, quedan lagunas para algunos colectivos como las mujeres mayores para las cuales el 22% vive por debajo del umbral de pobreza. Además, ante las últimas modificaciones se espera que las tasas de reemplazo se reduzcan en el futuro por lo que, para solventar esta deficiencia en la adecuación de las pensiones públicas, se aporta la solución de trabajar hasta una edad superior o constituir ahorros a través planes profesionales y privados complementarios.

– Aumentar la participación en el mercado de trabajo de las mujeres y los trabajadores de más edad: El éxito de cumplir con el objetivo de la Estrategia Europa 2020 en materia de empleo depende en gran medida de que se ofrezca a los trabajadores y a las trabajadoras mayores más y mejores oportunidades para permanecer y/o reincorporarse en el mercado de trabajo, fomentar el aprendizaje a lo largo de la vida, adoptar políticas rentables destinadas a conciliar la vida laboral, privada y familiar, tomar medidas para contribuir al envejecimiento saludable y luchar contra las desigualdades de género y la discriminación por edad.

– El papel de los Estados miembros y la UE en materia de pensiones: A pesar de que los responsables del diseño y organización de sus sistemas de pensiones son los Estados miembros, el Libro Blanco reitera que según el TFUE (art. 153), la UE apoyará y completará la acción de los EM en el ámbito de la protección social y en la definición y ejecución de sus políticas. No obstante, la Comisión es consciente de su influencia y admite que muchas competencias e iniciativas políticas de la UE afectan a los sistemas y políticas nacionales de pensiones. De este modo se reconoce que las pensiones, que desempeñan un papel esencial ayudando a los ciudadanos de la UE, constituyen también una de las mayores partidas de gasto público y, por tanto, un asunto que preocupa a todos los Estados miembros.

Pues bien, basándose en las orientaciones clave para las reformas de las pensiones definidas en los Estudios Prospectivos Anuales sobre el Crecimiento de 2011 y 2012[11], la Comisión establece dos grandes ejes de trabajo sobre los que deben pivotar las reformas para lograr la adecuación y sostenibilidad de los sistemas de pensiones. Por una parte, garantizar un equilibrio entre el tiempo de vida laboral y el tiempo de jubilación. Para ello la Comisión recomienda cuatro medidas de reformas:

La primera, vincular la edad de jubilación a los aumentos de la esperanza de vida. La Comisión constata que las personas pasan un tercio de su vida en la jubilación, y con la previsión de los futuros aumentos de la esperanza de vida, urge cambiar las políticas para revertir esta proporción insostenible. Por ello estima que debe mantenerse durante mayor tiempo a las personas en el mercado de trabajo. Como solución propone retrasar la edad legal de jubilación vinculándola a los aumentos de la esperanza de vida y/o exigir un mayor número de años de cotización necesarios para tener derecho a la pensión completa. Cualquier reforma en este sentido ayudaría a estabilizar el equilibrio entre los años de vida laboral y los años de jubilación, no para el bienestar de los pensionistas sino para conseguir ahorros presupuestarios de más de la mitad del incremento previsto en el gasto en pensiones para los próximos cincuenta años. Nos hallamos aquí ante la primera de las medidas que más polémica ha suscitado.

La segunda, restringir el acceso a los planes de jubilación anticipada: esta medida es complementaria a la anterior. La Comisión entiende con razón que no tendría sentido ni éxito aumentar la edad de jubilación si no se restringen las posibilidades injustificadas de jubilación anticipada. Si esta medida puede parecer injusta e insolidaria para los colectivos de

---

11. COM 2011, 11 final, de 12 de enero de 2011 y COM 2011, 815 final, de 23 de noviembre de 2011. Para un análisis crítico de los Estudios Prospectivos Anuales sobre el Crecimiento ver Moreno Romero, F., *Trabajadores de mayor edad en la política institucional de la Unión Europea. Equilibrio entre políticas de empleo, pensiones y sistema productivo*, Comares, Granada, 2016, pp. 132-144.

trabajadores que desempeñan oficios penosos o peligrosos, el Libro Blanco propone como alternativa a la jubilación anticipada, la promoción de la movilidad laboral.

La tercera, favorecer la prolongación de la vida laboral: las dos medidas anteriores deben ir respaldadas por otras que permitan a las personas prolongar su permanencia en el mercado de trabajo, a través de disposiciones adecuadas en materia de salud, lugar de trabajo y empleo. El Libro Blanco destaca la importancia de invertir en la prevención de enfermedades, en el fomento del envejecimiento saludable y activo, la promoción de la salud y seguridad en el trabajo, el acceso al aprendizaje a lo largo de la vida, la adaptación de los lugares de trabajo a las necesidades de los trabajadores de más edad y el desarrollo de condiciones de trabajo más flexibles para compaginar trabajo y jubilación parcial.

La cuarta y última del primer eje, acabar con las diferencias entre hombres y mujeres en materia de pensiones: En el momento en que se publicó el Libro Blanco, treces países mantenían edades distintas de jubilación para hombres y mujeres. La Comisión pide a estos países igualar la edad de acceso entre sexos. Además, debe erradicarse las diferencias en las relaciones laborales bien sea con el empleo, los salarios, las cotizaciones, las interrupciones de carreras profesionales y el trabajo a tiempo parcial para dedicarse al cuidado de personas dependientes. Las desigualdades en las pensiones no son más que el reflejo y el resultado de las desigualdades en el mercado de trabajo.

Por otra parte, el segundo eje de las recomendaciones gira en torno a la necesidad de promover y desarrollar los planes de ahorro privados complementarios de jubilación. Estamos ante otra de las medidas que más ruido ha producido sobre todo en aquellos países en los que el sistema de pensiones es fundamentalmente de reparto. La Comisión entiende que los planes de ahorro complementarios deben desempeñar un papel más importante a la hora de garantizar la futura adecuación de las pensiones. En este sentido, pide a los Estados miembros adoptar las medidas necesarias para mejorar la rentabilidad, la seguridad y el acceso igualitario a los planes de pensiones complementarios. Para ello, afirma que la fiscalidad, los incentivos financieros, así como la negociación colectiva desempeñan un papel fundamental en este sentido. Reconoce que la crisis ha puesto de relieve la vulnerabilidad de los planes de pensiones de capitalización en periodos de crisis, pero la UE tiene competencias legislativas en este ámbito a través de dos Directivas[12] que pretende revisar con el fin de facilitar aún más la actividad fronteriza de los fondos de pensiones de empleo y modernizar

---

12. La directiva relativa a la protección de los trabajadores asalariados en caso de insolvencia del empresario Directiva 2008/94/CE y La directiva relativa a las actividades y la supervisión de fondos de pensiones de empleo. Directiva 2003/41/CE.

su supervisión. Además, es necesario mejorar la calidad de los productos financieros en relación con los planes de ahorro individuales de jubilación que no están vinculados al empleo, como los planes del tercer pilar y otros productos financieros utilizados para complementar los ingresos en la vejez. También es necesario mejorar la información al consumidor y la protección de este para aumentar la confianza de los trabajadores y los inversores en los productos financieros en relación con los planes de ahorro de jubilación.

Pues bien, parte de la doctrina ha considerado estas medidas de la Comisión Europa como "absolutamente rechazables"[13] y que es "más conveniente buscar alternativas negociadas frente al modelo promovido por el Libro Blanco"[14]. Una primera crítica general versa sobre la perspectiva mantenida por el Libro Blanco que adopta un enfoque macroeconómico de las pensiones, dejando de lado la finalidad social de las pensiones[15]. En el Libro Blanco se dice que las reformas de los sistemas de pensiones y las prácticas de jubilación son fundamentales para mejorar las perspectivas de crecimiento de Europa. No obstante, este criterio eminentemente económico trata el problema de una forma parcial y no integral. Por ello consideramos que habría resultado más adecuado tratar la adecuación y sostenibilidad de los sistemas pensiones con un paradigma que sitúa a la persona humana en el corazón del sistema. En esta misma línea querríamos resaltar que en el Libro Blanco la dimensión social de Europa brilla por su ausencia. Se nota que los Informes conjunto sobre protección y exclusión social del MAC han tenido poca relevancia –por no decir nula– para la elaboración del documento. De hecho, es sorprendente ver como no se hace mención alguna al MAC social. Por el contrario, la dimensión económica es omnipresente a través de las Estudios Anuales de Crecimiento y el Semestre Europeo que parecen ser ahora los instrumentos de predilección de la UE en materia de pensiones. Una prueba más de que la dimensión social de Europa sigue subordinada a la gobernanza económica y a los objetivos económicos y financieros de la UE y la austeridad propuesta para los Estados miembros.

Con respecto a la medida sobre el incremento de la edad legal de jubilación y su vinculación con la esperanza de vida no parece observarse la desigualdad de la esperanza de vida una vez alcanzada la jubilación según la penosidad y peligrosidad de los oficios desempeñados durante su vida profesional. En efecto es criticable que el incremento de la edad de jubilación obvie la desigualdad en la esperanza de vida entre las diferentes clases socioeconómicas y categorías profesionales. En esta misma línea, más

---

13. De La Fuente E, M., "Pensiones dignas. Análisis del Libro Blanco sobre pensiones adecuadas, seguras y propuestas para un sistema vasco de pensiones", *op. cit.* p. 58.
14. Bravo Fernández, C. y Martín Serrano Jiménez, E., "Las reformas de pensiones en Europa...", *op. cit.* p. 89.
15. *Ibid*, p. 90.

que tomar en cuenta el factor de la esperanza de vida para establecer una edad de jubilación, creemos que sería más oportuno tomar como referencia la esperanza de vida gozando de buena salud. El aumento de la esperanza de vida no conlleva automáticamente una prolongación de los años con un buen estado de salud. Hay que tener en cuenta que estos indicadores pueden variar considerablemente en función del entorno en el que se vive. Este dato resulta significativo a la hora de formular políticas y adoptar medidas que tienden a la prolongación de la vida laboral o a retrasar la edad de jubilación. En efecto, si el aumento de la esperanza de vida se ve respaldado por un mayor número de años en buena salud, esto conlleva un aumento de una mano de obra de la que puede aprovecharse el mercado laboral disponiendo de trabajadores aptos y capaces de permanecer activos durante más tiempo. De lo contrario, si los años adicionales se viven en mala salud, la medida resultaría ineficaz e incluso podría resultar más costosa para las arcas de la Seguridad Social en tanto en cuanto, con las limitaciones que supondría en sus capacidades, los trabajadores se verían casi obligados a acceder a algún plan de jubilación anticipada o alguna incapacidad.

Sobre el objetivo de aumentar la participación en el mercado de trabajo de las mujeres y los trabajadores de más edad, DE LA FUENTE, califica esta medida ineficaz cuando en paralelo se busca "la flexibilización del mercado laboral, la facilitación de las causas de despido y la reducción de las indemnizaciones" lo que no ayuda a contrarrestar las prácticas de las empresas tendentes en despedir a los trabajadores de más edad para sustituirlos por otros más jóvenes con peores condiciones laborales. Por el contrario, "lo que si va a producir es una reducción de las pensiones de quienes pierden el trabajo, sobre todo si empeoran las prestaciones de prejubilación"[16].

Sobre el desarrollo de las fórmulas privadas de pensión, no se entiende el protagonismo otorgado a estas cuando en el Libro Verde y el propio Libro Blanco se pone de manifiesto que también se verán afectadas por el envejecimiento demográfico. Además, tampoco se entiende que se defienda su extensión y desarrollo cuando se ha detectado su vulnerabilidad ante los ciclos económicos desfavorables y que por la volatilidad de los mercados financieros "el impacto de la crisis ha sido más temprano e intenso en los sistemas privados de pensiones basados en la capitalización"[17]. Se ha criticado que el Libro Blanco no prestara la suficiente atención a valorar los "efectos negativos que puede generar

---

16. De La Fuente, M., "Pensiones dignas. Análisis del Libro Blanco sobre pensiones adecuadas, seguras y propuestas para un sistema vasco de pensiones", *op. cit.* p. 61.
17. Bravo Fernández, C. y Martín Serrano Jiménez, E., "Las reformas de pensiones en Europa..." *Op. cit.* p. 91.

en términos de pobreza, y sobre todo, la nula atención que merece el agravamiento de la desigualdad"[18]. Sus esfuerzos no deberían centrarse tanto en afianzar los sistemas de capitalización sino en buscar vías para reforzar la adecuación de los sistemas públicos de pensiones de reparto y más aún cuando la propia Comisión ha reconocido que éstos últimos habían resistido mejor a la crisis de 2008. También se ha reprochado que el discurso mantenido en el Libro Blanco "contribuye a debilitar los sistemas públicos de pensiones, enviando a los ciudadanos europeos un mensaje de total desconfianza sobre los mismos"[19].

IV. LA REFORMA DE LAS PENSIONES DESPUÉS DE LA CRISIS: UNA MAYOR PREOCUPACIÓN POR LA ADECUACIÓN (2015-2020)

Los objetivos y recomendaciones definidas en el Libro Blanco no han cambiado apenas durante el periodo 2012-2020, sino que han mantenido una línea de continuidad hasta hoy[20]. Así lo confirma el último Informe Conjunto sobre Pensiones 2019[21], en el que se reitera que los sistemas de pensiones europeos se afrontan a un doble reto: por una parte, asegurar la sostenibilidad financiera y, por otra parte, garantizar a sus beneficiarios unos ingresos adecuados durante la vejez. Ambos constituyen las dos caras de la misma moneda.

De la misma manera que lo hacía el Libro Blanco, este Informe de 2019 parte de la base de que el envejecimiento demográfico constituye una amenaza para la sostenibilidad financiera de los sistemas de pensiones. No obstante, también refleja una preocupación por la adecuación de las pensiones. El discurso a nivel de la UE sobre pensiones para el periodo después de la Gran Recesión muestra una evolución progresiva hacia un enfoque más social de la política europea. Como continuación a las líneas definidas en el Libro Blanco, las orientaciones comunitarias en materia de protección social han sido refundidas a raíz de las decisiones adoptadas en la Cumbre Social Europea, celebrada en Gotemburgo (Suecia) en noviembre de 2017, en la que se adoptó el Pilar Europeo de Derechos Sociales. Surgió

---

18. Suárez Corujo, B. y Desdentado Bonete, A., *El sistema público de pensiones: crisis, reforma y sostenibilidad*, Lex Nova, Thomson Reuters, 2014, p. 221.
19. Errandonea Ulazia, E., *Sistema español de pensiones: revisión crítica de los elementos comunes de pensiones contributivas. Normas sobre tope máximo de pensiones, cuantías mínimas y revalorización de pensiones*, Comares, Granada, 2016, p. 103.
20. Monereo Pérez, J. L. y Fernández Bernat, J. A., "Los planes y fondos de pensiones: balance de situación y nuevas medidas de reforma del modelo legal tras la revisión del Pacto de Toledo", Bomarzo, Albacete, 2021, p. 53.
21. Comisión de Política Económica y Comisión de Protección Social, *Join Paper on Pensions 2019*, Bruselas, 22 de enero de 2020.

como respuesta a las crecientes críticas sobre el déficit social de la UE[22] y en él se redefinen los derechos sociales de los ciudadanos europeos, a través de veinte principios, divididos en tres categorías: 1) Igualdad de oportunidades y de acceso al mercado de trabajo; 2) Condiciones de trabajo justas; 3) Protección e inclusión social.

En esta última categoría el Pilar Europeo dedica un principio a las "Pensiones y prestaciones de vejez", en el que se establece que "Los trabajadores por cuenta ajena y por cuenta propia tienen derecho a recibir una pensión de jubilación acorde a sus contribuciones que garantice una renta adecuada. Las mujeres y los hombres deben tener las mismas oportunidades para adquirir derechos de pensión. Toda persona tiene derecho a los recursos que garanticen una vida digna en la vejez". En este sentido, en materia de pensiones el Pilar Europeo de Derechos Sociales propone consagrar como derechos sociales de los ciudadanos europeos la realización de los principios de contributividad, suficiencia, igualdad y universalidad. A su vez, la realización de esos principios exige hacer compatible la sostenibilidad financiera de los sistemas de pensiones con la adecuación de su cuantía. Durante los años de la última crisis financiera la agenda política europea fue dominada por las preocupaciones económicas, presupuestarias, monetarias y medidas de austeridad. La proclamación de un Pilar Europeo de Derechos Sociales puede considerarse una verdadera preocupación por reencontrar un equilibrio entre las dimensiones económicas y sociales de la UE. Tanto los Estados miembros como las instituciones europeas han comenzado a devolver la dimensión social de las pensiones y marca inicio de un nuevo discurso sobre las pensiones con una dimensión mucho más social.

Este cambio en el discurso también se ve reflejado en el Semestre Europeo en el que las pensiones han ocupado un lugar destacado[23]. Desde sus inicios en 2011, la casi totalidad de los Estados miembros reciben anualmente recomendaciones específicas relacionadas con las pensiones. En la primera mitad de la década (2011-2014) a raíz de la crisis económica se ve como el objetivo de las recomendaciones sobre pensiones se centraban fundamentalmente en la viabilidad financiera de los sistemas. En cambio, en la segunda mitad de la década (2015-2020) si bien persisten algunas preocupaciones sobre la sostenibilidad de los sistemas de pensiones, se percibe en los Semestres Europeos más recientes una mayor preocupación

---

22. Monereo Pérez, J.L., "Pilar Europeo de Derechos Sociales y Sistemas de Seguridad Social", *Revista jurídica de los Derechos Sociales, Lex Social*, Vol. 8 núm. 2/2018, p. 257.

23. Para un análisis y critica a las recomendaciones emitidas para España ver Sánchez-Rodas Navarro, C., *Sostenibilidad y protección social. La tensión entre la unión económica y monetaria y el Pilar Europeo de Derechos Social*, Tirant Lo Blanch, Valencia, 2018, pp. 45-70.

por la adecuación puesto que el número de recomendaciones sobre esta materia han ganado mayor protagonismo. De hecho, para los años 2018 y 2019, se puede observar una disminución del número de recomendaciones realizadas sobre pensiones. En 2020, solo dos países recibieron recomendaciones sobre la materia. La recomendación dirigida a Letonia se refiere a la necesidad de mejorar la adecuación de la pensión mínima mientras que, para España, ante la suspensión del factor de sostenibilidad, el Consejo recomienda encontrar una alternativa para reducir el gasto en pensiones. La caída es particularmente sorprendente porque las reformas de las pensiones solían ser una de las áreas de política a las que se dirigían con mucha frecuencia las recomendaciones debido al hecho de que las pensiones representan un gasto importante en las partidas presupuestarias de los Estados miembros. Las recomendaciones sobre pensiones siempre mostraron una tensión particularmente acentuada entre los dos objetivos de conseguir la sostenibilidad macroeconómica y la adecuación de las pensiones. En cualquier caso, esta mayor observación de la dimensión social y proporcionar una protección social adecuada se debe seguramente por un lado a la introducción y la aplicación del Pilar Europeo de Derechos Sociales en el Semestre Europeo para reforzar las políticas sociales de la UE y, por otro lado, por el desarrollo de un vínculo más estrecho entre la gobernanza económica y los Objetivos de Desarrollo Sostenible de las Naciones Unidas[24]. Este enfoque en el desarrollo sostenible, combinado con el compromiso para implementar el Pilar Europeo de Derechos Social constituye sin lugar a duda una premisa positiva para lograr un mayor equilibrio entre la dimensión económica y social del proceso.

Adicionalmente, respondiendo al mandato del artículo 153.1 c) TFUE, las instituciones europeas han seguido apoyando y complementando la acción de los Estados miembros en materia de Seguridad Social y protección social. Después del Libro Blanco, los instrumentos institucionalizados para apoyar esta acción se han llevado a cabo a través del Semestre Europeo y de dos tipos de estudios. Por un lado, desde 2009, cada tres años, la Comisión de Política Económica elabora un Informe sobre el Envejecimiento en el que se analiza estudia país por país, el desafío que plantea el envejecimiento de la población sobre la sostenibilidad fiscal en general y sobre el gasto público en pensiones en particular, mediante la realización de diversas proyecciones y análisis comparativos en esta materia. Por otro lado, como complemento a los Informes sobre Envejecimiento, desde 2012, cada tres años también, la Comisión de Protección Social elabora un Informe sobre la Adecuación

---

24. Sobre esta cuestión resulta imprescindible acercarse a la última obra del profesor Pérez Del Prado, D., *El impacto social de la Gobernanza Económica Europea*, Tirant Lo Blanch, Valencia, 2021.

de las pensiones con el fin de analizar y supervisar el grado en que las pensiones proporcionan a las personas mayores ingresos adecuados y una protección contra la pobreza en un contexto de envejecimiento demográfico, un mercado laboral cambiante y reformas de los sistemas de pensiones.

De forma resumida, en cada uno de estos informes, se resalta como durante la última década, muchos Estados miembros han adoptado reformas en materia de pensiones. Sin embargo, se han detectado cambios en las reformas introducidas anteriormente. Como ha señalado un Informe de 2016[25], la intensidad de las reformas fue particularmente intensa durante el periodo 2000-2015, especialmente durante el periodo de crisis económica de 2008-2009 y el posterior periodo de recuperación hasta 2014. Y ello porque las instituciones de la UE así como los países miembros estaban bajo presión para adaptar rápidamente extensas reformas para mitigar los riesgos fiscales de la crisis. En la gran mayoría de los casos los países implementaron cambios paramétricos. La mayoría de las reformas de las pensiones en la UE estuvieron enfocadas en salvaguardar la sostenibilidad financiera de los sistemas de pensiones a través de la contención de los gastos[26]. Por un lado, se han endurecido los requisitos de elegibilidad para acceder a la pensión (retraso de la edad de jubilación, incremento de los años de cotización para acceder o para el cálculo de la prestación, mayores restricciones para acceder a la jubilación anticipada, etc.) y por otro lado, se han introducido mecanismos de ajustes automáticos en los parámetros clave de las pensiones (edad de jubilación, cuantía de la prestación) a las presiones demográficas (incremento en la esperanza de vida o en la tasa de dependencia).

Durante los años de crisis y poscrisis, muchos países han implementado reformas en sus sistemas de pensiones para asegurar su sostenibilidad financiera y que a la postre se traduce en una disminución considerable de la generosidad de las prestaciones. Los Informes sobre Adecuación indican que la tasa de reemplazo disminuirá entre un 5 y un 15% según los Estados miembros. Ello ha puesto en evidencia la necesidad de poner sobre la mesa el problema de la sostenibilidad social de las pensiones, es decir su adecuación. En un contexto de crisis y presión económica los Estados miembros han centrado sus esfuerzos por mejorar la viabilidad financiera de sus sistemas, desatendiendo su repercusión sobre la suficiencia

---

25. Carone, G., Eckefeldt, P., Giamboni, L., Laine, V. y Pamies Sumner, S., *Pension Reforms in the EU since the Early 2000's: Achievements and Challenges Ahead*, European Economy Discussion Paper 042, Luxembourg: Publications Office of the European Union, December 2016.

26. Comisión Europea, *Informe sobre la adecuación de las pensiones 2015, Adecuación de ingresos actuales y futuros, calidad en la vejez en la UE*, Vol. 1, Comisión Europea, Bruselas, 2015.

y adecuación de las prestaciones. Las reformas llevadas a cabo hasta la fecha se han realizado desde la perspectiva de las finanzas públicas. Como consecuencia, según el Informe sobre Envejecimiento de 2015[27], se prevé que el gasto público en pensiones en 2060 sea el mismo que en 2013, es decir, del 11%. Si el gasto público promedio para 2060 se mantiene en el mismo nivel que el de 2013 a pesar del fuerte incremento de beneficiarios en las próximas décadas debido a la llega de la generación del *baby boom* a la jubilación, esto solo nos indica que el pilar público de pensiones se debilita y que la adecuación de las prestaciones se ve mermada.

No obstante, a partir de 2015, la dinámica general de las reformas en materia de pensiones en los Estados miembros cambió como muestra de la llegada de tiempos más favorables, con mejores condiciones económicas, presupuestarias y con mayores oportunidades por la relajación de las presiones fiscales. Además, se desprende una mayor concienciación de la necesidad de acompañar las reformas que busquen la sostenibilidad con salvaguardias centradas en la adecuación de las prestaciones. Este cambio en la dinámica de las reformas refleja también el hecho de que la mayoría de los países ya han adoptado y/o están en un periodo transitorio terminando de implementar de forma progresiva las medidas (incremento de la edad de jubilación) como reacción ante el envejecimiento de su población. Los países parecen poner ahora mayor énfasis en la adecuación tratando de reforzar la garantía de pensiones mínimas, reintroducción de mecanismos de ajustes y de revalorización más favorables, etc. El impulso de las reformas ha disminuido e incluso en varios Estados miembros se han revertido parcial o totalmente las reformas adoptadas en los años anteriores. Ha sido el caso en varios países del Este como Hungría o Polonia que revirtieron las reformas operadas sobre los planes de pensiones de capitalización privado ante las dificultades de éstos por reducir el déficit y la deuda pública. En el caso de España, primero se pospusieron y luego suspendieron dos medidas de la reforma de 2013 como son la aplicación del índice de revalorización de las pensiones y el factor de sostenibilidad. Otros países como Bulgaria, Chipre, Lituania o Portugal mejoraron la cuantía de las pensiones mínimas y eliminaron la congelación de las pensiones o introdujeron nuevos mecanismos de revalorización[28]. Ello demuestra que la sostenibilidad conseguida con las reformas anteriores debe ser acompañada por otras medidas para salvaguardar la adecuación de las pensiones y que todo proceso reformista realizado fuera y en contra del

---

27. Comisión Europea, *The 2015 Ageing Report. Economic and budgetary projections for the 28 EU Member States (2013-2060)*, Luxembourg: Publications Office of the European Union, 2015.
28. Comisión Europea, *Pension Adequacy Report 2018. Current and future income adequacy in old age in the EU*, Vol. 1, Comisión Europea, 2018.

dialogo social con los agentes sociales no prospera en el tiempo. España constituye un ejemplo pragmático en este sentido. Parte de la reforma de la Ley 27/2011, sobre actualización, adecuación y modernización del sistema de Seguridad Social y de manera íntegra la Ley 23/2013, de 23 de diciembre, reguladora del Factor de Sostenibilidad, supusieron una ruptura del Pacto de Toledo[29] y fue revertida ante las resistencias políticas y sociales perdiendo la oportunidad de acometer las reformas que nuestro sistema requiere desde el consenso social[30]. No obstante, de la lectura de los informes de la UE, se percibe que este dirigismo político no es solamente sintomático del caso de España. En Polonia, la reforma fue impugnada por parte del Tribunal Constitucional. En Francia, la decisión tomada por el gobierno de Macron de reformar el sistema de pensiones se vio obstaculizada primero con resistencias sociales y políticas y finalmente interrumpida por la irrupción de la crisis sanitaria COVID-19. En este sentido, las autoridades europeas alertan a los dirigentes políticos de la importancia de que las reformas se preparen e implementen cuidadosamente, y que los legisladores nacionales deben esforzarse por conseguir una amplia aceptación política social de la justificación de la reforma, sobre todo en los países donde el diálogo social es débil. En este sentido, puesto que los sistemas nacionales de protección social están profundamente arraigados en el tejido social de cada sociedad, las autoridades europeas entienden que los procesos reformistas también se encuentran con el reto de encontrar el acuerdo y la aceptación política y social. En consecuencia, desde las recomendaciones de 2018 determinados Estados miembros reciben recomendaciones que señalan la necesidad de incrementar la participación de los agentes sociales en los procesos de toma de decisiones.

No obstante, a pesar de la mayor consideración por la dimensión social de las políticas europeas, en materia de pensiones, las soluciones propuestas por la UE para mejorar las prestaciones no han variado. Se espera que las posibles reducciones en la adecuación de las pensiones se compensen con la prolongación de la vida laboral y el desarrollo del segundo y tercer pilar.

---

29. Monereo Pérez, J. L. y Rodríguez Iniesta, G. "La Pensión de Jubilación", Laborum, Murcia, 2020, p. 225.
30. Al respecto, aludiendo al último acuerdo alcanzado con el Pacto de Toledo de noviembre de 2020, Tortuero Plaza, J.L. afirma "Una de las características más relevantes de la reforma de las pensiones que está en trámite parlamentario es, sin duda, el reencuentro reformista con los espacios del pacto político y del diálogo social. Este nuevo marco pretende romper las fracasadas estrategias unilaterales que caracterizó el espacio reformista del 2013. Cambio de rumbo que tiene como antecedente un rechazo social, político y sindical de reformas impuestas con un marcado carácter penalizador. Me refiero al índice de revalorización escasamente aplicado y al factor de sostenibilidad que nunca entro en vigor" en *Revista de Estudios Jurídico-Laborales y de Seguridad Social*, núm. 3, 2021, p. 14.

Por un lado, en cuanto a la prolongación de la vida laboral de los trabajadores, el leitmotiv de la Comisión es que vivir más y en su mayor parte con una vida sana implica jubilarse más tarde. En los últimos años, a raíz de las recomendaciones, la mayoría de los Estados miembros emprendieron reformas destinadas a contener los niveles de gasto en pensiones, aumentando la edad de jubilación, restringiendo el acceso a las jubilaciones anticipadas, fomentando la jubilación flexible y activa, etc. No obstante, hay que señalar que los Informes señalan que la edad de salida del mercado laboral sigue siendo inferior a la edad legal de jubilación. Ante esta realidad, la gran mayoría de los países introdujeron diferentes medidas para cambiar los incentivos a la jubilación. Así, se restringe el acceso a la jubilación anticipada endureciendo los requisitos para acceder a la misma; se incrementa el número de años necesarios para tener derecho a una pensión completa; se introduce mayores penalizaciones para las personas que se jubilan antes de la edad legal de jubilación y por el contrario, se otorgan bonificaciones para las personas que posponen voluntariamente la edad de jubilación o se introduce una mayor flexibilidad para compatibilizar jubilación y trabajo, de tal manera que en muchos países vecinos es posible acumular una pensión de jubilación con los ingresos del trabajo sin ningún tipo de restricción. En este sentido, de forma progresiva asistimos a un concepto de "jubilación laboralizada".

El problema sobre el que se suele poner el foco por ser recurrente en toda la documentación comunitaria y nacional es que la edad real de jubilación suele ser inferior a la legal e incluso en algunos casos inferior a la edad de jubilación anticipada porque la realidad del mercado laboral sigue utilizando las prestaciones por desempleo y/o de incapacidad como vías para expulsar a los trabajadores de edad del mercado laboral. Por tanto, las fórmulas adoptadas para promover la prolongación de la vida laboral presentan hasta el momento resultados muy tibios. Y es que de nada sirve promover la prolongación de la vida profesional si el mercado laboral no da las oportunidades a los trabajadores mayores de permanecer en él. En este sentido, deberían centrarse los esfuerzos en adoptar medidas en el mercado de trabajo para mejorar su capacidad para mantener a los trabajadores veteranos adoptando políticas de envejecimiento activo, adaptación de las condiciones y puestos de trabajo, inversión en empleabilidad y aprendizaje a lo largo de la vida laboral y medidas para asegurar la salud y seguridad de los trabajadores con el fin de mantener sus capacidades. En efecto, estamos convencidos de que las políticas activas del mercado de trabajo dirigidas a los trabajadores de más edad, las mejoras en los sistemas de salud pública y adoptar los ajustes necesarios en las condiciones laborales de estos trabajadores son indispensables para permitir una vida laboral más larga. Los aumentos de la edad de jubilación deben ir acompañados de políticas de formación de personas mayores para poder mantenerles en el mercado laboral y minimizar el riesgo de que el menor gasto en pensiones sea reemplazado por gastos adicionales en prestaciones por desempleo. Además, permitir la incorporación de más personas al trabajo y prolongar sus vidas laborales requiere importantes cambios en los mercados laborales. Reducir las desigualdades en las pensiones entre hombres y mujeres depende de la igualdad de oportunidades en la edad de trabajo, como la distribución equitativa de las responsabilidades de cuidado, participación en el mercado laboral y oportunidades profesionales, interrupciones profesionales e igualdad en la remuneración.

Por otro lado, otra vía que fomentan las autoridades europeas para el mantenimiento de unos ingresos adecuados durante la vejez y para suavizar la carga que supone el envejecimiento de la población sobre las arcas de los sistemas de Seguridad Social, consiste en completar las pensiones públicas de reparto con regímenes complementarios privados de capitalización. Las pensiones complementarias son planes de pensiones a los que se puede acceder sobre la base de una actividad profesional o contratos individuales de ahorro provisional y que proporcionan ahorros adicionales para la jubilación, complementando pensiones públicas.

De hecho, una de las últimas iniciativas de la Comisión fue crear en 2017 un grupo de expertos de alto nivel en pensiones al que encargó un informe independiente para proveer el análisis y asesoramiento sobre políticas relaciones con el papel de las pensiones complementarias en la contribución a la adecuación de las pensiones y el desarrollo de su mercado en la UE[31]. Dicho grupo entregó su Informe final a finales de 2019[32]. Entre sus conclusiones se destaca que, desde la década de los años 90, el papel de las pensiones complementarias, en particular los planes de pensiones de empleo, ha aumentado en la UE. Sin embargo, en los países en los que el objetivo de mantener los ingresos está integrado en un sistema público de reparto, el papel que desempeñan las pensiones complementarias es en general más limitado que en los países en los que las pensiones públicas solo proporcionan ingresos mínimos de protección y son obligatorios o cuasi obligatorios (Países Bajos, Suecia, Dinamarca, Inglaterra, etc.). En este sentido, sentencia que su desarrollo en la UE es desigual con una cobertura muy baja o inexistente en los países en el Sur y el Este de la UE. Por su parte, en los Estados miembros de Europa Occidental (Bélgica,

---

31.   Decisión de la Comisión del 18 de diciembre de 2017 para la creación de un Grupo de Expertos de Alto Nivel sobre Pensiones, Bruselas, 18 de diciembre de 2017, C (2017) 8523 final.
32.   Grupo de Expertos de Alto Nivel sobre Pensiones, *Informe Final del Grupo de Expertos de Alto Nivel sobre Pensiones*, diciembre 2019. Disponible en: https://www.pensionseurope.eu/high-level-group-experts-pensions-final-report.

Alemania) que cuentan con un pilar público importante, las pensiones de capitalización desempeñan un papel más complementario. Para justificar esta variación significativa entre los países, el Informe explica que existen factores que inciden en la cobertura de las pensiones complementarias según la función que éstos desempeñan con respecto a las pensiones públicas. De esta manera, las expectativas de las personas con respecto a los diferentes pilares y el comportamiento hacia la planificación de la jubilación vienen determinados por factores de comportamiento culturales e históricos, así como de la importancia otorgada al principio de solidaridad intergeneracional. Según el Grupo de Alto Nivel, en algunos países se espera que el Estado se ocupe de la provisión de ingresos durante la vejez, en otros el peso de las expectativas recae sobre los agentes sociales, mientras que en algunos las personas están relativamente más inclinadas a asumir la responsabilidad personal para prepararse para su jubilación.

En cualquier caso, apoyándose en un Informe de la Organización Internacional del Trabajo de 2019[33], el Grupo de Alto Nivel también pone el foco sobre la experiencia vivida por algunos países de Europa Central y Oriental. Durante la década de los 90 y a principios del 2000, muchos de estos Estados que emprendieron reformas de gran calado transitando de un sistema de reparto hacia otro de capitalización. Sin embargo, tras varios años de implementación problemática, los gobiernos reconocieron el fracaso del cambio y decidieron retomar el camino a la inversa para rediseñar nuevamente sus sistemas de pensiones y volver a la situación inicial basada en un sistema de reparto. Es el caso de países como Bulgaria, Eslovaquia, Estonia, Letonia, Lituania, Hungría, Croacia, Polonia y Rumanía. El Informe de la OIT señala que las razones son diversas: desde los altos costos fiscales y administrativos que supuso la transición de un modelo a otro, hasta la escasa cobertura de protección y los bajos montos de beneficios pagados, pasando por la imposibilidad de predecir los ingresos en la vejez debido a los riesgos del mercado de capitales. Si bien algunos gobiernos rechazaron la privatización en una etapa temprana, la gran mayoría de los países reformadores dieron marcha atrás a la privatización luego de la crisis financiera de 2008, cuando los inconvenientes del sistema privado se hicieron evidentes y tuvieron que ser corregidos. En este sentido, de manera contundente la OIT sentencia que "teniendo en cuenta la evidencia acumulada de impactos sociales y económicos negativos, se puede afirmar que el experimento de privatización ha fracasado"[34].

---

33. Ortiz, I., Durán-Valverde, F., Urban, S., Wodsak, V., y Yu, Z., *La reversión de la privatización de las pensiones: Reconstruyendo los sistemas públicos de pensiones en los países de Europa Oriental y América Latina (2000-2018)*, ESS-documento de trabajo núm. 63, Ginebra: Organización Internacional del Trabajo, 2019.

34. *Ibid*, p. 801.

Además, se reconoce que el nivel de cobertura de las pensiones complementarias varía según el grupo de población. La protección social se ha orientado tradicionalmente a los trabajadores a tiempo completo con contrato indefinido. No obstante, qué duda cabe que las relaciones laborales del siglo XXI están cambiando rápidamente y aparecieron nuevas formas de trabajo cuyo desarrollo e importancia aumentaron en los últimos años debido a la digitalización que no hace más que acelerar el proceso. En este sentido, es probable que el futuro del trabajo presente cada vez más formas de trabajo por cuenta propia o el trabajo en plataformas. No obstante, se pone el foco sobre el colectivo de trabajadores con empleo no estándar y por cuenta propia para los que el Informe detecta mayores dificultades para acogerse a planes de pensiones complementarios, lo que compromete la adecuación de sus ingresos durante la vejez. Recogiendo las conclusiones del Informe sobre la adecuación de las pensiones de 2018 del Comité de Protección Social de la Comisión, el Grupo de Alto Nivel observa que los trabajadores autónomos, así como los empleados a tiempo parcial tienen un acceso mucho más limitado a estos planes de pensiones que los trabajadores asalariados a tiempo completo. Otro colectivo que presenta serias dificultades para acceder a las pensiones complementarias son las mujeres lo que puede exacerbar la brecha de género en las pensiones. El Informe destaca que los sectores profesionales altamente feminizados tienden a ofrecer menos oportunidades a las trabajadoras para contribuir a un plan de pensión. Además, es menester recordar que las mujeres son más proclives a tener un empleo atípico (a tiempo parcial, contrato a tiempo definido, etc.). Por último, el Grupo de Expertos señala también a las personas con ingresos más bajos que tienden a tener menor acceso a los planes complementarias. La cobertura de los planes de pensiones voluntarios aumenta con los ingresos por lo que la capacidad de ahorro de las personas con niveles de ingresos bajo es nula.

No obstante, a pesar de estas experiencias negativas, la Comisión parece seguir defendiendo el desarrollo de las pensiones complementarias que además de proporcionar ingresos de jubilación adecuados, pueden desempeñar un papel importante en el cumplimiento de los objetivos de financiación sostenible de la UE, mejorando la cobertura de las pensiones, en particular mediante una mayor participación en pensiones en toda la UE que estimularía inversiones sostenibles. Además, señala el ejemplo del Reino Unido como modelo. Se desprende que una buena manera de desarrollar y mejorar la cobertura de los planes de pensiones complementarias consistiría en introducir la inscripción automática obligatoria con opción de exclusión voluntaria.

Sin embargo, centrar los esfuerzos en el desarrollo de otros pilares que no sea el primero público de reparto, los poderes públicos trasladan parte de su responsabilidad en asegurar la adecuación de las prestaciones, a sus ciudadanos (trabajadores y empresarios). Los futuros beneficiarios deberán asumir una mayor responsabilidad y parte de riesgos particulares si quieren alcanzar los niveles de los pensionistas actuales. En general la adecuación de las prestaciones se ha vuelto más dependiente de la posibilidad de llevar a cabo vidas laborales más largos, menos interrumpidas y con planes de pensiones complementarios que dependen de sus rendimientos y de la volatibilidad de los mercados financieros.

Sea como fuere, ello no parece estar en consonancia con las realidades de un mercado laboral cambiante que se caracteriza por ser más precario en el que abundan trabajadores pobres con un incremento de los empleos atípicos y la exclusión de los trabajadores de más edad. En nuestra humilde opinión, el principal reto a los que se deberán enfrentar los Estados miembros en los próximos años es el problema de la adecuación y en asegurar el principio de solidaridad para aquellos que no pueden tener carreras de cotizaciones suficientemente largas o capacidad de ahorro suficiente para su jubilación[35]. Si bien existe una mayor preocupación por la adecuación, la sombra de la austeridad aún se hace resentir sobre las reformas de las pensiones. En muchos casos las reformas nacionales durante el periodo 2015-2020, parecen haber sido más destinadas a controlar los daños, tratando de suavizar o reparar los peores resultados sociales de las reformas adoptadas durante la crisis económica y financiera de 2008 en lugar de adoptar un firme compromiso con la adecuación de las pensiones.

V.   BIBLIOGRAFÍA

Antolín, P. y Stewart, F., "Private Pensions and Policy Responses to the Financial and Economic Crisis", *OECD Working Papers on Insurance and Private Pensions*, núm. 36, OECD publishing, 2009.

Aparicio Tovar, J., "La Unión Europea ante las pensiones. Orientaciones para la sostenibilidad", *Trabajo y derecho: nueva revista de actualidad y relaciones laborales*, núm. 2 extra, 2015, pp. 140-165.

---

35.   Sobre la capacidad de ahorro de la sociedad española, Monereo Pérez, J. L. sentencia que "En nuestro país, en la actualidad, la tasa de ahorro bruto de los hogares está ligeramente por debajo de los países de su entorno. Pero, es más, el ahorro que se destina en España a complementar las pensiones públicas es muy escaso, del orden del 15 por 100 del total del ahorro privado. El resto se destina fundamentalmente a depósitos (un 50 por 100) y un 25 por 100 en inversión directa. Las familias españolas siguen destinando casi el 80 por 100 de su ahorro a la inversión inmobiliaria (ahorro no financiero)" en "La garantía de las pensiones: desafíos para la sostenibilidad económica y social", *Revista de Estudios Jurídico Laborales y de Seguridad Social*, núm. 3, 2021, p. 69.

Aparicio Tovar, J., "La sostenibilidad como excusa para una reestructura-ción del sistema de la Seguridad Social", *Cuadernos de Relaciones Labora-les*, Vol. 33, núm. 2, 2015, pp. 289-309.

Barceló Fernández, J., "El reto de la prolongación de la vida activa y del retraso en la jubilación" en AA.VV. *"Estudios sobre seguridad social. Libro homenaje al profesor José Ignacio García Ninet"*, Atelier, Barcelona, 2017, pp. 573-595.

Bravo Fernández, C. y Martín Serrano Jiménez, E., "Las reformas de pensio-nes en Europa: alternativas negociadas vs. el modelo del Libro Blanco", *Lan Harremanak*, núm. 26, 2012, pp. 75-97.

Cairós Barreto, D. M.ª, "Las orientaciones europeas en materia de pensio-nes: adecuación, sostenibilidad y seguridad", *Documentación Laboral*, núm. 103, 2015, pp. 213-237.

Camos Victoria, I., García de Cortazar, C. y Suárez Corujo, B., *La reforma de los sistemas de pensiones en Europa. Los sistemas de pensiones de países Bajos, Dinamarca, Suecia, Reino Unido, Italia, Francia y Alemania vistos desde Es-paña*, Laborum, Murcia, 2017.

De La Fuente, M., "Pensiones dignas. Análisis del Libro Blanco sobre pen-siones adecuadas, seguras y propuestas para un sistema vasco de pen-siones", *Estado europeo de bienestar: retos para Euskadi en el siglo XXI*, 2013, pp. 55-73.

Errandonea Ulazia, E., *Sistema español de pensiones: revisión crítica de los elemen-tos comunes de pensiones contributivas. Normas sobre tope máximo de pensio-nes, cuantías mínimas y revalorización de pensiones*, Comares, Granada, 2016.

Monereo Pérez, J. L. y Fernández Bernat, J. A., "Los planes y fondos de pen-siones en el contexto de la reforma de los sistemas de protección social: ¿continuidad o renovación?", *Revista General de Derecho del Trabajo y de la Seguridad Social*, núm. 31, 2012, pp. 26-84.

Monereo Pérez, J. L., "Pilar Europeo de Derechos Sociales y Sistemas de Seguridad Social", *Revista jurídica de los Derechos Sociales, Lex Social*, Vol. 8 núm. 2/2018, pp. 251-298.

– "La garantía de las pensiones: desafíos para la sostenibilidad económica y social", *Revista de Estudios Jurídico Laborales y de Seguridad Social*, núm. 3, 2021, pp. 21-84.

Moreno Romero, F., *Trabajadores de mayor edad en la política institucional de la Unión Europea. Equilibrio entre políticas de empleo, pensiones y sistema pro-ductivo*, Comares, Granada, 2016.

Ortiz, I., Durán-Valverde, F., Urban, S., Wodsak, V., y Yu, Z., *La reversión de la privatización de las pensiones: Reconstruyendo los sistemas públicos de pensiones en los países de Europa Oriental y América Latina (2000-2018)*, ESS-documento de trabajo núm. 63, Ginebra: Organización Internacional del Trabajo, 2019.

Panizo Robles, J. A. y Presa García-López, R., "La reforma de las pensiones en el ámbito de la Unión Europea. (A propósito del Libro Blanco 'Agenda para unas pensiones adecuadas, seguras y sostenibles')", *Foro de Seguridad Social*, núm. 25, 2012, pp. 8-31.

Pérez Del Prado, D., *El impacto social de la Gobernanza Económica Europea*, Tirant Lo Blanch, Valencia, 2021.

Sánchez-Rodas Navarro, C., *Sostenibilidad y protección social. La tensión entre la unión económica y monetaria y el Pilar Europeo de Derechos Social*, Tirant Lo Blanch, Valencia, 2018.

Suárez Corujo, B. y Desdentado Bonete, A., *"El sistema público de pensiones: crisis, reforma y sostenibilidad"*, Lex Nova, Thomson Reuters, 2014.

Tortuero Plaza, J. L., "Editorial", *Revista de Estudios Jurídico Laborales y de Seguridad Social*, núm. 3, 2021, pp. 14-19.

TÍTULO II

LOS SISTEMAS DE PENSIONES EN EL MUNDO EN UN CONTEXTO DE REFORMAS: ESPECIAL REFERENCIA A LA VEJEZ

A. EL CONTEXTO EUROPEO

Capítulo 1

El sistema de pensiones en Italia: las últimas reformas, un enfoque sobre la pensión de jubilación y reflexiones sobre el margen de su sostenibilidad y adecuación[1]

Adriana Topo
Catedrática de Derecho del Trabajo y de la Seguridad Social
Universidad de Padua, Italia

Giuseppina Pensabene Lionti
Profesora Titular de Derecho del Trabajo y de la Seguridad Social
Universidad de Padua, Italia

---

1. Fruto de una elaboración común, este estudio es atribuible a Adriana Topo en referencia al aptdo. I y a Giuseppina Pensabene Lionti en referencia a los aptdos. II-V.

I.   INTRODUCCIÓN

En el ámbito de las prestaciones a cargo del sistema de previsión social italiano (invalidez, vejez, supervivencia, accidentes de trabajo y enfermedades profesionales) el mayor gasto viene, hoy en día, representado por las pensiones[2].

En efecto, en Italia el gasto en pensiones es el más alto de la Unión Europea[3], no previéndose además ninguna variación sustancial hasta el 2060[4].

La voluntad de reducir los elevados gastos públicos, junto a otros factores que inciden profundamente en la eficacia del funcionamiento del sistema de pensiones (como, por ejemplo, el cambio demográfico como consecuencia del alargamiento de la esperanza de vida o el aumento progresivo de la tasa de desempleo), hacen que Italia lleve desde principios de los años noventa literalmente "inmersa" en un intrincado proceso de reformas que todavía no ha terminado.

Así pues, las formas de previsión social obligatoria han sido modificadas varias veces a lo largo del tiempo, básicamente con el objetivo de encontrar un equilibrio entre, por un lado, la exigencia de protección del trabajador y, por otro lado, la necesidad de garantizar cierto balance en los gastos públicos. Dicho objetivo además ha tenido que enfrentarse con otros aspectos contingentes como la crisis económica de estos últimos años[5] (y la consiguiente disminución del empleo y del nivel medio de rentas), la alteración de los datos demográficos y la pandemia por COVID-19[6] que afecta también todas las esferas del derecho a nivel global, incluyéndose desde luego el sistema de previsión social y Welfare[7].

---

2.   V. Apéndice estadístico INPS de septiembre de 2021, consultable en *https://www.inps.it/dati-ricerche-e-bilanci/osservatori-statistici-e-altre-statistiche/dati-cartacei-rdc*.

3.   Camós Victoria, I., García de Cortazar, C., Suárez Corujo, B., *La reforma de los sistemas de pensiones en Europa. Los sistemas de pensiones de Países Bajos, Dinamarca, Suecia, Reino Unido, Italia, Francia y Alemania vistos desde España*, Ediciones Laborum, Murcia, 2017, p. 120.

4.   Según las estadísticas de *"Italy's Stability Program"*, la única excepción es representada por Grecia, debido a la grave crisis de su PIB a partir de 2008., *vid.* MEF, *Relevant factor influencing public. Debt developments in Italy*, May 2020, pp 32 ss., consultable en *www.dt.mef.gov.it*.

5.   Ludovico, G., "Sostenibilità e adeguatezza della tutela pensionistica: gli effetti della crisi economica sul sistema contributivo", *Argomenti di diritto del lavoro*, 2013, pp 910 ss.

6.   MEF, *Relevant factor influencing public. Debt developments in Italy*, May 2020, *op. cit.*, pp 29 ss.

7.   Cinelli, M., Nicolini, C. A., "La previdenza nell'anno della pandemia", *Rivista italiana di diritto del lavoro*, fasc.1, 2021, pp. 25 ss.

Sin embargo, antes de todo ello cabe aclarar los rasgos generales sobre los cuales se fundamenta el sistema de pensiones[8], haciendo también referencia a los principios generales que rigen la materia[9].

El principal reto que afronta el sistema de pensiones italiano es garantizar medidas adecuadas a las exigencias de vida del trabajador también cuando ya no esté en condiciones de trabajar por algún motivo que no consiste solo en un accidente, una enfermedad o en el desempleo involuntario, sino además puede concernir a la vejez o la invalidez, tal y como establecido expresamente por la Constitución italiana del año 1948 [art. 38.2, art. 117.2 o)].

Las prestaciones de Seguridad Social[10] derivan de las cotizaciones sociales pagadas mayoritariamente por el empresario, en menor parte por el trabajador y en su caso por complementos estatales mediante el recurso a la fiscalidad general. En especial, exclusivamente los trabajadores (tanto por cuenta ajena como autónomos) tienen derecho a dichas prestaciones, diferentemente de lo que ocurre con referencia a la asistencia social cuyo ámbito subjetivo de aplicación es más amplio.

En este marco, se encuadra también lo establecido por el artículo 2116 del Código Civil italiano de 1942 según el cual las prestaciones sociales se deben al trabajador incluso cuando el empleador no haya ingresado de forma regular las cuotas debidas a la Seguridad Social (*"principio di automaticità delle prestazioni"*)[11].

Así pues, dichas reglas consisten en una declinación especifica del principio general de solidaridad social[12], en base al cual el derecho a las

---

8. Persiani, M., *Il sistema giuridico della previdenza sociale*. Ristampa anastatica con un saggio introduttivo, Cedam, Padova, 1960-2010.

9. *Vid.* Pessi, R., "La tutela previdenziale ed assistenziale nella costituzione", *Rivista del Diritto della Sicurezza Sociale*, 2019, pp 41 ss.

10. Para profundizar la materia de la seguridad social en el ordenamiento jurídico italiano desde sus orígenes, siempre actuales los estudios de: Bianco, G., "Sicurezza sociale nel diritto pubblico", in *Digesto, Sez. Pubbl.*, 1999, vol. XIV, p. 142; Cinelli, M., "Sicurezza sociale", in *Enc. Dir.*, vol. XLII, 1990, p. 499; Persiani, M. "Sicurezza sociale", *Noviss. Dig. It.*, *Appendice*, vol. VII, 1987, p. 212; Balandi, G.G., Sicurezza sociale. Un itinerario tra le voci di una enciclopedia giuridica, *Politica del diritto*, 1985, p. 315; *Id.*, *Tutela del reddito e mercato del lavoro*, Milano, 1984; *Id.*, "Per una definizione del diritto della sicurezza sociale", *Politica del diritto*, 1984, p. 555.

11. Casale, D., *L'automaticità delle prestazioni previdenziali. Tutele, responsabilità e limiti*, Bononia, Bologna, 2017.

12. A este respecto, para un enfoque "circular" sobre el tema de la solidaridad social, construido también en base a los principios generales de rango constitucional relevantes en materia (arts. 4, 38 de la Constitución italiana) sea consentido un reenvio a Topo, A., "Obbligo di lavoro e libertà di lavoro: quando lavorare è un dovere 'sociale'", en Brollo, M. – Cester, C. – Menghini, L. (a cura de), *Legalità e rapporti di lavoro. Incentivi e sanzioni*, Edizioni Università di Trieste, Trieste, 2016, pp. 177 ss., spec. pp. 189-192.

prestaciones sociales básicamente es un derecho subjetivo e independiente de cualquier vínculo de balance[13], cuya concesión siempre tiene que ser garantizada[14].

A la luz de lo expuesto, aproximarse al estudio de las pensiones en Italia requiere primero un análisis de la evolución de la normativa aplicable hasta llegar al examen de algunas reglas específicas actualmente vigentes. En efecto, el análisis del régimen de pensiones italianos, con un enfoque sobre la pensión de jubilación, y de los continuos cambios normativos que lo caracterizan, junto a los desequilibrios financieros de los fondos estatales, nos llevarán finalmente a razonar sobre el delicado equilibrio entre la actuación de los principios generales de protección del trabajador y las exigencias de una mayor sostenibilidad y adecuación del sistema.

II. LOS NIVELES EN LOS QUE SE ARTICULA EL MODELO: UNA PANORÁMICA

A partir de lo establecido por los recordados principios generales (en primer lugar, por el artículo 38 de la Constitución) el modelo de pensiones italiano no parece (por lo menos a primera vista) complejo. En efecto, ello se articula a través de tres niveles de protección: dos básicos y uno complementario.

Los primeros dos corresponden respectivamente a la *"previdenza sociale"*, que consiste en un nivel contributivo de naturaleza pública y de reparto, y a la *"assistenza sociale"* que, en cambio, corresponde a un nivel no contributivo, siendo, no obstante, igualmente de naturaleza pública y de reparto.

El tercer nivel, llamado de *"previdenza complementare"*, se realiza a través de fórmulas de naturaleza privada.

Dicho esquema se complica como consecuencia de los continuos cambios que –como ya se ha señalado– han caracterizado el sistema de pensiones italiano, dando lugar a menudo tanto a lagunas normativas como a largos periodos de vigencia de regímenes jurídicos meramente transitorios.

Así pues –sin pretensión de exhaustividad y (sobre todo) sin perjuicio de otras previsiones transitorias que están aún por ser emanadas–, a continuación se destacarán los rasgos principales que caracterizan a cada uno de dichos niveles, haciendo hincapié sobre el nivel contributivo y solo

---

13. Ludovico, G., "La solidarietà intergenerazione nel sistema pensionistico: fascino e limiti di un principio necessario", *Diritto delle relazioni industriali*, 1, 2019, pp. 28 ss., spec. pp. 28-29.

14. V., *amplius*, Persiani, M., "Sulla garanzia costituzionale dei mezzi adeguati alle esigenze di vita", *Giornale di diritto del lavoro e delle relazioni industriali*, 154, 2017, pp 281 ss.

dedicando algunos apuntes a los niveles no contributivo y de protección social complementaria.

1. EL NIVEL CONTRIBUTIVO. LAS ENTIDADES ASEGURADORAS, LAS PERSONAS ASEGURADAS Y LOS DEMÁS SUJETOS IMPLICADOS

Es posible afirmar que, en el ordenamiento italiano, la relación previsional es una "relación jurídica compleja" porque se estructura a través de un doble nivel: uno contributivo y otro previsional en sentido estricto o asistencial.

En especial, el nivel contributivo concierne la financiación del sistema de previsión social y se desarrolla a través de una relación entre el Estado y el sujeto que está obligado a cotizar.

En cambio, el nivel previsional en sentido estricto es relativo a la relación entre los beneficiarios de la protección y la entidad de previsión ("*ente previdenziale*").

Así pues, bajo el perfil subjetivo, la participación al modelo es bastante heterogénea, involucrando el sistema previsional sujetos distintos, que básicamente son los siguientes: el Estado, las entidades de previsión o aseguradoras, los sujetos beneficiarios de la protección o las personas aseguradas y, por último, los sujetos obligados por ley a la cotización.

Siguiendo el orden que se acaba de exponer, uno de los principales sujetos involucrado en el sistema de pensiones público italiano es, ante todo, el Estado, que tiene fundamentalmente la tarea de instituir y reconocer las entidades de previsión, vigilando también sobre el desarrollo de sus actividades e integrando sus finanzas.

Por lo que respecta a las entidades de previsión, se trata de los sujetos que básicamente llevan a cabo la gestión del sistema de pensiones contributivas.

Más específicamente, en Italia, dicha gestión corresponde al INPS (*Istituto Nazionale Previdenza Sociale*)[15] respecto a la mayor parte de los trabajadores asalariados, tanto del sector privado como del público[16].

Junto a ello también hay entidades de previsión para profesiones liberales[17]. A este respecto, cabe destacar una variante peculiar del

---

15. R.D.L. 27 de marzo de 1933, n. 371.
16. Además, otras entidades menores como el INPDAP (*Istituto Nazionale di Previdenza e Assistenza per i Dipendenti dell'Amministrazione Pubblica*) o el ENPALS (*Ente Nazionale di Previdenza e Assistenza per i Lavoratori dello Spettacolo*) han sido suprimidos tras la aprobación del Decreto Ley de 6 de diciembre de 2011, n. 201, convertido en Ley de 22 de diciembre de 2011, n. 214, que ha transferido las relativas funciones al INPS.
17. *Vid.*, entre otras, ENASARCO (*Ente Nazionale per gli Agenti e i Rappresentanti di Commercio*), *Cassa Forense, Cassa Geometri, Cassa Ingegneri e Architetti, Cassa Medici, Cassa*

nivel contributivo que es la pensión de jubilación de las amas de casa (denominado "Fondo Casalinghe") a la que tienen derecho las personas (principalmente mujeres) que se han ocupado de tareas domestica aun no habiendo realizado propiamente una actividad laboral retribuida. En este caso, no solo sigue siendo el INPS la entidad de previsión, sino que además la afiliación al INPS –junto con el abono de las correspondientes cotizaciones– constituye el presupuesto para la protección.

Por lo que concierne a los sujetos beneficiarios de la protección, se trata de toda la población ocupada. Así pues, el nivel contributivo da cobertura a todo trabajador: por cuenta ajena, autónomo y también *parasubordinato*[18].

Por último, los sujetos a los que corresponde la cotización varían según el tipo de relación de trabajo.

Más específicamente, en la relación de trabajo por cuenta ajena, el sistema de cotización se distribuye entre los trabajadores (que cumplen a través del modelo de "retenciones a la fuente") y los empleadores por lo que concierne el pago de las cuotas mayoritarias. Ahora bien, según el principio general establecido por el segundo apartado del artículo 2115 del Código Civil, los empresarios son los sujetos directa e integralmente responsables de la cotización también por lo que se refiere a las cuotas a cargo de los asalariados. En cambio, en la relación de trabajo autónomo, la responsabilidad de la cotización corresponde totalmente a los propios trabajadores autónomos.

Con referencia a los trabajadores parasubordinados[19], la carga es repartida entre el propio trabajador (por 1/3) y el empresario (por 2/3), siendo este último responsable solo frente a las entidades de previsión.

Veterinari, Cassa Notarile, Cassa Ragionieri e Periti Commerciali, ONAOSI (*Opera Nazionale per l'Assistenza agli Orfani dei Sanitari Italiani*), *Cassa Consulenti del Lavoro, Cassa Farmacisti, Cassa Dottori Commercialisti*, INPGI (*Istituto Nazionale di Previdenza dei Giornalisti Italiani*), *Cassa Impiegati dell'Agricoltura*, FASC (*Fondo Agenti Spedizionieri Corrieri*).

18. Se trata de una figura semejante al TRADE previsto por el ordenamiento jurídico español; a este respecto, sea consentido un reenvío a Pensabene Lionti, G., "La parasubordinacion en la experiencia europea: hipótesis relevantes en el ordenamiento italiano y aspectos de derecho comparado", *Trabajo y Derecho*, núm. 23, 2016, pp. 104 ss.

19. Para produndizar el sistema de previsión social de los trabajadores parasubordinados, a la luz de las novedades introducidas por el art. 2 del Decreto Legislativo núm. 81 de 2015 que ha regulado la nueva figura del "*lavoro eterorganizzato*", v., entre otros, Cavallini, G., "La tutela previdenziale delle collaborazioni organizzate dal committente", *Labour & Law Issues*, vol. 6., núm. 2, 2020; Sgroi, A., "La tutela previdenziale delle collaborazioni organizzate dal committente", *Rivista giuridica del lavoro e della previdenza sociale*, 1, 2016, pp. 101 ss.

1.1. Los sistemas de cálculo de las pensiones: retributivo, contributivo, pro rata

El ordenamiento jurídico italiano ha conocido distintos sistemas de cálculo de las pensiones: el retributivo, el contributivo y el denominado *pro rata* o mixto.

El sistema retributivo fue ontológicamente el más generoso. En base a dicho sistema el cálculo de la pensión se basaba en la media de las ultimas remuneraciones recibidas por el trabajador durante la relación laboral. Sin embargo, el sistema retributivo ha dado cobertura a toda la población de ocupados hasta el día 31 de diciembre del 1995.

Sucesivamente, la llamada "reforma Dini", aprobada con la Ley de 8 de agosto de 1995, n. 335, introdujo el sistema contributivo, según el cual el computo de la pensión se realiza con referencia a la media de cuanto se ha cotizado a lo largo de la vida laboral.

Ahora bien, la entrada en vigor de dicha reforma ha determinado la contextual vigencia de los tres regímenes diferentes a los que ya se ha aludido: el contributivo, el retributivo y el mixto.

En especial, el método contributivo se aplica a todos los trabajadores contratados a partir del día 1 de enero de 1996, así como a aquellos otros que voluntariamente se acojan a este sistema.

En efecto, es posible optar por el sistema contributivo aunque el 31 de diciembre de 1995 no se hayan alcanzado los 18 años de cotización siempre que, en el momento de la solicitud, se reúnan más de 15 años cotizados, cinco de los cuales abarcan el periodo de cinco años comprendido entre 1996 y 2000. La opción también puede ser ejercitada por las mujeres (*"opzione donna"*) que cuenten con 57 años y 3 meses (si se trata de trabajadoras por cuenta ajena) o con 58 años y 3 meses (si son trabajadoras autónomas) y que hayan cotizado antes del 31 de diciembre de 1995 por lo menos 35 años.

Por su parte, el sistema retributivo se aplica a los trabajadores que, al día 31 de diciembre de 1995, tienen ya por lo menos 18 años de cotización. En otros términos, el método retributivo se utiliza para calcular la pensión de aquellos trabajadores que ya habían cotizado un mínimo de 18 años antes del 1996.

Por último, el método mixto se aplica a los trabajadores que en esta fecha tienen menos de 18 años de cotización. En este caso, se habla precisamente de sistema "mixto" porque el cálculo de la pensión se realiza *"pro rata"*, siendo básicamente la propia pensión compuesta por una doble cuota: una que deriva de lo que se ha acumulado hasta el 1995 según el método retributivo, y otra que en cambio concierne lo que se ha cotizado a partir del 1995 según el sistema contributivo.

En definitiva, se combinan los dos criterios anteriormente descritos: el retributivo para determinar la parte relativa al tiempo trabajado antes del año 1996 y el contributivo para el resto.

Cabe subrayar que, actualmente, la transición al modelo contributivo se ha completado a través de la entrada en vigor del Decreto Ley de 6 de diciembre de 2011, n. 201 (denominado *"Decreto salva Italia"*) convertido en Ley de 22 diciembre de 2011, n. 214 ("reforma Fornero").

A consecuencia de ello, el sistema contributivo ha sido extendido a todos las pensiones generadas a partir del 1 de enero de 2012, con aplicación del cálculo *"pro rata"*, introduciéndose para todos, el sistema de cálculo próximo a la capitalización individual, que básicamente consiste en multiplicar las cuotas efectivamente ingresadas por un "coeficiente de transformación" que varía según la edad del trabajador[20].

1.2. Las instituciones de la "ricongiunzione" y de la "totalizzazione"

Una vez realizada una panorámica de los sistemas de cálculo de las pensiones, cabe hacer referencia también a dos instituciones especificas reguladas por el ordenamiento jurídico italiano que consisten en la *"ricongiunzione"* y en la *"totalizzazione"*[21].

A través de la *"ricongiunzione"* es posible transferir a título oneroso lo que se ha cotizado en un fondo de previsión a otro. Dicha institución fue introducida por la Ley de 7 de febrero de 1979, núm. 29 para permitir al trabajador, que durante su vida laboral haya desempeñado actividades distintas sometidas a regímenes de previsión social diferentes, acumular los periodos cotizados en una única gestión para aprovechar al máximo las ventajas de la pensión.

Por su parte, la *"totalizzazione"* también persigue el objetivo de establecer unas reglas más favorables para el trabajador a efectos del cálculo de la pensión que le corresponde y, en concreto, del cómputo de las cotizaciones realizadas. En especial, se trata de una figura que fue introducida por el Decreto Legislativo de 2 de febrero de 2006, núm. 2, gracias a la cual es posible

---

20. Para unas reflexiones al margen de lo que dicha transición ha determinado, con re-percusiones directas también en el ambito del regimen del despido y de la materia discriminatoria, v. Pasqualetto, E., "Il potere del datore di lavoro di licenziare il lavo-ratore 'vecchio' e pensionabile alla luce della normativa antidiscriminatoria, tra disa-pplicazione della normativa interna e certezza del diritto", *Rivista italiana di diritto del lavoro*, 4, 2016, pp. 613 ss.

21. Para profundizar el tema, con especial referencia a las instituciones de la *ricongiunzio-ne* e *totalizzazione* en las profesiones liberales, v., por último, Canavesi, G. (a cura de), *Frammentazione contributiva e diritto a pensione unica dei liberi professionisti. Ricongiun-zione totalizzazione cumulo*, Editoriale scientifica, Napoli, 2020.

acumular lo que se ha cotizado en fondos distintos correspondiéndose finalmente una única pensión, a través de la modalidad *pro rata* bajo responsabilidad de la entidad de previsión que está detrás de cada uno de dichos fondos.

Para poder aplicarse la regla de la totalización del periodo contributivo, es necesario que el trabajador, por un lado, haya alcanzado la edad de 65 años y, por otro lado, haya cotizado durante al menos 20 años como mínimo. Cabe hacer hincapié también sobre una serie de supuestos que se incluyen en el cómputo de las cotizaciones realizadas con efecto a la aplicación de la *totalizzazione* como, por ejemplo, las situaciones de baja del trabajador (por maternidad, desempleo, incapacidad temporal), el periodo de realización del servicio militar o los periodos de suspensión del contrato para el cuidado de personas dependientes o de hijos.

A todo ello también se añade la posibilidad concedida por el ordenamiento italiano de "comprar" los periodos de cotización vinculados a determinadas circunstancias como por ejemplo: los estudios universitarios; la realización de una actividad laboral en el extranjero (cuando se trata de un país extranjero donde no hay un convenio con Italia en materia de seguridad social), el desempeño de actividades de trabajo parasubordinado antes de 1996; la bajas de maternidad no cubiertas por el contrato de trabajo, etc.

Por último, cabe destacar que la reforma de pensiones italiana establecida con el Decreto Ley núm. 4 de 2019, para ampliar el número de sujetos con derecho a la nueva forma de acceso a la pensión denominada "cuota cien" (a la cual se aludirá en el párrafo siguiente), ha aumentado las posibilidades tanto de reembolso como de acumulación de periodos de cotización generados en fondos de pensiones distintos (art. 20)[22].

---

22. A este propósito, se señala que la reforma ha intervenido también en materia de amortiguadores sociales. En especial, el art. 22 del Decreto Ley núm. 4 de 2019 consiente ahora a los fondos *ex* Decreto Legislativo de 14 de septiembre de 2015, núm. 148 (*"Disposizioni per il riordino della normativa in materia di ammortizzatori sociali in costanza di rapporto di lavoro, in attuazione della legge 10 dicembre 2014, n. 183"*) de convertirse en un subsidio extraordinario para mantener la renta a trabajadores que alcancen los requisitos previstos para el acceso a la pension cuota 100 a la que hace referencia el propio Decreto Ley núm. 14 de 2019 hasta el 31 de diciembre de 2021. Todo ello siempre que haya convenios colectivos a nivel empresarial o territorial estipulados por los sindicatos comparativamente más representativos a nivel nacional en los que se establece como garantía de los niveles ocupacionales el número de trabajadores que hay que contratar en sustitución de los trabajadores que acceden a dicha prestación.

1.3. Las distintas modalidades de prestaciones: desde la pensión de jubilación hasta la jubilación anticipada "cuota 100"

En el ámbito del nivel contributivo, es posible distinguir modalidades diferentes de prestaciones: la *pensione di vecchiaia*, la *pensione anticipata*, la *pensione quota 100*.

La primera consiste en la clásica pensión de jubilación que quiere satisfacer la exigencia de atribuir protección al trabajador en relación a su edad, al cese de su relación laboral y a un periodo mínimo de cotización.

La segunda es la pensión de jubilación anticipada que fue introducida por la mencionada "reforma Fornero" sustituyendo la *pensione di anzianità* a partir de 2012, año de su entrada en vigor.

La tercera consiste en la principal novedad introducida por el Decreto Ley de 28 de enero de 2019, n. 4, que regula una forma peculiar de pensión anticipada "a cuota 100", la cual requiere al menos 38 años de cotización y 62 años de edad, siempre que se obtengan como máximo en 2021. Dicha nueva regulación –que será analizada más adelante– destaca no solo porque determina una ulterior reducción de 5 años de edad respectos a los anteriores requisitos de jubilación, sino además porque suspende hasta el 2026 la consideración jurídica de la esperanza de vida que aumentaba de forma automática los requisitos de jubilación.

El régimen establecido para la pensión anticipada "a cuota 100" es actualmente muy debatido en doctrina[23], sobre todo en consideración del hecho de que parece dar lugar a otro largo periodo de transición, puesto que el 31 de diciembre de 2021 será el último día hábil para poder acceder la pensión anticipada cuota 100, con 62 dos años trabajados y 32 años de cotización. Para tener un cuadro más claro de lo que pasara a partir del año que viene, solo nos queda esperar a que el Gobierno Draghi tome una decisión en relación al futuro de cuota 100, todo ello obviamente bajo las presiones –cada vez más fuertes y frecuentes– de los sindicatos[24].

---

23. En especial, según algunos las ventajas de jubilación anticipada anteriormente descriptas representarían un privilegio incoherente respecto a la evolución del sistema de pensiones italiano de las últimas décadas sufriendo dicho sistema –sobre todo a la luz de los recientes datos económicos y demográficos que lo caracterizan– unos desequilibrios (en primer lugar, de tipo generacional) que ponen en peligro la viabilidad económica y social a medio-largo plazo, con especial referencia a los jóvenes trabajadores; *vid.*, en este sentido, Casale, D., "La reforma del sistema de pensiones italiano de 2019 ¿un empeoramiento de la insostenible desigualdad del sistema de protección social? ", *Revista de Derecho de la Seguridad Social*, n. 22, 2020, pp.. 185 ss.

24. Entre los argumentos más debatidos en materia, está la posibilidad de ampliar el APE social (*anticipo pensionistico*) como forma de antelación de la pensión, tras la caducidad del régimen transitorio de cuota 100, v., a este propósito, el artículo de la periodista Conte, V., "In pensione prima con la super Ape sociale: così il governo punta a sostituire quota 100", publicado en *La Repubblica* el 19 de septiembre de 2021.

2.   APUNTES SOBRE EL NIVEL NO CONTRIBUTIVO

En el ámbito del nivel no contributivo (o asistencial), destaca la institución del *"assegno sociale"* que, a partir del año 1996, ha sustituido la denominada *"pensione sociale"*.

Se trata de una prestación financiada por el Estado italiano[25] que corresponde a aquellos ciudadanos de edad avanzada que no disponen de recursos económicos suficientes para "garantizar una existencia libre y digna para sí mismo o para su familia" en aplicación del principio general establecido a nivel constitucional por el artículo 36 de la Constitución italiana, porque carecen de ingresos, tanto propios como del cónyuge si hay.

3.   APUNTES SOBRE EL NIVEL DE PROTECCIÓN SOCIAL COMPLEMENTARIA

La articulación del modelo italiano de protección social complementaria se basa en los denominados *"fondi di pensione"* que, a partir de 1993, están sometidos a la vigilancia de la COVIP (*Commissione di Vigilanza sui Fondi Pensione*), una entidad introducida *ad hoc* con el objetivo de garantizar la transparencia en la gestión de dichos planes de pensiones.

En el ámbito de los fondos de pensiones de protección social complementaria es posible distinguir tres tipologías distintas de planes:

a)   los fondos de pensiones "abiertos", a los cuales se pueden adherir los trabajadores tanto individual como colectivamente;

b)   los fondos de pensiones "cerrados", cuya articulación está establecida por la negociación colectiva para determinados trabajadores como mecanismos de protección ocupacionales;

c)   los fondos de pensiones "personales", que se articulan a través de contratos de seguro de vida.

Cabe también subrayar que, en el sector del trabajo privado italiano, opera un mecanismo para los asalariados denominado de *"conferimento tacito"*, en base al cual se procede a la atribución tacita de la cuantía correspondiente a parte de los recursos derivados del TFR (*trattamento di fine rapporto*) al fondo de pensiones empresarial o determinado por la negociación colectiva, siempre que haya.

Sin embargo, en ausencia de dichos fondos, la cuantía correspondiente al TFR se acumula en el fondo constituido al efecto por el propio INPS.

---

25.   En especial, se financian, a través de impuestos generales, no solo la asistencia social, sino además la llamada *"integrazione al minimo"*, es decir, el suplemento para pensiones mínimas y también una parte de las pensiones contributivas.

III. UMBRALES Y PARÁMETROS PRINCIPALES PARA EL ACCESO A LA PENSIÓN

1. DIFERENTES CRITERIOS DE ACCESO PARA DIFERENTES TIPOLOGÍAS DE PENSIONES

Con referencia a los criterios de acceso a las prestaciones de previsión social, en Italia las pensiones que pertenecen al primer pilar contributivo se clasifican según la siguiente tipología: pensión de vejez, pensión de antigüedad, pensión de invalidez, pensión de supervivencia, pensión de indemnización, pensión asistencial.

Tras dibujar –resumiendo también las informaciones anteriormente recogidas– los rasgos generales de cada una de dichas tipologías, cabe hacer hincapié sobre el sistema de umbrales y parámetros principales para el acceso a una modalidad en especial de pensión contributiva: la de vejez. En efecto, se trata de aquella modalidad de prestaciones que, entre todas, tal vez más se ha visto modificada por las múltiples reformas legislativas que, en los últimos años, han diseñado las formas de acceso a la jubilación.

A grandes rasgos, cabe recordar que la pensión de jubilación corresponde a los trabajadores que hayan alcanzado la edad establecida por la ley para el cese de la actividad laboral y que cumplan los requisitos contributivos mínimos previstos por la ley[26].

Por lo que concierne a la pensión denominada "de antigüedad", como ya se ha adelantado, se denominaba así a la pensión que, hasta 1995, se reconocía al perfeccionar el requisito único de un mínimo de años de cotización. Con la reforma Dini, introducida con la mencionada Ley n. 335 de 1995, se añade el requisito de un mínimo de edad, que ha ido aumentando progresivamente. A raíz de la reforma de 2012 la pensión de antigüedad será sustituida paulatinamente por la "pensión anticipada", cuyo requisito será tener 42 años de cotización, independientemente de la edad. Tras la aprobación de la reforma de 2019, la jubilación anticipada será a "cuota 100", requiriéndose al menos 38 años de cotización y 62 años de edad.

Con referencia a la pensión de invalidez, cabe señalar que dicha tipología corresponde a los ciudadanos que hayan sufrido enfermedades físicas o mentales[27]. En el ámbito de la pensión de invalidez, es posible distinguir un doble subtipo de pensión: parcial y absoluta. La pensión de invalidez parcial concierne el caso en que las enfermedades del trabajador impliquen una reducción permanente de un tercio de su capacidad laboral en relación las aptitudes del trabajador común. En cambio, la pensión de invalidez

---

26. Art. 24, Decreto Ley 2 de diciembre de 2011, núm. 201.
27. Art. 14, Ley 30 de marzo de 1971, núm. 118.

absoluta corresponde al trabajador cuya enfermedad implique absoluta y permanente imposibilidad para seguir desarrollando cualquier tipo de trabajo.

Otro tipo de pensión es la de supervivencia[28], que se le corresponde a los supervivientes de un familiar jubilado o asegurado que haya fallecido y que posea los requisitos de seguro y de contribución previstos por la ley.

También se regula la pensión de indemnización, para quien haya sufrido un accidente de trabajo, a causa de servicio y enfermedades profesionales, o por graves lesiones de guerra[29].

Por último, la pensión asistencial[30] se les garantiza a los ciudadanos con renta escasa o insuficiente, independientemente del pago de las cotizaciones, tras alcanzar los 65 años de edad, o para invalidez no derivada de la actividad laboral desarrollada.

2. LA EVOLUCIÓN NORMATIVA DEL REQUISITO DE LA EDAD PARA EL ACCESO A LA PENSIÓN DE VEJEZ

Los requisitos para el acceso a la pensión de vejez son básicamente la edad y un periodo mínimo de cotización.

Por lo que concierne la edad, cabe encuadrar la cuestión en el marco de un régimen transitorio ciertamente complejo debido tanto a la sucesión de una serie de medidas y disposiciones a veces contradictorias entre sí, como a la diferenciación de la materia en función del género femenino o masculino respectivamente del solicitante de la prestación (salvo el caso del empleo público, en el cual suele no haber variación entre hombres y mujeres).

Antes de la última reforma italiana de las pensiones aprobada en 2019, la edad para el acceso a la pensión de vejez para los hombres (ya sean trabajadores por cuenta ajena en el sector privado, empleados públicos, trabajadores autónomos o parasubordinados) era 66 años y 7 meses.

En cambio, si se trataba de trabajadoras, el requisito de la edad variaba no solo en función del género sino además del tipo de actividad laboral desarrollada. Así pues, en el caso de asalariadas del sector privado la edad para el acceso a la pensión de vejez se situaba en los 65 años y 7 meses;

---

28. Art. 13, R.D.L. 14 de abril de 1939, núm. 636.
29. Se subraya que, en Italia, el trabajador asegurado que sufre un accidente en el trabajo o una enfermedad profesional tiene derecho a asistencia sanitaria, prestaciones económicas y prestaciones complementarias concedidas por el INAIL (Instituto Nacional de Seguros contra los Accidentes de Trabajo).
30. Ley de 8 de agosto de 1995, núm. 335 que –como se ha visto– regula el denominado "assegno sociale" en lugar de la pensión social ex art. 26 de la Ley núm. 153 de 1969.

mientras que en el supuesto de mujeres autónomas o parasubordinadas la edad requerida era de 66 años y 1 mes.

Sin embargo, a partir del 1 de enero de 2019, el requisito de edad de acceso a la pensión de vejez es para todo trabajador de 67 años (junto a una cotización a la seguridad social de al menos 20 años de trabajo), queriendo además la reforma calcular la edad ordinaria de jubilación en función de la evolución de la esperanza de vida[31], sometiéndose pues a revisión cada dos años[32]. En este sentido, se puede afirmar que en el sistema de pensiones italiano la esperanza de vida incide además en el importe de la propia pensión, variando dicho importe también en función de la edad del trabajador en el momento de la jubilación[33].

Pese a lo que se acaba de exponer, cabe hacer hincapié sobre algunas excepciones contempladas en la ley.

En primer lugar, el acceso a la pensión de vejez puede realizarse hasta cinco años antes de la edad ordinaria (67 años) en presencia de un doble requisito: a) que se trate de trabajadores en el espectáculo o que se dedican a actividades caracterizadas por ser especialmente peligrosas o penosas[34]; b) que esas actividades especialmente peligrosas o penosas hayan sido desempeñadas durante al menos siete años de los diez inmediatamente anteriores al acceso a la pensión, incluyendo el ultimo.

En segundo lugar, la ley también contempla un supuesto de acceso anticipado a la pensión de vejez. A este respecto, resumiendo brevemente, la reforma de 2011 –como ya se ha adelantado– había sustituido la antigua *"pensione di vecchiaia"* por la denominada *"pensione anticipata"*, introduciendo un régimen transitorio que seguía contemplando un régimen diferente en función del género del trabajador, con un despliegue progresivo hasta 2019. Así pues, para los trabajadores que empezaron a cotizar antes de 1996 la edad para el acceso a la pensión anticipada se situó en 42 años y 10 meses en el caso de los hombres, y en 41 años y 10 meses para las mujeres. Todo ello sin abandonar un enfoque sobre la evolución de la esperanza de vida, en el sentido de que tales parámetros[35] se tenían

---

31. Casillo, R., "L'attesa di vita nei requisiti di accesso alla pensione: una prospettiva giuridica", *Rivista del Diritto della Sicurezza Sociale*, 2016, pp 118 ss.
32. *Vid.* Art. 24.7, D.L. núm. 201/2011.
33. A este respecto, cabe recordar que, incluso antes de 2019, la reforma Fornero había incentivado la continuación de la edad laboral más allá del requisito de edad para el acceso a la pensión de vejez, estableciendo valores diferenciados por razón de edad hasta los setenta años.
34. V. Decreto Legislativo 21 de abril de 2011, núm. 67, por el que se regula el acceso a la pensión anticipada para los *"addetti alle lavorazioni particolarmente faticose e pesanti"*.
35. A este propósito, se señala el procedimiento de infracción de la Comisión Europea contra Italia, núm. 4199/2013 al que dio lugar precisamente dichos parámetros de referencia.

que actualizar en función de la variación de dicho criterio de referencia a partir de 2019[36].

Por otro lado, puesto que la primera cotización se produjo a partir del 1 de enero de 1996, se establecía la posibilidad de acceso a la pensión anticipada a partir de 63 años y 7 meses, al verificarse de al menos dos requisitos específicos: un periodo mínimo de cotización de 20 años y que la cuantía de la pensión representase al menos 2,8 veces el *"assegno sociale"*, es decir, la pensión asistencial.

A este régimen de pensión anticipada introducido por la reforma de 2011[37], se añaden las modificaciones aportadas por el mencionado Decreto Ley núm. 4 de 2019, que regula la pensión "cuota 100", sin introducir realmente cambios sustanciales al régimen apenas descrito, sino solo algunas novedades limitadas y básicamente transitorias relativas al trienio 2019-2021.

Más específicamente, la pensión "cuota 100" se denomina así porque la suma de dos valores (por un lado, la edad del trabajador y, por otro lado, el periodo de cotización) tiene que ser un valor numérico que no debe resultar inferior a 100. Todo ello, vuelve a modificar el requisito de la edad para el acceso a la pensión de vejez, puesto que ahora hay un vínculo tanto de edad mínima de 62 años como de cotización mínima de 38 años. En consecuencia, diferentemente de lo establecido por el régimen previgente de "cuotas", la entrada en vigor de la pensión cuota 100 ha acabado por reducir, en concreto, el número de personas que pueden acceder a la pensión anticipada a través de este nuevo canal, dado que para llegar al valor numérico de cien no es suficiente cualquier combinación entre los parámetros de la edad y del periodo mínimo de cotización, sino que es necesario lograr la cuota 100 solo y exclusivamente a través de la suma entre 62 años de edad y 38 años de cotización.

Sin embargo, el ámbito subjetivo de aplicación de la pensión "cuota cien" es bastante más amplio que el previgente, incluyéndose –según lo establecido por el art. 14.1, D.L. núm. 4 de 2019– todos los inscritos al seguro general obligatorio y a las formas exclusivas y sustitutivas del mismo, administradas por el INPS, así como la gestión separada[38]. Así pues, el nuevo régimen abarca también a la gestión separada de los trabajadores por cuenta propia, quedándose excluidos solo las cajas de pensiones de los profesionales.

---

36. *Vid., amplius,* Casillo, R., *La pensione di vecchiaia: un diritto in trasformazione,* Edizioni Scientifiche Italiane, Napoli, 2016.

37. Canavesi, G., "Età pensionabile, prosecuzione del rapporto fino a settant'anni e licenziamento nella riforma pensionistica del 2011", *Diritto delle relazioni industriali,* 3, 2013, pp. 665 ss.

38. *Vid.* Art. 2.26, Ley núm. 335 de 1995, denominada –como ya se ha dicho– "Legge Dini".

Además, a diferencia de lo que ocurría en el régimen de pensión anticipada previgente, se reduce no solo el requisito de la edad sino además el periodo mínimo de cotización, siendo suficientes respectivamente 62 años de edad en lugar de 67 y 38 años de cotización en lugar de 43. En definitiva, la ley ahora requiere cinco años menos tanto de edad[39] como de cotización para acceder a la pensión de forma anticipada.

Obviamente todo ello conlleva unas consecuencias en el plano práctico muy relevantes, que conciernen directamente los gastos relacionados a este nuevo mecanismo de pensión anticipada. A este respecto, se señala que la cobertura financiera para este tipo de medida ha llegado a 9.000 millones de euros anuales en 2021[40].

2.1. El periodo mínimo de cotización para acceder a la pensión de vejez

El periodo mínimo de cotización, junto a la edad, es otra *condicio sine qua non* para el acceso a la pensión de vejez.

Así pues –siempre que se haya satisfecho el requisito de la edad al que ya se he aludido anteriormente y que la cuantía de la pensión represente al menos un 50% más que la que corresponde a la pensión social– se requieren 20 años de cotización para los que empezaron a cotizar a partir del 1 de enero de 1996. Sin embargo, para los trabajadores cuya actividad profesional haya iniciado antes de esta fecha, se consiente el acceso a la pensión de vejez cualquiera sea la edad.

Ahora bien, como consecuencia del ajuste tanto a la variación del dato de la esperanza de vida como a la evolución normativa que se ha descrito anteriormente, el periodo de cotización puede variar en dependencia del tipo de régimen transitorio aplicable.

Así pues, en el caso en que el solicitante haya cumplido la edad de 70 años y 7 meses, el periodo de carencia se reduce a cinco años de cotización efectiva.

Por otro lado, como ya se ha comentado, si se utiliza la medida de "cuota 100", se requieren 38 años de cotización.

---

39. Aunque, en realidad, de los datos estadísticos presentados por el informe anual del INPS en 2019 se desprende no solo que el número de las solicitudes de jubilación anticipada gracias al mecanismo "cuota 100" ni siquiera alcanza los 155.000, sino además que la edad media de los trabajadores que se jubilan a través de dicha medida se sitúa en torno a 64 años, anticipándose solo de unos tres o cuatro años el acceso a la pensión respecto a lo establecido por el régimen tradicional de pensión de vejez, *vid.* INPS, *XVIII Rapporto Annuale*, Roma, 2019, pp. 211 ss.

40. *Vid., funditus,* Casale, D., "La reforma del sistema de pensiones italiano de 2019 ¿un empeoramiento de la insostenible desigualdad del sistema de protección social?", *op. cit.*, p. 189.

Además, hay otra modalidad de pensión adicional dentro del nivel contributivo que se reconoce a aquellos trabajadores que, aun no habiendo cotizado durante 20 años (y por ende no cumpliendo con uno de los requisitos de acceso a la pensión de vejez), sí han cotizado durante algún tiempo en su vida laboral, pudiéndose calcular la pensión a través de un sistema de cómputo distinto (retributivo, contributivo o mixto) precisamente en función de la primera cotización. Sin embargo, en casos como estos, no se aplica la garantía de una cuantía mínima.

IV. UN ENFOQUE SOBRE LA REFORMA DE LAS PENSIONES INTRODUCIDA CON EL D.L. NÚM. 4/2019: OBJETIVOS Y SECTORES ESPECÍFICOS DE APLICACIÓN DE LA "PENSIÓN CUOTA 100"

1. EL OBJETIVO (FRUSTRADO) DE ACELERAR EL RELEVO GENERACIONAL EN EL SECTOR PRIVADO

A la pensión "cuota cien" y al mecanismo sobre el cual fundamenta dicha nueva modalidad de prestaciones ya se ha aludido varias veces a lo largo de este estudio, haciendo referencia a la reforma de las pensiones italiana introducida por el Decreto Ley de 28 de enero 2019, núm. 4 por el que se aprueban *"Disposizioni urgenti in materia di reddito di cittadinanza e di pensioni"*.

Sin embargo, cabe enfocar también los objetivos de política legislativa perseguidos a través de dicha reforma para poder realizar un primer balance ahora que ya han transcurrido un par de años de su entrada en vigor.

Uno de los principales objetivos de la reforma de 2019[41] es introducir, a través de la pensión cuota 100, un nuevo canal de prejubilación que sea funcional para la ocupación juvenil, favoreciendo la renovación generacional en el mercado del trabajo[42].

En otros términos, la *intentio legis* que subyacía en la medida podría resumirse básicamente en liberar puestos de trabajo gracias a la jubilación anticipada de los trabajadores ancianos que cumplen los requisitos de cuota 100, dejando de esta manera la oportunidad a las empresas de contratar nuevos empleados, preferiblemente jóvenes y con adecuados conocimientos sobre todo en materia de nuevas tecnologías.

---

41. Battista, L. –Bernucci, A., "D.L. n. 4 del 2019: misure e sostenibilità intergenerazionale", *Il lavoro nella giurisprudenza*, núm. 7, 2019, pp 662.

42. No es la primera vez que el legislador italiano considera necesario acelerar el relevo generacional en el mercado del trabajo también a través de una adecuada regulación del sistema de pensiones. A este respecto, *vid.* Treu, T., "Protezione sociale ed equilibrio intergenerazionale", *WP C.S.D.L.E. "Massimo D'Antona", IT, n. 374/2018*; Passalacqua, P., "L'età pensionabile nella prospettiva del ricambio generazionale", Variazioni su temi di diritto del lavoro, 2017, pp 150 ss.

Dicho objetivo no solo se declara expresamente[43], sino además se desprende indirectamente de una serie de disposiciones específicas establecidas por el Decreto Ley núm. 4 de 2019.

El artículo 22 del mencionado Decreto, por ejemplo, consiente el uso de los fondos bilaterales de solidaridad como subsidio extraordinario para mantener la renta de los trabajadores que quieren prejubilarse solo en virtud de convenios colectivos a nivel empresarial o territorial a través de los cuales las partes sociales ("los sindicatos comparativamente más representativos a nivel nacional") establezcan como garantía de los niveles ocupacionales el número de trabajadores que hay que contratar en sustitución de los trabajadores que acceden a la pensión cuota 100. Está claro que dicha previsión está dirigida a evitar que los puestos de trabajo de los trabajadores que acceden a la prejubilación, imaginando queden sin cubrir, estableciéndose una especie de "sustitución automática" de quien se jubila con jóvenes trabajadores contratados por la empresa.

Asimismo, siempre en la óptica de favorecer el relevo generacional, el art. 14.3 del Decreto prohíbe acumular la pensión cuota 100 con rentas procedentes del trabajo, estableciendo que "la pensión cuota 100 no es acumulable, a partir del primer día de inicio de la pensión hasta la obtención de los requisitos para el acceso a la pensión de vejez, con las rentas de trabajo por cuenta ajena o autónomo, excepto los derivados del trabajo autónomo ocasional, con el límite de 5.000 euros brutos al año".

Ahora bien, solo se ha aludido a un par de disposiciones que, directa o indirectamente, fundamentan la idea de que anticipar las jubilaciones puede crear más fácilmente puestos de trabajo para jóvenes desempleado.

Sin embargo, tanto en la praxis laboral como en la doctrina, la idea, aunque sugestiva, no ha sido aceptada por todos. En efecto, por un lado, se ha revelado difícil transponer en el plano practico la sustitución automática de trabajadores ancianos con trabajadores jóvenes de manera beneficiosa para el sistema productivo, puesto que las nuevas contrataciones no se pueden considerar numéricamente equivalentes a las prejubilaciones que se han realizado a través de cuota 100. Asimismo, la prohibición de acumular la pensión cuota 100 con rentas procedentes del trabajo ha contribuido a generar, en muchos casos, más trabajo sumergido puesto que se trata de una prohibición fácilmente eludible, sobre todo por parte de las pequeñas empresas familiares que de esta manera sí han realizado una aceleración del relevo generacional, pero solo con referencia al desempeño de una

---

43. *Vid.* el propio inicio del texto normativo, antes de la exposición de los artículos, según el cual se decide aprobar el Decreto Ley núm. 4 de 2019 "dada la extraordinaria necesidad y urgencia de crear medidas para incentivar la contratación de jóvenes trabajadores".

actividad precisamente de carácter familiar y en la cual de hecho han seguido trabajando.

Por otro lado, hay quien ha definido dicha idea directamente "errónea"[44] tanto porque no se constata una plena sustituibilidad entre expertos ancianos y trabajadores jóvenes, como porque la idea chocaría con la exigencia de recortar los gastos públicos, que es otro objetivo perseguido por la reforma. En efecto, los costes que las contrataciones adicionales suponen son elevados para los fondos públicos, y a ello se añaden también los gastos generados por las prejubilaciones; reduciéndose por consiguiente "los recursos a disposiciones de la colectividad, incluso con fines sociales"[45].

2. LA PENSIÓN CUOTA 100 EN EL SECTOR PÚBLICO DEL TRABAJO

Antes de señalar las peculiaridades que caracterizan el régimen especial de la pensión cuota cien, cuyo ámbito de aplicación se extiende también a los empleados de las Publicas Administraciones[46] por expresa previsión del Decreto Ley núm. 4 de 2019 (arts. 14-19)[47], cabe recordar que hay algunas diferencias en el sistema de pensiones italiano entre el sector público y privado del trabajo.

En efecto, diferentemente de lo que ocurre en el empleo privado, la obtención de la pensión de vejez (o de la denominada *"pensión de oficio"*) en el sector público implica la disolución automática de la relación de trabajo, rescindiendo por consiguiente la Administración Publica el contrato con el dependiente que ha alcanzado la edad de jubilación.

Así pues, si por un lado, en el sector privado el empleador no está obligado a rescindir el contrato (aunque pueda hacerlo siempre que sea respetado el periodo de preaviso), por otro lado, en cambio, al llegar a la edad de 65 años del empleado público[48], se realiza automáticamente el cese de la relación entre este último y la Administración Pública.

Todo ello se refiere al caso clásico de pensión de vejez. Sin embargo, en el caso de prejubilaciones o jubilaciones anticipadas, también en el sector público la ley requiere que el empleado declare su propia voluntad de

---

44. Casale, D., "La reforma del sistema de pensiones italiano de 2019 ¿un empeoramiento de la insostenible desigualdad del sistema de protección social?", *op. cit.*, p. 194.
45. *Ibid.*
46. Cirioli, D., "Pubblico impiego: le novità su pensioni e buonuscita", *Dottrina per il lavoro*, n. 8, 2019, pp. 461 ss.
47. Aunque queden excluidas algunas categorías profesionales a las cuales se les aplica un régimen todavía más favorable, piénsese por ejemplo a las fuerzas armadas y de policía.
48. A este respecto, cabe precisar que la edad para obtener la pensión de vejez puede ser diferente en función de la categoría profesional de referencia, como por ejemplo si se trata de médicos, magistrados o profesores universitarios.

rescindir la relación laboral que, en caso contrario, sigue hasta la obtención de la edad de la jubilación ordinaria.

Lo que se acaba de exponer sirve también para comprender las reglas específicas que rigen cuota 100 en el sector público, al tratarse de una forma anticipada de jubilación.

Con referencia a los aspectos más bien "técnicos" de la regulación, en el ámbito del empleo público la primera mensualidad de la pensión se aplaza de seis meses, lo cual representa el doble respecto al sector privado en que el laxo temporal del aplazamiento es de tres meses.

Además, la solicitud de cuota cien se presenta ante la administración de pertenencia debiendo respetar un periodo de preaviso de seis meses, recibiendo el empleado público la pensión solo en el momento en que el derecho a la jubilación se alcanzaría en base a los requisitos preexistentes para acceder a la prestación. La *ratio* de dicha previsión consiste en evitar que la carga de las pensiones cuota 100 del personal de las Administraciones Públicas recaiga sobre los fondos públicos, no pudiendo en este caso dicho personal cobrar con antelación la cuantía que se deriva de la pensión. Sin embargo, si el empleado público tuviera urgencia de percibir de forma inmediata al menos el *Trattamento di Fine Rapporto* (que se le corresponde a todo trabajador, público o privado, siendo una indemnización por fin de servicio), podría recibir un importe equivalente presentando una solicitud a los bancos o a otros intermediarios financieros para obtener una financiación *ad hoc*[49].

Pasando a otro orden de consideraciones, y refiriéndose de nuevo a los objetivos de política legislativa basados sobre la exigencia de acelerar el relevo generacional perseguida por la reforma de 2019, destacan otras diferencias en la aplicación de la pensión cuota 100 en el sector público respecto al privado.

Así pues, si, como se ha visto, las prejubilaciones no parecen haber contribuido a aumentar la contratación de jóvenes trabajadores en el sector privado; en cambio, en el empleo público, ampliar de forma significativa las posibilidades de contratación por parte de las Administraciones también a través de formas de jubilaciones anticipadas, no solo puede funcionar[50], sino que llega a ser hoy en día una exigencia prioritaria. A

---

49. *Vid.* Art. 23, Decreto Ley núm. 4 de 2019, que regula detenidamente la antelación del denominado *Trattamento di Fine Rapporto*.

50. En sentido parcialmente contrario, *vid.* Casale, D., "La reforma del sistema de pensiones italiano de 2019 ¿un empeoramiento de la insostenible desigualdad del sistema de protección social?", *op. cit.*, p. 196, según el cual la cobertura de los puestos públicos liberados tras las jubilaciones anticipadas, aunque pueda ser una manera de hacer las administraciones más jóvenes y dinámicas, no representa una medida eficiente de contrastar al desempleo juvenil.

este respecto, es suficiente recordar que la edad media del personal de los organismos públicos italianos se sitúa entre las más elevadas en Europa[51] y tratar de buscar la manera para favorecer el relevo generacional incluso a través de medidas que incidan directamente en el sistema de pensiones es más factible respecto al sector privado, puesto que es la propia autoridad pública la que decide el número de puestos de trabajo por cada singular administración a la que se acede a través de concurso (arts. 97.3 de la Constitución italiana).

Esto no quiere decir que los fondos públicos no se vean agravados por medidas como cuota 100, sobre todo en presencia del supuesto (bastante frecuente) en base al cual –aun cubriéndose con una nueva contratación el puesto de trabajo que se queda libre gracias a la prejubilación– las progresiones profesionales que de ello se derivan en cascada, pueden acabar por multiplicar los costes corrientes de los entes públicos[52].

V.   CONCLUSIONES: ¿HACIA UNA MAYOR SOSTENIBILIDAD Y ADECUACIÓN DEL SISTEMA? CAUSAS PRINCIPALES Y OPCIONES POSIBLES

Tras haber considerado las principales novedades introducidas en el marco normativo vigente, refiriéndose específicamente al objetivo del relevo generacional y a la aplicación peculiar de la pensión cuota 100 en el sector público, cabe preguntarse si el ordenamiento jurídico italiano se está dirigiendo hacia un sistema más sostenible que en pasado o, si en cambio, Italia sigue destacándose respecto al resto de los países europeos por presentar un sistema de protección social deficiente bajo el doble perfil de la sostenibilidad financiera, y de la adecuación a la finalidad social que constituye el presupuesto esencial sobre el cual debería basarse el propio sistema.

El análisis de la pensión cuota 100 nos ha demostrado que –pese a las ventajas inmediatas de quien cumple con los requisitos para acceder a esta forma de prejubilación– también la reforma de 2019 podrá tener un impacto financiero no indiferente hacia el futuro, no pudiéndose considerar resuelto el principal problema que, desde hace muchos años, amenaza la sostenibilidad del sistema de pensiones italiano y que –como ya se ha

---

51.   Es posible consultar los datos pertinentes, con una actualización del 21 de junio de 2021, en *www.funzionepubblica.gov.it*.

52.   A este propósito, cabe señalar que el legislador ha ampliado las posibilidades de contratación de varias administraciones no solo con el proprio Decreto Ley núm. 4 de 2019, sino además con otras medidas legislativas como, por ejemplo, la Ley núm. 56 de 2019, cuyo artículo 3 introduce específicamente medidas para acelerar las contrataciones y el relevo generacional.

señalado en la introducción de este estudio– consiste sustancialmente en los gastos muy elevados en pensiones.

Ahora bien, dichos gastos siguen creciendo, debido a una serie de razones tal vez incontrolables: la evolución especialmente desfavorable del producto interior bruto del país, el estancamiento económico, la marcada variación demográfica, el aumento del nivel de deuda pública, etc.

Se trata de factores que, como se ha visto, han favorecido también la introducción de modalidades de recortes más agresivos respecto a otros países, como por ejemplo las medidas introducidas por las reformas Amato de 1992 y Fornero de 2012 que, no obstante, tampoco fueron realmente concluyentes.

En la mayoría de los estudios doctrinales sobre la materia se afirma –a menudo sin más aclaraciones y de forma casi "apodíctica"– que el sistema de pensiones italiano no presenta las características fundamentales de la "sostenibilidad" y de la "adecuación".

Sin embargo, sería útil aclarar el significado de estos conceptos (que demasiadas veces se dan por sentados) e investigar las causas de su ausencia, también para poder razonar –en una perspectiva *de jure condendo*– sobre los posibles ajustes que se podrían aportar al sistema.

Así pues, en primer lugar, cabe recordar que la sostenibilidad está relacionada tanto con el equilibrio presupuestario y financiero entre los ingresos y los pasivos, como con la relación entre trabajadores/contribuyentes y pensionistas/beneficiarios. En consecuencia, para ser sostenibles a largo plazo, los regímenes públicos de pensiones deben poder absorber el impacto del envejecimiento de la población sin desestabilizar las finanzas públicas.

Está claro que si no se actualiza periódicamente el sistema según los cambios que se realizan en el contexto socio-económico, incluso a través de la adecuación de los subsidios según las prioridades surgidas en épocas históricas anteriores, se pone en peligro la sostenibilidad financiera del sistema. Ahora bien, para proporcionar unos ingresos adecuados en la vejez, es necesario al mismo tiempo, garantizar, no solo la sostenibilidad financiera, sino además la maximización del empleo, también a través de incentivos de apoyo a las carreras profesionales formales estables y de una vida laboral más larga tanto para mujeres como hombres.

Así pues, sostenibilidad y adecuación son dos conceptos complementarios que se entrecruzan. No se trata además de conceptos meramente teóricos o de retos declarados solo formalmente en las múltiples reformas legislativas que se han dado sobre la materia, sino que constituyen las verdaderas claves para el futuro de las pensiones[53]. En efecto, se hace realmente necesario introducir un mecanismo eficaz de ajuste automático de los parámetros a los que se ha aludido a lo largo de este estudio (edad de jubilación, años de cotización, importe inicial de la pensión) a la esperanza de vida de la población y al factor demográfico, a cuyos cambios se asiste repentina e irremediablemente a medida que pase el tiempo. Y precisamente la sostenibilidad y la adecuación representan las fórmulas que deben adaptar el sistema de pensiones a la evolución demográfica y a las arcas del Estado.

Lo que se acaba de exponer parece un dato ya adquirido en el panorama de reformas italianas, habiendo tratado el legislador, desde hace más de un cuarto de siglo, de inspirar todas las intervenciones normativas en torno a dichos dos conceptos fundamentales. De ello, en efecto, se ha derivado que la pensión, en Italia, se calcula no solo en función de los años cotizados, la edad de jubilación y lo que has cotizado principalmente, sino además en consideración de la esperanza de vida, con la finalidad de añadir a este cálculo los factores imprescindibles de la revalorización[54] de las pensiones y de la equidad intergeneracional.

Sin embargo, cabe entonces preguntarse qué es lo que realmente ha hecho y sigue haciendo complicado encontrar una solución jurídico-político-social, y cuáles son las principales causas de ello. En resumen, se podrían

---

53. Ludovico, G., "Sostenibilità e adeguatezza della tutela pensionistica: gli effetti della crisi economica sul sistema contributivo", *op. cit.*, pp. 910 ss.
54. Se trata de un asunto especialmente debatido en Italia. La revalorización de las pensiones también se ha realizado de forma automática conforme al art. 34 de la Ley de 23 de diciembre de 1998, núm. 448 por la que se aprueban "misure di finanza pubblica per la stabilizzazione e lo sviluppo" que regulaba la denominada "*perequazione automatica*". No obstante, la aplicación de dicho mecanismo fue suspendido por el mencionado Decreto Ley de 6 de diciembre de 2011 (art. 24.25) a salvo de las pensiones inferiores al triple de la mínima, una medida que afectaba a una cuantía enorme de pensionistas. También el Tribunal Constitucional intervino en materia, declarando la inconstitucionalidad de la medida con la sentencia núm. 70 de 2015, aceptando aquella interpretación doctrinal sobre la aplicación de este tipo de mecanismo, que había sido adelantada por la sentencia de 2 de noviembre de 2010, núm. 316 del mismo Tribunal. En materia, la literatura es amplia, v., entre otros, D'Onghia, M., "Sostenibilità economica versus sostenibilità sociale nella legislazione previdenziale. La Corte costituzionale, con la sentenza n. 70/2015, passa dalle parole (i moniti)..ai fatti (dichiarazione di illegittimità)", *Rivista del diritto della sicurezza sociale*, 2, 2015, pp 319 ss.; *Id.*, "La Consulta ridà linfa vitale all'effettività dei diritti previdenziali: la sent. n. 70/2015 in tema di perequazione automatica", *Rivista giuridica del lavoro e della previdenza sociale*, 3, 2015, pp 371 ss; Cinelli, M., "Illegittimo il blocco della indicizzazione delle pensioni: le buone ragioni della Corte (Corte Cost. 30 aprile 2015, n. 70)", *Rivista del diritto della sicurezza sociale*, 2, 2015, pp 441 ss.; Garofalo, D. "La perequazione delle pensioni: dalla Corte Costituzionale n. 70 del 2015 al D.L. 65 del 2015", *Il lavoro nella giurisprudenza*, 7, 2015, pp 680 ss.; Sterpa, A., "Una 'lettura intergenerazionele' della sent. n. 70 del 2015", *federalismi.it*, 10, 2015, pp. 9 ss.

identificar al menos los siguientes aspectos problemáticos que caracterizan, de manera peculiar, el sistema de pensiones italiano.

En primer lugar, destaca un régimen transitorio larguísimo y un proceso de reformas inacabable que ha marcado muchas, demasiadas, etapas temporales: 1992, 1995, 2004, 2007, 2010, 2011, 2019. Todo ello contribuye a generar más incertidumbre en el sistema como ya se ha aludido a lo largo de este estudio. En especial, los continuos cambios normativos hacen que el sistema de pensiones italiano se presente particularmente (y, tal vez, innecesariamente) complejo, produciéndose el solapamiento de regímenes transitorios y la prolongación de éstos en ocasiones como cesión ante los sindicatos, también para compensar el frecuente endurecimiento de los requisitos de acceso a la pensión de vejez.

Además, las soluciones de vez en cuando propuestas se han "diluido" en el tiempo[55], quedándose básicamente un solo punto firme: la consolidación de la naturaleza contributiva del sistema a través de una relación más proporcional entre lo cotizado y la cuantía de la pensión.

En especial, el reforzamiento del nivel contributivo dio lugar a la introducción de un sistema que tiene en cuenta la totalidad de la vida laboral para la determinación de la pensión y que también quiere apostar por un sistema basado no solo en la esfera pública, sino además en un mayor protagonismo de la iniciativa privada. Sin embargo, el desarrollo de instrumentos privados complementarios es un objetivo en buena medida frustrado hasta el momento, considerando que el papel de los fondos de pensiones dentro del conjunto del sistema sigue siendo muy limitado[56]. Así pues, es difícil pensar que el sistema pueda aguantar gracias al nivel de protección social complementaria.

En segundo lugar, se ha producido un envejecimiento de la población de los trabajadores italianos que –junto a los índices de natalidad que, en Italia, están en los mínimos mundiales– hizo necesario poner el foco sobre la amplitud de la tercera edad, también por parte del legislador que ha intervenido en materia de pensiones.

En efecto, en 2019 la esperanza de vida de promedio se sitúa en torno a los 85/86, 21 años más que la edad de jubilación, varios más que en 1979. Quienes en 1979 empezó a trabajar con 20 años, creía (correctamente) que

---

55. V., *passim*, Jessoula, M., "Italy: from Bismarckian pensions to multipillarization under adverse conditions", AA.VV. (ed. B Ebbinghaus), *The varieties of pensions governance. Pension privatization in Europe*, Oxford University Press, 2011, pp 151 ss.

56. Todo ello pasa por varias razones, entre las cuales destaca la crisis financiera, v. Ferrante, V., "La previdenza complementare al tempo della crisi finanziaria: vicende dei fondi e tutela delle posizioni individuali", *Rivista italiana di diritto del lavoro*, fasc. 4, 2009, pp 531 ss.

iba a jubilarse con 60 años, pudiendo recibir la pensión durante 20 años. En cambio, hoy en día, como la esperanza de vida de los ancianos se ha ampliado mucho, para poder recibir la pensión durante dos décadas, habría que dejar de trabajar al menos con 66 años. Sin embargo, según las estadísticas ISTAT, la esperanza de vida de los ancianos seguirá creciendo y para poder transcurrir 20 años en régimen de pensión será necesario trabajar hasta por lo menos los 70 años. No obstante, también cabe subrayar que, en 2020 la pandemia Covid-19 ha reducido la esperanza de vida media de 1,1 años, lo cual podrá en futuro ralentizar el aumento de la edad de jubilación, por lo menos en aplicación de aquellas reglas introducidas por la reforma Fornero que siguen en vigor.

En tercer lugar, otro problema –estrictamente relacionado al que se acaba de exponer– consiste al desequilibrio generacional[57], debido en parte a la coyuntura histórica, en parte a la transformación del mercado del trabajo[58] y a como dicha transformación ha sido regulada por el ordenamiento jurídico[59], puesto que a menudo es la propia normativa de referencia que sitúa a los jóvenes en una situación de desventaja[60]. Además, los denominados *baby boomer* que se prejubilaran, nacidos entre el 1995 y el 1975, en Italia son muchos más (alrededor de 18 millones) que la nueva generación de trabajadores, nacidos entre el 2000 y el 2020 (casi 11 millones).

Así pues, para mantener un equilibrio entre las cotizaciones y las pensiones, una opción podría ser el aumento de la edad de jubilación, para que crezca de acuerdo con el crecimiento de la esperanza de vida de la gente mayor. De esta manera, probablemente, sería posible garantizar

---

57. Bifulco, R., *Diritto e generazioni future. Problemi giuridici della responsabilità intergenerazionale*, Franco Angeli, Roma, 2008.
58. Sobre la estrecha conexión entre la transformación del mercado del trabajo, las nuevas formas de precariedad y la disminución de la protección social, *vid.* Cinelli, M., "Nuovi lavori e tutele: quali spazi per la previdenza sociale?", *Rivista italiana di diritto del lavoro*, I, 2005, pp. 225 ss.; Bozzao, P., *La tutela previdenziale del lavoro discontinuo: problemi e prospettive del sistema di protezione sociale*, Giappichelli, Torino, 2005.
59. Sobre la necesitad "institucional" de garantizar el equilibrio generacional, en especial en materias como las pensiones, y sobre el papel jugado en este sentido también por el art. 81 de la Constitución italiana (incluso tras la reforma de 2012, introducida con la ley constitucional del 20 de abril núm. 1) que no consente de endeudarse precisamente en función de la sostenibilidad del sistema de previsión social y de la solidariedad entre generaciones, v. las consideraciones de Faioli, M., "Relazione a-tecnica tra art. 38 Cost. e art. 36 Cost. Pensioni, adeguamento automatico e equilibrio di bilancio", federalismi.it, 31 gennaio 2018.
60. A este respecto, ha sido afirmado expresamente que es la propia regulación laboralista italiana "que diseña estructuras retributivas que premian la ancianidad más que en otros países", *vid.* Casale, D., "La reforma del sistema de pensiones italiano de 2019 ¿un empeoramiento de la insostenible desigualdad del sistema de protección social?", *op. cit.*, p. 204.

mayor protección a los jóvenes, evitando el aumento de las cotizaciones y la reducción de las pensiones.

Otra forma de desigualdad de la cual no se habla mucho con respecto al funcionamiento del sistema de pensiones italiano es también la diferencia de supervivencia entre grupos sociales distintos. Hoy en día una persona graduada de 65 años vive en media dos años más respecto a quien nunca ha acabado la carrera y solo ha terminado el colegio. Lo que se acaba de exponer suele pasar por varias razones: el estilo de vida anterior, el diferente acceso a la asistencia sanitaria, etc. Así pues, dado que el sistema de pensiones italiano –tal y como subrayado desde la introducción de este estudio– se basa sobre el principio general y fundamental de solidaridad social y dado que la edad de jubilación no depende del título de estudio del trabajador, lo que puede suceder es que quienes ha recibido una menor instrucción pagará parte de la pensión de quienes ha recibido más instrucción.

Junto a ello, el nivel de desigualdad entre trabajadores se hace alarmante si se consideran, por un lado, la existencia de pensiones de elevadísima cuantía (denominadas *"pensioni d'oro"*)[61] en contraste con la abundancia de pensiones modestas y, por otro lado, la posición de las mujeres en el sistema de pensiones que es sensiblemente peor que la de los hombres, tanto en la cuantía de la pensión y en la edad de jubilación como en la falta de cobertura[62].

Ahora bien, todos estos aspectos que se han destacado, entre otros, se tendrán que tener en cuenta en un futuro a la hora de intervenir de nuevo en materia de pensiones y para dirigirse hacia un sistema más sostenible y adecuado.

---

61. No obstante, cabe señalar que La Ley de Estabilidad de 2014, aprobada bajo el Gobierno Letta, impuso un *"contributo di solidarietà"* a las pensiones de oro, cuya constitucionalidad ha sido confirmada también por el Tribunal constitucional italiano, con la sentencia de 13 de julio de 2016, núm. 173. V., por último, Cinelli, M., "Prelievi 'di solidarietà' sulle pensioni e principio di ragionevolezza", *Rivista italiana di diritto del lavoro*, 2, 2021, pp. 105 ss.

62. La desigualdad entre trabajadores y trabajadoras también se desprende de la prórroga de la mencionada "opción mujer" recientemente dispuesta por el art. 14 de Decreto Ley núm. 4 de 2019. Se recuerda que en base a la opción mujer se reconoce a las trabajadoras la posibilidad de jubilarse anticipadamente pero en función de las reglas de cálculo del sistema contributivo, es decir que dicho mecanismo se activa: a) respecto a las trabajadoras por cuenta ajena que hasta el 31 de diciembre de 2018 han adquirido una ancianidad contributiva igual o superior a 35 años y una edad igual o superior a 58 años; b) respecto a las trabajadoras autónomas que hasta el 31 de diciembre de 2018 han adquirido una ancianidad contributiva igual o superior a 35 años y una edad igual o superior a 59 años. Se deriva de ello, en primer lugar, que el requisito de la edad en este caso no se ha adecuado a los incrementos de la esperanza de vida y, en segundo lugar, que hay un margen de aplazamiento de la pensión de 12 meses para las trabajadoras por cuenta ajena y de 18 meses para las autónomas.

En especial, por un lado, quizás sería oportuno evitar reducir para todos la edad de jubilación, como se ha hecho con cuota 100 u opción mujer. En efecto, estas medidas –pese a tener carácter voluntario y a prever, para toda la vida, un recorte de los subsidios– siguen dando lugar a costes muy elevados que amenazan la sostenibilidad del sistema. Además, dichos costes serán pagados también por los propios trabajadores (actuales y futuros). Sin embargo, seria auspiciable que el Gobierno italiano y las partes sociales razonaran juntos sobre otras medidas como por ejemplo posibles cambios de tareas de los trabajadores maduros, o incluso formas mixtas de trabajo y pensión.

Por otro lado, sería realmente necesario –por razones de justicia social e igualdad entre trabajadores– retomar la cuestión de la desigualdad entre trabajadores y de los trabajos penosos. A este respecto, se podría, por ejemplo, extender el APE social (anticipación de pensión social) a las categorías que más sufren la efectiva reducción de la esperanza de vida.

En conclusión, garantizar una protección social más sostenible y adecuada no es utópico. Sin embargo, hace falta una fuerte voluntad política y sindical que se dirija hacia dicho objetivo.

IV.   BIBLIOGRAFÍA

Balandi, G.G., "Per una definizione del diritto della sicurezza sociale", *Politica del diritto*, 1984.

– *Tutela del reddito e mercato del lavoro*, Milano, 1984.

– "Sicurezza sociale – Un itinerario tra le voci di una enciclopedia giuridica", *Politica del diritto*, 1985.

Battista, L. y Bernucci, A., "D.L. n. 4 del 2019: misure e sostenibilità intergenerazionale", *Il lavoro nella giurisprudenza*, núm. 7, 2019.

Bozzao, P., *La tutela previdenziale del lavoro discontinuo: problemi e prospettive del sistema di protezione sociale*, Giappichelli, Torino, 2005.

Bianco, G., "Sicurezza sociale nel diritto pubblico", in *Digesto, Sez. Pubbl.*, vol. XIV, 1999.

Bifulco, R., *Diritto e generazioni future. Problemi giuridici della responsabilità intergenerazionale*, Franco Angeli, Roma, 2008.

Camós Victoria, I. – García de Cortazar, C. – Suárez Corujo, B., *La reforma de los sistemas de pensiones en Europa. Los sistemas de pensiones de Países Bajos, Dinamarca, Suecia, Reino Unido, Italia, Francia y Alemania vistos desde España*, Ediciones Laborum, Murcia, 2017.

Canavesi, G., "Età pensionabile, prosecuzione del rapporto fino a settant'anni e licenziamento nella riforma pensionistica del 2011", *Diritto delle relazioni industriali*, 3, 2013.

Canavesi, G. (a cura de), *Frammentazione contributiva e diritto a pensione unica dei liberi professionisti. Ricongiunzione totalizzazione cumulo*, Editoriale scientifica, Napoli, 2020.

Casale, D., *L'automaticità delle prestazioni previdenziali. Tutele, responsabilità e limiti*, Bononia, Bologna, 2017.

Casale, D., "La reforma del sistema de pensiones italiano de 2019 ¿un empeoramiento de la insostenible desigualdad del sistema de protección social?", *Revista de Derecho de la Seguridad Social*, n. 22, 2020.

Casillo, R., "L'attesa di vita nei requisiti di accesso alla pensione: una prospettiva giuridica", *Rivista del Diritto della Sicurezza Sociale*, 2016.

Casillo, R., *La pensione di vecchiaia: un diritto in trasformazione*, Edizioni Scientifiche Italiane, Napoli, 2016.

Cavallini, G., "La tutela previdenziale delle collaborazioni organizzate dal committente", *Labour & Law Issues*, vol. 6., núm. 2, 2020.

Cinelli, M., "Illegittimo il blocco della indicizzazione delle pensioni: le buone ragioni della Corte (Corte Cost. 30 aprile 2015, n. 70)", *Rivista del diritto della sicurezza sociale*, 2, 2015.

Cinelli, M. – Nicolini, C. A., "La previdenza nell'anno della pandemia", *Rivista italiana di diritto del lavoro*, fasc.1, 2021.

Cinelli, M., "Nuovi lavori e tutele: quali spazi per la previdenza sociale?", *Rivista italiana di diritto del lavoro*, I, 2005.

– "Prelievi 'di solidarietà' sulle pensioni e principio di ragionevolezza", *Rivista italiana di diritto del lavoro*, 2, 2021.

– "Sicurezza sociale", in *Enc. Dir.*, vol. XLII, 1990.

Cirioli, D., "Pubblico impiego: le novità su pensioni e buonuscita", *Dottrina per il lavoro*, n. 8, 2019.

D'Onghia, M., "Sostenibilità economica versus sostenibilità sociale nella legislazione previdenziale. La Corte costituzionale, con la sentenza n. 70/2015, passa dalle parole (i moniti)..ai fatti (dichiarazione di illegittimità)", *Rivista del diritto della sicurezza sociale*, 2, 2015.

– "La Consulta ridà linfa vitale all'effettività dei diritti previdenziali: la sent. n. 70/2015 in tema di perequazione automatica", *Rivista giuridica del lavoro e della previdenza sociale*, 3, 2015.

Faioli, M., "Relazione a-tecnica tra art. 38 Cost. e art. 36 Cost. Pensioni, adeguamento automatico e equilibrio di bilancio", *federalismi.it*, 31 de enero de 2018.

Ferrante, V., "La previdenza complementare al tempo della crisi finanziaria: vicende dei fondi e tutela delle posizioni individuali", *Rivista italiana di diritto del lavoro*, fasc. 4, 2009.

Garofalo, D. "La perequazione delle pensioni: dalla Corte Costituzionale n. 70 del 2015 al D.L. 65 del 2015", *Il lavoro nella giurisprudenza*, 7, 2015.

Jessoula, M., "Italy: from Bismarckian pensions to multipillarization under adverse conditions", AA.VV. (ed. B Ebbinghaus), *The varieties of pensions governance. Pension privatization in Europe*, Oxford University Press, 2011.

Ludovico, G., "La solidarietà intergenerazione nel sistema pensionistico: fascino e limiti di un principio necessario, *Diritto delle relazioni industriali*, 1, 2019.

Ludovico, G., "Sostenibilità e adeguatezza della tutela pensionistica: gli effetti della crisi economica sul sistema contributivo", *Argomenti di diritto del lavoro*, 2013.

Passalacqua, P., "L'età pensionabile nella prospettiva del ricambio generazionale", *Variazioni su temi di diritto del lavoro*, 2017.

Pasqualetto, E., "Il potere del datore di lavoro di licenziare il lavoratore 'vecchio' e pensionabile alla luce della normativa antidiscriminatoria, tra disapplicazione della normativa interna e certezza del diritto", *Rivista italiana di diritto del lavoro*, 4, 2016.

Pensabene Lionti, G., "La parasubordinacion en la experiencia europea: hipótesis relevantes en el ordenamiento italiano y aspectos de derecho comparado", *Trabajo y Derecho*, núm. 23, 2016.

Pessi, R., "La tutela previdenziale ed assistenziale nella costituzione", *Rivista del Diritto della Sicurezza Sociale*, 2019.

Persiani, M., *Il sistema giuridico della previdenza sociale*. Ristampa anastatica con un saggio introduttivo, Cedam, Padova, 1960-2010.

– "Sulla garanzia costituzionale dei mezzi adeguati alle esigenze di vita", *Giornale di diritto del lavoro e delle relazioni industriali*, 154, 2017.

Persiani, M. "Sicurezza sociale", *Noviss. Dig. It., Appendice*, vol. VII, 1987.

Sgroi, A., "La tutela previdenziale delle collaborazioni organizzate dal committente", *Rivista giuridica del lavoro e della previdenza sociale*, 1, 2016.

Sterpa, A., "Una 'lettura intergenerazionele' della sent. n. 70 del 2015", *federalismi.it*, 10, 2015.

Capítulo 2

La Mochila Austriaca

Antonio J. Pérez Martínez
Profesor Titular de Economía Financiera
Universidad de Málaga

Alfonso Ruiz Rubio
Profesor de Economía Financiera
Universidad de Málaga

I. INTRODUCCIÓN

El reciente informe "Pensions Outlook" de la OCDE de diciembre de 2018, muestra que hay muy poca confianza entre los habitantes de los países miembros de la OCDE, en sus sistemas de pensiones, lo que ya ha quedado reflejado en las encuestas que se han realizado a lo largo de estos últimos años.

En primer lugar, los rendimientos de los ahorros son muy bajos, debido a los bajos tipos de interés, necesarios para poder estimular la economía, ya que la tasa de crecimiento media de los países de la OCDE es también baja, un 1,8% en 2018 y la tasa de inflación también es baja, un 2,7%.

En segundo lugar, que la mayoría de las instituciones financieras que gestionan sus ahorros para sus pensiones no están trabajando en el interés de los pensionistas y ello a pesar de que se han hecho importantes reformas de los sistemas de pensiones, en estos últimos años y en la mayor parte de sus países miembros, con el fin de mejorar su sostenibilidad, especialmente, en los sistemas de contribución definida "Pay-as-You-Go", es decir, "paga a medida que avanzas".

Muchos países han introducido mecanismos automáticos para ajustar las prestaciones de jubilación a acontecimientos económicos, tales como el bajo crecimiento de la economía, o financieros, como los bajos tipos de interés derivados del envejecimiento creciente de la población.

La OCDE aconseja el caso de España seguir alargando la edad de jubilación y, reformular las pensiones de viudedad, que son muy numerosas. En la actualidad, la OCDE estima que España paga 2,7 millones de estas pensiones, con una media de 680,4 € brutos al mes, sólo por detrás de las de jubilación que superan los 1.000 € al mes y de las pensiones de incapacidad que alcanzan también 1.000 euros al mes.

Cabe destacar que el mayor problema que tienen algunos países, especialmente los del mediterráneo, que tienen deudas públicas insostenibles a corto y medio plazo, como Grecia con 180% del PIB, Italia con 135% del PIB, Portugal, y España con casi el 100% del PIB, mientras que promedio de los países de la OCDE están por debajo del 80%, salvo Austria con 81%.

El sostenimiento del Sistema de Pensiones Públicas en España, cada año es más crítico, el sector privado asegurador está intentando encontrar fórmulas para poder paliar esta situación ofreciendo fórmulas alternativas. Incluso el Banco de España propone que el sistema público de pensiones debería sostenerse en dos pilares fundamentales: por un lado, la sostenibilidad financiera y social y, por otro, sus aspectos contributivos, sus aspectos distributivos y su transparencia.

Los modelos de pensiones de algunos países de Europa se presentan como un ejemplo que se podría seguir en España. En los últimos años hemos escuchado con bastante frecuencia que el sistema de nuestro país dejará de funcionar dentro de unos años si no se enfrenta a nuevos retos para conseguir mantener las prestaciones de los jubilados.

La esperanza de vida ha alcanzado sus cuotas más altas en la actualidad, el índice de natalidad no llega a garantizar el relevo generacional y las condiciones laborales de los trabajos de hoy en día son insuficientes para volver a llenar la hucha de las pensiones.

Hasta hace poco tiempo, nadie se planteaba la posibilidad de que la edad de jubilación se retrasara o que las prestaciones se tuvieran que reducir para mantener el sistema, pero actualmente se ha convertido en una realidad.

Ante estas deficiencias que caracterizan a España en este sentido, es lógico mirar hacia nuestros vecinos europeos que tienen establecidos modelos de pensiones que se pueden considerar modelo en comparación con el resto. Según un informe de la Organización para la Cooperación y el Desarrollo Económicos (OCDE), los sistemas de pensiones se pueden dividir en 3 grupos: públicos, privados y mixtos, y a su vez entre los que destinan las cotizaciones del trabajador a fondos individuales o colectivos.

En España existen 9,84 millones de pensiones, lo que representa una variación de casi el 11,3% con el año 2020. El gasto total de pensiones en España fue de 10.154,14 millones de euros en mayo de 2021, lo que supone un aumento del 3,06% con respecto al mismo mes del año pasado.

Las pensiones de jubilación suponen el mayor gasto, acumulando 7.303,07 millones de euros por encima de las pensiones de viudedad (1.740,52 millones de euros), incapacidad permanente (942,06 millones), orfandad (142,38 millones) y las de favor familiar (26,12 millones), lo que respecta a un gasto total de 9.882,66 millones de euros al corte de julio de 2020. La pensión por jubilación es la que abarca la mayor parte, debido a que es uno de los países con mayor población longeva.

Gráfico 1. Evolución del gasto en pensiones a mayo 2021.

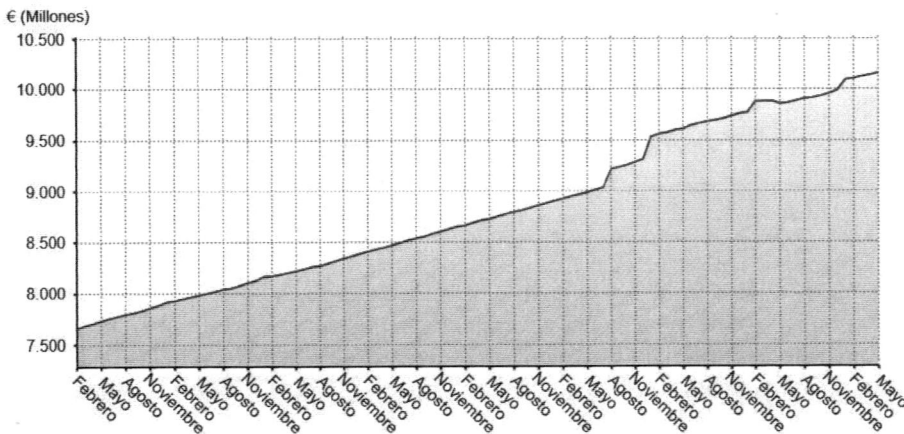

Fuente. Ministerio de Seguridad Social y Migraciones.

Según datos del Ministerio de la Seguridad Social por cada 100 personas que tienen empleo hay 50,96 pensionistas, y el dato de déficit aportado por la intervención general de la seguridad social asciende a 19.839 millones de euros, una cantidad jamás alcanzada, y que supone un porcentaje del PIB también del 1,79%.

Gráfico 2. Deuda de la Seguridad Social.

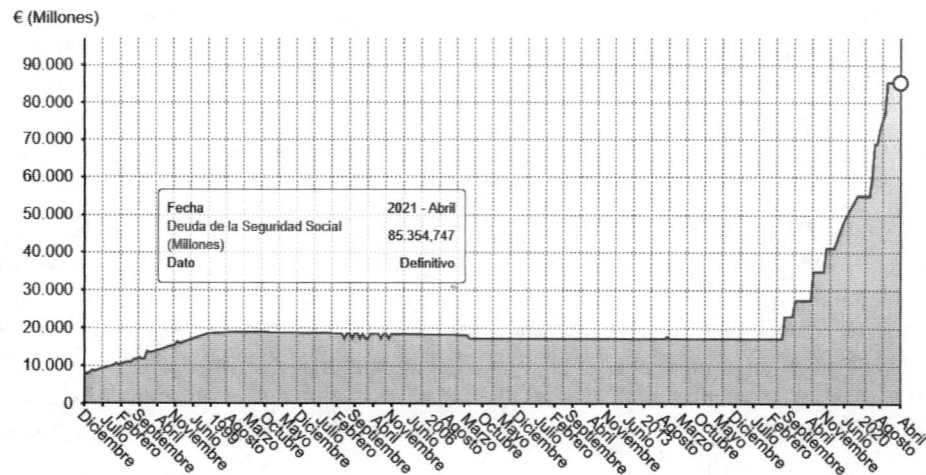

Fuente. Ministerio de Seguridad Social y Migraciones.

Estos datos tienden a empeorar en el futuro debido fundamentalmente a tres factores:

1) Incremento de la longevidad de la población.

2) Mayor número de pensionistas que se incorporan cada año al sistema.

3) Las pensiones nuevas son de mayor importe.

Además, otro factor añadido es la temporalidad, que es determinante para garantizar el sistema actual de pensiones, dado que una alta tasa de temporalidad en el mercado laboral afecta negativamente al sistema actual, al reducir los ingresos por cotizaciones, por lo que el modelo actual de pensiones está cuestionado.

Según los datos de Eurostat de 2020, el 24,2% de los trabajadores por cuenta ajena en España están empleados a través de un contrato temporal, donde le acompañan Polonia (18,4%), Países Bajos y Portugal (ambos con un 17,8%) o Francia (15,3%). Con menor temporalidad aparecen Italia (15,2%), Suecia (14,8%) Alemania (10,7%). Sin embargo, los países con mejor temporalidad laboral son los países del Este como Rumania y Lituania (1,2%), Estonia y Letonia (2,8%) o Bulgaria (3,5%).

Gráfico 3. Evolución de las pensiones en España.

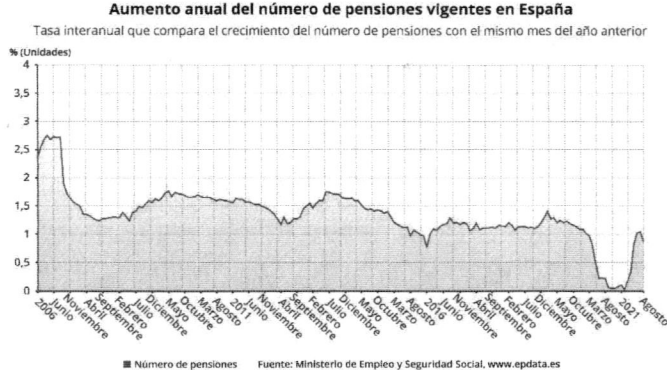

Fuente. Ministerio de Seguridad Social y Migraciones.

Gráfico 4. Contratos temporales vs indefinidos España.

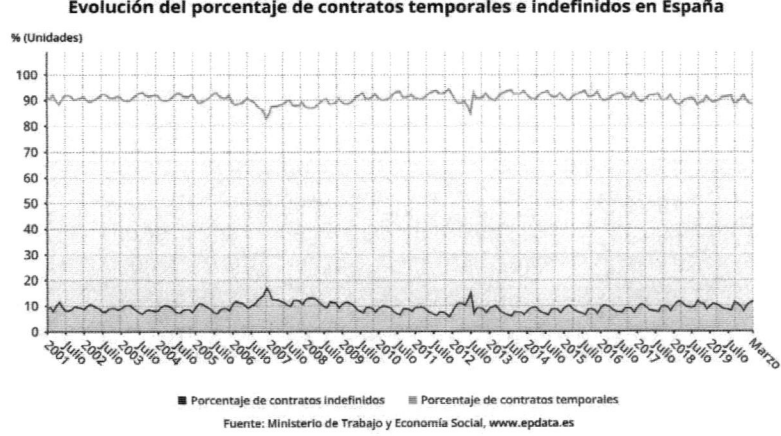

Fuente. Ministerio de Trabajo y Economía Social.

El informe *"Blacktower Financial Management Group"* ha elaborado un ranking de los países europeos que se conciben como mejores destinos para jubilarse, y España se ubica en como el segundo mejor, gracias a un sistema con un importante peso de lo público. Sin embargo, en Europa se encuentran otro tipo de modelos como el de los Países Bajos que también obtiene un buen resultado en el ranking a pesar de ser un modelo mixto.

Por lo que, ante esta situación, la administración y los expertos en la materia, están analizando que posibles soluciones existen para conseguir la viabilidad del sistema de pensiones. El banco de España en su informe anual del 2020, hace referencia a la necesidad de un cambio de modelo, retomando el conocido modelo de la "mochila austriaca".

II. ¿QUÉ ES Y EN QUÉ CONSISTE LA MOCHILA AUSTRÍACA?

En el año 2003 el Gobierno austriaco creó un fondo de capitalización individual que se nutre de las aportaciones de los empresarios de una parte del salario bruto de cada trabajador, este fondo es lo que se denomina *"mochila austriaca"*.

Esa aportación, se invierte y es gestionada por una entidad financiera, en caso de despido del trabajador, este no recibe indemnización, sino que se lleva consigo el dinero de esa "mochila" y tiene dos opciones; hacerlo efectivo o reservarlo para el futuro como complemento de su pensión.

En este sistema, el empleado, a lo largo de su etapa laboral, recibe por parte del empresario una aportación anual en un fondo de capitalización. De esta manera, se reduce la indemnización cuando se realiza el despido.

1. CÓMO FUNCIONA

El empresario debe ir llenado su mochila con el porcentaje del salario bruto del empleado, ese dinero no se acumula, sino que es gestionado por una caja, que posteriormente lo invierte para sacar rendimiento. Siempre el dinero pertenece al trabajador y el Estado garantiza el 100% del capital, tanto si el mismo es despedido, opta por otro empleo o decide emprender. El trabajador es conocedor en todo momento de cuánto asciende su fondo.

2. LA PROPUESTA DEL BANCO DE ESPAÑA

El Banco de España pone sobre la mesa la creación de un fondo propiedad del empleado en el que la empresa adelanta una parte del despido, –que ascendería a seis días por año– y el dinero que acumule el asalariado puede llevárselo a otro trabajo, usarlo si se va al paro o ahorrarlo para la jubilación.

Al estar pagando la empresa al trabajador con los derechos adquiridos hasta la fecha, supone un encarecimiento muy importante de los 7.000 millones que gastan al año las compañías en indemnizaciones.

Por lo tanto, la propuesta del Banco de España contempla que el Estado financie con 8.600 millones el periodo de transición aprovechando los fondos europeos y de manera complementaria reducir los costes del despido a la mitad a partir de la entrada en vigor: a 6 días el temporal, 10 días el económico y 16,5 el improcedente.

De esta forma, el coste total es el mismo, pero se distribuye de otra forma: salen ganando los temporales, porque los ajustes que acometan las empresas no se harán en función del coste de despido, se facilita por tanto la movilidad de los trabajadores, mejorando al final los salarios. A los más antiguos se les respetan los derechos adquiridos hasta ese momento, a partir de ahí esa indemnización sumará por cada año adicional la mitad más, perdiendo algo en caso de despido, pero a cambio tendrían un fondo que mantendrían si no les echan. Hay que tener presente que un porcentaje alto de trabajadores no serían despedidos.

La posible puesta en marcha de la "mochila austriaca" favorecería la contratación porque eliminaría o disminuiría los altos costes de la indemnización por despido, uno de los principales problemas a los que se enfrentan los empresarios a la hora de ampliar la plantilla. Además, beneficiaría el impulso de los contratos indefinidos sobre la contratación temporal.

Se produce una transformación en el ahorro actual, que se destina principalmente a invertir en viviendas, hacía en otro diferente, que se destinaria a fondos financieros, con la finalidad de transformar en dinero disponible en el momento de la jubilación. En definitiva, se trata de darle forma a un ahorro que sirva de sostén a las pensiones futuras.

Dependiendo del enfoque que le demos al diseño, este modelo podría suponer un remedio para la excesiva temporalidad. Teniendo en cuenta que el modelo al haber contabilizado ya una parte del despido, el empresario solo tendría que abonar una porción de la indemnización, entonces la empresa tiene la opción de decidir quedarse con el temporal o el recién contratado, en lugar de con el indefinido antiguo, por lo que el empresario con este sistema podría mantener al trabajador más productivo, y no simplemente al que le sale más caro despedir, como suele ocurrir en la actualidad.

Entre las ventajas que ofrece este sistema podemos destacar que fomenta la movilidad laboral de los trabajadores, que tienden a permanecer en la empresa para no perder la indemnización acumulada. Sin embargo, eso se considera un freno a la productividad, ya que dificulta que las compañías fichen el talento existente en el mercado.

De aplicarse el esquema austriaco, provocaría una mayor competencia por los empleados y, al final, una mejora de los salarios y las condiciones. Y sería muy positivo para la productividad de la economía, pues el trabajador tendría mayor movilidad y versatilidad, permitiendo mejorar su perfil de competencias a través de esas experiencias, mejorando por tanto su rendimiento.

III. ¿SE PUEDE APLICAR EN ESPAÑA EL MODELO AUSTRIACO DE PENSIONES?

Nuestro sistema de pensiones vigente en representa un elevado gasto público, es por eso que una de las opciones que se barajan para paliar esta situación es adoptar este modelo.

En un principio, la mochila austriaca no es una mala idea y trataría de dar respuesta a cinco graves problemas del mercado laboral español: la dualidad, la poca flexibilidad para las empresas, la escasa movilidad entre empleos, la reticencia a contratar y la tentación de muchos desempleados de alargar su estancia en el paro para estirar los subsidios.

El modelo austriaco de sistema de pensiones se fundamente en el que la empresa realiza mensualmente una aportación que se deduce del salario bruto a una cuenta de ahorro personal a favor del empleado, gestionado por fondos privados autorizados por el gobierno y denominada fondo de capitalización.

Hay que señalar que el dinero acumulado se usa en Austria tanto para las pensiones como en casos de despido. En caso de implantarlo en España, este modelo podría contribuir al aumento de la contratación laboral permanente, ya que las empresas ya no tendrían que costear directamente las indemnizaciones por despido.

Si el trabajador decide cambiar de empresa, se llevaría este dinero consigo, de forma que podría obtener una indemnización relativamente cuantiosa, aunque fuera despedido pocos meses después de conseguir su nuevo empleo. Por eso en Austria no es necesaria una indemnización por despido, lo que elimina la incertidumbre a la hora de contratar y permite adecuar más fácilmente el tamaño de las plantillas a la carga de trabajo.

En el caso español, el modelo austriaco, favorecería la movilidad laboral, ya que los empleados tendrían la seguridad de poder dejar un trabajo sin tener que preocuparse por su indemnización, ya que estaría incluida en su mochila. Además, este modelo facilita una mejor planificación de los costes laborales de las empresas, por lo que se evitarían grandes desembolsos de dinero de las empresas en un momento concreto.

IV. LAS VENTAJAS DEL MODELO

Para los analistas del mercado laboral, la aplicación de este modelo de pensiones deriva en un mercado laboral más flexible y dinámico, lo que sería beneficioso tanto para empresarios como trabajadores. Aunque es necesario valorar que existen dos diferencias importantes entre Austria y España, que pueden suponer cambios sustanciales en la aplicación de este modelo de pensiones. Mientras Austria tiene una tasa de paro alrededor del 7%, España dobla en la actualidad esta cifra. Asimismo, la temporalidad en los contratos, representa más de un 26,7% del mercado laboral español, y en algunos casos esta estacionalidad depende estrictamente de la actividad o el sector como puede ser el caso del sector turístico.

1. LAS VENTAJAS PARA EL TRABAJADOR

Un sistema, que ha funcionado bien en Austria y, con modificaciones, en algunos otros países, tiene ventajas que pueden ayudar a España a sanear un mercado laboral disfuncional.

Gráfico 5. Contratos temporales vs indefinidos España.

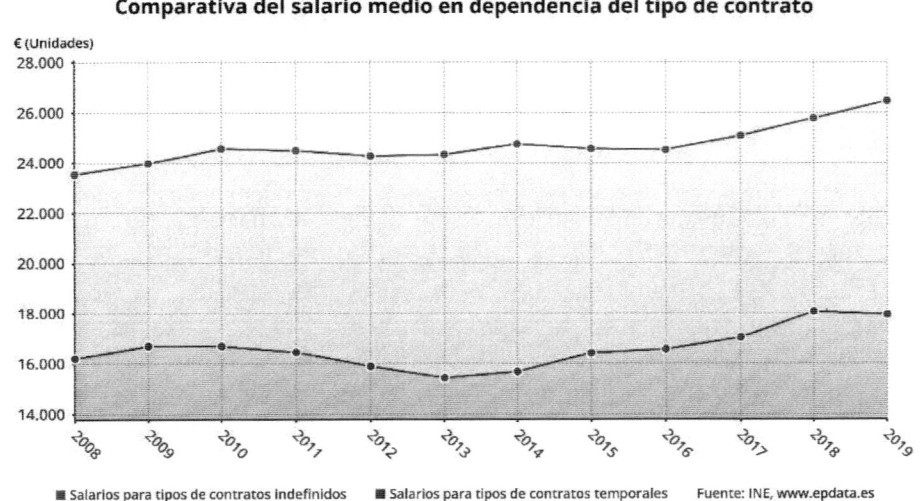

Fuente. Ministerio de Trabajo y Economía Social.

La primera ventaja más evidente es que se elimina la siempre problemática "dualidad" del mercado español, que radica en la diferenciación entre los que disfrutan de contratos fijos o indefinidos, y los que trabajan con un contrato temporal, o todas las otras variantes de trabajo de carácter no-fijo. Actualmente, las indemnizaciones establecidas para aquellos contratos de carácter fijo son de mínimo de 20 días por año trabajado cuando pierden el empleo, con un pago máximo de 12 meses, mientras que temporales reciben solo 12 días, (un despido improcedente paga más, dando incentivos para procesos judiciales).

Con la mochila austriaca, cualquier trabajador estaría acumulando las contribuciones de la empresa y los fondos disponibles dependerían solo del tiempo total trabajado. Así se eliminaría una diferencia entre los grupos que ha sido difícil de erradicar en España.

Además, aumentaría la movilidad del mercado laboral español, dado que hoy en día, un trabajador puede elegir no cambiar de trabajo porque teme perder una situación indefinida o unos derechos a indemnización acumulados. Con el sistema propuesto, estos incentivos desaparecen y el trabajador tendría más libertad para cambiar de puesto de trabajo, buscando el empleo que mejor le convenga o que esté mejor adaptado a sus habilidades o su situación personal.

Teniendo en cuenta que los derechos *económicos generados* le siguen perteneciendo, aunque deje el trabajo voluntariamente, a diferencia de la indemnización actual. Este sistema supondría el inicio de una transformación hacia mejor empleo y una mayor productividad.

2.   LAS VENTAJAS PARA LA EMPRESA

La gran ventaja para la empresa es que estas perderían el miedo a contratar que les impone la indemnización, sobre todo, en el caso de la Pyme que teme no disponer de los fondos necesarios para un eventual despido de sus empleados, lo qué puede llevarle a crear solo puestos de trabajo temporales, o incluso a no crearlos.

En este sentido, el modelo austriaco aumenta la seguridad empresarial y podría llevar a un aumento del empleo de calidad, dado que una contratación temporal dificulta la acumulación de conocimiento que los trabajadores obtienen con la experiencia y que puede ser una ventaja competitiva clave para las empresas.

Para ser viable y solvente, el conocido estado de bienestar necesita que existan muchas personas trabajando, cotizando a la Seguridad Social y pagando impuestos. La implantación de la mochila austriaca en España aumentaría los incentivos para trabajar que algunas políticas públicas han erosionado, por lo que el trabajador vería que cada mes que trabaja aumentan los ahorros de los que podrá disponer para complementar su jubilación, (si no se lo ha gastado durante periodos de desempleo), se acortarían los periodos de paro, que en España son más largos que en la mayoría de los países del entorno *porque hay pocos incentivos para buscar trabajo enseguida tras un despido.*

Por lo tanto, habría una menor perdida de habilidades laborales y no se dejaría de recaudar impuestos durante los periodos de desempleo con lo que ayuda a sostener el sistema de bienestar.

En un país que envejece rápidamente, y donde el sistema actual de reparto para las pensiones sufre la triple presión de una baja natalidad, vidas inactivas más largas y bajos retornos a la inversión, un ahorro capitalizado para los que han trabajado muchos años es un importante instrumento para generar mejores y pensiones más sostenibles, siempre y cuando el Gobierno se resista de gravar estos ahorros, siendo un gran ayuda durante los últimos años de vida.

Hay muchas preguntas que quedan por responder para entender como el modelo austriaco puede aplicarse de manera concreta en España, como son:

– ¿Quién pagará las mensualidades y de cuánto será su cuantía? - ¿Seguirá habiendo alguna indemnización aparte por despido? - ¿Quién administrará los fondos? - ¿Cómo evitar el fraude? - ¿Cómo se garantiza la inversión para obtener una rentabilidad razonable a lo largo del tiempo?

Seguramente habrá discusión en relación al coste que supondrá para las empresas (aunque se ahorrarían las indemnizaciones) o con el hecho de que la mochila estará más llena para los que han cobrado salarios más altos, abordando los temas de desigualdades. Pero considerando la situación actual, si el Gobierno dispone de fondos europeos para lanzar el sistema –*con un coste inicial estimado en unos 9.000 millones de euros*–, estaríamos ante una oportunidad única de ofrecer mejores incentivos para trabajar legalmente, reducir los periodos de desempleo, aumentar la movilidad, mejorando la calidad del trabajo, ofreciendo a los trabajadores en activo un ahorro potencial para la jubilación.

Igualmente, hay que resaltar que las indemnizaciones por despido objetivo e improcedente en España son más altas que en Austria, siendo de 20 días por año trabajado hasta 12 mensualidades, y 33 días hasta 24 meses, respectivamente.

Para igualar este nivel en un modelo de mochila austriaca, las empresas españolas deberían aportar alrededor del 4% del salario bruto del trabajador, cuando esta cifra en Austria se sitúa en el 1,53%. Sin duda, esto representaría un problema a la hora de decidir quién debería pagar realmente las aportaciones.

De hecho, las características de la economía austriaca son tan específicas que impiden a la mayoría de los gobiernos copiar este modelo de pensiones en su totalidad. Países como Italia, Polonia o Suecia lo han intentado, pero siempre creando su propio sistema, adaptado a las características de la economía y la situación laboral de cada país.

Sin embargo, en el caso de España, la transición a este modelo debe ser progresiva, para no perjudicar a los trabajadores que ya tienen una vida laboral avanzada, pues contarían con poco tiempo para acumular unos importes equitativos para su pensión de jubilación.

Por otra parte, este sistema hace necesario un respaldo por parte del Estado para aquellos trabajadores que no hayan tenido una vida laboral lo suficientemente activa como para alcanzar la pensión mínima. Además, dicho fondo a nombre del trabajador será gestionado por una entidad financiera, con el objetivo de obtener una rentabilidad adicional.

El Estado será el encargado de garantizar que este fondo o *"mochila"* adquiera una rentabilidad mínima, evitando que la inflación le haga perder su valor real y que se realicen inversiones erróneas o fraudulentas. En este caso, si el trabajador fallece su fondo personal pasaría a formar parte de la herencia de sus allegados.

Este mecanismo ha cosechado una buena fama por su capacidad para mejorar el funcionamiento del mercado laboral, al reducir problemas como la temporalidad y la precariedad del empleo. Sin embargo, la crítica principal a este modelo proviene de los sindicatos, que afirman que su aplicación facilita el despido.

Algunas empresas tampoco se muestran totalmente partidarias de la mochila austriaca, pues consideran que incrementa los costes laborales derivados de la elevación de las aportaciones sociales. Aunque esto se debe a que contablemente no están provisionando adecuadamente la posibilidad de futuros ajustes en sus plantillas y las indemnizaciones que darán lugar.

Sin embargo, desde un punto de vista de la gestión económica financiera debería tener ya un tratamiento habitual dentro de su modelo de gestión, como mecanismo de previsión de contingencias futuras o "futuribles", que puedan afectar no solo al resultado, sino a tensionar la tesorería de la empresa, algo que pondría en peligro su continuidad.

3. EL "TRILEMA" DE LA MOCHILA

Todos los intentos de aplicar la medida se han chocado con un dilema en tres dimensiones o más bien una reflexión con tres cuestiones básicas para dar estructura al modelo y que represente una solución alternativa al sistema actual.

Por un lado; o se elevan los costes laborales, o bien se reduce la protección a los trabajadores, o se aumenta considerablemente el déficit público.

Se podría introducir la aportación a este fondo a cambio de eliminar los costes de despido, pero esto supondría la pérdida de los derechos de millones de trabajadores. Otra opción, se puede introducir este fondo con aportaciones de los empresarios y mantener la generosidad en los despidos actuales, pero eso supondría un exponencial aumento de los costes laborales que frenaría la contratación.

Y, por último, está la posibilidad de que el Estado empiece a realizar las aportaciones a los fondos privados de los trabajadores para facilitar la transición al modelo austriaco, pero esto supondría un alto coste para las Arcas públicas en un momento como el actual en el que es necesario reducir el déficit.

Si contemplamos una aportación similar a la que se realiza en Austria (el 1,53% del sueldo), el coste sería de 8.700 millones de euros, siendo esta cifra el equivalente a una indemnización de 5,6 días por año trabajado (actualmente, la empresa paga hasta 33 días, según el tipo de contrato y despido).

La medida propuesta desde este prisma, provoca la desconfianza y la no aceptación por parte de patronal y sindicato, ya que temen un incremento de costes por parte de los empresarios, y, la posible rebaja de indemnizaciones del lado del sindical.

Quizá por ello, el modelo austriaco ha sido imposible de exportar. Pero, además, hay dos diferencias sustanciales entre Austria y España: la tasa de paro y las actividades estacionales, aunque es cierto que buena parte de esta temporalidad se resolvería con la introducción de la mochila, no ocurriría de manera similar en aquella actividad que depende estrictamente de la época del año, como es el caso de la agricultura, la hostelería o el comercio, que en la economía española representa un 32% del PIB.

¿Qué sectores aportan más al PIB y al empleo en España?

Al PIB En millones de euros	Directo	Indirecto	TOTAL	En % PIB
📍 Turismo	70.270	119.820	190.090	15
🔨 Construcción	83.784	103.604	188.288	14
➕ Salud	78.378	78.378	156.757	12
🛒 Comercio	74.775	76.577	150.450	12
💱 Serv. financ.	52.252	48.649	101.802	8
🌾 Agricultura	37.838	33.333	70.270	5
🚗 Automoción	15.315	44.144	59.459	5
🏛 Banca	29.730	27.928	57.658	4
🛒 Minería	2.703	4.505	7.207	1

0   100.000   20.0000

Al empleo En trabajadores	Directo	Indirecto	TOTAL	En % PIB
🛒 Comercio	2.039.000	1.151.000	3.190.000	17
📍 Turismo	958.000	1.873.000	2.831.000	15
➕ Salud	1.389.000	1.330.000	2.719.000	14
🔨 Construcción	1.132.000	1.564.000	2.696.000	14
🌾 Agricultura	722.000	531.000	1.253.000	6
💱 Serv. financ.	333.000	483.000	816.000	4
🚗 Automoción	144.000	316.000	460.000	2
🏛 Banca	163.000	236.000	399.000	2
🛒 Minería	26.000	48.000	74.000	0

0   2.000.000   3.500.000

Fuente: World Travel & Tourism Council   BELÉN TRINCADO / CINCO DÍAS

Los trabajadores vinculados a estos sectores recibirían una indemnización mucho menor por el fin de su contrato, lo que les llevaría a una menor protección. De hecho, sólo 13 millones de ciudadanos llevan al menos tres años en la misma empresa, mientras que otros 8,2 millones tienen contratos más breves o entran y salen del mercado laboral.

V.   LA "MOCHILA AUSTRIACA": DIMENSIÓN POLÍTICA

En España, el Gobierno de José Luis Rodríguez Zapatero (2004), ya creó una comisión para estudiar la implantación de este sistema y e incluso llegó a estar contemplada en el acuerdo de Gobierno entre PSOE y Ciudadanos para la frustrada investidura de Pedro Sánchez en 2016. En él se recogía la creación de un fondo que se haría cargo del pago de 8 días por año en caso de despido y que, en caso de no ser utilizado, se acumularía para la jubilación. Otras características de aquella propuesta eran la posibilidad de que la entidad que gestionara el fondo lo invirtiera para conseguir una mayor rentabilidad, la entrega del dinero acumulado a los herederos en caso de fallecimiento y la obligación de tributar si, una vez jubilado, el trabajador opta por sacar todo el capital de una sola vez.

Al margen de los detalles pendientes sobre cómo se realizaría la transición entre el modelo actual de indemnizaciones por despido y el de la mochila (qué pasa con la antigüedad acumulada, debe o no el empresario debería pagar por esos derechos generados, cómo generan fondos los contratos eventuales), las principales críticas al sistema se centran en el castigo que supone para las empresas con menor rotación de personal, que verían incrementados sus costes laborales frente a las que recurren con mayor frecuencia al despido que no harían grandes desembolsos al prescindir de alguien.

También es muy cuestionado el papel de las entidades autorizadas por la Administración para la gestión de estos fondos y las opciones de inversión de estos fondos, los cuales tienen la obligación de garantizar el cobro integro de lo aportado por el trabajador, lo que implica tomar posiciones muy conservadoras y que, por tanto, con una rentabilidad más baja que la que el trabajador podría alcanzar gestionando él mismo el riesgo que quiere asumir a través de otras alternativas. Además, esa gestión no es gratuita; las entidades cobran comisiones de administración y gestión que el trabajador no puede negociar.

El gasto en pensiones se incrementó en España en los últimos 10 años un 40% mientras que la media europea se situó en torno al 27%. La pandemia de la Covid-19, ha devuelto de nuevo al panorama político el "debate público" sobre los sistemas de Seguridad Social y sus reformas que desde el punto de vista de muchos políticos lo tenían aparcado por el riesgo electoral que supone este tema.

Dentro de ese debate público sobre el sistema de seguridad social, se contemplan, analizan y comparan diferentes modelos de sistema de pensiones como: el de cuentas nocionales, la mochila austriaca, el sistema de auto-inscripción y planes de capitalización individual. Si bien, es cierto que actualmente son cada vez son "más numerosos" los países que reforman sus sistemas de pensiones basándose en "esquemas mixtos público-privados" para garantizar la sostenibilidad y su adecuación.

En el futuro, el ahorro previsional tendrá más protagonismo durante la vida laboral y la diversificación de las fuentes de financiación de la pensión serán cuestiones estratégicas para no depender sólo del sistema público y garantizar pensiones adecuadas en el futuro.

Según el profesor Juan Carlos Higueras PhD, analista de inversiones y experto en la materia, *"los gobiernos tendrán que incentivar fiscalmente con mayor intensidad, las aportaciones a planes privados de pensiones de empresa e individuales"*, lo que va en la línea de la mayoría de países de la OCDE, que fomente el ahorro previsional de los jóvenes.

La tasa de actividad España –personas en edad de trabajar y que cotizan– es una de las peores (52%) de la UE, por lo que *"preocupa la edad real de jubilación frente a la oficial ya que se producen jubilaciones anticipadas que penalizan el sistema"*, existiendo una tendencia al aumento de la edad de jubilación en todos los países.

Otro aspecto a tener en cuenta es la tasa de ahorro de los hogares en España que está en torno al 5,95 % siendo la media europea UE-28 del 10% y en la zona euro del 12,3%, por lo que España se encuentra en situación de "riesgo elevado" en cuanto a la sostenibilidad a medio y largo plazo del sistema, sólo por delante de países como Italia y Austria según el Índice Global de Pensiones.

En Europa, los países con mayores tasas de ahorro son Luxemburgo (21,4%), Alemania (18,5%), Suecia (17,9%), Países Bajos (15,1%), Francia (13,9%), Austria (13,1%), Eslovenia (12,6%), Noruega (12,6%) y Dinamarca (12,3%). Excepto Finlandia que tiene una tasa de ahorro del 6,8%, los países nórdicos se encuentran en las primeras posiciones en este indicador.

Tabla 5. Evolución de las pensiones (2005 - 2019) (en euros y porcentaje).
Fuente: Seguridad Social.

AÑO	Número pensiones	Número de pensionistas	Importe total nómina	Pensión media	Ingreso medio por pensionista	Variación número pensiones	Variación Pensión Media	Variación Nómina
2005	8.307.268	7.395.300	4.962.719.552	612,13	671,06	2,4%	5,3%	7,7%
2006	8.231.579	7.499.208	5.327.858.088	647,26	710,45	1,5%	5,7%	7,4%
2007	8.334.546	7.591.599	5.662.354.527	661,46	748,52	1,5%	5,3%	4,7%
2008	8.473.927	7.709.553	6.151.029.678	725,88	797,85	1,6%	6,5%	8,2%
2009	8.614.876	7.856.779	6.555.201.410	760,68	836,28	1,7%	4,8%	6,5%
2010	8.749.054	7.957.105	6.861.246.121	786,51	864,79	1,6%	3,4%	5,0%
2011	8.871.485	8.066.507	7.196.418.894	811,42	892,38	1,4%	3,2%	4,6%
2012	9.008.346	8.760.914	7.540.128.821	837,02	920,55	1,5%	3,2%	4,7%
2013	9.154.617	8.323.985	7.896.072.565	862,74	948,84	1,6%	3,1%	4,7%
2014	9.282.732	8.439.499	8.145.770.126	877,50	964,96	1,4%	1,7%	3,1%
2015	9.355.988	8.505.090	8.362.868.256	894,04	983,51	0,6%	1,9%	2,7%
2016	9.465.341	8.602.674	8.625.516.430	911,25	1.002,64	1,2%	1,9%	3,1%
2017	9.572.436	8.698.774	8.885.976.119	927,67	1.021,13	1,1%	1,8%	3,0%
2018	9.695.870	8.877.128	9.327.203.472	961,98	1.059,05	1,3%	3,7%	5,0%
2019	9.801.016	8.897.979	9.768.990.439	996,73	1.097,89	1,3%	3,6%	4,7%
abr-20	9.754.187	8.856.073	9.852.780.957	1.010,11	1.112,55	-0,5%	1,5%	0,9%

Los países que tienen menor tasa de ahorro y que reciben un mayor porcentaje de pensión respecto de su salario son España, Portugal e Italia, donde el sistema es 100% público. En Reino Unido o Irlanda también tienen bajas tasas de ahorro, acompañadas de muy baja tasa de sustitución, que se explica por la complementariedad de sus pensiones públicas, que son básicas, con sistemas privados que complementan el resto, por tanto, no tienen necesidad de ahorro.

La UE-28 ha ido aumentando su gasto en pensiones en los últimos años de forma más acelerada hasta alcanzar en 2017 un importe total de 1,928 billones de euros mientras que para la zona euro el importe fue de 1,477 billones. En ambos casos, representa un incremento cercano al 27% en el periodo 2008-2017.

España es el país, dentro de las principales economías europeas, que mayor crecimiento ha tenido en esta partida, con más de un 40%, sólo superado por el de países como Bélgica, Bulgaria, Estonia, Chipre, Malta, Finlandia, Noruega o Suiza.

"La tasa de actividad España es una de las peores, tanto para los jóvenes con un 53,2%, como para los mayores 52,2%, En general, el problema es que un sistema de pensiones contributivo con una tasa de actividad de los jóvenes baja, hace que el sistema deje de tener suficientes ingresos en su base. Pero también, con el objetivo de conseguir una pensión adecuada, si los que tienen 55 años o más, son poco numerosos, sus aportaciones al sistema serán más reducidas y eso impactará en el cálculo de las bases de cotización que luego se usarán para determinar la cuantía de la pensión. La tasa de actividad de aquellos que tienen 60 o más años se reduce a menos del 40%, con lo cual se agudiza el problema". Según indica el Profesor Higueras en un estudio realizado sobre el sistema de pensiones en España.

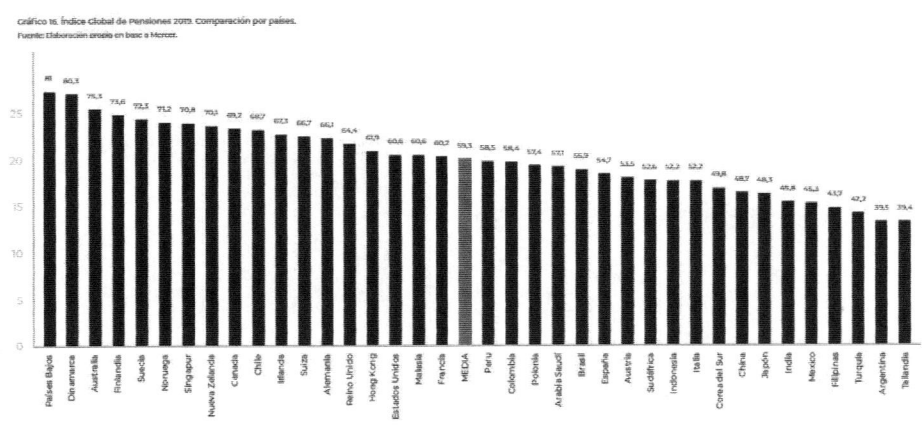

Gráfico 15. Índice Global de Pensiones 2019. Comparación por países.
Fuente: Elaboración propia en base a Mercer.

La edad de jubilación varía en función de cada país. Sin embargo, en todos los países hay una tendencia hacia el aumento en la edad de jubilación como forma de mantener los sistemas de pensiones actuales. En el caso de la Unión Europea, la edad media actual es de 64,3 años y la prevista a futuro se sitúa en los 66,2 años. En España la actual es de 66 y la futura de 67.

En este sentido, en términos de sostenibilidad, según el Índice Global de Pensiones que recoge el estudio, el país con mayor valoración en sostenibilidad es Dinamarca (82,0) y el peor Argentina (31,9). En términos de integridad, el más valorado es Finlandia (92,3) y el peor Filipinas (34,7).

En el caso de España, mejora el valor de la media en adecuación con un 70,0 y se sitúa cercano a ella en integridad con un 69,1 pero en sostenibilidad alcanza un valor de 26,9, por debajo de países como Turquía (27,1), Argentina (31,9), Japón (32,2), China (36,7) o Tailandia (38,8).

Sin embargo, la media entre la sostenibilidad y la integridad del sistema está en 50,4. "España se encuentra muy alejada y en situación de elevado riesgo en cuanto a la sostenibilidad a medio y largo plazo del sistema, sólo por delante de países como Italia (19,0) y Austria (22,9)".

"En los próximos años el ahorro previsional privado de los individuos durante su vida laboral tendrá una mayor importancia para poder mantener un nivel de vida en la jubilación similar al que tenían en los años previos a la misma".

"Por lo tanto, cabe destacar la importancia de la diversificación de las fuentes de financiación de la pensión, donde no se puede depender exclusivamente del sistema público". Asimismo, cada vez son más numerosos los países que reforman sus sistemas de pensiones basándose en esquemas mixtos público-privados donde el Estado tiene menor grado de financiación a costa del sector privado, que deberá ser quien marque la diferencia entre las pensiones cobradas por los jubilados de la misma generación, mientras que el Estado deberá proporcionar una pensión básica a todos los ciudadanos que les permita tener un nivel de vida digno.

VI. CONCLUSIONES

Aspectos relevantes como la suficiencia de las pensiones, la longevidad, la dependencia, la brecha salarial y la innovación como factores determinantes para atender las necesidades de las nuevas generaciones, son retos a los que se enfrentan los sistemas de pensiones tanto públicos como privados.

En cuanto a la suficiencia, es evidente que, para mantener el sistema de pensiones, el requerimiento a los sistemas privados será alto, teniendo en cuenta que actualmente en los sistemas públicos de pensiones minoran las tasas de sustitución preexistentes. Por lo tanto, para mejorar la adecuación de la pensión es fundamental mejorar las políticas de empleo existentes adatando la legislación en materia de seguridad social y enfocándolas a un sistema de jubilación con un diseño de hojas de ruta para el ahorro complementario de tipo financiero. Esto permitirá revertir, sin duda en una mayor concienciación sobre la necesidad de ahorrar, lo que implicará mayores recursos a la hora de jubilarse.

El riesgo de longevidad puede ser tan alto que las entidades tengan dificultad a la hora de cubrirlo a través de las rentas vitalicias y tengan que hacerlo a un precio excesivamente alto. Gestionar los productos con modelos más precisos, permitirá obtener ventajas y rentabilidades que se traspasen al cliente, mejorando así el producto final.

En España llevamos casi una década hablando de la mochila austriaca y son ya varios los partidos que han llevado la implementación de dicho modelo en su programa electoral. Aun así, nunca ha existido consenso político suficiente para su introducción, además de la dificultad que supondría la transición desde el sistema actual a la mochila austriaca, ha sido motivo suficiente para mantener la idea de manera conceptual.

Aunque recientemente se ha vuelto a hablar de la mochila austriaca, a raíz del informe anual del Banco de España (2021) y la posterior defensa en el Congreso de los Diputados de la implementación del sistema de mochila austriaca, sobre los beneficios que esta supondría para el mercado laboral español e incluso algunas propuestas concretas de financiación, hay que tener en cuenta que la mochila austriaca beneficiaría al 70% de los trabajadores de España y ayudaría a paliar en gran manera uno de los mayores problemas de la economía española: la dualidad en el mercado laboral.

La implementación de la "mochila austriaca" trata de intercambiar el actual sistema de indemnizaciones por despido por uno de cuenta de despido individual. El funcionamiento de dicho sistema se basa en que, desde el inicio de una relación contractual entre empresa y trabajador, el empresario destina mensualmente dinero a un fondo que en caso de despido o jubilación puede ser reclamado de manera íntegra por el trabajador, siendo este fondo portable entre empresas, en caso de que el trabajador decidiera cambiar de empleador. Asimismo, la introducción de dichos fondos iría acompañada de una reducción sustancial e incluso eliminación de las indemnizaciones por despido, ya que el trabajador las recibiría directamente de su fondo individual al ser despedido.

Al ser personal, dicho fondo no se vacía al cambiar el trabajador de empresa. Si un empleado decide cesar su relación laboral con una empresa y moverse a otra, el nuevo empleador será el encargado de aportar mensualmente al fondo sobre lo aportado por la anterior empresa. Por lo tanto, el sistema favorece la movilidad laboral y geográfica dentro del territorio nacional. Esto facilita que las empresas, en caso de tener que reducir sus plantillas no se vean siempre forzadas a prescindir de aquellos trabajadores que menos tiempo lleven en la compañía (a causa de un menor coste de indemnización) y podría por lo tanto ajustar sus plantillas en base a la productividad de cada trabajador.

Los trabajadores no perderían derechos, ya que acumularían su indemnización de la misma manera, solo que, en lugar de producirse en un solo pago, se produciría a través de la acumulación de aportaciones periódicas al fondo, el cual podría ser liquidado por el trabajador bajo el supuesto de despido o jubilación.

Es importante destacar que el sistema de mochila austriaca no reduce beneficios y derechos de los trabajadores, sino que incluso añade algunos adicionales. En caso de llegar a la jubilación sin haber liquidado la totalidad del fondo, el trabajador puede recibir el valor de dicho fondo íntegramente, como si de un fondo de pensiones se tratase.

Los objetivos de este sistema van a facilitar la movilidad laboral, especialmente de aquellos trabajadores de mayor edad, contribuyendo así a una reasignación más eficiente del factor trabajo, aumentando la productividad laboral y, construir una muleta adicional para el sistema de pensiones.

Según diferentes expertos en relación con las ventajas del modelo podemos encontrar las siguientes afirmaciones sobre la experiencia del modelo de *"mochila austriaca" "Hofer et al. (2012) el impacto sobre la movilidad laboral fue positivo, partiendo de niveles previos de movilidad laboral muy reducidos.*

'El rol del sistema de mochila austriaca como complemento adicional a las pensiones de jubilación habría sido algo más reducido, ya que para aquellos trabajadores que hubiesen liquidado el fondo a causa de despido en una o más ocasiones durante su vida laboral, la cantidad acumulada al llegar a la jubilación era menor (Koman et al. 2005). Aun así, dichos trabajadores seguían recibiendo íntegra su pensión estándar del sistema público, ya que la mochila austriaca no pretendía en ningún momento sustituir o modificar el sistema de pensiones, sino simplemente actuar como un complemento adicional'". Algunos economistas como Kettemann et al. (2017) han extraído conclusiones más amplias sobre el sistema de mochila austriaca. Dichos investigadores afirman que: *"La transición de un sistema de indemnizaciones por despido como el actual (presente en la gran mayoría de naciones del sur de Europa) a uno de mochila austriaca contribuiría a reducir la tasa de desempleo y la temporalidad del mercado laboral".*

Un punto clave si realmente se pretende reducir la dualidad del mercado laboral con la introducción de un sistema de mochila sería el cierre de la brecha de costes de despido. Sería que las aportaciones mensuales al fondo fuesen de la misma cuantía para trabajadores temporales e indefinidos. Y durante el proceso de transición, dichas aportaciones se podrían adaptar para cerrar la brecha de manera progresiva.

A pesar de las bondades que ofrece, la implantación de un sistema "completo" de mochila austriaca resultaría muy complejo, al menos en la actualidad, por lo que seguramente habría que optar por un sistema parcial, en el cual el fondo y las indemnizaciones por despido supongan la mitad cada cual de lo recibido por el trabajador en caso de cese contractual.

La cuantía seguiría siendo muy similar, pero con una distribución inter-temporal de los costes diferente, lo cual permitiría a las empresas y trabajadores adaptarse paulatinamente al nuevo sistema.

Una de las mayores dificultades y trabas en la transición al sistema de mochila austriaca lo encontramos en el coste de dicho proceso de evolución del sistema actual a un sistema de cuenta de despido individual, independientemente de si este finalmente fuera completo o parcial. Para facilitar dicha transición, el Banco de España propone que el Estado aporte temporalmente a los fondos de los trabajadores españoles: 5 días por año trabajado en el primer año de transición, 4 días en el siguiente, 3 días en el tercero y 2 días en el último año que el Estado contribuiría a co-financiar el sistema de mochila austriaca, cubriendo la empresa el diferencial hasta alcanzar una cuantía similar a la del sistema actual pero pagada en forma de cotizaciones al fondo en lugar de un pago único por indemnización.

El coste total de dicha co-financiación estatal de la transición ascendería a 8.031 millones de euros, según Banco de España, que propone asimismo financiar dicha cuantía con dinero procedente de los fondos europeos, lo cual es posible, ya que la UE autoriza a emplear dichos fondos para financiar reformas estructurales asociadas al mercado de trabajo, como sería la descrita.

Por lo tanto, la mochila austriaca contribuiría a incrementar la eficiencia y el dinamismo del mercado laboral español, a la par que promovería un posible aumento de la productividad laboral, a través de un incremento de la movilidad laboral y geográfica del factor trabajo, sin mermar los derechos a prestaciones e indemnizaciones de los trabajadores, aumentando el fondo al ser acumulativo, portable y liquidable tanto en caso de despido como de jubilación.

VII. BIBLIOGRAFÍA

Actuarial Association of Europe (AAE) (2014). Survey of decumulation regimes. AAE. Noviembre.

Alaminos, E. (2018): "La Brecha de Género en las Pensiones Contributivas de la Población Mayor Española". Panorama Social, 27, p. 119-135.

Albarrán, I; Ariza, F.; Cóbreces, V.M, Durbán, M.L; Rodríguez-Pardo, J.M. (2014): "El riesgo de longevidad y su aplicación práctica a Solvencia II: Modelos actuariales para su gestión". VII Edición del Premio Julio Castelo Matrán. Fundación Mapfre.

Hofer, H., Schuh, U., & Walch, D. (2012). effects of the Austrian severance pay reform. *Reforming Severance Pay*, 177.

Kettemann, A., Kramarz, F., & Zweimüller, J. (2017). Job mobility and creative destruction: flexicurity in the land of Schumpeter.

Koman, R., Schuh, U., & Weber, A. (2005). The Austrian Severance Pay Reform: Toward a Funded Pension Pillar. *Empirica*, 32(3-4), 255-274. Banco de España (2021). Informe anual 2020.

Albi Ibánez, E.; González-Páramo, J.M.; Urbanos, R.M.; Zubiri Oria, I. (2018): Economía Pública II, 4.ª Edición, Editorial Ariel, Barcelona.

Alfaro Faus, M.; Vallés López, I.; Mas Sapena, X; Varela.

Otero, A; Sureda Varela, M (2009): La previsión y el ahorro ante el envejecimiento de la población. IV Edición Premio Edad y Vida, Fundación Edad y Vida.

Álvarez García, S.; Aparicio Pérez, A. (2010): "Un análisis de la fiscalidad de los sistemas de previsión social", Revista Universitaria de Ciencias del Trabajo, 11, pp. 213-224.

Angel, Lawrence J. (1984): Health as a crucial factorin the changes from hunting to developed farming in the eastern Mediterranean. In: Cohen, Mark N.; Armelagos, George J. (eds.) (1984) Paleopathology at the Origins of Agriculture (proceedings of a conference held in 1982). Orlando: Academic Press. (pp. 51-73).

Appleby, Lucy (2011): Have modern humans sufficiently evolved to adapt to the dietary changes brought about in the Neolithic revolution? Current Issues in Evolutionary: https://www.academia.edu/8337657/Have_modern_humans_sufficiently_evolved_to_adapt_ to_the_dietary_changes_brought_about_in_the_Neolithic_revolution.

Ariza Rodríguez, F. (2013). "El riesgo de la longevidad bajo Solvencia II". Revista deActuarios, número 32, primavera de 2013, pp 16-20.

Autor, D. y A. Salomons (2018): "Is automation labor-displacing? Productivity growth, employment, and the labor share", Brookings Papers on Economic Activity, Spring 2018, 1-63.

Autoridad Independiente de Responsabilidad Fiscal (AIReF) (2018). "Previsiones Demográficas: Una visión integrada". Documento especial 2018/1.

Autoridad Independiente de Responsabilidad Fiscal (AIReF) (2019a). "Modelo AIReF de proyección del gasto en pensiones en España". Working Paper, DT/2019/1.

Autoridad Independiente de Responsabilidad Fiscal (AIReF) (2019b), "Opinión sobre la sostenibilidad de la Seguridad Social", Opinión 1/2019.

Ayuso Gutiérrez, M; Domínguez Fabián, I; Guillén Estany, M (2018): Sector Asegurador; impacto de las tendencias macroeconómicas y demográficas. Documento núm. 15 de la Fundación de Estudios Financieros. https://www.fef.es/images/IEAF/FEF/ Doc.%20Trabajo%2015/DOCUMENTO%20N%C2%BA%2015%20ferros.pdf.

Ayuso, M., M. Guillén y D. Valero (2017a). Productos para la etapa de retiro, alternativas y costes en Ideas para una Reforma de Pensiones, eds. D. Tuesta, A. Melguizo y L. Carranza. Universidad San Martín de Porres.

– (2017b). The role of complementary pensions en Public pension systems. The greatest economic challenge of the 21st century, Eds I. Dominguez y J.J. Alonso. Ed. Springer.

Ayuso, Mercedes; Jorge Bravo y Robert Holzmann (2018): Getting Life Expectancy Estimates Right for Pension Policy: Period versus Cohort Approach. Working Paper: Núm. 23/2018, https://www.jubilacion-defuturo.es/recursos/doc/ pensiones/20160516/en/informe-23-foro-de-expertos-eng-calculo-de-la-esperanza-de-vida. Pdf.

Bamford, M., M. Blakstad, S. Claydon, J. Phillips, W. Sandbrook, and V. Whiting (2019):"The auto enrolment experience over time Understanding the real impact of contribution increases on behaviours and attitudes". Nest Insight. Legal and General. https://goo.gl/nB5cGg.

Basso, H. y J.F. Jimeno (2019): "From Secular Stagnation to Robocaplyse? Implications of demographic and technological changes", manuscrito.

Benartzi, S., A. Previtero y R.Thaler (2011), Annuitization Puzzle. Journal of Economic Perspective, Vol 25, 4, otoño 2011, 143–164. Chicago.

Benartzi, S., J. Beshears, K.L. Milkman, C.R. Sunstein, R.H. Thaler, M. Shankar, W.

Tucker-Ray, W.J. Congdon y S. Galing (2017) Should Governments invest more in nudging? Psychological Science, vol 2800, 1041-1055.

Benartzi, S. y Lewin, R. (2012). Save more tomorrow. Ed. Penguin.

Blake, D. (2014). The consequences of not having to buy an annuity. Pensions Institute Cass Business School City University, Discussion Paper PI-1409, June.

Blake, D. y Boardman, T. (2010). Spend more today: using behavioural economics to improve retirement expenditure decisions. Discussion Paper PI-1014. The Pensions Institute.

British Library.

Boeri, T.; Börsch-Supan, A. y Tabellini, G. (2001): "Would you like to shrink the welfare state? A survey of European citizens". Economic Policy, vol. 16, no. 32, pp. 7-50.

Boldrin, M. y A. Montes (2005) "The Intergenerational State: Public Education and Pensions", Review of Economic Studies, 72, 651-664.

Bonnet, C. y J.M. Hourriez (2012) "The Treatment of Couples in the Pension System: Survivors Pension Versus Pension Splitting", Population, 67, pp, 147-162.

Burkevica, I., A. Humbert, N, Ortke, M. Pats (2015). "Gender Gap in Pensions in the EU". Research Note to the Latvian Presidency. European Institute for Gender Equality European Commission.

Carrol, G.G., J.J. Choi, D. Laibson, B.C. Madrian y A. Metrick (2009). Optimal defaults and active decisions. Quarterly Journal of Economics, 124, pp 1639-1674.

Castro Martín, T., Martín García, T., Cordero, J. y Seiz, M. (2018). "El desafío de la baja fecundidad en España". Capítulo 3 en Informe España 2018. Edit. Universidad Pontificia.

Castro-Martín, T. y Martín-García, T. (2016), "La fecundidad en España: entre las más bajas del mundo y sin muchas perspectivas de recuperación". Panorama Social, Núm. 23 – Primer Semestre 2016, pp. 11-26. Comillas, Cátedra J.M. Martín Patino, 2018. pp. 164-228.

Celentani, M., Conde-Ruiz, J.I., Galasso, V y P. Profeta (2008) "La economía política de las pensiones en España", Madrid, Fundación BBVA, 2008.

Chetty, R., J. Friedman, S. Leth-Petersen, T. Nielsen, and T. Olsen (2013) Active Vs. Passive Decisions and Crowd-Out in Retirement Savings Accounts: Evidence from Denmark. Harvard University Working Paper.

Cichon, M. (1999): "Notional defined-contribution schemes: Old wine in new bottles?", International Social Security Review, Volume 52, Issue 4, October-December, pp: 87-105 https://goo.gl/AgyRqD.

Clark, Elain (1982): Some Aspects of Social Security in Medieval England. Journal of Family History. Winter 1982. https://deepblue.lib.umich.

edu/bitstream/ handle/2027.42/68108/10.1177_036319908200700401. pdf?sequence=2.

Comisión europea (2001): Recomendación de la Comisión sobre la eliminación de los obstáculos fiscales a las prestaciones por pensiones transfronterizas de los sistemas de empleo, COM (2001) 214 final, Bruselas, 19 de abril de 2001.

Comisión europea (2017): Recomendación de la Comisión sobre el tratamiento fiscal de los productos de pensiones individuales, incluido el producto paneuropeo de pensiones individuales, COM (2017) 4393 final, Bruselas, 29 de junio de 2017.

Comisión Europea (2018): The 2018 Ageing Report: economic & budgetary projections for the 28 EU Member States (2016-2070). Serie: Institutional Paper n. 079, Bruselas, European Commission, DG Economic and Financial Affairs, 2018.

Conde-Ruiz, J.I (2014) "¿Qué será de mi pensión?" Ediciones Península. Grupo Planeta.

Conde-Ruiz, J. I. y C. I. González (2010), "Envejecimiento: pesimistas, optimistas, realistas", Panorama Social, núm. 11, 2010, pp, 112-134.

– (2013), "Reforma de pensiones 2011 en España", Hacienda Pública Española/Review of Public Economics, 204 (1/2013), 9–44.

– (2015) "Challenges for Spanish Pensions in the Early 21st Century" CESifo DICE Report, Ifo Institute - Leibniz Institute for Economic Research at the University of Munich, vol. 13(2), pages 20-24, 08.

– (2016)" From Bismarck to Beveridge: the other pensión reform in Spain" SERIEs - Journal of the Spanish Economic Association, 7(4), pp. 461-490.

– (2019) "Nuevas Proyecciones Demográficas: INE vs AIReF", Blog Nadaesgratis, 08 de enero de 2019. http://nadaesgratis.es/j-ignacio-conderuiz/ nuevas-proyecciones-demograficas-ine-vs-airef.

Conde-Ruiz, J.I, Giménez, E.L. M. Pérez-Nievas (2010) "Millian Efficiency with Endogenous Fertility" The Review of Economic Studies, vol 77(1), pp 154-181.

Conde-Ruiz J. I. y P. Profeta (2007) "The Redistributive Design of Social Security Systems" (2007), The Economic Journal, 117 (April), 686-712.

Cuadrado, P. (2017). "Evolución reciente y Proyecciones de Población en España". Banco de España, Notas Económicas, Boletín económico 1/2017.

– (2019). "Evolución reciente y Proyecciones de Población en España". Banco de España, Notas Económicas, Boletín económico 1/2019.

De la Fuente, A. (2015). "A simple model of aggregate pension expenditure". Hacienda Pública Española/Revista de Economía Pública 212 (1/2015), pp. 13-50.

– (2017). "Series largas de algunos agregados económicos y demográficos regionales: Actualización de RegData hasta 2016. (RegData y RegData Dem versión 5.0- 2016)". FEDEA, Estudios sobre Economía Española no. 2017-26, Madrid. http://documentos. fedea.net/pubs/eee/eee2017-26.pdf.

De la Fuente, A., M. A. García Díaz, M.A. y A. Sánchez (2018), "¿Hacia una nueva reforma de las pensiones? Notas para el Pacto de Toledo". FEDEA, Policy Papers No.2018-09.

– (2018). "An accounting decomposition the net financial balance of the public pension system with an application to Spain, 1985-2017". Revista de Economía Aplicada 78 (vol. XXVI), Invierno 2018, pp. 5-19.

– (2018): "La salud financiera del sistema público de pensiones español: Proyecciones de largo plazo y factores de riesgo", FEDEA, Policy Papers 3/2018.

Del Olmo, F.; Herce, J.A. (2011): "Cambios en el ciclo vital: retraso de decisiones individuales y contingencias biográficas". Panorama Social, Número 13, Primer Semestre 2011, Paginas; 86-97.

Devesa Carpio, E.; Devesa Carpio, M.; Meneu Gaya, R.; Alonso Fernández, J.J.; Domínguez; Fabián, I.; Encinas Goenechea, B.; Escribano, F.; Moya, P.; Pardo, I. y del Pozo, R. 2011): "La revolución de la longevidad y su influencia en las necesidades de financiación de los mayores". XI Edición del Premio de la Fundación Edad y Vida. Fundación Edad y Vida.

European Commision (2018): "The 2018 Pension Adequacy Report: current and future income adequacy in old age in the EU". Volumen II.

Eurostat (2017). Population Projections. https://ec.europa.eu/eurostat/web/population-demography- migration-projections/population-projections-data Fernández-Huertas, J. y G. López. (2018) "Predicting Spanish Emigration and Immigration". AIReF Working Paper Series. WP/2018/6.

Finkelstein, A. y Poterba, J. (2004). Adverse Selection in Insurance Markets: Policyhol Evidence from the U.K. Annuity Market. Journal of Political Economy, 112 (1), 183-208.

Fuentes Quintana, E. (1987) Hacienda Pública, Principios y Estructura de la Imposición, Ed. Rufino García-Blanco, Madrid.

Galasso, V and P. Profeta (2018) "When the State Mirrors the Family: The Design of Pension Systems" Journal of the European Economic Association,

Volume 16, Issue 6, December 2018, pp. 1712-1763.

Galasso, V. y M. D'Amato (2010)" Political intergenerational risk sharing" Journal of Public Economics, 94.

Galdeano, I; Herce, J.A; Aumente, P; Montesinos, E; Rodríguez, T; Romero, M y Álvarez, M (2018): "Soluciones para la jubilación. Naturaleza, ventajas, defensa y fomento de las rentas vitalicias en España". Informe realizado para Unespa. Disponible en https://unespa-web.s3.amazonaws.com/main-files/uploads/2018/02/afi-unespa-interior-informe-rentas vitalicias_pag-individual.pdf.

Instituto Nacional de Estadística (INE) (2018a), Proyecciones de población 2018-2068. Nota de prensa: http://www.ine.es/prensa/pp_2018_2068.pdf.

Instituto Nacional de Estadística (INE) (2018ba), Encuesta de Fecundidad. Año 2018. Datos Avance. Nota de prensa: http://ine.es/prensa/ef_2018_a.pdf.

Instituto santalucía (2018): El reto de la longevidad en el siglo XXI. Cómo afrontarlo en una sociedad de cambio. https://institutosantalucia.es/wp-content/uploads/2018/06/informe-reto-de-la-longevidad.pdf.

Instituto santalucía (2018): Estudio sobre las expectativas vitales de la generación millennial (18-34 años) y sus percepciones sobre el nivel de vida que tendrán en el momento de la jubilación. https://institutosantalucia.es/np-millennials-jubilacion-salud-y-planificacion/.

VIII. ARTÍCULOS Y PRENSA

https://www.ennaranja.com/inversores/jubilacion/no-todos-son-iguales-asi-son-los-sistemas-de-pensiones-en-los-paises-mas-desarrollados-del-mundo/.

https://www.lainformacion.com/economia-negocios-y-finanzas/mejores-sistemas-pensiones-jubilacion-dinero/2824153/.

https://www.bankinter.com/blog/finanzas-personales/sistema-pensiones-espana-mundo.

https://www.europapress.es/economia/laboral-00346/noticia-seguridad-social-registro-deficit-casi-15000-millones-2020-136-pib-20210329152713.html.

https://cincodias.elpais.com/cincodias/2019/08/29/companias/1567086634_731386.html.

https://elpais.com/economia/2021-05-13/asi-es-la- mochila-austriaca -que-receta-el-banco-de-espana-para-combatir-la-temporali-

dad-en-el-mercado-laboral.html#:~:text=La%20mochila%20opera%20
en%20Austria,sido%20sustituida%20por%20este%20sistema.

https://www.elcorreo.com/economia/pensiones/jubilacion-congre-
so-verde-20200709142406-nt.html.

Capítulo 3

El sistema de pensiones noruego

Carlos José Martínez mateo
Profesor de Derecho del Trabajo y de la Seguridad Social (acreditado como
Profesor Contratado Doctor)
Universidad de Almería

I. INTRODUCCIÓN

Noruega ocupa el primer puesto en el Global Retirement Index (GRI) 2017, posicionándose como el país que mejor garantiza la seguridad de las pensiones. Y lo hace por segundo año consecutivo. El GRI es un índice desarrollado por Natixis Investment Managers que examina los factores que influyen en la seguridad de las pensiones y ofrece una herramienta para comparar las buenas prácticas de los diferentes países para garantizar el futuro de sus sistemas de pensiones. De este modo, un análisis global del Sistema de Pensiones noruego no puede desconocer como las grandes cifras se han visto y se van a ver alteradas, como consecuencia de la influencia de la evolución de la enfermedad, su afección a la salud de las personas, su repercusión demográfica (especialmente significativa respecto a las personas mayores) y, no menos importante, por la crisis económica, la reducción y destrucción del empleo y la repercusión en el nivel de rentas.

II.   DESARROLLO DEL SISTEMA DE PENSIONES EN NORUEGA

Actualmente, el reino de Noruega no pertenece a la Unión Europea, pero sí al Espacio Económico Europeo y al Acuerdo de Schengen (sobre la libre circulación de ciudadanos entre los países que forman parte de este). Además, conserva su moneda propia, la corona noruega (en adelante NOK).

Respecto al tipo de cambio de esta moneda, en los últimos dos años el cambio de divisas NOK / euro se ha mantenido bastante estable, oscilando entre las 9,0 y 10,0 NOK / 1 €, salvo un caso muy concreto en febrero de 2017[1]. Actualmente en 2021 una Corona Noruega equivale a 0,096 Eur.

Partiendo de los datos relevantes que ofreció Eurostat de 2017[2], Noruega es el país que ocupa el séptimo productor mundial de petróleo, el tercero de gas natural, y con mayor nivel de precios del mundo, por detrás de Islandia y Suiza. Además, la última tasa de variación anual del IPC, de diciembre de 2018, publicada en el País Escandinavo fue del 3,5%[3].

En cuanto a la clasificación de PIB per cápita, ocupa el 5.º puesto de 196 países, lo que se traduce en que el salario medio de sus habitantes esté entre los más altos del mundo.

Por lo que se refiere a la población, Noruega cuenta con 5.328.212 habitantes (datos de Statistics Norway con fecha de 1 de enero de 2019) y una extensión de tierra de 365.108 km2, teniendo en cuenta las islas Svalbard y Jan Mayen (datos de Statistics Norway).

Analizando estos datos observamos que se trata de un país con baja densidad demográfica, con la población concentrada en unos pocos núcleos urbanos, siendo los principales: Oslo, Trondheim, Stavanger y Bergen.

Por otro lado, existe un crecimiento progresivo de la población total con un aumento acentuado de la población de edad comprendida entre los 67 y los 79 años.

En el ámbito de la Norwegian Labour and Welfare Administration, (el Sistema de seguridad social noruego o en adelante NAV) la edad de jubilación dentro del régimen general se fija en los 67 años, y experimenta progresivamente un aumento considerable de la población incluida en el régimen general de pensiones.

---

1.   Fuente: XE Corporation Currency Data Web: https://www.xe.com/es/.
2.   Rescatado de: https://bit.ly/2GL7DYY.
3.   Sanz Sánchez.F. Fondo Soberano de Pensiones de Noruega 2016, 2017 y 2018 (Oficina Económica y Comercial de la Embajada de España en Oslo). Editado por ICEX España Exportación e Inversiones, E.P.E., M.P. NIPO: 114-19-039-X. Rescatado de: https://www.icex.es/icex/GetDocumento?dDocName=DOC2019821017&urlNoAcceso=/icex/es/registro/iniciar-sesion/index.html?urlDestino=https://www.icex.es:443/icex/es/navegacion-principal/todos-nuestros-servicios/informacion-de-mercados/sector es/servicios/documentos/DOC2019821017.html&site=icexES.

Esto es importante para el estudio del Fondo Soberano de Pensiones del país escandinavo, ya que tiene una directa repercusión sobre el mismo, como se verá en detalle más adelante.

1. LOS CUATRO PARÁMETROS CLAVE DEL SISTEMA DE PENSIONES

Como es sabido y reiterado, el sistema de pensiones de la NAV, es uno de los mejores diseñados del ranking mundial, debido a cuatro parámetros de éxito que ha seguido este modelo en sostenibilidad. Éstos se han configurado como una estrategia que podría ayudar a configurar el futuro de la seguridad de las pensiones a nivel mundial, según un análisis publicado por el Ministerio de Trabajo, Migraciones y Seguridad Social de nuestro país[4]:

El primero de ellos viene dado viene dado por los incentivos que otorga el Estado y que impulsan a la limitación del gasto de las familias. Cuando un país concede a los ciudadanos un tratamiento fiscal favorable, les facilita el ahorro para la jubilación.

En este sentido, los empleadores noruegos han contribuido también de manera indirecta a este objetivo desempeñado un papel clave a la hora de:

– Sensibilizar a los trabajadores acerca de la necesidad de realizar más contribuciones a los planes de pensiones ocupacionales.

– Ofrecer información a los empleados sobre su existencia y funcionamiento.

– Dar acceso a asesoramiento profesional.

El segundo y relacionado con el anterior, viene dado por la responsabilidad de la financiación de la jubilación, si ésta ha ido recayendo cada vez más en la población, en la misma proporción, tanto los poderes públicos como los empresarios se han asegurado que las personas alcanzasen los niveles de ahorro necesarios.

El tercero, es la mentalidad popular que ha llevado a la participación e implicación personal de los ciudadanos en sus planes de jubilación. En el caso noruego, los ciudadanos han ido más allá de lo obligatorio, y han comprendido cuál es el objetivo, y riesgo a asumir pasando de simples ahorradores para la jubilación a ser inversores en su futuro.

El cuarto y último es la Economía: Actualmente, la seguridad de las pensiones se ha extendido mucho más allá de los simples instrumentos de ahorro en sí mismos e incluye la consideración de otras fuentes de ingresos

---

4. Rescatado de: https://www.mites.gob.es/ficheros/ministerio/mundo/revista_ais/206/66.pdf.

como el petróleo para beneficiar a una población creciente que vivirá con un ingreso fijo durante muchos años. Las políticas monetarias, fiscales y sanitarias desempeñan un papel fundamental para asegurar que los jubilados sean autosuficientes.

Al igual que la mayoría de los países occidentales, el sistema de pensiones de Noruega se basa en tres pilares: la pensión pública, los planes de pensiones de las empresas y los planes de pensiones privados de las personas. En los últimos años todos ellos se han fortalecido gracias a las políticas fiscales y la situación económica general[5].

2.   EL SISTEMA PÚBLICO

En materia social, el ciudadano noruego, así como los trabajadores tienen pleno derecho a estar integrados en el Sistema Nacional de Seguridad Social.

Este Sistema de Seguridad Social escandinavo da derecho a sus afiliados a pensiones (jubilación, supervivientes, discapacidad) y ofrece cuantiosos subsidios por accidentes laborales, accidentes y enfermedades, embarazo, nacimiento, familias monoparentales y decesos.

Dichos gastos son sostenibles y provienen del Fondo de Pensiones del Gobierno de Noruega el cual consta de dos fondos soberanos de inversión totalmente separados:

El "Government Pension Fund – Global" y el "Government Pension Fund – Norway" denominados tradicionalmente como "The Government Petroleum Fund" y "The National Insurance Scheme Fund", respectivamente.

El primero de ellos, el GPFG, es el fondo soberano noruego. Este fue constituido en 1990, e invierte a nivel global en diferentes tipos de activos, (sus caudales de riqueza provienen de la extracción de recursos petrolíferos)

En cuanto al segundo, el GPFN, es el Fondo nacional constituido en 1967 cuyas inversiones están limitadas a los países escandinavos, con menos activos bajo gestión[6], veamos cada uno de ellos.

2.1.   El Government Pension Fund Global

El Statens pensjonsfond utland, (SPU) es un fondo que se sirve de los recursos del Petróleo del Mar del Norte. El Government Pension Fund - Global (en noruego: Statens pensjonsfond utland, SPU) es un fondo de inversión que cambió de nombre en enero del 2006, pasando a denominarse comúnmente como "Oljefondet".

---

5.   https://www.mites.gob.es/ficheros/ministerio/mundo/revista_ais/206/66.pdf.
6.   https://uncommonfinance.com/fondo-soberano-noruego/.

El origen de éste tuvo lugar durante la década de los ´60 donde por las carencias económicas, era característico el sentimiento mayoritario pueblo noruego de integración en la Comunidad Económica Europea (CEE).

No obstante, el destino económico de su población cambió cuando, en 1959 y tras el descubrimiento del yacimiento de crudo de Groningen (Holanda), se reveló que en el subsuelo de la placa tectónica de Noruega se encontraba de una de las mayores reservas de combustibles fósiles del planeta.

En un entusiasmo que llevó al país a concluir una futura gran estabilidad financiera, se sentaron las bases de una completa legislación reguladora de las actividades petroleras, fijando los derechos legales sobre las aguas del mar del Norte, es decir, las fronteras y la propiedad de los recursos bajo el mar para poder obtener ingresos energéticos.

A través del Real Decreto del 31 de mayo de 1963, Noruega proclamó su soberanía sobre los recursos naturales submarinos[7], estableciendo que toda licencia para su exploración y explotación debía ser otorgada por el Rey, representado por el Ejecutivo[8]. Una vez determinada la soberanía nacional sobre los recursos naturales, las autoridades establecieron un marco regulatorio para comenzar la exploración y explotación petrolera.

Pese a la inexperiencia legislativo-tecnológica, esta nueva industria toma como modelo la regulación concesionaria de las compañías hidroeléctricas foráneas a inicios del siglo XX[9], e involucró al capital extranjero y su tecnología, otorgando a las primeras concesiones internacionales precios muy competitivos del crudo, un enorme factor que dificultó la atracción de inversores a Gran Bretaña, un país con un tradicional sector offshore[10] y que llevaba cierta ventaja tecnológica debido a la presencia de British Petroleum (actualmente BP plc) y una mejor climatología. Posteriormente, el marco internacional obligó a las autoridades noruegas a facilitar a las petroleras privadas llevar a cabo su actividad con un amplio grado de libertad[11].

---

7. *Vid*. Wirth. E., Ramírez Cendrero.J.M. "Aspectos históricos del Modelo Petróleo Noruego y del protagonismo del Estado en el periodo 1960-2015". Rescatado de: https://repositorio.comillas.edu/jspui/bitstream/11531/26138/1/Capi%206%20_Modelo%20noruego.pdf.
8. Más ampliamente: Noreng, Ø. The Oil Industry and Government Strategy in the North Sea. Ed. Croom Helm, Boulder (Colorado). 1980.
9. *Vid*. Cappelen, Å. Y Mjøset, L. "Can Norway be a Role Model for Natural Resource Abundant Countries?" WIDER Research Paper 23, World Institute for Development Economic Research, United Nations University, Helsinki. 2009.
10. El término inglés "offshore" hace referencia a instalaciones que se encuentran sumergidas en el mar o en su superficie a cierta distancia de la costa, por ejemplo las plataformas petrolíferas o de extracción de gas.
11. *Vid*. Nelsen, B.F. (1992). "Explaining Petroleum Policy in Britain and Norway, 1962-90". Scandinavian Political Studies 15 (4). P. 307- 328.

Con estos beneficios, Noruega optó en referéndum por mantenerse al margen de la integración europea, aunque fue uno de los miembros fundadores de la Asociación Europea de Libre Comercio (EFTA en sus siglas en inglés), establecida en 1960 como una zona de libre cambio –"aunque sin incluir los productos agrícolas y pesqueros, que solo se diferenciaba de la CEE por la tarifa aduanera exterior común, y por tanto cada miembro de esta última quedaba libre de establecer derechos aduaneros frente a terceros países"[12].

La crisis del petróleo de 1973 provocó una fuerte volatilidad de los precios del crudo e incidió muy negativamente en la economía noruega, por lo que el país comenzó a plantearse crear unas reservas financieras para poder hacer frente a las oscilaciones de los mercados de materias primas, así como un eventual agotamiento de sus reservas de combustibles fósiles. Noruega quería amortiguar esa dependencia.

Durante los años 80 se creó el comité *Tempo* para contrarrestar los efectos de la disminución futura de los ingresos y para suavizar los efectos alteradores de la alta fluctuación de los precios del petróleo.

El presidente de este comité, el gobernador del Banco Central de Noruega, Hermod Skånland, propuso en 1983 la creación de un fondo de ingresos petrolíferos, algo que posteriormente en 1990 dio lugar con la aprobación del Storting (el Parlamento) a la ley que creaba el Fondo global del Petróleo[13]. Este fondo global comenzó invirtiendo en principalmente en deuda pública.

Entre los períodos de 2007 y 2008, el tradicionalmente denominado "fondo de pensiones"[14], fue considerado el mayor de Europa y el cuarto más grande en el mundo, donde sus bonos tenían más peso que la Bolsa. No obstante, tras la caída de Lehman Brothers y la crisis de 2009, los gestores del fondo se decidieron por la renta variable. Hoy, el 70% del patrimonio del vehículo son títulos bursátiles. Se calcula que el fondo controla el 1,5% de todas las compañías cotizadas del planeta. Actualmente, el fondo ocupa el 8.º en el ranking de los 100 a nivel mundial[15], debido a que los ingresos de con los que se sustenta el fondo proceden de los cánones que pagan las firmas que están haciendo prospecciones, los impuestos que se cobran

---

12. Más ampliamente: Wirth. E., Ramírez Cendrero. J.M. *Op. cit*. P. 227.
13. Aunque no fue hasta 1996 cuando el Ministerio de Finanzas hizo su primera aportación.
14. Llegados a este punto, ha de tenerse en cuenta que, en puridad todo este montante económico no posee la naturaleza de un auténtico "fondo de pensiones" y la razón vienen dada, pues la riqueza del mismo proviene de los recursos naturales del subsuelo, es decir, las fuentes petrolíferas y no de las contribuciones de pensiones.
15. Rescatado de: https://web.archive.org/web/20090121223101/http://www.pensionfundsonline.co.uk/pdfs/Top-100-Global-Pension-Funds.pdf.

a compañías petroleras con licencia para explotar campos de crudo de Noruega, así como los dividendos generados por la compañía petrolera semiestatal Equinor.

Con una dotación actual de 10,914 billones de coronas[16], el fondo posee tal magnitud que es el mayor propietario de valores de Europa, ocupando el 1%[17] de los mismos en las bolsas del continente, siendo similar en tamaño al California Public Employees' Retirement System (CalPERS), el mayor fondo de pensiones en los Estados Unidos.

En cuanto a rentabilidad cerró el ejercicio 2020 en cifras cercanas al 11%, obteniendo el primer trimestre de este año el 4% (38.151 millones de euros), alcanzando un valor de algo más de 1 billón de euros hasta esa fecha[18], sosteniendo casi el 1,05 % de los mercados bursátiles mundiales.

El valor total del fondo equivale a algo más de 200.000 euros por cada habitante de Noruega.

2.2. Fondo nacional o Government Pension Fund of Norway

El Fondo nacional de pensiones de Noruega o denominado internacionalmente como Government Pension Fund - Norway (GPFN), en noruego "Statens pensjonsfond Norge, SPN" fue establecido originalmente por la Ley Nacional de Seguros (en adelante Folketrygdloven) en 1967 bajo el nombre de National Insurance Scheme Fund. Este fondo sigue siendo gestionado por un consejo y entidad gubernamental independientes nombrados Folketrygdfondet y del que hablaremos en el siguiente epígrafe.

El GPFN tuvo un valor de 106,9 mil millones de coronas noruegas (NOK) a finales del 2006. A diferencia de la división global que hemos visto anteriormente, se le instruyó invertir en empresas nacionales en el mercado de valores, predominantemente en la Bolsa de Oslo. Es por ello que, el GPFN es propietario de acciones clave en muchas grandes empresas de Noruega.

El objetivo de la gestión del mismo, es maximizar los rendimientos financieros medidos en coronas noruegas, dado un nivel de riesgo aceptable. La mayor parte de los activos de GPFN se invierte en los mercados de renta variable y renta fija noruegos.

---

16. Rescatado de: https://www.nbim.no/contentassets/b4ca181199544d5788dc80c0db-9db738/20210128_press-conference_english_-final_pdf.pdf.
17. Rescatado de: https://e24.no/norsk-oekonomi/i/LAkP0R/oljefondets-gigant-tap-paa-aktiv-forvaltning-mener-gjedrem-bloeffer-om-investeringene.
18. Rescatado de: http://www.exteriores.gob.es/documents/fichaspais/noruega_ficha%20pais.pdf.

Índice de referencia estratégica

El índice de referencia adoptado por el Ministerio constituye la base para la gestión del GPFN. El índice de referencia se divide en acciones (60 por ciento) e instrumentos de renta fija (40 por ciento), y en dos regiones geográficas; Noruega (85 por ciento) y la región nórdica excluida Islandia (15 por ciento).

El Government Pension Fund Global ostentó un valor de mercado de 10.088 miles de millones de coronas a finales de 2019[19].

2.2.1. El Folketrygdfondet

Este Fondo del Régimen Nacional de Seguros noruego, a los 12 años de su creación, vió en 1979, cómo los superávits del mismo terminaron convirtiéndose en déficits.

El Gobierno, como medida de reacción, estableció que la competencia de gestión de dicho fondo, fuese delegada a las juntas de cinco regiones.

Dichas juntas regionales fueron disueltas en 1990 y el Folketrygdfondet pasó a ser dirigido y organizado por el Ministerio de Finanzas. Tras una larga deliberación de la "Storting" (Asamblea Legislativa), el fondo, cuya verdadera finalidad era contribuir a la sostenibilidad de los ingresos y estabilizar las grandes fluctuaciones de los precios del barril de crudo mundial, pasó a ser considerado como una gran herramienta de sostenibilidad financiera, pues su inversión iba dirigida a mercados financieros internacionales, siendo su riesgo independiente de la economía noruega.

En 2006, el Fondo de Pensiones del Gobierno de Noruega pasó a establecerse como una superestructura que abarcó el Fondo de Pensiones del Gobierno Global, es decir el "SPU o Fondo de Petróleo"[20] y el Fondo de Pensiones del Gobierno de Noruega[21]. Desde este momento, la denominación Folketrygdfondet, comenzaría a utilizarse para identificar a la organización que administraría[22] el Fondo de Pensiones del Gobierno

---

19. Rescatado de: https://www.nbim.no/contentassets/3d447c795db84a18b54df8dd-87d3b60e/spu_annual_report_2019_en_web.pdf.
20. En esa fecha, el Statens pensjonsfond utland, o SPU, cambió a una más acertada denominación: "Oljefondet" o "Fondo del Petróleo".
21. Existen matices en las traducciones del término "Folketrygdfondet ", por una parte, traducido del noruego al castellano se identifica como "Fondo de Seguridad Social del Pueblo" y del inglés como "Fondo Nacional del Sistema de Seguros".
22. "Nuestra misión es ser un administrador responsable de los activos financieros públicos. Debemos asegurar una sólida rentabilidad financiera a lo largo del tiempo y ser un inversor a largo plazo". Traducido y rescatado de: https://www.folketrygd-fondet.no/mission/category408.html.

de Noruega cuyas actuaciones se encuentran actualmente bajo aprobación parlamentaria.

Un año después, dicha organización recibió un nuevo mandato para la gestión del Fondo de Pensiones del Gobierno[23], transformándose en una compañía dotada de un estatuto especial y continuando bajo la dependencia del Estado, es decir del Ministerio de Finanzas, marcando una clara delimitación entre el capital y gestión de dicho capital.

III.   PENSIONES Y PRESTACIONES DE VEJEZ

1.   NACIMIENTO DEL DERECHO A LAS PRESTACIONES DE VEJEZ

Tras una revisión legislativa, el Estado noruego ha establecido condiciones más flexibles para la concesión de las pensiones de vejez partir de los 62 años de edad[24] (con requisitos específicos relativos a la cuantía de los planes de pensiones) y actualizaciones de la esperanza de vida para todos los asegurados a los que se conceda la pensión de vejez desde el 1 de enero de 2011, con independencia de las normas antiguas o las nuevas.

Los derechos de pensión están regulados cada año según el crecimiento salarial en la sociedad.

Al igual que sucede en España, pero con ciertos matices, la pensión puede concederse total o parcialmente. En cuanto a porcentajes, la NAV concede dependiendo de los ingresos el (20 %, 40 %, 50 %, 60 % u 80 %), siendo posible compatibilizar el trabajo y la pensión sin que se apliquen reducciones las misma[25], pues los ingresos se basan principalmente en los ingresos pensionables y el tiempo de residencia.

La pensión de vejez del Sistema Noruego consta de tres elementos diferenciados:

1.º Una pensión básica basada en la residencia.

2.º Una pensión complementaria relacionada con los ingresos.

---

23. "Folketrygdfondet receives a new mandate for the management of the Government Pension Fund Norway". https://www.folketrygdfondet.no/history/category406.html.

24. Los ciudadanos noruegos podrán decidir cuándo y cómo obtener esta pensión de jubilación pudiendo solicitarla a partir del mes siguiente tras haber cumplido 62 años. Si desean obtener una pensión de jubilación antes de cumplir los 67 años, deberán de tener un nivel de ingresos suficientemente alto. Traducido y rescatado de: https://www.nav.no/no/person/pensjon/alderspensjon/alderspensjon-for-deg-fo-dt-for-1954.

25. Empleo, Asuntos Sociales e Inclusión: La Seguridad Social en Noruega Julio de 2012-18   https://ec.europa.eu/employment_social/empl_portal/SSRinEU/Your%20social%20security%20rights%20in%20Norway_es.pdf.

3.º Una pensión mínima (la cual sigue estando establecida a través de normas antiguas para las personas nacidas antes de 1954), una pensión basada en los ingresos y una pensión mínima garantizada (que se rige por las normas nuevas para las personas nacidas a partir de 1963).

Los nacidos entre 1954 y 1962 percibirán una pensión que se calculará de forma proporcional con arreglo a las normas antiguas y las nuevas[26].

2.   LA "GRUNNPENSJON" O PENSIÓN BÁSICA

Según los períodos que haya vivido el trabajador en Noruega, éste tendrá derecho a una pensión básica si completa un periodo de afiliación de 3 años entre la edad de 16 años y la fecha en la que cumpla los 66 años[27], a esto la NAV lo denomina "tiempo de seguridad social".

Esta "Grunnpensjon" o pensión básica, se concede independientemente del importe de los ingresos anteriores del sujeto. Sin embargo, para poder beneficiarse de ésta en su cuota íntegra, se requiere un periodo de (traducido del noruego) "servicio[28]" de 40 años, reduciéndose proporcionalmente la cuantía de la misma si fuere inferior.

En 2021, se ha modificado la regulación para que la cuantía de las pensiones aumente acorde al crecimiento de los precios y salarios.

En cuanto al alcance de la cobertura, el monto de la pensión básica depende de cuánto tiempo la persona haya sido miembro del Plan Nacional de Seguros y de si está casado / conviviente o soltero[29]. (En el caso de un pensionista soltero o cuyo cónyuge no pertenezca al Sistema Nacional de la Seguridad Social, la pensión básica íntegra es igual al importe básico (G) del Régimen Nacional de Seguros, es decir, 106.399 NOK o 10.214. Eur[30].

Para quienes se hallen casados o sean convivientes, la pensión básica ascenderá al 90 por ciento del monto básico si el cónyuge / conviviente

---

26. Más ampliamente: Alderspensjon for deg født før 1954 en: https://www.nav.no/no/person/pensjon/alderspensjon/alderspensjon-for-deg-fodt-for-1954.
27. Realizando la traducción al castellano de la Folketrygdloven (Ley del Seguros Nacionales) en su párrafo § 3-5. Dedicado al periodo de seguridad social al calcular las prestaciones según los capítulos 16, 17, 18 y 19, (Trygdetid ved beregning av ytelser etter kapitlene 16, 17, 18 og 19), señala que : "El tiempo de seguridad social, (...) es un período posterior al 1 de enero de 1967, cuando una persona desde los 16 años hasta el año en que cumplió 66 años inclusive, ha sido afiliada de la seguridad social con el derecho a prestaciones en virtud de los capítulos de pensiones".
28. Esto significa que debe haber sido miembro del Plan Nacional de Seguros de Noruega durante al menos 40 años.
29. Vid Folketrygdloven (Ley de Seguros Nacionales) § 3-2.
30. Actualizado con fecha 1 de mayo de 2021 Fuente: https://www.nav.no/no/nav-og-samfunn/kontakt-nav/utbetalinger/grunnbelopet-i-folketrygden.

también tiene una pensión del Régimen Nacional de Seguros o AFP, o tiene un ingreso anual que exceda el doble del monto básico.

No obstante, la pensión que quede por debajo del ingreso mínimo, se ajustará conforme al crecimiento del salario promedio en la sociedad.

En 2021, se ha modificado la regulación para que la cuantía de las pensiones aumente con el crecimiento promedio de precios y salarios. Además, se proporciona una compensación que eleva la pensión al nivel en el que hubiera estado si se hubiera regulado con el promedio de crecimiento de precios y salarios en 2020. La pensión de jubilación, en definitiva, se regula todos los años.

Para aquellas personas que nacieron en 1943 o fechas posteriores, el monto de la pensión básica también se verá afectado por el momento del retiro, este efecto se debe a que la pensión se ajusta a la esperanza de vida[31] del conjunto de personas en estos grupos de edad. Si la esperanza de vida de la población sigue aumentando, el ajuste de la esperanza de vida garantizará que el sistema de pensiones siga siendo sostenible.

3. LA "TILLEGGSPENSJON" O PENSIÓN COMPLEMENTARIA

Es el monto de la pensión complementaria que depende de los ingresos pensionables y del número de años en los que se han ganado puntos de pensión[32].

Para percibir la "Tilleggspensjon", es necesario que el trabajador o persona afiliada cumpla con uno de los requisitos más característicos de este sistema, es decir, que tenga acreditados los citados "puntos de pensión"[33] durante 3 años civiles.

---

31. El "ajuste de la esperanza de vida" significa que la pensión de vejez del sujeto se ajusta de acuerdo con la esperanza de vida de su cohorte (grupo de edad). Si la esperanza de vida de la población sigue aumentando, el ajuste de la esperanza de vida garantizará que el sistema de pensiones siga siendo sostenible.
Si la esperanza de vida aumenta entre las cohortes el ajuste de la esperanza de vida dará lugar a que las cohortes más jóvenes reciban una pensión de vejez algo más baja a una determinada edad de retiro.
32. Folketrygdloven secciones 3-8-3-12.
33. La sección § 3-12 establece lo que se denomina "Puntos de pensión": "Los puntos de pensión son un factor que se utiliza para calcular las pensiones complementarias.
Al calcular la pensión complementaria, se tiene en cuenta:
a) Puntos de pensión reales obtenidos de ingresos pensionables, ver §§ 3-13 y 3-14,
b) Los puntos de pensión futura utilizados para calcular la pensión y la prestación transitoria para el cónyuge supérstite, y que se otorgan para cada año desde el año de fallecimiento inclusive hasta el año en que el fallecido habría cumplido 66 años de edad inclusive,
c) Puntos de pensión acreditados otorgados por cada año que la persona en cuestión haya recibido la prestación por discapacidad, ver § 3-17.
d) Puntos de pensión acreditados otorgados por ciertos años que la persona en cuestión ha realizado trabajo de cuidado, ver § 3-16".

En este sentido, y según la Folketrygdloven § 3-8, la pensión complementaria completa se concederá a quienes tengan al menos acreditados 40 años, en el supuesto donde la persona acredite menos tiempo, la pensión complementaria será menor[34].

Los puntos de pensión se contabilizan desde el año en que la persona afiliada cumpla los 17 hasta los 75 años, no siendo posible la aplicación de esta regla para aquellas personas activas que estén dotadas de unos ingresos anuales inferiores al importe base (con fecha 1 de mayo de 2021[35]) de 106.399 NOK[36].

En cuanto al alcance de la cobertura, según la Folketrygdloven (secciones 3-8 y 3-12), la pensión complementaria se calcula de la siguiente manera:

A)   Para los años puntuales anteriores a 1992, el 45 por ciento del importe base de la pensión se multiplica por la puntuación final obtenida. El resultado vuelve a multiplicarse por el número de años puntuales antes de 1992 y se divide por 40.

B)   Para los años puntuales posteriores a 1991, el 42 por ciento del importe base de la pensión se multiplicará por la puntuación final. El resultado se multiplicará de nuevo por el número de años puntuales después de 1991 y se divide por 40.

El número de años puntuales[37] posteriores a 1991 se reducirá, si el número total de años puntuales supera los 40. Se incluyen todos los años puntuales anteriores a 1992.

Los miembros que nacieron en los años 1923-1940, y que han perdido al menos la mitad de su capacidad de ingresos / habilidad para trabajar, reciben una pensión complementaria mínima garantizada de acuerdo con las disposiciones relativas a la Pensión complementaria garantizada para jóvenes discapacitados nacidos antes de 1941[38].

4.   LA "MINSTE PENSJONSNIVÅ" O PENSIÓN MÍNIMA

Las personas aseguradas que no perciban una pensión complementaria o la perciban reducida, tienen derecho a una pensión mínima también del NAV. Ésta, se concederá completa, si el periodo asegurado es de al menos

---

34.   *Vid.* Folketrygdloven § 3-9.
35.   Fuente: https://www.nav.no/no/nav-og-samfunn/kontakt-nav/utbetalinger/grunnbe-lopet-i-folketrygden.
36.   Teniendo en cuenta que el valor de la Corona Noruega es en 2021 de 0.096 Eur, dichos ingresos equivaldrían a 10.214. Eur.
37.   Un año puntual es un año calendario posterior a 1966 en el que una persona ha ganado puntos de pensión, tiene puntos de pensión futuros o se le han acreditado puntos de pensión, vid § 3-10 y referencia a § 3-12.
38.   *Vid.* En este sentido Folketrygdloven § 3-22.

40 años, y se reducirá proporcionalmente en caso de que ese periodo sea inferior.

En cuanto al alcance de cobertura, para un pensionista soltero que haya cumplido un periodo de afiliación de al menos 40 años, teniendo en cuenta exclusivamente el criterio de residencia, la pensión mínima anual el 1 de mayo de 2021 será de 202.470 NOK[39] (19.437.12 EUR). La pensión mínima se fija con porcentajes diferentes en función del estado civil y los ingresos del cónyuge o la pareja de hecho.

5.   PENSIÓN BASADA EN LOS INGRESOS

La Inntektspensjon se calcula a partir de los planes de pensiones que reflejen los ahorros que haya acumulado el asegurado a lo largo de toda la vida ocupacional del individuo[40].

En cuanto a la cobertura de la pensión basada en los ingresos, los planes de pensiones están formados por el 18,1 % de los ingresos anuales que se tienen en cuenta para calcular la jubilación, hasta un máximo de 7,1 veces el importe base medio entre el año en que el asegurado cumple 13 años de edad y el año en que cumple 75 años. La pensión basada en los ingresos se establece a partir de los planes de pensiones acumulados en el momento de la percepción, la edad y la esperanza de vida restante en la fecha en que empieza a percibirse la pensión.

6.   PENSIÓN MÍNIMA GARANTIZADA

Tienen derecho a percibir una pensión mínima garantizada los asegurados que haya estado afiliados durante un periodo total de 3 años entre los 16 y los 66 años de edad.

El beneficiario que haya cumplido 40 años de afiliación tiene derecho a la pensión mínima garantizada íntegra. Si se ha cumplido un periodo inferior de afiliación, la pensión mínima garantizada se reducirá de manera proporcional.

En cuanto a la cobertura pensión mínima garantizada, ésta se concede con dos porcentajes diferentes, en función del estado civil y de los ingresos del cónyuge o la pareja de hecho. La pensión mínima garantizada se establece sobre la base del periodo de afiliación y es independiente de los ingresos previos y las cotizaciones abonadas.

---

39. https://www.nav.no/no/nav-og-samfunn/kontakt-nav/oversikt-over-satser/minste-pensjonsniva.
40. Rescatado de: https://ec.europa.eu/employment_social/empl_portal/SSRinEU/Your%20social%20security%20rights%20in%20Norway_es.pdf.

IV. EL IMPACTO DEL COLAPSO DE LOS PRECIOS DEL GAS Y PETRÓLEO EN EL SISTEMA DE PENSIONES Y SU SOSTENIBILIDAD

Como es sabido, la NAV, es la Administración de Trabajo y Bienestar de Noruega, equivalente a nuestro Sistema de Seguridad Social, y es la destinataria de la tercera parte del presupuesto estatal del país. Al igual que sucede en España, su cometido es ayudar a proporcionar seguridad social y económica al mismo tiempo que fomenta la transición a la actividad y el empleo[41], centrándose en la gestión y administración de un catálogo de prestaciones entre las que se encuentran, pensiones, maternidad, desempleo, entre otras. Su jefe es el director de Trabajo y Bienestar, quien es designado por el gobierno.

En cuanto a sistema de pensiones (y como sucede en el resto de países del continente europeo), se vertebra en tres elementos clave: la pensión pública, los planes de pensiones ofrecidos por las empresas y los planes de pensiones privados particulares. Éstos últimos, se han consolidado gracias a acertadas políticas fiscales y estrategias diseñadas para los Miste periodos de pre y postcrisis.

En 2006, el Estado puso en práctica una serie de medidas legislativas para favorecer los planes de pensiones contratados por las empresas, ya que los planes de pensiones particulares han estado protegidos por una economía fuerte que ha implicado un desempleo y precariedad laboral muy bajos.

Esta medida en 2006 se complementó con una reforma legislativa que mejoró aún más el sistema de pensiones contributivas públicas, las cuales están garantizadas por el Fondo Soberano Global de las Pensiones.

Pero, así como Noruega es toda una referencia internacional en cuanto a la seguridad de las pensiones, los recientes acontecimientos económicos muestran lo frágil que esta afirmación puede ser. Con una economía fuertemente dependiente del petróleo del Mar del Norte, Noruega ha sentido los efectos del colapso de los precios del gas y del petróleo. Como dato, "entre 2014 y 2016 el precio del barril de Brent se ha mantenido en mínimos y ha arrastrado consigo la tasa de empleo. En los dos primeros años de crisis, 2014 y 2015, el empleo en la industria petrolera se ha reducido en un 11%. A pesar de un modesto repunte en los últimos meses, la crisis del petróleo ha tenido un gran impacto en la economía noruega, así como en los jubilados, pues el tipo de interés de referencia se redujo a un 0,5 % en marzo de 2016. Algunos expertos predicen que será incluso más bajo en 2017, afectando a aquellos que

---

41. Rescatado de: https://www.regjeringen.no/en/dep/bfd/organisation/tilknytte-de-virksomheter/Norwegian-Labour-and-Welfare-Organizatio/id426155/.

dependen de los ingresos generados por sus ahorros e inversiones para financiar su jubilación"[42].

Otro aspecto que ha comprometido la seguridad de las pensiones de jubilación, es el hecho de que el Gobierno, para paliar las crecientes tasas de paro derivadas de la crisis petrolífera de 2014 que afectó gravemente a sus regiones cuyas economías son muy dependientes del crudo, fue la retirada de estrategias 216.000 millones de coronas noruegas (22.900 millones de euros) provenientes de los fondos para las pensiones como medida paliativa. Como dato, esta fue, en 2016, la primera vez que el Gobierno de Noruega recurría a retirar dinero del Fondo Soberano de las Pensiones, que es el mayor del mundo.

1.   LA MEJORA DEL SISTEMA DE PENSIONES NORUEGO

La NAV posee un sistema de pensiones públicas de carácter contributivo y no contributivo a las que se puede acceder a partir de los 67 años.

La nueva pensión de vejez del Sistema Nacional de Seguros entró en vigor el 1 de enero de 2010. De entre los elementos más importantes de esta nueva pensión destacan los ingresos anuales, el retiro flexible de la pensión a partir de los 62 años, las reglas de retiro diseñadas de manera neutral, el ajuste de la esperanza de vida y nuevo ajuste de pensión durante el pago[43].

Desde la irrupción de la nueva pensión de vejez del Régimen Nacional de Seguros Noruego, el legislador para hacer frente a la reforma de las pensiones, se ha centrado en realizar ciertos cambios tanto para fomentar que los trabajadores alarguen su vida laboral todo lo que les esté permitido y deseen[44].

En cuanto a la pensión AFP, hasta 2011, cualquier trabajador podía comenzar a percibirla en cualquier momento a partir de los 62 años, sin embargo, el importe de la pensión AFP dejó de estar vinculado a los rendimientos del trabajo, de manera que los trabajadores noruegos dejaron de ser penalizados si querían continuar trabajando y al mismo tiempo

---

42.   Rescatado de: https://www.mites.gob.es/ficheros/ministerio/mundo/revista_ais/206/66.pdf.

43.   Rescatado de: https://www.regjeringen.no/no/dokumenter/nou-2014-17/id2354670/?ch=5.

44.   Desde 2011 el 18,1 % de los ingresos por año de los noruegos va conformando su fondo pensionable. El montante final dependerá de tres elementos:
1.º La edad de comienzo de la percepción.
2.º Cuánto hayan acumulado en dicho fondo.
3.º La esperanza de vida de su grupo poblacional o cohorte.
Así, el capital total se dividirá entre tantos años como se prevea su cobro: cuanto antes comience a cobrar su pensión, más baja será, porque hay que dividir el capital entre más anualidades.

cobrar su pensión. Además, la reforma permitió seguir generando derecho a una pensión mayor hasta los 75 años: así, cuanto más tiempo se trabaja habiendo alcanzado la edad de jubilación, más se aporta al fondo para la pensión pública y más crece la pensión final.

Los frutos de estos cambios legislativos fueron un incremento del porcentaje de casi un 20% de trabajadores con derecho a una pensión AFP que solicitaron su cobro a los 62 años. Pero también creció el número de pensionistas que continuaron trabajando, un 13%. En Noruega, la relación entre el cobro de una pensión y el fin de la vida laboral desapareció.

2. SITUACIÓN ACTUAL

A finales de marzo de 2018 el número de pensionistas en Noruega era de 921.000, lo que supone un aumento del 2,5 % con respecto al año anterior. Los últimos datos de la NAV señalan que en 2021 el número de perceptores de pensiones de jubilación son de 930.636[45]

A este dato ha contribuido a la mejora de las condiciones de vida que han llevado a la longevidad, como dato, desde 2011 comenzó a haber un importante incremento de pensionistas, es decir, 220.000 personas más, debido según la NAV, a que llegaron a la edad de jubilación aquellas personas que procedieron del fuerte incremento demográfico posterior a la Segunda Guerra Mundial y también a la reforma de las pensiones, que abrió la posibilidad a los trabajadores mayores de 62 años compatibilizar el cobro de sus pensiones con la percepción de un salario, por lo que casi 1/3 de las personas mayores de 62 años se acogieron a esta modalidad. "En definitiva, según Eurostat, actualmente en Noruega el 72,2 % de las personas entre 55 y 64 años se encuentran laboralmente activas, lo que coloca al país escandinavo como el cuarto país europeo con mejor tasa de ocupación entre los trabajadores de dicha franja de edad, solo por detrás de Islandia (84,8 %), Suecia (74,5 %), y Suiza (72,8 %)"[46].

La sostenibilidad del sistema así como mantener estas cotas porcentuales en las próximas décadas será una tarea compleja debido a la fuerte dependencia de la venta del crudo. El primer síntoma de esta previsión, viene determinado por las nuevas caídas experimentadas en el precio de petróleo originadas por la aparición simultánea de dos factores: la crisis sanitaria en el lado de la demanda y la guerra de precios entre Arabia Saudita y Rusia en el lado de la oferta.

---

45. Fuente: https://www.ssb.no/sosiale-forhold-og-kriminalitet/trygd-og-stonad/statistikk/alderspensjonister.
46. Fuente: https://www.mites.gob.es/ficheros/ministerio/mundo/revista_ais/206/66.pdf.

Con la crisis sanitaria, los precios del petróleo experimentaron un desplome histórico por su escasa demanda, pues la pandemia y las medidas preventivas derivadas la inmovilidad dejó afectó al 60% de los transportes comerciales terrestres, marinos, y aéreos. Como consecuencia, en marzo de 2020, cerca del 30 por ciento de la cantidad demandada total de petróleo mundial, desapareció en unas breves semanas, (para los analistas, nunca antes el mundo había experimentado una caída similar en la demanda del mismo). Actualmente, por estos efectos, sigue existiendo el peligro de sufrir una fuerte recesión en la economía global.

No obstante, si estas crisis tanto sanitarias como financieras volviesen a producirse, y se acompañaran del progreso inevitable del plan de implantación de las normativas medioambientales anticontaminantes de emisiones de Dióxido de Carbono, (que llevará a los mercados a prescindir del petróleo por la sustitución de los motores de combustión por la electrificación en los vehículos), Noruega verá muy comprometida su posición en el medio plazo para garantizar la tranquilidad de sus pensionistas. Para prevenir estos efectos, la única solución viable por tanto, será la de diseñar futuro un plan eficaz de sostenibilidad e independencia de su sistema de pensiones respecto del crudo.

V.   BIBLIOGRAFÍA CITADA

Cappelen, Å. Y Mjøset, L. "Can Norway be a Role Model for Natural Resource Abundant Countries?" WIDER Research Paper 23, World Institute for Development Economic Research, United Nations University, Helsinki. 2009.

Nelsen, B.F. (199.2). "Explaining Petroleum Policy in Britain and Norway, 1962-90". Scandinavian Political Studies 15 (4). P. 307- 328.

Noreng, Ø. The Oil Industry and Government Strategy in the North Sea. Ed. Croom Helm, Boulder (Colorado). 1980.

Sanz Sánchez.F. "Fondo Soberano de Pensiones de Noruega 2016, 2017 y 2018" (Oficina Económica y Comercial de la Embajada de España en Oslo). Editado por ICEX España Exportación e Inversiones, E.P.E., M.P. NIPO: 114-19-039-X. Rescatado de: https://www.icex.es.

Wirth. E., Ramírez Cendrero, J.M. "Aspectos históricos del Modelo Petróleo Noruego y del protagonismo del Estado en el periodo 1960-2015". Rescatado de: https://repositorio.comillas.edu/jspui/bitstream/11531/26138/1/Capi%206%20_Modelo%20noruego.pdf.

https://www.mites.gob.es/ficheros/ministerio/mundo/revista_ais/206/66.pdf.

XE Corporation Currency Data Web: https://www.xe.com/es/.

https://bit.ly/2GL7DYY.

https://uncommonfinance.com/fondo-soberano-noruego/.

https://web.archive.org/web/20090121223101/http://www.pension-fundsonline.co.uk/pdfs/Top-100-Global-Pension-Funds.pdf.

https://www.nbim.no/contentassets/b4ca181199544d5788dc80c0db-9db738/20210128_press-conference_english_-final_pdf.pdf.

https://e24.no/norsk-oekonomi/i/LAkP0R/oljefondets-gigant-tap-paa-aktiv-forvaltning-mener-gjedrem-bloeffer-om-investeringene.

http://www.exteriores.gob.es/documents/fichaspais/noruega_ficha%20pais.pdf.

https://www.nbim.no/contentassets/3d447c795db84a18b54df8dd87d-3b60e/spu_annual_report_2019_en_web.pdf.

https://www.folketrygdfondet.no/history/category406.html.

https://www.nav.no/no/person/pensjon/alderspensjon/alderspensjon-for-deg-fodt-for-1954.

https://ec.europa.eu/employment_social/empl_portal/SSRinEU/Your%20social%20security%20rights%20in%20Norway_es.pdf.

https://www.nav.no/no/person/pensjon/alderspensjon/alderspensjon-for-deg-fodt-for-1954.

https://www.nav.no/no/nav-og-samfunn/kontakt-nav/utbetalinger/grunnbelopet-i-folketrygden.

https://www.nav.no/no/nav-og-samfunn/kontakt-nav/oversikt-over-satser/minste-pensjonsniva.

https://ec.europa.eu/employment_social/empl_portal/SSRinEU/Your%20social%20security%20rights%20in%20Norway_es.pdf.

https://www.regjeringen.no/en/dep/bfd/organisation/tilknytte-de-virksomheter/Norwegian-Labour-and-Welfare-Organizatio/id426155/.

https://www.regjeringen.no/no/dokumenter/nou-2014-17/id2354670/?ch=5.

https://www.ssb.no/sosiale-forhold-og-kriminalitet/trygd-og-stonad/statistikk/alderspensjonister.

Capítulo 4

A pensão de velhice no sistema de segurança social português

Luísa Andias Gonçalves
Professora Adjunta da Escola Superior de Tecnologia e Gestão
Politécnico de Leiria, Portugal

SUMARIO: I. INTRODUÇÃO. II. ENQUADRAMENTO DA PROTEÇÃO DA VELHI-
CE NO SISTEMA DE SEGURANÇA SOCIAL PORTUGUÊS. III. A PENSÃO
DE VELHICE EM PORTUGAL – REQUISITOS DE ACESSO E FÓRMULA
DE CÁLCULO. *1. Requisitos de acesso.* 1.1. Idade. 1.2. Prazo de Garantia.
1.3. Requerimento. *2. Fórmula de cálculo.* 2.1. Remuneração de referência.
2.2. Taxa. 2.3. O papel do fator de sustentabilidade. IV. BIBLIOGRAFIA.

I. INTRODUÇÃO

A velhice é um dos riscos sociais classicamente protegidos pelos sistemas
de segurança social. Ao atingir determinada idade, o sistema legitima
ao beneficiário que deixe de exercer uma atividade laboral, para passar
a auferir uma prestação substitutiva dos rendimentos do trabalho[1]. O
sistema de pensões desempenha a função crucial de concretização desse
direito.

Nos últimos anos, o sistema de pensões português tem enfrentado
dificuldades relacionadas com o envelhecimento demográfico, o decréscimo
das taxas de atividade e a crise económica, que têm obrigado à introdução de
várias alterações no âmbito do regime jurídico da pensão de velhice, tanto
ao nível dos requisitos de acesso à pensão, como na sua fórmula de cálculo.

Pretendemos, nas próximas páginas, de forma muito sucinta, transmitir
ao leitor o quadro básico do regime jurídico da pensão de velhice em

---

1.   Falamos, portanto, da velhice natural ou cronológica, também designada por Ilídio
     das Neves de *ancianidade* – vd. Das Neves, I., *Direito da Segurança Social – Princípios
     Fundamentais Numa Análise Prospectiva*, Coimbra Editora, Coimbra, 1996, p. 481.

Portugal, no âmbito do designado *regime geral*, chamando a atenção para as principais modificações que têm sido introduzidas no sentido de assegurar a sustentabilidade do sistema[2].

II. ENQUADRAMENTO DA PROTEÇÃO DA VELHICE NO SISTEMA DE SEGURANÇA SOCIAL PORTUGUÊS

A composição do sistema de segurança social português é ditada pela Lei núm. 4/2007, de 16 de janeiro, que estabelece as bases gerais do sistema. Este integra o *sistema de proteção social de cidadania*, o *sistema previdencial* e o *sistema complementar*. Todos eles, com uma abordagem diferente, influenciada pelas particularidades que os caracterizam, se dedicam à proteção do risco social designado por *velhice*.

Tendo o *sistema de proteção social de cidadania* como finalidades garantir direitos básicos dos cidadãos, assegurar a igualdade de oportunidades e promover o bem-estar e a coesão sociais, oferece ao cidadão com carência económica uma proteção na velhice focada na erradicação da pobreza e da exclusão, bem como na efetivação do direito a mínimos vitais, nomeadamente através da atribuição de uma *pensão social de velhice*, financiada por transferências do Orçamento do Estado e por consignação de receitas fiscais[3].

Diferente é a abordagem que é feita pelo *sistema previdencial* para concretizar a proteção na velhice. Este sistema é norteado pelos princípios da solidariedade de base profissional e da contributividade, tendo por objetivo a substituição de rendimentos de trabalho perdido e fazendo depender o reconhecimento do direito à *pensão de velhice* de um período prévio de registo de remunerações em nome do beneficiário. Trata-se, portanto, de um sistema que deve ser fundamentalmente autofinanciado por quotizações dos trabalhadores e por contribuições das entidades empregadoras[4].

---

2. Sublinhe-se que, desde 1 de janeiro de 2006 que os trabalhadores titulares de relação jurídica de emprego público, independentemente da modalidade de vinculação, são abrangidos pelo regime geral de segurança social, bem como os demais trabalhadores titulares de relação jurídica de emprego constituída até 31 de dezembro de 2005 que à data se encontravam enquadrados no regime geral de segurança social. Assim sendo, é acertado afirmar que *o regime de proteção social convergente*, em que estão integrados os restantes trabalhadores do Estado, é um regime em extinção. Não obstante, para aqueles que ainda nele estão integrados, o seu regime de pensões está previsto no *Estatuto da Aposentação* e tem como entidade gestora a *Caixa Geral de Aposentações*.
3. Sobre a proteção da velhice no âmbito do sistema de proteção social de cidadania, *vd.* Carvalho, A.S., "A velhice e as prestações de ação social", *in* AA.VV. (Campino, J., Monteiro Amaro, N., Fernandes da Costa, S. Dir.), *Segurança Social – Sistema, Proteção, Solidariedade e Sustentabilidade*, AAFDL, Lisboa, 2021, pp. 353-369.
4. Para uma síntese acerca dos diferentes subsistemas da segurança social portuguesa e o seu financiamento, *vd.* Rosa, E., "O futuro da proteção social em Portugal e a sus-

Por seu lado, *o sistema complementar* oferece mecanismos adicionais de previdência que permitem obter um patamar de proteção social suplementar. Nele encontramos, quer o regime público de capitalização, quer regimes complementares de iniciativa coletiva e de iniciativa individual[5].

Nas próximas páginas iremos debruçar-nos sobre a proteção na velhice no seio do sistema previdencial. Com efeito, é aqui que se colocam os maiores óbices relacionados com a sustentabilidade do sistema e é sobre ela, como veremos, que o legislador se tem debruçado amiúde, na tentativa de resolver as dificuldades levantadas por problemas como a crise económica e a inversão da pirâmide demográfica.

III. A PENSÃO DE VELHICE EM PORTUGAL – REQUISITOS DE ACESSO E FÓRMULA DE CÁLCULO

1. REQUISITOS DE ACESSO

Em Portugal, o regime de proteção na eventualidade *velhice*, no âmbito do sistema previdencial, está previsto no Decreto-Lei núm. 187/2007, de 10 de maio. Por força do disposto neste diploma, o reconhecimento do direito à pensão de velhice depende de o beneficiário ter atingido a *idade* legalmente prevista para o efeito, ter preenchido o *prazo de garantia* exigido e apresentar *requerimento*, nos termos que se seguida melhor analisaremos.

1.1. Idade

Desde 2014 que a idade normal de acesso à pensão de velhice, em Portugal, superou os 65 anos de idade, variando, agora, em função da evolução da esperança média de vida[6]. Com efeito, se durante muitos anos, e até 2013, a idade normal de acesso à pensão de velhice equivalia aos 65 anos de idade[7], desde 2014 que ultrapassou essa fasquia, com uma tendência ascendente: em 2014, essa idade foi fixada nos 66 anos, sendo

---

tentabilidade da segurança social e da CGA", *in* AA.VV. (Varela, R. Dir), *A segurança social é sustentável. Trabalho, Estado e Segurança Social em Portugal*, Bertrand Editora, Lisboa, 2013, pp. 124-127.

5. O sistema complementar tem uma expressão muito reduzida em Portugal, quando comparada com outros países europeus – *vd.* Coelho, M. T., *Segurança Social – Passado, presente e futuro*, Vida Económica, Porto, 2019, pp. 122-124.

6. Não obstante, este requisito continua a ser os 65 anos para os beneficiários que se encontrem legalmente impedidos de continuar a prestar trabalho ou atividade para além dessa idade e que os tenham efetivamente prestado, pelo menos, nos cinco anos civis imediatamente anteriores ao ano de início da pensão.

7. O regime legal das pensões aprovado em 1993 igualou a idade de acesso à pensão de velhice para homens e mulheres, estabelecendo um regime transitório de aumento gradual da idade da reforma para as mulheres, que atingiu os 65 anos em 1999. Desde então que não existem distinções nesta matéria em função do sexo.

que atualmente (2021) já atingiu os 66 anos e 6 meses, sabendo-se, já, que no ano de 2022 corresponderá a 66 anos e 7 meses.

Naturalmente que a razão que subjaz a esta volatilidade está relacionada com preocupações de sustentabilidade do sistema previdencial de segurança social português[8]. O aumento da esperança média de vida constitui uma sobrecarga para o sistema previdencial de segurança social, uma vez que os beneficiários permanecem mais anos como pensionistas, incrementando a despesa associada ao pagamento de pensões. Este problema ganha ainda mais relevo se pensarmos que o sistema previdencial, como atrás referimos, deve ser fundamentalmente autofinanciado pelas quotizações e contribuições de trabalhadores e entidades empregadoras e que o alargamento do topo da pirâmide demográfica não tem sido acompanhado de uma ampliação da sua base[9]. Num sistema de pensões de repartição, *pay as you go* (em que "as despesas correntes de pensões atribuídas aos beneficiários são suportadas pelas receitas correntes oriundas de uma contribuição social resultante da aplicação de uma certa taxa sobre os rendimentos do trabalho"[10]), com uma forte dependência da solidariedade intergeracional, esta realidade comporta fortes problemas de sustentabilidade financeira.

Deste modo, optou o legislador português por, a par de outras medidas, definir uma fórmula de cálculo da idade normal de acesso à pensão de velhice nos termos da qual a determinação deste requisito de acesso à pensão dependa da evolução da esperança média de vida aos 65 anos de idade, podendo variar (subindo ou descendo) todos os anos.

Contudo, tem sido também preocupação do legislador português proteger os beneficiários com longas carreiras contributivas.

Recentemente (2019), ao conceito de *idade normal de acesso* à pensão de velhice veio juntar-se o conceito de *idade pessoal de acesso*. Esta resulta da redução, em relação à idade normal de acesso vigente, de 4 meses por cada ano civil que exceda os 40 anos de carreira contributiva com registo de remunerações relevantes para cálculo da pensão. *In casu*, interessa a

---

8.   Este tipo de preocupações fez com que, em 2013, a Lei de Bases da Segurança Social (Lei núm. 4/2007) viesse a consagrar a possibilidade de a idade normal de acesso à pensão de velhice ser ajustada de acordo com a evolução dos índices da esperança média de vida.

9.   Veja-se a evolução (e a projeção de evolução) da pirâmide demográfica portuguesa em Cardoso, T., "O financiamento da segurança social: bases de equidade e de sustentabilidade", *in* AA.VV. (Costa Cabral, N., e Castro Caldas, J. Dir.), *A crise e o direito à segurança social – diagnóstico e perspetivas*, Almedina, Coimbra, 2020, p. 88.

10. Ribeiro Mendes, F., *Segurança Social – o futuro hipotecado*, Fundação Francisco Manuel dos Santos, Lisboa, 2011, p. 154.

carreira contributiva que o beneficiário possua à data da apresentação do requerimento da pensão (ou na data indicada por este no requerimento com efeitos diferidos), com o limite dos 60 anos de idade.

O conceito de *idade pessoal de acesso* vai permitir que os beneficiários com carreiras contributivas longas consigam aceder à pensão de velhice em idade anterior à *idade normal de acesso* sem que tal importe a aplicação de qualquer fator de redução na fórmula de cálculo da sua pensão.

No entanto, existem ainda situações em que os beneficiários poderão passar à situação de pensionistas de velhice em idade anterior a essa, nomeadamente[11] quando preencham os requisitos previstos no regime de flexibilização da idade de pensão de velhice[12]. Para que tal aconteça, o beneficiário tem que, enquanto tiver 60 anos de idade, ser detentor de 40 ou mais anos de registo de remunerações relevantes para o cálculo de pensão. Verificando-se esta condição, admite-se que o beneficiário possa requerer a pensão de velhice em idade anterior à sua idade pessoal de acesso, muito embora neste caso o valor da sua pensão vá ser afetado por um fator de redução de 0,5% por cada mês de antecipação.

Aqueles que são detentores de carreiras contributivas mais extensas podem servir-se do regime especial de antecipação da idade de pensão por carreiras contributivas muito longas, desde que, à data do início da pensão: tenham idade igual ou superior a 60 anos e, pelo menos, 48 anos civis com registo de remunerações relevantes para o cálculo da pensão; ou, em alternativa, tenham idade igual ou superior a 60 anos e, pelo menos, 46 anos civis com registo de remunerações relevantes para o cálculo da pensão, com início de carreira contributiva no regime geral de segurança social ou no regime de proteção social convergente em idade inferior a 17 anos. Nestas hipóteses, o cálculo da pensão não acarreta a aplicação do fator de redução de 0,5%/mês de antecipação.

1.2. Prazo de Garantia

O prazo de garantia mais não é do que um período de registo de remunerações em nome do beneficiário. Trata-se de um requisito típico das prestações que se inserem no sistema previdencial, uma vez que este se pauta, como já referimos, pelo princípio da contributividade.

---

11. Existem outros casos em que tal é possível, muitas vezes relacionados com a profissão exercida, como por exemplo acontece com os profissionais de bailado clássico ou contemporâneo, os controladores de tráfego aéreo ou as bordadeiras da Madeira.

12. Já tinham vigorado, anteriormente, regimes de flexibilização da idade de acesso à pensão de velhice. Preocupações relacionadas com a sustentabilidade do sistema e a crise económica levaram a que fossem, por duas vezes, suspensos (primeiro pelo Decreto-Lei 125/2005 a posteriormente pelo Decreto-lei 85-A/2012).

No que se refere à pensão por velhice ora em análise, o prazo de garantia atualmente exigido é de 15 anos civis, seguidos ou interpolados, com registo de remunerações.

Para que um determinado ano civil, isoladamente, possa ser contabilizado no prazo de garantia, é necessário que cumpra a *densidade contributiva* de, pelo menos, 120 dias de registos de remunerações, permitindo-se, no entanto, que os anos com registos inferiores a esse limite possam ser tidos em conta de forma agregada[13].

Em tempos idos, o prazo de garantia foi bastante inferior ao atual, o que, aliado à salvaguarda dos direitos adquiridos, pode constituir uma fonte de desequilíbrio relativamente aos dois pratos da balança: "contribuições feitas para o sistema" e "prestações recebidas pelo sistema". Isto porque, fruto do cumprimento de um curto prazo de garantia, há décadas atrás[14], e do facto de existir um valor mínimo para as pensões do sistema previdencial, podem existir pensionistas a receber prestações cujo valor representa, para o sistema, um *output* muito desproporcional ao *input* que para o mesmo foi carreado por aqueles beneficiários. É verdade que, num sistema de repartição, não tem de existir uma proporção entre *contribuições* e *prestações*, mas também não é menos verdadeiro que, em tempos de fragilidade financeira, desequilíbrios como o apontado sobressaem e servem de alvo crítico ao princípio da solidariedade intergeracional[15].

1.3. Requerimento

A existência deste requisito implica que, no âmbito deste regime, a passagem à situação de pensionista por velhice dependa sempre da vontade do beneficiário. Entendeu o legislador que a idade de reforma deve ser uma idade mínima, pelo que a pensão só pode ser concedida a requerimento do interessado[16].

---

13. Para aqueles que, em 01.01.1994, ainda não tivessem o prazo de garantia preenchido, existem regras especiais relativamente à contabilização dos registos de remunerações anteriores a essa data.

14. O princípio é o de que, uma vez preenchido o prazo de garantia, tem-se este requisito por cumprido, ainda que esse prazo venha a ser aumentado antes de o beneficiário ver reconhecido o seu direito à pensão de velhice.

15. Como muito bem refere João Loureiro, "[s]e o sistema de repartição assenta em mecanismos de solidariedade intergeracional, é necessário que se paute por critérios de justiça" – Loureiro, J. C., *Adeus ao Estado Social?*, Wolters Kluwer Portugal, Coimbra, 2010, p. 279.

16. Para os beneficiários que requeiram a pensão em idade superior à idade pessoal ou à idade normal de acesso à pensão e que tenham uma carreira contributiva de, pelo menos, 15 anos de registos de remunerações relevantes para efeitos de taxa de formação de pensão, está prevista a aplicação de uma bonificação ao montante da sua pensão estatutária.

2. FÓRMULA DE CÁLCULO

Como prestação do sistema previdencial que é, a pensão de velhice comunga, quanto à sua fórmula de cálculo, da característica própria das prestações do regime contributivo: o seu valor baseia-se nos montantes registados na carreira contributiva do beneficiário.

O regime português estabelece a distinção entre *pensão estatutária* e *pensão regulamentar*, correspondendo a primeira "ao produto da remuneração de referência pela taxa global de formação de pensão e pelo fator de sustentabilidade, quando aplicável" (artigo 26.º, núm. 2, do Decreto-Lei núm. 187/2007) e a segunda "ao montante da pensão estatutária, acrescido dos valores respeitantes: a) às atualizações das pensões; b) aos acréscimos decorrentes de atividade exercida em acumulação, se for caso disso" (artigo 40.º do mesmo diploma)[1718].

Interessa-nos, para este breve estudo, atentar nas componentes da fórmula de cálculo da pensão estatutária: remuneração de referência; taxa; fator de sustentabilidade[19].

2.1. Remuneração de referência

A remuneração de referência, enquanto valor sobre o qual vai incidir a taxa e, eventualmente, o fator de sustentabilidade, corresponde a uma média de valores registados na carreira contributiva do beneficiário que requereu a pensão.

Este elemento da fórmula de cálculo da pensão sofreu uma grande transformação nos últimos anos, em virtude da necessidade de fazer diminuir o encargo que as pensões representam no orçamento da segurança social.

Com este fito, a remuneração de referência deixou, em regra, de equivaler à *média das remunerações registadas nos melhores 10 anos civis dos últimos 15*

---

17. A Lei de Bases permite a acumulação de pensões com rendimentos de trabalho, nos termos definidos por lei. O Código dos Regimes Contributivos do Sistema Previdencial de Segurança Social prevê o pagamento de contribuições por parte de pensionistas em atividade. Esse facto produzirá efeitos no montante da pensão do beneficiário, que será acrescido de 1/14 de 2% do total das remunerações registadas, com efeitos a 1 de janeiro de cada ano, com referência às remunerações registadas no ano anterior.
18. Note-se ainda que, no ordenamento jurídico português, nos meses de julho e dezembro, os pensionistas têm direito a receber, além da pensão que normalmente lhes corresponda, um montante adicional de igual quantitativo.
19. Ao valor da pensão, assim calculada, podem acrescer complementos, nomeadamente para que aquela prestação atinja o valor mínimo legalmente previsto. Sobre o *complemento social*, o *complemento por dependência* e o *complemento solidário para idosos, vd.* Louçã, F., Albuquerque, J. L., Junqueira, V. e Ramos de Almeida, J, *Segurança Social – Defender a democracia*, Bertrand Editora, Lisboa, 2016, pp. 57-59.

com registos de remunerações (entendendo-se por melhores aqueles a que correspondiam remunerações mais elevadas) para passar a igualar *a média das remunerações registadas de toda a carreira contributiva do beneficiário,* até ao limite de 40[20]. Nos casos em que a carreira contributiva ultrapasse os 40 anos com registo de remunerações, consideram-se os 40 anos com registos mais elevados[21].

Esta mudança foi introduzida em 2002, dando cumprimento ao disposto na Lei de Bases de 2000, tendo sido acompanhada de um regime transitório que salvaguardava direitos adquiridos e em formação. Todavia, a aplicação do regime transitório, tal como estava delineado, acabava por se traduzir, na maioria dos casos, na prorrogação da aplicação da fórmula de cálculo precedente, razão pela qual foi o mesmo alvo de alteração em 2007, com a entrada em vigor do Decreto-Lei 187/2007, acelerando-se o período de passagem à nova fórmula. A partir daí, o regime transitório deixou de ser tão benévolo para os beneficiários, tendo-se inclusivamente levantado dúvidas quanto à sua constitucionalidade[22].

2.2. Taxa

O valor percentual a aplicar à remuneração de referência, para o cálculo da pensão de velhice, varia em função da carreira contributiva do beneficiário.

Vemos, por conseguinte, que no âmbito das pensões, a carreira contributiva não esgota a sua serventia como elemento de cálculo da remuneração de referência, servindo, outrossim, para a determinação da taxa de formação da pensão.

A *taxa global* de formação da pensão encontra-se através da multiplicação do número de anos civis relevantes (nos termos que vimos para o prazo de garantia), com o máximo de 40, pela taxa anual de formação da pensão.

---

20. Os montantes registados são alvo revalorização.
21. Esta mudança, para além de constituir um meio de contenção da despesa, pode também ser vista como promotora de uma maior justiça: por um lado, torna o sistema menos permeável à *manipulação estratégica* e, por outro, permite "evitar que beneficiem mais do sistema os que, durante menos tempo e se calhar com menos, para ele contribuíram, já que o valor das pensões espelhará com maior fidelidade, afinal, o esforço contributivo de toda uma vida" – Costa Cabral, N., "A Nova Lei de Bases do Sistema de Solidariedade e Segurança Social", *in* AA.VV (Figueiredo Dias, J., Cabral Barreto, I., Pizarro Beleza, T., Paz Ferreira, E. Dir.), *Estudos em Homenagem a Cunha Rodrigues, Volume II,* Coimbra Editora, Coimbra, 2001, pp. 80-81.
22. O Tribunal Constitucional português debruçou-se sobre esta questão no Acórdão 188/2009, de 22 de abril de 2009, acabando por não declarar a inconstitucionalidade – acórdão disponível em http://www.tribunalconstitucional.pt/tc/acordaos/20090188.html.

Por sua vez, esta *taxa anual* varia entre 2,3% e 2%, em função do número de anos civis com registo de remunerações e do montante da remuneração de referência, nos termos legalmente estabelecidos[23].

2.3. O papel do fator de sustentabilidade

Esta componente da fórmula de cálculo das pensões foi introduzida em 2007, para produzir efeitos em 2008, como mecanismo ao serviço da sustentabilidade do sistema, face ao envelhecimento demográfico, procurando adequar o valor das pensões à esperança média de vida.

Inicialmente, o fator de sustentabilidade foi criado para ajustar o valor das pensões às modificações verificadas em termos de esperança média de vida entre o ano de 2006 e o ano anterior ao do requerimento da pensão, prevendo-se a sua aplicação de forma generalizada[24].

Porém, em 2013, ao fazer-se com que a idade normal de acesso à pensão de velhice variasse em função da esperança média de vida, prescindiu-se da aplicação do fator de sustentabilidade nos casos em que os beneficiários passassem à situação de pensionistas de velhice na idade normal de acesso à pensão, ou em idade superior. Ao mesmo tempo, para a determinação desse fator, passou a ter-se como ano de referência inicial da esperança média de vida o ano de 2000, ao invés do ano de 2006.

Mais tarde, em 2017, com o objetivo de valorizar as muito longas carreiras contributivas e os trabalhadores que iniciaram a sua carreira contributiva muito novos, para permitir que os seus beneficiários possam reformar-se sem penalizações, ficaram também salvaguardadas da aplicação do fator de sustentabilidade as pensões: a) dos beneficiários com idade igual ou superior a 60 anos e com, pelo menos, 48 anos civis com registo de remunerações relevantes para o cálculo da pensão; b) dos beneficiários com idade igual ou superior a 60 anos e com, pelo menos, 46 anos civis com registo de remunerações relevantes para o cálculo da pensão e que tenham iniciado a sua carreira contributiva no Regime Geral de Segurança Social ou na Caixa Geral de Aposentações com 14 anos de idade ou em idade inferior[25].

---

23. A Lei de Bases permite que a lei estabeleça uma diferenciação positiva das taxas de substituição a favor dos beneficiários com mais baixas remunerações, desde que respeitado o princípio da contributividade.
24. Apenas estava afastada a aplicação do fator de sustentabilidade nos casos de convolação da pensão de invalidez absoluta em pensão de velhice, quando, à data em que completasse 65 anos de idade, o beneficiário tivesse recebido pensão de invalidez absoluta por um período superior a 20 anos.
25. Com a alteração introduzida em pelo Decreto-Lei núm. 73/2018, este limite foi alterado para 16, anos de idade, ou menos.

Por esta altura, afastou-se também a aplicação do fator de sustentabilidade nas situações de convolação da pensão de invalidez em pensão de velhice.

Acresce que, com a entrada em vigor, em 2019, do novo regime de flexibilização da idade de acesso à pensão de velhice, o fator de sustentabilidade deixou de ser aplicável, tanto às pensões de velhice do regime de antecipação por carreiras contributivas muito longas, como às pensões de velhice do regime de flexibilização da idade.

Não se aplica, também, às pensões de velhice dos beneficiários que passem à situação de pensionistas na *idade pessoal* de acesso, ou em idade superior.

Deste modo, entre o momento da sua criação e o dia de hoje, o fator de sustentabilidade passou de elemento de aplicação generalizada a elemento de aplicação excecional na fórmula de cálculo da pensão de velhice. O legislador optou por, primordialmente, fazer refletir o impacto da evolução da esperança média de vida na idade de acesso à pensão de velhice.

IV.   BIBLIOGRAFÍA

Cardoso, T., "O financiamento da segurança social: bases de equidade e de sustentabilidade", *in* AA.VV. (Costa Cabral, N., e Castro Caldas, J. Dir.), *A crise e o direito à segurança social – diagnóstico e perspetivas*, Almedina, Coimbra, 2020.

Carvalho, A.S., "A velhice e as prestações de ação social", en AA.VV. (Campino, J., Monteiro Amaro, N., Fernandes da Costa, S. Dir.), *Segurança Social – Sistema, Proteção, Solidariedade e Sustentabilidade*, AAFDL, Lisboa, 2021.

Coelho, M. T., *Segurança Social – Passado, presente e futuro*, Vida Económica, Porto, 2019.

Costa Cabral, N. C., "A Nova Lei de Bases do Sistema de Solidariedade e Segurança Social", *in* AA.VV (Figueiredo Dias, J., Cabral Barreto, I., Pizarro Beleza, T., Paz Ferreira, E. Dir.), *Estudos em Homenagem a Cunha Rodrigues, Volume II*, Coimbra Editora, Coimbra, 2001.

Das Neves, I., *Direito da Segurança Social – Princípios Fundamentais Numa Análise Prospectiva*, Coimbra Editora, Coimbra, 1996.

Louçã, F., Albuquerque, J. L., Junqueira, V. e Ramos de Almeida, J, *Segurança Social – Defender a democracia*, Bertrand Editora, Lisboa, 2016.

Loureiro, J. C., *Adeus ao Estado Social?*, Wolters Kluwer Portugal, Coimbra, 2010.

Ribeiro Mendes, F., *Segurança Social – o futuro hipotecado*, Fundação Francisco Manuel dos Santos, Lisboa, 2011.

Rosa, E., "O futuro da proteção social em Portugal e a sustentabilidade da segurança social e da CGA", *in* AA.VV. (Varela, R. Dir.), *A segurança social é sustentável. Trabalho, Estado e Segurança Social em Portugal*, Bertrand Editora, Lisboa, 2013.

Los sistemas de pensiones de Reino Unido y España: especial atención a la previsión complementaria[1]

Carlos David Aguilar Segado
Profesor de Derecho Financiero y Tributario
Universidad de Málaga

SUMARIO: I. INTRODUCCIÓN. *1. Primer pilar: cobertura estatal. 2. Segundo pilar: previsión social empresarial. 3. Tercer pilar: planes de pensiones individuales.* II. EL SISTEMA DE PENSIONES EN EL REINO UNIDO. *1. Primer nivel de cobertura (First Tier Provision). 2. Segundo nivel de cobertura (Second Tier Provision). 3. Tercer nivel de cobertura (Third Tier Provision). Sistema privado de pensiones.* 3.1. El "Automatic Enrolment" o "Auto-enrolment". 3.2. Modelos alternativos de pensiones para cumplir el "Automatic Enrolment". 3.3. National Employment Saving Trust (NEST). 3.4. Consolidación del sistema y balance. III. EL SISTEMA DE PENSIONES EN ESPAÑA. CON ESPECIAL ATENCIÓN A LOS SISTEMAS DE PREVISIÓN SOCIAL. *1. Introducción. 2. Las nuevas medidas sobre el sistema de reparto de la Seguridad Social en la Ley 11/2020, de 30 de diciembre, de Presupuestos Generales del Estado para el año 2021. 3. Los planes de pensiones individuales. Crisis. 2. Para que la Administración tributaria pueda declarar el conflicto en la aplicación de la norma tributaria será necesario el previo informe favorable de la Comisión consultiva a que se refiere el artículo 159 de esta ley. 3. En las liquidaciones*

---

1. Este análisis se realiza a raíz de una estancia investigadora de carácter predoctoral en la Universidad de Lancaster en el Reino Unido (2021), a través de la ayuda "On the move", Society of Spanish Researchers in the United Kingdom (SRUK/CERU).
Asimismo, se encuadra dentro de los siguientes proyectos: Proyecto de I+D+i del Plan Andaluz de Investigación, Desarrollo e Innovación (PAIDI 2017) orientado a los Retos de la Sociedad Andaluza "Economía y fiscalidad frente al Envejecimiento Poblacional" (ref. SEJ-587) dirigido por Miguel Gutiérrez Bengoechea y Proyecto de I+D+i del Plan Andaluz de Investigación, Desarrollo e Innovación (PAIDI 2020) orientado a los Retos de la Sociedad Andaluza, "Los mayores en el contexto del empleo y la protección social: un reto para el crecimiento y el desarrollo económico. Un análisis de la realidad andaluza" (ref. P18-RT-2585), dirigido por Francisco Vila Tierno y Miguel Gutiérrez Bengoechea, y cofinanciado por la Unión Europea (FEDER) y por la Junta de Andalucía.

que se realicen como resultado de lo dispuesto en este artículo se exigirá el tributo aplicando la norma que hubiera correspondido a los actos o negocios usuales o propios o eliminando las ventajas fiscales obtenidas, y se liquidarán intereses de demora". 4. Los planes de pensiones de empresa. Incentivos fiscales. 5. Las percepciones de los planes de pensiones privados. Tributación y naturaleza jurídica. 2. Los partícipes, mutualistas o asegurados que hubieran efectuado aportaciones a los sistemas de previsión social a que se refiere el artículo 51 de esta Ley, podrán reducir en los cinco ejercicios siguientes las cantidades aportadas incluyendo, en su caso, las aportaciones del promotor o las realizadas por la empresa que les hubiesen sido imputadas, que no hubieran podido ser objeto de reducción en la base imponible por insuficiencia de la misma o por aplicación del límite porcentual establecido en el apartado 1 anterior. Esta regla no resultará de aplicación a las aportaciones y contribuciones que excedan de los límites máximos previstos en el apartado 6 del artículo 51". IV. CONCLUSIONES. V. BIBLIOGRAFÍA.

I. INTRODUCCIÓN

España sigue el modelo del Reino Unido de Beveridge W.H.[2], quién fuera el precursor del "Estado del bienestar", en el que, mediante el pago de gravámenes, el ciudadano estaría protegido a través de unas prestaciones de desempleo, enfermedad y jubilación. Es por este motivo por lo que el sistema de pensiones en el Reino Unido guarda similitudes con el de España.

El modelo en el que el Estado asegura unas prestaciones suficientes a los cotizantes que cumplen una serie de requisitos para poder acceder a las mismas es el sistema de pensiones de la Seguridad Social. Este sistema se financia a través de ingresos de los trabajadores en activo y sus características principales son las siguientes: es un sistema público y es un sistema de reparto[3].

Este modelo de previsión social no es el único existente, puesto que los países europeos (Estados Miembros de la Unión Europea, en adelante UE, entre ellos España, o fuera de la UE, como el Reino Unido tras el Brexit) tienen sistemas complementarios en los que una parte lo abona el empleado, con sus contribuciones a planes de previsión social empresarial o planes de pensiones, otra lo abona el empleador, e incluso, podría abonarla el Estado.

Es por ello por lo que se forma un sistema de previsión social en el que se alivia la carga a la Seguridad Social. Estos sistemas de pensiones se estructuran en tres pilares:

---

2. Revista Nacional de Educación, "William Beveridge ha expuesto en España sus modernas tesis económico-sociales", núm. 60, pp. 55-58, 1946, recuperado el 4 de septiembre de 2021 de https://redined.mecd.gob.es/xmlui/bitstream/handle/11162/82311/00820073001354.pdf?sequence=1.

3. Aguilar Segado, C.D., "Situación actual de las pensiones en España: perspectiva económica-financiera", *Revista de Estudios Jurídico Laborales y de Seguridad Social*, núm. 2, 2021.

1. PRIMER PILAR: COBERTURA ESTATAL

Este es el pilar fundamental para la financiación de las pensiones sumado a otras contingencias que podrían tener los empleados, como invalidez, incapacidad temporal o desempleo. El primer pilar recoge las pensiones públicas, que son:

– Contributivas, porque son las prestaciones concedidas a las personas cotizantes.

– No contributivas, que sirven para cubrir necesidades básicas a aquellas personas que no cotizan por una serie de circunstancias.

El sistema se estructura de la siguiente forma:

– Sistema de reparto y de solidaridad intergeneracional: los cotizantes "en activo" financian las pensiones de los "pasivos" (pensionistas contemporáneos).

– Sistema proporcional: las pensiones están ligadas a las cotizaciones del empleado en su vida laboral.

– Sistema contributivo: el empleado tiene derecho a una pensión no contributiva y a la sanidad, en el caso de no poder contribuir al sostenimiento de este sistema.

2. SEGUNDO PILAR: PREVISIÓN SOCIAL EMPRESARIAL

Este segundo pilar genera un capital cuya función es complementar la pensión pública. Se constituye a favor del empleado a través de contribuciones empresariales, además de otros sistemas de previsión social empresarial. Este sistema es de capitalización, que quiere decir que las aportaciones realizadas por el empresario a favor del empleado generan una serie de rendimientos que constituirían las futuras prestaciones.

3. TERCER PILAR: PLANES DE PENSIONES INDIVIDUALES

Este tercer pilar se caracteriza por el ahorro individual, así como por la inversión, cuyo objetivo es la jubilación a través de los planes de pensiones. Este sistema también es de capitalización, aunque de carácter voluntario con una serie de beneficios fiscales para el partícipe (en España, tras los Presupuestos Generales del Estado de 2021 el límite de deducción fiscal en el IRPF es de 2.000 € anuales). La jubilación, el desempleo, o recientemente la situación del COVID-19, podrían suponer la posibilidad de disfrutar del capital[4].

---

4. Hernández de Cos, P., *El sistema de pensiones en España: una actualización tras el impacto de la pandemia: Contribución del Banco de España a los trabajos de la Comisión de Seguimiento y Evaluación de los Acuerdos del Pacto de Toledo*, Banco de España, 2 de

II.   EL SISTEMA DE PENSIONES EN EL REINO UNIDO

Este sistema de pensiones en el Reino Unido nació en 1940, con múltiples reformas, tantas, que ha llegado a ser un sistema de gran complejidad. Lord Turner, A.[5], como presidente de la Comisión de Pensiones del Reino Unido entre los años 2002 a 2006, emprendió el cambio para luchar contra esa "insostenibilidad" de las pensiones públicas y apostar por un sistema de inscripción automática *(Automatic Enrolment)* para los trabajadores a través de los planes de pensiones de empresa. En el año 2021, el Reino Unido se enfrenta a una "guerra generacional", al aumentar los ingresos durante la pandemia del COVID-19, que se traduce en la subida de las pensiones en un 8%, es decir, en 3.500 millones de euros de gasto para el fisco[6].

Para comprender mejor el sistema de pensiones del Reino Unido, hay que desglosar previamente los tres niveles *(Tier)* existentes[7]:

Nivel 1. Pensión Pública *(State Pension)*

Es un sistema de reparto en el que las pensiones se abonan con las cotizaciones realizadas a la Seguridad Social *(National Insurance, en adelante NI)*. Los ingresos son redistribuidos entre los ciudadanos para poder así garantizar un mínimo. Aquí entra en juego la Pensión Básica del Estado *(BSP)* y la Nueva Pensión del Estado *(NSP)*. Está encuadrado dentro del primer pilar, de carácter público.

---

septiembre de 2020, recuperado el 3 de agosto de 2021 de https://www.bde.es/f/webbde/SES/Secciones/Publicaciones/PublicacionesSeriadas/DocumentosOcasionales/21/Fich/do2106.pdf.

Ennaranja.com, "Los tres pilares del sistema de pensiones: así se financia nuestra jubilación". *ING*, 10 de mayo de 2019, recuperado el 3 de agosto de 2021 de https://www.ennaranja.com/inversores/jubilacion/tres-pilares-sistema-de-pensiones/.

5.   Pensions Commission, *A New Pension Settlement for the Twenty-First Century. The Second Report of the Pensions Commission*, 30 de noviembre de 2005, recuperado el 28 de julio de 2021 de https://webarchive.nationalarchives.gov.uk/ukgwa/+/http:/www.dwp.gov.uk/publications/dwp/2005/pensionscommreport/main-report.pdf.

Pensions Commission, *Pensions: Challenges and Choices. The First Report of the Pensions Commission*, 2004, recuperado el 28 de julio de 2021 de http://image.guardian.co.uk/sys-files/Money/documents/2005/05/17/fullreport.pdf.

6.   Ramos. R., "Guerra generacional en el Reino Unido para pagar la pandemia". *La Vanguardia*, 18 de julio de 2021, recuperado el 28 de julio de https://www.lavanguardia.com/internacional/20210718/7607986/guerra-generacional-reino-unido-pagar-pandemia.html.

7.   Martínez-Cue, F., *Automatic Enrolment Británico: Inscripción automática de trabajadores a sistemas de ahorro para la Jubilación*, UNESPA, octubre de 2019, recuperado el 28 de julio de 2021 de https://unespa-web.s3.amazonaws.com/main-files/uploads/2019/11/Estudio-autenrolment-britanico-2019-Completo.pdf.

Pensions Policy Institute, *The Pensions Primer: A guide to the UK pensions system*, recuperado el 28 de julio de 2021 de https://www.pensionspolicyinstitute.org.uk/.

Nivel 2. Pensión Pública Adicional

Se proporciona a los ciudadanos una pensión pública de carácter adicional con vinculación a su nivel de ingresos. En el año 2016, los contribuyentes no podrían generar derechos a la Pensión Pública Adicional ni a la llamada *"Saving Credits"*. Contienen las siguientes pensiones: Segunda Pensión de Estado *(S2P)*, Esquema de Pensión del Estado vinculada a ingresos *(SERPS)*, y las Prestaciones de Jubilación Graduadas *(GRB)*. Este segundo nivel queda encuadrado en el primer pilar, de carácter público.

Nivel 3. Pensión Privada

Este sistema, a diferencia de los dos anteriores, es de capitalización. Quiere decir que estaría financiado por aportaciones de empresarios a favor de los trabajadores. Con estas aportaciones se financiarían potencialmente las prestaciones futuras de jubilación. Las contribuciones y los rendimientos se verían beneficiados a través de exenciones y deducciones fiscales, además de distribuir ingresos de cada empleado a lo largo de su vida. Hay una prestación y aportación definida. Los planes son los siguientes: ocupacionales, personales y multi-empleador. Este tercer nivel se encuadra en el segundo y tercer pilar, de carácter complementario a las pensiones públicas.

1.   PRIMER NIVEL DE COBERTURA *(FIRST TIER PROVISION)*

El Estado es quien financia el primer nivel, que es un nivel básico de prestación de las pensiones. Todos los ciudadanos contribuyen y su sistema es universal, para tener un mínimo de ingresos a la hora obtener la pensión de jubilación. En este primer nivel están incluidas:

– Pensión Básica del Estado *(Basic State Pension, en adelante BSP)*.

– Nueva Pensión del Estado *(New State Pension, en adelante NSP)*.

Este primer nivel es un sistema de reparto, a través de las cotizaciones de las personas en activo a la Seguridad Social *(National Insurance, en adelante NI)*, o a través de impuestos. Estas cotizaciones a la *NI* se utilizan para abonar las *BSP* y *NSP*, mientras que las pensiones no contributivas *(en adelante, Pension Credit)* son financiadas por impuestos.

Respecto a la *NSP* se aplicarían a aquellos contribuyentes que alcancen la edad legal de jubilación tras el 6 de abril del 2016. Esta pensión es de carácter contributivo cuyo importe se abona a cada persona jubilada en función del número de años cotizados a la *NI* y/o por el número de años reconocidos, aunque no haya cotizado *(Credited)* antes del alcance de su edad legal.

Esta *NSP* sustituye a la *BSP* y a la Pensión Pública Adicional. El objetivo es que la pensión pública sea más sencilla para dotar a los pensionistas de un sistema de ingresos de carácter básico por encima del nivel de las pensiones no contributivas o asistenciales. El motivo primordial es la redistribución de la riqueza de los ciudadanos del Reino Unido, cuya garantía principal es velar por un nivel mínimo de vida, sumado a unos ingresos con el sistema privado de pensiones y así poder crear un nivel de ingresos mínimos para la jubilación con una tasa de sustitución[8] digna.

Relacionado con las cotizaciones, están los años efectivamente cotizados *(Qualifing Year)* a la *NI*, que serían los años fiscales en el que el contribuyente ha realizado cotizaciones "suficientes" o reconocidas como si realmente hubiera cotizado en su cómputo anual *(Credited).* Podrían ser generados si generan el derecho a una serie de prestaciones, como de maternidad y paternidad, ayudas para cuidadores, ayuda para desempleados y prestaciones de enfermedad por convenio. También podrían realizar cotizaciones adicionales voluntarias para así poder completar los periodos no cotizados. Para poder cobrar el 100% de la *NSP* será necesario hacer cotizado al *NI* 35 años[9], o el mínimo de 10 años para que se pueda tener el derecho a cobrarla, aunque sea de modo parcial.

Respecto al periodo legal de jubilación *(State Pension age, en adelante SPa)*, es la edad mínima en la que podría ser solicitada una pensión pública en función del año de nacimiento, que se incrementaría por fases entre los años 2018 y 2020 hasta alcanzar los 66 años. La edad de jubilación legal de las mujeres se ha equiparado a la de los hombres tras la Ley de Pensiones del año 2011 *(Pensions Act 2011)*[10], ya que en el año 2010 era de 60 años para aquellas. Con la Ley de Pensiones del año 2017 *(Pension Schemes Act 2017)*[11], entre los años 2026 y 2028 se incrementará la edad legal de jubilación a los 67 años, además de revisarse el *SPa* cada 5 años, puesto que se considera que la vida adulta comienza a los 20 años. En el informe final de revisión de edad de jubilación del año 2017 se introdujo la recomendación de incrementar la edad legal de jubilación a los 68 años, entre los años 2037 a 2039, pero de momento el gobierno no ha legislado en este aspecto y lo ha pospuesto.

Las personas en edad de jubilación podrían optar al retraso del cobro de la *NSP*, en la que recibirían un incremento de la prestación pública de jubilación *(Enhanced Pension)*. Se verían beneficiadas con el incremento del 1% de su pensión cada 9 semanas de retraso, traducido anualmente a un

---

8. La tasa de sustitución es el porcentaje de prestaciones por jubilación en función del último salario como trabajador activo.
9. La persona jubilada con un mínimo de 35 años cotizados a la NI o más, tendría derecho de recibir una NSP que ascendería a 168,60 libras semanales en el año 2019/2020.
10. Gov.uk, "Pensions Act 2011", 2011, recuperado el 28 de julio de 2021 de https://www.legislation.gov.uk/ukpga/2011/19.
11. Gov.uk, "Pension Schemes Act 2017", 2017, recuperado el 28 de julio de 2021 de https://www.legislation.gov.uk/ukpga/2017/17/contents/enacted.

5,8% adicional, e incluso se vería revalorizada en función al incremento del *Consumer Prices Index*[12] *(en adelante, CPI)*. Respecto a la revalorización de la pensión del estado, el año 2011 la *BSP* se revalorizó en función del mayor de tres valores 2,5%, *CPI*, o el incremento de los salarios. Este mecanismo se ha definido por el Gobierno como "cerradura triple" *(Triple Lock)*, que se mantendrá hasta 2022 o el cierre de la legislatura. Respecto a la tasa de sustitución sobre el Salario Mínimo Interprofesional *(National Minimum Wage)*, las prestaciones del *SNP* que comenzó en el año 2016, suponen un 24,2% del Salario Medio *(NAE)*, que mejora al *BSP*.

Por otro lado, hay que mencionar aquellas prestaciones y ayudas no contributivas, llamadas M*eans-tested Benefits*, las cuales son de tipo asistencial, a las que las personas jubiladas podrían optar en función de sus circunstancias personales. Estas son los Créditos de Pensión *(Pension Credit, en adelante PC)* y otros tipos de prestaciones asistenciales por jubilación.

En las *PC* hay dos modalidades:

– Crédito Garantizado o prestación mínima garantizada *(Guarantee Credit)*, para aquellas personas que tengan más de 65 años, en caso de no llegar a un nivel mínimo a través de otras fuentes de ingresos disponibles, con efecto redistributivo. Se paga a aquellas personas con ingresos mínimos con cargo a los impuestos (163 libras semanales para solteros y 248 libras semanales para parejas). En el año 2019 se incrementó en un 3,3% por encima de la revalorización de los salarios.

– Créditos de Ahorro *(Savings Credit)*. Es una prestación contributiva de carácter parcial. Esta prestación no está disponible a partir del año 2016 tras la *NSP*. Se creó para asegurar a aquellas personas que realizaron prestaciones privadas de "contratar fuera" *(Contracting-out*[13]*)* o derechos en exceso de la *BSP*, estuvieran mejor situados que los que no realizaron provisiones (13,40 libras semanales para solteros y 14,99 libras semanales para parejas).

Respecto a los otros tipos de prestaciones asistenciales por jubilación encontramos: prestación de vivienda *(Housing Benefit)* y reducción de impuestos locales *(Council Tax Reduction)*.

2. SEGUNDO NIVEL DE COBERTURA *(SECOND TIER PROVISION)*

Desde el año 2016 los ciudadanos del Reino Unido no podrían generar derechos de pensión del *Second Tier Provision* ni optar por el *Contracting-out*.

---

12. El CPI es nuestro Índice de Precios al Consumo (IPC).
13. Antes del año 2016 se podía contratar externamente una pensión adicional de Estado, en el caso de que su provisión privada sustitutiva de pensiones otorgara un mayor nivel de prestación.

Actualmente se benefician aquellos ciudadanos jubilados antes de este año. En este sistema hay tres modelos diferenciados:

– *Graduated Retirement Benefit (GBR).* Este es un Sistema obligatorio en el que los trabajadores cotizan de forma gradual.

– *State Earning Related Pension Scheme (SERPS).* De modo inicial se abonaba un 25% en función de los ingresos (salario pensionable), pero de manera progresiva se redujo su valor.

– *State Second Pension (S2P):* Reemplazó al *SERPS* y duró hasta el año 2016. Se dedicaban más recursos a las prestaciones mínimas con un carácter redistributivo, superior al *SERPS*.

3.   TERCER NIVEL DE COBERTURA *(THIRD TIER PROVISION)*. SISTEMA PRIVADO DE PENSIONES

Este tercer nivel está constituido por las pensiones privadas en el Reino Unido[14] dentro del segundo y tercer pilar:

– Pensiones ocupacionales o del sistema de empleo (segundo pilar).

– Pensiones a título particular, derivadas del ahorro voluntario (tercer pilar).

El nivel de cobertura está constituido a través de relaciones laborales en el que los particulares podrán contratar planes de pensiones de carácter privado con entidades o compañías de seguros. Su carácter es voluntario, aunque con el sistema de inscripción automática *(Automatic Enrolment)*, es dotado de un carácter "semi obligatorio", es decir que:

– Para el empleado es de carácter voluntario, ya que podría decidir si dejarlo una vez haya sido inscrito.

– Para el empresario es de carácter obligatorio, puesto que ha de inscribir a los trabajadores que cumplen una serie de requisitos mínimos y así realizar

---

14.   Gov.uk, *Review of the automatic enrolment earnings trigger and qualifying earnings band for 2018/19: supporting analysis*, Department for Work and Pensions, 2019, recuperado el 27 de julio de 2021 de https://assets.publishing.service.gov.uk/government/uploads/system/uploads/attachment_data/file/670634/review-of-automatic-enrolment-earnings-trigger-and-qualifying-earnings-band-2018-19-supporting-analysis.pdf.
Gov.uk, *Automatic Enrolment evaluation report 2018*, Department for Work and Pensions, 2018, recuperado el 27 de julio de 2021 de https://assets.publishing.service.gov.uk/government/uploads/system/uploads/attachment_data/file/764964/Automatic_Enrolment_Evaluation_Report_2018.pdf.
Gov.uk, *Automatic Enrolment Review 2017: Maintaining the Momentum*, Department for Work and Pensions, 2018, recuperado el 27 de julio de 2021 de https://assets.publishing.service.gov.uk/government/uploads/system/uploads/attachment_data/file/668971/automatic-enrolment-review-2017-maintaining-the-momentum.PDF.

las aportaciones obligatorias a favor de éstos.

El objetivo que se persigue es la distribución del ingreso de una persona en el periodo de actividad laboral generado a lo largo de su vida en activo. Es un sistema de capitalización individual en el que las aportaciones se realizan a favor de cada empleado, sumadas a los rendimientos que se obtienen en las inversiones, menos sus gastos de gestión, es lo que genera el fondo acumulado, en el que se calculan las prestaciones en la etapa de jubilación.

Este sistema es particularmente complejo, tanto dentro del sistema normativo, al estar regulado a través de numerosos acuerdos que se van acumulando a los ya existentes, como a los diversos planes de pensiones individuales y ocupacionales que puede tener cada persona fruto de su historial laboral.

Se puede realizar la distinción de los diferentes tipos de acuerdos por pensiones en función de la obligación que asume la empresa de la siguiente manera:

– Prestación definida *(Defined Benefit)*. Aquí el empresario realiza un determinado nivel de prestación cuando se jubile el trabajador o se encuadre dentro de las situaciones protegidas[15].

– Aportación definida *(Defined Contribution)*. Asumen el compromiso tanto el trabajador como la empresa de poder realizar una serie de aportaciones en favor del trabajador, ya sean las obligatorias o una serie de mejoras. La Ley de Planes de Pensiones del año 2015[16] recoge medidas que habilitan los beneficios y prestaciones colectivas mediante el uso de planes de aportación definida colectiva *(Collective Defined Contribution, en adelante CDC)*.

– Híbridos. El riesgo se comparte entre el empresario y el trabajador, o tienen un sistema mixto en el que se incluye prestación y aportación definidas. En estos planes de pensiones híbridos, desde la Ley de Planes de Pensiones del año 2015[17], se legislan dos tipos de planes:

– De riesgos compartidos *(Shared risk)*.

– De beneficios colectivos *(Collective benefits schemes)*.

---

15. Gov.uk, *Automatic enrolment: Guidance for employers on certifying defined benefit and hybrid pension schemes*, Department for Work and Pensions. abril 2014, recuperado el 27 de julio de 2021 de https://assets.publishing.service.gov.uk/government/uploads/system/uploads/attachment_data/file/307074/auto-enrol-guid-emp.pdf.

16. Gov.uk, "Pension Schemes Act 2015", 2015, recuperado el 27 de julio de 2021 de https://www.gov.uk/government/collections/pension-schemes-bill-2014-to-2015.

17. *Ibid*.

3.1. El "Automatic Enrolment" o "Auto-enrolment"

Desde el año 2012 el Reino Unido está aplicando el sistema llamado "Automatic Enrolment" para así poder impulsar el ahorro privado a través de los Planes de Pensiones de Empleo (en adelante, PPE)[18]. Los empresarios británicos tienen la obligación de inscribir de manera automática a sus trabajadores, siempre y cuando se cumpla con una serie de condiciones en algún instrumento de pensiones[19].

Para explicar el funcionamiento de estos PPE en el Reino Unido, hay que desarrollar su concepto. Éstos son planes de pensiones de carácter complementario que son llevados a cabo por las empresas, para que sus trabajadores puedan tener un complemento de pensión llegado el momento de su jubilación. Tanto el promotor, es decir, la empresa, con un complemento salarial, como el trabajador, o sea, el partícipe, podrían realizar aportaciones.

En el Reino Unido, este sistema complementario encuadrado en el segundo pilar es preceptivo. Las empresas deben inscribir a sus empleados, de manera obligatoria, siempre y cuando cumplan una serie de requisitos:

– Ser empleados en el Reino Unido con más de 22 años y con una edad inferior a la edad legal mínima que genere pensión pública.

– Percibir ingresos superiores a 10.000 libras anuales.

– Realizar una aportación mínima obligatoria del 8% de su salario, de los que el 4% se aporta por el partícipe, el 3% por el promotor y el 1% por el Estado[20], que supone una aportación adicional a este plan, a través de deducciones fiscales.

Es primordial matizar que este sistema es voluntario para los trabajadores *(Opt-out)*. Estos podrán elegir el fondo donde se invertirán las aportaciones y en el caso de no elegirlo, se invertirán por defecto en un fondo

---

18. Martínez-Cue, F. de la Unión Española de Entidades Aseguradoras y Reaseguradoras (UNESPA) a través de su estudio de 2019 explica que "la mayor parte de los ciudadanos tiene la voluntad de ahorrar, pero no dan el paso para hacerlo", sin embargo, "si se les incluye por defecto en un sistema de ahorro, tienden a quedarse". Es fundamental también que la empresa realiza un "esfuerzo económico" que supone una "retribución dineraria" adicional. Con lo cual, este sistema de "Automatic Enrolment" ha supuesto un paso en el ahorro de los trabajadores del Reino Unido. El estudio del sistema de "Automatic Enrolment" está basado en basado en las investigaciones del premio Nobel de economía 2017, el profesor THALER, R. H. *Vid.* Martínez-Cue, F., *Automatic Enrolment Británico: Inscripción automática de trabajadores a sistemas de ahorro para la Jubilación*, UNESPA, octubre de 2019, *op. cit.*

19. Lázaro, T., "Así funciona el sistema británico de planes de pensiones de empresa que podría triunfar en España", *Banco Sabadell*, 18 de mayo de 2021, recuperado el 27 de julio de 2021 de https://estardondeestes.com/movi/es/articulos/asi-funciona-el-sistema-britanico-de-planes-de-pensiones-de-empresa-que-podria-triunfar-en-espana.

20. Las aportaciones del empresario es un gasto deducible fiscalmente en el Impuesto sobre Sociedades.

predeterminado. La voluntariedad quiere decir que podrían abandonar el plan durante el primer mes del alta, o cada año, y poder así recuperar el 4% que aportan. Sin embargo, para los empresarios es obligatorio siempre y cuando el empleado aporte el porcentaje correspondiente (sistema contributivo), puesto que han de llevar a cabo la inscripción de sus empleados, así como revisar la situación de éstos cada tres años.

Sobre este sistema fundamental de "Automatic Enrolment" se han de destacar los siguientes puntos:

– Establecer un sistema de carácter sólido a largo plazo por la eficacia política del Gobierno y Parlamento, así como de los sindicatos y empresarios.

– Facilitar y fomentar el ahorro para la jubilación, en especial para aquellas clases medias-bajas.

– Ser un complemento, y no una sustitución, de la pensión pública para no perder así el poder adquisitivo y ayudar a la sostenibilidad del sistema de pensiones en el Reino Unido.

3.2. Modelos alternativos de pensiones para cumplir el "Automatic Enrolment"

Los planes de pensiones pueden ser:

– Basados en un Trust *(Trust based):* La junta de administradores o fideicomiso *(Board of trustees)* gestiona este plan en favor de los beneficiarios.

– Basados en un contrato *(Contract based schemes):* Este plan se gestiona y dirige por el proveedor del contrato.

Por tanto, las empresas tienen tres modelos alternativos de previsión social para sus empleados:

- Planes de pensiones ocupacionales, promovido por un empleador único o grupo de empresas *(Trust).*

– Planes de pensiones ocupacionales multi-empleador *(Master Trust)* ofrecidos por un proveedor de pensiones, es decir, una entidad gestora.

– Planes de pensiones personales para colectivos *(Group Personal Pension Scheme)* ofrecido por una compañía de seguros.

El *Trust* y el *Master trust* son planes de pensiones gestionados por una junta de "administradores o fideicomiso" *(Board of trustees)* en interés de los partícipes y beneficiarios. Sin embargo, el *Group Personal Pension Scheme* se basa en un contrato de seguro cuyo plan se dirige y gestiona por la compañía aseguradora, es decir, el proveedor del contrato[21].

---

21. The Pensions Regulator, *Automatic enrolment, Commentary and analysis: April 2018-March 2019*, octubre 2019, recuperado el 28 de julio de 2021 de https://www.

También hay acuerdos individuales de pensiones, que se equipara con España a los planes de pensiones del sistema individual del tercer pilar, aunque podrían ser el instrumento de compromisos por pensiones de los empresarios con sus trabajadores. Por tanto, estos son acuerdos individuales que se basan en un contrato entre el proveedor de pensiones y el beneficiario (*Contract-based*). Hay dos tipos de acuerdos individuales:

– *Stakeholders Pensions* (Planes de pensiones de accionistas). Es un tipo de pensión de contribución definida, con un valor de jubilación basado en la cantidad que paga el partícipe en un fondo de inversión.

– *Individual Personal Pension* (Planes de pensiones personales individuales). Es un tipo de pensión de contribución definida en la que el partícipe elige al proveedor, así como poder llegar a un acuerdo en el futuro pago.

Estos planes tienen unos gastos de gestión elevados en comparación con los planes de pensiones ocupacionales, aunque se sujetan al límite máximo total de gastos de gestión establecido para el "Automatic Enrolment" del 0,75% sobre fondos bajo gestión. Son accesibles para personas con edad inferior a 75 años.

3.3. National Employment Saving Trust (NEST)

Este modelo, ya mencionado, se complementó con el *National Employment Saving Trust (en adelante, NEST)*[22], el cual es un sistema de ahorro nacional de carácter ocupacional. Su papel es de proveedor de pensiones, dotado con un carácter semipúblico para aquellas empresas que no hayan constituido PPE. Este sistema podría ser catalogado como un plan de pensiones de "bajo coste" (*Low Cost o Low Fares*) frente a los fondos de pensiones ya existentes[23].

El objetivo principal de *NEST* es poder garantizar que las empresas accedan a un mecanismo de pensiones que combine calidad y un sistema de bajo coste (*Low Cost o Low Fares*). Este sistema se encuentra sujeta a una

---

thepensionsregulator.gov.uk/-/media/thepensionsregulator/files/import/pdf/automatic-enrolment-commentary-analysis-2019.ashx?la=en&hash=24B2831AE2EB-2D92697F24619CBBFA32DEAC2E33.

Instituto BBVA de Pensiones, "El Sistema británico de pensiones de empleo: Automatic Enrolment", 23 de octubre de 2020, recuperado el 28 de julio de 2021 de https://www.jubilaciondefuturo.es/es/blog/el-papel-de-nest-en-el-sistema-de-pensiones-de-empleo-de-reino-unido.html.

22. Pearce, N. and Massala, T., *Pension Reforms in the UK: 1997 to 2015*, NEST Insight, London, 2020, recuperado el 28 de julio de 2021 de https://www.nestinsight.org.uk/.

23. Samaniego, J.F., "Un modelo de éxito para importar: el sistema de auto adhesión a planes de pensiones del Reino Unido", *Willis Towers Watson Update*, 18 de diciembre de 2019, recuperado el 27 de julio de 2021 de https://willistowerswatsonupdate.es/jubilacion/planes-de-pensiones-reino-unido/.

obligatoriedad del servicio público de aceptación a los empresarios que quieran integrarse en *NEST* para poder así ejecutar las obligaciones del "Automatic Enrolment". *NEST* es una entidad que realiza sus servicios sin ánimo de lucro, que compite con otras empresas privadas, compañías de seguros y entidades gestoras, en un mercado de pensiones de empleo.

NEST nació de un préstamo que fue concedido por el Gobierno del Reino Unido. El Ministerio de Trabajo y Pensiones *(Department for Work and Pensions)* estima que en el año 2038 se proceda a la devolución íntegra del préstamo, aunque el punto de inflexión *(Breakeven Point)* será en 2026 cuando la cuenta de resultados no suponga pérdidas. Es el principal gestor del sistema de pensiones del Reino Unido, con 9,1 millones de trabajadores en 2020, principalmente en Pequeñas y Medianas Empresas *(SME)*. El Gobierno del Reino Unido tuvo que buscar una solución para dar soporte al "Automatic Enrolment" para que los empresarios pudieran inscribir de modo automático a sus trabajadores en este instrumento de previsión social empresarial para así poder llevar a cabo las aportaciones.

Su regulación legal está encuadrada en la Ley de Pensiones de 2008 *(Pensions Act 2008)*[24]. Comenzó a aplicarse en el año 2011 de modo voluntario y en 2012 se comenzó a aplicar a través del sistema obligatorio de "Automatic Enrolment". La administración de *NEST* es de modo "fideicomisario", por lo que quiere decir que la Corporación *(NEST Corporation)* es el administrador *(Trustee)* responsable de gestionar el Sistema de Pensiones *NEST*.

Como ya se ha mencionado antes, los planes de pensiones *"Master Trust"* también son gestionados por *NEST*. Estos son planes de pensiones ocupacionales multi-empleador, en el que los empleados inscritos se ven beneficiados en fondos disponibles para poder invertir las aportaciones y en los gastos de gestión, con independencia de su tamaño y capacidad de negociación de la empresa. Es importante resaltar que los trabajadores por cuenta propia, es decir, los autónomos pueden inscribirse y realizar aportaciones.

Además, hay que destacar que los empleados que están inscritos en *NEST* tienen la libertad de elegir los fondos en los que podrían investir sus aportaciones. Se destacan diversas opciones: fondo que cumple con preceptos musulmanes *(Sharia fund)*[25], fondo de componente ético, fondo específico para los últimos años antes de la jubilación, fondo de alto riesgo y un fondo conservador.

---

24. Gov.uk, "Pensions Act 2008", 2008, recuperado el 28 de julio de 2021 de https://www.legislation.gov.uk/ukpga/2008/30/contents.
25. Manjoo, F.A., "An appraisal of longevity risk: conventional and islamic perspectives", *International Shariah Research Academy for Islamic Finance*, research paper no. 44/2012, 2012.

Si el empleado no elige ninguna de las opciones se invertirá en un fondo por defecto o fondo basado en la fecha de jubilación *(NEST Retirement Date Fund Based)*, el cual es la opción mayoritaria ejercida por los ahorradores, con 50 fechas objetivas en función de la edad de jubilación de la persona ahorradora. Este fondo por defecto quiere decir que gestiona la inversión del patrimonio del empleado de modo acumulado en función de los comportamientos del mercado y de su edad.

3.4. Consolidación del sistema y balance

Antes de implementarse este sistema de PPE, en 2012 tan sólo lo disfrutaban un 55% de los trabajadores, mientras que, poco después de la implantación, en 2018 lo disfrutan un 87% de los mismos. También ha conseguido que el trabajador joven, es decir, de una edad superior a los 22 años haya entrado en este sistema, así como la igualación de la participación entre hombres y mujeres y el fomento del ahorro en trabajadores con rentas inferiores que por primera vez pueden ahorrar en su jubilación. Este modelo ha sido un gran éxito ya que se han incorporado el 97% de las empresas medianas, el 84% las pequeñas, así como el 99% de las grandes empresas[26].

Hay una serie de estadísticas a resaltar: tan sólo un 9% de los trabajadores ha renunciado a este sistema; el 91% de los inscritos ha continuado; y un 5% de los trabajadores que no cumplen con los requisitos mínimos han solicitado su inscripción voluntaria.

La Confederación de la Industria Británica *(Confederation of British Industry, CBI)*, así como la aseguradora *Scottish Widows*[27], realizó una encuesta a 240 empresarios, los cuales valoran de un modo positivo este sistema, así como poder implementarlo a aquellos que perciban ingresos inferiores a la cuantía mínima e incluso que se pudiera llevar a cabo para los autónomos.

III. EL SISTEMA DE PENSIONES EN ESPAÑA. CON ESPECIAL ATENCIÓN A LOS SISTEMAS DE PREVISIÓN SOCIAL

1. INTRODUCCIÓN

Nuestro sistema de pensiones se estructura en pensiones públicas y planes de pensiones de previsión empresarial e individuales.

---

26. Gov.uk, *Automatic Enrolment evaluation report 2018*, Department for Work and Pensions, 2018, *op. cit*.
27. Confederation of British Industry, *CBI/Scottish Widows Pensions Survey 2019*, 19 de julio de 2019, recuperado el 28 de julio de 2021 de https://www.cbi.org.uk/articles/cbiscottish-widows-pensions-survey-2019/.

Respecto a las pensiones públicas, la última novedad de 2021 es el "Proyecto de Ley de garantía del poder adquisitivo de las pensiones y de otras medidas de refuerzo de la sostenibilidad financiera y social del sistema público de pensiones"[28], que da cumplimiento a la "Recomendación 2.ª" del Pacto de Toledo de 2020[29] en la que se garantiza el mantenimiento del poder adquisitivo de las pensiones públicas.

La aprobación de la ley derogaría el Índice de Revalorización de las Pensiones (IRP), que vinculaba la actualización de las pensiones al 0,25%. Por tanto, se pretendería, una vez aprobada la ley, que a partir del 1 de enero de 2022 se establezca un mecanismo de revalorización conforme a la inflación media anual (Índice de Precios al Consumo, en adelante IPC), que se tomará como base en noviembre del anterior ejercicio. Se establecería un mecanismo de seguridad para que, en caso de resultar el IPC negativo, las pensiones no se vieran afectadas. Además, se prevé una evaluación quinquenal de este mecanismo de revalorización de las pensiones.

Se analizan de forma más detallada los sistemas de previsión social complementarios a las pensiones públicas en el marco legal español[30].

2.   LAS NUEVAS MEDIDAS SOBRE EL SISTEMA DE REPARTO DE LA SEGURIDAD SOCIAL EN LA LEY 11/2020, DE 30 DE DICIEMBRE, DE PRESUPUESTOS GENERALES DEL ESTADO PARA EL AÑO 2021

En el año 2020, el Instituto de Estudios Económicos (en adelante, IEE) afirmó que se encontraba en riesgo la sostenibilidad de las pensiones públicas. Los países con economías avanzadas de la Unión Europea, entre

---

28. Boletín Oficial de las Cortes Generales, *Proyecto de Ley de garantía del poder adquisitivo de las pensiones y de otras medidas de refuerzo de la sostenibilidad financiera y social del sistema público de pensiones*, 6 de septiembre de 2021, recuperado el 6 de septiembre de 2021 de https://www.congreso.es/public_oficiales/L14/CONG/BOCG/A/BOCG-14-A-66-1.PDF. Instituto BBVA de Pensiones, "¿Cómo funciona el mecanismo de revalorización de las pensiones según el IPC que introduce la nueva reforma?", 27 de agosto de 2021, recuperado el 6 de septiembre de 2021 de https://www.jubilaciondefuturo.es/es/blog/como-funciona-el-mecanismo-de-revalorizacion-de-las-pensiones-segun-el-ipc-que-introduce-la-nueva-reforma.html.
29. Boletín Oficial del Congreso de los Diputados, *Informe de evaluación y reforma del Pacto de Toledo*, Comisión de Seguimiento y Evaluación de los Acuerdos del Pacto de Toledo, en su sesión del día 27 de octubre de 2020, publicado en el Boletín Oficial del Congreso de los Diputados el 10 de noviembre de 2020, recuperado el 11 de agosto de 2021 de https://www.congreso.es/public_oficiales/L14/CONG/BOCG/D/BOCG-14-D-175.PDF.
30. Monereo Pérez, J.L., Ojeda Avilés, A. y Gutiérrez Bengoechea, M., *Reforma de las pensiones públicas y planes privados de pensiones*, Laborum, Murcia, 2021. Gutiérrez Bengoechea, M., "El pago de las pensiones públicas de jubilación a las generaciones prolijas", *Nueva Fiscalidad*, núm. 4, 2017, pp. 131-153. Gutiérrez Bengoechea, M., *La Sostenibilidad de las Pensiones Públicas: Análisis Tributario y Laboral*, Ed. Aranzadi. Pamplona, 2017.

las que está España, se enfrentarían a una situación de envejecimiento de la población que requeriría del "aumento necesario de la tasa de ahorro para la jubilación, para lo que se necesita un marco fiscal adecuado de incentivos con vocación de permanencia a lo largo del tiempo, con mayor flexibilidad en la utilización de los instrumentos de previsión y siguiendo las principales pautas de los países de nuestro entorno". El IEE estima necesaria "cualquier iniciativa que pueda contribuir a incentivar el ahorro por parte de los españoles"[31].

Por este motivo, en la "Recomendación 16.ª" del Pacto de Toledo de 2020[32] se propone modificar el sistema de pensiones y la necesidad de impulsar la implantación efectiva de los planes complementarios de pensiones, y en especial, los planes de previsión empresarial. Es cierto que principalmente se apuesta por el sistema público de pensiones, pero se tienen en cuenta otros modos complementarios a las pensiones públicas, para el caso de que la generación de empleo no pueda responder al sostenimiento de las pensiones públicas.

En primer lugar, se ha de destacar que la sostenibilidad de las pensiones públicas están en serio riesgo puesto que se prevé que en un futuro próximo no haya suficiente población activa para compensar las pensiones de las personas jubiladas. Los motivos principales son la baja tasa de natalidad de España y el progresivo envejecimiento de la población. En segundo lugar, el Gobierno incentiva a las empresas para que creen planes de pensiones de empleo a sus trabajadores como alternativa para complementar el sistema de pensiones públicas.

La Ley 11/2020, de 30 de diciembre, de Presupuestos Generales del Estado para el año 2021 (en adelante, LPGE) cumple con las directrices de la Comisión Europea, en la que todos los países de la UE han de tener un porcentaje más elevado en sus planes de pensiones de empleo. Es por este motivo por el que las modificaciones presupuestarias necesitan ser desarrolladas por los Estados Miembros.

En el "Spending Review 2019/2020"[33] de la Autoridad Independiente

---

31. Sánchez de la Cruz, D., "El IEE responde a la AIReF: los planes de pensiones en España tienen un 40% menos de incentivos que en la OCDE", *Libremercado*, 30 de julio de 2020, recuperado el 3 de agosto de 2021 de https://www.libremercado.com/2020-07-30/iee-responde-airef-incentivos-planes-de-pensiones-1276661805/.

32. Boletín Oficial del Congreso de los Diputados, *Informe de evaluación y reforma del Pacto de Toledo*, Comisión de Seguimiento y Evaluación de los Acuerdos del Pacto de Toledo, en su sesión del día 27 de octubre de 2020, publicado en el Boletín Oficial del Congreso de los Diputados el 10 de noviembre de 2020, *op. cit.*

33. AIReF, *Spending Review 2019/2020. Beneficios Fiscales*, julio 2020, pp. 15-26, recuperado el 4 de agosto de 2021 de https://www.airef.es/wp-content/uploads/2020/07/BFISCALES/Presentaci%C3%B3n-Beneficios-Fiscales.pdf.

de Responsabilidad Fiscal (en adelante, AIReF), se habla de los beneficios fiscales. El ahorro acumulado en planes de pensiones antes de la jubilación es muy reducido en comparación con la aportación a otros ámbitos, inclusive en personas físicas con rentas bajas. Asimismo, ante el escaso atractivo del beneficio fiscal una vez tenidos en cuenta los tipos marginales y las comisiones, se considera necesario incentivar el ahorro de este ámbito en la población.

Por tanto, la AIReF, en relación con la futura insostenibilidad potencial del sistema de pensiones de España insta al Gobierno a "la necesidad de una modificación del sistema de pensiones en la que los beneficios fiscales permiten al contribuyente la reducción del pago de la cuota tributaria". Es por este motivo por el que la AIReF recomienda actuar en base a diferentes fundamentos, como son el volumen y tasa de empleo, los flujos migratorios, la natalidad y la productividad laboral[34], para mejorar la relación entre el Producto Interior Bruto y el gasto en pensiones.

En consonancia con lo anterior, el informe del IEE del año 2020 (Instituto de Estudios Económicos)[35] pone de manifiesto que los sistemas complementarios de la Seguridad Social se encuentran muy desarrollados en los países del entorno, de acuerdo con el volumen del patrimonio de los fondos de pensiones privados y los seguros de vida.

Con la crisis del COVID-19, las Recomendaciones del Pacto de Toledo y de la Comisión Europea, el Gobierno se ha visto obligado a realizar la modificación del ahorro privado con la positiva repercusión de esta medida en los Presupuestos Generales del Estado del año 2021.

3.   LOS PLANES DE PENSIONES INDIVIDUALES. CRISIS

La Asociación de Instituciones de Inversión Colectiva y Fondos de Pensiones (INVERCO), la Unión Española de Entidades Aseguradores y Reaseguradoras (UNESPA) y la Federación Nacional de Asociaciones de Trabajadores Autónomos (ATA)[36] consideran que si se limitan las aportaciones a los planes individuales perjudicarán a la mayoría de

---

34.   Relacionado con el mercado de trabajo debe haber menor flexibilidad laboral, sobre todo en los jóvenes trabajadores.
35.   IEE, *Informe de opinión del IEE sobre la fiscalidad de las pensiones: La necesidad de fomentar el ahorro para la jubilación*, 29 de julio de 2020, recuperado el 4 de agosto de 2021 de https://www.ieemadrid.es/2020/07/29/informe-de-opinion-del-iee-sobre-la-fiscalidad-de-las-pensiones-la-necesidad-de-fomentar-el-ahorro-para-la-jubilacion/.
36.   UNESPA, "ATA, INVERCO y UNESPA piden mantener el actual límite fiscal de ahorro individual para la jubilación", 18 de noviembre de 2020, recuperado el 4 de agosto de 2021 de https://www.unespa.es/notasdeprensa/ata-inverco-y-unespa-piden-mantener-el-actual-limite-fiscal-de-ahorro-individual-para-la-jubilacion/.

los trabajadores que no pueda acceder a un plan de empleo, debido a la situación actual en el que las empresas no pueden realizar planes de pensiones a sus trabajadores.

En primer lugar, en los planes individuales se permiten modular las aportaciones en función de los ingresos anuales; sin embargo, en los planes de empleo, la aportación está seriamente condicionada al salario. En segundo lugar, los planes individuales dan la posibilidad al trabajador de elegir los productos con mayor o menor cotización en bolsa, y en cambio, los planes de empleo son por regla general más rígidos.

En el informe de la AIReF[37] antes citado, se expone que tan sólo el 12,8% del total de los contribuyentes se beneficiaban de la reducción del límite en 8.000 euros, con lo que quiere decir que la gran mayoría de los partícipes realizaba una aportación al plan de pensiones de una cuantía inferior a la de dicho límite. Además, se afirma que el 58% de los partícipes realizan aportaciones inferiores a 1.000 euros, así pues, se considera que esta medida "afectará a un número menor de contribuyentes con estos planes". Por este motivo, se producirá un desincentivo de los planes de pensiones para los contribuyentes de mayor capacidad económica que no obtendrán beneficios fiscales del ahorro por encima del límite de 2.000 euros establecido.

Sobre los planes de pensiones individuales, la Comisión del Pacto de Toledo[38] sostiene al respecto que "la gestión de estos mecanismos debe ser más transparente de lo que ha sido hasta ahora, de manera que los costes de administración por las entidades promotoras no comporten rendimientos negativos para los ahorradores"[39].

Al entrar en crisis los planes de pensiones, se encuentra otro producto en auge como son los fondos de inversión, más amplios y flexibles[40]. Los factores para tener en cuenta son la reducción del impacto fiscal y la rentabilidad, fruto de la inflación. Mientras que el ahorro en el plan de pensiones va dirigido a constituir un capital mediante aportaciones

---

37. AIReF, *Spending Review 2019/2020. Beneficios Fiscales*, julio 2020, pp. 15-26, *op. cit.*
38. Boletín Oficial del Congreso de los Diputados, *Informe de evaluación y reforma del Pacto de Toledo*, Comisión de Seguimiento y Evaluación de los Acuerdos del Pacto de Toledo, en su sesión del día 27 de octubre de 2020, publicado en el Boletín Oficial del Congreso de los Diputados el 10 de noviembre de 2020, *op. cit.*
39. Gómez, M., "El Pacto de Toledo quiere acercar la edad real de jubilación a la legal", El País, 23 de octubre de 2020, recuperado el 8 de agosto de 2021 de https://elpais.com/economia/2020-10-23/el-pacto-de-toledo-cierra-su-informe-para-la-reforma-de-pensiones-casi-cinco-anos-despues.html.
40. INVERCO, "Modalidades de planes y de fondos de pensiones", recuperado el 5 de agosto de 2021 de http://www.inverco.es/28/0/94.
    INVERCO, *Datos de fondos de inversión*, 28 febrero 2021, recuperado el 5 de agosto de 2021 de http://www.inverco.es/archivosdb/2102-febrero-2021.pdf.

periódicas, la inversión persigue el aumento del ahorro una vez constituido el fondo de inversión con el aumento de la rentabilidad.

Estos fondos de inversión son más flexibles, puesto que permiten el reembolso de participaciones en cualquier momento de la inversión y optimizar el ahorro. Los rendimientos de los fondos de inversión se encuadran en la base imponible del ahorro, con un tipo impositivo del 19% hasta 6.000 euros, del 21% hasta 50.000 € y del 23% a partir de 50.000 euros. Se declara únicamente por los beneficios obtenidos con la consiguiente reducción del ahorro fiscal[41]. Esta situación se confronta con el artículo 15 de la Ley General Tributaria que habla sobre el conflicto en la aplicación de la norma tributaria (LGT)[42].

4. LOS PLANES DE PENSIONES DE EMPRESA. INCENTIVOS FISCALES

La Comisión del Pacto de Toledo[43] mantiene que habrá de dotar a las entidades gestoras de los planes de empleo de "un régimen fiscal y jurídico adecuado y diferenciado, mejorando el existente en la actualidad y entendiendo que en ningún caso dichos sistemas de ahorro puedan ser considerados como meros productos financieros".

Se puede afirmar que el Gobierno quiere lograr un sistema parecido al de Reino Unido, en el que se ofrece, a través de incentivos fiscales a las

---

41. Fondos.com, "Plan de pensiones o fondo de inversión: ¿cuál es la elección correcta para aumentar mis ahorros?", recuperado el 6 de agosto de 2021 de https://www.fondos.com/blog/plan-de-pensiones-o-fondo-de-inversion.

42. Artículo 15 LGT. Conflicto en la aplicación de la norma tributaria.
"1. Se entenderá que existe conflicto en la aplicación de la norma tributaria cuando se evite total o parcialmente la realización del hecho imponible o se minore la base o la deuda tributaria mediante actos o negocios en los que concurran las siguientes circunstancias:
a) Que, individualmente considerados o en su conjunto, sean notoriamente artificiosos o impropios para la consecución del resultado obtenido.
b) Que de su utilización no resulten efectos jurídicos o económicos relevantes, distintos del ahorro fiscal y de los efectos que se hubieran obtenido con los actos o negocios usuales o propios.
2. Para que la Administración tributaria pueda declarar el conflicto en la aplicación de la norma tributaria será necesario el previo informe favorable de la Comisión consultiva a que se refiere el artículo 159 de esta ley.
3. En las liquidaciones que se realicen como resultado de lo dispuesto en este artículo se exigirá el tributo aplicando la norma que hubiera correspondido a los actos o negocios usuales o propios o eliminando las ventajas fiscales obtenidas, y se liquidarán intereses de demora".

43. Boletín Oficial del Congreso de los Diputados, *Informe de evaluación y reforma del Pacto de Toledo*, Comisión de Seguimiento y Evaluación de los Acuerdos del Pacto de Toledo, en su sesión del día 27 de octubre de 2020, publicado en el Boletín Oficial del Congreso de los Diputados el 10 de noviembre de 2020, *op. cit.*

empresas, la creación de un plan de empleo. Asimismo, se buscará potenciar la creación de un plan abierto con control público para las pequeñas empresas con dificultades para crear estos planes. A todo ello, se suma la búsqueda potencial de un desarrollo positivo del sistema de reparto de la Seguridad Social de España, en el que se debe obtener un ahorro en las arcas públicas[44].

5.   LAS PERCEPCIONES DE LOS PLANES DE PENSIONES PRIVADOS. TRIBUTACIÓN Y NATURALEZA JURÍDICA

Las pensiones públicas y privadas en España tributan en el IRPF como rendimientos del trabajo personal[45], pero es cierto que no todos los sujetos pasivos pensionistas tienen la obligatoriedad de presentar la declaración de la renta. Por un lado, los contribuyentes que perciban menos de 22.000 euros al año, según datos de los Técnicos del Ministerio de Hacienda, son el 63% de los pensionistas, salvo que tengan dos o más pagadores, que han de presentar declaración si superan la cantidad de 12.000 euros al año de rendimientos. Mientras que, por otro lado, existen pensiones públicas exentas de gravamen, por ejemplo, la de incapacidad absoluta o gran invalidez. Respecto al mínimo familiar exento, aumenta hasta los 6.700 euros para los mayores de 65 años y hasta 8.100 euros para los mayores de 75 años[46].

Existen tres modalidades de realizar el rescate de los planes de pensiones:

– En forma de capital, es decir, recuperarlo de una sola vez, ya sea en la fecha de la contingencia o diferida posteriormente. Siempre y cuando se cobre en los años siguientes, existe la posibilidad de aplicar una reducción del 40% para aquellas aportaciones que se realizaron antes del 1 de enero de 2007 de acuerdo con la Disposición Transitoria Duodécima de la Ley 35/2006 del IRPF[47].

---

44.   Instituto BBVA de Pensiones, "Otros modelos de jubilación: Reino Unido, un sistema con menos peso del Estado", 29 de diciembre de 2020, recuperado el 8 de agosto de 2021 de https://www.jubilaciondefuturo.es/es/blog/otros-modelos-de-jubila-cion-reino-unido-un-sistema-con-menos-peso-del-estado.html.
45.   Hinojosa Torralvo J.J., "Artículos 28 y 29. Gastos deducibles y rendimiento neto del traba-jo", en AA.VV. (Simón Acosta, E.A. Coord.), *Comentarios a la Ley del Impuesto sobre la Renta de las Personas Físicas y a la Ley del Impuesto sobre el Patrimonio*, Aranzadi, Pamplona, 1995.
46.   Instituto BBVA de Pensiones, "Todo sobre el rescate de los planes de pensiones", 28 de agosto de 2020, recuperado el 9 de agosto de 2021 de https://www.jubilaciondefuturo.es/es/blog/todo-sobre-el-rescate-de-los-planes-de-pensiones.html.
47.   Lasarte Álvarez, J., *Planes de Pensiones,* Thomson Reuters Aranzadi, Cizur Menor (Navarra), 2021, pp. 43-44.
Instituto BBVA de Pensiones, "IRPF: cómo tributa una pensión", recuperado el 9 de agosto de 2021 de https://www.bbva.com/es/irpf-como-tributa-una-pension/. *Vid.* D.T. 12.ª Ley 35/2006 del IRPF.

– En forma de renta, que supone el rescate de forma periódica, en el que debe haber, al menos, un pago anual. La renta puede ser vitalicia, es decir, acordar con la entidad un rendimiento mensual desde el inicio de la jubilación del partícipe hasta el fallecimiento, o temporal, en la que se establece, previo acuerdo con la entidad financiera el horizonte temporal y como consecuencia, la cuantía a percibir durante el tiempo que se haya constituido.

– En forma de modalidad mixta, en la que se recupera una parte en forma de capital y otra en forma de renta[48].

Surge la problemática, de la percepción en forma de renta de ésta, que se traduce en un segundo pagador a efectos del IRPF. Sin embargo, es necesario tener en cuenta que la edad del partícipe influye a la hora de recuperar el plan de pensiones, siempre que se tenga acceso legal a la jubilación[49]. Por tanto, también se podría recuperar por incapacidad laboral total y permanente para la profesión habitual, absoluta y gran invalidez, e inclusive por fallecimiento, gran dependencia y dependencia severa[50].

A la hora de realizar el rescate del plan de pensiones es necesario destacar los tipos impositivos que se someten a una escala progresiva: tributarán al 19% hasta 12.450 euros; si las rentas superan los 60.000 euros será al 45% y para las rentas que excedan de los 300.000 euros, el tipo impositivo se eleva al 47% (este último tipo impositivo es una novedad establecida en los PGE 2021)[51].

El artículo 52 de la Ley 35/2006,[52] de 28 de noviembre, del IRPF,

---

48. Wolterskluwer, "Plan de pensiones (fiscalidad)", recuperado el 9 de agosto de 2021 de https://guiasjuridicas.wolterskluwer.es/Content/Documento.aspx?params=H-4sIAAAAAAAEAMtMSbF1jTAAASNTQ0MTtbLUouLM_DxbIwMDS0NDQ3OQ-QGZapUt-ckhlQaptWmJOcSoAhu0a7jUAAAA=WKE.

49. Se ha de reunir la edad legal de jubilación. Las modalidades en el sistema español son: ordinaria, anticipada y diferida. Por ejemplo, en nuestro sistema de protección de la jubilación, los funcionarios públicos del Régimen de Clases Pasivas se pueden jubilar de modo voluntario a los 60 años y con el reconocimiento de 30 años de servicios al Estado.

50. Nieto Montero, J.J., "Régimen Tributario de las prestaciones de los planes de pensiones", en AA.VV. (Delgado García, A.M., Oliver Cuello, R. Coord.), *Fiscalidad de los Planes de pensiones y otros sistemas de previsión social*, Ed. Bosch, 2014.
Marcos Cardona, M., *Tributación de los Planes y Fondos de Pensiones*, Colección de Estudios de Derecho, Universidad de Murcia, 2003.

51. Bankinter, "Renta: ¿Cómo funcionan los tramos del IRPF en 2021?", 6 de febrero de 2021, recuperado el 11 de agosto de 2021 de https://www.bankinter.com/blog/finanzas-personales/renta-tramos-irpf#:~:text=IRPF%20%2D%20Tramos%20del%20ejercicio%202021&text=Primer%20tramo%20hasta%2012.450%20euros,60.000%20euros%20con%20un%2037%25.

52. Artículo 52 LIRPF:
"1. Como límite máximo conjunto para las reducciones previstas en los apartados 1, 2, 3, 4 y 5 del artículo 51 de esta Ley, se aplicará la menor de las cantidades siguientes:
a) El 30 por 100 de la suma de los rendimientos netos del trabajo y de actividades económicas percibidos individualmente en el ejercicio.
b) 2.000 euros anuales.

modificado por el artículo 62 de la Ley 11/2020, de 30 de diciembre, de Presupuestos Generales del Estado para el año 2021, establece el límite máximo para reducir los planes de pensiones entre la menor de dos cantidades: de 10.000 euros en conjunto o el 30% resultante de sumar los rendimientos netos del trabajo y de actividades económicas obtenidas de forma individual en el ejercicio[53]. Esta reducción es aplicable a los sujetos pasivos en la base imponible general del IRPF y que, por tanto, afecta a la tarifa progresiva[54].

Este límite se incrementará en 8.000 euros, siempre que tal incremento provenga de contribuciones empresariales.

Las aportaciones propias que el empresario individual realice a planes de pensiones de empleo o a mutualidades de previsión social, de los que, a su vez, sea promotor y partícipe o mutualista, así como las que realice a planes de previsión social empresarial o seguros colectivos de dependencia de los que, a su vez, sea tomador y asegurado, se considerarán como contribuciones empresariales, a efectos del cómputo de este límite.

Además, 5.000 euros anuales para las primas a seguros colectivos de dependencia satisfechas por la empresa.

2. Los partícipes, mutualistas o asegurados que hubieran efectuado aportaciones a los sistemas de previsión social a que se refiere el artículo 51 de esta Ley, podrán reducir en los cinco ejercicios siguientes las cantidades aportadas incluyendo, en su caso, las aportaciones del promotor o las realizadas por la empresa que les hubiesen sido imputadas, que no hubieran podido ser objeto de reducción en la base imponible por insuficiencia de la misma o por aplicación del límite porcentual establecido en el apartado 1 anterior. Esta regla no resultará de aplicación a las aportaciones y contribuciones que excedan de los límites máximos previstos en el apartado 6 del artículo 51".

53. AEAT: "Límites y exceso de aportaciones".
Según la AEAT "Las aportaciones realizadas a los sistemas de previsión social, incluidas las contribuciones imputadas por el promotor, que no hubieran podido reducirse en los ejercicios 2014 a 2018 por superar los límites máximos de reducción fiscalmente establecidos al efecto se imputarán al presente ejercicio, siempre que se hubiera solicitado en las respectivas declaraciones poder reducir el exceso en los cinco ejercicios siguientes". Recuperado el 17 de agosto de 2021 de https://www.agenciatributaria.es/AEAT.internet/Inicio/Ayuda/Manuales__Folletos_y_Videos/Manuales_practicos/IRPF/_Ayuda_IRPF/Capitulo_13__Determinacion_de_la_renta_del_contribuyente_sujeta_a_gravamen/Reducciones_de_la_base_imponible_general/Reducciones_por_aportaciones_contribuciones_sistemas_prevision_social/Normas_comunes_aplicables_a_las_aportaciones_a_sistemas_de_prevision_social/Limites_y_exceso_de_aportaciones/Limites_y_exceso_de_aportaciones.shtml.
Vid. Las Provincias, "Hacienda modifica la carga fiscal de los planes de pensiones", 10 de febrero de 2021, recuperado el 18 de agosto de 2021 de https://www.lasprovincias.es/economia/pensiones/hacienda-modifica-carga-fiscal-pensiones-planes-20210209195626-nt.html.
54. AEAT: "Reducción por aportaciones a sistemas de previsión social".
Según la AEAT "podrán reducir la base imponible general las aportaciones y contribuciones a los siguientes sistemas de previsión social:
–Planes de pensiones.
–Mutualidades de previsión social.
–Planes de previsión asegurados.
–Planes de previsión social empresarial.

Al tributar íntegramente las prestaciones, no se permitirían minorar las cuantías de los excesos de las aportaciones y contribuciones. Esto significa que el tratamiento fiscal de las mismas se encuentra en los rendimientos de trabajo, puesto que tributan por el importe íntegro, incluso si las aportaciones que se realizaron no se han podido reducir de la base imponible[55].

Es por este motivo por el que el Gobierno ha priorizado el ahorro complementario de los planes de empresa, al aumentar el límite conjunto de reducción en los planes de pensiones de los 8.000 euros anteriores a los 10.000 euros en la actualidad, de los cuales, 2.000 euros tendrán que proceder obligatoriamente del partícipe.

La consulta de INVERCO a la Dirección General de Seguros y Fondos de Pensiones (DGSFP) sobre la posibilidad de embargar los derechos consolidados en los planes de pensiones a las aportaciones con más de 10 años de antigüedad a partir del año 2025[56], es fundamental, ya que ha respondido afirmativamente que "a partir de 1 de enero de 2025, los derechos consolidados susceptibles de disposición anticipada por antigüedad de las aportaciones pueden ser objeto de embargo, traba judicial o administrativa, y en su caso ejecutarse el embargo, aun cuando el partícipe no solicite el cobro".

–Primas satisfechas a seguros privados que cubran exclusivamente el riesgo de dependencia severa o gran dependencia. Desde el ejercicio 2013 también darán derecho a reducción las contribuciones empresariales a seguros colectivos de dependencia, efectuadas de acuerdo con lo dispuesto en la disposición adicional primera del texto refundido de la ley de regulación de planes y fondos de pensiones. Como tomador figurará exclusivamente la empresa y la condición de asegurado y beneficiario corresponderá al trabajador". Recuperado el 17 de agosto de 2021 de https://www.agenciatributaria.es/AEAT.internet/Inicio/_Segmentos_/Ciudadanos/Minimos__reducciones_y_deducciones_en_el_IRPF/Reducciones_de_la_base_imponible_en_el_IRPF/Reduccion_por_aportaciones_a_sistemas_de_prevision_social.shtml.

55. Wolterskluwer, "Plan de pensiones (fiscalidad)", *op. cit.*
56. *Vid.* Comunicado sobre DGSFP: Respuestas a consultas sobre la normativa de planes y fondos de pensiones (Ref. 274/2016). Recuperado el 11 de agosto de 2021 de http://www.inverco.es/archivosdb/newsletter-febrero-2017-respuesta-con-sultas-dgsfp.pdf.
Vid. Sentencia del Tribunal Supremo de 20 de septiembre de 2018. Los derechos consolidados de los planes de pensiones en su FJ2 "pueden ser embargados al partícipe cuando se ha generado el derecho a su rescate, supuesto en el que se pondrán a disposición del órgano judicial que decretó el embargo, sin que se deba olvidar que estamos ante un bien directamente embargable".
Vid. Criterio de la Dirección General de Seguros y Fondos de Pensiones de 20 de enero de 2010 y Sentencia del Tribunal Constitucional núm. 88/2009 de 20 de abril.
Instituto BBVA de Pensiones, "¿Podrían embargarme el plan de pensiones cuando las aportaciones cumplan diez años?", 7 de enero de 2019, recuperado el 11 de agosto de 2021 de https://www.jubilaciondefuturo.es/es/blog/podrian-embargar-me-el-plan-de-pensiones-cuando-las-aportaciones-cumplan-diez-anos.html.

Además, señala que "en caso de que el partícipe o beneficiario sea titular de varios planes de pensiones, serán embargables, en primer lugar, los planes del sistema individual y asociado y, en última instancia, los planes de pensiones del sistema de empleo". Además, "cuando el partícipe o beneficiario sea titular de derechos en planes de pensiones, planes de previsión asegurados y planes de previsión social empresarial, se tendrá en cuenta lo dispuesto en la disposición adicional octava del Reglamento de Planes y Fondos de Pensiones"[57].

La finalidad es crear un sistema que obligue a las empresas ofrecer un plan de empleo a sus trabajadores, además de crear un plan de pensiones abierto, que será controlado públicamente para aquellas Pequeñas y Medianas Empresas (PYMES) que no deseen crear uno propio, a similitud del sistema de pensiones actual del Reino Unido[58].

El Gobierno apuesta por los planes de pensiones de empresa como una forma en que las entidades complementen las pensiones públicas con este ahorro a largo plazo y se valora de modo positivo porque fideliza al trabajador con el empleador. El ahorro que se genera en los trabajadores a largo plazo permite tener unas expectativas de consumo más amplias que

---

57. De acuerdo con la Disposición Adicional 8.ª del Real Decreto Legislativo 1/2002, de 29 de noviembre, por el que se aprueba el texto refundido de la Ley de Regulación de los Planes y Fondos de Pensiones:
"Los derechos económicos de los asegurados o mutualistas derivados de primas, aportaciones y contribuciones abonadas a planes de previsión asegurados, planes de previsión social empresarial y contratos de seguro concertados con mutualidades de previsión social contemplados en el artículo 51 de la Ley 35/2006, de 28 de noviembre, del Impuesto sobre la Renta de las Personas Físicas y de modificación parcial de las leyes de los Impuestos sobre Sociedades, sobre la Renta de no residentes y sobre el Patrimonio, podrán hacerse efectivos anticipadamente en los supuestos excepcionales de liquidez y de disposición anticipada previstos para los planes de pensiones en el apartado 8 del artículo 8 de esta Ley, en los términos y condiciones establecidos en dicho precepto y en las normas que lo desarrollan reglamentariamente.
En el caso de los planes de previsión social empresarial y los concertados con mutualidades de previsión social para los trabajadores de las empresas, la disposición anticipada de derechos derivados de primas, aportaciones o contribuciones realizadas con al menos diez años de antigüedad será posible si así lo permite el compromiso y se prevé en la correspondiente póliza de seguro o reglamento de prestaciones. En el caso de que la entidad aseguradora cuente con inversiones afectas el derecho de disposición anticipada se valorará por el valor de mercado de los activos asignados.
En las Mutualidades de Previsión Social que, en virtud de lo establecido en la disposición adicional decimoquinta de la Ley 30/1995, de 8 de noviembre, de Ordenación y Supervisión de los Seguros Privados, actúen como sistema alternativo al alta en el Régimen Especial de la Seguridad Social de los Trabajadores por Cuenta Propia o Autónomos, no se podrán hacer efectivos los derechos económicos de los productos o seguros utilizados para cumplir con dicha función alternativa en los supuestos de liquidez previstos en los párrafos primero y segundo del apartado 8 del artículo 8 de esta Ley".
58. Instituto BBVA de Pensiones, "Otros modelos de jubilación: Reino Unido, un sistema con menos peso del Estado", 29 de diciembre de 2020, *op. cit.*

influye positivamente en la riqueza poblacional, sobre todo, a la población cercana a la edad de jubilación[59].

IV. CONCLUSIONES

1.ª El primer nivel de España, es decir, la pensión pública, es la prioridad en nuestro país, mientras que el Reino Unido prioriza el tercer nivel, que es la pensión privada a través del sistema "Automatic Enrolment" como complemento del bajo salario de las pensiones públicas. Actualmente, España ha apostado por los planes de previsión empresarial como complemento de las pensiones públicas como espejo en el "modelo británico", aunque todavía queda mucho por hacer.

2.ª España ha de buscar alternativas de financiación de las pensiones públicas para que sean sostenibles a través de impuestos o de los presupuestos. Con el último informe de las Recomendaciones de la Comisión del Pacto de Toledo de 2020, así como la aprobación de los Presupuestos Generales del Estado para 2021, ha decidido desincentivar los planes de pensiones individuales (al disminuir de 8.000 a 2.000 euros el límite de deducción fiscal en el IRPF), a favor de los planes de pensiones de empresa (aumentado a 8.000 euros el límite de deducción fiscal del IRPF), para obligar así, a las empresas a que adopten una serie de planes de pensiones para sus trabajadores de cara al complemento de jubilación.

3.ª Es, por tanto, un cambio de rumbo por parte de España, con la vista puesta en el Reino Unido para conseguir que las pensiones de sus ciudadanos no sufran una merma en su prestación (a través de la tasa de sustitución). La alternativa más viable, es sin duda, una apuesta por los planes de previsión empresariales como complemento de la pensión pública, ya que, aunque ésta se actualizará anualmente conforme al IPC, será insuficiente para poder alcanzar una jubilación digna.

4.º Visto el sistema de pensiones del Reino Unido y los problemas del sistema español, se podría afirmar que el sistema de pensiones del Reino Unido se ha reinventado al apostar por el segundo y tercer pilar como complemento del sistema de pensiones pública del primer pilar. Por este motivo, España debería promover los planes de pensiones de empresa de manera efectiva para asegurar que se instauren en las empresas españolas y apostar por el mecanismo adoptado por el Reino Unido para así asegurar una pensión adecuada al jubilado.

---

59. Hernández de Cos, P., *El sistema de pensiones en España: una actualización tras el impacto de la pandemia: Contribución del Banco de España a los trabajos de la Comisión de Seguimiento y Evaluación de los Acuerdos del Pacto de Toledo*, Banco de España, 2 de septiembre de 2020, *op. cit.*

V.   BIBLIOGRAFÍA

Aguilar Segado, C.D., "Situación actual de las pensiones en España: perspectiva económica-financiera", *Revista de Estudios Jurídico Laborales y de Seguridad Social*, núm. 2, 2021.

AIReF, *Spending Review 2019/2020. Beneficios Fiscales*, julio 2020, pp. 15-26, recuperado el 4 de agosto de 2021 de https://www.airef.es/wp-content/uploads/2020/07/BFISCALES/Presentaci%C3%B3n-Beneficios-Fiscales.pdf.

Bankinter, "Renta: ¿Cómo funcionan los tramos del IRPF en 2021?", 6 de febrero de 2021, recuperado el 11 de agosto de 2021 de https://www.bankinter.com/blog/finanzas-personales/renta-tramos-irpf#:~:text=IRPF%20%2D%20Tramos%20del%20ejercicio%202021&text=Primer%20tramo%20hasta%2012.450%20euros,60.000%20euros%20con%20un%2037%25.

Boletín Oficial de las Cortes Generales, *Proyecto de Ley de garantía del poder adquisitivo de las pensiones y de otras medidas de refuerzo de la sostenibilidad financiera y social del sistema público de pensiones*, 6 de septiembre de 2021, recuperado el 6 de septiembre de 2021 de https://www.congreso.es/public_oficiales/L14/CONG/BOCG/A/BOCG-14-A-66-1.PDF.

Boletín Oficial del Congreso de los Diputados, *Informe de evaluación y reforma del Pacto de Toledo*, Comisión de Seguimiento y Evaluación de los Acuerdos del Pacto de Toledo, en su sesión del día 27 de octubre de 2020, publicado en el Boletín Oficial del Congreso de los Diputados el 10 de noviembre de 2020, recuperado el 11 de agosto de 2021 de https://www.congreso.es/public_oficiales/L14/CONG/BOCG/D/BOCG-14-D-175.PDF.

Confederation of British Industry, *CBI/Scottish Widows Pensions Survey 2019*, 19 de julio de 2019, recuperado el 28 de julio de 2021 de https://www.cbi.org.uk/articles/cbiscottish-widows-pensions-survey-2019/.

Ennaranja.com, "Los tres pilares del sistema de pensiones: así se financia nuestra jubilación". *ING*, 10 de mayo de 2019, recuperado el 3 de agosto de 2021 de https://www.ennaranja.com/inversores/jubilacion/tres-pilares-sistema-de-pensiones/.

Fondos.com, "Plan de pensiones o fondo de inversión: ¿cuál es la elección correcta para aumentar mis ahorros?", recuperado el 6 de agosto de 2021 de https://www.fondos.com/blog/plan-de-pensiones-o-fondo-de-inversion.

Gómez, M., "El Pacto de Toledo quiere acercar la edad real de jubilación a la legal", *El País*, recuperado el 8 de agosto de 2021 de https://elpais.com/economia/2020-10-23/

el-pacto-de-toledo-cierra-su-informe-para-la-reforma-de-pensiones-casi-cinco-anos-despues.html.

Gov.uk, *Automatic Enrolment evaluation report 2018*, Department for Work and Pensions, 2018, recuperado el 27 de julio de 2021 de https://assets.publishing.service.gov.uk/government/uploads/system/uploads/attachment_data/file/764964/Automatic_Enrolment_Evaluation_Report_2018.pdf.

Gov.uk, *Automatic enrolment: Guidance for employers on certifying defined benefit and hybrid pension schemes*, Department for Work and Pensions. abril 2014, recuperado el 27 de julio de 2021 de https://assets.publishing.service.gov.uk/government/uploads/system/uploads/attachment_data/file/307074/auto-enrol-guid-emp.pdf.

Gov.uk, *Automatic Enrolment Review 2017: Maintaining the Momentum*, Department for Work and Pensions, 2018, recuperado el 27 de julio de 2021 de https://assets.publishing.service.gov.uk/government/uploads/system/uploads/attachment_data/file/668971/automatic-enrolment-review-2017-maintaining-the-momentum.PDF.

Gov.uk, "Pensions Act 2008", 2008, recuperado el 28 de julio de 2021 de https://www.legislation.gov.uk/ukpga/2008/30/contents.

Gov.uk, "Pensions Act 2011", 2011, recuperado el 28 de julio de 2021 de https://www.legislation.gov.uk/ukpga/2011/19.

Gov.uk, "Pension Schemes Act 2015", 2015, recuperado el 27 de julio de 2021 de https://www.gov.uk/government/collections/pension-schemes-bill-2014-to-2015.

Gov.uk, "Pension Schemes Act 2017", 2017, recuperado el 28 de julio de 2021 de https://www.legislation.gov.uk/ukpga/2017/17/contents/enacted.

Gov.uk, R*eview of the automatic enrolment earnings trigger and qualifying earnings band for 2018/19: supporting analysis*, Department for Work and Pensions, 2019, recuperado el 27 de julio de 2021 de https://assets.publishing.service.gov.uk/government/uploads/system/uploads/attachment_data/file/670634/review-of-automatic-enrolment-earnings-trigger-and-qualifying-earnings-band-2018-19-supporting-analysis.pdf.

Gutiérrez Bengoechea, M., "El pago de las pensiones públicas de jubilación a las generaciones prolijas", *Nueva Fiscalidad*, núm. 4, 2017, pp. 131-153.

Gutiérrez Bengoechea, M., *La Sostenibilidad de las Pensiones Públicas: Análisis Tributario y Laboral*, Ed. Aranzadi. Pamplona, 2017.

Hernández de Cos, P., *El sistema de pensiones en España: una actualización tras el impacto de la pandemia: Contribución del Banco de España a los trabajos de la Comisión de Seguimiento y Evaluación de los Acuerdos del Pacto de*

Toledo, Banco de España, 2 de septiembre de 2020, recuperado el 3 de agosto de 2021 de https://www.bde.es/f/webbde/SES/Secciones/Publicaciones/PublicacionesSeriadas/DocumentosOcasionales/21/Fich/do2106.pdf.

Hinojosa Torralvo J.J., "Artículos 28 y 29. Gastos deducibles y rendimiento neto del trabajo", en AA.VV. (Simón Acosta, E.A. Coord.), *Comentarios a la Ley del Impuesto sobre la Renta de las Personas Físicas y a la Ley del Impuesto sobre el Patrimonio*, Aranzadi, Pamplona, 1995.

IEE, *Informe de opinión del IEE sobre la fiscalidad de las pensiones: La necesidad de fomentar el ahorro para la jubilación*, 29 de julio de 2020, recuperado el 4 de agosto de 2021 de https://www.ieemadrid.es/2020/07/29/informe-de-opinion-del-iee-sobre-la-fiscalidad-de-las-pensiones-la-necesidad-de-fomentar-el-ahorro-para-la-jubilacion/.

Instituto BBVA de Pensiones, "¿Cómo funciona el mecanismo de revalorización de las pensiones según el IPC que introduce la nueva reforma?", 27 de agosto de 2021, recuperado el 6 de septiembre de 2021 de https://www.jubilaciondefuturo.es/es/blog/como-funciona-el-mecanismo-de-revalorizacion-de-las-pensiones-segun-el-ipc-que-introduce-la-nueva-reforma.html.

Instituto BBVA de Pensiones, "¿Podrían embargarme el plan de pensiones cuando las aportaciones cumplan diez años?", 7 de enero de 2019, recuperado el 11 de agosto de 2021 de https://www.jubilaciondefuturo.es/es/blog/podrian-embargarme-el-plan-de-pensiones-cuando-las-aportaciones-cumplan-diez-anos.html.

Instituto BBVA de Pensiones, "El Sistema británico de pensiones de empleo: Automatic Enrolment", 23 de octubre de 2020, recuperado el 28 de julio de 2021 de https://www.jubilaciondefuturo.es/es/blog/el-papel-de-nest-en-el-sistema-de-pensiones-de-empleo-de-reino-unido.html.

Instituto BBVA de Pensiones, "IRPF: cómo tributa una pensión", recuperado el 9 de agosto de 2021 de https://www.bbva.com/es/irpf-como-tributa-una-pension/.

Instituto BBVA de Pensiones, "Otros modelos de jubilación: Reino Unido, un sistema con menos peso del Estado", 29 de diciembre de 2020, recuperado el 8 de agosto de 2021 de https://www.jubilaciondefuturo.es/es/blog/otros-modelos-de-jubilacion-reino-unido-un-sistema-con-menos-peso-del-estado.html.

Instituto BBVA de Pensiones, "Todo sobre el rescate de los planes de pensiones", 28 de agosto de 2020, recuperado el 9 de agosto de 2021 de https://www.jubilaciondefuturo.es/es/blog/todo-sobre-el-rescate-de-los-planes-de-pensiones.html.

INVERCO, *Datos de fondos de inversión*, 28 febrero 2021, recuperado el 5 de agosto de 2021 de http://www.inverco.es/archivosdb/2102-febrero-2021.pdf.

INVERCO, "Modalidades de planes y de fondos de pensiones", recuperado el 5 de agosto de 2021 de http://www.inverco.es/28/0/94.

Lasarte Álvarez, J., *Planes de Pensiones*, Thomson Reuters Aranzadi, Cizur Menor (Navarra), 2021, pp. 43-44. Las Provincias, "Hacienda modifica la carga fiscal de los planes de pensiones", 13 de agosto de 2021, recuperado el 13 de agosto de 2021 de https://www.lasprovincias.es/economia/pensiones/hacienda-modifica-carga-fiscal-pensiones-planes-20210209195626-nt.html.

Lázaro, T., "Así funciona el sistema británico de planes de pensiones de empresa que podría triunfar en España", *Banco Sabadell*, 18 de mayo de 2021, recuperado el 27 de julio de 2021 de https://estardondeestes.com/movi/es/articulos/asi-funciona-el-sistema-britanico-de-planes-de-pensiones-de-empresa-que-podria-triunfar-en-espana.

Manjoo, F.A., "An appraisal of longevity risk: conventional and islamic perspectives", *International Shariah Research Academy for Islamic Finance*, research paper no. 44/2012, 2012.

Marcos Cardona, M., *Tributación de los Planes y Fondos de Pensiones*, Colección de Estudios de Derecho, Universidad de Murcia, 2003.

Martínez-Cue, F., *Automatic Enrolment Británico: Inscripción automática de trabajadores a sistemas de ahorro para la Jubilación*, UNESPA, octubre de 2019, recuperado el 28 de julio de 2021 de https://unespa-web.s3.amazonaws.com/main-files/uploads/2019/11/Estudio-autenrolment-britanico-2019-Completo.pdf.

Monereo Pérez, J.L., Ojeda Avilés, A. y Gutiérrez Bengoechea, M., *Reforma de las pensiones públicas y planes privados de pensiones*, Laborum, Murcia, 2021.

Nieto Montero, J.J., "Régimen Tributario de las prestaciones de los planes de pensiones", en AA.VV. (Delgado García, A.M., Oliver Cuello, R. Coord.), *Fiscalidad de los Planes de pensiones y otros sistemas de previsión social*, Ed. Bosch, 2014.

Pearce, N. and Massala, T., *Pension Reforms in the UK: 1997 to 2015*, NEST Insight, London, 2020, recuperado el 28 de julio de 2021 de https://www.nestinsight.org.uk/.

Pensions Commission, *A New Pension Settlement for the Twenty-First Century. The Second Report of the Pensions Commission*, 30 de noviembre de 2005, recuperado el 28 de julio de 2021 de https://webarchive.nationalarchives.gov.uk/ukgwa/+/http:/www.dwp.gov.uk/publications/dwp/2005/pensionscommreport/main-report.pdf.

Pensions Commission, *Pensions: Challenges and Choices. The First Report of the Pensions Commission*, 2004, recuperado el 28 de julio de 2021 de http://image.guardian.co.uk/sys-files/Money/documents/2005/05/17/fullreport.pdf.

Pensions Policy Institute, *The Pensions Primer: A guide to the UK pensions system*, recuperado el 28 de julio de 2021 de https://www.pensionspolicyinstitute.org.uk/.

Ramos. R., "Guerra generacional en el Reino Unido para pagar la pandemia". *La Vanguardia*, 18 de julio de 2021, recuperado el 28 de julio de https://www.lavanguardia.com/internacional/20210718/7607986/guerra-generacional-reino-unido-pagar-pandemia.html.

Revista Nacional de Educación, "William Beveridge ha expuesto en España sus modernas tesis económico-sociales", núm. 60, pp. 55-58, 1946, recuperado el 4 de septiembre de 2021 de https://redined.mecd.gob.es/xmlui/bitstream/handle/11162/82311/00820073001354.pdf?sequence=1.

Samaniego, J.F., "Un modelo de éxito para importar: el sistema de auto adhesión a planes de pensiones del Reino Unido", *Willis Towers Watson Update*, 18 de diciembre de 2019, recuperado el 27 de julio de 2021 de https://willistowerswatsonupdate.es/jubilacion/planes-de-pensiones-reino-unido/.

Sánchez de la Cruz, D., "El IEE responde a la AIReF: los planes de pensiones en España tienen un 40% menos de incentivos que en la OCDE", *Libremercado*, 30 de julio de 2020, recuperado el 3 de agosto de 2021 de https://www.libremercado.com/2020-07-30/iee-responde-airef-incentivos-planes-de-pensiones-1276661805/.

The Pensions Regulator, *Automatic enrolment, Commentary and analysis: April 2018-March 2019*, octubre 2019, recuperado el 28 de julio de 2021 de https://www.thepensionsregulator.gov.uk/-/media/thepensionsregulator/files/import/pdf/automatic-enrolment-commentary-analysis-2019.ashx?la=en&hash=24B2831AE2EB2D92697F24619CBBFA32DEAC2E33.

UNESPA, "ATA, INVERCO y UNESPA piden mantener el actual límite fiscal de ahorro individual para la jubilación", 18 de noviembre de 2020, recuperado el 4 de agosto de 2021 de https://www.unespa.es/notasdeprensa/ata-inverco-y-unespa-piden-mantener-el-actual-limite-fiscal-de-ahorro-individual-para-la-jubilacion/.

Wolterskluwer, "Plan de pensiones (fiscalidad)", recuperado el 9 de agosto de 2021 de https://guiasjuridicas.wolterskluwer.es/Content/Documento.aspx?params=H4sIAAAAAAAEAMtMSbF1jTAAASNTQ0MTtbLUouLM_DxbIwMDS0NDQ3OQQGZapUt-ckhlQaptWmJOcSoAhu0a7jUAAAA=WKE.

Capítulo 6

El sistema de pensiones en Polonia

Víctor Ribes Moreno
Doctor en Derecho del Trabajo y de la Seguridad Social
Polonia

SUMARIO: I. SUMARIO: I. EL SISTEMA DE PENSIONES POLACO DE LOS AÑOS 90. 1. *Los problemas estructurales del sistema de pensiones polaco durante los años 90.* 1.1. Las jubilaciones anticipadas. 1.2. La jubilación para hacer frente al desempleo. 1.3. Retos demográficos. 2. *Fondo de Reserva Demográfica.* 3. *La reforma de 1999.* 3.1. Pilar de reparto obligatorio. 3.2. Pilar de capitalización obligatorio. 3.3. Pilar de capitalización voluntario. II. LAS POSTERIORES REFORMAS TRAS LA CRISIS ECONÓMICA DE 2008. 1. *La reforma de los OFE.* 2. *Otros cambios implementados.* 2.1. Aumento de la edad de jubilación. 2.2. Jubilación parcial. 2.3. Restricciones a la jubilación anticipada de agricultores, jueces y fiscales. 2.4. Permitir el pago voluntario de cotizaciones para el seguro de jubilación e invalidez a todas las personas que no reúnan las condiciones de cobertura obligatoria de dicho seguro. 3. *Consecuencias de la reforma.* III. ESTRUCTURA DEL SISTEMA DE PENSIONES ACTUAL. 1. *Reducción de la edad de jubilación.* 2. *Liquidación de los OFE.* 3. *La introducción de los PPK.* 4. *Pago de la decimotercera y decimocuarta pensión.* IV RETOS DEMOGRÁFICOS DEL SISTEMA DE PENSIONES POLACO. V. CONCLUSIONES. IV. BIBLIOGRAFÍA CITADA.

I.   EL SISTEMA DE PENSIONES POLACO DE LOS AÑOS 90

Las revoluciones sociales que acontecieron en otoño de 1989 –también conocidas como El Otoño de las Naciones– marcaron la caída de los estados de influencia soviética en Europa Central y del Este e iniciaron una nueva era de cambios y reformas políticas, sociales y económicas.

Uno de los grandes cambios que acontecieron después de las revoluciones fue la reforma de los sistemas de pensiones, debido a la necesidad de ajustarlos al nuevo orden económico, recuperar la estabilidad financiera y hacer frente a los próximos retos demográficos[1].

---

1.   Müller, K., "Las reformas de pensiones en los países exsocialistas", *Quaderns de Política Econòmica (Ejemplar dedicado a: Estado del bienestar: retos y opciones de reforma)*, Núm. 9, 2005 p. 41.

1. LOS PROBLEMAS ESTRUCTURALES DEL SISTEMA DE PENSIONES POLACO DURANTE LOS AÑOS 90

Tras el cambio de modelo de organización del estado y pasar del comunismo al capitalismo, se descubrió que éste tenía graves problemas estructurales que comprometían la sostenibilidad del modelo de pensiones, en parte debido a una legislación desfasada y no adaptada al nuevo modelo económico y a que el sistema de pensiones se basaba un sistema de reparto –también llamado "primer pilar"– por el cual las cotizaciones de los trabajadores en activo financian las pensiones de aquellas personas que hayan terminado su vida laboral.

1.1. Las jubilaciones anticipadas

Las particularidades en cuanto a los requisitos para acceder a la jubilación anticipada fueron uno de los principales problemas de la insostenibilidad del sistema de reparto. Partiendo de la base de que la edad requerida para acceder a la jubilación entonces era de 60 años para las mujeres y 65 para los hombres, encontramos ejemplos como el art. 12 del Reglamento del Consejo de Ministros de 7 de febrero de 1983 sobre la edad de jubilación de los empleados en condiciones especiales[2] otorgaba el derecho a acceder a la jubilación anticipada a diversos colectivos:

- Bailarines, acróbatas, gimnastas por el cual las mujeres podían retirarse a los 40 años y los hombres a los 45.

- Cantantes solistas, músicos que tocaran exclusivamente instrumentos de viento o entrenadores de animales peligrosos, podían jubilarse a los 45 años las mujeres y 50 años los hombres.

- Artistas de coro, malabaristas, cómicos de circo y actores de teatro de marionetas, las mujeres a los 50 años y los hombres a los 55.

- Actores, actrices y directores, ambos sexos a los 55.

- Músicos de instrumentos de cuerdas, percusión y pianistas, operadores de cámara y fotógrafos, las mujeres a los 55 años y los hombres a los 60.

El colectivo de artistas no era el único con estos privilegios, sino que también se extendía a otros como los profesores, mineros, trabajadores del metal, de aviación, marineros y agricultores[3], que a modo de ejemplo,

---

2. *Rozporządzenie Rady Ministrów z dnia 7 lutego 1983 r. w sprawie wieku emerytalnego oraz wzrostu emerytur i rent inwalidzkich dla pracowników zatrudnionych w szczególnych warunkach lub w szczególnym charakterze.*

3. Para un estudio detallado de los colectivos que podían jubilarse anticipadamente véase Müller, K., *La reforma provisional en Polonia*, Miño y Dávila, 2002, pp. 12-14.

el art. 19 de la Ley de 20 de diciembre de 1990, sobre el seguro para los agricultores[4] contemplaban la jubilación anticipada a los 55 de para las mujeres y 60 años para los hombres. Además, cabe destacar que la jubilación anticipada no tenía penalización alguna en el pago final de la pensión.

1.2. La jubilación para hacer frente al desempleo

Los datos sobre jubilaciones anticipadas quedaron reflejados en el primer informe de la OCDE sobre el país publicado en 1992, que alertaba de que el entonces sistema de pensiones basado en el modelo de reparto no era viable debido a que se utilizaban las jubilaciones anticipadas para mitigar la presión sobre el mercado de trabajo cuando había un incremento de la tasa de desempleo[5]. Es decir, el gobierno polaco jubilaba a la población con la finalidad de que otros trabajadores accedieran al mercada de trabajo y por ende, reducir el desempleo[6].

1.3. Retos demográficos

Los retos demográficos que afrentaba el modelo polaco de pensiones resultaban similares a los retos de los demás países exsoviéticos que acometieron reformas similares, siendo estos el aumento de la esperanza de vida, la disminución de las tasas de nacimiento o la emigración[7].

La combinación de los factores detallados anteriormente obligó al gobierno polaco a impulsar una reforma del sistema de pensiones que entró en vigor en enero de 1999 aunque las primeras leyes fueron aprobadas en 1997[8].

2. FONDO DE RESERVA DEMOGRÁFICA

El Fondo de Reserva Demográfica (*Fundusz Rezerwy Demograficznej - FRD*) tiene su origen en la Ley de 13 de octubre de 1998 sobre el sistema

---

4. *Ustawa z dnia 20 grudnia 1990 r. o ubezpieczeniu społecznym rolników.*
5. Ródenas Rigla, F. J, Garcés Ferrer, J., "La protección social en el Este: el caso polaco", *Alternativas: Cuadernos de trabajo social*, Núm. 9, 2001, p. 73.
6. *Ibid.*
7. Kompa, K., Witkowska, D., "Pension system in Poland: performance of Pension Funds", *Estudios de economía aplicada (Ejemplar dedicado a: Sostenibilidad y Suficiencia de los Sistemas de Pensiones: Reparto vs. Capitalización)*, Vol. 33, Núm. 3, 2015, p. 966.
8. Concretamente hablamos de la Ley de 22 de agosto de 1997, sobre los programas de pensiones para trabajadores (*Ustawa z dnia 22 sierpnia 1997 r. o pracowniczych progra-mach emerytalnych*), la Ley de 28 de agosto de 1997, sobre la organización y funciona-miento de fondos de pensiones (*Ustawa z dnia 28 sierpnia 1997 r. o organizacji i funkc-jonowaniu funduszy emerytalnych*), y la Ley de 28 de agosto, sobre fondos de inversión (*Ustawa z dnia 28 sierpnia 1997 r. o funduszach inwestycyjnych*).

de seguridad social[9], siendo su objetivo el de salvaguardar al sistema de pensiones de los problemas relacionados con el envejecimiento de la población y mantener la solvencia para asegurar el pago de las pensiones de jubilación, actuando como un fondo de reserva separado de las cuentas de la Seguridad Social.

De la normativa anterior extraernos que el fondo se utilizará en los siguientes supuestos.

– Complementar una potencial escasez de líquido en las cuentas de la Seguridad Social derivadas de razones demográficas.

– Utilizarse como un préstamo reembolsable y sin intereses para complementar el pago corriente de otras prestaciones distintas a la pensión de jubilación.

– Proveer de activos a los fondos de pensiones. Pues el FRD invierte sus activos con el fin de lograr más seguridad y rentabilidad.

Respecto a la financiación del FRD, principalmente viene de las cotizaciones al seguro de jubilación –cantidad que asciende al 0,35% en la actualidad–, intereses devengados por los depósitos de las cuentas mantenidas por el FRD o de las rentas de las inversiones.

No obstante y a pesar la buena fe de la creación del fondo de reserva, en la actualidad su funcionamiento no ha estado libre de críticas debido a la continua transferencia de fondos a la cuenta de la Seguridad Social para compensar el déficit de ésta, reduciendo los niveles de reserva y por tanto, haciendo imposible acometer el objetivo inicial del fondo de paliar los efectos demográficos que afectan al sistema de pensiones[10].

3.   LA REFORMA DE 1999[11]

La reforma del sistema de las pensiones fue un síntoma de un nuevo y complejo desarrollo en el cual se integraban la política social y la economía en un pensamiento único en vez de ser tratados de forma individual[12].

La principal novedad de la reforma fue la creación de dos pilares de

---

9.   Ustawą z dnia 13 października 1998 r. o systemie ubezpieczeń społecznych.

10.   Koczur, W., "Przegląd systemu emerytalnego Bezpieczeństwo dzięki odpowiedzialności. Kluczowe zagadnienia i rekomendacje. Podsumowanie", Zakład Ubezpieczeń Społecznych, Núm. 2, 2017, pp. 2-3.

11.   Para encontrar una descripción detallada en cuanto a los antecedentes de la reforma, promotores e ideólogos, etc. véase Müller, K., *La reforma provisional en Polonia*, Miño y Dávila, 2002 p. 35-42.

12.   Kompa, K., Witkowska, D., "Pension system in Poland: performance of Pension Funds", *Estudios de economía aplicada (Ejemplar dedicado a: Sostenibilidad y Suficiencia de los Sistemas de Pensiones: Reparto vs. Capitalización)*, Vol. 33, Núm. 3, 2015, p. 969.

financiación basados en un modelo de capitalización, uno obligatorio –segundo pilar– y el otro voluntario –tercer pilar– que se añadieron al inicial sistema de reparto –primer pilar–. El nuevo sistema estaba basado en una idea por la cual el total de los pagos por la pensión de jubilación debe ser igual al total de las contribuciones al seguro de jubilación y los rendimientos del capital invertido en el segundo y tercer pilar[13]. Es decir, se buscaba que el pensionista mantuviera el mismo poder adquisitivo que si se encontrara laboralmente activo y que estado garantizara la máxima pensión a todos los ciudadanos diversificando las fuentes de financiación de las futuras pensiones[14].

Tras la reforma, los tres pilares quedaron organizados de la siguiente manera.

3.1. Pilar de reparto obligatorio

Al igual que el sistema anterior de la reforma, consistía en un modelo de reparto cuya finalidad es proteger a la persona asegurada de las situaciones de pobreza. Este pilar incluye a todos los trabajadores en un fondo de Seguridad Social (*Fundusz Ubezpieczeń Społecznych* – FUS) que está bajo la gestión del Instituto de Seguridad Social (*Zakład Ubezpieczeń Społecznych* – ZUS) y se financia con las cotizaciones sociales de los empleados y empleadores. Aportaciones que se mantienen en la actualidad y suponen un total del 19,52% de la base de cotización que se distribuye a partes iguales entre ambos sujetos –9,76% el empleado y 9,76% la empresa–. En cuanto a la distribución de las cotizaciones quedan de la siguiente manera:

– Un 12,22% de la cotización se abona de forma mensual en la cuenta del ZUS.

– Un 7,3% se ingresa en el segundo pilar, que también es obligatorio para todos los trabajadores y que se conoce como Fondo de Pensiones Abierto (*Otwarte Fundusze Emerytalne* – OFE).

Respecto al funcionamiento del FUS, debemos tener en cuenta que su función única es solamente el pago de las distintas prestaciones –no solamente la jubilación–, que el capital acumulado no puede invertirse en otros instrumentos financieros y que se revaloriza anualmente en base el IPC real[15].

A pesar de que la apertura de una cuenta individual de cotización junto

---

13. *Ibid.*
14. "El sistema de pensiones en Polonia diez años después de su reforma", *Actualidad Internacional Sociolaboral*, Núm. 138, 2010.
15. *Ibid.*

con la acumulación de capital pueda llevarnos a pensar que llegada la edad de jubilación el asegurado tendrá acceso a su cuenta, explican RODENAS RIGLA y GARCÉS FERRER[16] que la acumulación de capital es ficticia, ya que las recaudaciones son entregadas a los pensionistas actuales, pues no debemos olvidar que estamos ante un sistema de reparto. No obstante las aportaciones a la cuenta individual de cotización determinarán la futura prestación de jubilación[17].

3.2. Pilar de capitalización obligatorio

El segundo pilar es sin duda el más innovador de la reforma ya que se crean los fondos privados de pensiones capitalizados, cuyo objetivo es mantener el nivel de vida similar al que el asegurado contaba durante su vida laboral.

La organización del segundo pilar gira en torno a los OFE, que como hemos comentado anteriormente se destina para su financiación un 7,3% del total de la cotización por jubilación. La inscripción por parte de asegurado al OFE podemos calificarla de sencilla, pues simplemente debía elegir el fondo según la oferta disponible y su cotización se depositaría mensualmente de forma automática.

La gestión del OFE –que inicialmente contaba con 21 fondos[18]– recae en las diversas compañías y bancos de pensiones que tienen carácter privado y cuya función es invertir las cotizaciones en diversos activos financieros[19]. Por este motivo, el importe la parte de la pensión que procedía de estos fondos no dependía de la cantidad y duración de las cotizaciones, sino de los beneficios obtenidos de las inversiones y de la situación económica[20]. Este último motivo y como veremos más adelante fue determinante en la reforma del segundo pilar que aconteció en el año 2013.

Como dato a destacar de los OFE, el art. 131 de la Ley de 28 de agosto

---

16. Ródenas Rigla, F. J, Garcés Ferrer, J., "La protección social en el Este: el caso polaco", *Alternativas: Cuadernos de trabajo social*, Núm. 9, 2001, p. 74.
17. Para determinar la cuantía de la pensión de jubilación en Polonia. Primero se calcula la base tomando el total de las cotizaciones por jubilación y teniendo en cuenta la inflación, seguidamente se calcula la esperanza de vida en meses. La pensión de jubilación será el resultado de dividir el capital global por la esperanza de vida. También hay que destacar que no hay límite máximo para el cobro de la pensión.
   Pensión de jubilación = Capital acumulado/Esperanza de vida en meses.
18. Kompa, K., Witkowska, D., "Efficiency ok private pensión funds in Poland", *Aestimatio: The IEB International Journal of Finance*, núm. 12, 2016, p. 53.
19. Aunque con marcados límites, ya que solamente podían invertir en Polonia y al menos, el 60% debía invertirse en bonos del tesoro.
20. "El sistema de pensiones en Polonia diez años después de su reforma", *Actualidad Internacional Sociolaboral*, Núm. 138, 2010.

de 1997, sobre la organización y funcionamiento de fondos de pensiones, establece que en caso de fallecimiento del titular del OFE, el 50% de las cantidades aportadas podrán ser heredadas por el cónyuge superviviente, incrementando por tanto la futura pensión de jubilación de este.

Para finalizar, RODENAS RIGLA y GARCÉS FERRER[21] afirman que la cuantía final que percibirán una parte de los asegurados mediante las contribuciones al primer y el segundo pilar no serán suficientes para asegurarles una renta adecuada cuando se retiren del mercado laboral. Para hacer frente a este problema la diferencia será aportada por el Estado con cargo al presupuesto general, garantizando una pensión mínima para todos los asegurados[22].

3.3. Pilar de capitalización voluntario

El tercer pilar de la reforma se basa en las aportaciones voluntarias a un plan de pensiones individual con la finalidad de mejorar el estándar de vida durante la jubilación. Ante este escenario encontramos dos propuestas.

- Programa de Pensiones para Trabajadores – (*Pracownicze Programy Emerytalne* - PPE)

El PPE se encuentra regulado en la Ley de 22 de agosto de 1997, sobre los programas de pensiones para trabajadores[23] y a grandes rasgos se define como una forma de ahorro colectiva y voluntaria cuyo objetivo es animar a los empleados a ahorrar para la jubilación a través de las aportaciones que hace la empresa a un fondo individual capitalizado para cada trabajador. Entre los aspectos a destacar del programa.

- o El art. 4. 1 requiere un mínimo de cinco empleados para que la empresa pueda ofrecer el PPE, no obstante si no alcanza tal número, éstas pueden agruparse con otros empleadores para conjuntamente cubrir la cuota de empleados. Por otra parte, el apartado 3 del mismo artículo relaja la norma si el empleador ha estado dado de alta un mínimo de tres años ininterrumpidamente, por lo que entonces se requiere un mínimo de tres empleados.

- o El art. 5. 1 indica que para poder participar en el PPE, la antigüedad mínima del empleado deberá ser de tres meses.

---

21. Ródenas Rigla, F. J, Garcés Ferrer, J., "La protección social en el Este: el caso polaco", *Alternativas: Cuadernos de trabajo social*, Núm. 9, 2001, p. 75.

22. A la pensión mínima o garantizada por el Estado, Müller, K. la califica como el pilar "cero", véase Müller, K., *La reforma provisional en Polonia*, Miño y Dávila, 2002, p. 32.

23. *Ustawa z dnia 22 sierpnia 1997 r. o pracowniczych programach emerytalnych.*

Además, en situaciones de pluriempleo el empleado podrá participar en más de un PPE si la empresa lo ofrece, tal y como se extrae del apartado 3,

o El art. 12 remarca la necesidad de que el PPE debe constar de un acuerdo entre la empresa y los representantes de los trabajadores, mientras que el art. 13 expresa que la inscripción al PPE por parte del trabajador será totalmente voluntaria.

o El art. 21. 1 expone que en caso de que el trabajador termine su relación laboral con la empresa, las aportaciones al PPE permanecerán en la cuenta hasta su liquidación o se transfiera a otra cuenta de PPE o un plan de pensiones privado.

o El art. 22 establece diversas consideraciones respecto a los límites del PPE, como por ejemplo, ofrece la posibilidad de que el empleado aporte voluntariamente una parte de su salario cuyo límite será del 7% del salario bruto, que las aportaciones tanto de la empresa como voluntarias estarán exentas de cotizar pero estarán obligada a tributar o que las ganancias de inversiones bajo el PPE están exentas de tributación.

Teniendo en cuenta estas características, podemos afirmar que en realidad estamos ante un augmento de salario para el trabajador libre de cotizaciones –en caso de que sea únicamente la empresa quien aporte– que si bien no recae directamente en el neto final de la nómina del empleado, se traslada a una cuenta cuya finalidad es el ahorro y la inversión con perspectivas de mejorar la pensión de jubilación.

– Cuenta Individual de Jubilación – (*Indywidualne Konto Emerytalne – IKE*).

Una cuenta IKE es el equivalente a un plan de pensiones privado. Respecto al IKE fue anunciando por primera vez en 1997 y esperaba que entrara en vigor juntamente con el PPE. No obstante su andadura quedó aplazada hasta el año 2004 en el que finalmente entró en funcionamiento mediante la Ley de 20 de abril de 2004 sobre cuentas de jubilación individuales[24].

Entre los puntos a destacar de la normativa:

o El art. 3 establece que la edad mínima para abrir una cuenta IKE es de 16 años.

o El art. 4 especifica que el ahorrador tendrá una exención fiscal

---

24. *Ustawa z dnia 20 kwietnia 2004r. o indywidualnych kontach emerytalnych.*

sobre las ganancias del capital.

o   El art. 13 limita las aportaciones a la previsión de un salario y medio anual, que se calculará mediante los presupuestos generales del estado.

RODENAS RIGLA y GARCÉS FERRER[25] destacaron la progresividad de la reforma, pues los cambios previstos para el primer pilar no se aplicaron a todos aquellos trabajadores que tenían más de 50 años en el año 1999 o bien a aquellos que habían perdido su trabajo y pertenecían a regímenes especiales. Por lo que al segundo pilar se refiere, hubo una transición escalonada para aquellos trabajadores que contaban entre 30 y 50 años a echa de 1999, mientras que la totalidad de los menores de 30 años fueron incluidos en el nuevo sistema.

II.   LAS POSTERIORES REFORMAS TRAS LA CRISIS ECONÓMICA DE 2008

Tras los primeros años de la reforma el sistema de capitalización del segundo pilar formado los Fondos Abiertos de Pensiones (OFE) generó una rentabilidad media antes de impuestos del 14,10% anual[26] entre el periodo de 2000-2005[27], por lo que el nuevo sistema de pensiones se mantuvo en funcionamiento sin mayores críticas y con aparente normalidad hasta el año 2007[28].

Sin embargo, la crisis económica global de 2008 puso de manifiesto la debilidad estructural del sistema de los OFE. La recesión económica, el desplome bursátil, el incremento de la deuda pública, entre otros, hicieron mella en el segundo pilar que invertía principalmente en la compra de los bonos del tesoro polacos –recordemos que hasta un 60%–, y por ende, comprometiendo seriamente las futuras pensiones de los primeros contribuyentes del nuevo sistema que se esperaba que empezaran a jubilarse para el año 2010[29].

Otras de las consecuencias de la crisis fue el fuerte endeudamiento público. De 2006 a 2010 la deuda pública superó el umbral de 50%[30],

---

25.   Ródenas Rigla, F. J., Garcés Ferrer, J., "La protección social en el Este: el caso polaco", *Alternativas: Cuadernos de trabajo social*, Núm. 9, 2001, p. 75.

26.   Aunque teniendo en cuenta que los fondos de administración cobraban una comisión de alrededor del 7%, la ganancia real se establecía alrededor del 7%.

27.   Kompa, K., Witkowska, D., "Pension system in Poland: performance of Pension Funds", *Estudios de economía aplicada (Ejemplar dedicado a: Sostenibilidad y Suficiencia de los Sistemas de Pensiones: Reparto vs. Capitalización)*, Vol. 33, Núm. 3, 2015, p. 975.

28.   "El futuro del segundo pilar del sistema de pensiones", *Actualidad Internacional Socio-laboral*, Núm. 177, 2014.

29.   Ródenas Rigla, F. J, Garcés Ferrer, J., "La protección social en el Este: el caso polaco", *Alternativas: Cuadernos de trabajo social*, Núm. 9, 2001, p. 75.

30.   La Constitución de Polonia contempla el umbral del 60% del PIB como límite para la

porcentaje que sin el segundo pilar del sistema de pensiones no excedería el límite previsto. La explicación la encontramos en que el Estado debía asegurar una pensión adecuada, por lo que una drástica devaluación de las aportaciones al segundo pilar implicaba una pensión más reducida corriendo el Estado el riesgo de aportar la diferencia para complementar la pensión hasta el mínimo.

Por este motivo en 2011 el gobierno decidió rebajar temporalmente las cuotas transferidas del ZUS a los OFE del 7,2 al 2,3%, de este modo el 5% restante que dejó de transferirse a los OFE se ingresaría en una subcuenta individual gestionada por el ZUS[31] y que anualmente se revalorizaría según los criterios económicos establecidos por el estado[32]. Si bien estas medidas logaron rebajar durante dos años la deuda pública, no se logró reducirla a menos del 50% del PIB[33].

Ante este escenario, las prioridades del gobierno polaco se centraron en realizar una profunda modificación de los OFE cuyo objetivo era proteger las pensiones de los ciclos económicos y que además, contribuyeran a reducir la deuda del Estado. Una reforma no libre de polémica al considerar los más críticos que de este modo el patrimonio de los afiliados se invertiría en productos financieros no definidos que podrían agravar el problema[34].

1.   LA REFORMA DE LOS OFE

Normativamente la reforma de los OFE atiende a la Ley de 6 de diciembre de 2013 por la que se modifican determinadas leyes en relación con la definición de las normas para el pago de pensiones de los fondos acumulados en los fondos de pensiones abiertos[35], de la que destacamos los siguientes aspectos.

–   De acuerdo con el art. 23, desde febrero de 2014 el 51,5% de los activos de los OFE se transfieren a las cuentas gestionadas por el

---

deuda pública. No obstante y como medida de prevención la Ley de 27 de agosto de 2009 sobre finanzas públicas cambió el límite para dejarlo en el 50%.

31.   Que al igual las cuentas del OFE podrán ser dejadas en herencia.

32.   Respecto a la diferencia de gestión de las contribuciones entre los OFE y ZUS, destacamos que los OFE invierten en productos financieros y por tanto su revalorización depende del crecimiento del mercado, mientras que la revalorización del ZUS depende de una decisión administrativa en base a la inflación o el crecimiento del PIB, ofreciendo por tanto más seguridad al contribuyente durante las situaciones de crisis económica.

33.   "El futuro del segundo pilar del sistema de pensiones", *Actualidad Internacional Socio-laboral*, Núm. 177, 2014.

34.   *Ibid.*

35.   *Ustawa z dnia 6 grudnia 2013 r. o zmianie niektórych ustaw w związku z określeniem zasad wypłaty emerytur ze środków zgromadzonych w otwartych funduszach emerytalnych.*

ZUS. Los futuros pensionistas tendrán que decidir si optan entre el sistema de actual de varios pilares o bien, si quieren pasarse a un sistema íntegramente público, ya que la opción predeterminada será la inscripción a los fondos del ZUS.

– Según el art. 5 apartado 8, cada cuatro los contribuyentes tendrán un plazo de tres meses –de abril a julio– para realizar cambios en sus cuentas de pensiones, es decir, pueden elegir si quieren seguir invirtiendo en los OFE o pasarse exclusivamente al sistema público.

– El art. 35 estipula que desde el año 2014, los fondos de pensiones deberán de invertir mínimo el 75% de sus activos en acciones –renta variable– y no podrán comprar obligaciones, bonos ni valores del Estado. Este límite disminuirá anualmente hasta desaparecer en 2018.

– Especifica el art. 4. 25. 9 que se elimina la prohibición a los OFE para invertir en el extranjero. Aunque por otra parte, el apartado 34 del mismo artículo establece que ésta no puede ser superior al 30%.

– El art. 4. 12 a fin de salvaguardar y otorgar seguridad a los futuros pensionistas, se establece la obligación de transferir los fondos acumulados en el OFE al ZUS cuando al trabajador le queden 10 años para la fecha de jubilación.

– El art. 4. 20 redujo las comisiones que cobraban los fondos de gestión al 1,75%.

2.   OTROS CAMBIOS IMPLEMENTADOS

Los OFE no fue el único problema que debía afrontar el gobierno polaco en materia de prensiones pues existían otros retos que comprometían el sistema. Estos quedaron reflejados en el Proyecto de Ley sobre la modificación de la Ley sobre jubilación y pensiones del Fondo de la Seguridad Social y otras modificaciones[36] publicado el 20 de abril de 2012 en el cual se citaban:

– La desproporción entre las personas con edad de trabajar y personas jubiladas aumenta anualmente debido al aumento la esperanza de vida y la disminución de la tasa de nacimientos.

– La incorporación al mercado laboral se está retrasando debido a que los jóvenes han alargado el tiempo que dedican a la formación.

– Polonia era hasta la fecha el país con la edad más baja para acceder a la jubilación de la UE.

---

36. *Project ustawy o zmianie ustawy o emeryturach i rentach z Funduszu Ubezpieczeń Społecz-nych oraz niektórych innych ustaw.*

Proyecto que derivó finalmente en la aprobación el 11 de mayo de 2012 de la actualización de la Ley sobre jubilación y pensiones del Fondo de la Seguridad Social y otras modificaciones[37].

2.1. Aumento de la edad de jubilación

El cambio aprobado preveía gradualmente aumentar la edad de la jubilación de tanto de hombres y mujeres hasta los 67 años. Recordemos que hasta la publicación de la propuesta, la edad de jubilación era de 65 años para los hombres y de 60 para las mujeres, lo que suponía un incremento de 2 años para los hombres y de 7 años para las mujeres.

El gobierno justificaba la medida en que trabajar más tiempo significaba acumular más capital por lo que el trabajador tendrá una pensión de jubilación más elevada[38]. Bien podemos afirmar que el gobierno estaba en lo cierto si nos atenemos a la fórmula del cálculo de la pensión. Sin embargo, el objetivo de la medida era alargar la vida laboral para retrasar el pago de la pensión, política que iba en consonancia con el resto de los países de la UE que aplicaron medidas similares[39].

2.2. Jubilación parcial

Otras de las medidas aprobadas fue la introducción de la jubilación parcial, una modalidad no contemplada hasta la fecha. Los requisitos y particularidades son las siguientes:

– Los dos requisitos para poder acceder a la nueva modalidad son:

   o   Para las mujeres tener 62 años cumplidos y un periodo cotizado de 35 años.

   o   Para los hombres tener 65 años cumplidos y un periodo cotizado de al menos 40 años.

– El pago de la pensión se establecía en el 50% de la pensión total de jubilación. No obstante había que tener en cuenta que a esta modalidad no se le aplicaba una cantidad mínima establecida legalmente –a diferencia de la pensión por jubilación– por lo que si la pensión parcial no llegaba al mínimo garantizado, el Estado no la complementaba.

---

37. *Ustawa z dnia 11 maja 2012 r. o zmianie ustawy o emeryturach i rentach z Funduszu Ube-zpieczeń Społecznych oraz niektórych innych ustaw.*

38. En esta afirmación debemos recordar cómo se calcula la pensión en Polonia. Pensión de jubilación = Capital acumulado/Esperanza de vida en meses.

39. Por ejemplo, Francia subió la edad de 60 a 62 años, Italia de 65 a 66 años o Alemania de 65 a 67 años, entre otros.

- No existe ningún límite al salario que el jubilado parcial podía percibir como contraprestación a su trabajo por cuenta ajena.
- Llega la edad de jubilación, el ZUS no declarará de oficio la jubilación a tiempo completo. Será el jubilado parcial quién deberá solicitarla y cuyo requisito será terminar con la actividad económica.
- Para el cálculo de la base de la pensión a tiempo completo tras haberse acogido a la jubilación parcial se tendrá en cuenta de nuevo el IPC y las cotizaciones aportadas durante el periodo de jubilación parcial. Sin embargo, a la base de la nueva jubilación habrá que reducir las cantidades en bruto que se hubieran pagado durante la situación de jubilación parcial[40]. Por lo que con casi toda seguridad, la pensión de jubilación final será inferior que si no hubiera ejercitado la opción de jubilarse parcialmente.

En resumen, en nuestra opinión la jubilación parcial no es más que una manera de adelantar el pago de la pensión de jubilación a cambio de una reducción de la cuantía de la pensión de jubilación, que al final podría repercutir en un ahorro en el pago de pensiones por parte del estado.

2.3. Restricciones a la jubilación anticipada de agricultores, jueces y fiscales y otros colectivos

Los cambios de la Ley del 11 de mayo de 2012 de la actualización de la Ley sobre jubilación y pensiones del Fondo de la Seguridad Social y otras modificaciones, no solamente aumentaban la edad de jubilación e introducción la modalidad de jubilación parcial, sino que también adoptaron cambios en el sistema de especial del seguro de los agricultores, jueces y fiscales, y otros colectivos que cubría la futura prestación por desempleo. Por ejemplo, con la normativa vigente hasta la fecha, un agricultor que no hubiera alcanzado la edad legal de jubilación tendría derecho a la pensión completa en el caso de cumplir 55 años si fuera una mujer y 60 si fuera un hombre si ha cotizado al menos 30 años. Las nuevas reglas acababan con esta posibilidad a partir del 31 de diciembre de 2017.

2.4. Permitir el pago voluntario de cotizaciones para el seguro de jubilación e invalidez a todas las personas que no reúnan las condiciones de cobertura obligatoria de dicho seguro

La norma citada anteriormente también prevé en el art. 6 apartados 2 y 3 que aquellos trabajadores que no se encuentren cubiertos por el seguro ya

---

40. La fórmula final sería: Pensión de jubilación = Capital acumulado–Capital bruto ya pagado/Esperanza de vida en meses.

sea porque estén desempleados o no trabajen de forma voluntaria, puedan seguir cotizando al seguro de jubilación para no verse perjudicados por el periodo de cese de la actividad laboral.

Entre los requisitos se encuentra el ser residente en Polonia o bien, no ser residente pero haber contribuido con anterioridad al seguro de jubilación. Mientras que los motivos para dejar de contribuir se encuentran el dejar de contribuir de forma voluntaria, que se celebre un contrato de trabajo y por tanto quede cubierto por el seguro o dejar de abonar la contribución voluntaria.

Como curiosidad, la normativa indica que si una persona ha contribuido durante 10 años de forma voluntaria tendrá derecho a percibir la pensión mínima.

3.   CONSECUENCIAS DE LA REFORMA

Según KOMPA y WITKOWSKA[41], mediante la reforma de transferir los fondos de OFE al ZUS se redujo la deuda estatal y el déficit de la Seguridad Social. No obstante, añaden que en realidad la reforma simplemente consistió en reemplazar los pasivos incluidos en el cálculo de la deuda pública por pasivos no incluidos en este indicador. Es decir, fue una maniobra puramente contable ya que en el futuro el gobierno tendrá que abonar dichas cantidades como un gasto en pensiones de jubilación.

Por otra parte, también se dio el paradójico caso de que estado polaco seguía emitiendo deuda pública para el ZUS asegurara el pago de las pensiones, mientras que los principales compradores de la deuda emitida eran los OFE, convirtiéndose estos en un importante inversor de bonos del tesoro cuya cuota en este activo creció más del 20% a pesar de las limitaciones previstas[42].

III.   ESTRUCTURA DEL SISTEMA DE PENSIONES ACTUAL

A raíz del severo impacto que tuvo la crisis económica de 2008 en el sistema de pensiones, se introdujo en el año 2011 un mecanismo de revisión periódica del sistema de pensiones mediante la Ley de 25 de marzo de 2011 por la que se modifican determinadas leyes relacionadas con el funcionamiento del sistema de seguridad social[43]. El art. 32 de la citada

---

41.   Kompa, K., Witkowska, D., "Pension system in Poland: performance of Pension Funds", *Estudios de economía aplicada (Ejemplar dedicado a: Sostenibilidad y Suficiencia de los Sistemas de Pensiones: Reparto vs. Capitalización)*, Vol. 33, Núm. 3, 2015, p. 982.

42.   "El futuro del segundo pilar del sistema de pensiones", *Actualidad Internacional Socio-laboral*, Núm. 177, 2014.

43.   *Ustawa z dnia 25 marca 2011 r. o zmianie niektórych ustaw związanych z funkcjonowaniem systemu ubezpieczeń społecznych.*

norma, obliga al Consejo de Ministros a revisar el funcionamiento al menos cada 3 años y presentar al Congreso de los Diputados[44] cualquier cambio previsto o reforma.

En este caso, partiremos del control que tuvo lugar durante el periodo de junio a septiembre de 2016, por el cual el Ministerio de Política Familiar, Trabajo y Seguridad Social, responsable de llevar a cabo el examen, decidió abrir el debate de una posible reforma del sistema de pensiones a todos los actores sociales afectados: representantes de la patronal, sindicatos, académicos, entre otros, que presentaros sus análisis y conclusiones acerca del actual Sistema de Seguridad Social. Las propuestas quedaron recogidas en el "Libro Blanco. Revisión de pensiones de 2016, la seguridad a través de la responsabilidad"[45].

Tras los diversos debates y la publicación del Libro Blanco, las principales cuestiones planteadas fueros las siguientes[46].

- Las características demográficas de la población y el impacto en el sistema de Seguridad Social.

- La financiación del sistema de pensiones: fuentes de financiación y efectos sobre los presupuestos del Estado, así como el papel y la importancia del Fondo de Reserva Demográfica.

- La reducción de la edad de jubilación y sus consecuencias tanto para el sistema de seguridad social como para el mercado laboral.

- Evaluación del funcionamiento de los OFE y de los cambios aplicados en las reformas anteriores.

- El papel de los Programa de Pensiones para Trabajadores (PPE).

Finalmente, la victoria electoral de la coalición de partidos conservadores Derecha Unida (*Zjednoczona Prawica)*, liderada por el partido Ley y Justicia (*Prawo i Sprawiedliwość - PiS*) en el año 2015, motivó –tras las deliberaciones de junio a septiembre de 2016– la última reforma del sistema de pensiones fuertemente marcada por la corriente de la economía social de mercado, también llamado "capitalismo social"[47].

---

44. Conocido como *Sejm*.
45. Uścińska, G., Czepulis-Rutkowska Z., Lasocki T., Szybkie A., Marczak R., Kolek A., *Biała księga. Przegląd emerytalny 2016. Bezpieczeństwo dzięki odpowiedzialności*, Varsovia 2016.
46. Koczur, W., "Przegląd systemu emerytalnego Bezpieczeństwo dzięki odpowiedzialności. *Kluczowe zagadnienia i rekomendacje. Podsumowanie"*, Zakład Ubezpieczeń Społecznych, Núm. 2, 2017, pp. 2-3.
47. Modelo económico basado en una economía liberal de mercado cuyo crecimiento financia otras políticas de progreso social.

1.   REDUCCIÓN DE LA EDAD DE JUBILACIÓN

Una de las primeras medidas del nuevo gobierno conservador de Polonia fue revocar la subida de la edad de jubilación aprobada en 2012 mediante Ley de 16 de noviembre de 2016 por la que se modifica la Ley sobre jubilación y pensiones del Fondo de la Seguridad Social y otras modificaciones[48]. De este modo, desde el 1 de octubre de 2017 volvería a ser de 60 años en las mujeres y 65 en los hombres, independientemente de la fecha de nacimiento.

El gobierno esgrimió dos argumentos para justificar la medida adoptada[49].

– El primero atendía a la fórmula utilizada para calcular la futura prestación, el cual toma como base el global de las cotizaciones y se divide por la esperanza de vida en meses. De este modo, retrasar la edad de jubilación implicaba una base de cotización más elevada y a su vez menor esperanza de vida, que se traducía en una pensión de jubilación más elevada.

– En segundo lugar, indicaban que cuando se tomó la decisión de subir la edad de jubilación en 2012 no se tuvieron en cuenta factores como las diferencias respecto a la esperanza de vida entre hombres y mujeres, las diferencias entre los trabajos realizados entre ambos sexos o el estado de la salud de la población, ya que la esperanza de vida saludable de la población polaca se presumía significativamente inferior a la media europea.

En conclusión, el objetivo que buscaba el gobierno no era otro que reducir el gasto público en pensiones reduciendo la cuantía de las prestaciones por jubilación.

2.   LIQUIDACIÓN DE LOS OFE

Los OFE fueron otros de los temas planteados durante la revisión del sistema de pensiones durante el verano de 2016. De hecho el Libro Blanco. Revisión de pensiones de 2016, la seguridad a través de la responsabilidad concluía que los fondos abiertos que operaban en dicho año en realidad no tenían justificación alguna al no garantizar la seguridad de las contribuciones de los futuros pensionistas[50]. Además, la anterior reforma que transfirió el

---

48. *Ustawa z dnia 16 listopada 2016 r. o zmianie ustawy o emeryturach i rentach z Funduszu Ubezpieczeń Społecznych oraz niektórych innych ustaw.*

49. Koczur, W., *"Przegląd systemu emerytalnego Bezpieczeństwo dzięki odpowiedzialności. Kluczowe zagadnienia i rekomendacje. Podsumowanie"*, Zakład Ubezpieczeń Społecznych, Núm. 2, 2017, p. 7.

50. Uścińska, G., Czepulis-Rutkowska Z., Lasocki T., Szybkie A., Marczak R., Kolek A., *Biała księga. Przegląd emerytalny 2016. Bezpieczeństwo dzięki odpowiedzialności*, Varsovia 2016, p. 4.

51,50% de los fondos del OFE al ZUS y redujo las contribuciones al seguro de jubilación del 7,2% al 2,3% y asignaba por defecto los nuevos contribuyentes a las cuentas del ZUS se tradujeron en una importante reducción de fondos invertidos en los OFE.

A estos problemas, KOCZUR W. señalaba otros como eran[51]:

- Los OFE no había cumplido la expectativa de servir como instrumento que dotara de seguridad a los pensionistas.

- Las consecuencias de la puesta en marca de los OFE fueron: aumento de la deuda pública, ser uno de los causantes del aumento de la edad de jubilación en 2012, reducción del gasto en causas sociales y la venta de activos públicos.

- La irracionalidad de invertir parte de los recursos de los OFE en deuda pública polaca.

- Las elevadas comisiones administrativas que mermaban parte de las ganancias obtenidas.

- La vulnerabilidad de los OFE ante las crisis económicas podía provocar reticencias en la sociedad polaca a la hora de buscar soluciones basadas en la inversión del capital con el objetivo de buscar seguridad en las pensiones.

Ante estas perspectivas, el presidente de PiS Jarosław Kaczyński anunció la liquidación de los OFE durante el V Congreso Nacional del partido el 2 de julio de 2016 celebrado en Varsovia, al considerar que el dinero acumulado en estas cuentas simplemente estaba perdiendo su valor. No obstante, el objetivo final no era eliminar el segundo pilar del sistema si no cambiar la gestión del capital, en vez de que este fuera gestionado por sociedades de inversión, sería el ZUS quién asumiría el control y quien decidiría la revalorización de los fondos.

A pesar de que la liquidación de los OFE fue anunciada para el año 2018, no sería hasta el 26 de noviembre de 2019 cuando se anunció el Proyecto de Ley por el que se modifican las leyes en relación con el traspaso de fondos de fondos de pensiones abiertos a cuentas individuales de jubilación[52], proyecto del cual destacamos lo siguientes puntos,

- Los trabajadores que tengan depósitos en un OFE deberán decidir si transferirlo a las cuentas del ZUS o una Cuenta Individual de

---

51. Koczur, W., "*Przegląd systemu emerytalnego Bezpieczeństwo dzięki odpowiedzialności. Kluczowe zagadnienia i rekomendacje. Podsumowanie*. Zakład Ubezpieczeń Społecznych", Núm. 2, 2017, p. 8.

52. *Rządowy projekt ustawy o zmianie niektórych ustaw w związku z przeniesieniem środków z otwartych funduszy emerytalnych na indywidualne konta emerytalne.*

Jubilación, IKE, que recordemos pertenece al tercer pilar del sistema de pensiones.

– Aquellos trabajadores que decidan optar por traspasar su cuenta a un IKE deberán abonar una tasa de transformación del 15%. Política que tiene un claro objetivo de desincentivar este cambio y que el trabajador opte por ingresar su dinero en las cuentas de la Seguridad Social.

– Las cuentas IKE podrán ser heredadas mientras que las cuentas en el ZUS no.

– En cuanto a las excepciones fiscales, aquellos nuevos pensionistas que rescaten los depósitos de un IKE tendrán una excepción fiscal total. Mientras que los pagos del ZUS tendrán que pagar el equivalente impuesto de la renta[53].

– El plazo previsto para que los asegurados tomaran la decisión se preveía entre el 1 de junio al 1 de agosto de 2020, fecha que de nuevo tuvo que retrasarse indefinidamente.

En la actualidad el Proyecto de Ley sigue paralizado, de hecho el gobierno polaco esperaba poder aprobar por fin el proyecto para junio de 2021, sin embargo la propuesta aún no ha salido del Sejm y aún debe pasar por el senado, por lo que no se espera que la medida salga adelante en los próximos meses. Según el portal de noticias especializado en derecho *Prawo. pl*[54], publicada el 21 de abril de 2021 que la razón de los continuos retrasos son las diferencias entre la coalición de derechas gobernante en Polonia que requieren aún de mayor debate[55].

3. LA INTRODUCCIÓN DE LOS PPK

Los Planes de Capital para Empleados (*Pracownicze Plany Kapitałowe - PPK*) es un instrumento de ahorro capitalizado e integrado en el tercer pilar y que tiene su origen en la Estrategia de Desarrollo Sostenible formulada por gobierno de Polonia en el 2017[56]. Dicha estrategia aseguraba que

---

53. El sistema fiscal polaco dispone de dos tramos, un primer tramo hasta 85.529 PLN (aprox.18.810 €) por el cual se tributa un porcentaje fijo del 17%, y a partir de esta cantidad el porcentaje sube al 32%. Cabe mencionar que a partir de 1.000.000 de PLN (aprox. 221.000 a 233.000 € dependiendo la tasa de cambio) se tributa una tasa de solidaridad extra que asciende al 4%.

54. Perteneciente al grupo Wolters Kluwer.

55. "El Sejm no votará por el momento la ley de liquidación de los OFE", *Sejm na razie nie będzie głosował nad ustawą o likwidacji OFE*. Prawo.pl, 21 de Abril de 2021. Fecha de visita 9 de septiembre de 2021. Enlace https://www.prawo.pl/kadry/likwidac-ja-ofe-kiedy-glosowanie-nad-projektem-ustawy,507781.html.

56. La Estrategia de Desarrollo Sostenible (*Strategii na rzecz Odpowiedzialnego Rozwoju*) fue adoptada por el Consejo de Ministros el 14 de febrero de 2017 es un documento vinculante que define una estrategia de desarrollo del país a medio plazo y cuyo

para aumentar el crecimiento y la estabilidad de la economía polaca era necesario aumentar la tasa de ahorro privada –tasa que como se extrae del proyecto de Ley de los PPK, era relativamente baja comparada con otros países de la UE[57]–, incrementar la seguridad financiera de la población, desarrollar el mercado de capitales y dotar de estabilidad a las finanzas públicas.

Finalmente, el nuevo programa se implementó mediante la Ley de 4 de octubre de 2018 sobre planes de capital de los trabajadores[58], y cuyo objetivo principal es dar a los trabajadores la oportunidad de ahorrar voluntariamente para la futura pensión. El funcionamiento se basa en los siguientes puntos.

- El art. 2. 18 y 15 de la norma establece la adhesión al plan según tramos de edad de trabajador.

  o El primer tramo incluye a todo trabajador por cuenta ajena de entre 18 y 55 años contratado mediante alguna modalidad regulada en *el Kodeks Pracy*[59] podrá adherirse al PPK. La adhesión al PPK de estos trabajadores se hará de forma automática aunque el empleado podrá darse de baja en cualquier momento.

  o En el segundo tramo dedicado a los trabajadores que cuenten entre 55 y 70 años, la empresa no tiene obligación de adherirlos al PPK si no se realizará a petición expresa del trabajador[60].

  o Por último, los trabajadores mayores de 70 años no tendrán derecho a adherirse al PPK.

- El art. 7 indica que todas las empresas podrán participar en el plan si emplean al menos una persona.

- De acuerdo con el art. 3. 2 los fondos acumulados serán propiedad del contribuyente y de la lectura del art. 86, se extrae que también podrán ser heredados.

- El art. 31 establece una gratificación inicial o "pago de bienvenida" para aquellos trabajadores que se acojan al plan de 250 PLN[61]

---

horizonte se fija en el 2030 en el que se formulaba una nueva visión y modelo de desarrollo del país como respuesta a los retos a los que se enfrentaba la economía polaca.

57. Proyecto de Ley sobre los Planes de Capital para Empleados (*Projekt ustawy - o pracowniczych planach kapitałowych*), publicado el 4 de septiembre de 2018, p. 207.

58. *Ustawa z dnia 4 października 2018 r. o pracowniczych planach kapitałowych.*

59. Equivalente al Estatuto de los Trabajadores.

60. Se esperaba que de esta forma mejorara la empleabilidad de los mayores de 55 años al asumir la empresa un coste menor ya que no deberían de aportar su contribución al PPK.

61. Aprox. 55 €.

financiado por el estado. Mientras que el art. 32 incluye otro bono anual de permanencia que asciende a 240 PLN[62].

– El art. 133 remarca que las empresas no tendrán la obligación de ofrecer el PPK a sus empleados si con anterioridad a la entrada en vigor de la normativa ya estaba ofreciendo un plan PPE, por el cual realizaba aportaciones básicas de al menos 3,5% y mínimo el 25% de la plantilla está acogido a dicho plan.

– Respecto a las aportaciones por parte del empresario, el art. 26 indica que será del 1,5% de la base de cotización por jubilación aunque voluntariamente podrá contribuir hasta el 2,5%. Mientras que el art. 27 especifica que el empleado tiene que aportar mínimo un 2% del salario aunque puede aumentar hasta el 4% de forma voluntaria.

El programa PPK podemos afirmar que es bastante similar a los programas PPE. A grandes rasgos las principales diferencias son:

– En el PPK el empleado se adhiere automáticamente, mientras que en el PPE es la empresa quién lo organiza voluntariamente,

– El PPK requiere de contribución tanto del empleado como de la empresa, mientras que el PPE solamente requiere contribución de la empresa.

– En el PPK el empleado puede retirar en cualquier momento las contribuciones aportadas –a cambio de una penalización y pago de impuestos–, mientras que en el PPE no es posible retirarlas hasta la fecha de jubilación.

En conclusión, el programa PPK podríamos calificarlo como una masiva adhesión de la gran mayoría de la fuerza laboral activa en Polonia a un plan de capitalización, cuya finalidad –aparte de casi "obligar" al trabajador a ahorrar– entendemos que también está orientada a augmentar las arcas del ZUS para hacer frente al incremento de gasto de las futuras pensiones.

4. PAGO DE LA DECIMOTERCERA Y DECIMOCUARTA PENSIÓN

La llamada decimotercera pensión, también conocida como *Emerytura+*, tiene su origen en el Ley de 4 de abril de 2019 sobre la prestación económica única para los pensionistas en el año 2019[63] y consiste en un pago anual y adicional a la pensión de jubilación a todos los pensionistas[64]

---

62. Aprox. 52,70 €.
63. *Ustawa z dnia 4 kwietnia 2019 r. o jednorazowym świadczeniu pieniężnym dla emerytów i rencistów w 2019 r.*
64. A excepción de jueces y fiscales jubilados.

independientemente de la prestación que percibida cada mes y cuya finalidad es proporcionar un ingreso extra a los pensionistas que permita reducir las desigualdades sociales y económicas.

Si bien no hay nada criticable en que el gobierno polaco quisiera reducir la desigualdad y dotar de un mayor poder adquisitivo a los pensionistas. Cabe mencionar que la política tenía un claro objetivo partidista, pues el primer ministro Mateusz Morawiecki aseguraba que *"el pago de la decimotercera pensión continuará en los años siguientes si los votantes confían en el partido y amplían su mandato de gobierno"*[65].

Tras la victoria electoral de PiS en las elecciones de 2019, Morawiecki cumplió su promesa, y finalmente se publicó la Ley de 9 de enero de 2020 sobre la prestación económica anual adicional los pensionistas[66], que garantizaba el pago anual de la decimotercera paga.

En cuanto a las características del pago, destacamos las siguientes:

- El pago se abona durante el mes de abril.
- La cantidad pagada para el año 2019 fue de 1100 PLN, 2020 fue de 1200 PLN y para el año 2021 fue de 1250[67].
- El pago está sujeto a retenciones por impuesto de la renta y a las deducciones de seguridad social.
- Se abona de oficio y es inembargable.

Visto que electoralmente funcionó la implementación de la decimotercera paga, el gobierno anunció en el año 2020 el Proyecto de Ley para implementar una decimocuarta paga que empezaría pagarse en noviembre el 2021 y que finalmente vio la luz mediante la Ley de 21 de enero de 2021 sobre la prestación económica anual adicional para los pensionistas en 2021[68].

La finalidad de la decimocuarta paga era similar a la de la decimotercera aunque contaba con algunas diferencias como que la cuantía no sería la misma para todas las personas si no que dependerá de la pensión, aquellas más bajas percibirán un complemento mayor y además, el pago estará exento de tributación.

---

65. Entrevista realizada en exclusiva al periódico Super Express el 8 de marzo de 2019. Fecha de visita 13 de septiembre de 2021. Enlace: https://www.se.pl/wiadomosci/polityka/premier-mateusz-morawiecki-zapowiada-trzynastki-dla-emerytow-be-da-placone-co-roku-aa-Mryh-EUXp-RzMp.html.
66. *Ustawa z dnia 9 stycznia 2020 r. o dodatkowym rocznym świadczeniu pieniężnym dla emerytów i rencistów.*
67. 1250 PLN equivalen a aprox. 275 €.
68. *Ustawa z dnia 21 stycznia 2021 r. o kolejnym w 2021 r. dodatkowym rocznym świadczeniu pieniężnym dla emerytów i rencistów.*

IV. RETOS DEMOGRÁFICOS DEL SISTEMA DE PENSIONES POLACO

Los problemas relacionados con la demografía no son una novedad para el sistema de pensiones polaco, ya que en la actualidad son en gran parte una continuación de los mismos problemas existentes en la década de los 90. Entre estos encontramos los siguientes[69].

– Baja tasa de nacimientos.

El número de nacimiento sigue decreciendo debido al aplazamiento de la procreación entre los jóvenes y a consecuencia, poniendo el riesgo el remplazo generacional.

Una de las medidas que introdujo en 2016 el gobierno de PiS para ayudar a mejorar la situación demográfica fue el llamado programa Familia 500+ (*Rodzina 500+*) por el cual el gobierno abona mensualmente una paga de 500 PLN[70] a las familias con hijos a cargos. La ayuda se abona a todas las familias independientemente de la renta y hasta que el menor cumpla 18 años.

– Disminución de la tasa de mortalidad y aumento de la esperanza de vida.

Según los datos de KOCZUR W, de 2000 a 2015 la población en edad de trabajar aumentó un 3,1% mientras que el número de pensionistas había aumentado en un 33%. Las mejoras en el sistema sanitario, la automatización de trabajos más pesado y la adopción de hábitos saludables por parte de la población, son algunas de las causas de este incremento. Si tenemos en cuenta que Polonia no establece ningún límite al pago de la pensión de jubilación, sin duda convierten el aumento en la esperanza de vida en uno de los grandes problemas si nos atenemos a la fórmula de cálculo de la pensión, por el cual alargar el periodo de trabajo supone un incremento de la pensión de jubilación que podríamos calificar de desmesurado, llegando al caso récord en el que un pensionista alcanzó los 7.700 € de pensión al mes[71].

– La emigración durante la década 00.

Otra de las realidades que debe afrontar el mercado laboral polaco es la elevada tasa de emigración que se produjo a partir del año 2000,

---

69. Koczur, W., "*Przegląd systemu emerytalnego Bezpieczeństwo dzięki odpowiedzialności. Kluczowe zagadnienia i rekomendacje. Podsumowanie*", Zakład Ubezpieczeń Społecznych, Núm. 2, 2017, p. 3.
70. Aprox. 110 €.
71. La pensión más alta en Polonia supera los 35 mil zlotys al mes (*Najwyższa emerytura w Polsce przekracza 35 tys. zł miesięcznie*), noticia publicada en el portal *prawo.pl* el 22 de marzo de 2021. Fecha de visita 14 de septiembre de 2021. Enlace: https://www.prawo.pl/kadry/ile-wynosi-najwyzsza-emerytura-w-polsce-i-kto-ja-otrzy-muje-zus,507245.html.

alcanzando su máximo en el año 2006 año en el que alrededor de 45.000 polacos cambiaron su residencia permanente al extranjero, según los datos de la Oficina Central de Estadística (*Główny Urząd Statystyczny*) publicados en el informe de "Situación demográfica de Polonia hasta 2019. Migración extranjera de la población entre 2000 y 2019"[72]. Entre las causas se numeran la apertura de los países del Este a una economía capitalista y la inclusión en la UE ý el Espacio Schengen que facilita la marcha de los jóvenes polacos que se dirigieron especialmente a Reino Unido o Alemania en busca de unas condiciones de vida mejores a las que podía ofrecer su país natal.

Sin embargo, la tasa de emigración a partir del año 2015 ha caído en comparación la década anterior, pues desde el año 2015 son aproximadamente 12.500 polacos los que han cambiado su residencia al extranjero, caída a consecuencia de la buena marcha de la economía polacas que registró una tasa de desempleo del 5,8% en Julio de 2021[73]. Factor que a su vez ha hecho aumentar la tasa de inmigración al territorio polaco, principalmente venidera de Ucrania y Bielorrusia que se ven atraída por unos salarios superiores y mejores condiciones de vida.

V.   CONCLUSIONES

Analizado el sistema de pensiones polaco, podemos extraer las siguientes conclusiones.

– Subrayamos los esfuerzos del gobierno para aumentar la protección de los pensionistas, especialmente de las pensiones mas bajas. Prueba de ello es la implementación de la decimotercera y decimocuarta paga.

– Destacamos tres grandes problemas del sistema de pensiones polaco:

o   El aumento de la esperanza de vida,

o   La fórmula de cálculo de las pensiones

o   Que no exista límite para el pago de las pensiones.

La combinación de estos tres factores crea la paradoja que al gobierno polaco no le interesa aumentar la edad de jubilación –en contra de las recomendaciones de la OCDE– que una salida temprana del mercado laboral

---

72. *Sytuacja demograficzna Polski do 2019 r. Migracje zagraniczne ludności w latach 2000–2019, Główny Urząd Statystyczny*, Varsóvia, 2020, p. 77.

73. Datos obtenidos la Oficina Central de Estadística (*Główny Urząd Statystyczny*). Fecha de visita 14 de septiembre de 2021. Enlace: https://stat.gov.pl/obszary-tematyczne/rynek-pracy/bezrobocie-rejestrowane/stopa-bezrobocia-rejestrowanego-w-latach-1990-2021,4,1.html.

asegura una pensión más baja y por tanto un ahorro para el gobierno, de ahí que se trate de impulsar el ahorro voluntario.

– También debemos mencionar los intentos de aumentar la natalidad y de protección a las familias como el programa 500+ para hacer frente al relevo generacional.

– A consecuencias de la mala experiencia con los OFE, el segundo pilar de protección ha quedado relevado a un segundo plano, priorizando el ahorro voluntario del tercer pilar.

– No sería de extrañar que en un futuro se limiten la pensión máxima como medida que permita aumentar la edad de jubilación, aunque el partido político que tenga que llevar a cabo esta medida es muy probable que pague un alto precio en las siguientes elecciones.

VI.   BIBLIOGRAFÍA CITADA

"El futuro del segundo pilar del sistema de pensiones", Actualidad Internacional Sociolaboral, Núm. 177, 2014.

"El sistema de pensiones en Polonia diez años después de su reforma", Actualidad Internacional Sociolaboral, Núm. 138, 2010.

Müller, K., *La reforma provisional en Polonia*, Miño y Dávila, 2002.

– "Las reformas de pensiones en los países exsocialistas", *Quaderns de Política Econòmica (Ejemplar dedicado a: Estado del bienestar: retos y opciones de reforma)*, Núm. 9, 2005.

Ródenas Rigla, F.J., Garcés Ferrer, J., "La protección social en el Este: el caso polaco", *Alternativas: Cuadernos de trabajo social*, Núm. 9, 2001.

Koczur, W., "Przegląd systemu emerytalnego Bezpieczeństwo dzięki odpowiedzialności. Kluczowe zagadnienia i rekomendacje. Podsumowanie". *Zakład Ubezpieczeń Społecznych*, Núm. 2, 2017.

Kompa, K., Witkowska, D., "Pension system in Poland: performance of Pension Funds", *Estudios de economía aplicada (Ejemplar dedicado a: Sostenibilidad y Suficiencia de los Sistemas de Pensiones: Reparto vs. Capitalización)*, Vol. 33, Núm. 3, 2015.

– "Efficiency ok private pensión funds in Poland", *Aestimatio: The IEB International Journal of Finance*, núm. 12, 2016.

Uścińska, G., Czepulis-Rutkowska Z., Lasocki T., Szybkie A., Marczak R., Kolek A., *Biała księga. Przegląd emerytalny 2016. Bezpieczeństwo dzięki odpowiedzialności*, Varsovia 2016.

B. OTROS SISTEMAS: ASIA Y AMÉRICA

Capítulo 7

Estructura básica y problemas actuales del sistema público de pensiones de Japón: especial atención a las pensiones de las personas mayores

Fuminobu Okabe
Catedrático de Derecho del Trabajo y de la Seguridad Social
Facultad de Derecho de la Universidad de Soka, Japón

SUMARIO: I. SIGNIFICADO Y FINALIDAD DEL SISTEMA PÚBLICO DE PENSIONES DE JAPÓN. II. DESARROLLO HISTÓRICO DEL SISTEMA PÚBLICO DE PENSIONES EN JAPÓN. *1. Sistema público de pensiones antes de la Segunda Guerra Mundial. 2. Período de fortalecimiento y expansión del sistema público de pensiones.* 2.1. El régimen por el cual todos los japoneses pueden, en principio, ser protegidos por el sistema público de pensiones. 2.2. El sistema público de pensiones de dos niveles y los derechos de las mujeres a percibir una pensión. *3. Cambio de dirección de la política de pensiones.* 3.1. Medidas urgentes tras el colapso de la burbuja económica. 3.2. Enmiendas de 2004. 3.3. Establecimiento del Servicio de Pensiones de Japón. *4. Reforma del sistema público de pensiones en la "Reforma conjunta de la Seguridad Social y la fiscalidad".* 4.1. Reforma conjunta de la Seguridad Social y la fiscalidad. 4.2. Principales leyes para dar forma concreta a la Reforma Conjunta de la Seguridad Social y la Tributación. III. ESTRUCTURA BÁSICA DEL ACTUAL SISTEMA PÚBLICO DE PENSIONES. *1. Entidades aseguradoras, personas aseguradas y primas de seguro.* 1.1. Entidades aseguradoras. 1.2. Personas aseguradas y primas de seguro. *2. Costo necesario para pagar las pensiones.* 2.1. Recursos de los fondos de la pensión básica. 2.2. Recursos de los fondos de la pensión para empleados. *3. Tipos de las prestaciones y principios básicos de pago. 4. Sistema de exención de pago de las primas de seguro, sistema de pago especial para estudiantes, y sistema de aplazamiento de pago para personas menores de 50 años y de bajos ingresos.* 4.1. Sistema de exención de pago de las primas de seguro. 4.2. Sistema especial de pago para estudiantes y sistema de aplazamiento de pago para personas menores de 50 años y de bajos ingresos. 4.3. Exención de primas de seguro de la pensión para empleados durante la licencia por cuidado de niños y la licencia de maternidad. *5. Pensiones para adultos mayores.* 5.1. Requisitos

I. SIGNIFICADO Y FINALIDAD DEL SISTEMA PÚBLICO DE PENSIONES DE JAPÓN

El art. 25 de la Constitución de Japón dispone que "1. Todos los ciudadanos tendrán el derecho de mantener un nivel mínimo de vida saludable y cultural", y "2. En todos los órdenes de la vida humana, el Estado conducirá sus esfuerzos a la promoción y acrecentamiento del bienestar, la seguridad social y la salud pública"[1].

En base a la idea del derecho a la vida, se estableció el sistema público de pensiones que tiene dos mecanismos de la pensión nacional (*denominada Kokumin Nenkin:* 国民年金) y de la pensión para los empleados (*Kousei Nenkin:* 厚生年金). Estas dos pensiones apuntan a proteger en especial la vida cotidiana de los adultos mayores, de las personas con discapacidad y de las familias supérstites, que estén en peligro por la disminución de ingresos (art. 1 de la Ley de 1959 de la Pensión Nacional –de ahora en adelante, LSPN–[2], y art. 1 de la Ley de 1954 del Seguro de Pensiones para los Empleados –en lo sucesivo, LSPE][3]).

Los principios básicos para operar y manejar el sistema público de pensiones de Japón son la distribución adecuada, la equidad intergeneracional, y la estabilidad y sostenibilidad del sistema. Y sus características principales son: la aplicación obligatoria (obligar a afiliarse a los trabajadores por cuenta propia, a los empleados y a todas las generaciones

1. Constitución de Japón http://www.japaneselawtranslation.go.jp/law/detail/?id=174.
2. Ley de la Pensión Nacional https://www.mhlw.go.jp/web/t_doc?dataId=85001000&dataType=0&pageNo=1.
3. Ley del Seguro de la Pensión para Empleados http://www.japaneselawtranslation.go.jp/law/detail/?id=3554&vm=04&re=01.

activas de 20 a 59 años de edad); el método basado principalmente en las primas de seguro pagadas por las generaciones activas como los recursos de los fondos de las pensiones, el sistema basado en la contribución (conceder en función del monto total de la primas de seguro pagadas y del número de meses que contribuyó cada afiliado); el método basado en el apoyo intergeneracional (utilizar estas primas de seguro pagadas por las personas aseguradas para pagar a las generaciones que tienen el derecho a recibir las pensiones en ese momento); y la estructura con dos niveles (colocar la pensión nacional en la base del sistema y la pensión para los empleados en la parte superior).

A propósito de lo anterior, no hace falta decir que para mantener el sistema público de pensiones es indispensable asegurar sus recursos. Sin embargo, en el Japón de hoy en día, debido al avance rápido de la disminución de la tasa de natalidad y a la proporción creciente de los adultos mayores y también al agravamiento de la inestabilidad de empleo a lo largo de muchos años, la mayor parte de los japoneses se inquietan mucho por la sustentabilidad del sistema público de pensiones.

Entonces, en este informe, primero reseñaré el desarrollo histórico del sistema público de pensiones de Japón y el funcionamiento básico del sistema actual, y luego, en particular, resumiré algunos de los problemas principales referidos a las pensiones de los adultos mayores.

II. DESARROLLO HISTÓRICO DEL SISTEMA PÚBLICO DE PENSIONES EN JAPÓN[4]

1. SISTEMA PÚBLICO DE PENSIONES ANTES DE LA SEGUNDA GUERRA MUNDIAL

En Japón, la primera aparición del sistema público de pensiones se remonta a la era *Meiji* cuando se estableció un sistema privilegiado de pensiones gubernamentales llamado *"Onkyu:* 恩給[5]*"* que se pagaron únicamente a funcionarios públicos y altos militares, y a la nobleza. En años posteriores, el sistema de *"Onkyu"* se convirtió en el prototipo de las

---

4. "Sobre la historia del sistema público de pensiones hasta ahora", Oficina de Pensiones del Ministerio de Salud, Trabajo y Bienestar, abril de 2018.
   https://www.mhlw.go.jp/file/05-Shingikai-12601000-Seisakutoukatsukan-Sanji-kanshitsu_Shakaihoshoutantou/0000202219.pdf.
   "La transición del sistema de la seguridad social", Ministerio de Salud, Trabajo y Bienestar.
   https://www.mhlw.go.jp/file/06-Seisakujouhou-12600000-Seisakutoukat-sukan/0000166513.pdf.
   F. Okabe, *Derecho de la seguridad de social*, Universidad de Soka, abril de 2019.
5. "Resumen e historia del sistema de Onkyu", Ministerio del Interior y Comunicaciones https://www.soumu.go.jp/main_sosiki/onkyu_toukatsu/onkyu.htm.

pensiones de ayuda mutua para funcionarios públicos y las pensiones para miembros de la Dieta. Está claro que es la conciencia privilegiada formada a través de "Onkyu" una de las razones principales por las que el nivel de la pensión para los miembros de la Dieta era mejor que el de las pensiones del sistema público general.

Durante la Segunda Guerra Mundial (desarrollada entre 1939 y 1945), se establecieron las dos primeras leyes que preveían el sistema público de pensiones dirigido a determinadas personas privadas: Ley de Seguros para Marineros de 1939[6]; y Ley del Seguro de Pensiones para Obreros de 1941[7]. La razón de que se aplicaran estas dos leyes sólo a ciertos trabajadores, era para conseguir que muchas personas sirvieran para llevar a cabo la guerra. La Ley de Obreros de 1941 fue modificada en numerosas ocasiones hasta convertirse en la actual LSPE.

Por lo tanto, fue después de la entrada en vigor de la Constitución de Japón en 1947, que declaró los derechos humanos fundamentales y la igualdad ante la ley, cuando todos los japoneses pudieron afiliarse, en principio, a algún sistema público de pensiones.

2. PERÍODO DE FORTALECIMIENTO Y EXPANSIÓN DEL SISTEMA PÚBLICO DE PENSIONES

2.1. El régimen por el cual todos los japoneses pueden, en principio, ser protegidos por el sistema público de pensiones

Tomando el estallido de la Guerra de Corea (1950) y la recuperación de la soberanía de Japón (1952) como una oportunidad, Japón entró en la era de la prosperidad económica desde mediados de la década de 1950. En 1954, como se ha dicho anteriormente, la Ley de 1938 se modificó para conformar otra mejor y se estableció la nueva LSPE, que tiene por objetivo afiliar en este sistema a muchos empleados que trabajan en el sector privado. Esta ley continúa en vigor en la actualidad, si bien muchos de sus contenidos han sido reformados en numerosas ocasiones hasta la fecha de hoy.

Gracias al apoyo del primer crecimiento económico del período de la posguerra, se trazó un plan para un nuevo sistema público de pensiones, y en 1959 se estableció la antigua LPN para proteger a aquellos que estaban excluidos de la Ley de 1938, como los trabajadores autónomos, los trabajadores agrícolas, los forestales y pesqueros, las amas de casa y los estudiantes. En esta antigua LPN, se adoptaron también distintas pensiones

---

6. Ley de Seguros para Marineros https://www.mhlw.go.jp/web/t_doc?dataI-d=85056000&dataType=0&pageNo=1.

7. Ley del Seguro de Pensión para Obreros https://dl.ndl.go.jp/info:ndljp/pid/2961631/1.

asistenciales no contributivas para que pudieran recibir una pensión quienes no puedan pagar la prima de seguro con razón. Las personas pudieron decidir libremente si afiliarse o no al antiguo sistema sin estar obligadas por la ley. En cualquier caso, en 1961, cuando entró en vigor la Ley de 1959, se implementó el régimen por el cual todos los japoneses pueden afiliarse, en principio, para obtener alguna pensión pública.

Después de entrar también en la nueva etapa, con el impulso de un alto crecimiento económico desde la segunda mitad de los años 1960 hasta los 70, la clase y la calidad de las pensiones fueron mejorando anualmente. En la enmienda de 1973 se crearon dos mecanismos para revisar el monto de la pensión en función de la revaluación salarial y de los precios. El "año 1973" fue dado a conocer como el "primer año de la era de bienestar (*Fukusi Gannen:* 福祉元年)", como resultado de unas enmiendas muy importantes que se llevaron a cabo para mejorar el sistema público de pensiones. Sin embargo, dado que fueron construyéndose separadamente en Japón cada uno de los sistemas para los funcionarios públicos, los empleados que trabajan en las empresas privadas, y los trabajadores autónomos y los no trabajadores, llegó a surgir un estado desigual muy profundo entre cada sistema.

2.2. El sistema público de pensiones de dos niveles y los derechos de las mujeres a percibir una pensión

La economía japonesa continuó expandiéndose de manera constante hasta la década de 1970. Sin embargo, a finales de los años 70, la llamada "crisis del petróleo" exacerbó la recesión económica, así como la disminución de la tasa de natalidad y la proporción creciente de adultos mayores. Por estas razones, se convirtieron en problemas urgentes la reestructuración del sistema público de pensiones, y la revisión del nivel de pensiones y del monto de las primas de seguro. Como resultado de muchos esfuerzos, en el año 1985 se llevaron a cabo una serie de enmiendas drásticas para poner en orden y reintegrar varias pensiones establecidas hasta entonces. Mediante las enmiendas de la época, la afiliación al sistema público de pensiones se convirtió en afiliación «obligatoria» en lugar de "voluntaria", con la intención de asegurar enormes recursos de los fondos para mantener la pensión nacional. Con esta enmienda, la pensión nacional se posicionó como pensión básica común a todos los japoneses (primer nivel), y en el nivel superior se estableció un mecanismo para proporcionar a los afiliados de la pensión para empleados una pensión adicional proporcional a la compensación (Nikaidate Nenkin: 二階建て年金).

Después de la importante reforma de 1985, hasta mediados de los años 90, se crearon y expandieron varios y nuevos sistemas de pensiones basados en las necesidades de la sociedad, apoyados por el rápido crecimiento económico en la era de la economía burbuja. Por ejemplo, se crearon los siguientes sistemas notables: sistema de exención de las primas de seguro para aliviar a las personas que tienen dificultades para pagarlas; sistema de las personas aseguradas de categoría tercera para asegurar principalmente la pensión para las amas de casa a tiempo completo.

3. CAMBIO DE DIRECCIÓN DE LA POLÍTICA DE PENSIONES

3.1. Medidas urgentes tras el colapso de la burbuja económica

A mediados de los 1990, cuando se derrumbó la burbuja económica, la dirección de la política de pensiones del Gobierno cambió drásticamente, pasando de elevar el nivel de las pensiones hasta entonces, a frenarlo para garantizar el mantenimiento estable del sistema de pensiones.

Por ejemplo, en 1994 se aumentó a 65 años el requisito de edad para pagar la parte fija (pensión básica) de la pensión para personas mayores, y en 2000 también se aumentó a la misma edad el requisito participación proporcional en los ingresos (pensión para empleados). Al mismo tiempo, se introdujeron los siguientes sistemas importantes: un sistema de exención a mitad de precio para las primas de seguro de la pensión nacional; un sistema especial de pago para estudiantes; y un sistema que se exime de las primas de seguro que el empleador debe pagar mientras sus empleados disfrutan de la licencia por cuidado de niños.

3.2. Enmiendas de 2004

En 2004 se llevó a cabo una drástica reforma del sistema público de pensiones junto con diversas políticas de restricción de las pensiones. Merece la pena prestar atención a los siguientes contenidos: adopción de un método de prima fija de seguro de la pensión de los empleados (método para aumentar gradualmente la tasa de la prima de seguro de la pensión de los empleados y finalmente fijarlo en el 18,3%); aumentar la participación de la responsabilidad estatal en los recursos de los fondos de pensiones básicas (cargo de un tercio a la mitad); introducir la escala móvil macroeconómica (un mecanismo que ajusta automáticamente el nivel de las pensiones dentro de los límites de los recursos); mejorar el sistema de exención de primas de seguros durante la licencia por cuidado de niños; y establecer cuatro nuevos tipos de sistema de exención (exención total, exención de tres cuartos, exención a mitad de precio y exención de un cuarto).

3.3. Establecimiento del Servicio de Pensiones de Japón

Justo cuando muchos japoneses estaban preocupados por la sostenibilidad del sistema público de pensiones, se reveló en 2007 que la Agencia de Seguridad Social (Syakai Hoken Cho: 社会保険庁), una antigua agencia externa del Ministerio de Salud, Trabajo y Bienestar, había falsificado muchos registros de pensiones[8]. Debido a una falla grave como tal, esta Agencia fue abolida para lograr la transparencia y la equidad de la administración de pensiones, y después de unos años se estableció el nuevo Servicio de Pensiones de Japón (Nihon Nenkin Kiko: 日本 年金 機構), y se está comenzando a manejar desde 2010[9].

4. REFORMA DEL SISTEMA PÚBLICO DE PENSIONES EN LA "REFORMA CONJUNTA DE LA SEGURIDAD SOCIAL Y LA FISCALIDAD"

4.1. Reforma conjunta de la Seguridad Social y la fiscalidad

A través de la revisión de 2004, se introdujo el llamado sistema de "escala móvil macroeconómica". El propósito introducido en la pensión de los empleados fue reducir sustancialmente el monto de los pagos de pensión a los pensionistas. Sin embargo, Japón en ese momento se encontraba en una recesión económica tan severa y prolongada que era imposible ponerla en práctica (de hecho, fue desde 2015 que la macroeconomía entró en vigor por primera vez). Por ello, se reconoció como un problema urgente el fortalecimiento de la base de recursos de la seguridad social y se elaboró el "Plan de Reforma Conjunta de la Seguridad Social y Tributación"[10]. Este plan, que tiene como objetivo aumentar la tasa del impuesto al consumo y utilizar el aumento de impuestos para financiar el sistema de Seguridad Social, se ha implementado de manera gradual y concretamente desde 2012.

4.2. Principales leyes para dar forma concreta a la Reforma Conjunta de la Seguridad Social y la Tributación

Desde 2012 hasta hoy en día, se han establecido muchas leyes que tienen objetivo promover varias reformas del sistema público de pensiones, a través de poner en vigor de la Reforma Conjunta de la Seguridad Social y

---

8. "Sobre el proceso del problema con el registro de pensiones", Servicio de Pensiones de Japón https://www.nenkin.go.jp/service/nenkinkiroku/kyushaho/20140710. html.
9. Ley de organización de Servicio de Pensiones de Japón https://elaws.e-gov.go.jp/document?lawid=419AC0000000109.
10. "Sobre el Plan de la Reforma Conjunta de la Seguridad Social y la Fiscalidad", Secretaría de Gabinete https://www.cas.go.jp/jp/seisaku/syakaihosyou/.

la Tributación. Entre ellas, se merecen prestar atención a las cuatro leyes siguientes: Ley dirigida al Fortalecimiento de la Base Financiera y la Función Mínima de Garantía del Sistema Público de Pensiones (2012); Ley dirigida a Unificar los Sistemas de Pensiones de los Diferentes Empleados (2012); Ley dirigida a Asegurar el Saneamiento y la Confiabilidad del Sistema Público de Pensiones (2013); y Ley dirigida a la Reforma del Sistema Público de Pensiones (2016).

1) Ley de Fortalecimiento de la Base Financiera y la Función de Garantía Mínima del Sistema Público de Pensiones[11]. Los contenidos principales de esta ley son los siguientes: acortar a 10 años el requisito de período para poder recibir las pensiones (antes de esta reforma se necesitaron 25 años para obtenerlas); aumentar a la mitad la tasa de responsabilidad estatal por los recursos de los fondos de la pensión básica (antes de esta reforma era un tercio de los gastos totales); ampliar la cobertura de los trabajadores a tiempo parcial que trabajan en las empresas aplicables de la pensión para empleados (por esta reforma, se han incluido a la cobertura las empresas con más de 501 empleados que trabajan más de 20 horas por semana y que tienen un ingreso anual de 940.000 yenes o más); y exonerar las primas de seguro de la pensión para empleados, cuando utilicen la licencia de maternidad.

2) Ley dirigida a unificar los sistemas de pensiones de los diferentes empleados[12]. Los objetivos principales de esta ley son los siguientes: integrar en la pensión para empleados (la parte del nivel segundo) a todos los sistemas de pensiones de funcionarios públicos, etc. (antes de esta reforma, los funcionarios públicos estaban afiliados a las demás pensiones de ayuda mutua con mayor protección que la pensión para empleados); y fijar en el 18,3% la tasa de la prima de seguro de la pensión para empleados, en vigor desde 2017.

3) Ley dirigida a Asegurar el Saneamiento y la Confiabilidad del Sistema Público de Pensiones[13]. El papel más importante de esta ley es conseguir recuperar lo antes posible la confianza de todos los japoneses en el sistema de pensiones, perdida por la mala administración de las pensiones que se había hecho en el pasado, y reconstruir un sistema de pensiones donde la gente pueda estar segura.

---

11. "Sobre Ley dirigida al Fortalecimiento de la Base Financiera y la Función Mínima de Garantía del Sistema Público de Pensiones", Ministerio de Salud, Trabajo y Bienestar https://www.mhlw.go.jp/stf/seisakunitsuite/bunya/0000147284_00006.html.
12. "Ley dirigida a unificar los sistemas de pensiones de los diferentes empleados", Ministerio de Salud, Trabajo y Bienestar. https://www.mhlw.go.jp/topics/bukyoku/soumu/houritu/dl/180-54.pdf.
13. "Ley dirigida a Asegurar la Solidez y Confiabilidad del Sistema Público de Pensiones", Cámara de los Representantes https://www.shugiin.go.jp/internet/itdb_housei.nsf/html/housei/18320130626063.htm.

4) Ley dirigida a la Reforma del Sistema Público de Pensiones[14]. El objetivo principal de esta Ley es fortalecer la función de seguridad que pueda responder con sensibilidad a varios cambios de las condiciones socioeconómicas. En concreto, se implementan las medidas siguientes: extender la cobertura del seguro de la pensión para empleados a los trabajadores a tiempo parcial; eximir las primas de seguro de las personas aseguradas de la pensión nacional de la categoría primera, cuando utilicen el período de baja de maternidad; y reexaminar nuevamente la norma para la revisión del monto de las pensiones.

Actualmente, el sistema público de pensiones de Japón es operado y administrado, realizando los ajustes apropiados en virtud de estas leyes.

III. ESTRUCTURA BÁSICA DEL ACTUAL SISTEMA PÚBLICO DE PENSIONES[15]

1. ENTIDADES ASEGURADORAS, PERSONAS ASEGURADAS Y PRIMAS DE SEGURO

1.1. Entidades aseguradoras

Ni qué decir tiene que la entidad aseguradora del sistema público de pensiones es el "Gobierno de Japón" (art. 3 LPN y art. 2 LSPL). El ministro encargado directamente la administración de pensiones es el "Ministro de Salud, Trabajo y Bienestar". Bajo su dirección y supervisión, la entidad ejecutiva es el "Servicio de Pensiones de Japón", y las "Oficinas de Pensiones" fundadas en todas las regiones en Japón son sus agencias sucursales. Además, cada municipio también está parcialmente a cargo de los trámites de pensiones para los que se requiere el uso de registros de los residentes que viven en su municipio.

1.2. Personas aseguradas y primas de seguro

Todas las personas que tienen 20 años o más y residen en Japón están obligadas a afiliarse a la pensión nacional, y además las que están empleadas se incluyen, en principio, en la pensión para empleados al mismo tiempo.

Las personas aseguradas de la pensión nacional se clasifican en tres tipos: las personas aseguradas de la categoría primera; las de la categoría segunda; y las de la categoría tercera.

---

14. "Ley dirigida a la Reforma del Sistema Público de Pensiones", Ministerio de Salud, Trabajo y Bienestar https://www.mhlw.go.jp/stf/seisakunitsuite/bunya/0000147284.html.
15. *Libro blanco del Ministerio de Salud, Trabajo y Bienestar* https://www.mhlw.go.jp/english/wp/index.html.

1) Personas aseguradas de la categoría primera. Las "aseguradas de la categoría primera" son todas las que se encuentran registradas formalmente para residir en Japón y que tienen entre 20 y 59 años de edad, pero que no pertenecen a la categoría segunda ni a la categoría tercera.

Las personas de otros países que tienen su dirección y viven en Japón también, independientemente de su nacionalidad, deben estar cubiertas como asegurados de la categoría primera, debiendo pagar sus primas de seguro correspondientes. No obstante, la obligación de afiliación de las personas de otros países está exenta, si se celebra el acuerdo bilateral de Seguridad Social entre su país de origen y Japón.

Las personas aseguradas de la categoría primera, por regla general, tienen que proceder a pagar por sí mismas el monto de la prima mensual fija (art. 87 de la LPN). La persona que pagó las primas de seguro durante 40 años recibirá 780,900 yenes (el monto anual en el año fiscal 2021).

2) Personas aseguradas de la categoría segunda. Las "aseguradas de la categoría segunda" son las que tienen 69 años o menos y que trabajan más de las horas y los días laborables prescritos por la LSPE en las empresas cubiertas por este seguro (todas las oficinas corporativas, y todas las oficinas privadas individuales que siempre emplea a 5 o más trabajadores). No hay distinciones en relación a nacionalidad, sexo o estatus. Así que, las personas que tienen que afiliarse a este sistema no son solo empleados fijos, sino también representantes corporativos y directivos de empresas. Además, también son iguales los empleados a tiempo parcial, si sus horas y días de trabajo programados son tres cuartas partes o más de los empleados fijos. Al contrario, los empleados a tiempo parcial que trabajan por debajo de los criterios anteriores o que no pueden obtener un ingreso anual de menos de 1,3 millones de yenes, no pueden unirse a la pensión para empleados, aunque ellos trabajen en las empresas cubiertas por este seguro.

Las primas de seguro para las aseguradas de la categoría segunda las pagan a partes iguales los empleadores y las personas aseguradas de la categoría segunda. Este porcentaje se decide proporcionalmente en función de la recompensa de cada empleado.

3) Personas aseguradas de la categoría tercera. Los "asegurados de la categoría tercera" son cónyuges de mujer o de hombre que tienen entre 20 y 59 años y que están mantenidos por otros cónyuges de las personas aseguradas de la categoría segunda. Actualmente, las mujeres suman a la mayor parte de aseguradas de la categoría tercera. Sin embargo, los cónyuges con un ingreso anual de 1.3 millones de yenes o más no se clasifican como categoría tercera sino como primera.

Las personas aseguradas de la categoría tercera no están obligadas a pagar directamente sus primas de seguro de pensión nacional, y el período de las de la categoría tercera se considera automáticamente el período que se pagó su prima de seguro (art. 5.2 LPN). Por eso, los de la tercera categoría tienen derecho a percibir pensiones en función del período en el que se considera que estuvieron afiliados.

2. COSTO NECESARIO PARA PAGAR LAS PENSIONES

2.1. Recursos de los fondos de la pensión básica

El costo de la pensión básica se paga a la mitad mediante aportes a la pensión básica pagados del sistema de pensiones para empleados, y a la mitad por el Tesoro Nacional. Este mecanismo tiene como objetivo prevenir el peligro de caer en el estado de la falta de recursos de los fondos de la pensión básica, mediante la transferencia de una parte de los recursos de los fondos de pensiones a los empleados que tengan una base financiera sólida, en el caso de que el número de personas aseguradas de la pensión nacional disminuya.

1) Contribuciones a la pensión básica. Las personas aseguradas de la pensión para empleados (que son al mismo tiempo las aseguradas de la categoría segunda de la pensión nacional), y las de la categoría primera de la pensión nacional, aportan, cada año, los gastos necesarios para el pago de la pensión básica (art. 94-2 de la LPN).

2) Carga del Tesoro Nacional. Como he dicho ahora, la mitad del costo de la pensión básica la carga el Tesoro Nacional para reducir el monto de las primas de seguro, y para aligerar la carga impuesta a los afiliados de las pensiones (art. 85 de la LPN).

2.2. Recursos de los fondos de la pensión para empleados

Los recursos de los fondos para la pensión para empleados se aseguran solo por las contribuciones de las personas aseguradas de la pensión para empleados, y no se desembolsa por el Tesoro Nacional.

3. TIPOS DE LAS PRESTACIONES Y PRINCIPIOS BÁSICOS DE PAGO

Los tipos del evento (o del accidente) por el que se empieza el pago de las prestaciones de la pensión pública son tres: vejez o jubilación, discapacidad física o mental, y fallecimiento de las personas aseguradas. Cumplidos los requisitos para pagarse cada prestación de pensión, se efectúan los pagos de las prestaciones siguientes: la prestación básica para adultos mayores, la para personas con discapacidad, y la para hijos y cónyuge (mujer) alimentados por el asegurado (padre) fallecido de la pensión nacional; y la prestación de vejez para empleados, la para empleados con discapacidad y la para la familia supérstite de empleado fallecido.

El sistema público de pensiones de Japón se estructura con dos niveles. La pensión nacional constituye la parte del primer nivel equivale a la base de la estructura, y la pensión para empleados corresponde al segundo nivel. Por lo tanto, las personas afiliadas de la pensión para empleados pueden recibir la pensión básica para adultos mayores (el primer nivel) y al mismo tiempo la pensión de vejez para empleados (el segundo nivel). Sin embargo, si una persona afiliada de la pensión para empleados aún no obtiene el título de recibir la pensión básica para adultos mayores, tampoco podrá recibir la pensión de vejez para empleados.

Las pensiones se pagan bajo los principios siguientes.

1) El principio de que una persona escoge arbitrariamente una pensión. La persona que ha cumplido los requisitos para recibir las prestaciones desde dos pensiones o más, debe escoger una pensión que desea recibir (art. 20 LPN). Es decir, en caso de haber concurrido dos eventos (o accidentes) o más, un beneficiario por sí mismo puede escoger libremente una pensión, mientras se suspende el pago de otras pensiones.

Sin embargo, también se permiten las excepciones por las que se ajustan entre varias pensiones, considerando necesidades de la vida de pensionista. Por ejemplo, cuando una esposa (cónyuge) que recibe la pensión básica para familia supérstite llega a los 65 años, puede recibir al mismo tiempo su propia pensión básica para adultos mayores.

2) Sistema de la escala móvil. El "sistema de la escala móvil" es, con el fin de mantenerse el valor sustancial de las pensiones, un mecanismo para aumentar o disminuir el monto de las pensiones en función de las fluctuaciones económicas y de los cambios del nivel de vida durante el período en que se las recibe. Actualmente, se adoptan tres tipos de sistemas de la escala móvil: la escala móvil que se revisa de acuerdo con las fluctuaciones en el índice de precios al consumidor; la escala móvil que se revisa de acuerdo con la tasa de fluctuación de los salarios netos después de deducir las cuotas de seguro y los impuestos durante el período activo; y la escala móvil que ajusta automáticamente el nivel de las pensiones de acuerdo con la tasa de disminución de la fuerza laboral y la tasa de envejecimiento de los pensionistas.

4. SISTEMA DE EXENCIÓN DE PAGO DE LAS PRIMAS DE SEGURO, SISTEMA DE PAGO ESPECIAL PARA ESTUDIANTES, Y SISTEMA DE APLAZAMIENTO DE PAGO PARA PERSONAS MENORES DE 50 AÑOS Y DE BAJOS INGRESOS

En caso de que una persona afiliada de la pensión nacional tenga dificultad para pagar sus primas de seguro por encontrarse temporalmente sin ingresos o tener ingresos demasiado bajos, puede acogerse a uno de los sistemas siguientes: sistema de exención de pago de las primas de seguro; sistema de pago especial para estudiantes; y sistema de aplazamiento del pago para personas de 50 años o menos.

4.1. Sistema de exención de pago de las primas de seguro

El "sistema de exenciones" es un mecanismo que pueden aprovechar las personas afiliadas de bajos ingresos o sin ingresos. Actualmente, existen dos tipos de sistemas de exención: la exención por las causas enumeradas por las leyes; y la exención admitida por la solicitud de las personas afiliadas de la pensión nacional (art. 5.3 de la LPN).

1) Exención por las causas enumeradas por las leyes. Por ejemplo, se aplican aquellos que están recibiendo los beneficios de la asistencia social y de la pensión básica para personas con discapacidad (art. 89 de la LPN).

2) Exención admitida por la solicitud de las personas afiliadas de la pensión nacional. La Oficina del Servicio de Pensiones examinará la solicitud, y una vez se la aprueba, se le concederá la exención del monto total o parcial del pago de las primas de seguro. Hay cuatro tipos de exención admitida por la solicitud: exención total (en principio, el período de exención total se evalúa como un período medio pagado); exención de tres cuartos (evaluado como cinco octavos); exención de medio precio (evaluado como tres cuartos); y exención de un cuarto (evaluado como siete octavos) (art. 90-2 de la LPN). El monto de los beneficios se reducirá en función del período de exención. Sin embargo, las primas de seguro que han debido de pagarse en el período de exención las puede pagarse en el plazo de 10 años posteriores a la exención. En caso de recuperar el período por pagos retroactivos, su pensión básica para adultos mayores en el futuro se calculará en base al pago total de sus primas de seguro.

4.2. Sistema especial de pago para estudiantes y sistema de aplazamiento de pago para personas menores de 50 años y de bajos ingresos

Estos dos sistemas se han creado, teniendo en cuenta que no puedan pagar las personas que están aprovechando estos sistemas las primas de seguro actualmente, pero que podrán pagarlas en el futuro. Aquellos que los han aprovechado puede pagar sus primas de seguro en el plazo de 10 años a partir del momento en que finaliza la causa de que no se podía pagarlas.

4.3. Exención de primas de seguro de la pensión para empleados durante la licencia por cuidado de niños y la licencia de maternidad

Las personas aseguradas del seguro de la pensión para empleados se están exentando de pagar de las primas de seguro desde el mes en que se comienzan la licencia por cuidado de niños o la licencia maternidad hasta el mes en que finaliza cada licencia (art. 81-2 de la LSPE). Las primas exentas de seguro durante estos períodos se consideran pagadas ya, a diferencia del caso de la exención de las primas exentas de seguro de pensión nacional, y se ven reflejado automáticamente en el monto futuro de las pensiones.

5. PENSIONES PARA ADULTOS MAYORES

5.1. Requisitos para recibir las pensiones para adultos mayores

1) Requisito de edad. Uno de los requisitos para recibir la pensión básica para adultos mayores es la "edad" de las personas afiliadas de la pensión nacional. En forma concreta, cuando las afiliadas cumplen 65 años de edad se concede el derecho a percibir la pensión básica para adultos mayores (art. 26 de la LPN). Y, el derecho a percibir la pensión de vejez para empleados se concede cuando los que se afilian o se afiliaban a la pensión para empleados cumplen 65 años de edad (art. 42.1 de la LSPL).

2) Requisito de período. Las personas que se afilian al sistema público de pensiones durante 10 años o más se dan el derecho a recibir la pensión básica para adultos mayores. El "período de 10 años o más" se está calculado por los períodos siguientes: el período total en el que se han pagado las primas de seguro; el período en el que se han exentado de las primas de seguro; el período durante el que las aseguradas no pudieron pagar las primas de seguro por una razón válida; y el período en el que se aprovecha el sistema de pago especial para estudiantes (art. 26 de la LPN, art. 42 de la LSPE).

5.2. Monto de la pensión y método de cálculo

El monto total de la pensión básica para adultos mayores se paga cuando las personas afiliadas pagan las primas de seguro por 480 meses (art. 27 de la LPN). Sin embargo, en caso de que el número de meses en que se han pagado las primas de seguro sea de menos de 480 meses, el monto se calcula en base al número total de meses dividido por 480 (art. 27.1 de la LPN).

El monto de la pensión de vejez para empleados es el equivalente al que se llega cuando el número de meses del período asegurado se multiplica por el 5.481/1000 del monto promedio estandarizado de remuneración. Los afiliados de la pensión para empleados lo reciben con la pensión básica para adultos mayores.

5.3. Adelanto y aplazamiento de pago[16]

En principio, el pago de la pensión básica para adultos mayores comienza a los 65 años de edad. No obstante, si el beneficiario desea el adelanto o el aplazamiento de pago de la pensión, se le permite recibir la pensión a partir de 60 años de edad o suspenderlo hasta los 70 años de edad (art. 28 de la LPN).

Si la pensión se paga por adelanto, el monto pagado se reducirá en un 0,5% al mes. O sea, si el beneficiario comienza a percibir la pensión a los 60 años de edad, se reducirá en un 30% menos que el monto previsto de beneficio a pagar a los 65 años de edad (60 meses multiplicado por 0,5%). Por el contrario, en el caso de que se prorrogue el inicio del pago, el monto se incrementará en un 0.7% mensual. Por lo tanto, si dejan de recibir los beneficios hasta 70 años de edad, se recibirá un 42% de aumento sobre el monto que se recibe a los 65 años de edad (60 meses multiplicado por 0,7%).

Por otro lado, no se permiten las solicitudes de adelanto de pago de la pensión de vejez para empleados, pero pueden presentar la solicitud de pago diferido de su pensión (art. 44-3 de la LSPS).

5.4. Pensión de vejez para empleadas activos[17]

A fin de promover el empleo para adultos mayores, existe un sistema de la pensión de vejez para empleados activos por el que pueden continuar trabajando los empleados de 60 años o más recibiendo sus prestaciones de pensión.

El monto de la pensión de vejez para empleados activos puede reducirse o suspenderse en su totalidad en función del ingreso total mensual calculado por el salario, las gratificaciones y la pensión al trabajador de 60 años o más. Además, las edades de 60 a 64 años y de 65 a 69 años difiere el método de

---

16. "Lo que debe saber del Adelanto y aplazamiento de pago de la pensión nacional para adultos mayores", Centro de Cultura de Seguros de Vida (Fundación incorporada de interés público) https://www.jili.or.jp/lifeplan/lifesecurity/oldage/25.html.

17. "Sobre la Pensión de vejez para empleadas activos", Centro de Cultura de Seguros de Vida https://www.jili.or.jp/lifeplan/lifesecurity/oldage/13.html.

cálculo del monto de la pensión pagada.

1) Pensión de vejez para empleados activos menos de 65 años. En caso de que el monto total del "monto básico mensual (cantidad de la pensión de vejez para adultos mayores (monto anual) dividido por 12)" y de que el "monto de la remuneración mensual (salario mensual (salario mensual estándar) más la gratificación del último año dividido por 12)" superen los 280.000 yenes (470.000 yenes desde 2022), el monto total de la pensión se reduce.

2) Pensión de vejez para empleados activos de 65 años o más. En caso de tener empleados activos mayores de 65 años, existen dos métodos de cálculo: en caso de menos de 470,000 yenes, el monto total del "monto de la pensión mensual de la pensión de vejez para los ancianos" y el "monto del total remuneración mensual", se paga el monto total de la pensión de vejez; y en caso de exceder los 470,000 yenes, se suspende la mitad de la cantidad que exceda los 470,000 yenes.

5.5. Pensión especial de vejez para empleados[18]

Esta pensión especial es un mecanismo planteado para ajustar la edad en la que comienza a pagarse la pensión de vejez para empleados, ya que en 1985 se estableció la actual estructura de dos niveles que integraban dos sistemas de pensión para empleados y la antigua pensión nacional. O sea, hasta 1985, la edad en que se comenzó a pagar la pensión básica para adultos mayores era de los 65 años de edad, mientras la edad de la pensión de vejez para empleados era de 60 años. Actualmente, se están tomando medidas para unificar la edad a partir de la cual comienzan los pagos de las pensiones, a 65 años de edad para 2025, y en el proceso de elevar gradualmente la edad en que se comienza a pagar la pensión para empleados, se está pagando la "pensión especial de vejez para empleados". La edad a la que comienza el pago de la pensión especial varía en función de la fecha de nacimiento y el sexo de cada afiliado.

5.6. División de pensiones en el momento del divorcio[19]

El derecho a recibir pensión no puede ser dividido o transferido en el LNP (art. 24 LPN, etc.). Por lo tanto, antes de 2004 se adoptaba el método por el que, cuando la propiedad de matrimonio se distribuye al divorciarse, la

---

18. "Pensión especial de vejez para empleados", Servicio de Pensiones de Japón https://www.nenkin.go.jp/service/jukyu/roureinenkin/jukyu-yoken/20140421-02.html.
19. "Sobre la división de pensiones en el momento del divorcio", Servicio de Pensiones de Japón https://www.nenkin.go.jp/service/pamphlet/kyufu.files/0000000011_0000023772.pdf.

esposa recibe la mitad del monto de la pensión que pueda recibir el esposo en el futuro. Sin embargo, está claro que es muy difícil distribuir precisa y justamente la propiedad de matrimonio por este método.

Es por eso que, en la enmienda de la LSPE hecha en 2004, se introdujo el sistema en el que el monto de los beneficios de la pensión de vejez para empleados se divide automáticamente cuando llegó un divorcio. Hay dos métodos de esta división: el sistema de división basado en consenso mutuo; y el sistema de división para proteger a las personas aseguradas de la categoría tercera de la pensión nacional.

1) División basado en consenso. Este sistema es un mecanismo según el que el matrimonio que decidió divorciarse solicita al Ministro de Salud, Trabajo y Bienestar que divida la remuneración estándar durante el período de matrimonio. La proporción de división se limita a un máximo de la mitad en base al acuerdo entre las partes o la decisión del tribunal de familia (arts. 78-2 a 78-12 LSPE).

2) División para proteger a las personas aseguradas de la categoría tercera de la pensión nacional. Este sistema es un mecanismo que, cuando llegó el divorcio, un/una asegurado/a de la categoría tercera puede solicitar unilateralmente que se divida la remuneración estándar de la pensión para los empleados. Por tanto, si hay solicitud por parte de la persona asegurada de la categoría tercera, la mitad de la cantidad de la pensión se dividirá automáticamente.

6.   PENSIÓN PARA PERSONAS CON DISCAPACIDAD

Esta pensión se paga a las personas de 20 años o más que cumplan los requisitos para recibir beneficios de la pensión y tengan algún tipo de discapacidad. Hay dos tipos de pensiones para personas con discapacidad: la pensión básica para personas con discapacidad y la pensión de discapacidad para empleados.

1) Pensión básica para personas con discapacidad. La pensión básica para personas con discapacidad se otorga a la persona que está en el estado de discapacidad de grado primero o de grado segundo. El monto de las prestaciones de la pensión básica para las personas con discapacidad del grado segundo es el mismo que el total de la pensión básica para adultos mayores, y se abonará 1,25 veces más al grado primero. A propósito, sólo pueden afilarse a la pensión nacional a partir de los 20 años. Por eso, teóricamente, las personas que estaban del estado con discapacidad antes de los 20 años no pueden recibir beneficios de la pensión básica para personas con discapacidad, porque no pagaron las primas del seguro. Sin embargo, es claro que el mecanismo como tal va en contra de la idea del sistema de las pensiones para personas con discapacidad. Por lo tanto, para las personas con discapacidad antes de los 20 años, también existe el sistema especial en el que pueden recibir la pensión básica para personas con discapacidad, asumiendo que tienen discapacidad al mismo tiempo en el día en que cumplen los 20 años.

2) Pensión de discapacidad para empleados. En caso de que queden los empleados en situación de discapacidad a causa de enfermedad o lesión ocurridas durante el periodo en el que se afilian al seguro de la pensión para empleados, se pagan los beneficios de las pensiones en función de su situación. A las personas que están en el estado de discapacidad de grado primero o de grado segundo se les pagarán la pensión para empleados con discapacidades y la pensión básica para personas con discapacidad. A las con discapacidad de grado tercero solo se les pagará la pensión de discapacidad para los empleados. Además, como beneficio de solo la pensión para empleados, las con discapacidad de grado cuarta se les pagará un subsidio de discapacidad. El monto de la pensión de discapacidad para empleados se decide proporcionalmente a la remuneración, al igual que la pensión de vejez para empleados (art. 53 LSPE).

7.   PENSIÓN PARA FAMILIA SUPÉRSTITE

La "pensión para familia supérstite" es, de manera resumida, un mecanismo mediante el cual la pensión de vejez del asegurado fallecido se transfiere a su familia como "pensión familiar supérstite". Hay dos tipos de pensión para familia supérstite, a saber, la pensión básica para familia supérstite, y la pensión del empleado para familia supérstite.

1) Pensión básica para familia supérstite. En caso del fallecimiento del asegurado (padre) que se cumplan los requisitos de las primas de seguro, los hijos y conyugue (mujer) que se mantenían su vida con ingresos del padre difunto tienen el derecho a recibir la prestación básica para familia supérstite (en el caso de los hijos, hasta el primer 31 de marzo desde que cumplieran los 18 años, salvo que se trate de discapacitados, en cuyo caso la prestación se extiende hasta el día anterior al de cumplimiento de los 20 años) (art. 37 de la LPN). Como el criterio de determinarlo, se utilizan los ingresos de sus miembros de la familia. En concreto, el monto total debe estar menos de 8.5 millones de yenes por año. El monto de los beneficios de la pensión es el mismo que el de la pensión básica para adultos mayores.

2) Pensión del empleado para la familia supérstite. Las personas aseguradas cubiertas por la pensión del empleado para familia supérstite son mucho más amplias que las de la pensión básica para familia supérstite. En concreto, los beneficiarios con derecho a percibir la pensión son cónyuges, hijos, padres, nietos o abuelos que se mantenían con ingresos de la asegurada fallecida. Asimismo, a aquellos cónyuges con hijos de 18 años o menor, o a los hijos de menor de edad, se les paga esta pensión en conjunto con la pensión básica para familia supérstite. En el caso de que las personas aseguradas son "esposo, padres o abuelos", existe un requisito de edad. Es decir, estos miembros de la familia deben llegar ya a 55 años, cuando falleció la afiliada (mujer) de la pensión para empleados, y se pagará los beneficios de pensión desde 60 años. En caso de que cónyuges tienen el derecho a recibir la pensión de vejez para empleados, después de recibirla, si hay una diferencia con la pensión de empleados para familia supérstite, se la pagará (art. 60 de la LSPE).

IV. PROBLEMAS PENDIENTES DE LAS PENSIONES PARA ADULTOS MAYORES

El sistema público de pensiones de Japón tiene como objetivos especiales resistir al rápido avance del envejecimiento de la sociedad y al estancamiento de la tasa de natalidad, frenar el aumento del costo de las pensiones, y a eliminar la desconfianza que tienen muchos japoneses en relación a este sistema.

Para lograr estos propósitos rápidamente, el Gobierno de Japón acometió varias reformas importantes como siguientes: introducción del sistema de fijación de primas de seguros; aumento del coeficiente de cargo del Tesoro Nacional; incorporación de un sistema de ajuste de pensiones basado en índices macroeconómicos; formulación de reglas sobre la distribución del monto de las pensiones en el momento del divorcio; y revisión del sistema de pensiones de vejez para los empleados activos, etc. En el proceso de estas reformas, el Gobierno de Japón declaró con confianza que el sistema público de pensiones de Japón "se mantendría durante 100 años a partir de ahora".

Sin embargo, realmente no puedo evitar decir que, desde hace unos 20 años hasta la fecha, los resultados que esperaba el gobierno japonés no se han producido. En otras palabras, quedan muchos problemas, como los siguientes: asegurar de manera estable los recursos de los fondos de pensiones; corregir la desigualdad intergeneracional en los beneficios de las pensiones; reducir las tasas de impago de las primas de seguros por parte de los afiliados a la pensión nacional de primera categoría; y eliminar las desigualdades que existen entre trabajadores y amas de casa. Además, en 2007 se descubrió un problema muy profundo: el gobierno de Japón estuvo manejando mal los registros de pensiones durante muchos años. Este problema ha tenido un impacto considerable en todos los japoneses y ha provocado desconfianza en el Gobierno de Japón y preocupación por el sistema público de pensiones de una sola vez.

Por último, señalaré algunos de los problemas que persisten con las pensiones para personas mayores.

1. ASIGNACIONES PARA ASEGURAR LOS RECURSOS DE LOS FONDOS DE PENSIONES

Según los datos del Ministerio de Salud, Trabajo y Bienestar[20], la población total de Japón es de 125,71 millones de personas a fecha del 1 de octubre de 2020, pero, se estima que la población total será de 88,08 millones en 2065. La población de 65 años o más es de 36,19 millones y su porcentaje de población (porcentaje de adultos mayores) es del 28.8%. Por otra parte, La tasa de natalidad alcanzó un máximo del 19,4% en 1973, pero después de la cima, comenzó a disminuir y cayó por debajo del 10,0% en 1990. Por eso, la población de 15 a 64 años alcanza un máximo de 87,16 millones en 1995, pero en 2020 disminuyó a 74,49 millones de personas (59.3% de la población total)[21]. En resumen, en Japón hoy en día, la tasa de natalidad y el envejecimiento de la población no está disminuyendo, sino que está agravando de mal en peor.

Y, la economía de Japón, se convirtió en la segunda economía más grande del mundo a fines de la década de 1960. Sin embargo, desde cuando la burbuja económica colapsó a mediados de la década de 1990, entró en un período de larga recesión. La economía mostró signos de recuperación cuando el Gabinete de Abe que se lanzó en 2012, implementó políticas monetarias drásticas, políticas fiscales móviles y estrategias de crecimiento para estimular la inversión privada, y, como resultado de las políticas activas, la economía entró de nuevo en una tendencia ascendente en 2013. Luego, la economía continuó la tendencia ligeramente creciente a través de nuevas políticas como reformas en el estilo de trabajo. Sin embargo, aunque estas políticas denominadas "Abenomics" estimularon las actividades corporativas, no pretendían directamente mejorar la vida de trabajadores. Por eso, la economía comenzó a deteriorarse bruscamente desde alrededor de 2018. Y ahora, a causa de la influencia de la COVID-19 se ha originado una recesión económica extrema[22].

---

20. Informe anual sobre la sociedad que envejece [Resumen] *AF* 2021 Julio de 2021 Oficina del Gabinete de Japón
https://www8.cao.go.jp/kourei/whitepaper/w-2021/zenbun/03pdf_index.html.
21. Estadísticas de Japón (2021) Capítulo Segundo. Población / Hogares "2-15. Número de nacimientos / defunciones y número de matrimonios / divorcios" https://www.stat.go.jp/data/nihon/02.html.
22. Índices de condiciones de la economía, Gabinete de oficina https://www.esri.cao.go.jp/en/stat/di/di-e.html.

En estas circunstancias, el costo total de las prestaciones de la seguridad social va aumentando drásticamente desde principios de la década de 1970, superando los 100 billones de yenes en 2010 y los 120 billones de yenes en 2017. A partir de 2020, este costo ha alcanzado los 126,8 billones de yenes, de los cuales 57,7 billones de yenes (45,5%) se han destinado a pensiones[23].

1.1. Aumento del ratio de la carga del Tesoro Nacional

En Japón, para asegurar los recursos de los fondos de pensiones, las primas de los seguros se incrementaron anualmente, sobre la base de la prosperidad económica hasta la década de 1980. Sin embargo, ya en la década de 1970, el Instituto Nacional de Investigación sobre Población y Seguridad Social (国立 社会 保障 人口 問題 研究所) había advertido sobre las preocupaciones sobre la disminución de la tasa de natalidad y el envejecimiento de la población de Japón, y luego la tendencia se aceleró a un ritmo rápido. Por este motivo, se ha señalado que la carga de las primas de seguros pagadas por las generaciones trabajadoras ya ha alcanzado el límite que han podido afrontar desde la década de los noventa. Por lo tanto, se discutió el aumento de la carga del Tesoro Nacional como un medio eficaz para solucionar este problema, y se elevó la tasa del impuesto al consumo en la reforma integral de la seguridad social e impuestos implementada en 2012. Su participación aumentó se utilizó para financiar la base de las pensiones y, al mismo tiempo, la carga del Tesoro Nacional se elevó a la mitad del monto total de sus beneficios.

La idea de no aumentar fácilmente las primas de seguros es muy importante. Sin embargo, existen pocas razones racionales por las que el Tesoro Nacional debería ser responsable de hasta la mitad de los recursos del fondo de pensiones. Es decir, lo que el Tesoro Nacional tiene que pagar hasta la mitad significa que ya se ha incumplido la condición previa del método gestionado por primas de seguros. De hecho, ya está claro que es imposible mantener el método gestionado por las primas del seguro de pensiones, a pesar de que no se puede detener la tendencia de nacimiento y envejecimiento.

1.2. Aumento del requisito de edad de las pensiones para adultos mayores

Actualmente, se examina la posibilidad de aumentar más la edad de inicio de las prestaciones de las pensiones para adultos mayores, con la

---

23. Seguridad Social, etc. (Material de referencia), Ministerio de Hacienda, 15 de abril de 2021. https://www.mof.go.jp/about_mof/councils/fiscal_system_council/sub-of_fiscal_system/proceedings/material/zaiseia20210415/02.pdf.

intención de asegurar los recursos de los fondos de pensiones y de promover el empleo para los adultos mayores. Pero, podrá ser bastante difícil proponer el aumento concreto en este momento, porque, hasta 2024, se está en proceso de aumentar gradualmente el requisito de edad a los 65 años. Por lo tanto, por ahora, no se presenta formalmente ninguna propuesta por el Gobierno de Japón para aumentarlo. Pero, es evidente que el número de adultos mayores seguirá aumentando hasta alrededor de 2040, y la duración media de la vida también está alargando más[24]. Por lo tanto, en un futuro próximo deberá implementarse un aumento del requisito de edad.

Sin embargo, para incrementarlo, es fundamental mejorar las oportunidades de empleo y los entornos laborales de las personas mayores. Actualmente, no existe una ley que garantice que los adultos mayores que deseen ser empleados puedan trabajar como asalariados regulares hasta los 65 años. Por el contrario, se teme que, debido al impacto de la movilidad laboral que se viene implementando desde 2012[25], sea cada vez más difícil para los adultos mayores que deseen obtener un empleo encontrar un puesto de trabajo estable en el futuro. No hay duda de que, en estas circunstancias, si se aumenta el requisito de edad sin tomar ninguna medida para asegurar los ingresos, aumentaría el número de adultos mayores sin ingresos que no tienen trabajo ni pueden percibir ninguna pensión.

Por lo tanto, es necesario juzgar con mucho cuidado cuándo aumentar la edad de inicio de las prestaciones de pensión.

1.3. Moderación del requisito para afiliarse a la pensión para empleados

En cuanto a los requisitos para afiliarse a la pensión para empleados, se planteaban desde su inicio unas preguntas sobre la disparidad considerable en los requisitos de afiliación entre los trabajadores a tiempo parcial y los empleados regular. Para abordar este problema, a lo largo de unos 30 años hasta ahora, se han hecho esfuerzos para ampliar la cobertura de esta pensión para los trabajadores a tiempo parcial todo lo posible y en 2012 se relajaron los requisitos para afiliárselo. Bajo el sistema actual de la pensión para empleados, en las empresas con 501 o más de trabajadores (más de 101 trabajadores desde 2022, más de 51 desde 2024), los a tiempo parcial que tienen la posibilidad de emplearse más de un año (más de 2 meses desde 2022), trabajan 20 horas o más a la semana y tienen el ingreso anual de

---

24. "Población de adultos mayores", Oficina de Estadísticas, Ministerio del Interior y Comunicaciones https://www.stat.go.jp/data/topics/topi1261.html.
25. "Abrimos un futuro brillante con Abenomics", Oficina del Primer Ministro https://www.kantei.go.jp/jp/headline/seicho_senryaku2013.html.

1.06 millones de yenes o más, se dan títulos para afiliársela. Sin embargo, en Japón de hoy, todavía más del 90% de las empresas son de pequeñas y medianas empresas, y como resultado, la gran mayoría de los trabajadores a tiempo parcial siguen dejándose sustancialmente sin poder afiliarse a la pensión para empleados. Además, no debe pasarse por alto que la mayor parte de las personas que no pueden afiliarse a la pensión para empleados son las mujeres trabajadoras. Por lo tanto, actualmente se está examinando la posibilidad para moderar más el requisito para afiliarse a este sistema.

Sin embargo, en efecto, será bastante difícil moderarse estos requisitos, porque tanto los empleadores como los trabajadores se oponen a aumentarse la carga de la prima de seguro bajo la recesión grave actual. Además, debido al creciente del número de personas desempleadas y la reducción del tamaño de negocios por causa del Covid-19 de hoy está claro que es bastante difícil implementar el aumento de la prima de seguro de la pensión.

1.4. Implementación de la escala móvil macroeconómica

En el proceso de empeorar cada vez más la disminución de la tasa de natalidad y el envejecimiento de la población, el objetivo de la escala móvil macroeconómica introducida en 2004 fue igualar la carga entre generaciones y, al mismo tiempo, ajustar los beneficios de pensiones dentro de las primas de seguro. A pesar del rápido aumento del monto de las prestaciones de pensión a medida que se acrecienta el número de adultos mayores, la población activa está disminuyendo gradualmente debido a la disminución de la tasa de natalidad. Por lo tanto, con el fin de mantener el sistema de pensiones, se inventó un mecanismo para ajustar automáticamente los niveles de beneficios de pensiones en función de la tasa de disminución de la fuerza laboral y la tasa de envejecimiento de los pensionistas. Actualmente, se ajusta restando automáticamente "0,9%" de la tasa de inflación ("menos 0,6% en función de la tasa de disminución de la población activa" y "menos 0,3% en función de la tasa de envejecimiento de los pensionistas"). Eso quiere decir que, aunque los precios suban 3%, el monto de la pensión solo aumentará 2,1%.

Cuando se comenzó el sistema de la pensión de vejez para empleados, el objetivo numérico del monto del pago fue aproximadamente 60% del salario medio de una pareja que ganó la remuneración promedio anual y se afilió a la pensión para empleados durante 40 años (monto total de dos pensiones básicas y pensión para empleados). Sin embargo, a partir de la introducción de la escala móvil macroeconómica, su objetivo numérico ha apuntado a mantener alrededor del 50%. Ni que decir tiene que los derechos de propiedad incluidos el de recibir la pensión serán definidos por la ley en conformidad con el bienestar público (art. 29.2 Constitución de Japón), pero también que no se puede forzar la reducción sin límites. Aunque tenga razón racional reducir la pensión por causa de varias necesidades financieras, por supuesto que no se permite la reducción que desplome la confianza en el sistema público de pensiones.

2.   ASIGNACIONES PRINCIPALES PARA FORTALECER EL SISTEMA Y RESTAURAR LA CONFIANZA

Hoy en día, muchos japoneses se sienten extremadamente escépticos en lo que se refiere al sistema público de pensiones. Por ejemplo, según la encuesta privada de opinión publicada por Asahi Shimbun el 11 de enero de 2020[26], el 90% de los encuestados sienten que necesitan un sistema público de pensiones, pero, el 66% de los encuestados respondieron que estaban "extremadamente inquietos" por el futuro del sistema público de pensiones actual. También según la investigación del Centro de Cultura de Seguros de Vida (Fundación incorporada de interés público)[27], el porcentaje de las personas que respondieron que estaban "ansiosas por su vida en la vejez" fue del 84,4% (más del 80% tanto hombres como mujeres), y el 82,8% de los encuestados dieron como motivo "que no es suficiente vivir solo de la pensión pública".

Está claro que detrás de la ansiedad hay desconfianza en el sistema público de pensiones y en el comportamiento del Gobierno. En otras palabras, detrás de las respuestas de la gente estaba la existencia del informe "La formación de activos y su gestión en una sociedad que envejece" publicado por la Agencia de Servicios Financieros en junio de 2019[28]. En el informe se escribió claramente que "los hogares de parejas mayores cuyos ingresos consten solo de pensiones tendrán un déficit mensual promedio de alrededor de 50.000 yenes. Si esta situación continúa durante 30 años hasta la duración media de la vida, se necesitarán alrededor de 20 millones de yenes". Además, la vaguedad de los comentarios publicados por el Ministro de finanzas de entonces sobre este informe exacerbó aún más la ansiedad de la población japonesa.

Según la encuesta de Asahi Shimbun mencionada más arriba, solo el 11% de los encuestados respondieron que el gobierno lo explicó a la gente

---

26. "Encuesta de opinión por Asahi Shimbun" https://www.asahi.com/articles/ASM-DT5R5WMDTUZPS00K.html.
27. "Encuesta de la vida en la vejez por Centro de Cultura de Seguros de Vida (Fundación incorporada de interés público) https://www.jili.or.jp/lifeplan/lifesecurity/oldage/5.html.
28. "Formación y gestión de activos en una sociedad que envejece", Informe del grupo de trabajo de mercado del Consejo financiero, 3 de junio de 2019. https://www.fsa.go.jp/singi/singi_kinyu/tosin/20190603/01.pdf.

de una manera sencilla de entender, pero contestaron el 83 % que "no entiendan la explicación". Por ello, parece que va subiendo la proporción de desconfianza e indiferencia de las generaciones juveniles en el sistema público de pensiones. De hecho, acerca de la pregunta de si el sistema público de pensiones no fuera la "afiliación obligatoria", sino la "voluntaria como antes", "¿Querría usted afiliarse?", el 31% de la generación trabajadora respondió que no se afiliaría.

2.1. Número de las personas que no pagan la prima de seguro de la pensión nacional

En el momento de la creación de la pensión nacional, casi todos los asegurados de la primera categoría eran no asalariados, como autónomos y agricultores. Sin embargo, en la actualidad, la mayoría de los que pertenecen a la primera categoría son trabajadores no regulares que no están calificados para afiliarse al sistema de pensiones de los empleados. En otras palabras, el porcentaje de personas que tienen dificultades para pagar la prima de su seguro está aumentando rápidamente. Sin embargo, según datos del Ministerio de Sanidad, Trabajo y Previsión Social, la tasa de pago de la prima del seguro de pensiones ha alcanzado en torno al 70% desde 2020, superando el año anterior durante ocho años consecutivos[29]. Pero hay que prestar suficiente atención a que esta cifra no incluya el número de los que están exentos o diferidos de la prima del seguro. Si los incluye en los que no pagan y vuelve a calcular, la tasa de pago real se mantendría en solo alrededor del 40%. No hace falta decir que la causa principal es que está creciendo el número de asegurados en la primera categoría que se encuentran en un estado de dificultades financieras y que no pueden permitírselo. De hecho, en Japón, se informa que la tasa de pobreza relativa alcanza el 15,4%, lo que significa que la proporción de personas cuyo ingreso familiar está por debajo de la línea de pobreza del país (1,27 millones de yenes en el año fiscal 2018) equivale a una de cada 6 personas[30]. Además, otra causa más profunda es que está creciendo el número de personas que tienen desazón, desconfianza o repugnancia en el sistema público de pensiones. Las medidas que deben implementarse con urgencia son al menos: promover más activamente varias actividades de ilustración para

---

29. "Sobre la tasa de pago de la prima de seguro de la pensión nacional por las personas aseguradas de la categoría primera", Ministerio de Salud, Trabajo y Bienestar https://www.mhlw.go.jp/stf/seisakunitsuite/bunya/nenkin/nenkin/toukei/nouhuritu.html.
30. "Sobre los resultados del análisis de la tasa de pobreza relativa, etc.", Ministerio de Salud, Trabajo y Bienestar https://www.mhlw.go.jp/seisakunitsuite/soshiki/toukei/tp151218-01.html.

profundizar la comprensión del sistema público de pensiones a todos los ciudadanos; promover medidas económicas en cooperación con otros sistemas de Seguridad Social; y al mismo tiempo, fortalecer el sistema para recaudar la prima de seguro.

2.2. Problemas con las personas aseguradas de la categoría tercera de la pensión nacional

El sistema de las personas aseguradas de la categoría tercera de la pensión nacional se ha establecido para evitar el riesgo de que las amas de casa que no tengan muchos ingresos y no puedan pagar la prima de seguro de la pensión nacional se conviertan en no pensionistas después en la era de vejez (después de 65 años de edad). En este sentido, no cabe duda de que este sistema ha contribuido de manera significativa al establecimiento de los derechos de mujeres a pensión.

Sin embargo, en estos días en que muchas mujeres que vienen participando en el mundo de trabajo y en otros varios campos llegan a ser común, cada vez más vienen levantándose voces fuertes de protesta sobre dar un trato preferente solo a cónyuges de las personas aseguradas de la categoría segunda de la pensión nacional (Actualmente, las personas que se benefician del sistema suman casi mujeres). En la actualidad, me parece necesario revisar drásticamente el sistema en sí, desde la perspectiva de asegurar los derechos de pensión no solo para cónyuges de las personas aseguradas de la categoría tercera, sino también para diferentes personas sin ingresos.

2.3. Aumento del nivel de la garantía mínima de la pensión para adultos mayores

Huelga decir que la razón de ser del sistema público de pensiones es garantizar el derecho a la vida. Por lo tanto, por ejemplo, el monto del pago de la pensión básica para los ancianos debe estar en el nivel en el que se garantice a los beneficiarios una "vida mínima saludable y cultural" con solo la pensión básica. En otras palabras, el monto del pago de la pensión debe fijarse al menos en un nivel igual o superior a los estándares de protección de los medios de vida establecidos por el Ministerio de Salud, Trabajo y Bienestar. Sin embargo, en realidad, el monto promedio de las prestaciones de pensión básica para los ancianos es inferior a 150.000 yenes y siempre se deja por debajo del nivel de protección de los medios de vida. Por ejemplo, en mi opinión, el sistema de pensiones de vejez para los empleados activos debería unificarse utilizando el método actual del mecanismo de pensiones de vejez para los mayores de 66 años.

A partir de 2016, el período de derecho a la pensión básica para las personas mayores se redujo de "25 años" a 810 años". Con base en estimaciones del gobierno, se espera que la implementación de esta medida de reducción aumente drásticamente el número de beneficiarios de la pensión básica para ancianos y de beneficiarios de la pensión especial de vejez para empleados (más de 600.000)[31]. Sin embargo, aunque el número de no pensionistas (aquellos que no califican para recibir la pensión) disminuya, el monto actual de pago es extremadamente bajo como ya dije. Además, por ejemplo, aquellos que no pagaron las primas del seguro correspondiente al período de exención del pago de la prima de seguro o del período especial de pago del estudiante se reducen aún más en el monto del beneficio. Esto puede resultar una carga excesiva para quienes no trabajan, los trabajadores de rentas más bajas y los desempleados. En este nivel, parece que está muy lejos de la vida saludable y cultural declarada en la Constitución.

Además, es seguro que los montos de las pensiones que ya se han determinado se reducirán en el futuro mediante la implementación de la escala móvil macroeconómica. Sin embargo, el nivel de los montos de las pensiones se establece actualmente en aproximadamente la mitad del ingreso promedio ganado durante el tiempo que estuvieron empleados. Por tanto, creo que es mejor considerar diversas medidas flexibles como limitar la aplicación de la escala móvil macroeconómica, al menos para la parte de la pensión básica, etc.

V.   EN LUGAR DE LA CONCLUSIÓN

El método basado en el apoyo intergeneracional adoptado actualmente en el sistema público de pensiones de Japón se planteó en la década de los años 70, cuando la economía japonesa se estaba desarrollando rápidamente y tanto la generación trabajadora como la población de la próxima generación superaban significativamente en número a la población adulta mayor. Pero hoy en día, no solo la condición económica, sino también la composición de la población, han cambiado por completo. Por lo tanto, si tratamos de mantener el sistema público de pensiones sobre la base de este sistema, puede que se incremente la carga de las generaciones trabajadoras, se pierda sobre todo la vitalidad y esperanza de la generación juveniles y se acelere la disminución de la tasa de natalidad y envejecimiento de la población.

---

31. "Sobre los detalles del sistema de pensiones hasta ahora", Departamento de Pensiones del Ministerio de Salud, Trabajo y Bienestar, 4 de abril de 2018.
      https://www.mhlw.go.jp/file/05-Shingikai-12601000-Seisakutoukatsukan-Sanji-kanshitsu_Shakaihoshoutantou/0000202219.pdf.

Como medida para solucionar el colapso del sistema público de pensiones por la desconfianza de los japoneses en el sistema actual y en las políticas del Gobierno de Japón en materia de pensiones, se adoptó la medida para elevar la posición del Tesoro Nacional. Sin embargo, aumentar la proporción de la carga del Tesoro Nacional a la mitad para reducir la carga sobre la generación trabajadora no es la solución fundamental al problema. Desde la perspectiva de una carga justa para todos, parece que ha llegado el momento de discutir seriamente el cambio a métodos basados en el esquema tributario (la pensión nacional) y el esquema de financiamiento de reserva (la pensión de los empleados).

Capítulo 8

La sostenibilidad de las pensiones en México

María Ascensión Morales Ramírez
Profesora Titular de Derecho del Trabajo y de la Seguridad Social
Universidad Nacional Autónoma de México

I. INTRODUCCIÓN

Es un hecho que los cambios demográficos (el aumento de las expectativas de vida y la disminución de la tasa de natalidad) afectan la financiación de los sistemas de pensiones, sin embargo, la sostenibilidad de éstos, en sentido amplio va más allá de los recursos económicos.

La sostenibilidad de los sistemas pensionarios involucra la cobertura y su ampliación, la suficiencia de las prestaciones, la sostenibilidad financiera, el empleo y las políticas fiscales. Enfocarse en el aspecto de las finanzas, es mirar sólo una de las caras del problema, con gran olvido de la perspectiva social, laboral, económica y política para atender un complejo y sensible tema: la protección de la vejez.

Bajo esta óptica, el presente trabajo describe la problemática del sistema general de pensiones mexicano para comprender la experiencia de la reforma estructural a uno de sus principales regímenes contributivos y su re-reforma, cuyos resultados y desafíos no solucionados, por un lado, evidencian lo inapropiado de medidas aisladas y, por otro, confirman la importancia de un paradigma de estrategias integrales en los procesos de reforma de los sistemas de pensiones que den respuesta a todos los aspectos involucrados y a objetivos de largo alcance.

1.   CONTEXTO NACIONAL

El sistema de pensiones público contributivo en México se caracteriza por una fragmentación y heterogeneidad histórica que ha provocado, además de un fuerte costo fiscal, una desigualdad y exclusión social permanente. Existen más de tres mil[1] subsistemas, modelos y esquemas pensionarios, cada uno con sus propias reglas de cotización, requisitos de adquisición, beneficios, tasas de reemplazo, entre otros[2]. Sin embargo, el grueso de las personas trabajadoras está afiliado al organismo más importante del país: el Instituto Mexicano del Seguro Social (IMSS)[3].

A pesar de la existencia de tantos regímenes pensionarios, en forma constante, la cobertura de la población ha sido muy baja. Por ello, a principios de este siglo, se crearon pensiones no contributivas (de corte asistencial) a nivel federal y estatal, sin embargo, replicaron también la heterogeneidad y el mal diseño. Además, surgieron sin planificación ni vinculación con las pensiones contributivas y dejando a personas mayores en la exclusión[4].

Este panorama pensionario es administrado, principalmente, por ocho instituciones: tres organismos federales (IMSS, Instituto de Seguridad y Servicios Sociales de los Trabajadores del Estado (ISSSTE) e Instituto de Seguridad Social de las Fuerzas Armadas (ISSFAM); la Unidad de Seguros, Pensiones y Seguridad Social adscrita a la Secretaría de Hacienda y Crédito; dos empresas productivas estatales (Petróleos Mexicanos y Comisión Federal de Electricidad), la Comisión Nacional de Ahorro para el Retiro (CONSAR) para el sistema de capitalización individual y la Secretaría del Bienestar (pensión no contributiva), esto es, se carece de una institucionalidad rectora que determine la política pensionaria, la regulación, administración y fiscalización en la materia.

---

1.   CONSAR, *Dimes y Diretes sobre las Pensiones en México.* Apuntes sobre el SAR No. 4, México, 2020.
2.   Para los trabajadores que prestan sus servicios a los empleadores, al Estado, a las entidades federativas y municipios, a las universidades públicas (esquemas complementarios), y a las empresas productivas estatales (planes profesionales).
3.   De acuerdo con el IMSS en febrero de 2020 eran más de 20 millones asegurados, de los cuales 85.6% correspondían a trabajadores permanentes y 14.4% a eventuales.
4.   En 2001, el entonces Distrito Federal creó el "Programa de Apoyo Alimentario, Atención Médica y Medicamentos Gratuitos para Adultos Mayores de 70 Años". En 2003 se universalizó con la "Ley que Establece el Derecho a la Pensión alimentaria para Adultos Mayores de 70, residentes en el D.F. Diversas entidades federativas también crearon sus programas y en el 2007 lo hizo el Gobierno Federal con el 'Programa 70 y Más'", (después lo denominó 65 y más).

El aspecto financiero ha concentrado la mayor atención al considerar que el gasto público en pensiones es muy alto. En 2017 representó el 3.12% del Producto Interno Bruto (PIB); sólo el 7.3% del costo total se cubre con las cotizaciones. Así, el 85% del presupuesto federal es consumido por los diversos subsistemas y modelos pensionarios; el 9.7% por el sistema de capitalización individual (compromisos estatales de la cuota social y pensión garantizada); y el 5% por la pensión no contributiva. Las proyecciones estimadas indican que dicho costo se incrementará en un 6% del PIB en 2030[5].

No obstante, desde el punto de vista social, la desprotección de la vejez también se agravará. En 2019, la población económicamente activa (PEA) era de 53.3 millones; las personas con empleo formal representaban 24.3 millones y las que se ubicaban en la informalidad eran 31 millones[6], esto es, sólo el 44 % de la PEA estaba protegida y contribuía para lograr una pensión a futuro. Las personas mayores en el país suman más de 14 millones, de las cuales sólo ocho millones 427 reciben la pensión no contributiva. Se espera que este sector sea de más de 20 millones en 2030.

II. CAMBIO DE PARADIGMA Y SUS RESULTADOS

A pesar de la problemática general pensionaria antes descrita, México optó por la revisión del principal sistema de pensiones contributivo, como lo hicieron diversos países de América Latina en la década de los 90, que implicó el cuestionamiento de los sistemas tradicionales (modelo de seguro social alemán), bajo las orientaciones de organismos financieros que condujeron a la región a la construcción de nuevas soluciones financieras, enmarcadas en el sistema de capitalización individual implantado en Chile en 1981.

1. EL SISTEMA DE CAPITALIZACIÓN INDIVIDUAL

En 1995, se aprobó la reforma a la LSS que protege a la gran mayoría de las personas afiliada al IMS y que laboran para los empleadores privados[7]. Con dicha reforma se sustituyó el antiguo sistema público por el de capitalización individual, dejando la administración, la gestión de las inversiones y la provisión de las pensiones a las administradoras

---

5. Cfr. ASF, *Informe del Resultado de la Fiscalización Superior de la Cuenta Pública 2018*, México, 2019.

6. INEGI, Resultados de la Encuesta Nacional de Ocupación y Empleo, Primer trimestre de 2020: https://bit.ly/3aW57v5.

7. En 1992 se realizó una reforma a la LSS para introducir el "seguro de retiro" bajo lo que denominó el Sistema de Ahorro para el Retiro.

privadas, con la idea de solucionar la viabilidad financiera, enfrentar los cambios demográficos, favorecer el ahorro nacional y desarrollar el mercado financiero (objetivos económicos). El sistema entró en vigor el 1.º de julio de 1997. Diez años despúes, se incorporó dicho sistema a la Ley del Instituto de Seguridad y Servicios Sociales de los Trabajadores del Estado (LISSSTE).

Así, las edades para pensionarse se conservaron en el nuevo sistema (60 años para cesantía en edad avanzada y 65 para vejez), las cotizaciones aumentaron de 500 (casi 10 años) a 1250 (más de 24 años), el financiamiento continuó siendo tripartito: 6.5% del salario base de cotización, se fijaron dos modalidades para recibir la pensión: renta vitalicia o retiros programados; se determinó una pensión garantizada para aquellas personas que aun cumpliendo con los requisitos de ley sus recursos fueran insuficientes para optar por las modalidades de pensión. La gestión de las cuentas individuales quedó a cargo de las Administradoras de Fondos para el Retiro (AFORE) y la supervisión y vigilancia fue asumida por la Comisión Nacional del Sistema de Ahorro para el Retiro (CONSAR). Los afiliados antes de la reforma (generación en transición), podrían decidir al final de su vida activa, el sistema para pensionarse: antiguo o nuevo.

2. EVALUACIÓN DEL SISTEMA

El sistema de capitalización individual mexicano fue objeto de evaluaciones internacionales, con miras a una posible reforma porque ya se vislumbraban las consecuencias que enfrentaría en 2021 la primera generación de dicho sistema en la LSS.

2.1. OCDE y BID

La Organización para la Cooperación y el Desarrollo Económico (OCDE) y el Banco Interamericano de Desarrollo (BID), señalaron que el sistema de capitalización era un éxito porque había aumentado la capacidad de la economía mexicana para financiar las pensiones, reportaba grandes activos equivalentes a 14.1% del PIB[8], las administradoras privadas habían logrado un rendimiento promedio anual de 12.5% desde su introducción (6.2% en términos reales), la regulación y supervisión del sistema ejercido por la CONSAR había funcionado debidamente, conforme a las mejores prácticas de los países de la OCDE, entre otros aspectos económicos financieros.

8.　OCDE, *Estudio de la OCDE sobre los sistemas de pensiones: México*, 2016. Azuara, Oliver, et. al, *Diagnóstico del sistema de pensiones mexicano y opciones para reformarlo*, Banco Interamericano de Desarrollo, 2019.

Sin embargo, dichos organismos reconocieron que el sistema no había mejorado la cobertura de la población en la etapa activa, el monto de las pensiones sería bajo (aproximadamente el 27% del salario), los gastos de la administración (comisiones) estaban por encima del nivel promedio internacional (en promedio 99%), no existía competencia entre las administradoras privadas (cuatro concentraban el 80% del mercado). En fin, puede decirse que la capitalización individual no respondía a los objetivos sociales característicos de los sistemas de pensiones: otorgar ingresos en la vejez y evitar la pobreza en esa etapa de la vida.

Los organismos adujeron entre otros como factores que afectaron el sistema: el nivel de cotización bajo (6.5% del salario base de cotización); la incorporación voluntaria de los trabajadores independientes; y los regímenes de transición existentes que ofrecen mejores beneficios en comparación con el sistema de capitalización individual.

Igualmente, señalaron otros aspectos negativos del sistema: el régimen de inversión muy limitado[9], el mercado de rentas vitalicias escaso (cuatro aseguradoras participaban y dos concentraban también el 80%), las modalidades para pensionarse eran reducidas (solo renta vitalicia y retiro programado) y la información, educación y asesoría era insuficiente o inadecuada para los afiliados.

2.2. Conferencia Interamericana de Seguridad Social (CISS)

La CISS, en concordancia con la Organización Internacional del Trabajo (OIT)[10], señaló que la experiencia de los sistemas de pensiones basados en cuentas individuales implicó muchos riesgos macroeconómicos, financieros y demográficos para las personas trabajadoras y en cambio las administradoras privadas resultaron ser las grandes beneficiarias de dicho sistema[11].

Para la CISS, desde la perspectiva social, las consecuencias fueron desfavorables para las personas: la cobertura se estancó o disminuyó; los niveles de beneficios se deterioraron; aumentó la desigualdad de género y de ingresos; los altos costos de transición crearon enormes presiones

---

9. El límite máximo de inversión en el extranjero solo es de 20% de los fondos de pensiones, mientras que la proporción de deuda gubernamental está por encima del 50% colocándose como un sistema demasiado concentrado. La regulación ha estado supeditada, en ciertas ocasiones, al cumplimiento de objetivos macroeconómicos.
10. OIT, *Reversión de la Privatización de las Pensiones: Reconstruyendo los sistemas públicos de Pensiones*, Ginebra, 2018.
11. Martínez Aviña, J.T., *México: Una propuesta para un nuevo sistema de pensiones*, Nota técnica No. 1, México, CISS, 2019, disponible en: https://ciss-bienestar.org/wp-content/uploads/2020/03/propuesta-para-un-nuevo-sistema-de-pensiones.pdf.

fiscales; por tanto, la capitalización individual había acrecentado el riesgo de empobrecimiento en la vejez, de tal manera que cerca del 80% de quienes cotizan en el IMSS caerían en la pobreza o se mantendrían en ella en la última etapa de su vida.

En efecto, desde el principio siempre han existido un número mayor de cuentas individuales (67.1 millones, pero sólo 23 millones están activas, esto es, reciben aportaciones periódicas). Además, cada año casi dos millones de personas realizan retiros de sus cuentas individuales a causa del desempleo.

Como puede apreciarse, las diversas evaluaciones internacionales confirmaban las consecuencias señaladas por la OIT en la década de los 90[12] y, por ende, la solución ha resultado bastante extrema, excluyente, empobrecedora y costosa.

III.   PROPUESTAS DE LOS ORGANISMOS INTERNACIONALES

A la luz de la problemática del sistema de pensiones mexicano en general y, de lo evidenciado en el sistema de capitalización individual en particular, las organizaciones internacionales formularon algunas soluciones de reforma integral.

1.   OCDE Y BID

Las propuestas de estos organismos pretendían incidir en tres campos: a) creación de un sistema nacional de pensiones; b) implementación de un sistema multipilar y c) reformas a los regímenes de transición de las leyes del Seguro Social y del ISSSTE.

1.1.   Sistema Nacional de Pensiones

Los organismos sugirieron la creación de un Sistema Nacional de Pensiones a fin de eliminar la fragmentación y, con ello, armonizar las reglas para todos los esquemas pensionarios, y con ello, evitar las desigualdades y mejorar las perspectivas financieras.

El BID, además incorporó otros aspectos: a) *Creación de una entidad rectora*, que permitiera tener una visión global del sistema mediante funciones específicas: diseño de política, regulación, fiscalización y administración

---

12. El sistema reproduciría la desigualdad, la ruptura de la cohesión social y del derecho de igualdad de oportunidades, fomentaría mayor responsabilidad individual, la pensión sería imprevisible y crearía estructuras de costos, restaría importancia al papel del sistema de pensiones como un mecanismo para promover la solidaridad social a través de la redistribución del ingreso.

para lograr una coordinación y planeación a largo plazo; b) *Ley marco,* que estableciera los criterios a seguir por todos los sistemas de pensiones del país, a fin de facilitar la integración o coordinación de los distintos pilares y subsistemas, entre ellos, la integración de la pensión para las personas mayores; c) *Institución independiente, que propusiera c*ambios al sistema y diera voz a los distintos actores con intereses en el sistema de pensiones; y d) *Sistema de información apropiado,* para homologar procesos, facilitar la portabilidad y reducir costos, entre otros.

1.2. Modelo multipilar

Los organismos propusieron un modelo de tres pilares integrados, con la idea de combinar instrumentos de protección no contributivos y contributivos a fin de lograr una cobertura efectiva generalizada[13].

a) Pilar no contributivo. Incrementar el monto de la pensión de las personas *m*ayores existente en la actualidad, porque representaba entre el 63% y 41% de la línea de pobreza por ingresos en zonas rurales y en zonas urbanas, respectivamente[14].

b) Pilar contributivo. Capitalización individual, con las reformas siguientes[15]: aumentar la edad de retiro y ligarla a la esperanza de vida; incrementar las cotizaciones obligatorias, en forma gradual (para llegar entre el 13 a 18% durante 40 años), a efecto de tener una tasa de reemplazo de 50%; otorgar la pensión garantizada con base a las cotizaciones pagadas o en función del periodo de contribución para que el monto sea bajo y paulatinamente retirarla; promover la licitación en la asignación de cuentas individuales para lograr la competencia entre las administradoras privadas, diversificar las modalidades para pensionarse a fin de proteger contra el riesgo de longevidad; ampliar el régimen de inversión según perfil demográfico de los afiliados[16]; actualizar regularmente las tablas de mortalidad; campañas para promover el ahorro para el retiro y aumentar la educación financiera.

c) *Pilar de ahorro voluntario.* Introducir contribuciones voluntarias automáticas con opción de salida (*opt-out*), en periodos específicos para

---

13. OCDE, *Estudio de la OCDE sobre los sistemas de pensiones: México, op. cit,* pp. 3-5 y 69-170.
14. Durante muchos años el monto de la pensión para personas mayores fue de 500 pesos mensuales. En los últimos años ha aumentado, alcanzando en 2019 el valor 1,275.00 pesos mensuales.
15. OCDE, *Estudio de la OCDE sobre los sistemas de pensiones: México, op. cit,* pp. 4, 6, 18, etc.
16. Para la OCDE, la ampliación de las opciones inversión, haría posible mantener aquellas que permitan un ciclo de vida predeterminado como única alternativa para proteger a quienes están cerca de pensionarse contra los resultados negativos extremos (por ejemplo, grandes caídas en los mercados accionarios). Esto implicará reformas al marco regulatorio de la CONSAR.

los afiliados formales, mediante descuentos en nómina y canalizarlos a una de las subcuentas de largo plazo. Opciones por defecto (*opt-out*) o elecciones activas (*opt-in*) para quienes paguen impuestos y tengan saldo a favor en la declaración anual, así como para los trabajadores de las plataformas digitales. Además, planes de pensiones ocupacionales e individuales, pues si bien existe la regulación, no están muy desarrollados en el país[17].

1.3.   Reforma a los regímenes de transición

Los organismos sugirieron reformar los regímenes transitorios de la LSS y de la LISSSTE para introducir un mecanismo de prorrateo, que permitiera cubrir una parte de la pensión con el sistema de reparto basado en derechos adquiridos y la otra parte con los recursos acumulados en las cuentas individuales.

2.   CISS

La Conferencia también ofreció una propuesta integral, coincidiendo incluso, con la creación de un sistema nacional de pensiones y el sistema multipilar (aunque con diferente base), así como medidas complementarias[18].

2.1.   Sistema Nacional de Pensiones

La CISS propuso a la par de la creación del Sistema Nacional de Pensiones: a) la elaboración de una *Ley marco,* que guiara a los administradores de pensiones y estableciera los límites; b) la creación de otras instancias: *Comisión Nacional de Pensiones (CONAPE),* que regulara, supervisara y sancionara a todos los sistemas del país con base en la Ley marco y u*n órgano de administración y gestión de inversiones,* especialista en el ramo a fin de garantizar un nivel mínimo de rentabilidad quinquenal y c) la creación de fondos de reserva: uno, para el pilar no contributivo y otro para el pilar contributivo, los cuales serían administrados por el órgano descentralizado.

2.2.   Modelo multipilar

La propuesta de la CISS comprendía cuatro pilares integrados que también combinaban instrumentos no contributivos y contributivos para

---

17. La LSS en el artículo 109 regula los planes profesionales o complementarios. A finales de mayo de 2014 había 1,930 de este tipo de planes, gestionados por 1,727 empleadores.
18. Martínez Aviña, J.T., México: Una propuesta para un nuevo sistema de pensiones, Nota técnica No. 5, México, CISS, 2019, disponible en: https://ciss-bienestar.org/wp-content/uploads/2019/08/Nota_tecnica_nueva5.pdf.

desempeñar cada uno determinados objetivos del sistema nacional de pensiones en favor de la ampliación de la cobertura y el otorgamiento de pensiones dignas, entre otros temas.

a) Pilar no contributivo. Cuyo monto permitiera comprar la canasta mínima (alimentaria y no alimentaria), equivalente a un salario mínimo. Además del financiamiento con impuestos, la propuesta incluía fuentes específicas complementarias: impuestos especiales adicionales a las empresas tabacaleras (2%), bebidas saborizadas[19], banca múltiple (2%)[20], bebidas alcohólicas (2%)[21] e impuestos al capital (propiedad inmobiliaria, riqueza, regalos y herencias)[22].

b) Pilar contributivo. Retorno al sistema público de beneficios definidos. La pensión se otorgaría a partir de los 65 años, con un período de cotización entre 15 y 20 años, considerando el promedio de los últimos 15 años del salario regulador del trabajador. La tasa de reemplazo no podría ser menor al 40 % ni mayor al 80 %; siempre y cuando se mantuviera un piso base de dos salarios mínimos y un techo de 15 salarios. A partir de los 15 años cotizados la pensión se incrementaría en 8% anualmente hasta llegar al 80 %. En caso, de no ser suficiente la pensión de este pilar, se podría complementar con la pensión no contributiva para compensar los ingresos, pero la suma de ambos no podría superar el 100 % del sueldo regulador que sería del promedio de los últimos 15 años del salario del trabajador. Este pilar se financiaría con cotizaciones tripartitas a partir de las de tasas vigentes (6.5%) y se incrementarían en un punto anualmente hasta llegar a 15.1% del salario base de cotización.

c) Pilar de ahorro obligatorio. Capitalización individual, con la participación de las administradoras privadas al considerarse que el ahorro continuaría empleándose como detonador de proyectos de largo plazo para impulsar el crecimiento económico y el desarrollo del país. En forma previa se perfeccionarían sus deficiencias: comisiones y competencia. En este pilar cotizarían los trabajadores y los empleadores.

d) Planes de previsión social. Establecidos voluntariamente por los empleadores en beneficio de sus trabajadores. Este pilar será complementario de los otros tres.

---

19. En 2018 se recaudaron aproximadamente 25 000 millones de pesos por este concepto.
20. Ésta generó ingresos en 2018 por cerca de 800 000 millones de pesos. Aplicando un impuesto de 2% a sus ingresos anuales, podría entregar recursos por 16 000 millones de pesos.
21. De acuerdo con datos de Euromonitor International, el mercado asciende a 45 749 millones de pesos. Un impuesto de 2% representaría un monto cercano a 10,000 millones de pesos.
22. El organismo afirma que México recaudó en 2017, 0.3% del PIB por los siguientes conceptos: propiedad inmobiliaria, riqueza, regalos y herencias. Dicho porcentaje equivale a un monto cercano a 65,691 millones de pesos.

De lo expuesto, puede señalarse que entre las propuestas internacionales existieron acercamientos en varios aspectos, sin embargo, la principal diferencia se ubicó en la columna contributiva obligatoria del sistema: capitalización individual vs. reparto.

Sólo la propuesta de la CISS fue valuada actuarialmente para determinar su viabilidad financiera en un periodo de al menos 75 años (2021-2096) y con la posibilidad de ajustar los componentes del esquema si fuera necesario. Asimismo, la CISS elaboró los proyectos de ordenamientos legales que deberían ser creados o reformados para la operación del sistema[23], esto es, la propuesta no sólo fue integral sino también ofrecía elementos para su viabilidad.

Si bien, las propuestas internacionales señalaron la necesidad de incorporar la dimensión de género y que la reforma pensionaria fuera acompañada de una reforma fiscal y una laboral, lo cierto es que ninguna realizó planteamientos específicos sobre estos temas.

IV. PROPUESTAS NACIONALES

En el contexto nacional, años atrás, se habían realizado planteamientos también desde diversos enfoques, aunque todas las propuestas tenían un carácter parcial, al limitarse únicamente al componente contributivo obligatorio.

La situación que enfrentaría la primera generación del sistema de capitalización individua en 2021 reavivó el debate sobre la reforma: el 1% (750) alcanzaría una pensión, aunque con una cuantía muy baja y el 99% (74,250) no podrían recibirla[24].

1. SECTOR PRIVADO

La CONSAR, la Asociación de Administradoras de Fondos para el Retiro (AMAFORE), The Aspen Institute México, la Asociación Mexicana de Actuarios Consultores en Planes de Beneficios para Empleados (AMAC), el Instituto Mexicano de Ejecutivos de Finanzas (IMEF), las administradoras privadas y el Consejo Coordinador

---

23. Reformas a la Ley del Seguro Social y Ley del SSSTE, abrogación de la Ley de los Sistemas de Ahorro para el Retiro y creación de la Ley General de Pensiones. CISS, *Propuesta de la Conferencia Interamericana de Seguridad Social (CISS) para una reforma integral del sistema de pensiones en México Iniciativa de Ley*, México, 2020. disponible en: https://ciss-bienestar.org/wp-content/uploads/2020/08/Propuesta-pensional-CISS.-Iniciativa-de-ley.pdf.
24. Abraham Vela Dib, presidente de la CONSAR, *Reforma*, 27 de febrero de 2020. Cfr. CONSAR, *Informe al Congreso 1er. Trimestre 2020*, México. 2020.

Empresarial (CCE), entre otros[25], simpatizaban con la permanencia del sistema de capitalización individual, con los ajustes siguientes: a) aumentar la aportación obligatoria para llegar a 15%, reducir las semanas de cotización a 750 (14 años), en lugar de 1,250 (más de 24 años), b) incrementar la pensión grantizada, c) fomentar las aportaciones voluntarias del trabajador, d) promover nuevos esquemas de ahorro voluntario, e) incorporar a los trabajadores independientes para que puedan lograr por lo menos una pensión garantizada y f) otorgar un crédito por maternidad[26].

2. SECTOR SOCIAL

El sector de la academia, las organizaciones de pensionados, los sindicatos y algunos partidos políticos[27], se pronunciaban por el regreso al sistema público de beneficios definidos (reparto debidamente perfeccionado, vía el seguro social) como la columna hegemónica del sistema y, en muchos casos, se proponía un sistema mixto (reparto, complementado con un componente mínimo de capitalización individual o reparto con capitalización colectiva), con la idea de conformar un sistema equitativo y solidario, ya que las lecciones evidenciaron lo perjudicial que significaba depender exclusivamente de un componente privado. Asimismo, pugnaban porque el Estado recuperara la rectoría en materia pensionaria.

V. REFORMA APROBADA EN 2020

Pese a las propuestas de los organismos internacionales sobre una reforma integral, se llevó a cabo una reforma limitada únicamente a las pensiones de retiro (cesantía en edad avanzada y vejez) de la LSS, con la permanencia del esquema de capitalización individual. Dicha reforma se dio en un momento muy complicado para el empleo formal a causa de la crisis por COVID-19 que obligó a las personas a efectuar retiros parciales de

---

25. CONSAR, *Sistema de ahorro para el retiro. Diagnóstico de la generación Afore. IMSS*, Apuntes sobre el SAR No. 2, México, 11 de noviembre de 2019. The Aspen Institute, *Perspectivas futuras del sistema de pensiones en México. Una visión Plural en beneficio de los trabajadores*, México, 2018. Forbes staff, Urge reformar el Sistema de pensiones, IMEF, 8 de marzo de 2020, www.forbes.com.mx/urge-ley-de-reforma al sistema de pensiones-advierte- el imef/.
26. Carbajal, B., *Afina la IP reforma al sistema de pensiones*, Jornada, 19 de febrero, 2020 1https://www.jornada.com.mx/ultimas/economia/2020/02/19/afina-la-ip-reforma-al-sistema-de-pensiones-7701.html.
27. Senado de la República, *Pluralidad y Consenso. Sistema de pensiones en México*, Revista del Instituto Belisario, Año 10, No. 45, julio-septiembre 2020. Partido del trabajo: Ley de Pensiones, septiembre de 2020.

sus cuentas individuales para tener ingresos, aunque la medida complicará aún más la posibilidad de tener una pensión.

1.   MODIFICACIONES

La reforma parcial y de urgencia comprendió cuatro modificaciones a los parámetros del sistema de capitalización individual, que involucró reformas a la LSS y a la Ley del Sistema de Ahorro para el Retiro (LSAR).

1.   *Disminución de las semanas de cotización.* De 1,250 (más de 24 años) a 1000 (más de 19 años). Para la generación en curso, el artículo cuarto transitorio estableció 750 semanas de cotización para obtener las pensiones señaladas a partir de 2021 (fecha en que entró en vigor el Decreto) y dichas cotizaciones se incrementarán en 25 cada año hasta llegar a 1000 semanas en 2031, esto es, la medida tiene un carácter gradual y temporal.

2.   *Restructuración del financiamiento.* Incremento de la aportación del empleador, en forma gradual y diferencial en un periodo de ocho años, iniciando en 2023. La aportación estatal se recompuso, por un lado, se eliminó del ramo de cesantía en edad avanzada y vejez y, por otro, sólo se incluirá en el ramo de *cuota social* para aquellos que perciban entre un salario mínimo y hasta cuatro Unidad de Medida y Actualización (UMA).

3.   *Pensión garantizada.* Considerará la edad, nivel de cotización y semanas cotizadas. Dicha disposición entrará en vigor en 2023, sin embargo, la generación en curso, en 2021 podrán pensionarse con 750 semanas, las cuales se incrementarán en 25 cotizaciones cada año hasta llegar a 1000 semanas en 2031.

4.   *Comisiones.* Se modificó el artículo 37, párrafo octavo de la LSAR para establecer que éstas se sujetarán a un máximo que resultará del promedio aritmético de las comisiones en Estados Unidos de América (0.45%), Colombia (0.62%) y Chile (0.54%), tomando en cuenta los "Estándares en el mercado internacional en materia de comisiones en los sistemas de contribución definida" (capitalización individual), y también se ajustarán a la baja cuando así suceda en esos países, no así en caso contrario, por lo que se mantendrá el promedio que al momento se esté aplicando.

Es importante señalar que esta reforma legalizó la aplicación de la UMA en materia de pensiones, cuando dicha media fue creada en la reforma constitucional de 2016 para desvincular al salario mínimo de los supuestos ajenos a su naturaleza (multas, recargos, créditos, entre otros); no tomó en cuenta la Ley para Determinar el Valor de la UMA cuya exposición de motivos precisó el uso del salario mínimo en las prestaciones de seguridad social; y se ignoraron los criterios jurisprudenciales existentes hasta ese momento, emitidos por los tribunales colegiados de circuito sobre la inaplicabilidad de la UMA en las pensiones[28].

Como puede apreciarse, se trató de una medida de urgencia para atenuar en cierta forma los efectos negativos para la primera generación, a fin de permitir que algunas personas logren una pensión en 2021, incluso muy por debajo del salario mínimo vigente. La pensión oscilará entre 2,622 y 8,241 pesos mensuales, esto es, el monto inferior representa el 60% del salario mínimo general vigente en 2021 en la Ciudad de México, porque la pensión se calculará con base en UMA.

VI. RETOS

México tendrá que corregir el rumbo para enfrentar en el corto y mediano plazo el fondo del problema pensionario del país, en todas sus aristas y en el sentido amplio de la sostenibilidad, cuyos elementos se vinculan entre sí, a saber:

a) Cobertura. La ampliación en el componente contributivo está ligada a la existencia de empleos dignos (con salarios y beneficios adecuados), que permitan contribuir al sistema. La extensión de la pensión no contributiva requerirá continuar con la tendencia del incremento del monto para asegurar una vejez digna. Integrar este componente al sistema, para que deje de ser un programa social.

b) Beneficios. Lograr pensiones adecuadas y previsibles que respondan al costo de la vida y del poder adquisitivo, implicará el retorno al sistema de beneficios definidos o a la implantación de un sistema mixto, en principio, en los dos grandes institutos federales (IMSS e ISSSTE) que incorporen mecanismos de solidaridad, dado que, en la capitalización individual, estos beneficios dependen de los ahorros acumulados en la cuenta individual y la experiencia de 24 años ha evidenciado la imposibilidad de ahorro de las personas trabajadoras. Asimismo, ampliar el espectro de la atención de la salud y cuidados en la vejez.

c) Financiamiento de las pensiones contributivas. No es suficiente con incrementar las cotizaciones, es necesario buscar otras fuentes de financiamiento.

---

28. El 27 enero de 2016 se reformó la Constitución con el objetivo de lograr la recuperación del salario mínimo que por casi 40 años tuvo incrementos raquíticos, a través de desvincularlo de otros supuestos en donde se aplicaba. Ello dio lugar a la creación de la UMA y a la ley correspondiente la cual fue publicada en el *Diario Oficial de la Federación* el 30 de diciembre de 2016.

d) Responsabilidad del Estado. Retomar la rectoría en materia pensionaria, ejercer mayor participación en el financiamiento e institucionalidad y crear fondos de reserva.

e) Dimensión de género. Atender el doble aspecto: participación laboral y el marco normativo para avanzar en el otorgamiento de bonos por hijo o pago de cotizaciones a cargo de la pareja, eliminación de las tablas de mortalidad diferenciadas, cuidado de los hijos, entre otros temas, con el objetivo de que las mujeres obtengan una pensión por derecho propio.

f) Empleo. Realizar el análisis correspondiente del contexto de la economía y la reforma laboral que permita responder al problema del empleo y la protección de todas las formas atípicas de éste y formalizar a los informales.

g) Reforma fiscal. Incrementar la recaudación en forma progresiva y a través de diversas medidas fiscales, eliminar prácticas negativas y reasignar el gasto público de la mejor manera, entre otros.

En resumen, avanzar hacia lo que la Comisión Económica para América Latina y el Caribe (CEPAL) ha denominado el "nuevo pacto social-fiscal", que implica reformas pensionales, fiscales y laborales vinculadas.

VII. BIBLIOGRAFÍA CITADA

ASF, *Informe del Resultado de la Fiscalización Superior de la Cuenta Pública 2018*, México, ASF, México, 2019.

Azuara, O., *et. al*, *Diagnóstico del sistema de pensiones mexicano y opciones para reformarlo*, Banco Interamericano de Desarrollo, 2019.

CISS, *Propuesta de la Conferencia Interamericana de Seguridad Social (CISS) para una reforma integral del sistema de pensiones en México Iniciativa de Ley*, México, 2020. disponible en: https://ciss-bienestar.org/wp-content/uploads/2020/08/Propuesta-pensional-CISS.-Iniciativa-de-ley.pdf.

CONSAR, *Dimes Diretes sobre las Pensiones en México. Apuntes sobre el SAR*, No. 4, México, 2020.

– *Informe al Congreso 1er. Trimestre 2020*, México. 2020.

– *Sistema de ahorro para el retiro. Diagnóstico de la generación Afore. IMSS*, Apuntes sobre el SAR No. 2, México, 11 de noviembre de 2019.

The Aspen Institute, Perspectivas futuras del sistema de pensiones en México. Una visión Plural en beneficio de los trabajadores, México, 2018.

Forbes staff, *Urge reformar el Sistema de pensiones, IMEF*, 8 de marzo de 2020, www.forbes.com.mx/urge-ley-de-reforma al sistema de pensiones-advierte- el imef/.

Carbajal, B., *Afina la IP reforma al sistema de pensiones*, Jornada, 19 de febrero, 2020 1https://www.jornada.com.mx/ultimas/economia/2020/02/19/afina-la-ip-reforma-al-sistema-de-pensiones-7701.html.

Diario Oficial de la Federación, *Decreto por el que se reforman, adicionan y derogan diversas disposiciones de la Ley del Seguro Social y de la Ley de los Sistemas de Ahorro para el Retiro*, 16 de diciembre de 2020.

INEGI, *Resultados de la Encuesta Nacional de Ocupación y Empleo*, Primer trimestre de 2020: https://bit.ly/3aW57v5.

Martínez Aviña, J., *México: una propuesta para un nuevo sistema de pensiones'*, Nota Técnica No. 1, México, CISS, 2019, disponible en: https://ciss-bienestar.org/wp-content/uploads/2020/03/propuesta-para-un-nuevo-sistema-de-pensiones.pdf.

– *México: una propuesta para un nuevo sistema de pensiones'*, Nota Técnica No. 1, México, CISS, 2019, disponible https://ciss-bienestar.org/wp-content/uploads/2019/08/Nota_tecnica_nueva5.pdf.

OCDE, *Estudio de la OCDE sobre los sistemas de pensiones: México*, México, 2016.

OIT, *Reversión de la Privatización de las Pensiones: Reconstruyendo los sistemas públicos de Pensiones*, Ginebra, 2018.

Senado de la República, *Pluralidad y Consenso. Sistema de pensiones en México*, México, Revista del Instituto Belisario, Año 10, No. 45, julio-septiembre 2020.

Capítulo 9

El sistema de pensiones en Cuba. Una aproximación normativa

Jennifer Batista Torres
Profesora Auxiliar de Derecho del Trabajo y de la Seguridad Social
Universidad de la Habana, Cuba

Reynaldo Jorge Lam Peña
Profesor Asistente de Derecho del Trabajo y de la Seguridad Social
Universidad de la Habana, Cuba

I. INTRODUCCIÓN

En el año 1999 la Organización Internacional del Trabajo (OIT), colocó en el debate político, social y jurídico un nuevo concepto ético jurídico: el trabajo decente. Con ello se exhortó a los Estados miembros de la organización a trazar políticas públicas que protegieran a los trabajadores desde un valor centra en la concepción del ser humano, el Derecho y los derechos humanos: la dignidad. Para ello, nutrió al concepto de cuatro pilares fundamentales, a saber; políticas públicas de acceso al empleo, derechos laborales, diálogo social tripartito y protección social. Este último, hace referencia a todas las políticas y programas que ofrecen prestaciones, en efectivo o en especie, para asegurar la protección frente a: la falta de acceso a la atención de salud o de medios financieros para tener acceso a la misma; la falta de ingresos procedentes del trabajo, o de ingresos suficientes, por motivos de enfermedad, discapacidad, maternidad, accidentes del trabajo, mantenimiento de los hijos; desempleo, vejez, o muerte de un miembro de la familia; pobreza general, vulnerabilidad y exclusión social[1].

De aquí la Seguridad Social se consolida como un sistema encaminado a brindar seguridad a los ciudadanos. En este sentido, el Estado debe, no solo proteger la propiedad individual sino, también, garantizar el acceso equitativo a servicios públicos elementales a través de un sistema de pensiones que establezcan prestaciones materiales y económicas. Este sistema obtuvo un ropaje jurídico convirtiéndose en una rama del Derecho independiente y multidisciplinaria al reflejar la realidad política, jurídica, técnica y práctica del orden social donde se regula.

En el caso cubano, la Seguridad Social ha sido consagrada como un derecho fundamental en la Constitución cubana de 2019[2], en el precepto 68 donde se establece que: *"la persona que trabaja tiene derecho a la seguridad social. El Estado mediante el sistema de seguridad social, le garantiza la protección adecuada cuando se encuentre impedido de laborar por edad, maternidad, paternidad, invalidez o enfermedad (...)"*.

Asimismo, la protección social se enarboló como uno de los fundamentos del Estado desde el artículo 1, cuando consagra a la República de Cuba como un *"Estado socialista de derecho y de justicia social"*; sobre todo cuando la nación cubana posee, según datos de la Oficina Nacional de Estadística e Información (ONEI), un 21.3% de su población mayor de 60 años[3]. Asimismo, en el año 2021 registró un total de 1 674 705 personas pensionadas, de una población laboral activa de 4 585.200[4].

Estos datos visualizan la necesidad de un sistema de seguridad social efectivo e inclusivo que agrupe las contingencias necesarias en pos de proteger los derechos de los trabajadores y sus familias ante situaciones reales que les impidan ejercer el trabajo.

Sobre los tipos de contingencias reguladas en Cuba y su régimen de pensiones versa el presente artículo.

---

1. Organización Internacional del Trabajo. *Protección social universal para la dignidad humana, la justicia social y el desarrollo sostenible*. Conferencia Internacional del Trabajo 108.A Reunión, 2019. p. 2.
2. Constitución de la República de Cuba en *Gaceta Oficial Extraordinaria* No. 5 de 10 de abril de 2019.
3. Oficina Nacional de Estadística e Información. *Anuario Estadístico de Cuba 2020: Población*. Edición Julio 2021. La Habana. 2021. Disponible en: http://www.onei.gob.cu/sites/default/files/03_poblacion.pdf.
4. Oficina Nacional de Estadística e Información. Serie estadística Empleos y Salarios 1985-2019. Edición Julio 2019. La Habana Disponible en: http://www.onei.gob.cu/node/15870.

II. APUNTES HISTÓRICOS DEL SISTEMA DE PENSIONES EN CUBA

En Cuba no fueron promulgadas las primeras normativas sobre la seguridad social hasta la segunda década del siglo XX, pues al lograr la independencia de España no se heredó ninguna institución afín a las que ya surgían en la Europa Industrial. Autores nacionales[5], describen que durante la etapa neocolonial en la Isla, existieron tres etapas fundamentales para la evolución de la seguridad social: de 1902 a 1920, de 1920 a 1940 y de 1940 a 1958.

Durante la primera etapa surgieron los primeros seguros sociales para determinados trabajadores de la Administración Pública; entre ellos: los militares en 1913, los empleados de las comunicaciones en 1915, los funcionarios del poder judicial en 1917, los empleados de la Administración Pública en 1919, los maestros en 1919 y la policía nacional en 1920. Sin embargo, no se estableció un régimen de seguridad social para el trabajador ordinario asalariado. Durante este período fue promulgada también la Ley de accidentes laborales en 1916, tras las luchas de clases de la época, la cual si alcanzó a los obreros en su totalidad.

Durante la segunda etapa se crearon varios retiros para algunos sectores como el ferroviario, el marítimo y el del transporte. Asimismo, fue derogada en 1938 la anterior Ley de accidentes de trabajo sustituyéndose por otra que, en su contenido, dio cabida a los subsidios por enfermedades profesionales, elemento omiso en la anterior. También, en 1934 se publicó el Decreto Ley 738 sobre la Ley de Maternidad obrera que protegía a las trabajadoras antes y después del parto creando la Caja de Maternidad con prestaciones monetarias y de servicios.[6]

Ya en la década de 1940 las corrientes constitucionales de la época tocaron la puerta con la proclamación de una nueva Constitución, donde se recogieron determinados derechos sociales. Entre ellos, el derecho de los trabajadores a los seguros sociales y por accidentes de trabajo. Asimismo, se estableció la responsabilidad del Estado en la creación, negociación y control de dichos seguros[7]. Fue posterior a esta etapa cuando también comenzó a hablarse en Cuba de un Derecho de la Seguridad Social con autonomía normativa y científica propia.[8]

---

5. Álvarez García. M. *La Seguridad Social en Cuba*. Conferencia Interamericana de Seguridad Social. Secretaria General. Serie Monográfica No. 25. México. 1998. p. 33.
6. Silva González. J.; Pérez Véliz, A. "El derecho de la mujer al trabajo y a la maternidad en Cuba". *Revista de Ciencias Médicas de Pinar del Río*. Vol. 23. No. 1. Pinar del Río. 2019. p. 151.
7. Artículo 65. Ley de 1ro de julio de 1940 (Constitución de la República de Cuba) en *Gaceta Oficial* No. 464 de fecha 8 de julio de 1940.
8. Sobre el tema con una visión de la época Ver: Mesa Lago, C. ¿Existe un Derecho de la Seguridad Social? *Revista Cubana de Derecho*. Año XXX. No. III. La Habana. 1958. pp. 25-41.

Con el triunfo de la Revolución Cubana en 1959, se modificaron los principios sobre los cuales se erigió el sistema de seguridad social en el país producto de las ideas socialistas que comenzaron a nutrir el orden político, económico y social de la nación. Existían 52 cajas de retiros, con funcionamiento ineficiente y los pagos de las pensiones a los beneficiarios se vieron afectados pues sus fondos fueron usados para cubrir déficit del gobierno antecesor[9]. Hasta ese momento los seguros sociales cubrían principalmente las contingencias de vejez, invalidez y muerte[10].

Fue entonces cuando, en 1963, se promulgó la Ley 1100, Ley de Seguridad Social[11], la cual estuvo dirigida a proteger a los trabajadores y a sus familias de contingencias de accidentes y enfermedad comunes o de trabajo, maternidad, incapacidad, vejez y muerte. Se regularon prestaciones en servicios, monetarias y en especie. Durante este periodo, y sobre la base de la función que iba cobrando el Estado en la economía cubana como principal empleador, las formas de financiación de estas prestaciones eran cubiertas por el Ministerio de Trabajo en su totalidad para el caso de las jubilaciones y las restantes por las empresas estatales.

Ya en 1979, luego de la promulgación de la Constitución Socialista de 1976[12] ratificó el carácter fundamental del derecho a la seguridad social y asistencia social de los ciudadanos cubanos. Igualmente, se dispuso la Ley 24/1979 "Ley de Seguridad Social"[13], que pretendió atemperar las normativas en la materia a las nuevas circunstancias de la nación. En la misma se regularon iguales contingencias y prestaciones realizándose modificaciones a los procedimientos y los órganos encargados. Además, amplió el abanico de beneficiarios al configurarse un nuevo concepto de trabajador. Sin embargo, a partir de ese momento las prestaciones por maternidad fueron reguladas en normas independientes, aspecto que, a día de hoy, ha seguido manteniendo el legislador cubano.

Con la entrada en vigor de esta norma el Sistema de Seguridad Social cubano se convirtió en el único de América Latina que había comenzado por un sistema de seguros y se había transformado en un sistema público de seguridad social que protegía a toda la sociedad. En tal sentido la Ley No. 24/79 representó el perfeccionamiento del modelo de protección

---

9. Álvarez García. M. *op. cit.* pp. 34-36.
10. Algunos ejemplos en: S/A. Seguros sociales en Cuba. *Revista Seguridad Social*. Asociación Internacional de la Seguridad Social. Año 4. No. 14. México. 1955. pp. 55-59.
11. Ley No. 1100 de 27 de marzo de 1963, "Ley de Seguridad Social", en *Gaceta Oficial* No. 65 de 4 de abril de 1963.
12. Constitución de la República de 24 de febrero de 1976, en *Gaceta Oficial Especial* No. 2 de 24 de febrero de 1976.
13. Ley No. 24 de 28 de agosto de 1979, "Ley de Seguridad Social", en *Gaceta Oficial Ordinaria* No. 27 de 29 de agosto de 1979.

al trabajador establecido por la Ley No. 1100 del año 1963 y lo amplió, extendiendo su protección a toda la sociedad.[14]

No fue hasta el 2008 cuando las circunstancias del envejecimiento poblacional del país, su impacto en la economía y en los recursos humanos, así como el grado de desarrollo social alcanzado, justificaron la derogación la norma mencionada, entrando en vigor la vigente Ley 105 de 2008[15]. Esta disposición introdujo cambios en los requisitos y procedimientos de las pensiones en particular.

En el año 2010 Cuba comenzó un proceso de actualización del modelo económico cubano, y con ellos nuevos actores económicos se posicionaron en el tráfico jurídico, dejando el Estado de ser el principal empleador. Por ello, fue necesario cambiar la dinámica del sistema de seguridad social, en cuanto a sus beneficiarios y formas de financiación. Desde ese año se han aprobado en el país una serie de regímenes jurídicos especiales de la seguridad social para los trabajadores por cuenta propia, la gente de mar, los artistas, deportistas y los cooperativistas de varios sectores de la economía. Es de resaltar que, en los últimos diez años, estas reglamentaciones han sufrido varias modificaciones sobre la base de las circunstancias cambiantes del mapa económico y jurídico patrio.

En la actualidad el gobierno cubano analiza la política social del Estado sobre la base de la garantía de un trabajo digno para todos sus ciudadanos y el perfeccionamiento del sistema de seguridad social, en pos de generar igualdad entre todos los trabajadores en la economía nacional, sin distinción de sector estatal o privado. También, en busca de una protección a todas las formas de familias desde un enfoque de género que incluya la paternidad, los derechos de los abuelos y las familias del mismo sexo. Todo ello se refleja en las distintas contingencias reguladas en Cuba y sus requisitos, elementos que se analizaran a continuación.

III.   ESTRUCTURA BÁSICA DEL SISTEMA PÚBLICO DE PENSIONES ACTUAL

El sistema de pensiones en Cuba se organiza como una actividad administrativa prestacional cuya titularidad y ejercicio solo corresponden al Estado. En éste no se incluye lo relativo a la salud, en tanto esta constituye un derecho humano protegido de manera independiente por el ordenamiento

---

14.   Ferriol Molina, G. Una nueva Ley de Seguridad Social en Cuba: Ratificación de principios universales de protección social. *Revista Cubana de Derecho*. No. 35. La Habana. 2010. p. 74.

15.   Ley 105 de 27 de diciembre de 2008, "Ley de Seguridad Social", en *Gaceta Oficial Extraordinaria* No. 004 de 22 de enero de 2009.

jurídico cubano[16]. Dicho sistema se articula de modo que otorga protección a todos los trabajadores y trabajadoras –tanto del sector público como del privado– su familia y a la ciudadanía en general. Comprende un régimen general de seguridad social[17], un régimen de asistencia social[18], regímenes especiales[19] y una protección particularizada a la maternidad y a la paternidad[20].

Encuentran fundamento constitucional las pensiones en los artículos 1, 64, 68, 69 y 70 de la Constitución cubana de 2019[21]. De tal suerte, el país se define a sí mismo como un Estado socialista de Derecho fundado en el trabajo; razones suficientes para colocar en un lugar especial la protección social que deriva de esta clasificación. Igualmente, se reconoce al trabajo y al empleo digno como derechos de los ciudadanos. Ello convierte en una obligación estatal el cumplimiento de los pilares del trabajo decente, dentro de los que se encuentra la seguridad social. Así, explícitamente se reconoce el derecho a la seguridad social a toda aquella persona que trabaje. En consecuencia, el Estado debe garantizar la protección adecuada a las personas cuando se encuentren impedidas de laborar por su edad, invalidez, enfermedad, maternidad o paternidad; y a sus familiares en caso

---

16. *Cfr.* Artículo 72 de la Constitución de la República de Cuba en *Gaceta Oficial Extraordinaria*, No. 5 de 10 de abril de 2019.
17. *Cfr.* Artículo 3 de la Ley de Seguridad Social en *Gaceta Oficial Extraordinaria*, No. 4 de 22 de enero de 2009.
18. *Cfr.* Artículo 4 de la Ley de Seguridad Social en *Gaceta Oficial Extraordinaria*, No. 4 de 22 de enero de 2009.
19. *Cfr.* Artículo 5 de la Ley de Seguridad Social en *Gaceta Oficial Extraordinaria*, No. 4 de 22 de enero de 2009; en relación con el Decreto Ley No. 48 de 6 de agosto de 2021 "Del régimen especial de seguridad social para los trabajadores por cuenta propia, los socios de las cooperativas no agropecuarias y de las micro, pequeñas y medianas empresas privadas", en *Gaceta Oficial Ordinaria* No. 94 de 17 de agosto de 2021; Decreto Ley No. 297 de 29 de Agosto de 2012, "De la Seguridad Social de los miembros de las cooperativas de producción agropecuaria" en *Gaceta Oficial Extraordinaria* No. 43 de 1 de diciembre de 2012; Decreto Ley No. 298 de 29 de Agosto de 2012, "De la Seguridad Social de los usufructuarios de tierra" en *Gaceta Oficial Extraordinaria* No. 43 de 1 de diciembre de 2012; Decreto Ley No. 312 de 31 de julio de 2013, "Régimen Especial de la Seguridad Social de los creadores, artistas, técnicos y personal de apoyo, así como de la protección especial a los trabajadores asalariados del sector artístico" en *Gaceta Oficial Extraordinaria* No. 28 de 7 de octubre de 2013; Decreto Ley No. 382 de 23 de septiembre de 2019, "Del Régimen Especial de Seguridad Social de la gente de mar" en *Gaceta Oficial Ordinaria* No. 48 de 9 de julio de 2020; Decreto Ley No. 27 de 8 de diciembre de 2020, "Del Régimen Especial de Seguridad Social a los atletas activos categorizados y a las glorias deportivas" en *Gaceta Oficial Ordinaria* No. 26 de 10 de marzo de 2021; Decreto Ley No. 40 de 14 de junio de 2021, "Del Régimen Especial de Seguridad Social de los combatientes del Ministerio del Interior" en *Gaceta Oficial Ordinaria* No. 74 de 2 de julio de 2021.
20. *Cfr.* Decreto Ley 339 de la maternidad de la trabajadora en *Gaceta Oficial Extraordinaria*, No. 7 de 10 de febrero de 2017.
21. *Cfr.* Constitución de la República de Cuba en *Gaceta Oficial Extraordinaria*, No. 5 de 10 de abril de 2019.

del fallecimiento del trabajador. El Estado también se obliga a proteger a las personas sin recursos ni amparo, que carecen de personalidad y capacidad jurídicas laborales, sin familiares en condiciones de prestarles ayuda; y a las familias que así lo requieran debido a la insuficiencia de ingresos. Por último, mención especial merecen las pensiones que protegen a la maternidad y a la paternidad. Ambas encuentran protección constitucional en el artículo 84[22].

El marco regulador del sistema de pensiones en Cuba se rige por la Ley de Seguridad Social, su Reglamento[23] y por el Decreto Ley "De la Maternidad de la trabajadora". Dicho sistema de pensiones se establece para los trabajadores del sector estatal y, recientemente, a partir de modificaciones[24] en el sistema económico cubano, para trabajadores, por cuenta propia, de las cooperativas no agropecuarias y de las micro pequeñas y medianas empresas privadas en el país[25].

Dicho sistema de seguridad social patrio es financiado a través del aporte que realiza el Estado[26] desde su presupuesto aprobado cada año por la Asamblea Nacional del Poder Popular, máximo órgano legislativo del país. También, con el aporte tributario del 5% que realizan mensualmente los trabajadores del sector estatal de sus ingresos por conceptos de salarios[27] y los trabajadores del sector privado de la economía a partir de la cuota previamente consensuada por estos y la Oficina Nacional de Administración Tributaria (ONAT) y el que realizan los empleadores del sector estatal de la economía[28].

De resultas, es válido mencionar el uso de diversas nomenclaturas para referirse a las pensiones. A saber, pensiones y subsidios; o en el caso de la maternidad, licencia, prestaciones social y económica.

---

22. Artículo 84: La maternidad y la paternidad son protegidas por el Estado. (...).
23. *Cfr.* Decreto 283 Reglamento de la Ley de Seguridad Social en *Gaceta Oficial Extraordinaria*, No. 13 de 24 de abril de 2009.
24. Artículo 5. Decreto Ley No. 48 de 6 de agosto de 2021 "Del régimen especial de seguridad social para los trabajadores por cuenta propia, los socios de las cooperativas no agropecuarias y de las micro, pequeñas y medianas empresas privadas", en *Gaceta Oficial Ordinaria* No. 94 de 17 de agosto de 2021.
25. Asimismo, se establece un régimen especial para los trabajadores autónomos y del sector del trabajo por cuenta propia, los cuales son protegidos frente a las mismas contingencias reguladas en la legislación ordinaria, difiriendo la regulación particularmente en la fuente de financiamiento. En este apartado se considera a aquellos trabajadores que realizan actividades de forma autónoma, siendo propietarios o no de los medios y objetos de trabajo que utilizan para prestar servicios y la producción de bienes. Artículo 2 del Decreto Ley No. 42 de 6 de agosto de 2021; "Del ejercicio del trabajo por cuenta propia", en *Gaceta Oficial Ordinaria* No. 94 de 17 de agosto de 2021.
26. Artículo 23 y 38, Ley No. 137 de 17 de diciembre de 2020, "Del Presupuesto del Estado para el año 2021", en *Gaceta Oficial Extraordinaria* de 11 de enero de 2021.
27. Artículo 26. Ley 137/2020, "Del Presupuesto del Estado para el año 2021".
28. Artículo 25.1, Ley 137/2020, "Del Presupuesto del Estado para el año 2021".

En definitiva, las pensiones en Cuba se rigen por un conjunto de principios generales entre los que pueden mencionarse el de solidaridad, universalidad, integralidad, principio de unidad de gestión y administración, inmediatez y responsabilidad individual, social y estatal.

1.   TIPOS DE CONTINGENCIAS

1.1.   Edad

La pensión por edad es aquella prestación económica que reciben los trabajadores como sustento de vida al finalizar su etapa laboral. Tiene causa en la protección de la salud de los ciudadanos por arribar a una edad determinada y no contar con las mismas capacidades físicas y mentales para el desempeño de un empleo que les permita acceder a un salario como medio de satisfacción de las necesidades económicas y materiales de la vida cotidiana.

Los requisitos generales para ser beneficiarios de dicha prestación económica son: la edad y los años de servicios. Podrán solicitar dicha pensión los hombres que hayan arribado a los 65 años de edad y las mujeres a los 60 años de edad. Igualmente, en ambos casos, deberán tener 30 años de servicios acreditados.

Sobre la base de estos requisitos se configura la pensión por edad extraordinaria para aquellas labores que significan un desgaste físico y mental en el organismo del trabajador que no está en correspondencia con su edad. En este caso deberán los trabajadores poseer 20 años de servicios e igualmente tener las edades establecidas para la pensión ordinaria.

Dentro del régimen jurídico de la pensión por edad se resaltan dos elementos: la jubilación forzosa y el trabajo de los pensionados por edad.

La jubilación forzosa es aquella que puede solicitar el empleador cuando acredita la disminución de las capacidades físicas y mentales del trabajador. Para ello, el trabajador debe poseer los requisitos generales exigidos.

En segundo lugar, y teniendo en cuenta la situación demográfica de la nación, se reguló la posibilidad de que los trabajadores jubilados puedan laborar simultaneando los montos económicos que reciben por concepto de pensión y salario. Las nuevas labores que desempeñen podrán ser en cualquier oficio, incluido el mismo que desempeñaban al momento de su jubilación. Igualmente, al decidir concluir nuevamente su vida laboral poseen el derecho a una nueva cuantificación de su pensión, acumulando por cada año extra trabajado un 2% de sus salarios promedios en estos períodos.

1.2. Enfermedad o accidente

El subsidio por enfermedad o accidente es aquella prestación económica que reciben los trabajadores cuando presentan una enfermedad de origen común o profesional o accidentes de trabajo que lo incapacitan temporalmente para laborar.

De esta pensión serán beneficiados aquellos trabajadores que, al momento de ocurrir la contingencia, se encontraban vinculados laboralmente. También, que dicha situación no haya sido provocada de forma dolosa por el propio trabajador o en ocasión de cometer un hecho que transgreda la ley. Recibirán el subsidio los trabajadores que poseen contratos de trabajo a tiempo indeterminado y determinado. La diferencia estriba en que, para los segundos, la prestación económica será por el tiempo que deba durar el contrato de trabajo inicial, salvo que el hecho se haya suscitado en desempeño de sus labores; en cuyo caso se extenderá hasta la cura del trabajador.

En el caso de los accidentes de trabajo, serán aquellos hechos repentinos relacionados causalmente con el empleo que le produzcan al trabajador una lesión corporal que afecte su capacidad para laboral de forma temporal. Dentro de la contingencia analizada se entenderán también aquellos accidentes ocurridos durante el trayecto del trabajador hacia o desde su centro laboral. También, los ocasionados en las pausas laborales, los trabajos voluntarios promovidos por las organizaciones sindicales, en la salvación de vidas humanos o en defensa de la propiedad y el orden legal socialista; en desempeño de funciones de la Defensa Civil y durante movilizaciones de preparación para la defensa.

En consecuencia, se configura una contingencia de accidente laboral que ocurre cuando el elemento causal ocurre en desempeño del trabajo. Asimismo, por otros hechos que se vinculan con deberes y elementos relacionados a la concepción del trabajo en la sociedad socialista.

En el caso de las enfermedades el subsidio protege frente a enfermedades comunes y profesionales, diferenciándose ambas en las cuantías económicas a recibir y la situación de hospitalización en que se encuentren. Las enfermedades profesionales son reconocidas por el Ministerio de Salud Pública mediante la Resolución 283 de 2014.[29]

Para la acreditación de dicha condición los trabajadores deberán presentar en las entidades laborales los correspondientes certificados médicos expedidos por la autoridad médica facultada, no pudiendo negarse el empleador a aceptar dichos certificados por considerarlos extemporáneo

---

29. Resolución 282 de 16 de junio de 2014 del Ministerio de Salud Pública, en *Gaceta Oficial Extraordinaria* No. 289 de 17 de junio de 2014.

o ilegales. Para ello, deberán realizar una investigación posterior ante la instancia médica expedidora del documento.

1.3. Invalidez para el trabajo

La pensión por invalidez se otorga debido a que un trabajador queda incapacitado para desempeñar su habitual labor de forma parcial o total por una disminución de sus capacidades físicas o mentales. Esta pensión es el resultado, en mediano plazo, de un accidente o enfermedad de orígenes comunes o laborales.

Para ser beneficiario de esta pensión el trabajador debe encontrarse vinculado laboralmente y contar con el Dictamen Médico de la Comisión de Peritaje Médico Laboral que certifique la invalidez total o parcial.

En el caso de la invalidez parcial la ley establece como mecanismos de protección que el empleador debe tomar acciones con el trabajador, sin dar por finalizada su relación de trabajo. Estas son: modificando las condiciones de su puesto o contenido de trabajo; reubicando de forma priorizada para otro cargo afín a sus nuevas capacidades y reducir su horario de trabajo. Así mismo, tendrá derecho a una pensión provisional por el término de hasta un año, cuando el empleador no puede tomar de inmediato estas decisiones o necesita un curso de calificación para el nuevo puesto de empleo.

En caso de invalidez total se reciben las pensiones correspondientes en cuantías que dependen de los años de servicios y el origen de las situaciones jurídicas. Asimismo, se configura que si el trabajador necesita la asistencia permanente de otra persona que lo auxilie en sus labores cotidianas la pensión se incrementa en un 20%.

En caso desaparecer las causas que originaron la invalidez se extinguen las pensiones en cuestión.

1.4. Muerte

Esta pensión se configura ante la muerte del trabajador o la presunción de su fallecimiento por desaparición, una vez emitida la certificación de defunción de acuerdo a lo dispuesto en el Código Civil y en la Ley del Registro del Estado Civil.

Los sujetos beneficiarios de esta pensión serán los familiares del trabajador fallecido, entendiéndose por estos: la viuda de matrimonio superior a un año y dependiente económicamente del causante; el viudo de más de 65 años y dependiente económicamente; los hijos menores de 17 años de edad; los hijos mayores de edad, que estén realizando estudios superiores o que estén incapacitados legalmente y; la madre o padre que carezcan de medios de subsistencia. Téngase en cuenta que la concepción del matrimonio en Cuba aleja esta pensión de una protección efectiva frente a todas las formas de familias con un enfoque de género, elementos a solucionarse en un mediano plazo a la luz de la nueva Constitución cubana de 2019.

Para acceder a dicha pensión, el trabajador fallecido debía encontrarse vinculado laboralmente al momento del suceso o encontrarse pensionado por invalidez.

La pensión por causa de muerte podrá aumentar el monto de la prestación económica si ocurren en comisión de un acto heroico o por alcanzar méritos excepcionales según la determine la Central de Trabajadores de Cuba o el Ministerio de Trabajo. Según Avello Peña[30], el acto heroico se constituye tras el cumplimiento de misiones internacionalistas como justo reconocimiento a la entrega y dedicación en la ayuda solidaria a otros pueblos del mundo que la necesiten.

1.5. Maternidad

La maternidad[31] es la contingencia que protege el estado de gestación de las madres y el periodo posterior al parto en pos de la crianza y recuperación de la madre y el menor de edad; durante el tiempo y circunstancias establecidas en la legislación ordinaria.

Son sujetos beneficiarios de dichas prestaciones la madre, padre o abuelos; teniendo en cuenta los momentos en que corresponda. Para el disfrute de dicha licencia la madre debe haber laborado al menos 75 días dentro del año natural anterior a la fecha de la licencia prenatal, con independencia del tipo de contrato concertado con su empleador.

La licencia de maternidad produce la suspensión de la relación jurídica de trabajo de carácter obligatorio para la madre al cumplir las 34 semanas de gestación (licencia prenatal) y doce semanas posteriores al parto (licencia postnatal). Dicha licencia postnatal le corresponde al padre para el cuidado del menor, cuando por circunstancias adversas la madre fallece en el parto, derechos que puede ceder en nombre de alguno de los abuelos, hermanos u otro familiar, ya sea paterno o materno.

Al concluir la licencia postnatal, uno de los padres del menos pueden decidir continuar de licencia hasta el cumplimiento del año de vida del

---

30. Avello Peña, R. *Seguridad Social*. Colección el Derecho al alcance de todos. Ediciones ONBC. La Habana. 2014 p. 39.
31. La licencia de maternidad es regulada en legislación especial, tal como ha sido la tradición legislativa patria. *Vid.* Decreto Ley No. 339 "De la Maternidad de la Trabajadora", en *Gaceta Oficial Extraordinaria* No. 7 de 10 de febrero de 2017.

menor en pos de asistir en su cuidado (prestación social). Así mismo, dicha prestación puede ser simultaneada con la incorporación al trabajo de la madre o el padre.

Igualmente, se establecen licencias complementarias retribuidas y no retribuidas. Las primeras se conceden por el término de 6 días, para la madre en el periodo anterior a las 34 semanas de gestación en pos de su asistencia estomatológica y hospitalaria. En caso de no ser necesarias, los demás días de ausencias deben consignarse como ausencias justificadas. Las segundas, son posterior al año del menor si este necesita cuidados especiales, y deben concederse por el tiempo de 3 meses. Si el menor posee una enfermedad clínica o discapacidad física, mental o sensorial puede la madre o el padre solicitar la licencia desde el año de vida hasta los 3 años.

Por otro lado, se concede una licencia no retribuida para las madres cuando están imposibilitadas de asistir al trabajo por el cuidado de sus hijos menores de 17 años de edad; la cual se concede por el periodo total de 6 meses.

IV. PROCEDIMIENTO PARA LA TRAMITACIÓN DE LAS PENSIONES

Las distintas prestaciones de la seguridad social se solicitan frente a las filiares municipales o provinciales del Instituto Nacional de Seguridad Social (INSS). Dicho procedimiento puede ser iniciado por los empleadores, cuando los trabajadores se encuentran vinculados laboralmente y presentan la solicitud ante estos. También, por el propio trabajador, a pesar de no estar vinculado en ese preciso momento si reúne los requisitos que exige la pensión por edad o la invalidez total al producirse su desvinculación y; por los familiares del trabajador fallecido.

Para ello se presenta el expediente laboral del trabajador el cual es examinado por los funcionarios administrativos correspondientes, los que calculan las prestaciones establecidas y elevan la documentación a las instancias superiores. En dichos expedientes se encuentra el documento denominado SN-225, el cual contiene los ingresos totales que ha recibido el trabajador durante toda su vida laboral y constituye la fuente principal para los cálculos establecidos. En el caso de los trabajadores del sector privado de la economía, igualmente se presentan ante la misma institución, siendo su documento acreditativo, los comprobantes de pagos realizados personalmente de forma trimestral y que constan en el expediente de contribuyente de la ONAT. La pensión es aprobada mediante el acto administrativo correspondiente por el Director de la Filial Provincial del INSS.

Contra dicha resolución puede imponerse recurso de revisión ante el Director Nacional del INSS o la acción procesal correspondiente ante las Salas de lo Laboral de los Tribunales Provinciales Popular, instancias competentes para conocer los conflictos.

V. BIBLIOGRAFÍA

Álvarez García. M., *La Seguridad Social en Cuba*. Conferencia Interamericana de Seguridad Social. Secretaria General. Serie Monográfica No. 25. México. 1998.

Avello Peña, R., *Seguridad Social*. Colección el Derecho al alcance de todos. Ediciones ONBC. La Habana. 2014.

Ferriol Molina, G., "Una nueva Ley de Seguridad Social en Cuba: Ratificación de principios universales de protección social". *Revista Cubana de Derecho*. No. 35. La Habana. 2010.

Mesa Lago, C., "¿Existe un Derecho de la Seguridad Social?" *Revista Cubana de Derecho*. Año XXX. No. III. La Habana. 1958.

Oficina Nacional de Estadística e Información, *Anuario Estadístico de Cuba 2020: Población*. Edición Julio 2021. La Habana. 2021. Disponible en: http://www.onei.gob.cu/sites/default/files/03_poblacion.pdf.

Oficina Nacional de Estadística e Información, Serie estadística Empleos y Salarios 1985-2019. Edición Julio 2019. La Habana Disponible en: http://www.onei.gob.cu/node/15870.

Organización Internacional del Trabajo, *Protección social universal para la dignidad humana, la justicia social y el desarrollo sostenible*. Conferencia Internacional del Trabajo 108.A Reunión, 2019.

S/A, "Seguros sociales en Cuba". *Revista Seguridad Social*. Asociación Internacional de la Seguridad Social. Año 4. No. 14. México. 1955.

Silva González. J. y Pérez Véliz, A., "El derecho de la mujer al trabajo y a la maternidad en Cuba". *Revista de Ciencias Médicas de Pinar del Río*. Vol. 23. No. 1. Pinar del Río. 2019.

Legislación

Ley de 1ro de julio de 1940 (Constitución de la República de Cuba) en Gaceta Oficial No. 464 de fecha 8 de julio de 1940.

Constitución de la República de 24 de febrero de 1976, en *Gaceta Oficial Especial* No. 2 de 24 de febrero de 1976.

Constitución de la República de Cuba en *Gaceta Oficial Extraordinaria* No. 5 de 10 de abril de 2019.

Ley No. 1100 de 27 de marzo de 1963, "Ley de Seguridad Social", en *Gaceta Oficial* No. 65 de 4 de abril de 1963.

Ley No. 24 de 28 de agosto de 1979, "Ley de Seguridad Social", en *Gaceta Oficial Ordinaria* No. 27 de 29 de agosto de 1979.

Ley 105 de 27 de diciembre de 2008, "Ley de Seguridad Social", en *Gaceta Oficial Extraordinaria* No. 004 de 22 de enero de 2009.

Decreto Ley No. 339 "De la Maternidad de la Trabajadora", en *Gaceta Oficial Extraordinaria* No. 7 de 10 de febrero de 2017.

Decreto Ley No. 42 de 6 de agosto de 2021; "Del ejercicio del trabajo por cuenta propia", en *Gaceta Oficial Ordinaria* No. 94 de 17 de agosto de 2021.

Decreto Ley No. 48 de 6 de agosto de 2021 "Del régimen especial de seguridad social para los trabajadores por cuenta propia, los socios de las cooperativas no agropecuarias y de las micro, pequeñas y medianas empresas privadas", en *Gaceta Oficial Ordinaria* No. 94 de 17 de agosto de 2021.

Decreto 283 Reglamento de la Ley de Seguridad Social en *Gaceta Oficial Extraordinaria*, No. 13 de 24 de abril de 2009.

Resolución 282 de 16 de junio de 2014 del Ministerio de Salud Pública, en *Gaceta Oficial Extraordinaria* No. 289 de 17 de junio de 2014.

Capítulo 10

Aspectos cruciales, singularidades y retos del sistema de pensiones colombiano en la actualidad[1]

José Luis Ruiz Santamaría

Profesor Ayudante Doctor (acreditado como Profesor Contratado Doctor)
de Derecho del Trabajo y de la Seguridad Social
Universidad de Málaga

---

1. Este capítulo está enmarcado dentro de los siguientes proyectos: Proyecto de I+D+i del Programa Estatal "Retos Investigación" orientado a los Retos de la Sociedad, *"Retos, reformas y financiación del sistema de pensiones: ¿sostenibilidad versus suficiencia?"* (ref. RTI2018-094696-B-I00), dirigido por Francisco Vila Tierno y Miguel Gutiérrez Bengoechea, y financiado por el Ministerio de Ciencia e Innovación; y Proyecto de I+D+i del Plan Andaluz de Investigación, Desarrollo e Innovación (PAIDI 2020) orientado a los Retos de la Sociedad Andaluza, *"Los mayores en el contexto del empleo y la protección social: un reto para el crecimiento y el desarrollo económico. Un análisis de la realidad andaluza"* (ref. P18-RT-2585), dirigido por Francisco Vila Tierno y Miguel Gutiérrez Bengoechea, y cofinanciado por la Unión Europea (FEDER) y por la Junta de Andalucía. Asimismo, se lleva a cabo a raíz de una estancia investigadora postdoctoral en la Universidad Complutense de Madrid (2021).

I. CUESTIONES INTRODUCTORIAS: RESEÑAS DE LOS ANTECEDENTES HISTÓRICOS LEGISLATIVOS

La primera referencia legal en Colombia sobre la regulación pensional es la Ley 50 de 1886, de 11 de noviembre, que fija las reglas generales sobre concesión de Pensiones y Jubilaciones[2]. Del examen de su articulado, se puede apreciar un marcado avance legislativo en materia pensional. Fundamentalmente, si atendemos a la época en que se produce (siglo XIX) y al contexto socio-político en el que tiene lugar la aparición de esta norma. En este sentido, y reflejo de los citados progresos legales, basta con reproducir el contenido del art. 11 del texto referido y dedicado al ámbito subjetivo. Concretamente, en este precepto se establecía que:

"Los empleados civiles que hayan desempeñado destinos o empleos de manejo, judiciales o políticos por vente años por lo menos, con inteligencia y pureza, que comprueben con documentos auténticos sus servicios y que no han sufrido alcance ni remoción por mal manejo, incuria u omisión, tienen derecho a pensión de jubilación, siempre que comprueben en los términos prescritos por esta ley, justa opción a recompensa, en estos casos: 1.ª Haberse inutilizado en el servicio y no tener medios de procurarse la subsistencia, o bien ser mayor de sesenta años; 2.° No haber sido rebelde ni sindicado de tal contra el Gobierno bajo cuyo servicio se ha hallado; 3.° No haber sido acusado ni tildado de prevaricador".

Con posterioridad, las apariciones de la Ley 114 de 1919, de 4 de diciembre, mediante la cual se crean pensiones de jubilación para Maestros de Escuela[3], y la Ley 42 de 1933, de 23 de noviembre, sobre pensiones de jubilación a determinados Profesores de Educación Pública y Privada[4], marcarían los primeros indicios legislativos de la configuración del Sistema de Pensiones colombiano.

Sin embargo, la inmersión en el sistema normativo pensional colombiano nos ha desvelado, como hito histórico más reseñable del sistema de pensiones de este país, la promulgación del Decreto 1600 de 1945, de 30 de junio[5], por el cual se organiza la Caja de Previsión Social de los Empleados y Obreros

---

2. Diario Oficial de la República de Colombia, Año XXII, Núm. 6871, de 25 de noviembre de 1886, p. 1, disponible en: http://www.suin.gov.co/viewDocument.asp?id=1788714.
3. Diario Oficial de la República de Colombia, Año XLIX, Núm. 15069, de 15 de diciembre de 1913, disponible en: http://www.suin-juriscol.gov.co/viewDocument.asp?ruta=Leyes/1644746.
4. Diario Oficial de la República de Colombia, Año LXIX, Núm. 22452, de 1 de diciembre de 1933, p. 2, disponible en: http://www.suin-juriscol.gov.co/viewDocument.asp?ruta=Leyes/1596990.
5. Las facultades de promulgación de este Decreto han sido conferidas en virtud de lo dispuesto en el art. 18 de la Ley 6.ª de 1945.

Nacionales[6]. La naturaleza jurídica de esta institución se configuraba como una entidad autónoma, con personalidad jurídica y patrimonio propio que, a su vez, se constituye de forma separada e independiente al patrimonio estatal. Su función primordial está contextualizada en el reconocimiento y pago de las prestaciones oficiales contempladas en el art. 17 de la Ley 6.ª del Congreso de la República de Colombia de 1945, de 19 de febrero[7]. Junto a estas prestaciones, también serán reconocidas aquellas prestaciones adicionales a que tengan derecho los empleados y obreros nacionales que se encuentren en situación de afiliados forzosamente. No obstante, se añade y especifica[8] que igualmente estarán amparados los empleados y obreros oficiales que lleguen a afiliarse por el procedimiento facultativo establecido en esta norma[9].

Un año más tarde de la entrada en vigor del Decreto 1600 de 1945, de 30 de junio, se llevaría a cabo la fundación del Instituto Colombiano de los Seguros Sociales (ICSS)[10]. Con todo, deberían transcurrir un poco más de dos décadas, en 1967, para que se le encomendara la administración de los beneficios de invalidez, vejez y mortandad. Conjuntamente, se establecería el sistema de cotizaciones correspondientes a cargo de los empleadores, de los empleados y del presupuesto nacional.

El avance cronológico nos conduce a la Ley 100 de 1993, de 23 de diciembre, por la que se crea el sistema de Seguridad Social Integral y se dictan otras disposiciones[11]. En referencia al Sistema Pensional, se

---

6. Diario Oficial de la República de Colombia, Año LXXXI, Núm. 25893, de 24 de julio de 1945, disponible en: https://www.suin-juriscol.gov.co/viewDocument.asp?id=1864400. Esta disposición normativa consta con fecha de expedición de 30 de junio de 1945, fue publicada el 24 de julio de 1945 y entrando en vigor el 24 de julio de 1945.
7. Configurándose el contenido de dicha norma mediante algunas disposiciones sobre convenciones de trabajo, asociaciones profesionales, conflictos colectivos y jurisdicción especial del trabajo. Véase el Diario Oficial de la República de Colombia, Año LXXXI, Núm. 25790, de 14 de marzo de 1945, disponible en: https://www.redjurista.com/Documents/ley_6_de_1945_congreso_de_la_republica.aspx#/. Dicha norma consta con fecha de expedición del 30 de junio de 1945, publicada el 24 de julio de 1945 y con entrada en vigor el 24 de julio de 1945.
8. Véase el art. 1.ª, *in fine*, del mencionado Decreto 1600 de 1945, de 30 de junio.
9. Aunque la norma hace referencia textualmente a un "procedimiento", del análisis del texto normativo no se aprecia tal "procedimiento". El legislador se ha limitado a establecer una mera enumeración de diversas situaciones asimiladas y con un carácter no exhaustivo. Véase en este sentido el art. 4 del Decreto 1600/1945, de 30 de junio.
10. Dicha denominación se cambiaría a partir de 1977 por Instituto de Seguros Sociales (ISS). Esta institución fue creada para atender los riesgos de enfermedad y los profesionales. Para profundizar sobre este tema, puede consultarse en, Azuero Zúñiga, F., *El sistema de pensiones en Colombia. Institucionalidad, gasto público y sostenibilidad financiera*, CEPAL-Naciones Unidas, Santiago, 2020, pp. 11 y ss.
11. Diario Oficial de la República de Colombia, Año CXXIX, Núm. 41148, de 23 de diciembre de 1993, p. 1, disponible en: http://www.suin-juriscol.gov.co/viewDocument.asp?ruta=Leyes/1635955.

establece en el art. 12 un sistema "dual" con regímenes excluyentes, pero que coexisten a la vez y con las siguientes denominaciones:

- Régimen Solidario de Prima Media con Prestación Definida.
- Régimen de Ahorro Individual con Solidaridad.

En cuanto a la elección de un sistema u otro, podrá llevarse a cabo de forma voluntaria por la gran mayoría de las personas trabajadoras residentes en Colombia[12]. También se implementa un novedoso ámbito subjetivo en el que se integran a todos los habitantes del territorio colombiano.

El gran avance legislativo introducido por la Ley 100 de 1993, de 23 de diciembre, que se mantiene en la actualidad mediante la continuidad de su vigencia, se ha visto completado por un elenco de normas posteriores que introducen modificaciones parciales; de las mismas, se destacan por su importancia las siguientes:

- Ley 797 de 2003, de 29 de enero, por la cual se reforman algunas disposiciones del sistema general de pensiones previsto en la Ley 100 de 1993 y se adoptan disposiciones sobre los Regímenes Pensionales exceptuados y especiales[13].

- Ley 812 de 2003, de 26 de junio, por la cual se aprueba el Plan Nacional de Desarrollo 2003-2006, hacia un Estado Comunitario[14].

- Ley 923 de 2004, de 30 de diciembre, mediante la cual se señalan las normas, objetivos y criterios que deberán observar el Gobierno Nacional para la fijación del régimen pensional y de asignación de retiro de los miembros de la Fuerza Pública de conformidad con lo establecido en el artículo 150, numeral 19, literal e) de la Constitución Política[15].

---

12. Aunque se conservan los beneficios adquiridos, derechos, garantías, prerrogativas y demás servicios derivados de normas, convenciones o pactos colectivos. En relación a las excepciones legales del ámbito subjetivo de esta ley, se enumeran las siguientes: miembros de las Fuerzas Militares y de la Policía Nacional, personal civil del Ministerio de Defensa vinculad con anterioridad a la entrada en vigor de esta ley, trabajadores de la Empresa Colombiana de Petróleos (Ecopetrol), y los maestros públicos afiliados al Fondo Nacional de Magisterio. Véase lo dispuesto en el art. 279 de la Ley 100 de 1993, de 23 de diciembre.
13. Diario Oficial de la República de Colombia, Año CXXXVIII, Núm. 45079, de 29 de enero de 2003, p. 1, disponible en: http://www.suin-juriscol.gov.co/viewDocument. asp?ruta=Leyes/1668597.
14. Diario Oficial de la República de Colombia, Año CXXXIX, Núm. 45231, de 27 de junio de 2003, p. 19, disponible en: http://www.suin-juriscol.gov.co/viewDocument. asp?ruta=Leyes/1668758.
15. Diario Oficial de la República de Colombia, Año CXL, Núm. 45777, de 30 de diciembre de 2004, p. 78, disponible en: https://www.suin-juriscol.gov.co/viewDocument. asp?id=1671294.

- Acto Legislativo 1 de 2005, de 22 de julio, por el cual se adiciona el artículo 48 de la Constitución Política (Proyecto de Acto Legislativo)[16].

- Ley 1328 de 2009, de 15 de julio, por la cual se dictan normas en materia financiera, de seguros, del mercado de valores y otras disposiciones[17].

II. BREVES PINCELADAS SOBRE EL SISTEMA DE SEGURIDAD SOCIAL COLOMBIANO

1. SINGULARIDADES ACERCA DE SU ORGANIZACIÓN Y REGULACIÓN

A modo de preámbulo, conviene advertir que, aunque en determinadas ocasiones se pueda prestar a confusión, desde la perspectiva jurídica no existe una equivalencia directa entre los términos jurídicos "Sistema de Seguridad Social" y "Sistema de Pensiones". Abarcando el primero de ellos un ámbito mucho más amplio y, por ende, incluyendo, entre otros, al ámbito pensional[18].

Por lo que respecta a las peculiaridades del Sistema de Seguridad Social Colombiano[19], dicho sistema está dirigido por el Ministerio de Salud y protección Social y el Ministerio de Trabajo y reglamentado primordialmente por la Ley de Seguridad Social Colombiana: la Ley 100/1993, de 23 de diciembre.

Esta norma que, fue expedida por el Congreso de Colombia[20], se divide en cuatro secciones que integran cada una de ellas los componentes principales del sistema:

---

16. Diario Oficial de la República de Colombia, Año CXLI, Núm. 45980, de 25 de julio de 2005, p. 20, disponible en: https://www.suin-juriscol.gov.co/viewDocument.asp?id=1825402.
17. Diario Oficial de la República de Colombia, Año CXLIV, Núm. 47411, de 15 de julio de 2009, p. 45, disponible en: http://www.suin-juriscol.gov.co/viewDocument.asp?ruta=Leyes/1677409.
18. Así se desprende de la literalidad del contenido del art. 4, 2.° párrafo de la Ley 100/1993, de 23 de diciembre, cuando establece que: "Este servicio público es esencial en lo relacionado con el Sistema General de Seguridad Social en Salud. Con respecto al Sistema General de Pensiones es esencial sólo en aquellas actividades directamente vinculadas con el reconocimiento y pago de las pensiones". También, desde la perspectiva de la doctrina científica y, concretamente, sobre este tema puede consultarse entre otros en, Casalí, P. y Farné, S., *Los principios de la seguridad social y la reforma de las pensiones en Colombia*, OIT, Colombia, 2020, *passim*.
19. En extenso consúltese en, Acevedo Tarazona, A., "La Seguridad Social. Historia, marco normativo, principios y vislumbres de un Estado de Derecho en Colombia", *Anuario de historia regional y de las fronteras*, Vol. 15, 2010.
20. Adviértase que las leyes en Colombia podrán proceder, según el ámbito potestativo para legislar, del Congreso, o del Consejo Nacional Electoral, o de la Presidencia de la República.

- Libro I: Sistema General de Pensiones.
- Libro II: Sistema General de Seguridad Social en Salud.
- Libro III: Sistema General de Riesgos Laborales[21].
- Libro IV: Servicios Sociales Complementarios.

Una novedosa y extraña particularidad del sistema, y su diferencia con el ordenamiento jurídico español, radica en el hecho de que la propia Ley 100/1993, de 23 de diciembre, que regula el Sistema General de Seguridad Social, también incluye en su estructura dispositiva la protección jurídica del ámbito correspondiente a la salud y seguridad en el trabajo (o prevención de riesgos laborales), y que el legislador colombiano ha denominado "Sistema General de Riesgos Laborales"[22]. Por tanto, se han concentrado en un mismo texto legislativo la protección y la prevención en el contexto laboral[23]. Técnica legislativa que, en nuestra opinión, no es muy acertada, pues ambas parcelas merecen un tratamiento jurídico diferenciado por estar sujetas a objetivos, fines y principios muy distintos. En efecto, mientras que la protección jurídica de la Seguridad Social se dispensa, entre otras, para suplir aquellas situaciones en las que la persona trabajadora ha sufrido un accidente o contraído una enfermedad (bien sea común o laboral, aunque con tratamientos jurídicos distintos) y, como consecuencia de ello, se ve impedido para cumplir con su obligación contractual esencial consistente en la realización de su trabajo. Sin embargo, la protección que dispensa la Prevención de Riesgos Laborales se proyecta sobre la propia "prestación laboral", actuando con fines preventivos (y no sustitutivos) para evitar el accidente o la enfermedad.

Otra cuestión, aunque íntimamente ligada a la tesis expuesta con anterioridad, es la terminológica. Obsérvese que el legislador colombiano ha titulado el Libro III bajo la rúbrica de "Sistema General de Riesgos Laborales", evitando incluir el término "prevención" y enfocando esta materia desde una "perspectiva objetiva". En una primera aproximación, parece que su prelación radica en el tratamiento de los "riesgos laborales",

---

21. Denominación introducida por la Ley 1562 de 2012, de 11 de julio, por la cual se modifica el Sistema de Riesgos Laborales y se dictan otras disposiciones en materia de Salud Ocupacional. *Vid.* Diario Oficial de la República de Colombia, Año CXLVIII, Núm. 48488, de 11 de julio de 2012, p. 6, disponible en: http://www.suin-juriscol.gov.co/viewDocument.asp?ruta=Leyes/1683411.

22. Desde un marco relacional y comparado del Derecho colombiano con el de nuestro país, destacamos que, en España, la regulación de la Prevención de Riesgos Laborales, se realiza mediante la Ley 31/1995 de 8 de noviembre de Prevención de Riesgos Laborales y otras normas concordantes, pero en instrumentos jurídicos externos a la regulación del Régimen de Seguridad Social.

23. *Vid.* Ruiz Santamaría, J.L., "La diversidad funcional en Colombia: Protección de las personas con discapacidad en el sistema de seguridad social colombiano", *e-Revista Internacional de la Protección Social*, Vol. 2, Núm. 2. 2017, pp. 87-88.

en lugar de priorizar a la persona trabajadora para proyectar sobre la misma las actuaciones preventivas adecuadas que eviten los efectos nocivos de los riegos existentes en el ámbito laboral.

2.   PRINCIPIOS FUNDAMENTALES SOBRE LOS QUE SE SUSTENTA

El art. 2.º de la Ley 100/1993, de 23 de diciembre, establece que:

> "*El servicio público esencial de seguridad social se prestará con sujeción a los principios de eficiencia, universalidad, solidaridad, integralidad, unidad y participación*".

Enumerados los principios[24] o ejes fundamentales sobre los que se sustenta el sistema de seguridad social colombiano, concierne ahora realizar la aproximación a sus correspondientes definiciones legales:

- *Eficiencia*. Es la mejor utilización social y económica de los recursos administrativos, técnicos y financieros disponibles para que los beneficios a que da derecho la seguridad social sean prestados en forma adecuada, oportuna y suficiente.

- *Universalidad*. Es la garantía de la protección para todas las personas, sin ninguna discriminación, en todas las etapas de la vida.

- *Solidaridad*. Es la práctica de la mutua ayuda entre las personas, las generaciones, los sectores económicos. las regiones y las comunidades bajo el principio del más fuerte hacia el más débil. Es deber del Estado garantizar la solidaridad en el régimen de Seguridad Social mediante su participación, control y dirección del mismo. Los recursos provenientes del erario público en el Sistema de Seguridad se aplicarán siempre a los grupos de población más vulnerables.

- *Integralidad*. Es la cobertura de todas las contingencias que afectan la salud, la capacidad económica y en general las condiciones de vida de toda la población. Para este efecto cada quien contribuirá según su capacidad y recibirá lo necesario para atender sus contingencias amparadas por esta Ley.

- *Unidad*. Es la articulación de políticas, instituciones, regímenes, procedimientos y prestaciones para alcanzar los fines de la seguridad social.

- *Participación*. Es la intervención de la comunidad a través de los beneficiarios de la seguridad social en la organización, control,

---

24.   Un estudio muy completo de esta materia puede consultarse en, Casalí, P. y Farné, S., *Los principios de la seguridad social y la reforma de las pensiones en Colombia, op. cit.*, pp. 5-22.

gestión y fiscalización de las instituciones y del sistema en su conjunto.

Junto a estos principios esenciales del art. 2, existen otros en la propia Ley 100/1993, de 23 de diciembre, aunque integrados en diferentes preceptos[25] y que se exponen a continuación:

- *Desarrollo progresivo*. La seguridad social se desarrollará en forma progresiva, con el objeto de amparar a la población y la calidad de vida.

- *Derecho de carácter irrenunciable*. El Estado garantiza a todos los habitantes del territorio nacional, el derecho irrenunciable a la seguridad social.

- *Sistema integral y ampliación progresiva de la cobertura*. Este servicio será prestado por el Sistema de Seguridad Social Integral, en orden a la ampliación progresiva de la cobertura a todos los sectores de la población, en los términos establecidos por la presente Ley.

- *Servicio público obligatorio*. La Seguridad Social es un servicio público obligatorio, cuya dirección, coordinación y control están a cargo del Estado y que será prestado por las entidades públicas o privadas en los términos y condiciones establecidos en la presente Ley.

- *Servicio público esencial*. Este servicio público es esencial en lo relacionado con el Sistema General de Seguridad Social en Salud. Con respecto al Sistema General de Pensiones es esencial sólo en aquellas actividades directamente vinculadas con el reconocimiento y pago de las pensiones.

III. CONFIGURACIÓN DEL SISTEMA DE PENSIONES EN COLOMBIA: ESPECIAL REFERENCIA A SUS ASPECTOS ESENCIALES

1. OBJETO

El Sistema General de Pensiones colombiano tiene por objeto garantizar a la población, el amparo contra las contingencias derivadas de la vejez, la invalidez y la muerte, mediante el reconocimiento de las pensiones y prestaciones que se determinan en la presente Ley, así como propender por la ampliación progresiva de cobertura a los segmentos de población no cubiertos con un sistema de pensiones[26].

---

25. Véanse al respecto el parágrafo del art. 2 y arts. 3 y 4 de la Ley 100/1993, de 23 de diciembre.
26. Definido en el art. 10 de la Ley 100/1993, de 23 de diciembre.

2.   ÁMBITO DE APLICACIÓN

Desde la entrada en vigor de la Ley 100/1993, de 23 de diciembre, el ámbito de aplicación subjetivo del Sistema General del Pensiones se ha proyectado a "todos los habitantes del territorio nacional". Este carácter global e inclusivo se ha conjugado con el respecto a los derechos adquiridos, pues se conservan y respetan, adicionalmente todos los derechos, garantías, prerrogativas, servicios y beneficios adquiridos y establecidos conforme a disposiciones normativas anteriores, pactos, acuerdos o convenciones colectivas de trabajo para quienes a la fecha de vigencia de esta ley hayan cumplido los requisitos para acceder a una Pensión o se encuentren pensionados por jubilación, vejez, invalidez, sustitución o sobrevivientes de los sectores público, oficial, semioficial en todos los órdenes del régimen de Prima Media y del sector privado en general. Añadiéndose al respeto "(...) sin perjuicio del derecho de denuncia que le asiste a las partes y que el tribunal de arbitramento dirima las diferencias entre las partes".

3.   CARACTERÍSTICAS DEL SISTEMA

De conformidad con lo establecido en el art. 13 de la Ley 100/1993, de 23 de diciembre, las características del Sistema General de Pensiones colombiano son las siguientes:

- *Carácter obligatorio de la afiliación*. La afiliación es obligatoria para todos los trabajadores dependientes e independientes.

- *Libertad y voluntariedad en la elección del régimen*. La selección de uno cualquiera de los regímenes previstos en esta Ley es libre y voluntaria por parte del afiliado, quien para tal efecto manifestará por escrito su elección al momento de la vinculación o del traslado[27].

- *Derecho al reconocimiento y pago*. Los afiliados tendrán derecho al reconocimiento y pago de las prestaciones y de las pensiones de invalidez, de vejez y de sobrevivientes, conforme a lo dispuesto en la presente Ley.

---

27.   Se enfatiza el hecho del desconocimiento de este derecho y se sanciona, disponiéndose a tal efecto que: "El empleador o cualquier persona natural o jurídica que desconozca este derecho en cualquier forma, se hará acreedor a las sanciones (...)". *Vid.* art. 13, b) *in fine*, en relación al art. 271, inciso 10.º de la Ley 100/1993, de 23 de diciembre. De otra parte, y completando la libertad de elección, se especifica que, "(...) una vez efectuada la selección inicial, estos sólo podrán trasladarse de régimen por una sola vez cada cinco (5) años, contados a partir de la selección inicial. Después de un (1) año de la vigencia de la presente ley, el afiliado no podrá trasladarse de régimen cuando le faltaren diez (10) años o menos para cumplir la edad para tener derecho a la pensión de vejez" (art. 13, e) de la Ley 100/1993, de 23 de diciembre.

- *Aportación obligatoria por parte de los afiliados.* La afiliación implica la obligación de efectuar los aportes que se establecen en esta Ley.
- *Reconocimiento de las pensiones y prestaciones*[28]. Para el reconocimiento de las pensiones y prestaciones contempladas en los dos regímenes, se tendrá en cuenta la suma de las semanas cotizadas con anterioridad a la vigencia de la presente Ley, al Instituto de Seguros Sociales o a cualquier caja, fondo o entidad del sector público o privado, o el tiempo de servicio como servidores públicos, cualquiera sea el número de semanas cotizadas o el tiempo de servicio; también se tendrá en cuenta la suma de las semanas cotizadas a cualquiera de ellos.
- *Derecho a la pensión mínima.* En desarrollo del principio de solidaridad, los dos regímenes previstos por el art. 12 de la presente Ley garantizan a sus afiliados el reconocimiento y pago de una pensión mínima en los términos de la presente Ley.
- *Fondo de solidaridad.* El fondo de solidaridad pensional estará destinado a ampliar la cobertura mediante el subsidio a los grupos de población que, por sus características y condiciones socioeconómicas, no tienen acceso a los sistemas de seguridad social, tales como trabajadores independientes o desempleados, artistas, deportistas, madres comunitarias y discapacitados. Créase una subcuenta de subsistencia del Fondo de Solidaridad Pensional, destinado a la protección de las personas en estado de indigencia o de pobreza extrema, mediante un subsidio económico, cuyo origen, monto y regulación se establece en esta ley. La edad para acceder a esta protección será en todo caso tres (3) años inferior a la que rija en el sistema general de pensiones para los afiliados.
- *Incompatibilidad de las pensiones.* Ningún afiliado podrá recibir simultáneamente pensiones de invalidez y de vejez.
- *Control y vigilancia.* Las entidades administradoras de cada uno de los regímenes del Sistema General de Pensiones estarán sujetas al control y vigilancia de la Superintendencia Bancaria.
- *Exigencia de la efectividad en el cumplimiento de los requisitos y tiempo de servicios prestados.* En ningún caso a partir de la vigencia de esta ley, podrán sustituirse semanas de cotización o abonarse semanas cotizadas o tiempo de servicios con el cumplimiento de otros

---

28. *Vid.* Acuña Páez, J. C. y Suarez Macías, S. M., "Estudio comparativo del Sistema Pensional Chile-Colombia. Modelos Pensionales, Tipos de Pensión y Desafíos", *Punto de Vista*, Núm. 15, Vol. 10, junio de 2019, disponible en: https://journal.poligran.edu.co/index.php/puntodevista/article/view/1229.

requisitos distintos a cotizaciones efectivamente realizadas o tiempo de servicios efectivamente prestados antes del reconocimiento de la pensión. Tampoco podrán otorgarse pensiones del Sistema General que no correspondan a tiempos de servicios efectivamente prestados o cotizados, de conformidad con lo previsto en la presente ley. Lo anterior sin perjuicio de lo dispuesto en pactos o convenciones colectivas de trabajo.

- *Exclusividad de los recursos*. Los recursos del Sistema General de Pensiones están destinados exclusivamente a dicho sistema y no pertenecen a la Nación, ni a las entidades que los administran.
- *Responsabilidad estatal*. El Estado es responsable de la dirección, coordinación y control del Sistema General de Pensiones y garante de los recursos pensionales aportados por los afiliados, en los términos de esta ley y controlará su destinación exclusiva, custodia y administración.
- *Concertación*. El sistema general de pensiones propiciará la concertación de los diversos agentes en todos los niveles.
- *Devolución de saldos e indemnizaciones*. Los afiliados que al cumplir la edad de pensión no reúnan los demás requisitos para tal efecto, tendrán derecho a una devolución de saldos o indemnización sustitutiva de acuerdo con el régimen al cual estén afiliados y de conformidad con lo previsto en la presente ley.
- *Costos y comisiones*. Los costos de administración del sistema general de pensiones permitirán una comisión razonable a las administradoras y se determinarán en la forma prevista en la presente ley.

4. AFILIACIÓN

La afiliación al sistema general de pensiones colombiano, según las previsiones legales[29], se ha perfilado bajo dos modalidades: *obligatoria* y *voluntaria*. A continuación, se exponen los requisitos esenciales de cada una de una de estas dos modalidades para que se pueda adquirir la condición de afiliado.

I. *Forma obligatoria*. Todas aquellas personas vinculadas mediante contrato de trabajo o como servidores públicos. Así mismo, las personas naturales que presten directamente servicios al Estado o a las entidades o empresas del sector privado, bajo la modalidad

---

29. Véase el art. 15 y otros concordantes de la Ley 100/1993, de 23 de diciembre.

de contratos de prestación de servicios, o cualquier otra modalidad de servicios que adopten, los trabajadores independientes y los grupos de población que por sus características o condiciones socioeconómicas sean elegidos para ser beneficiarios de subsidios a través del Fondo de Solidaridad Pensional, de acuerdo con las disponibilidades presupuestales.

También serán afiliados, y se regirán por todas las disposiciones contenidas en esta ley para todos los efectos, los servidores públicos que ingresen a Ecopetrol, a partir de la vigencia de la presente ley.

Durante los tres años siguientes a la vigencia de esta ley, los Servidores públicos en cargos de carrera administrativa, afiliados al régimen de prima media con prestación definida deberán permanecer en dicho régimen mientras mantengan la calidad de tales. Así mismo quienes ingresen por primera vez al Sector Público en cargos de carrera administrativa estarán obligatoriamente afiliados al Instituto de los Seguros Sociales, durante el mismo lapso.

En el caso de los *trabajadores independientes*[30] se aplicarán los siguientes principios:

a) El ingreso base de cotización no podrá ser inferior al salario mínimo y deberá guardar correspondencia con los ingresos efectivamente percibidos por el afiliado. De tal manera que aquellos que posean capacidad económica suficiente, efectúen los aportes de solidaridad previstos en esta ley.

b) Podrán efectuarse pagos anticipados de aportes.

c) El Gobierno Nacional establecerá un sistema de descuento directo de aportes para permitir el pago directo de los mismos.

d) Las administradoras no podrán negar la afiliación de los trabajadores independientes ni exigir requisitos distintos a los expresamente previstos por las normas que las rigen.

e) Los aportes podrán ser realizados por terceros a favor del afiliado sin que tal hecho implique por sí solo la existencia de una relación laboral.

f) Para verificar los aportes, podrán efectuarse cruces con la información de las autoridades tributarias y, así mismo, solicitarse otras informaciones reservadas, pero en todo caso dicha información no podrá utilizarse para otros fines.

---

30. Véase el parágrafo 1.º del art. 15 y otros concordantes de la Ley 100/1993, de 23 de diciembre.

II. *Forma voluntaria.* Todas las personas naturales residentes en el país y los colombianos domiciliados en el exterior, que no tengan la calidad de afiliados obligatorios y que no se encuentren expresamente excluidos por la presente ley.

Los extranjeros que en virtud de un contrato de trabajo permanezcan en el país y no estén cubiertos por algún régimen de su país de origen o de cualquier otro.

Las personas a que se refiere el presente artículo podrán afiliarse al régimen por intermedio de sus agremiaciones o asociaciones, de acuerdo con la reglamentación que para tal efecto se expida dentro de los tres meses siguientes a la vigencia de esta ley.

IV. LOS DIFERENTES PILARES Y REGÍMENES SOBRE LOS QUE SE SUSTENTA EL SISTEMA PENSIONAL COLOMBIANO

1. CONFIGURACIÓN ESTRUCTURAL DEL SISTEMA PENSIONAL COLOMBIANO

Realizado el estudio previo de los antecedentes, aspectos esenciales, particularidades y características del sistema de pensiones colombiano, corresponde ahora adentrarnos en el análisis específico de los pilares y regímenes que configuran la estructura de la que pende el mismo.

Se trata de un sistema de carácter multipilar[31] que se distribuye de la siguiente forma:

- *Primer pilar.* Sistema público de carácter solidario y no contributivo.
- *Segundo pilar.* Se identifica con el denominado Sistema General de Pensiones que se caracteriza por ser un sistema obligatorio mixto contributivo que, a su vez, se divide en dos subsistemas: el primero, denominado Régimen de Prima Media (RPM) con una prestación

---

31. Como ya se ha expuesto con anterioridad, a partir de la entrada en vigor de la Ley 100/1993, de 23 de diciembre, el sistema de seguridad social colombiano adquiere el carácter de "sistema integral". Desde esta perspectiva, creemos que son especialmente clarificadoras las descripciones y valoraciones que ha llevado a cabo el Departamento Nacional de Planeación de Colombia, expresando al respecto que se trata de un sistema que "(...) reúne de manera coordinada un conjunto de entidades, normas y procedimientos a los cuales pueden tener acceso las personas y la comunidad con el fin principal de garantizar una calidad de vida que esté acorde con la dignidad humana. Hace parte del Sistema de Protección Social junto con políticas, normas y procedimientos de protección laboral y asistencia social". *Vid.* Departamento Nacional de Planeación (DNP), "Sistema de Seguridad Social en Colombia", *Seguridad Social Integral*, 2021, disponible en: https://www.dnp.gov.co/programas/desarrollo-social/subdireccion-de-empleo-y-seguridad-social/Paginas/Seguridad-Social-Integral.aspx.

definida y de carácter público; el segundo, es el Régimen de Ahorro Individual con Solidaridad (RAIS), privado.

- *Tercer pilar.* Integrado por el Ahorro Previsional Voluntario que lleva asociado diversos incentivos tributarios.

A continuación, se pasa a detallar en los siguientes epígrafes los diferentes regímenes o subsistemas que integran cada uno de los pilares enunciados y que determinan la esencia del sistema pensional colombiano.

2.   EL PRIMER PILAR. PILAR SOLIDARIO

Este primer pilar que, nutriéndose de fondos destinados a aquel sector poblacional más desfavorecido y, por tanto, con menos ingresos, o careciendo de los mismos, se subdivide, a su vez, en subsistemas que contienen prestaciones de tipo "semi-contribuitivo" y "no contributivo".

Los subsistemas que lo integran son los siguientes:

I.   *Garantía Estatal de Pensión Mínima de Vejez (GPM).* Bajo la denominación de GPM se establece un subsistema mediante el cual se garantiza una Pensión de Salario Mínimo a aquellos afiliados al Sistema General de Pensiones colombiano que reúnan las siguientes condiciones:

- *Edad.* Haber alcanzado la edad de 57 años si es mujer, o 62 años si es hombre.

- *Cotización.* Se requiere que, aun teniendo cotizados 1.150 semanas en el Régimen de Ahorro Individual con Solidaridad (RAIS)[32], o 1300 semanas en el Régimen de Prima Media (RPM), no se ha llegado a alcanzar el montante suficiente de capital (en la correspondiente cuenta del afiliado) para poder financiar una Pensión equivalente al Salario Mínimo, y tampoco percibe el afiliado ingresos superiores a un Salario Mínimo.

II.   *Servicio Social Complementario de Beneficios Económicos Periódicos (BEP).* Se instaura como un programa de ahorro voluntario destinado a aquellas personas que no hayan podido cumplir con los requisitos mínimos necesarios para disponer de una pensión. Mediante el BEP, dichas personas puedan generar un capital conforme a sus

---

32.   Recuérdese que en el RAIS la Pensión Mínima se financia con los recursos aportados por los afiliados a este sistema y, ante el eventual agotamiento de tales recursos, la Pensión Mínima se asumirá directamente integrándola en los Presupuestos Generales de la Nación. *Vid.* Weidenslaufer, C. y Álvarez, P., "Sistemas previsionales 2019: legislación comparada", *Asesoría Técnica Parlamentaria-Biblioteca del Congreso Nacional de Chile (BCN)*, Núm. SUP: 121222,119537 y 118468, junio 2018, p. 20.

posibilidades económicas y, por ende, facilitando las aportaciones correspondientes según los períodos temporales que mejor se adapten. Su gestión se canaliza a través de la Administradora Colombiana de Pensiones (Colpensiones), de naturaleza jurídica compleja, pues se instituye como una empresa de carácter especial estatal, industrial y comercial que se organiza como entidad financiera.

En relación a los requisitos de acceso al BEP y demás prerrogativas se establecen las siguientes:

- *Edad*. Colombianos mayores de 18 años.
- *Ingresos*. Percepción de ingresos por debajo del Salario Mínimo Mensual Legal Vigente (SMMLV).
- *Afiliación*: Se requiere estar afiliado al régimen subsidiado de salud o tener la condición de beneficiario del régimen contributivo de salud.

De otra parte, las condiciones y distribución del patrimonio ahorrado se reglamentan de conformidad a las directrices que se enumeran:

- *Subsidio al ahorro*. Se concede un subsidio por la cantidad correspondiente al 20 por ciento de lo aportado por el afiliado.
- *Destino de la cantidad ahorrada*. Las diferentes opciones que se disponen para el destino de lo ahorrado por el Beneficio Económico Periódico (BEP) son las siguientes:

  - Devolución de la suma ahorrada en un pago único (sin subsidio).
  - Pago total o parcial de un inmueble de su propiedad (con subsidio).
  - Contratación de una renta vitalicia que no podrá superar el 85 por ciento del Salario Mínimo Mensual Legal Vigente (SMMLV).
  - Incorporar el capital ahorrado, como aportes voluntarios y para incrementar el valor de la pensión, al Régimen de Ahorro Individual con Solidaridad (RAIS).
  - Incorporar el capital ahorrado al Sistema General de Pensiones para completar el capital ahorrado al Régimen de Ahorro Individual con Solidaridad (RAIS), o bien para sumar semanas en el Régimen de Prima Media (RPM).

III. *Fondo de Solidaridad Pensional*. Adscrito al Ministerio de Trabajo, pero sin personalidad jurídica reconocida, consiste en una cuenta especial cuya finalidad es subsidiar las cotizaciones para pensiones de aquel sector poblacional de colectivos más desfavorecidos, que por su situación de mayor vulnerabilidad y condiciones económicas más desfavorecidas no tienen acceso a los diferentes Sistemas de Seguridad Social colombianos. Además, se incluyen los subsidios para la protección de mayores en situación de indigencia o pobreza extrema.

Su estructura responde a la distribución de dos subcuentas:

- *Subcuenta de Solidaridad.*
- *Subcuenta de Subsistencia.*

3. EL SEGUNDO PILAR. SISTEMA O RÉGIMEN GENERAL DE PENSIONES

Este segundo pilar que, bajo la denominación de "Régimen (o Sistema) General de Pensiones", tiene su origen y base legal en la Ley 100/1993, de 23 de diciembre. Está integrado, a su vez, por dos subsistemas: uno de carácter público y, el otro, de carácter privado. Entre las singularidades que se detectan en el Régimen General de Pensiones, destacamos la posibilidad que se confiere al afiliado para poder cambiar de un subsistema a otro. Si bien, tal prerrogativa se podrá ejercer por una sola vez, cada cinco años. No obstante, dicha opción de cambio no se podrá ejercer cuando al afiliado le faltaren diez años o menos para cumplir la edad legal para tener derecho a pensión de jubilación[33].

Los subsistemas que lo integran son los siguientes:

I. *Subsistema Público – Régimen Solidario de Prima Media.* De la regulación legal de este régimen se destacan, a modo de síntesis, los siguientes aspectos esenciales:

- *Función primordial.* Otorgar a los afiliados o beneficiarios una pensión de jubilación, de invalidez o de sobrevivencia, o una indemnización que ha sido determinada con carácter previo.

- *Tratamiento legal del supuesto de indemnización sustitutiva o devolución de saldos.* Se requiere por prescripción legal que el afiliado finaliza el servicio activo habiendo alcanzado la edad legal de jubilación, aunque sin haber podido cotizar el número mínimo de semanas que se exige para tener derecho a la pensión de jubilación y, además, declare la imposibilidad de poder seguir cotizando.

---

33. Consúltese en relación a este asunto el art. 26 de la Ley 100/1993, de 23 de diciembre y otros concordantes.

- *Competencia administradora*. Administración de este régimen corresponde a Colpensiones.

II. *Subsistema Privado – Régimen de Ahorro Individual.* En este subsistema, las previsiones legales otorgan una nueva vía a los afiliados para obtener una pensión de jubilación. En cuanto a los requisitos y especificidades requeridos son los que a continuación se detallan:

- *Edad.* Se establece un máximo de 60 años para las mujeres y 62 años para los hombres.

- *Acumulación de Capital.* Es necesario que el capital acumulado en la correspondiente cuenta de ahorro individual, le permita al afiliado obtener una pensión mensual que sea superior al 110 por ciento del Salario Mínimo Mensual Legal Vigente (SMMLV), reajustado anualmente de acuerdo al Índice de Precios al Consumo (IPC).

- *Competencia administradora.* Se confiere legalmente la administración de este régimen a entidades financieras privadas constituidas como Sociedades de Servicios Financieros y bajo la denominación de Administradoras de Fondos de Pensiones (AFP)[34]

En relación a la ordenación de las aportaciones en el Sistema General de Pensiones que estamos analizando, se establece un régimen jurídico según se trate de aportaciones *obligatorias* o *voluntarias*:

a)   *Aportaciones obligatorias.* Están obligados a realizar aportaciones de carácter obligatorio en el este régimen los siguientes sujetos:

- Servidores o funcionarios públicos que se incorporen en las plantillas de ECOPETROL.

- Personas que sean beneficiarias y reciban subsidios procedentes del Fondo de Solidaridad Pensional, de conformidad con las disponibilidades presupuestarias.

- Las personas naturales que presten directamente servicios al Estado, a entidades o empresas del sector privado mediante contrataos de prestación de servicios, o cualquier otra modalidad de servicios de trabajadores independientes.

---

34. Las denominadas Administradoras de Fondos de Pensiones (AFP) son sociedades anónimas que tienen su origen en el año 1980. El objetivo de las mismas es administrar un fondo de pensiones, asignando a sus afiliados las prestaciones correspondientes de conformidad con lo dispuesto en la ley. Se nutren para su financiación del cobro de comisiones a sus afiliados. El aumento del ahorro de los afiliados se podrá aumentar mediante la realización de inversiones. *Vid.* Acuña Páez, J. C. y Suarez Macías, S. M., "Estudio comparativo del Sistema Pensional Chile-Colombia. Modelos Pensionales, Tipos de Pensión y Desafíos", *op. cit.*, p. 4.

- Con carácter general, todas las personas que dispongan de un contrato de trabajo o que posean la condición de funcionarios públicos.

b) *Aportaciones voluntarias.* Podrán aportar de forma voluntaria las personas que a continuación se detallan:

- Cualquier persona individual residente en el país y personas de nacionalidad colombiana que tengan su domicilio en otro país. Además, se exige como requisitos adicionales, encontrarse en situación de no afiliado y no estar expresamente excluido por ley.

- Personas extranjeras que, en virtud de poseer una vinculación contractual laboral, permanezcan en el país, sin estar cubiertos por algún régimen pensional de su país de origen o de cualquier otro.

4. EL TERCER PILAR. AHORRO PREVISIONAL VOLUNTARIO

Este tercer pilar se constituye a través de los ahorros de los afiliados que, de forma voluntaria, desean completar su cotización obligatoria para conseguir en el futuro una mayor cuantía en la pensión. En reconocimiento a esta capacidad ahorradora, el Estado colombiano otorga unos beneficios fiscales tanto a los sujetos ahorradores como a los patrocinadores.

Respecto a la forma de llevar a cabo estos ahorros, se establecen las siguientes modalidades[35]:

- Aportes Voluntarios en los Fondos de Pensiones Obligatorios administrados por las Administradoras de Fondos de Pensiones (AFP).

- Fondos de pensiones de Jubilación e Invalidez administrados por las Administradoras de Fondos de Pensiones (AFP), Fiduciarias y Compañías de Seguros.

V. EL ACUERDO BILATERAL EN MATERIA DE PENSIONES SUSCRITO ENTRE ESPAÑA Y COLOMBIA

1. GENERALIDADES

El Convenio Bilateral de Seguridad Social entre el Reino de España y la República de Colombia (en adelante CBSSEC), firmado en Bogotá (Colombia) el 6 de septiembre de 2005 y entrando en vigor para ambas

---

35. Para llevar a cabo un estudio más extenso sobre este tema, se puede consultar en, Biblioteca del Congreso Nacional de Chile (BCN), *Guía legal sobre fondos de pensiones*, 2013, disponible en: https://www.bcn.cl/leyfacil/recurso/fondos-de-pensiones.

Partes el día 1 de marzo de 2008, tiene como finalidad proporcionar a los trabajadores españoles y colombianos (así como a sus familiares beneficiarios y sobrevivientes), que hayan llevado a cabo una actividad laboral o profesional en el territorio del otro Estado Parte (estando sujetos a las legislaciones de Seguridad Social de España y/o Colombia), les sea reconocido el tiempo cotizado en ambos países a la hora de determinar su derecho a la pensión y a la liquidación de las prestaciones correspondientes[36].

Este Acuerdo Bilateral fue ratificado y adoptado por ambas Partes[37] llevándose a cabo mediante los procedimientos siguientes:

- En España se procedió a la publicación del texto definitivo del Convenio en el Boletín Oficial del Estado núm. 54, de 3 de marzo de 2008.

- En Colombia, para proceder a su ratificación y adopción, se necesitó contar previamente con la aprobación de la Ley 1.112 de 27 de diciembre de 2006[38].

A efectos del presente Convenio se establecen las siguientes precisiones terminológicas:

- *Trabajador*[39]. Tendrá tal consideración aquella persona que habiendo desarrollado (o que esté desarrollando) una actividad laboral por cuenta ajena o propia, sometido a la legislación relativa a las prestaciones contributivas del Sistema español de la Seguridad Social[40], o a la legislación colombiana relativa a las prestaciones económicas reguladas en el Sistema General de Pensiones[41].

---

36. Según los datos que constan en el INE (España), DANE (Colombia), Ministerio de Trabajo y Asuntos Sociales español y en el Ministerio de la Protección Social colombiano, el número de personas que podrían quedar sometidas por lo estipulado en este convenio, a 1 de marzo de 2008, era el siguiente: 246.542 colombianos con tarjeta de residencia en España, 7.902 españoles residentes en Colombia, 141.358 colombianos afiliados a la Seguridad Social española, 411 pensiones abonadas a residentes en Colombia y 161 pensiones asistenciales abonadas en Colombia. En 2017, los colombianos residentes en España representaban el 3,14% sobre el total de 4.424.409 extranjeros residentes en España. Siendo esta población el 17,84% del total de colombianos residentes fuera del país. Han sido alrededor de 6.000 solicitudes tramitadas durante el periodo 2008-2018; de las cuales 500 se le ha gestionado el reconocimiento de la pensión. *Vid.* Ruiz Santamaría, J.L., "Las pensiones en el marco del actual convenio bilateral de seguridad Social suscrito entre España y Colombia", e-Revista Internacional de la Protección Social, Vol. 3, Núm. 2. 2018, p. 223.
37. *Vid.* art. 1.1 apartado a) CBSSEC.
38. Dicha Ley fue publicada con posterioridad en el Diario Oficial de la República de Colombia, Año CXLII, Núm. 46.494, de 27 de diciembre de 2006, p. 172.
39. *Vid.* art. 1.1 apartado f) CBSSEC.
40. Se hace referencia específica a la incapacidad permanente, muerte y supervivencia por enfermedad común o accidente no laboral y jubilación. *Vid.* art. 2.1 apartado a) CBSSEC.
41. Concretamente se hace referencia a la prima media con prestación definida y ahorro individual con solidaridad; y en relación a vejez, invalidez y sobrevivientes, de origen común. *Vid.* art. 2.1 apartado b) CBSSEC.

- *Legislación aplicable*[42]. Serán las Leyes, Reglamentos, Decretos y demás disposiciones sobre Seguridad Social que estén vigentes en los correspondientes territorios de las Partes Contratantes.

- *Órganos Administrativos*. Comprenderán los siguientes:

  - *Autoridad Competente*[43]. En relación a España, será el Ministerio de Trabajo y Asuntos Sociales y, respecto a Colombia, el Ministerio de la Protección social.

  - *Instituciones Competentes*[44]. Se entenderá que son aquellas Instituciones u Organismos responsables, en cada parte, de la administración y aplicación de su legislación[45].

  - *Organismo de Enlace*[46]. Es aquel Organismo de coordinación e información entre las Instituciones de ambas Partes Contratantes que intervengan en la aplicación del Convenio y en la información a los interesados sobre los derechos y las obligaciones derivados del mismo.

- *Periodo de seguro o de cotización*[47]. Es el periodo cotizado o reconocido con tal consideración por la legislación del Estado Parte al que ha estado sometido el interesado, así como cualquier otro periodo que tal legislación considere computable o equiparable.

- *Prestaciones económicas*[48]. Son aquellas prestaciones en efectivo referentes a subsidios, auxilios o indemnizaciones previstas en las Legislaciones españolas y colombianas a las que nos hemos referido con anterioridad.

2. RÉGIMEN APLICABLE PARA LA DETERMINACIÓN DE LAS PRESTACIONES

En este subepígrafe se abordará el estudio de las disposiciones comunes (establecidas por ambas Partes) para la determinación del derecho a la pensión y liquidación de las correspondientes prestaciones.

---

42. *Vid.* art. 1.1 apartado b) CBSSEC.
43. *Vid.* art. 1.1 apartado c) CBSSEC.
44. *Vid.* art. 1.1 apartado d) CBSSEC.
45. En España son: el Instituto Nacional de Seguridad Social, el Instituto Social de la Marina y la Tesorería General de la Seguridad Social. En Colombia: el Instituto de Seguros Sociales y las Cajas, Fondos o Entidades de la Seguridad Social (públicas o privadas).
46. *Vid.* art. 1.1 apartado e) CBSSEC.
47. *Vid.* art. 1.1 apartado g) CBSSEC.
48. *Vid.* art. 1.1 apartado h) CBSSEC.

Seguidamente, pasaremos a tratar el análisis de las aplicaciones específicas de las legislaciones nacionales para la determinación de las prestaciones por jubilación o vejez.

I.   *Disposiciones comunes para la determinación del derecho a la pensión y liquidación de las correspondientes prestaciones.*

- Tendrán derecho a la pensión, y, por ende, a las prestaciones que se establecen en el Capítulo 1 del Título III de este Convenio[49], aquellos trabajadores que hayan estado (de forma sucesiva o alternativa) sujetos a la legislación de uno u otro Estado Parte[50].

- Para la determinación del derecho a la pensión y el cálculo de la prestación correspondiente, la Institución Competente de cada Estado Parte tendrá en cuenta lo siguiente:

  - Los *periodos de cotización o de seguros acreditados* en ese Estado Parte[51].

  - Asimismo, también se tendrá en cuenta totalizando con los propios *los periodos de cotización o de seguro cumplidos bajo la legislación de la otra Parte*[52].

  - Efectuada la totalización y alcanzado el derecho a la prestación, se calculará la cuantía según los *criterios* siguientes:

1.º) *Pensión teórica.* Este criterio consiste en determinar la cuantía de la prestación, como si todos los periodos totalizados de cotización o de seguro se hubieran cumplido bajo la propia legislación[53].

2.º) *Pensión prorrata.* El cálculo de la prestación se llevará a cabo aplicando a la pensión teórica (calculada sobre su legislación) la misma proporción existente entre el periodo de cotización o seguro en el Estado al que

---

49. Capítulo 1.º titulado: "Prestaciones por incapacidad permanente o invalidez, jubilación o vejez y muerte y supervivencia o sobrevivientes" y que corresponde al Título III que está dedicado a regular dichas prestaciones.
50. *Vid.* art. 9, primer párrafo CBSSEC. Además, se deberá tener en cuenta la posibilidad de acumular, por parte del asegurado, los distintos periodos de cotización. Sin embargo, dicha acumulación se producirá (de conformidad con lo acordado por los Estados Parte) cuando se cumplan unas determinadas condiciones que se expresan en los siguientes términos: "cuando la legislación de una Parte Contratante subordine la adquisición, conservación o recuperación del derecho a las prestaciones previstas en el art. 2 de este Convenio, al cumplimiento de determinados periodos de seguro o cotización, la Institución tendrá en cuenta a tal efecto, cuando sea necesario, los periodos de seguro o cotización cumplidos con arreglo a la legislación de la otra Parte Contratante según se establece en el art. 9, siempre que no se superpongan" (art. 8 CBSSEC).
51. *Vid.* art. 9. 1 CBSSEC.
52. *Vid.* art. 9. 2 CBSSEC.
53. *Vid.* art. 9. 2, apartado a) CBSSEC.

pertenece la Institución que realiza el cálculo de la pensión y la totalidad de los periodos cotizados o de seguro cumplidos en ambas partes[54].

–*Reconocimiento de la pensión más favorable para el interesado*. Determinados los derechos a la pensión correspondiente (calculadas las cuantías de las prestaciones) conforme a los criterios contenidos en los apartados anteriores, la Institución Competente de cada Estado Parte reconocerá y abonará la prestación que resulte más favorable al interesado, independientemente de la resolución adoptada por la Institución Competente del otro Estado Parte[55].

–*Singularidades en el cómputo de periodos de cotización en determinadas actividades sometidas a un Régimen Especial*. Cuando la legislación de un Estado Parte condiciona el derecho o la concesión de determinados beneficios al cumplimiento de periodos de seguro en una profesión o empleo determinado (o profesión sometida a un Régimen Especial); en este caso, los periodos cumplidos bajo la legislación de la otra Parte sólo se tendrán en cuenta, para la concesión de tales beneficios, si se acreditasen bajo un régimen de igual naturaleza, si éste no existiera, bastaría con la misma profesión o empleo[56]. No obstante, si habiendo tenido en cuenta los periodos cumplidos, el interesado no cumpliese con los requisitos necesarios para beneficiarse de la prestación que resultare del Régimen Especial, dichos periodos se tendrán en cuenta para la concesión de prestaciones del Régimen General o de otro Especial que el beneficiario pudiera justificar su derecho[57].

II.   *Aplicaciones específicas de las legislaciones nacionales para la determinación de las prestaciones por jubilación o vejez.*

A)   Aplicaciones de la *legislación española*.

En *primer lugar*, y en referencia concreta al *reconocimiento de la pensión y a la correspondiente concesión de la prestación*, el Estado español ha establecido las siguientes *condiciones específicas*:

–   Si la concesión de las prestaciones depende de que los trabajadores hayan estado sometidos a la legislación española en el momento de producirse el hecho causante de la prestación, este requisito se considerará igualmente cumplido, si en dicho momento estos trabajadores estuvieran asegurados o recibieran una prestación colombiana, de igual o diferente naturaleza, causada por los mismos trabajadores[58].

---

54.   *Vid.* art. 9. 2, apartado b) CBSSEC.
55.   *Vid.* art. 9. 3 CBSSEC.
56.   *Vid.* art. 10, primer párrafo CBSSEC.
57.   *Vid.* art. 10, segundo párrafo CBSSEC.
58.   Este mismo principio se aplicará al reconocimiento de las pensiones de supervivencia; en dicho procedimiento se establece que, si fuera necesario, se tendrá en cuenta

- En el supuesto de que las normas españolas exijan (para el reconocimiento de la prestación) que se hayan cumplido periodos de cotización en un tiempo determinado inmediatamente anterior al hecho causante de la prestación[59].

- Otra circunstancia, prevista por la legislación española, es la que se contempla para las cláusulas de reducción, de supresión o de suspensión. Estas cláusulas serán aplicables a aquellos pensionistas que desempeñen una actividad laboral, aunque ésta se lleve a cabo en el territorio de Colombia.

En *segundo lugar*, también *se ha establecido un régimen específico para la determinación de la base reguladora o ingreso base de liquidación de las prestaciones.*

- Para la determinación de esta base, se establece que la Institución Competente tendrá en cuenta las bases de cotización reales acreditadas por el asegurado en España durante el periodo inmediatamente anterior correspondiente al pago de la última cotización efectuado a la Seguridad Social en España[60].

- En referencia a la determinación de la cuantía de la prestación, existe una cláusula de mejora, prevista en este Convenio, mediante la cual se podrá aumentar dicha cuantía con el importe de las mejoras y revalorizaciones establecidas para cada año posterior y hasta el hecho causante para las prestaciones de la misma naturaleza[61].

---

la situación de alta o de afiliado cotizante (o de pensionista) del sujeto causante en Colombia.

59. Adviértase que, de conformidad con el CBSSEC, esta condición se considerará cumplida si el interesado los acredita en el periodo inmediatamente anterior al reconocimiento de la prestación en Colombia.

60. En relación a lo dispuesto en el art. 13, primer párrafo CBSSEC, debe advertirse que en España el concepto legal de base de cotización está regulado en el art. 147 del Real Decreto Legislativo 8/2015, de 30 de octubre, por el que se aprueba el texto refundido de la Ley General de la Seguridad Social (BOE núm. 261, de 31 de octubre de 2015). De conformidad con lo establecido en este precepto, la base de cotización estaría constituida por la remuneración total que percibe el trabajador por la realización de su trabajo, cualquiera que sea su forma o denominación (tanto en metálico como en especie). También se añade que en la base de cotización se integrarán las prorratas correspondientes a las pagas extra y las retribuciones relativas a las vacaciones no disfrutadas (en el caso de los trabajadores por cuenta ajena). Sin embargo, conviene precisar que no todo lo que percibe el trabajador, por la realización de su actividad laboral, forma parte de la base de cotización. Dichos conceptos son los siguientes: gastos de locomoción del trabajador, horas extraordinarias, gastos de capacitación, estudios de actualización o reciclaje, indemnización por fallecimiento, traslados, suspensiones, despidos, gastos de manutención y estancias.

61. *Vid.* art. 13 *in fine* CBSSEC.

En *tercer lugar*, para la admisión al seguro voluntario se hace referencia a la forma de llevar a cabo la totalización de periodos de seguro. Se dispone que los periodos de cotización, que han sido cubiertos por los trabajadores bajo la legislación colombiana, se totalizarán, si fuera necesario, con los periodos de seguro cubiertos al amparo de la legislación española, ahora bien, con la condición de no exista una superposición de ambos periodos[62].

B) Aplicaciones de la *legislación colombiana*.

De igual forma a la llevada a cabo por España, el Estado colombiano[63] ha introducido una serie de singularidades respecto a la aplicación de su legislación nacional.

En *primer lugar*, y en relación al régimen de ahorro individual con solidaridad, se ha dispuesto lo siguiente:

– Las *prestaciones que correspondan a los afiliados a una Administradora de Fondo de Pensiones* en Colombia se financiarán con la cantidad resultante de sumar al saldo de su cuenta de ahorro individual la cuantía que corresponda aportar la Administradora de Fondo de Pensiones en Colombia.

---

62. *Vid.* art. 14 CBSSEC.
63. Aunque ya hemos tenido oportunidad de pronunciarnos con anterioridad sobre este tema (en el epígrafe correspondiente), volvemos a insistir en ello por su especial relevancia en el estudio abordado. Recuérdese que el Sistema de Seguridad Social Colombiano está dirigido por el Ministerio de Salud y Protección Social y el Ministerio de Trabajo. Su reglamentación se encuentra recogida en la Ley de Seguridad Social Colombiana (Ley 100/1993 de 23 de diciembre). Dicha Ley fue expedida por el Congreso de Colombia y se divide en cuatro secciones que se refieren a los componentes principales del Sistema. El primer libro trata el Sistema General de Pensiones; el segundo libro está dedicado a la regulación del Sistema General de Seguridad Social en Salud; el tercer libro aborda el Sistema General de Riesgos Laborales (denominación introducida por la Ley 1562 de 2012); y en último lugar, el cuarto libro que afronta los Servicios Sociales Complementarios. Como singularidad del sistema jurídico colombiano, y su diferencia con el ordenamiento jurídico español, hay que señalar que las leyes en Colombia pueden proceder del Congreso, o del Consejo Nacional Electoral, o de la Presidencia de la República. Y por otra parte, destacamos como diferencia específica respecto al Sistema de Seguridad Social que, la propia Ley 100/1993 reguladora del Sistema General de Seguridad Social en Colombia, incluye además, en el mismo texto normativo el "Sistema General de Riesgos Laborales", concentrando a la vez la protección y la prevención. Nótese sobre este particular que, en España, la regulación de la Prevención de Riesgos Laborales se realiza mediante la Ley 31/1995 de 8 de noviembre de Prevención de Riesgos Laborales y otras normas concordantes, pero en instrumentos jurídicos externos a la regulación del Régimen de Seguridad Social. Para mayor abundamiento sobre el Sistema de Seguridad Social colombiano y su régimen de pensiones puede consultarse en Piedrahita Vargas, C., "Envejecimiento poblacional y pensiones: el caso Colombia", en AA.VV., *Health at work, ageing and environmental effects on future social security and labour law systems*, Cambirdge Scholars Publishing, Reino Unido, 2018, pp. 265-277.

- Por lo que respecta a la garantía de pensión mínima, en aquellos supuestos en que el afiliado a una Administradora de Fondo de Pensiones requiera la totalización de periodos, serán aplicables las disposiciones comunes que contiene sobre esta materia el art. 9 CBSSEC.

En *segundo lugar*, se establecen las condiciones para determinar la base reguladora o el ingreso base de la liquidación de las prestaciones, según los siguientes criterios:

- La Institución Competente determinará el ingreso base de liquidación para el cálculo de las prestaciones (que se reconozcan en relación a lo establecido en el art. 9.2 CBSSEC para el régimen común) tomando para ello el promedio de los salarios o rentas sobre los cuales el afiliado haya cotizado en Colombia durante los diez años anteriores al reconocimiento o, en su caso, el promedio de todo el tiempo estimado si éste fuera inferior.

- En aquellos supuestos que se hayan cubierto periodos de seguro en España, la Institución Competente colombiana fijará el periodo de diez años (necesario para el cálculo de la base correspondiente) a partir de la fecha de la última cotización realizada en Colombia.

- En ambos casos y de conformidad con lo establecido en la legislación colombiana, la cuantía resultante de la prestación se ajustará hasta la fecha en que deba devengarse la prestación.

En *tercer lugar*, sobre el cumplimiento del tiempo requerido se ha dispuesto, por parte de Colombia, lo siguiente:

- A los efectos del reconocimiento de la pensión de vejez, la Parte colombiana únicamente podrá aplicar lo establecido en este Convenio, respecto a la totalización de periodos respecto al derecho y cálculo de la prestación, cuando una vez añadidos los tiempos acreditados en España se cumplan los condicionamientos legales que dan acceso a la correspondiente prestación.

- Alcanzada la edad requerida por el trabajador para la jubilación y una vez que se hayan certificado los tiempos aportados o servidos por el mismo (en cada una de las Partes) el Estado colombiano (por mediación del organismo competente) podrá reconocer y pagar independientemente la prorrata que corresponda al interesado conforme a lo dispuesto en este Convenio.

En *cuarto lugar*, y en relación a la Unidad de prestación, se han establecido las siguientes consideraciones:

- *Primera.* Se entiende, por la Parte colombiana, que la prestación que reciba el trabajador estará compuesta por la suma de prestaciones de cada una de las Partes contratantes (como resultado de la aplicación de este Convenio). Y se subraya por esta Parte que cada prorrata (individualmente considerada) no adquiere por sí misma el carácter de pensión.

- *Segunda.* Si el trabajador habiendo cotizado los periodos exigidos (y una vez reconocidos los tiempos por ambas Partes) no supere, con la suma resultante de las prestaciones, el salario mínimo legal colombiano, tendrá derecho a percibir dicho salario mínimo como garantía de la pensión mínima.

- *Tercera.* Cuando la Parte colombiana (como resultado de la aplicación de este Convenio) debiera comenzar a efectuar el pago antes que la Parte española, la Institución Competente española certificará las siguientes circunstancias: si el trabajador ha cotizado en España y el periodo cotizado al Sistema de Seguridad Social español[64].

También, y a los efectos de determinar el derecho de pensión prorrata y la garantía de pensión mínima (a la que hemos hecho referencia con anterioridad), el organismo competente colombiano deberá aplicar "(...) la totalidad de los periodos cumplidos en ambas Partes. En ningún caso la concesión de una pensión prorrata colombiana, por aplicación del presente Convenio, podrá obligar a las Instituciones colombianas a reconocer una cuantía de pensión superior a la prorrata que resulta del cálculo anterior. La garantía de pensión mínima podrás ser recalculada cuando la Institución española reconozca una pensión, aplicándose consecuentemente, el apartado 2 del presente artículo[65]".

3. PRECISIONES SOBRE EL MARCO RELACIONAL DEL CONVENIO BILATERAL CON EL CONVENIO MULTILATERAL IBEROAMERICANO DE SEGURIDAD SOCIAL

El Convenio Multilateral Iberoamericano de Seguridad Social, como se ha puesto de manifiesto por parte de la doctrina, tiene como destinatarios naturales los trabajadores y profesionales activos que se desplazan de un país a otro por motivos de trabajo y, adicionalmente, las personas que dependen de ellos económicamente, esto es, los familiares más directos. Desde este punto de vista, puede decirse que el Convenio Multilateral

---

64. La expedición de dicho certificado será la presunción de que el trabajador está incluido, para la Parte española, en el ámbito de aplicación personal de este Convenio.
65. De conformidad con lo señalado en el art. 17.3 CBSSEC.

Iberoamericano de Seguridad Social es una norma de contenido y de cariz esencialmente profesional[66].

Desde la génesis de este instrumento jurídico internacional se puede apreciar una vinculación muy estrecha con la Organización Iberoamericana de Seguridad Social (OISS). De hecho, sería a partir del Congreso Internacional, que dicha institución organizó en el año 2004, donde surgiría la idea de su elaboración. Un año más tarde, en 2005, comenzaría a materializarse con ocasión de la V Conferencia Iberoamericana de Ministros/ Máximos Responsables de Seguridad Social. Dicha Conferencia, que se celebró en Segovia, tenía como finalidad, facilitar un único instrumento de coordinación de las legislaciones nacionales en materia de pensiones que, con plena seguridad jurídica, pudiera garantizar los derechos de los trabajadores migrantes y sus familias, protegidos bajo los esquemas de Seguridad Social de los diferentes Estados Iberoamericanos[67].

Junto a esta idea, surge la necesidad de coordinar aspectos esenciales relativos a la protección social, llegándose a aseverar que "(...) de forma sintética, el Convenio Multilateral Iberoamericano de Seguridad Social es una herramienta de coordinación supranacional en materia de protección social que, sin afectar a los respectivos sistemas nacionales, se inscribe en el repertorio de los que, con ámbitos espaciales diferentes, tienen como objetivo proteger los derechos de seguridad social de los trabajadores migrantes y de las personas que dependen de ellos[68]".

Otro aspecto a destacar acerca de este instrumento jurídico internacional de máxima relevancia es el relativo a su carácter "innovador", manifestándose

---

66. *Vid.* González Ortega, S., "El Convenio Multilateral Iberoamericano de Seguridad Social y la cobertura de la Discapacidad", en AA.VV., *Protección social: Seguridad Social y Discapacidad. Estudios en homenaje a Adolfo Jiménez*, Ed. Cinca, Madrid, 2014, p. 462.

67. Añade esta autora, refiriéndose al Proyecto del Convenio Multilateral, que "se aprobaría dos años más tarde, con motivo de la VI Conferencia Iberoamericana de Ministros y Máximos Responsables de Seguridad Social celebrada en Chile en 2007 siendo aprobado el texto definitivo ese mismo año durante la XVII Cumbre Iberoamericana de Jefes de Estado y de Gobierno celebrada en Santiago de Chile". *Vid.* Sánchez-Rodas Navarro, C., "Sinopsis del Reglamento 883/2004 y del Convenio Multilateral Iberoamericano de Seguridad Social", en AA.VV., *El Derecho del Trabajo y de la Seguridad Social en la Encrucijada: Retos para la Disciplina Laboral*, Laborum, Murcia, 2008, pp. 181-189, disponible en: https://idus.us.es/xmlui/bitstream/handle/11441/34282/derecho%20del%20trabajo.pdf?sequence=1&isAllowed=y. También, y sobre este mismo asunto, puede consultarse en: Sánchez-Rodas Navarro, C., "Aproximación a la coordinación de Regímenes de Seguridad Social en el Reglamento 883/2004 y en el Convenio Multilateral Iberoamericano de Seguridad Social". *E-Revista Internacional de la Protección Social* Núm. 1 Vol. 1, 2016, pp. 1-22, disponible en: https://institucional.us.es/revistapsocial/index.php/erips/article/view/2.

68. González Ortega, S., "El Convenio Multilateral Iberoamericano de Seguridad Social y la cobertura de la Discapacidad", en: AA.VV., *Protección social: Seguridad Social y Discapacidad. Estudios en homenaje a Adolfo Jiménez, op. cit.*, p. 449.

en este sentido que "el Convenio Multilateral Iberoamericano es una experiencia pionera porque, plantea lograr un acuerdo en materia de Seguridad Social en un ámbito en el que no existe una previa asociación política que facilite el sustrato jurídico que podría darle apoyo[69]".

Respecto a la falta de una definición jurídica sobre el término "Coordinación", y ante la necesidad de realizar una aproximación a dicho concepto, un sector mayoritario doctrinal afirma que podríamos inferir sus notas características de la Jurisprudencia del Tribunal de Justicia de la Unión Europea. Dichas notas, serían las siguientes:

- Coordinación no implica unificación ni armonización de Sistemas de Seguridad Social.

- Tampoco conlleva la derogación, reforma o modificación de los sistemas nacionales de Seguridad Social coordinados que subsisten con todas sus peculiaridades.

- No veda las competencias soberanas de los Estados para legislar en el ámbito de la Seguridad Social.

- La coordinación no es un fin en sí mismo, sino un instrumento para facilitar, en última instancia, la libre circulación de trabajadores en el seno de la Comunidad Iberoamericana (por lo que al Convenio Multilateral se refiere).

- La coordinación permite salvaguardar los derechos adquiridos y en curso de adquisición de los migrantes en el ámbito de la Seguridad social, evitando que los trabajadores migrantes no vean mermados sus derechos y/o expectativas de derecho en materia de Seguridad Social.

- Mediante la técnica de la coordinación el Convenio Multilateral, garantiza a los sujetos incluidos dentro de sus respectivos ámbitos de aplicación un trato igual al dispensado a los trabajadores nacionales[70]. Sin embargo, otro sector doctrinal[71] 65, prefieren utilizar "articulación" como término alternativo a coordinación.

---

69. *Vid.* Jiménez Fernández, A., "Convenio Multilateral Iberoamericano de Seguridad Social", en AA.VV., El Futuro de la Protección Social, Laborum, Murcia, 2010, p. 375.

70. *Vid.* Sánchez-Rodas Navarro, C., "Aproximación a la coordinación de Regímenes de Seguridad Social en el Reglamento 883/2004 y en el Convenio Multilateral Iberoamericano de Seguridad Social", *op. cit.*, pp. 5-6. También, y sobre este asunto, véase en Sánchez-Rodas Navarro, C., "Sinopsis del Reglamento 883/2004 y del Convenio Multilateral Iberoamericano de Seguridad Social", *op. cit.*, p. 184.

71. *Vid.* Miranda Boto, J., "El Estadio Previo: Algunos Problemas Terminológicos de la Seguridad Social Comunitaria", en AA.VV., *El Reglamento Comunitario. Nuevas Cuestiones. Viejos Problemas*, Laborum, Murcia, 2008, pp. 26-28.

Finalmente, cabe destacar que Colombia firmó el Convenio Multilateral Iberoamericano de Seguridad Social, el 26 de noviembre de 2008, sin embargo, hasta la fecha no ha ratificado el mismo, por lo que no se podrá hacer efectiva la aplicación del mismo.

Por su parte, España lo ratificó el 12 de febrero de 1010 y se publicó junto a su Acuerdo de aplicación el 8 de enero de 2011, entrando en vigor el 1 de mayo de 2011[72].

VI. REFLEXIONES CONCLUSIVAS FINALES Y OPCIONES DE MEJORAS PARA EL FUTURO

En base al análisis histórico y en una primera aproximación al sistema de pensiones colombiano, podemos apreciar un avance muy significativo a partir de la reforma introducida con la Ley 100/1993, de 23 de diciembre. Consecuencia inmediata de la entrada en vigor de dicha norma ha sido el aumento de la cobertura, pese a que, en nuestra opinión, sigue siendo baja. Otra aportación muy positiva ha sido la superación de una fragmentación regulatoria muy acusada que existía en esta materia antes del año 1993. Se incorpora al ordenamiento jurídico colombiano un nuevo sistema legislativo en materia de pensiones, integrando el reconocimiento de vida laboral en los diferentes sistemas. También se pueden apreciar un progreso notable en la introducción de un nuevo sistema no contributivo que proyecta un ámbito protector hacia las capas más desfavorecidas de la población colombiana que no tienen posibilidad de acceso a una pensión. No obstante, este sistema requiere una revisión profunda que introduzca las mejoras necesarias para afrontar los nuevos retos futuros.

Las disposiciones legales aparecidas con posterioridad a la Ley 100, como son las Leyes 797 y 680 de 2003 y el Acto Legislativo Núm. 1 de 2005 han propiciado, mediante la supresión de regímenes especiales y la introducción de importantes cambios en las referencias paramétricas, un descenso muy patente de la deuda pública pensional. Ahora bien, los cambios demográficos y, fundamentalmente, el descenso de la natalidad pone en riesgo la sostenibilidad del Régimen de Prima Media.

Otra característica que se aprecia en el estudio de la actual configuración del sistema pensional colombiano es que se trata de un sistema desequilibrado, inequitativo y regresivo. Se aprecia un tratamiento

---

72. *Vid.* Sánchez-Rodas Navarro, C., "Aproximación a la coordinación de Regímenes de Seguridad Social en el Reglamento 883/2004 y en el Convenio Multilateral Iberoamericano de Seguridad Social", *op. cit.*, p. 4. También, y sobre este asunto, véase en Sánchez-Rodas Navarro, C., "Sinopsis del Reglamento 883/2004 y del Convenio Multilateral Iberoamericano de Seguridad Social", *op. cit.*, p. 183.

muy desigual según la capa poblacional a la que se pertenezca, como lo demuestra los elevados ingresos presentes en el Régimen de Prima Media. Así, aquellos afiliados que no hayan podido completar el número mínimo exigido de semanas cotizadas (sector poblacional más desfavorecido), serán los que subsidiarán al resto de afiliados (las estadísticas muestran que el 86% de los subsidios pensionales sufragan al 20% del sector poblacional más pudiente).

También, y desde la perspectiva institucional, se aprecian importantes lagunas jurídicas. La regulación de las Cajas de Retiro de la Fuerza Pública (CASUR y CREMIL) está excluida de la jurisdicción de la Dirección General de la Regulación Económica de la Seguridad Social (DGRESS). Lo mismo ocurre con la exclusión de estas entidades de la vigilancia de la Superintendencia Financiera. La información en el sistema de las "vidas laborales" como las "financieras", se encuentran dispersas por las distintas Administraciones, sin que se aprecia la configuración de una estructura de intercambio de información entre las distintas Administraciones, provocando una clara inestabilidad y falta de información centralizada.

Respecto a una futura reforma del sistema, creemos que se debe afrontar, con carácter primordial, asumiendo las siguientes propuestas: ampliación de su cobertura, buscando reestablecer una equidad que garantice un sistema más igualitario, corrigiendo los marcados desequilibrios que favorecen en la actualidad a las minorías más pudientes; asegurar su sostenibilidad financiera; mejorar la vigilancia y capacidad de regulación estatal sobre las diferentes administradoras; mejorar las condiciones de competencia entre las administradoras del RAIS; evitar situaciones de arbitraje innecesario entre los sistemas de RAIS y RPM; adoptar políticas de empleo efectivas y destinadas a disminuir los altos niveles de empleo sumergido (según el DANE, se ha podido contabilizar que el 46.5 % de personas trabajadoras de las ciudades más importantes de Colombia desempeñaban trabajos no declarados).

De conformidad con el reciente Informe del CEPAL de 2020 (aunque no compartido en su totalidad), coincidimos en la necesidad de crear un órgano centralizado que pueda abordar la regulación de todos los administradores del sistema pensional colombiano, incluyendo por tanto al RAIS y RPM. Paralelamente creemos que sería conveniente que todas las entidades administradoras deberían estar sometidas a la vigilancia de la Superintendencia Financiera (evitando las excepciones que se están dando en la actualidad).

Una atención especial en nuestro estudio merece el Acuerdo Bilateral en materia de pensiones suscrito entre España y Colombia el 6 de septiembre de 2005. Dicho instrumento normativo tiene como finalidad proporcionar a los trabajadores españoles y colombianos (así como a sus familiares beneficiarios y sobrevivientes), que hayan llevado a cabo una actividad laboral o profesional en el territorio del otro Estado Parte (estando sujetos a las legislaciones de Seguridad Social de España y/o Colombia), les sea reconocido el tiempo cotizado en ambos países a la hora de determinar su derecho a la pensión y a la liquidación de las prestaciones correspondientes. Existe una amplia y detallada regulación en el Convenio sobre la determinación del derecho a la pensión y a la correspondiente prestación, destacándose de las mismas las siguientes consideraciones:

–Los interesados que cumplan con los requisitos señalados en las legislaciones de España y Colombia para tener derecho a la pensión contributiva, podrán percibir ésta de cada uno de los Estados Parte.

–Para la adquisición del derecho a la pensión y a las prestaciones de carácter contributivo (previstas en el Convenio) los trabajadores podrán adicionar los periodos de seguro acreditados en ambas Partes (de conformidad con sus respectivas legislaciones), siempre que dichos periodos no se superpongan.

–A cada Institución competente de las Partes contratantes abonar a los sujetos beneficiarios sus propias prestaciones. Sin embargo, se establece en el Acuerdo que se podrá descontar del importe correspondiente a los pagos iniciales de la pensión que se le reconozca, aquella cantidad que se haya producido por el abono de las prestaciones de igual naturaleza y que supere el total de la debida por la Seguridad Social del otro Estado.

–Aquellas personas que tengan reconocido su derecho a la pensión podrán percibir las prestaciones que les correspondiera (de carácter contributivo y previstas en el Convenio) con independencia de que los mismos residan en el territorio de uno u otro Estado.

–La acreditación de los periodos cotizados de seguro bajo la legislación de Seguridad Social de España y/o Colombia, anteriores a la entrada en vigor del Convenio, también se podrán computar a la hora de la determinar el derecho a la prestación que corresponda de conformidad con este Convenio. Si existiera una superposición de estos periodos de seguro (anteriores a la entrada en vigor del Convenio) cada uno de los Estados Parte tendrá en cuenta los periodos acreditados bajo su legislación a la hora de determinar el derecho y la cuantía de la prestación.

–Existe la posibilidad de llevar a cabo la revisión del derecho a prestaciones por contingencias que hubiera tenido lugar antes de la entrada en vigor del presente Convenio, si bien, en ningún caso se podrá efectuar el abono de aquellas prestaciones anteriores a dicha fecha.

Por otra parte, teniendo en cuenta la coexistencia de este Convenio Bilateral de 2005 con el Convenio Multilateral Iberoamericano de Seguridad Social de 2007 (ya que España y Colombia han suscrito ambos Acuerdos), es necesario abordar el análisis comparativo de sus contenidos con el fin de perfilar el alcance y las diferencias más significativas de estos instrumentos jurídicos internacionales. Desde esta perspectiva analítica, aunque ambos Convenios se centran en un mismo objeto: determinados derechos y prestaciones de Seguridad Social; sin embargo, tienen un alcance diferente y lo afrontan de forma distinta, resolviendo las posibles discordancias mediante la aplicación de las disposiciones que, según el criterio de los Estados implicados, otorguen mejores condiciones a los sujetos beneficiarios de ambos Convenios. Su diferencia fundamental radica en que el Convenio Multilateral se perfila como un Acuerdo de mínimos frente al Convenio Bilateral que opera como un instrumento de mejora y ampliación del anterior. También se aprecian otros contrastes significativos como, por ejemplo: su entrada en vigor, ámbito de aplicación subjetivo, legislación aplicable, totalización de periodos, prestaciones, seguro voluntario, etc.

VII. BIBLIOGRAFÍA

Acevedo Tarazona, A., "La Seguridad Social. Historia, marco normativo, principios y vislumbres de un Estado de Derecho en Colombia", *Anuario de historia regional y de las fronteras*, Vol. 15, 2010, disponible en: file:///C:/Users/USUARIO/Downloads/Dialnet-LaSeguridadSocial-HistoriaMarcoNormativoPrincipiosY-5755001%20(1).pdf.

Acuña Páez, J. C. y Suarez Macías, S. M., "Estudio comparativo del Sistema Pensional Chile-Colombia. Modelos Pensionales, Tipos de Pensión y Desafíos", *Punto de Vista*, Núm. 15, Vol. 10, junio de 2019, disponible en: https://journal.poligran.edu.co/index.php/puntodevista/article/view/1229.

Álvarez Cortés, J.C., "La pensión de jubilación no contributiva: su futuro papel de malla de seguridad social ante el repliegue contributivo", en AA.VV. (Álvarez Cortés, J.C., Dir.), *Trabajadores maduros y Seguridad Social*, Thomson Reuters Aranzadi, Cizur Menor, 2018.

Azuero Zúñiga, F., *El sistema de pensiones en Colombia. Institucionalidad, gasto público y sostenibilidad financiera*, CEPAL-Naciones Unidas, Santiago, 2020, disponible en: https://repositorio.cepal.org/handle/11362/45780.

Biblioteca del Congreso Nacional de Chile (BCN), *Guía legal sobre fondos de pensiones*, 2013, disponible en: https://www.bcn.cl/leyfacil/recurso/fondos-de-pensiones.

Casalí, P. y Farné, S., *Los principios de la seguridad social y la reforma de las pensiones en Colombia*, OIT, Colombia, 2020, disponible en: https://labordoc.ilo.org/discovery/fulldisplay/alma995106692302676/41ILO_INST:41ILO_V2.

Departamento Nacional de Planeación (DNP), "Sistema de Seguridad Social en Colombia", *Seguridad Social Integral*, 2021, disponible en: https://www.dnp.gov.co/programas/desarrollo-social/subdireccion-de-empleo-y-seguridad-social/Paginas/Seguridad-Social-Integral.aspx.

Gómez Salado, M.Á., "Los tres pilares fundamentales en los que se apoya el modelo español de pensiones: ¿hacia dónde vamos?", *Iuslabor*, Núm. 3, 2021.

González Ortega, S., "El Convenio Multilateral Iberoamericano de Seguridad Social y la cobertura de la Discapacidad", en AA.VV., *Protección social: Seguridad Social y Discapacidad. Estudios en homenaje a Adolfo Jiménez*, Ed. Cinca, Madrid, 2014, pp. 449-463.

Jiménez Fernández, A., "Convenio Multilateral Iberoamericano de Seguridad Social", en AA.VV., El Futuro de la Protección Social, Laborum, Murcia, 2010, pp. 375-380.

Miranda Boto, J., "El Estadio Previo: Algunos Problemas Terminológicos de la Seguridad Social Comunitaria", en AA.VV., *El Reglamento Comunitario. Nuevas Cuestiones. Viejos Problemas*, Laborum, Murcia, 2008, pp. 11-28.

Monereo Pérez, J.L., *La pensión de jubilación. Estudio analítico y crítico tras los últimos procesos de reforma*, Comares, Granada, 2015.

– Ojeda Avilés, A., Gutiérrez Bengoechea, M., *LReforma de las pensiones públicas y planes privados de pensiones*, Laborum, Murcia, 2021.

Palacio Velásquez, C., "Pensiones para las Personas con Discapacidad en el Sistema de Seguridad Social colombiano", *Diálogos de Derecho y Política*, Núm. 14, 2014, pp. 75-101, disponible en: https://discapacidadcolombia.com/phocadownloadpap/PUBLICACIONES_ARTICULOS/Pensiones_discapacidad.pdf.

Piedrahita Vargas, C., "Envejecimiento poblacional y pensiones: el caso Colombia", en AA.VV., *Health at work, ageing and environmental effects on future social security and labour law systems*, Cambirdge Scholars Publishing, Reino Unido, 2018, pp. 265-277.

Ruiz Santamaría, J.L., "La diversidad funcional en Colombia: Protección de las personas con discapacidad en el sistema de seguridad social colombiano", *e-Revista Internacional de la Protección Social*, Vol. 2, Núm. 2. 2017, pp. 69-91, disponible en: https://institucional.us.es/revistapsocial/index.php/erips/article/view/143.

– "Las pensiones en el marco del actual convenio bilateral de seguridad Social suscrito entre España y Colombia", e-Revista Internacional de la Protección Social, Vol. 3, Núm. 2. 2018, pp. 220-245, disponible en: https://revistascientificas.us.es/index.php/erips/article/view/13127/11333.

Sánchez-Rodas Navarro, C., "Sinopsis del Reglamento 883/2004 y del Convenio Multilateral Iberoamericano de Seguridad Social", en AA.VV., *El Derecho del Trabajo y de la Seguridad Social en la Encrucijada: Retos para la Disciplina Laboral*, Laborum, Murcia, 2008, pp. 181-189, disponible en: https://idus.us.es/xmlui/bitstream/handle/11441/34282/derecho%20del%20trabajo.pdf?sequence=1&isAllowed=y.

– "Aproximación a la coordinación de Regímenes de Seguridad Social en el Reglamento 883/2004 y en el Convenio Multilateral Iberoamericano de Seguridad Social". *E-Revista Internacional de la Protección Social* Núm. 1 Vol. 1, 2016, pp. 1-22, disponible en: https://institucional.us.es/revistapsocial/index.php/erips/article/view/2.

– "La cuadratura del círculo: sostenibilidad del sistema de pensiones y desempleo juvenil", *Revista Galega de Dereito Social*, Núm. 2, 2016.

Tortuero Plaza, J.L., "La reforma de la jubilación en el sistema de la Seguridad Social", *Cuadernos de Información económica*, Núm. 166 (S), 2002, pp. 44-54.

– "Los retos históricos del sistema de pensiones proyectados en tiempos de crisis económico financiera", *Áreas: revista internacional de ciencias sociales*, Núm. 32, 2013.

– "Las claves de las reformas del sistema de pensiones y la ruptura del pacto intergeneracional", en AA.VV., *Crisis económica, reformas laborales y protección social: homenaje al profesor Jesús María Galiana Moreno*, Faustino Cavas Martínez (dir.), José Luján Alcaraz (dir.), ed. UM, 2014, pp. 1077-1117.

– "De la solidaridad intergeneracional al riesgo del fraude piramidal", *Estudios financieros. Revista de trabajo y seguridad social: Comentarios, casos prácticos: recursos humanos*, Núm. 429, 2018, pp. 105-135.

– "Trabajo decente y prestaciones ante situaciones de necesidad (III): Jubilación: el reflejo de la vida activa", en AA.VV., *El trabajo decente*, José Luis Monereo Pérez (dir.), Juan Gorelli Hernández (dir.), Ángel Luis de Val Tena (dir.), / coord. por Belén del Mar López Insua, Ed. Comares, 2018, pp. 623-636.

– "La reforma del sistema de pensiones: Claves europeas y el espacio español", en AA.VV., *Seguridade Social e Meio Ambiente do Trabalho: Direitos Humanos nas Relações Sociais*. Volume I, Tomo I / coord. por Cláudio Jannotti da Rocha, Lorena Vasconcelos Porto, Marcelo Fernando Borsio, Raimundo Simão Melo, Ed. RTM, 2018, pp. 35-56.

– "Los espacios de reflexión y diálogo con la doctrina judicial en materia de jubilación como antesala de las reformas del sistema de pensiones", en AA.VV., *La incidencia de los diferentes factores endógenos y exógenos sobre sostenibilidad y suficiencia en el sistema de pensiones*, Francisco Vila Tierno (dir.), Miguel Gutiérrez Bengoechea (dir.), / coord. por Miguel Ángel Gómez Salado, Ed. Comares, 2020, pp. 109-114.

– "Editorial", *Revista de Estudios Jurídico Laborales y de Seguridad Social*, (Monográfico dedicado a La protección social de los mayores frente al reto de la sostenibilidad y suficiencia), Núm. 3, 2021, pp. 14-19.

Vila Tierno, F., "El difícil equilibrio entre la sostenibilidad y la suficiencia. Una visión general de la situación general del sistema de pensiones pensando en el futuro", en AA.VV. (Vila Tierno, F., y Gutiérrez Bengoechea, M., Dirs.; Gómez Salado, M.Á., Coord.), *La incidencia de los diferentes factores endógenos y exógenos sobre sostenibilidad y suficiencia en el sistema de pensiones*, Comares, Granada, 2020.

Vila Tierno, F. y Moreno Romero, F., "Equilibrio entre suficiencia y sostenibilidad: pensiones mínimas, revalorización automática y factor de sostenibilidad", en AA.VV. (Álvarez Cortés, J.C., Dir.), *Trabajadores maduros y Seguridad Social*, Thomson Reuters Aranzadi, Cizur Menor, 2018.

AA.VV., "Diagnóstico del Sistema Previsional Colombiano y Opciones de Reforma", *Unidad de Mercados Laborales y Seguridad Social-Banco Interamericano de Desarrollo (BID)*, Nota Técnica Núm. 825, junio 2015.

Weidenslaufer, C. y Álvarez, P., "Sistemas previsionales 2019: legislación comparada", *Asesoría Técnica Parlamentaria-Biblioteca del Congreso Nacional de Chile (BCN)*, Núm. SUP: 121222,119537 y 118468, junio 2018.

Capítulo 11

El régimen de pensiones de vejez en Chile: análisis de Derecho comparado. Ventajas y disfuncionalidades del modelo

Francisco Vigo Serralvo

Profesor Ayudante Doctor de Derecho del Trabajo y de la Seguridad Social
Universidad de Málaga

SUMARIO: I. INTRODUCCIÓN. II. DIFERENTES TENDENCIAS ANTE LA CRISIS DE LA SEGURIDAD SOCIAL. EL PROTAGONISMO DEL MODELO CHILENO. III. BREVE CONTEXTUALIZACIÓN SOBRE EL MODELO CHILENO DE PENSIONES Y SU APARICIÓN HISTÓRICA. IV. ANÁLISIS DE DERECHO COMPARADO ENTRE LA JUBILACIÓN EN LA SEGURIDAD SOCIAL CHILENA Y ESPAÑOLA. *1. Ámbito subjetivo y financiación del sistema. 2. Gestión del sistema. 3. Contenido de la prestación de jubilación y formas de retiro. 4. Nivel no contributivo de protección.* V. LOS RESULTADOS DEL SISTEMA. VI. ALEGATOS A FAVOR Y EN CONTRA DEL SISTEMA. *1. Ventajas que se le atribuyen al sistema. 2. Insuficiencias y vacíos de justicia del sistema.* VII. BIBLIOGRAFÍA CITADA.

I.   INTRODUCCIÓN

Un lugar muy transitado en la literatura social es el que afirma la incapacidad de los sistemas occidentales de protección social, tal y como están hoy configurados, para hacer frente al envejecimiento poblacional que experimentan las sociedades desarrolladas. En este contexto de crisis, doctrinal e institucionalmente se vienen explorando diversas posibilidades que, o bien refuercen y apuntalen el sistema de reparto que todavía hoy es hegemónico, o bien transiten hacía otro modelo que supere los déficits que a este se le imputan en un entorno demográfico envejecido. En esta labor de sondeo ha conseguido atraer una gran atención el sistema de pensiones de contribución definida de cuentas individuales implementado de Chile, un sistema que fue adoptado en 1981 y permanece vigente, en sus términos esenciales, 40 años después. En efecto, siguiendo el ejemplo chileno, algunos países latinoamericanos transitaron parcialmente hacia sistemas de capitalización individual, también en Europa y África algunos Estados han tomado como referente este modelo a la hora de acometer la reforma de sus sistemas de protección social.

Este sistema, sin embargo, es objeto de una insalvable controversia, encontrando un número equiparable de partidarios y detractores. Esta disparidad de pareceres en ocasiones descansa en discrepancias técnicas sobre la eficiencia de dicho modelo de protección social, pero en otros casos se ubica en el terreno ideológico, como cuestionamiento al enfoque político que lo inspira. Y es que, en efecto, en el sistema de pensiones chileno muchos han visto la hipostasia del liberalismo económico más exacerbado. Además, el particular contexto político en el que se instauró este sistema, durante la recién instaurada dictadura militar de Augusto Pinochet, hace que el tema que analizamos se preste a lecturas políticas, las cuales aquí pretendemos dejar al margen. En nuestro trabajo, por el contrario, quisiéramos limitarnos a la descripción aséptica del régimen normativo de este modelo de pensiones y los resultados que el mismo ha exhibido en sus cuatro décadas de vigencia.

En este análisis que acometemos tomaremos como referencia de contraste el sistema de pensiones español, efectuando así un análisis de Derecho comparado sobre la distinta configuración que adquiere la protección de la vejez en ambos regímenes. En la medida que el sistema español nos puede resultar –a los destinatarios de esta obra– más afín, su descripción será muy superficial, apenas incidental para formarnos un modelo referencial.

Para nuestra exposición, comenzaremos resaltando el interés que ha despertado el sistema chileno de pensiones en el contexto de crisis de la Seguridad Social. Seguidamente, nos proponemos hacer la descripción del funcionamiento del sistema de protección social chileno, centrándonos en la pensión de vejez y comparando su régimen jurídico con la normativa española sobre la materia. En tercer lugar, quisiéramos ofrecer una breve impresión de los resultados que ha obtenido el sistema chileno de pensiones por vejez: en cuanto a al nivel de protección dispensado y en cuanto a la solvencia económica del sistema. Por último, introduciremos un epígrafe de cierre en el que relacionaremos algunos de los argumentos que se han planteado a favor y en contra del modelo de capitalización individual implementado por Chile.

II. DIFERENTES TENDENCIAS ANTE LA CRISIS DE LA SEGURIDAD SOCIAL. EL PROTAGONISMO DEL MODELO CHILENO

Como decíamos en la introducción, el interés mediático adquirido por el sistema de pensiones chileno debe contextualizarse en la disyuntiva de crisis de los modelos de Seguridad Social tradicionales. Desde un pronóstico muy desfavorable sobre el futuro del Estado social, hace ya varias décadas que vienen sondeándose distintas alternativas que permitan la continuidad de los mecanismos de protección comunitaria. Entre las alternativas que más comúnmente aparecen en este debate, encontramos las siguientes[1]:

a) Retrasar la edad de jubilación: A través de esta medida se pretendería ampliar el tiempo durante el cual una persona permanece activa ligada al mundo del trabajo, reduciendo, congruamente, el tiempo durante el cual el beneficiario se encuentra disfrutando de la pensión de retiro. Es una medida que se viene introduciendo gradualmente en la mayoría de países occidentales, como España, aunque, curiosamente, como tendremos ocasión de abundar, no ha sido explorada en Chile.

b) Reducir el importe de las pensiones: Lo cual bien puede hacerse de manera directa, aminorando los importes reconocidos en la legislación; o de manera indirecta –método menos nocivo electoralmente hablando– a través del aumento del tiempo mínimo de cotización exigida para el acceso a la pensión o para la obtención de esta en porcentaje máximo o el incremento de las bases de cotización relevantes para el cálculo de la base reguladora de la pensión.

c) Introducción de impuestos como fuentes financieras complementarias a las contribuciones sociales. A diferencia de la acción anterior, a través de esta otra medida se pretendería actuar sobre los ingresos del sistema, buscando nuevas formas de financiación que no dependan tanto de la vinculación profesional de los contribuyentes.

d) Promoción de planes de pensiones privados como forma de incentivar una mayor reducción de los planes públicos de pensiones y la ampliación de las oportunidades comerciales de capital financiero. Estos planes se han aplicado durante años en muchos países con diversas fórmulas que van desde exenciones fiscales hasta propaganda alarmista sobre la inviabilidad del sistema público. Es, por ejemplo, uno de los principales principios en los que se asientan las reformas propuestas por las instituciones comunitarias, desde las que se promueve un paulatino avance hacia sistemas mixtos, que

---

1.   Arrizabalo Montoro, X; Del Rosal y Murillo Arroyo, F.J., "The Debate on Pension Systems: The Paradigmatic Cases of Chile and Spain, American" *Journal of Economics and Sociology*, Vol. 78, No. 1 (enero de 2019), pp. 196 a 221, pp. 198 y 199.

entreveren los elementos de los tradicionales sistemas públicos de reparto con los pujantes fondos privados de capitalización. Así se ve claramente Libro Blanco de la Comisión Europea del año 2012 que recoge la *Agenda para unas pensiones adecuadas, seguras y sostenibles*. En él se lee:

> "Los planes de ahorro complementarios de jubilación también pueden contribuir a garantizar unas tasas de reemplazo adecuadas en el futuro. Algunos países han adoptado medidas para complementar sus planes de pensiones de reparto con planes de capitalización privados, pero queda mucho margen para seguir desarrollando oportunidades de ahorro complementario para la jubilación en numerosos Estados miembros"[2].

e) Finalmente –pero insistiendo en la vocación enunciativa que nos mueve en este apartado–, como medida más trasgresora, se plantea con insistencia desde algunas posiciones políticas el tránsito desde un sistema contributivo hacia un sistema de financiación y gestión privada. En la discusión de esta última alternativa es donde la experiencia chilena ha acaparado un gran interés: sus partidarios apelan a él para evidenciar de qué modo las reformas introducidas en la década de los ochenta ha permitido garantizar la continuidad del sistema. Sus detractores, por el contrario, invocan la experiencia chilena para denunciar los recortes en derecho sociales que este ha comportado, descartando así que esta deba ser la senda por la que transite la agenda reformista de la Seguridad Social. En efecto, son muchos los estudios de Derecho comparado que han tomado al sistema de pensiones chileno como referente de contraste[3] y puede decirse que, desde 1981, hasta treinta países han privatizado total o parcialmente el sistema público de pensiones obligatorias[4].

---

2. Comisión Europea, *Libro blanco: Agenda para unas pensiones adecuadas, seguras y sostenibles*, Bruselas, Servicios de Publicaciones de la UE, 2012, p. 12. Accesible en: https://op.europa.eu/es/publication-detail/-/publication/32eda60f-d102-4292-bd01-ea7a-c726b731 (último acceso el día 8 de julio de 2021).

3. Por todos, sin vocación exhaustiva: Isah Maikudi Y., "The Nigerian, Swedish and Chilean Pension Systems: A Comparative Analysis of Schemes and Reforms", *Ethiopian Journal of Economics*, Vol. 23 núm. 1 (2014), pp. 31-60; y Waldo, T., y Yermo, J., "Fees in individual account pension systems: a cross-country comparison", *OECD Working Paper on insurance and private pensions* núm. 27, 2008. Accesible en: https://www.oecd.org/finance/private-pensions/41488510.pdf (último acceso el día 12 de julio de 2021).

4. Catorce de ellos se encontraban en América Latina (por orden cronológico: Chile, Perú, Argentina, Colombia, Uruguay, Bolivia, México, Venezuela, El Salvador, Nicaragua, Costa Rica, Ecuador, República Dominicana y Panamá), otros catorce países en Europa Oriental y la antigua Unión Soviética (Hungría, Kazajstán, Croacia, Polonia, Letonia, Bulgaria, Estonia, la Federación Rusa, Lituania, Rumania, Eslovaquia, Macedonia, República Checa y Armenia), y dos en África (Nigeria y Ghana). *Vid.* A.A.V.V. (ed. Ortiz, I., Durán-Valverde, F.; Urban, S; Wodsak, V), *Reversing Pension Privatizations Rebuilding public pension systems in Eastern Europe and Latin America*, Reversing, Ginbra, Oficina de Publicaciones de la OIT, 2018. Accesible en https://www.

III. BREVE CONTEXTUALIZACIÓN SOBRE EL MODELO CHILENO DE PENSIONES Y SU APARICIÓN HISTÓRICA

Como se ha dicho, el modelo de pensiones que hoy permanece vigente se instauró al inicio de la década de los ochenta. Coincidieron dos variables que propiciaron esta reforma: De un lado, la irrupción de un nuevo régimen político proclive a la doctrina económica liberal; de otro lado, la crisis del sistema de pensiones anterior, que adolecía de algunas fallas estructurales que comprometían su continuidad[5]. Para resultar sostenible, este sistema llegó a exigir contribuciones muy elevadas. Según se ha estimado, en 1970 hasta el 20 de los salarios imponibles. Esta alta contribución alentó el desplazamiento hacia la economía sumergida de muchos trabajadores, abundando así en el déficit de contribuyentes, *id est*, de fuentes de financiación del sistema[6]. Además del desajuste económico, el diseño de la protección social chilena evidenciaba otros déficits que cuestionaban su perdurabilidad. Se trataba, según se ha dicho, de un sistema "caótico y vulnerable a las presiones políticas"[7] que efectuaban los diferentes colectivos que contaban con regímenes de protección específicos. En efecto, el sistema estaba compuesto por más de 100 regímenes especiales, con sus respectivas reglas de contribución, que proporcionaban además niveles de protección muy dispares. Así, por ejemplo, los trabajadores de cuello blanco podían acceder a la jubilación a la edad de 40 años, mientras que los de cuello azul debían esperar hasta los 60 para alcanzar los niveles de protección mínima[8].

Como respuesta a esa crisis, y tras el nuevo paradigma político vigente tras el golpe de Estado de Augusto Pinochet en 1980, se produce el tránsito hacia un sistema de capitalización individual gestionado por sociedades mercantiles privadas –las Administradoras de los Fondos de Pensiones (AFPs en lo que sigue)–. La transición hacía ese nuevo régimen no fue desde luego fácil, ya que debía buscarse una solución satisfactoria a todos aquellos individuos que habían cotizado al sistema anterior y encontrar la forma en la que estas cotizaciones tendrían repercusión en el nuevo modelo de pensiones. Con el fin de que esta transición fuese lo menos

---

social-protection.org/gimi/RessourcePDF.action?ressource.ressourceId=55301 (último acceso el día 2 de julio de 2021).

5. Larraín Villanueva, F., "El Sistema privado de pensiones en Chile y sus resguardos constitucionales", *Revista chilena de derecho* 39.2 (2012), pp. 541-551, p. 543.

6. Soto, M., "Chilean pension reform: the good, the bad, and the in between", *An issue in Brief, Center for Retirement Research at Boston College*, núm. 31, 2005, pp. 1-10. Accessible en: http://crr.bc.edu/wp-content/uploads/2005/06/ib_31_508c.pdf (último acceso el día 12 de julio de 2021).

7. *Ibid.*

8. *Ibid.*

subversiva posible, se permitió a los trabajadores que ya habían cotizado en el sistema precedente seguir adscritos a este. Ocurrió, empero, que la contribución mínima legal a los nuevos fondos de pensiones privados se fijó un 11%, muy por debajo, como hemos visto, de las contribuciones al antiguo sistema de reparto, por lo que la mayoría de los obligados se decantaron por el traspaso al nuevo sistema[9]. Esta mudanza hacia el sistema de pensiones de capitalización individual no fue sin embargo absoluta: el colectivo de militares, Fuerzas Armadas y Carabineros, permanecieron en el régimen tradicional de reparto. Esta excepción es algo conflictiva, socialmente hablando, ya que a la postre este colectivo ha obtenido una tasa de sustitución más elevada que la del resto de trabajadores, mayores beneficios que se sufraga con cargo a toda la colectividad chilena[10].

En cuanto a la inspiración del sistema, cabe decir que los promotores intelectuales del modelo de pensiones chileno se adhieren a la Escuela de Chicago –los conocidos como *Chicago Boys*, en el acervo popular chileno[11]– que, como es sabido, bajo el patrocinio de Milton Friedman, fue uno de los centros neurálgicos de la doctrina liberal económica en la segunda mitad el siglo XX. Así, se ha dicho que uno de los principales peligros que introduce el sistema de pensiones chileno es que ponen en peligro la subsistencia del principio de solidaridad social. En efecto, si pasásemos hacia un sistema de responsabilización individual se

9. Vial Ruiz-Tagle, J. y Castro, F., "El sistema de pensiones de Chile", *Documentos de trabajo sobre el envejecimiento de la OCDE*, 1998, p. 6. Según datos de la OCDE, A marzo de 2008, se pagaron 970.812 pensiones de los antiguos esquemas públicos de pensiones (incluyendo prestaciones por vejez, invalidez o supervivencia), pero solo 102.452 trabajadores seguían contribuyendo a uno de los estos esquemas (en comparación con los 3.895.776 participantes en el nuevo sistema). *Vid.*, OCDE, *Chile: review of the private pensions system*, 2011, p. 15. Accesible en https://www.oecd.org/finance/private-pensions/49497472.pdf (último acceso el 4 de julio de 2021).
10. Ehijos, S., "Los Principios de la Seguridad Social y el Sistema de Reparto Chileno", en *Anais do Congresso Internacional da Rede Iberoamericana de Pesquisa em Seguridad de Social*. 2020. p. 52-70.
11. Con esta expresión es frecuente referirse al grupo de veinticinco profesores de economía chilenos que se beneficiaron del acuerdo académico adoptado en 1955 entre la Universidad de Chicago y la Universidad de Pontificia Universidad Católica de Chile por la cual aquella se ofrecía a la recepción de estudiantes de esta para promover la creación de un centro de investigación en economía. En la universidad de Chicago estuvieron bajo el patrocinio de los profesores Milton Friedman y Arnold Harberger, adalides de la doctrina económica liberal. Esta trasferencia económica se produjo en un contexto en el que la comunidad universitaria chilena se encontraba muy politizada, y se dice que respondió a los intentos de conformar un frente juvenil de derechas alternativo a los que representaban Democracia Cristiana y sobre todo de la Unidad Popular. Se dice que estos académicos ocuparon puestos de influencia en Latinoamérica y, muy especialmente, en la Dictadura Militar que puso fin al gobierno democrático de Salvador Allende. Para una información más pormenorizada sobre la historia de los Chicago Boys y su influencia política en Latinoamerica, *vid.* Délano, M. y Traslaviña, H., *La herencia de los Chicago Boys*, Santiago de Chile, Ediciones Ornitorrinco, 1989.

fragmentaría el sentimiento de solidaridad social que en buena medida afirma un sistema de reparto como el español. La privatización de las pensiones, atribuyéndole su gestión a entidades mercantiles privadas, lograría "un negocio ciertamente considerable, pero ello se haría sin duda a costa de la solidaridad general y de la seguridad de los ciudadanos"[12]. En palabras de Alberto Livellara"[13]:

> "las tentativas tendientes a la privatización absoluta de la seguridad social, como solución de recambio, tendrían por resultado la disolución del principio de solidaridad, que es el fundamento mismo de la seguridad social, gracias al cual los riesgos se reparten entre los trabajadores que cotizan más y los que cotizan menos, entre enfermos y los que están en buena salud, entre los económicamente activos y los desempleados".

Si se ha dicho frecuentemente que la Seguridad Social responde a principios de justicia distributiva, el modelo chileno se inspira en un ideal de justicia bien distinto y más propio de la concepción capitalista de vida buena: el principio de justicia conmutativa, a cada uno lo suyo[14]. En esta variación de los principios inspiradores del sistema, en la que muchos han visto una perversión del mismo, otros han encontrado su principal ventaja. Reiteramos una vez más que, allende las cuestiones de eficiencia técnica del sistema, la valoración de este va a estar en muchas ocasiones condicionada por la particular filiación ideológica del observador. Así, en palabras del Ex Ministro del Trabajo y Previsión Social de Chile Guillermo Arthur Errázuriz:

> "El nuevo sistema de pensiones se funda en la responsabilidad individual de cada trabajador y en la administración privada de los fondos de pensiones. Los incentivos pasan a centrarse en el esfuerzo de ahorro de cada trabajador, y no en el esfuerzo de presión de grupos sociales por mejoras particulares. Dentro de un marco de garantías mínimas, y por lo tanto de obligaciones, en relación a la edad de jubilación y a pensiones mínimas, cada trabajador es quien en su período laboral activo decide sobre su ahorro y se responsabiliza de sus ingresos futuros"[15].

---

12. Morgado Valenzuela, E., "Evolución de la seguridad social en América, tendencias y perspectivas". Derecho del Trabajo núm. 8, Buenos Aires 1992.
13. Livellara, C.A., "Ventajas y desventajas de la privatización de la seguridad social", en *Revista Idearium*, Número 23/26, 2015, pp. 144-154, p. 148.
14. Rivadeneira Martínez, C.A., *El nuevo sistema chileno de pensiones*, Tesis doctoral. Salamanca, Universidad de Salamanca, 2011, p. 409.
15. Arthur Errázuriz, Guillermo, *Régimen legal del nuevo sistema de pensiones*, Editorial Jurídica de Chile, Santiago de Chile, 1998, p. 8.

IV. ANÁLISIS DE DERECHO COMPARADO ENTRE LA JUBILACIÓN EN LA SEGURIDAD SOCIAL CHILENA Y ESPAÑOLA

En el presente epígrafe –acaso el principal de este estudio– nos proponemos hacer una somera descripción del régimen jurídico de la pensión de jubilación chilena. Para poder analizarlo con cierta perspectiva, nos proponemos también compararlo con el régimen jurídico de la pensión de jubilación en España. Este otro referente, lo tomamos solo como elemento comparativo, por lo que rehusaremos adrede su descripción pormenorizada en la medida que el mismo será en algún grado conocido por el lector natural de estas páginas. La elección del modelo español como sistema de contraste no solo obedece a razones de cercanía o afinidad, sino que, además, estimamos que resulta una comparación muy pertinente ya que puede presentarse como un modelo ubicado en las antípodas del modelo chileno. En efecto, se ha dicho que el modelo chileno y español representan "casos antagónicos dentro de la economía capitalista"[16]. La razón de ello es clara: el muy distinto enfoque conceptual que inspira a uno y otro sistema de protección social. Así, según se ha afirmado críticamente, encontramos:

> "Por un lado, el plan de pensiones español, basado en el principio de solidaridad intergeneracional, fue logrado por la clase trabajadora después de décadas de lucha. Constituye la columna vertebral del sistema de seguridad social español, gracias a la creación y desarrollo de salarios indirectos y diferidos. Por otro lado, el esquema de pensiones chileno, impuesto por primera vez por la dictadura de Pinochet, se basa en un sistema de capitalización y gestión privada. Rechaza el principio de solidaridad y, por tanto, imposibilita la construcción de una estructura de pensiones digna"[17].

Dejando nosotros al margen cualquier componente crítico de corte ideológico, las líneas extractadas concentran los principales elementos estructurales que diferencian el modelo español y el modelo chileno: el primero es un sistema de reparto, de pensión definida y basado en el principio de solidaridad intergeneracional, mientras que el segundo se configura como un sistema de capitalización individual, contribución definida y pensión incierta. Esta distinta estructura, como podrá intuirse, origina dos articulaciones jurídicas bien distintas. En lo que sigue vamos a tratar de exponer algunas de las diferencias más relevantes, centrándonos en la pensión de jubilación, que es donde creemos que la disparidad de principios de ambos regímenes es más evidente.

---

16. Arrizabalo Montoro, X; Del Rosal y Murillo Arroyo, F.J., "The Debate on Pension Systems...", *op. cit.*, p. 196.
17. *Ibid.*, p. 197.

1. ÁMBITO SUBJETIVO Y FINANCIACIÓN DEL SISTEMA

En cuando a su ámbito subjetivo, la Seguridad Social chilena no representa demasiadas diferencias con respecto a la española. Aquella, al igual que esta, abarca a todos los trabajadores por cuenta propia o ajena. Hasta el año 2012 la adscripción de los trabajadores por cuenta propia era voluntaria, aunque ahora deben necesariamente inscribirse en alguno de los regímenes que componen el sistema[18]. Los trabajadores, a través de sus aportaciones individuales, sostienen la acción protectora dispensada por las AFPs. Estas aportaciones pasan a un fondo individual cuyo montante acumulado será determinante para el cálculo de las prestaciones futuras (art. 51 D.L. núm. 3.500, de 1980). Aquí encontraremos una las principales diferencias con el régimen de pensiones español, basado en el principio de solidaridad intergeneracional y en el que las aportaciones al sistema tienen una doble fuente: patronal y obrera (art. 19 LGSS). En Chile esa duplicidad de fuentes se da en el resto de contingencias, pero no en la de vejez que es la que aquí nos ocupa, y que es soportada de manera íntegra por los operarios (art. 17 D.L. núm. 3.500, de 1980).

En cuanto a la cotización que soportan los trabajadores, se fija en un mínimo del 10 % de la renta bruta obtenida por aquellos y que es depositada por el empleador. Además de ese 10 %, se permite la realización de aportaciones voluntarias en depósitos de ahorro previsional voluntario, bajo un régimen muy similar al de las mejoras voluntarias que contempla el ordenamiento español. Estos depósitos voluntarios pueden ser administrados por la AFPs o por otras entidades financieras (art. 14 y ss. D.L. núm. 3.500, de 1980).

2. GESTIÓN DEL SISTEMA

En cuanto a la gestión, encontramos otra notable diferencia entre ambos regímenes, en la medida que el sistema de Seguridad Social español es asumido prioritariamente por el Estado (sin negar el margen a la colaboración o complementación con la que cuentan en ocasiones las entidades privadas), mientras que en Chile la gestión de las prestaciones ha pasado a ser asumida por entidades privadas, las llamadas administradoras de fondos de pensiones –más conocidas por sus siglas, AFPs–. Estas entidades son sociedades anónimas responsables de administrar y rentabilizar los fondos compuestos por

---

18. Sobre el debate suscitado sobre el particular, *vid.* Morales, J.D., "El propósito de incorporación obligatoria del trabajador independiente o autónomo al sistema de seguridad social chileno. una tarea en desarrollo". *Revista Chilena de Derecho del Trabajo y de la Seguridad Social*, 2013, vol. 4, núm. 7, pp. 183-197.

las distintas cuentas individuales de ahorro de sus afiliados (art. 23 D.L. núm. 3.500, de 1980). Este sistema de previsión individual es en el que se insertan todos los trabajadores chilenos, por cuenta propia o ajena, con la excepción a la que nos referíamos más arriba, la de los integrantes de las Fuerzas Armadas y Carabineros, que permanecen adheridos a un sistema de reparto que es gestionado por la Caja de Previsión de la Defensa Nacional (CAPREDENA) y en la Dirección de Previsión de Carabineros de Chile (DIPRECA) (vid. art. 91 D.L. núm. 3.500, de 1980).

A pesar de que la naturaleza jurídica de estas AFPs sea la de una sociedad anónima, no es menos cierto que su funcionamiento queda muy constreñido por la normativa, según la cual el Estado introduce ciertas cautelas al uso imprudente de los fondos administrados[19]. Así, la única fuente de financiación de las AFPs debe provenir de las comisiones de administración que abonan sus afiliados, pero nunca de los fondos que estos están capitalizando: Según reza el art. 33 del D.L. núm. 3.500, de 1980: "Cada Fondo de Pensiones es un patrimonio independiente y diverso del patrimonio de la Administradora, sin que esta tenga dominio sobre aquellos". Sin perjuicio de su posible perversión práctica, tal y como está configurado en la ley, el papel de la AFP es más bien el de una intermediaria financiera del afiliado, orientando su ahorro hacía una inversión rentable. Además, la inversión de otros fondos tampoco es del todo libre para las AFPs, ya que la propia ley cataloga los instrumentos financieros a los que se pueden destinar tales inversiones, exigiendo además que estas se diversifiquen en distintos destinos (vid. art. 45)[20].

Además, desde el año 2002 se establecen diferentes tipos de fondos según el nivel de riesgo que presenten, catalogándose en A, B, C, D y E. Es en todo caso el afiliado el que determina a cuál de ellos prefiere hacer su contribución, siendo la opción preferida el tipo C –como se aprecia en el gráfico 1–, que es el que más se asemeja a la cartera de inversión estándar que ofrecían las AFPs con anterioridad a la reforma que introducía esta segregación.

---

19. Esta comisión es un porcentaje de la renta bruta del trabajador que se detrae para los gastos de gestión de las AFPs. Esta comisión varía según las distintas AFPs (que compiten en régimen de mercado) y oscila entre el 0,69% y el 1,48% Vid: Superintendencia de Pensiones, *Comisión cobrada por las AFP*. Accesible en: https://www.spensiones.cl/apps/estcom/estcom.php (último acceso el día 1 de julio de 2021).
20. A título ejemplificativo, entre los posibles destinos de la inversión, la ley se refiere a Bonos del Tesoro chileno, títulos de crédito, valores o efectos de comercio, emitidos o garantizados por Estados extranjero o Letras de crédito emitidas por instituciones financieras. *Vid*. Listado completo en el art. 45, Decreto Ley 3500 de 1980.

Gráfico 1: Activos por Tipo de los Fondos de Pensiones. Porcentaje del total de activos, al 30 de junio de 2021.

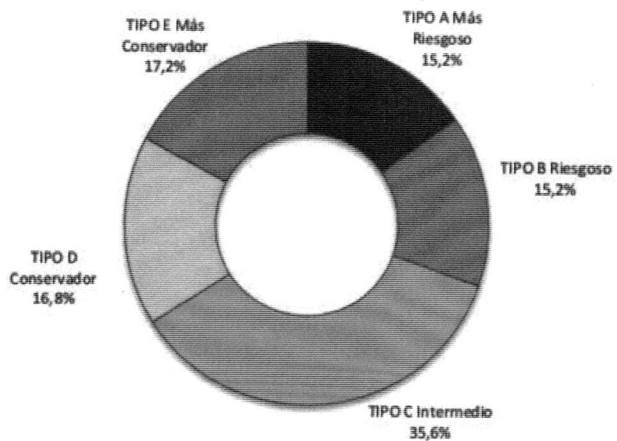

Fuente: Superintendencia de Pensiones, *Inversiones y rentabilidad de los fondos de pensiones*. Reporte mensual, junio 2021, p. 3[21].

El riesgo en cualquier caso no será nunca inexistente. Uno de los aspectos más criticados en el diseño de las AFPs es que estas no garantizan una rentabilidad positiva. El sistema admite que haya pérdidas, que repercutirán en todo caso sobre la cuenta de ahorro del afiliado y nunca sobre el patrimonio de la AFP, que se sostiene sobre las comisiones que pagan aquellos con intendencia de la rentabilidad obtenida, generando así un desequilibrio en la distribución del riesgo que ha sido criticada por varios autores[22].

Con todo, a pesar de que sea la lógica del mercado la que pauta la actuación de la AFP, no nos encontramos ante una paradigma anárquico-liberal: el Estado conserva un notable rol fiscalizador de la actuación de las AFPs, el cuál desempeña a través de la Superintendencia de Pensiones y los distintos organismos de ella dependiente. Según se define institucionalmente, este organismo asume la función de "proteger los derechos previsionales de las personas, contribuyendo al buen funcionamiento del sistema de pensiones y del seguro de cesantía, con una regulación y supervisión de calidad y la

---

21. Accesible en: https://www.spensiones.cl/portal/institucional/594/articles-14607_recurso_1.pdf (último acceso el día 12 de julio de 2021).
22. Hormazábal, R., "El sistema de AFP chileno: una visión critica". *Estado, Gobierno y Gestión Pública*, 2007, núm. 9, pp. 121-142.

entrega oportuna de información clara y confiable"[23].En España esta labor de fiscalización es llevada a cabo a nivel centralizado, principalmente a través de la Secretaría de Estado de la Seguridad Social, dependiente del Ministerio Seguridad Social, organismo que asume la vigilancia de las Entidades Gestoras y Servicios Comunes de la Seguridad Social, y de la gestión ejercida por las mutuas y las empresas colaboradoras. En Chile los mecanismos de vigilancia están mucho más dispersos, existiendo distintos organismos de control en función del tipo de contingencia y prestación.

3.   CONTENIDO DE LA PRESTACIÓN DE JUBILACIÓN Y FORMAS DE RETIRO

La edad de jubilación en Chile varía según el género de la persona afiliada: para las mujeres se fija en 60 años y en 65 para los varones (art. 3 D.L. No 3.500, de 1980). Aunque no se trata de una edad obligatoria de jubilación, lo cierto es que no accionar la misma podría implicar algunas dificultades para el interesado: asume el riesgo de no poder acceder a una eventual prestación por invalidez y la AFP quedará exonerada de efectuar el Aporte Adicional para financiar eventuales pensiones de sobrevivencia, en caso de fallecimiento del afiliado[24].

Por lo demás, en Chile, al igual que en España, existe la posibilidad de adelantar la edad ordinaria de jubilación a través de un retiro anticipado. Trataremos de referirnos muy brevemente a las distintas opciones de las que dispone el trabajador para ello. En esta labor tomamos como referente el análisis más exhaustivo de la materia que efectúa Rivadeneira Martínez en su tesis doctoral: *El nuevo sistema chileno de pensiones*[25], al que remitimos al lector para un análisis más detallado de la materia.

a) *Pensión de vejez anticipada común*: A diferencia de España, en Chile no existe una edad fijada para poder jubilarse anticipadamente. Al encontrarnos en un sistema de capitalización individual, esta opción se supedita exclusivamente a las cotizaciones efectuadas por el interesado, a que estas sean suficientes para garantizar una pensión en el importe mínimo que se determina legalmente. La ley índica que la cuantía resultante debe ser superior a:

– El 70% del importe medio de las bases de cotización de los últimos 10 años.

–El 80% de la pensión máxima con aporte previsional solidario, garantizado por el Estado.

---

23.   https://www.spensiones.cl/portal/institucional/594/w3-propertyvalue-5990.html (último acceso el día 14 de julio de 2021).
24.   Rivadeneira Martínez, C.A., *El nuevo sistema chileno de pensiones...op. cit.*, p. 564.
25.   Rivadeneira Martínez, C.A., *El nuevo sistema chileno de pensiones...op. cit.*

b) *Pensión de vejez anticipada con cesión del bono de reconocimiento*: Es un régimen específico que se habilita a aquellos afiliados que tengan reconocido el derecho al denominado *bono de reconocimiento,* si con este pueden financiar el adelanto del percibo de la pensión. Dicho bono no es más que el reconocimiento de las cotizaciones que los afiliados han efectuado al antiguo sistema de previsión de reparto. Las instituciones de ese sistema debieron emitir un título de deuda, expresado el dinero abonado por el trabajador. Dicho título será representativo de los períodos de cotizaciones que registren en ellas los imponentes que se incorporen al nuevo sistema que establece esta ley (art. 3.º disposiciones transitorias Decreto Ley 3500, del año 1980).

c) *Pensión de vejez anticipada sin cesión del bono de reconocimiento*: en determinados supuestos, más excepcionales, se admite la posibilidad de acceder a la jubilación anticipada aun sin la cesión del bono de reconocimiento. Para ello, el afiliado debe acogerse a la modalidad de retiro programado y reunir los siguientes requisitos:

– Que la pensión a obtener supere el 70% de la media de las últimas ciento veinte remuneraciones imponibles y el 80% de la pensión máxima con aporte previsional solidario.

– Disponer de una cuenta de capitalización individual con importe acumulado suficiente para soportar una pensión en el importe determinado legalmente hasta alcanzar la edad ordinaria de jubilación.

d) *Pensión de vejez anticipada por desempeño de trabajos pesados*: Esta modalidad de jubilación anticipada es bastante similar a la ordinaria denantes caracterizada, pero dirigida únicamente a una serie de trabajadores que tienen en común la realización de trabajos pesados[26]. Estos trabajadores y sus empleadores deben efectuar una cotización especial con la cual se financia esta modalidad de retiro (un 4%, de cargo del trabajador un 2% y del empleador otro 2%). El número de años que el trabajador podrá adelantar su jubilación dependerá, al igual que ocurre en España, del tiempo cotizado en cada una de estas actividades, estipulándose un adelanto de dos años por cada cinco en que hubieren efectuado la cotización del 2%. El tiempo máximo de adelanto en todo caso no podrá exceder los diez años.

e) *Pensión de vejez anticipada de pensionados del sistema anterior que continúan trabajando*. Este colectivo podrá acceder a esta modalidad de pensión siempre que hayan estado afiliados en el nuevo sistema durante al menos cinco años, siempre que, además, puedan financiar una pensión que, junto

---

26.	Calificación de las ocupaciones que se hará por la Comisión Ergonómica Nacional a través de un procedimiento ad hoc. *Vid.* Rivadeneira Martínez, C.A., *El nuevo sistema chileno de pensiones...op. cit,* p. 566.

a la percibida en el sistema original, sea superior a la mitad del promedio de las últimas ciento veinte remuneraciones imponibles.

Al igual que España, Chile ha impedido que aquellos trabajadores que accedan a la jubilación de manera anticipada recaben el auxilio del Estado para alcanzar las pensiones mínimas. Si en nuestro país directamente se impide que los trabajadores accedan a la jubilación anticipada cuando la cuantía de esta no supere el importe fijado anualmente para la pensión mínima, en Chile no se le impide acceder a la jubilación, pero se le niega el derecho a cualquier garantía estatal –salvo en el caso de adelanto de la edad de jubilación por ejercicio de trabajos pesados–.

A diferencia de lo que ocurre en España, la prestación por vejez chilena no debe ser necesariamente una pensión vitalicia, sino que la norma contempla hasta cuatro opciones diferentes, según las preferencias particulares de cada trabajador. Estas modalidades de prestación son las siguientes (art. 61 D.L.3500 del año 1980):

a) *Retiro programado*: En este formato de jubilación, el más común, el afiliado mantiene los fondos aportados en la AFP, de la que obtiene pagos mensuales con cargo a la cuenta de la AFP por un importe que se calcula según diversas variables, como el montante total acumulado en su cuenta nocional o la esperanza de vida del trabajador retirado.

b) *Renta vitalicia inmediata*. Mediante esta modalidad el trabajador puede concertar por una compañía de seguros una renta fija y vitalicia. Esta compañía se obliga al pago de una renta mensual, desde el momento en que se suscribe el contrato y hasta su fallecimiento, así como a pagar pensiones de sobrevivencia a los eventuales beneficiarios del sujeto causante (art. 62 D.L.3500 del año 1980).

c) *Renta temporal con renta vitalicia diferida*. De esta forma, el afiliado concierta con una compañía de seguros una renta vitalicia para una fecha futura a la vez que mantiene un remanente de saldo en su cuenta AFP para financiar una renta temporal.

d) *Renta vitalicia inmediata con retiro programado*. Por último, también se habilita al trabajador a obtener al mismo tiempo una renta vitalicia y una pensión de retiro programado. En este caso, la pensión corresponderá a la suma de los montos percibidos por cada una de las modalidades (art. 62 bis).

Cualquiera que sea la modalidad escogida, el importe de la pensión depende de la cantidad acumulada en la respectiva cuenta nocional, de la rentabilidad obtenida por la AFP y de por la esperanza de vida del afiliado al momento del retiro. Esa es una de las principales diferencias entre los dos regímenes que estamos comparando, el chileno y el español. Mientras que el primero es de pensión incierta, el segundo es de pensión definida. En España, el importe de las pensiones se estipula en la norma con reglas homogéneas, guardando –con algunos matices, como las pensiones máximas y mínimas– correspondencia directa con las contribuciones efectuada a lo largo de la vida laboral.

4. NIVEL NO CONTRIBUTIVO DE PROTECCIÓN

En marzo de 2008, bajo el mandato del gobierno presidido por Michelle Bachelet, es aprobada la ley 20.255 que introdujo el llamado Pilar Solidario. Con este, se quería complementar la acción protectora del sistema contributivo de protección dispensado por las AFPs con un nivel asistencial que contemplara pensiones de vejez e invalidez a aquellos sujetos excluidos del sistema de capitalización individual o que, habiendo participado en este, sus contribuciones no alcancen una pensión mínima que se fija en 142.452,33 pesos chilenos (artículo 26 de la Ley núm. 15.386). Tal prestación está dirigida a aquellos ciudadanos que se hallan por debajo del umbral de pobreza, que no son beneficiarios de ninguna prestación otorgada por el sistema AFP o que, siéndolo, el importe de estas se ubica por debajo de unos mínimos determinados legalmente. Se configuran así como una cobertura subsidiaria. Tal y como se han caracterizado tales prestaciones, estas *"operan en defecto del Sistema, ante su inoperancia o insuficiencia, por lo que no son propias o consustanciales al sistema privado"*[27]. El importe de la pensión se fija en 164.356 pesos chilenos, para quienes tienen entre 65 y 74 años y 176.096 pesos chilenos, para las personas de 75 o más años[28].

V. LOS RESULTADOS DEL SISTEMA

En cuanto a los beneficios otorgados por el sistema, se ha destacado la diferente tasa de sustitución que ofrecen uno y otro sistema. Este indicador, el porcentaje que representa la pensión con respecto al último salario devengado –que podría ser uno de los más eficaces para verificar el nivel de protección dispensado– fue del 79 % en España y de un 33 % en Chile[29]. Estos datos son similares a los expresados por la OCDE, que introduce varias distinciones según el género del beneficiario y su nivel de ingresos previo al acceso a la pensión de jubilación, evidenciando con tal disgregación cómo las reglas de jubilación chilena introducen un

---

27. Rivadeneira Martínez, C., *Aquí se Fabrican Pobres*, Santiago de Chile, LOM Ediciones, 2017, p. 181.
28. Instituto de Pevisón Social: *Pensión Básica Solidaria de Vejez (PBSV)*. Accesible en: https://www.chileatiende.gob.cl/fichas/5270-pension-basica-solidaria-de-vejez-pbsv (ultimo accesso el día 13 de julio de 2021).
29. Arrizabalo Montoro, X; Del Rosal y Murillo Arroyo, F.J., "The Debate on Pension Systems...", *op. cit.*, p. 196.

trato desfavorable para las mujeres que ven en sus pensiones un mayor distanciamiento, a la baja, con respecto a los ingresos percibidos con anterioridad al retiro.

Tabla 1: Tasa de sustitución de las pensiones de jubilación en Chile y en España.

Indicador	Chile	España
Tasas de reemplazo de pensiones futuras en varones con bajos ingresos.	44,6%	78,6 %
Tasas de reemplazo de pensiones futuras en mujeres con bajos ingresos.	42,6%	78,6%
Tasas de reemplazo de pensiones futuras en varones con ingresos promedio.	37,3%	83,4%
Tasas de reemplazo de pensiones futuras en mujeres con ingresos promedio.	34,4%	83,4%

Fuente: Elaboración propia a partir de los datos contenidos en OECD, *Pensions at a Glance 2019: OECD and G20 Indicators*, París, OECD Publishing, 2019[30].

Así vemos cómo, además de percibir pensiones inferiores por su menor participación laboral, las mujeres encuentran una tasa de sustitución inferior en sus pensiones. Esto se debe a la propia normativa reguladora del cálculo la pensión de jubilación que, como. vimos, introduce un coeficiente ligado a la esperanza de vida del beneficiario: al tomarse en cuenta el género de este para hacer la estimación, y ser la esperanza de vida de las mujeres mayor, se reduce el importe periódico que estas obtienen en su retiro[31].

En cuanto a la rentabilidad ofrecida, la media de los últimos años se estima en un 8,37 %[32], aunque varía según la AFP y el tipo de fondo al que se haya dirigido la inversión. Como puede observarse en el siguiente gráfico, aquellos tipos de fondo más expuestos al riesgo son los que han experimentado una mayor rentabilidad.

---

30. Accesible en: https://doi.org/10.1787/b6d3dcfc-en (último acceso el día 14 de julio de 2021).
31. *Vid.* Yañez, S., *La dimensión de género en la reforma previsional chilena (Ley no. 20.255 de reforma de pensiones)*, Santiago de Chile, Naciones Unidas, Cepal, División de Asuntos de Género Santiago de Chile, 2010, p. 15.
32. Antes de la crisis del año 2008, la rentabilidad superaba el 10%. *Vid.* Corbo, V. y Schmidt -Hebbel, K., "Efectos macroeconómicos de la reforma de pensiones en Chile", *Resultados y desafíos de las reformas a las pensiones*, 259-351.

Gráfico 2: Rentabilidad y Volatilidad de los Retornos por Tipo de Fondo de Pensiones En porcentaje anual, julio 2020-junio 2021.

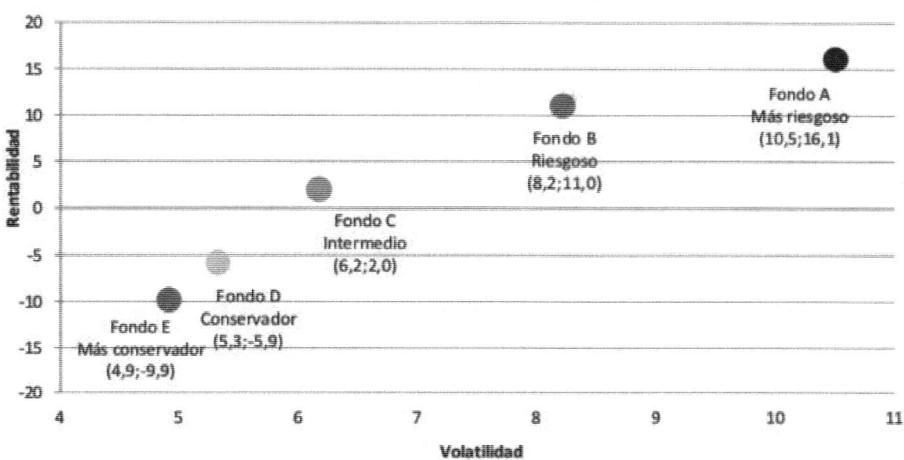

Fuente: Fuente: Superintendencia de Pensiones, *Inversiones y rentabilidad de los fondos de pensiones*. Reporte mensual, junio 2021, p. 10[33].

Estas cifras de las que hablamos son ciertamente aceptables, sobre todo si lo comparamos con la rentabilidad ofrecida por un sistema de reparto como el español. En este, la rentabilidad de las pensiones de jubilación se mueve entre el 2,8% (para las jubilaciones anticipadas) y el 4,1%, para las jubilaciones ordinarias[34]. Ocurre, sin embargo, que, a pesar de esa alta rentabilidad, las pensiones chilenas quedan muy por debajo del salario medio que perciben los trabajadores en activo. Esa diferencia en España es menor, ya que aquí la pensión media de jubilación asciende a 1.187,80 euros[35], cuando el salario medio se ubica en 1742,57 €. En Chile, por su parte, el salario medio asciende a 620.528

33. Accesible en: https://www.spensiones.cl/portal/institucional/594/articles-14607_recurso_1.pdf.
34. Hernández de Cos, P., *El sistema de pensiones en España: una actualización tras el impacto de la pandemia del Banco de España a los trabajos de la Comisión de Seguimiento y Evaluación de los Acuerdos del Pacto de Toledo*, Madrid, Documentos Ocasionales Núm. 2106, Banco de España, p. 24. Accesible enhttps://www.bde.es/f/webbde/SES/Secciones/Publicaciones/PublicacionesSeriadas/DocumentosOcasionales/21/Fich/do2106.pdf (último acceso el día 3 de junio de 2021).
35. Gobierno de España: *La nómina de las pensiones contributivas a 1 de mayo se sitúa en 10.154,14 millones de euros*: https://www.lamoncloa.gob.es/serviciosdeprensa/notasprensa/inclusion/Paginas/2021/250521-pensionescontributivas.aspx (último acceso el día 2 de julio de 2021).

^{36}, pero la pensión media apenas alcanza la mitad de esa cifra. Aunque estas cifras admiten diferencias según el tipo de régimen en el que nos encontremos, algunos estudios han demostrado que la pensión promedio es un 62% del salario mínimo y un 43% del salario promedio efectivo[37]. Este es uno de los principales desajustes que se producen en el modelo chileno con respecto el español. A pesar de que el primero ofrece una rentabilidad menor (en la ratio contribuciones/beneficios en forma de pensión) las cantidades dispensadas se acercan más al importe medio de los salarios. La razón de esta diferencia algunos la han visto en el importante peso que la economía sumergida tiene en Chile y en la importante merma que esto produce en las contribuciones que recibe el sistema[38].

VI. ALEGATOS A FAVOR Y EN CONTRA DEL SISTEMA

Por ser el chileno el ejemplo más paradigmático de sistema de pensiones de capitalización individual, la recopilación de las distintas ventajas e inconvenientes que se le han imputado nos sirve, en realidad, para formarnos una opinión sobre el debate abierto en torno a la hipotética obsolescencia del sistema de pensiones de reparto. Nos proponemos así enumerar de forma enunciativa las principales críticas y alabanzas que ha recibido el sistema chileno, siempre desde la perspectiva comparativa que venimos manteniendo desde el principio. Así las distintas ventajas e inconvenientes a los que aludimos serán tales siempre en relación con un sistema de pensiones de reparto, en este caso el español, que utilizamos como ejemplo referencial.

1. VENTAJAS QUE SE LE ATRIBUYEN AL SISTEMA

a) Una de las ventajas conceptuales que incorpora el enfoque chileno es el mayor grado de libertad que proporciona. Se afirma en este sentido "la conveniencia de evitar el monopolio del Estado en la atención de las necesidades sociales, incluidas las atendidas por la seguridad social"[39]. En

---

36. https://www.ine.cl/prensa/2020/10/26/ingreso-laboral-promedio-mensual-en-chile-fue-de-$620.528-en-2019.

37. Cabezón, F. y Cordero, A., "La paradoja del crecimiento económico y las pensiones: decepción y esperanza", *Puntos de Referencia*, núm. 555, noviembre 2020, pp. 1-16, p. 3. Accesible en https://www.cepchile.cl/cep/site/docs/20201124/20201124174656/pder555_fcabezon_acordero.pdf (último acceso el día 13 de julio de 2021).

38. Tuesta, D., et al: "La economía informal y las restricciones que impone sobre las cotizaciones al régimen de pensiones en América Latina", *Documento de Trabajo BBVA Research*, 2014, núm. 14/20, pp. 1 a 34. Accesible en https://www.bbvaresearch.com/wp-content/uploads/2014/08/WP14-20_Informalidad-y-Pensiones_e_maq.pdf (último acceso el día 4 de julio de 2021).

39. Livellara, C.A., "Ventajas y desventajas de la privatización...", *op. cit.*, p. 146.

efecto, en un régimen de mercado el individuo cuenta con algún margen de elección para decidir a qué agente confiar el futuro de su pensión, reduciendo así la dependencia con respecto al Estado. De hecho –en contra de lo que otros afirman, como veremos más abajo– esta mayor independencia del individuo proporciona a este una mayor certeza, en la medida que su patrimonio no queda sujeto a la veleidosa voluntad política, sino que queda amparado bajo los sólidos derechos que garantizan la propiedad privada. En este sentido, al decir de Corbo y Schmidt-Hebbel:

> "la reforma probablemente disminuyó el riesgo político de cambios en las reglas del juego. Con derechos de propiedad explícitos sobre los ahorros mantenidos en las cuentas individuales, se hace mucho más difícil ahora que un gobierno altere los beneficios pensionales futuros que bajo el antiguo sistema de reparto, en que se observaban frecuentes cambios en las contribuciones y los beneficios"[40].

b) También se ha aludido a las ventajas que incorpora el sistema de fondos de capitalización para la economía nacional y las empresas de un determinado país, contribuyendo a un mayor dinamismo en el mercado de capitales. Según varios estudios sobre la experiencia chilena, la mayoría de las inversiones efectuadas por las AFPS se han localizado dentro de las fronteras chilenas, por lo que el sector público y privado de este país ha encontrado una importante vía de financiación sin necesidad de acudir al extranjero. Según la opinión de Morgado Valenzuela:

> "Los fondos de pensiones han aportado recursos financieros de largo plazo, los cuales hasta antes de la instauración de este sistema, sólo podían obtenerse a través de instituciones extranjeras. Con ello se ha permitido el financiamiento a largo plazo de viviendas, empresas y proyectos de inversión".

Con todo, esa tendencia a la inversión en empresas nacionales está experimentando un cambio, ya que cada vez cobran más peso las inversiones internacionales efectuadas por las AFPs, representando estas, a fecha de junio de 2021, un monto de $ 72.236.833 millones, equivalente al 51,5% del valor total de los activos del Sistema[41].

c) Luego, se han destacado otras posibles ventajas, que ubicamos en el terreno de lo hipotético, en la medida que no cuentan con un respaldo científico suficiente. Nos referimos a la "mayor eficiencia del sector privado en la gestión del sistema, en detrimento de la burocracia e ineficiencia

---

40. Corbo, V. y Schmidt -Hebbel, K., "Efectos macroeconómicos de la reforma de pensiones en Chile...", *op. cit.*, p. 4.
41. Superintendencia de Pensiones, *Inversiones y rentabilidad de los fondos...op. cit.*, p. 17.

que en muchos casos presentan los sistemas gestionados estatalmente"[42]. Como decimos, esta recusación, bastante extendida, se apoya en la creencia popular que anatemiza la gestión pública. Sin embargo, también la Administración Pública muestra casos de eficiencia encomiable, por lo que no creemos justo concluir que la titularidad jurídica de la gestión determine, de suyo e ineluctablemente, su eficiencia. Creemos además que, de esa forma, aceptando esa premisa, se claudica derrotistamente en la pretensión de mejorar la eficiencia de los servicios públicos.

d) Por último destacamos la que se ha presentado como principal ventaja de un sistema de capitalización individual como el chileno: esta es su facilidad de ajuste entre los ingresos y las salidas presupuestarias del sistema. En efecto, al tomar como referente solo las aportaciones individuales de cada persona, y ser estas las que determinarán el importe de la pensión a percibir, el sistema que queda blindado frente a cualquier variación demográfica o del nivel de desempleo que pueda alterar la viabilidad del sistema. De esta forma se solventa el principal reto que afronta el sistema español de Seguridad Social: el de garantizar su viabilidad ante una pirámide demográfica invertida que, según la mayoría de los expertos, seguirá estrechando su base en los próximos tiempos y de manera indefinida[43]. Los que destacan esta ventaja del sistema de pensiones chileno no niegan necesariamente la dificultad de obtener resultados igual de beneficiosos que los obtenidos por el sistema de reparto, pero sí descartan que estos resultados puedan mantenerse en lo sucesivo ante este entorno demográfico tan adverso para la operatividad del principio de solidaridad intergeneracional.

2. INSUFICIENCIAS Y VACÍOS DE JUSTICIA DEL SISTEMA

Las distintas recusaciones dirigidas contra el sistema de pensiones chileno pueden dividirse en dos categorías: de un lado aquellas de índole técnica, en el que se cuestiona la eficiencia y la sostenibilidad económica del sistema, y, de otro lado, aquellas que cuestionan la legitimidad sustantiva del modelo. Tratemos de separar unas y otras, refiriendo a estas últimas en segundo lugar. Así entre los principales vacíos de justicia que se le imputan a este sistema, encontramos:

a) La falta de participación tripartita. Sobre todo, se denuncia la nula capacidad decisional con la que cuentan los trabajadores o sus representantes colectivos en la gestión de las AFPs. Esto provoca, se dice, una desconexión entre los intereses de los contribuyentes y los de las gestoras de las AFP. Estas últimas han adquirido una gran influencia política

---

42. Livellara, C.A., "Ventajas y desventajas de la privatización...", *op. cit.*, p. 147.
43. *Vid.* Cueto Iglesias, B., "La pirámide de población y el mercado de trabajo". *Información Comercial Española, ICE: Revista de economía*, 2019, núm. 908, pp. 35-48.

y económica en el país, y, según se ha denunciado en la OIT, invierten "solamente en 60 empresas en donde sus propietarios son afines a sus tendencias económicas y políticas"[44]. En opinión de Riesco, los fondos de AFP soportan económicamente una estrecha red de empresas relacionadas: los bancos dueños de los fondos requieren de su fuerza de ventas para comercializar otros productos de su cartera. Así, influyen en las empresas en las que invierten los fondos de los contribuyentes, "muchas veces en interés del grupo y por razones políticas"[45]. Y es que no debe obviarse, además, que las AFPs operan en buena medida –si bien con ciertas restricciones– bajo la lógica del mercado y la propia norma legítima que operen con ánimo de lucro. Según estimaciones de la OIT, uno de cada tres pesos cotizados por los trabajadores acaba directa o indirectamente en las arcas de las AFP[46].

b) Otra desventaja de índole conceptual que queremos aquí destacar es la que se refiere a la incertidumbre futura que arroja un sistema de capitalización como el chileno. Como dijimos *ut supra*, la norma no garantiza ninguna rentabilidad positiva a los inversores. De esta forma nos preguntamos si la Seguridad Social cumple uno de sus objetivos esenciales ya que, recordemos, esta se ha definido como un mecanismo asegurador de riesgos sociales que tiene por objetivo generar certeza existencial en los ciudadanos "desde la cuna hasta la tumba". En el sistema chileno, el afiliado no podrá estimar qué tipo de pensión encontrará al final de su vida laboral. Cuando su capacidad productiva se halle mermada por razón de la edad, la pensión de jubilación puede ser el único sustento del trabajador y su familia. De esta forma, es dable presumir la mejora en la calidad de vida que procura un régimen de prensión definida como el español, en el que el trabajador conoce *a priori* y *ope legis* la pensión de la que disfrutará en un futuro. Aunque esta previsibilidad es relativa, ya que siempre existirá un riesgo de recorte en las pensiones, siendo doctrina pacífica del Tribunal Constitucional español la que afirma que nuestro ordenamiento de Seguridad Social no garantiza derechos adquiridos. Con todo, el alcance general de ese eventual recorte en las pensiones y la democratización del sistema de pensiones, al depender íntegramente del Estado, hacen difícil que esta hipotética reforma trastoque

---

44. OIT Normlex, Information System on International Labour Standards. Caso individual (CAS) - Discusión: 2009, Publicación: 98.ª reunión CIT (2009). Convenio sobre el seguro de vejez (industria, etc.), 1933 (núm. 35) - Chile (Ratificación: 1935). Accesible en http://www.ilo.org/dyn/normlex/es/f?p=NORMLEXPUB:13101:0::-NO::P13101_COMMENT_ID:3300923 (último acceso el día 3 de julio de 2021).
45. (Riesco 2006: 132).
46. OIT Normlex, Information System on International Labour Standards. Caso individual (CAS) - Discusión: 2009, Publicación: 98.ª reunión CIT (2009). Convenio sobre el seguro de vejez (industria, etc.), 1933 (núm. 35) - Chile (Ratificación: 1935). Accesible en http://www.ilo.org/dyn/normlex/es/f?p=NORMLEXPUB:13101:0::-NO::P13101_COMMENT_ID:3300923 (último acceso el día 3 de julio de 2021).

demasiado y al corto plazo las expectativas económicas generada por los futuros pensionistas.

En el caso chileno, como hemos tenido ocasión de comprobar, los resultados de rentabilidad que proporcionaba el sistema no ha sido el que se preveía en su diseño original. Aunque la rentabilidad sea un tema que admite lecturas contrapuestas –como también se ha afirmado más arriba–, muchos afirman que la rentabilidad ofrecida por las AFPs en las últimas décadas evidencia otra de las fallas que cabría imputar a este modelo de pensiones. Y es que la situación económica de las últimas décadas ha cambiado sustancialmente con respecto al contexto que alumbró el diseño original. En esta otra tesitura económica, la capitalización de los fondos gestionados por las AFPs atravesó pérdidas que oscilaron entre el 30 y el 40%[47]. Existe una alta vulnerabilidad por el riesgo de pérdidas, que están lejos de ser excepcionales. En 2005, en sólo un mes los fondos de pensiones perdieron 25 mil millones de dólares, una cantidad similar al valor de todo un año de aportes[48]. Según el exsenador demócrata-cristiano Hormazabal, tras el inicio de la crisis mundial de 2008, en tan solo un año las pérdidas alcanzaron más de 16 billones de pesos (32 mil millones de dólares), un tercio del valor original del fondo de pensiones. En 2011, "entre abril y septiembre, 25 mil millones de dólares, ... la mitad del presupuesto público de Chile, ... el 17 por ciento de los fondos [se perdió]"[49].

c) Otro déficit, ahora, técnico de este sistema de capitalización, hoy solo en parte superado, es la difícil exportación de las carreras de cotización cuando el trabajador se traslada a otro territorio nacional. En un mundo globalizado, como el que nos es coetáneo, la movilidad trasnacional de trabajadores es una realidad cotidiana. De ahí los múltiples instrumentos normativos dirigidos a dotar de seguridad jurídica a tal movilidad, regulando, entre otros extremos y en lo que aquí más nos incumbe, la continuidad en la carrera de aseguramiento social dirigida a facilitar el acceso a prestaciones que exigen la acumulación de determinados períodos de cotización. La singularidad de un régimen de capitalización individual como el chileno, en el que las contribuciones del trabajador se acumulan en una cuenta individual, dificulta la exportación de las prestaciones. Para solventar esta dificultad se introdujo el art. 17 del convenio iberoamericano de Seguridad Social[50], intitulado, "transferencia de fondos" por el cual:

---

47.   *Ibíd.*
48.   Riesco, M., "Algunos principios básicos a considerar en el diseño del nuevo sistema previsional chileno". *Economía Crítica y Desarrollo* núm. 4, segundo semestre de 2006, p. 132.
49.   Arrizabalo Montoro, X; Del Rosal y Murillo Arroyo, F.J., "The Debate on Pension Systems, ...", *op. cit.*, p. 206.
50.   Este artículo no estaría dirigido solo a fomentar el traspase de fondos con el caso

"Los Estados Parte en los que estén vigentes regímenes de capitalización individual podrán establecer mecanismos de transferencia de fondos a los fines de la percepción de prestaciones por invalidez, vejez o muerte".

Como puede verse, este artículo no contiene una regla de exportación en estos casos, sino que apela a la voluntad política de los Estados miembros del precitado convenio, para que sean estos los que establezcan acuerdos específicos que permitan esa continuidad en la carrera de aseguramiento. Como se ha señalado, el art. 17 del convenio iberoamericano es "esencialmente programático, ya que, si bien permite el establecimiento de mecanismos de transferencia de fondos entre sistemas de capitalización individual, en definitiva tales mecanismos no fueron sustancialmente regulados"[51]. A día de hoy, existe solo un acuerdo en tal sentido suscrito entre dos Estados miembros del convenio, el que ratificaron Chile y Perú. Para el resto de casos no existe un mecanismo de exportabilidad de prestaciones, como sí existe cuando nos encontramos ante dos sistemas públicos de prestaciones[52]. Eso coloca en una desventaja importante a los trabajadores residentes en países que hayan optado por un sistema privado de capitalización individual.

d) Otro de los déficits técnicos que se le imputan al sistema chileno de pensiones es el escaso ámbito subjetivo de aplicación que, en el terreno de lo fáctico, alcanza el sistema. En efecto, según estimaciones de la OIT, aproximadamente el 40% de la población chilena queda fuera de la cobertura del sistema[53], pasando al nivel no contributivo de protección que

---

chileno, sino que también al resto de Estados miembros del convenio que han introducido sistemas individuales de capitalicación, total o parcamete. Concretmante hoy le resultaría de aplicación a Bolivia, Chile, El Salvador, Perú y Uruguay.

51. Contador Abraham, P. M., & Monjes Mac Hugh, P., "Artículo 17. Transferencias de fondos. La experiencia chilena". *E-Revista Internacional De La Protección Social*, 1(2), 193–211, p. 203. "el artículo 17 del Convenio además de permitirla celebración de los acuerdos para establecer los mecanismos de transferencia de fondos y definir su finalidad esencial, no describe el contenido de esta transferencia, las cotizaciones que comprende, el destino de los fondos traspasados, los requisitos para que opere la transferencia, el régimen tributario o impositivo que será aplicable entre los países involucrados en el acuerdo, si el traspaso de fondos implicará la desafección o desvinculación de la seguridad social del país que transfirió los fondos, etc. En definitiva, puede estimarse que el artículo 17 del Convenio carece de suficiente densidad de normas sustantivas, cuestión que dificulta enormemente a los Estados Parte, acogerse a un acuerdo simplificado que le dé ejecución o desarrollo a un mecanismo de transferencia de fondos".

52. *Íbid.*

53. OIT Normlex, Information System on International Labour Standards. Caso individual (CAS) - Discusión: 2009, Publicación: 98.ª reunión CIT (2009). Convenio sobre el seguro de vejez (industria, etc.), 1933 (núm. 35) Chile (Ratificación: 1935).

garantiza el Pilar Solidario y que fue descrito más arriba[54]. A ello se le añade el gran alcance de la economía sumergida, siendo que solo el 11% de los trabajadores cotiza regularmente[55]. Este dato podría ser una señal de que el sistema no resulta atractivo para los trabajadores.

e) Un cuestionamiento jurídico no menor es el que repara en el difícil encaje que tendría un sistema de capitalización individual y gestión privada, como el chileno, en el marco jurídico-laboral internacional[56]. En efecto, los distintos Convenios de la OIT ratificados por Chile en materia de retiro –todos ellos, dicho sea de paso, suscritos con anterioridad a 1980–[57] comparten una redacción muy similar, idéntica incluso, cuando afirman:

> "todo Miembro de la Organización Internacional del Trabajo que ratifique el presente Convenio se obliga a establecer o a mantener un seguro obligatorio de invalidez en condiciones por lo menos equivalentes a las previstas en el presente Convenio (art. 1).

Accesible en http://www.ilo.org/dyn/normlex/es/f?p=NORMLEXPUB:13101:0::-NO::P13101_COMMENT_ID:3300923 (último acceso el día 3 de julio de 2021).

54. Biehl, A., Canales, A. y Salinas, V., "Gender differences in retirement in Chile and Uruguay", *International Journal of Sociology and Social Policy*, vol. 40, núm. 7/8, 2020 pp. 765-789, p. 769.

55. "El balance final es desalentador si se compara con los objetivos que debe tener un sistema de pensiones: garantizar condiciones de vida dignas en la vejez: Sin embargo, del 96,5 por ciento que están afiliados como asalariados, promedian [sólo] 5 meses de cotización efectiva por año y 4,5 en el caso de las mujeres. Los empleados permanentes, que pagan cotizaciones sociales durante todo el año, representan menos del 11 por ciento del total. ... Más de la mitad de la población activa, más de tres millones y medio de chilenos, no tiene cobertura del sistema de AFP. Solo pueden retirar los magros ahorros acumulados en el fondo". Riesco, M., "Algunos principios básicos a considerar en el diseño..." *op. cit.*, pp. 129 y 131.

56. Esta cuestión es analizada con detalle por Aguiló Gelerstein, J., y Echeverría Cox, V., *Análisis del sistema de pensiones chileno: orígenes, evolución, propuestas existentes y una propuesta innovadora*, Santiago de Chile, Universidad de Chile, 2020, pp. 57 y ss. (accesible en: http://repositorio.uchile.cl/bitstream/handle/2250/177182/Analisis-del-sistema-de-pensiones-chileno-origenes-evolucion-propuestas-existentes-y-una-propuesta-innovadora.pdf?sequence=1&isAllowed=y). Un critica similar se contiene en Arellano, P., "Marco del Análisis del Sistema de Pensiones Chileno Después de la Reforma de 2008", en *Revista de Derecho Universidad Católica del Norte*, Año 19 - Núm. 2, 2012, pp. 21-43.

57. Estos son el *Convenio núm. 35, sobre seguro de vejez (industria, etc.) de 1933, relativo al seguro obligatorio de vejez de los asalariados en las empresas industriales y comerciales, en las profesiones liberales, en el trabajo a domicilio y en el servicio doméstico. El Convenio No 36, sobre el seguro de vejez (agricultura) de 1933, relativo al seguro obligatorio de vejez de los asalariados en las empresas agrícolas. El convenio núm. 37, sobre el seguro de invalidez (industria, etc.) de 1933, relativo al seguro obligatorio de invalidez de los asalariados en las empresas industriales y comerciales, en las profesiones liberales, en el trabajo a domicilio y en el servicio doméstico y el Convenio No 38, sobre el seguro de invalidez (agricultura) de 1933, relativo al seguro obligatorio de invalidez de los asalariados en las empresas agrícolas.*

[...] Los poderes públicos participarán en la constitución de los recursos o de las prestaciones del seguro que se establezcan en beneficio de los obreros o de los asalariados en general" (9.1 y 9.4 de los Convenios 35 y 36, y los artículos 10.1 y 10.4 de los Convenios 37 y 38).

En Chile, sin embargo, no se da esa participación de los poderes públicos en la constitución de los recursos económicos del sistema. Por otro lado, en cuanto a la naturaleza jurídica en las entidades gestoras o administradoras, los anteriores convenios OIT en materia de jubilación estipulan lo siguiente:

"1. El seguro se administrará por instituciones que no persigan ningún fin lucrativo, creadas por los poderes públicos, o por cajas de seguro de carácter público". (artículos 10.1 y 10.2 de los Convenios 35 y 36, al igual que los artículos 11.1 y 11.2 de los Convenios núm. 37 y 38)

A pesar del mandato de la OIT, el sistema de pensiones chileno es gestionado por entidades con ánimo lucrativo. Más concretamente, como se ha dicho *ut supra*, el régimen mercantil que instituye las AFPs es el de la Sociedad Anónima común. Además, y sin detenernos más en esta cuestión, se han destacado otros mandatos de la normativa OIT que serían contravenidos por un sistema de pensiones individualizado como el chileno[58]. Así, cabe aludir al mandato de participación de los representantes de los afiliados en la administración de las instituciones de seguro[59], que, como vimos, es inexistente en el sistema chileno, o al periodo mínimo de residencia exigido para acceder a una pensión, que no podrá ser superior a cinco años, según el mandato de la OIT[60] y, sin embargo, en Chile, asciende hasta 20 años.

Todas estas incoherencias se darían entre la normativa chilena y los convenios OIT ratificados por Chile –lo que sugiere una pausada reflexión sobre la eficacia y exigibilidad de la normativa promulgada por el organismo afincado en Ginebra–, además, existen otros muchos convenios no suscritos por el país andino que dificultarían la implementación de un sistema de pensiones de este tipo. Así, encontramos algunos de los principales referentes en la materia, como son el *Convenio OIT 102, relativo a la norma mínima de Seguridad Social* y, como complemento del anterior, el *convenio OIT 128 sobre las prestaciones de invalidez, vejez y sobrevivencia*. Sendas normas internacionales, en sus respectivos artículos 30 y 19, estipulan que el abono de las prestaciones de jubilación debe mantenerse durante la pervivencia de toda la contingencia,

---

58. *Vid.* Aguiló Gelerstein, J., y Echeverría Cox, V., *Análisis del sistema de pensiones chileno: orígenes ...op. cit.*, pp. 59 y 60.
59. Artículos 10.4 de los Convenios OIT núm. 35 y 36, como también los artículos 11.4 de los Convenios OIT núm. 37 y 38.
60. Artículos 17 de los Convenios OIT núm. 35 y 36, y los artículos 18 de los Convenios OIT núm. 37 y 38.

cosa que no ocurre en todos los casos en el sistema de jubilación chileno[61]. En lo que se refiere a la contribución soportada por el trabajador, el art. 71 del convenio OIT 102 prevé que el operario no podrá soportar más de la mitad de las cotizaciones. Sin embargo, en Chile "esto sigue igualmente incumplido, debido a que los trabajadores aportan el 100 por ciento de la cotización a su cuenta individual, la que es descontada mes a mes"; sin que el empleador realice aportes a este fondo[62]. Tampoco, por último, aunque siguiendo con la vocación enunciativa que nos mueve en este apartado, cumpliría el sistema de pensiones chileno con la predeterminación de la tasa de remplazo que imponen los artículos 65 a 67 del Convenio núm. 102 y los artículos 26 a 29 del Convenio núm. 128, ya que en Chile el importe de la pensión se supedita a variables impredecibles, como la tasa de rentabilidad bursátil obtenida por los fondos que administran las pensiones[63].

VII. BIBLIOGRAFÍA CITADA

AA.VV. (ed. Ortiz, I., Durán-Valverde, F.; Urban, S; Wodsak, V), *Reversing Pension Privatizations Rebuilding public pension systems in Eastern Europe and Latin America*, Reversing, Ginbra, Oficina de Publicaciones de la OIT, 2018. Accesible en https://www.social-protection.org/gimi/RessourcePDF.action? (último acceso el día 2 de julio de 2021).

Aguiló Gelerstein, J., y Echeverría Cox, V., *Análisis del sistema de pensiones chileno: orígenes, evolución, propuestas existentes y una propuesta innovadora*, Santiago de Chile, Universidad de Chile, 2020.

Arellano, P.,"Marco del Análisis del Sistema de Pensiones Chileno Después de la Reforma de 2008", en *Revista de Derecho Universidad Católica del Norte, Año 19 - Núm. 2, 2012*, pp. 21-43.

---

61. "Por ejemplo, en la pensión por vejez bajo la modalidad de retiro programado, si no se tiene derecho al Aporte Previsional Solidario, luego de que se acaban los fondos para pagar la pensión el afiliado se queda sin recibir la prestación". Aguiló Gelerstein, J., y Echeverría Cox, V., *Análisis del sistema de pensiones chileno: orígenes ...op. cit.*, p. 62.

62. OIT Normlex, Information System on International Labour Standards. Caso individual (CAS) - Discusión: 2009, Publicación: 98.ª reunión CIT (2009). Convenio sobre el seguro de vejez (industria, etc.), 1933 (núm. 35) - Chile (Ratificación: 1935). Accesible en http://www.ilo.org/dyn/normlex/es/f?p=NORMLEXPUB:13101:0::-NO::P13101_COMMENT_ID:3300923 (último acceso el día 3 de julio de 2021).

63. OIT: "los principales aspectos de los Convenios 102 y 128 que entran en conflicto con el actual sistema de pensiones se refieren: (a) no se garantiza que la pensión sea siempre pagada en forma permanente; (b) la tasa de reemplazo no es definida; (c) los trabajadores deben contribuir por el 100% de la cotización siendo que ésta debería alcanzar al 50%; y (d) la falta de representantes de las personas/trabajadores". OIT, Notas: Seguridad Social y Reforma del Sistema de Pensiones en Chile. Santiago de Chile, OIT, 2006. Accesible en https://www.ilo.org/santiago/publicaciones/serie-protecci%-C3%B3n-social/lang--es/index.htm (último acceso el día 3 de julio de 2021).

Arrizabalo Montoro, X; Del Rosal y Murillo Arroyo, F.J., "The Debate on Pension Systems: The Paradigmatic Cases of Chile and Spain, American" *Journal of Economics and Sociology*, vol. 78, núm. 1 (enero de 2019), pp. 196 a 221.

Arthur Errázuriz, Guillermo, *Régimen legal del nuevo sistema de pensiones*, Editorial Jurídica de Chile, Santiago de Chile, 1998.

Biehl, A., Canales, A. y Salinas, V., "Gender differences in retirement in Chile and Uruguay", *International Journal of Sociology and Social Policy*, vol. 40, núm. 7/8, 2020 pp. 765-789.

Cabezón, F. y Cordero, A., "La paradoja del crecimiento económico y las pensiones: decepción y esperanza", *Puntos de Referencia*, núm. 555, noviembre 2020, pp. 1-16, Accesible en https://www.cepchile.cl/cep/site/docs/20201124/20201124174656/pder555_fcabezon_acordero.pdf (último acceso el día 13 de julio de 2021).

Comisión Europea, *Libro blanco: Agenda para unas pensiones adecuadas, seguras y sostenibles*, Bruselas, Servicios de Publicaciones de la UE, 2012. Accesible en: https://op.europa.eu/es/publication-detail/-/publication/32eda60f-d102-4292-bd01-ea7ac726b731 (último acceso el día 8 de julio de 2021).

Cueto Iglesias, B., "La pirámide de población y el mercado de trabajo". *Información Comercial Española, ICE: Revista de economía*, 2019, núm. 908, pp. 35-48.

Délano, M. y Traslaviña, H., *La herencia de los Chicago Boys*, Santiago de Chile, Ediciones Ornitorrinco, 1989.

Ehijos, S., "Los Principios de la Seguridad Social y el Sistema de Reparto Chileno", en *Anais do Congresso Internacional da Rede Iberoamericana de Pesquisa em Seguridade Social*. 2020. p. 52-70.

Hernández de Cos, P., *El sistema de pensiones en España: una actualización tras el impacto de la pandemia del Banco de España a los trabajos de la Comisión de Seguimiento y Evaluación de los Acuerdos del Pacto de Toledo*, Madrid, Documentos Ocasionales Núm. 2106, Banco de España. Accesible en https://www.bde.es/f/webbde/SES/Secciones/Publicaciones/Publicaciones-Seriadas/DocumentosOcasionales/21/Fich/do2106.pdf (último acceso el día 3 de junio de 2021).

Hormazábal, R., "El sistema de AFP chileno: una visión crítica". *Estado, Gobierno y Gestión Pública*, 2007, núm. 9, pp. 121-142.

Instituto de Pevisón Social: *Pensión Básica Solidaria de Vejez (PBSV)*. Accesible en: https://www.chileatiende.gob.cl/fichas/5270-pension-basica-solidaria-de-vejez-pbsv (ultimo accesso el día 13 de julio de 2021).

Larraín Villanueva, F., "El Sistema privado de pensiones en Chile y sus resguardos constitucionales". *Revista chilena de derecho* 39.2 (2012), pp. 541-551.

Livellara, C.A., "Ventajas y desventajas de la privatizacion de la seguridad social", en *Revista Idearium*, núm. 23/26, 2015, pp. 144-154.

Morales, J.D., "El propósito de incorporación obligatoria del trabajador independiente o autónomo al sistema de seguridad social chileno. una tarea en desarrollo". *Revista Chilena de Derecho del Trabajo y de la Seguridad Social*, 2013, vol. 4, núm. 7, pp. 183-197.

OCDE, *Chile: review of the private pensions system*, 2011, p. 15. Accesible en https://www.oecd.org/finance/private-pensions/49497472.pdf (último acceso el 4 de julio de 2021).

OCDE, *Pensions at a Glance 2019: OECD and G20 Indicators*, París, OECD Publishing, 2019. Accesible en: https://doi.org/10.1787/b6d3dcfc-en (último acceso el día 14 de julio de 2021).

Rivadeneira Martínez, C.A., *Aquí se Fabrican Pobres*, Santiago de Chile, LOM Ediciones, 2017.

– *El nuevo sistema chileno de pensiones*, Tesis doctoral. Salamanca, Universidad de Salamanca, 2011.

Soto, M., "Chilean pension reform: the good, the bad, an the in between", *An issue in Brief, Center for Retirement Research at Boston College*, núm. 31, 2005, pp. 1-10.

Superintendencia de Pensiones, *Comisión cobrada por las AFP*. Accesible en: https://www.spensiones.cl/apps/estcom/estcom.php (último acceso el día 1 de julio de 2021).

Superintendencia de Pensiones, *Inversiones y rentabilidad de los fondos de pensiones*. Reporte mensual, junio 2021. Accesible en: https://www.spensiones.cl/portal/institucional/594/articles-14607_recurso_1.pdf (último acceso el día 12 de julio de 2021).

Tuesta, D., et al: "La economía informal y las restricciones que impone sobre las cotizaciones al régimen de pensiones en América Latina", *Documento de Trabajo BBVA Research*, 2014, núm. 14/20, pp. 1 a 34. Accesible en https://www.bbvaresearch.com/wp-content/uploads/2014/08/WP14-20_Informalidad-y-Pensiones_e_maq.pdf (último acceso el día 4 de julio de 2021).

Yañez, S., *La dimensión de género en la reforma previsional chilena (Ley no. 20.255 de reforma de pensiones)*, Santiago de Chile, Naciones Unidas, Cepal, División de Asuntos de Género, 2010.

Capítulo 12

El sistema de pensiones de Estados Unidos

Gloria María Montes Adalid
Profesora de Derecho del Trabajo y de la Seguridad Social
Universidad de Málaga

SUMARIO: I. UNA APROXIMACIÓN A LA PROTECCIÓN SOCIAL EN ESTADOS UNIDOS. II. DESARROLLO HISTÓRICO DEL SISTEMA PÚBLICO DE PENSIONES EN ESTADOS UNIDOS. *1. Sistema público.* 1.1. Planes de pensiones del ejército y la marina. 1.2. Pensiones públicas para empleados civiles. 1.3. Cobertura de pensiones en el sector privado. 1.4. Implicaciones para el análisis de políticas en la actualidad. III. ESTRUCTURA BÁSICA DEL SISTEMA DE PENSIONES ACTUAL EN ESTADOS UNIDOS: ANÁLISIS JURÍDICO-SOCIAL Y ECONÓMICO. *1. El sistema público y la gestión de las prestaciones: sistema OASDI (Old Age, Survivor and Disability Insurance).* 1.1. La gestión de la Seguridad Social: Social Security Administration (SSA). 1.2. El sistema de créditos. 1.3. Jubilación: retirement. *1.4. DI, Disability Insurance: invalidez. 1. Una prueba de trabajo reciente, basada en la edad en el momento en que adquirió la condición de discapacidad la persona. 2. Una prueba de duración del trabajo para demostrar que trabajó lo suficiente.* 1.5. Las fuentes de financiación del sistema de pensiones. 1.6. Cálculo de las pensiones y edad de jubilación. *2. Sistema privado de pensiones en Estados Unidos. 2.1. Employee Retirement Income Security Act of 1974.* 2.2. Algunos ejemplos de planes de pensiones privados. IV. CONCLUSIONES. V. BIBLIOGRAFÍA CITADA.

I. UNA APROXIMACIÓN A LA PROTECCIÓN SOCIAL EN ESTADOS UNIDOS

En primer término, el presente capítulo tiene el fin de examinar el sistema de pensiones de Estados Unidos, comenzando por una aproximación al sistema federal de protección social en su conjunto, definiéndolo de manera amplia e incluyendo el apoyo a los ingresos, asistencia para satisfacer las necesidades básicas o servicios para mejorar las oportunidades económicas. A su vez, se aludirá a los componentes de este sistema de protección social, proporcionando una descripción general del mismo, así como una mirada histórica detallada del sistema público de pensiones.

Posteriormente, se realizará un análisis de cómo está organizado el sistema de pensiones, cómo se determina la elegibilidad y quiénes se benefician y mediante qué medios, centrándonos en el sistema público y haciendo una mención especial al sistema privado. Concretamente, el punto de mira lo situaremos principalmente en el sistema tal como operaba previamente a la pandemia COVID-19, pero incluyendo varios programas aplicables en las recesiones económicas.

En los Estados Unidos, el sistema de seguro social brinda protección contra la discapacidad, pérdida de ingresos en la vejez, despidos y otros contratiempos y se encuentra implementado por agencias gubernamentales federales, estatales y locales. A su vez, proporciona ayudas destinadas a la satisfacción de las necesidades básicas y a la adquisición de habilidades y servicios para la inserción en el mundo laboral, abarcando una gama amplia y variada de programas gubernamentales como el sistema de Seguridad Social, el Seguro de Desempleo (UI[1]) o la educación infantil.

II. DESARROLLO HISTÓRICO DEL SISTEMA PÚBLICO DE PENSIONES EN ESTADOS UNIDOS

1. SISTEMA PÚBLICO

La caída de la república romana y el nacimiento del Imperio, hace más de dos mil años, estaban vinculados al impago de las pensiones militares. Durante la Revolución Americana, las pensiones del ejército fueron un asunto controvertido, llegando incluso a necesitar una intervención personal de George Washington para evitar un motín de las tropas continentales sobre sus pagos de pensión prometidos[2]. En el siglo XIX, el fondo de pensiones de la Marina de los Estados Unidos quebró en tres momentos diferentes, siendo rescatado por el Congreso.

Tras esta breve introducción, daremos un paseo histórico a lo largo del desarrollo de las pensiones públicas en los Estados Unidos y explicando la evolución continua de las pensiones durante los siglos XX y XXI, con el fin de brindar una cronología teórica y práctica de la gestión de los fondos de pensiones.

De manera amplia, se tiene la creencia de que las pensiones brindadas por el empleador en los Estados Unidos son un instrumento reciente para compensar la interrupción o pérdida de ingresos de los trabajadores, que fue introducida a finales del siglo XIX y principios del XX a manos de

---

1. Unemployment Insurance.
2. Clark, R. L., Craig L. A., and Wilson, J. W., "A History of Public Sector Pensions in the United States", *University of Pennsylvania Press,* 2003.

los empleadores. No obstante, esto es parcialmente cierto, ya que sí es correcto con respecto a las pensiones privadas y la mayor parte de las pensiones públicas para empleados civiles, pero no para el personal militar con discapacidad y retirado, que se vienen practicando de manera previa a la firma de la Constitución de los Estados Unidos.

Dichas pensiones cuentan con un largo recorrido en la civilización occidental y, de manera frecuente, han sido usadas como un componente clave para la atracción, retención y motivación del personal en el ámbito militar y, por esta razón, se presentará un análisis exhaustivo del establecimiento de pensiones para los veteranos del ejército y la marina estadounidenses, comenzando con la época colonial hasta el fundamento del sistema moderno de jubilación militar.

Este recorrido histórico es muy relevante para el debate contemporáneo relativo a la reforma del sistema de seguridad social, las tendencias en los planes de pensiones brindados por los empleadores y el uso de los planes de pensiones para lograr los objetivos de recursos humanos, y para mostrar el inicio del sistema de pensiones público en Estados Unidos, el gran desconocido.

1.1. Planes de pensiones del ejército y la marina

Desde sus inicios, las colonias americanas ponían pensiones a disposición de los hombres con discapacidad que habían adquirido dicha condición como resultado de heridas defendiendo a los colonos y sus propiedades de los levantamientos nativos. En las colonias se extendió dicha cobertura a los miembros de sus milicias en el trascurso de la Guerra Revolucionaria. Numerosas colonias ofrecían pensiones a su personal naval y, a su vez, el Congreso Continental estableció pensiones para su ejército y fuerzas navales. Dichas pensiones continuaron de forma permanente para el personal militar a lo largo del siglo XIX. A razón de lo anterior, podemos decir que la historia de las pensiones militares de EE. UU. refleja cómo el Congreso usó las pensiones con el fin de proporcionar ingresos de reemplazo para los soldados heridos en la batalla, ofrecer incentivos de desempeño, organizar jubilaciones ordenadas y responder a presiones políticas.

Por otra parte, encontramos la historia del plan de pensiones de la marina en el siglo XIX, que brinda datos muy interesantes relativos a su sistema único de financiación y gestión de los fondos de pensiones. Sustancialmente, el plan de pensiones de funcionarios y marineros se obtuvo, desde sus inicios durante la Revolución, con el dinero de vender las capturas de guerra.

Los ingresos derivados de las pensiones fueron muy impredecibles debido a las fluctuaciones derivadas de épocas de guerra y paz. El Congreso, con el fin de administrar estos fondos, estableció lo que se conoce como el fondo de pensiones de la marina, y permitió que los fideicomisarios de este fondo invirtieran el dinero en una amplia gama de activos, incluidos los valores privados.

Dicha historia de la gestión de este fondo de pensiones ilustra muchos de los problemas que pueden surgir cuando el dinero de las pensiones públicas se utiliza para comprar activos privados, brindando luz en el siglo XXI.

La historia del fondo de pensiones de la marina en el siglo XIX está llena de acontecimientos económicos y políticos que merecen revisión y evaluación a medida que se reconsidera la política y gestión de las pensiones de jubilación en el siglo XXI. Hubo infinidad de elementos clave que afectaron al sistema de pensiones naval del siglo XIX, entre los que podemos encontrar la pérdida de una proporción sustancial de los activos en malas inversiones en acciones privadas y el rescate del fondo por estas pérdidas por parte del Congreso. Debido a las inversiones del fondo impulsadas políticamente y la posterior quiebra del sistema de pensiones tras la ampliación por parte del Congreso de los beneficios, se pueden extraer conclusiones importantes que ayuden a la gestión actual de los planes públicos de pensiones.

Algunos desarrollos interesantes de esta historia de los planes de pensiones son la incautación eventual de los fondos excedentes por parte del Congreso, la posterior transferencia de estos activos al fondo general de la tesorería y el reemplazo de la deuda pública negociable por bonos gubernamentales no negociables de emisión especial.

En contraste, la historia del plan de pensiones del ejército es mucho más fluida, ya que este sistema de pensiones siempre se financió sobre una base de pago por uso[3] de los ingresos generales.

No obstante, ambos planes ilustran cómo el siglo XIX los formuladores de políticas utilizaron planes de pensiones para lograr sus objetivos de gestión de recursos humanos., proporcionando incentivos de desempeño, ayudando a atraer nuevos reclutas, brindando ingresos por jubilación y discapacidad a los trabajadores leales y, a menudo, vinculándose con la jubilación obligatoria para lograr los patrones de jubilación deseados.

Cada uno de estos aspectos puede estar directamente relacionado con el debate actual sobre los cambios propuestos en el sistema de Seguridad

---

3. Diccionario de Cambridge: Pago por uso o "pay-as-you-go system": Un sistema de pago por uso es aquel en el que paga por un servicio antes de usarlo y no puede usar más de lo que pagó.

Social de EE. UU. La privatización, inversión de fondos fiduciarios en empresas, y los riesgos morales que enfrentaron los agentes del gobierno fueron todos confrontados por los primeros planes del sector público, y las preguntas sobre su resurgimiento, en caso de que el Seguro Social sea "privatizado", permanecen.

1.2. Pensiones públicas para empleados civiles

Tras el auge de las pensiones militares, se ampliaron los planes de jubilación a los empleados estatales y locales mucho más tarde en el siglo XIX, y a muchos trabajadores públicos no se les ofreció pensiones hasta después de la Primera Guerra Mundial. Después de 1850, varias grandes ciudades comenzaron a proporcionar servicios de jubilación y discapacidad a los empleados de los departamentos de policía y de bomberos. A su vez, otras ciudades brindaron pensiones a los maestros y otros empleados. Al comienzo eran, en su mayoría, planes públicos de discapacidad o, si eran de jubilación, se encontraban financiados por contribuciones realizadas por los propios trabajadores. En pueblos pequeños y condados rurales fue más tardía esta protección a sus empleados, ya dentro del siglo XX.

Con el tiempo, algunos estados también comenzaron a establecer planes de pensión para los empleados estatales; sin embargo, estos planes se limitaron principalmente a los maestros. Massachusetts estableció el primer plan de pensión de jubilación para los empleados estatales en general en 1911, que en sus inicios era una especie de modelo para las subsiguientes pensiones del sector público, pero finalmente fue reemplazado según el plan estándar de beneficios definidos en el que la anualidad de la pensión se basaba en los años de servicio y las ganancias al final de la carrera profesional. Curiosamente, el plan de Massachusetts se parecía, en algunos aspectos, a lo que se ha denominado más recientemente planes con saldo de caja[4].

El plan requería que los trabajadores pagaran hasta el 5 por ciento de sus salarios a un fondo fiduciario y los beneficios se pagaban al jubilarse. Los trabajadores eran elegibles para jubilarse a los 60 años y la jubilación era obligatoria a los 70. En el momento de la jubilación, el estado compraba una anualidad equivalente al doble del valor acumulado (con intereses) de la contribución del empleado. En muchos casos, el cálculo del tipo de interés apropiado no era sencillo. Otras veces, se empleaban tasas de mercado o rendimientos de una cartera de activos; a veces, una tasa simplemente se establecía mediante la legislación. En general, los estados tardaron bastante en adoptar planes de pensiones. Todavía en 1929, solo

---

4. Dícese de un plan de pensiones de beneficios definidos.

seis estados tenían algo parecido a un plan de pensiones de servicio civil para sus empleados[5].

Los trabajadores federales no militares no recibieron sistemáticamente beneficios de jubilación hasta el establecimiento de la pensión del servicio civil federal con el comienzo del siglo XX. Antes de la aprobación de la Ley de Jubilación de Empleados Federales en 1920, el Congreso otorgó pensiones a los empleados federales caso por caso. El plan de 1920 creó un sistema de pensiones integral para los trabajadores de la administración pública de EE. UU. Según este plan, un trabajador federal califica para una pensión después de 15 años de servicio y al cumplir los 62, 65 o 70 años, en función del puesto de servicio civil del trabajador. La jubilación era obligatoria a los 70 años, aunque se podrían obtener extensiones en algunos casos. Los trabajadores contribuían con el 2,5 por ciento de sus salarios a sus pensiones, y los trabajadores podían ganar una pensión máxima del 60 por ciento y una mínima del 30 por ciento de su salario medio en los últimos diez años de servicio.

Tras 1920, la cobertura de pensiones en el sector público estaba relativamente extendida a todos los trabajadores federales, cubiertos por una pensión y una proporción cada vez mayor de empleados estatales y locales incluidos en los planes de pensión. Por el contrario, la cobertura de las pensiones en el sector privado durante las tres primeras décadas del siglo XX siguió siendo muy baja. Incluso a día de hoy, la cobertura de las pensiones es mucho mayor en el sector público que en el sector privado, ya que más del 90 por ciento de los trabajadores del sector público están cubiertos por un plan de pensiones proporcionado por el empleador, mientras que solo la mitad de la fuerza laboral del sector privado está cubierta[6].

1.3. Cobertura de pensiones en el sector privado

El uso de planes de jubilación como una forma de compensación laboral para los empleados del sector privado comenzó en el último cuarto del siglo XIX, casi 100 años después de la adopción de las primeras pensiones militares estadounidenses.

El primer plan de pensiones formal, no militar, proporcionado por el empleador de Estados Unidos fue creado por American Express Corporation en 1875[7]. Hacia el cambio de siglo, solo un puñado de empresas privadas

---

5. Millis, Harry A. and Royal E. Montgomery, "Labor's progress and some basic labor problems", *The Economics of Labor*, Vol. 1, 1938.
6. Employee Benefit Research Institute 1997.
7. W. Latimer, M., "Industrial Pension Systems in the United States and Canada", *The American Economic Review*, Vol. 23, No. 3, 1933, pp. 547-550.

habían adoptado planes de pensión de jubilación, principalmente ferrocarriles, servicios públicos e instituciones financieras. Solo había 12 planes de pensiones privados en 1900. Estos planes eran generalmente no contributivos, pagaban beneficios de jubilación relativamente pequeños y podían rescindirse a discreción del empleador. En 1916, existían 117 planes de pensiones privados, y el número era de aproximadamente 200 diez años después[8].

A pesar de allanar el camino, estos planes no fueron muy generosos si los comparamos con los beneficios de las pensiones privadas actuales. El plan típico era el ofrecido por General Electric Company (en lo sucesivo, GE). Después de veinte años, los trabajadores del plan GE ganaron el 1.5 por ciento de su salario promedio durante los últimos diez años de servicio. Por lo tanto, incluso si los sueldos y salarios aumentaran con la tenencia, el plan produciría una pensión anual de menos del 30 por ciento del salario del trabajador durante el último año en el trabajo.

Por otra parte, tenemos el plan American Express, que fue aún menos generoso. Dicho plan pagaba un beneficio del 1.5 por ciento por los primeros 1200 $ de salario promedio durante los últimos diez años de servicio y el 1.0 por ciento de todo lo que supere esa cantidad; el plan proporcionó un beneficio mínimo de 30 $ al mes. Los planes de pensiones privados posteriores pagaban o "reemplazaban", de modo usual, un porcentaje considerablemente mayor de los ingresos de un trabajador que estos planes iniciales. Además, los primeros planes públicos fueron típicamente más generosos que estos planes de pensiones privados anticipados.

Hoy en día, el término pensión se usa de manera general para referirse a un plan de jubilación. En el pasado, no obstante, era más común la asociación del término pensión con la discapacidad y la incapacidad para trabajar debido a lesiones físicas. Se produce un gran contraste entre las pensiones militares, otros planes de pensiones del sector público y los planes del sector privado si tenemos en cuenta las pensiones de invalidez. Aunque los marineros y soldados contaban con dicha cobertura proporcionada por el Congreso Continental desde los inicios de la Revolución, en el sector privado, hasta bien entrado el siglo XX, las pensiones de invalidez u otros pagos por lesiones sufridas en el trabajo fueron cubiertos fundamentalmente por la buena voluntad de los empleadores y, cuando eso resultó ser inadecuado, los trabajadores tuvieron que recurrir al derecho común asociado con responsabilidad por negligencia.

---

8. Craig, L. A., "The Political Economy of Public-Private Compensation Differentials: The Case of Federal Pensions", *The Journal of Economic History*, Vol. 55, No. 2, 1995, pp. 304-320.

Para cobrar un pago por discapacidad de un empleador de una lesión inducida por el trabajo, un trabajador tenía que demostrar a satisfacción de un juez o jurado que el empleador no había ejercido el "debido cuidado" en el lugar de trabajo y que como resultado de esa negligencia el trabajador había resultado herido.

Previamente a la aprobación de la legislación de compensación para trabajadores que tuvo sus comienzos en la década de 1910, el pago promedio esperado para una viuda de un trabajador que murió a causa de lesiones sufridas en el trabajo habría sido aproximadamente la mitad de las ganancias de un año. Dicho pago era único, una suma global, no de una anualidad[9]. Algunas de las empresas que ofrecían pensiones de jubilación también tenían planes formales por discapacidad. La cantidad del pago por discapacidad fue normalmente el mismo que el del plan de pensiones y la pensión por discapacidad generalmente solo se otorgaba a discreción de la alta dirección, la junta directiva, uno de los comités de la junta o, en algunos casos, una pensión especial denominada "pensión tablero"[10].

Durante la primera mitad del siglo XX continuó la expansión relativamente lenta de la cobertura de pensiones entre los empleados del sector privado y solo alrededor del 15 por ciento de la fuerza laboral privada estaba cubierta por una pensión en el año 1940.

Desde entonces, la cobertura de las pensiones se extendió de manera acelerada como respuesta a tasas impositivas individuales más altas, cambios en las regulaciones de negociación colectiva sobre pensiones y políticas económicas nacionales que incluían salarios y controles de precios que excluían los pagos de pensiones[11].

1.4. Implicaciones para el análisis de políticas en la actualidad

Desde los inicios de América colonial hasta el siglo I de los Estados Unidos, se introdujeron las pensiones, se amplió la cobertura y se cambiaron las fórmulas de beneficios en respuesta a las condiciones económicas en constante cambio y la necesidad de influir en las acciones del personal militar. Se hicieron mejoras en los planes para atraer reclutas durante los tiempos de auge, se modificaron las pensiones y se combinaron con la jubilación obligatoria en un esfuerzo por

---

9. Fishback, P. V. y Kantor, S.E., "The Political Economy of Workers' Compensation Benefit Levels, 1910-1930", *Explorations in Economic History*, vol. 35, 1998, pp. 109-139.

10. Craig, L. A., "The Political Economy of Public-Private Compensation Differentials: The Case of Federal Pensions", *The Journal of Economic History*, Vol. 55, No. 2, 1995.

11. Clark, R. L. and McDermed, A. A., The Choice of Pension Plans in a Changing Regulatory Environment, *American Enterprise Institute*, number 920432, 1990.

aumentar las jubilaciones, y los beneficios de jubilación se utilizaron como compensación diferida en un esfuerzo por brindar incentivos de desempeño.

Por todo lo anterior, se puede vislumbrar que la historia de las pensiones públicas muestra claramente que existe un riesgo político y económico asociado con los planes de jubilación en curso. El Gobierno es el que cambia las reglas del juego a su antojo, como por ejemplo en la década de 1800, en la cual el Congreso amplió los beneficios de los veteranos para incluir pagos a viudas y huérfanos y luego canceló el beneficio. Entre su establecimiento del sistema de Seguro Social en 1935 y 1975, el Congreso aumentó regularmente los beneficios del Seguro Social; luego, la legislación de 1977 y 1983 redujo los beneficios esperados. La historia de las pensiones del sector público muestra que el riesgo de cambios en las políticas gubernamentales debe incluirse en cualquier evaluación de la estructura futura de la Seguridad Social.

III. ESTRUCTURA BÁSICA DEL SISTEMA DE PENSIONES ACTUAL EN ESTADOS UNIDOS: ANÁLISIS JURÍDICO-SOCIAL Y ECONÓMICO

Como veremos a continuación, el sistema de pensiones predominante en los EE.UU. consta de dos regímenes que brindan ingresos en la vejez: por una parte, el Sistema de la Seguridad Social "Seguro Social" (Social Security) y, por otra parte, un extenso y diverso sistema de pensiones de carácter privado, financiado por los empleadores del sector público y privado[12], del que hablaremos en último lugar. Siguiendo esta línea, vamos a dar unas pinceladas sobre los aspectos más destacables de este sistema de pensiones.

1. EL SISTEMA PÚBLICO Y LA GESTIÓN DE LAS PRESTACIONES: SISTEMA OASDI (OLD AGE, SURVIVOR AND DISABILITY INSURANCE)

1.1. La gestión de la Seguridad Social: Social Security Administration (SSA)

La Administración del Seguro Social (SSA) nació como la Junta del Seguro Social (SSB), creada cuando el presidente Roosevelt firmó la Ley de Seguridad Social el 14 de agosto de 1935[13].

---

12. Hernández de Cos, P., "Sistema público de pensiones; situación actual y perspectivas", 2018, disponible en: http://bcn.cl/29qbp.
13. Gobierno de Estados Unidos, "Historial de seguridad social", 2021, disponible en: https://www.ssa.gov/history/orghist.html.

Actualmente, la Administración de la Seguridad Social (SSA) administra el "Seguro Social", que consiste en jubilación, sobrevivientes y programas por discapacidad que proporcionan beneficios en efectivo para trabajadores de edad avanzada o con discapacidad, sus cónyuges e hijos y sobrevivientes de trabajadores asegurados. Conjuntamente conocido como OASDI, el sistema de pensiones engloba el seguro de vejez, sobrevivientes e invalidez, cuyos beneficios en efectivo son una fuente de ingresos crucial para infinidad de americanos.

Brindando luz con algunas cifras, en el año 2020 aproximadamente 180 millones de trabajadores estaban cubiertos por el programa de Seguridad Social (SSA 2021). Dicho programa envía cheques mensuales o depósitos directos a sus beneficiarios, que ascendieron a 64 millones en un mes de 2020 (CBPP 2020).

Para poseer el derecho a ser beneficiario en este sistema OASDI, las personas han de haber trabajado durante un número mínimo específico de años, haber estado casadas con un trabajador que tuviese el derecho durante un número determinado de años o ser su hijo. Es destacable que en las grandes poblaciones existe una universalidad casi total en términos de acceso al sistema OASDI, lo que se traduce en un costo administrativo menor al del mantenimiento de la jubilación en el sistema privado (CBPP 2020).

1.2. El sistema de créditos

Dentro del sistema de pensiones, se obtiene derecho a beneficios de Seguro Social ganando créditos de Seguro Social cuando se trabaja y paga impuestos de Seguro Social. Los créditos de Seguro Social se encuentran basados en la cantidad de ganancias[14], y las pautas para la determinación del derecho a percibir una pensión se fundamentan en las ganancias y el historial de trabajo[15].

Para el año 2021, la cuantía fijada para la percepción de un crédito se sitúa $1,470 de ganancias, hasta un máximo de cuatro créditos por año, siendo el número de créditos que necesita para tener derecho a pensiones dependiente de la edad y el tipo de pensión. Cada año, la cantidad de ganancias requeridas para la obtención de un crédito aumenta levemente según aumentan los niveles de ganancias promedio.

---

14. Gobierno de Estados Unidos, "Cómo usted acumula créditos", 2021, disponible en: https://www.ssa.gov/pubs/ES-05-10972.pdf.
15. Semejante al informe de vida laboral en España.

1.3. Jubilación: retirement

En términos generales, en base a lo establecido en la página oficial de la Seguridad Social estadounidense, la pensión de jubilación reemplaza un porcentaje de los ingresos previos a la jubilación en función de los ingresos percibidos a lo largo de la vida laboral. La parte del salario previo a la jubilación que reemplaza dicha percepción de la pensión está basada en los ingresos más altos en 35 años y varía en función de la cantidad ganada y el momento en el que se elige la percepción de la pensión. En promedio, las personas que se benefician de la pensión de jubilación reciben una cuantía del 40% de sus ingresos previos.

Por otra parte, los requisitos para ser beneficiario quedan agrupados de la siguiente forma:

- A grandes rasgos, puede ser beneficiario de la jubilación toda persona que nació en el 1929 o después, siempre que reúna 10 años de trabajo (40 créditos).

- La plena edad de jubilación es la edad en la que puede comenzar a recibir la cantidad total de la pensión de jubilación. La plena edad de jubilación es de 66 años si la persona nació entre 1943 y 1954. La plena edad de jubilación aumenta gradualmente si la persona nació entre 1955 y 1960, hasta llegar a los 67 años. Para cualquier persona nacida en 1960 o después, las prestaciones de jubilación completas se pagan a los 67 años.

- Las personas pueden optar por comenzar a recibir sus pensiones de jubilación a los 62 años, pero reciben mensualmente más beneficios por el resto de sus vidas por cada año (hasta los 70 años) que esperan para comenzar a recibir beneficios. Una parte de los beneficios del Seguro Social está sujeta a impuestos para los beneficiarios cuyos ingresos actuales superan ciertos niveles[16].

En este sentido y a modo clarificador, si se empieza a recibir la jubilación a la edad de 62 años, se percibirá el 75% del beneficio mensual debido a que se recibe la pensión por 48 meses adicionales y a la edad de 65 años, recibirá el 93.3% del beneficio mensual debido a que percibirá los beneficios por 12 meses adicionales. Esto lo podemos ver con mayor claridad en la siguiente tabla ilustrativa:

---

16. Clark, R. L., Craig L. A., and Wilson, J. W., "A History of Public Sector Pensions in the United States", *University of Pennsylvania Press*, 2003.

Si empieza a recibir beneficios a la edad de ∗	Y usted es el . . .	
	Trabajador, el beneficio por jubilación que recibiría será reducido a un	Cónyuge, el beneficio por jubilación que recibiría será reducido a un
62	75.0%	35.0%
62 + 1 mes	75.4	35.2
62 + 2 meses	75.8	35.4
62 + 3 meses	76.3	35.6
62 + 4 meses	76.7	35.8
62 + 5 meses	77.1	36.0
62 + 6 meses	77.5	36.3
62 + 7 meses	77.9	36.5
62 + 8 meses	78.3	36.7
62 + 9 meses	78.8	36.9
62 + 10 meses	79.2	37.1
62 + 11 meses	79.6	37.3
63	80.0	37.5

Si empieza a recibir beneficios a la edad de *	Y usted es el . . .	
	Trabajador, el beneficio por jubilación que recibiría será reducido a un	Cónyuge, el beneficio por jubilación que recibiría será reducido a un
63 + 1 mes	80.6	37.8
63 + 2 meses	81.1	38.2
63 + 3 meses	81.7	38.5
63 + 4 meses	82.2	38.9
63 + 5 meses	82.8	39.2
63 + 6 meses	83.3	39.6
63 + 7 meses	83.9	39.9
63 + 8 meses	84.4	40.3
63 + 9 meses	85.0	40.6
63 + 10 meses	85.6	41.0
63 + 11 meses	86.1	41.3
64	86.7	41.7
64 + 1 mes	87.2	42.0
64 + 2 meses	87.8	42.4
64 + 3 meses	88.3	42.7
64 + 4 meses	88.9	43.1
64 + 5 meses	89.4	43.4
64 + 6 meses	90.0	43.8
64 + 7 meses	90.6	44.1
64 + 8 meses	91.1	44.4
64 + 9 meses	91.7	44.8
64 + 10 meses	92.2	45.1
64 + 11 meses	92.8	45.5
65	93.3	45.8

Si empieza a recibir beneficios a la edad de _	Y usted es el . . .	
	Trabajador, el beneficio por jubilación que recibiría será reducido a un	Cónyuge, el beneficio por jubilación que recibiría será reducido a un
65 + 1 mes	93.9	46.2
65 + 2 meses	94.4	46.5
65 + 3 meses	95.0	46.9
65 + 4 meses	95.6	47.2
65 + 5 meses	96.1	47.6
65 + 6 meses	96.7	47.9
65 + 7 meses	97.2	48.3
65 + 8 meses	97.8	48.6
65 + 9 meses	98.3	49.0
65 + 10 meses	98.9	49.3
65 + 11 meses	99.4	49.7
66	100.0	50.0

Fuente: Gobierno de Estados Unidos, "Plena edad de jubilación: Si usted nació entre 1943 y 1954", 2021, disponible en https://www.ssa.gov/espanol/jubilacion/1943_sp.htm.

La pensión de jubilación es un programa progresivo que otorga mayores beneficios en relación con los ingresos promedio de la vida laboral a aquellos que ganaron salarios bajos[17]. La relación entre los beneficios medios de vida laboral y los ingresos anteriores se denomina tasa de reemplazo. Como se muestra en la figura que tenemos a continuación, en promedio, las tasas de reemplazo para las mujeres son más altas que los hombres porque las mujeres tienen ingresos medios más bajos y una esperanza de vida más larga (y, por lo tanto, obtienen beneficios durante más años). No obstante, los beneficios para las mujeres son aproximadamente un 20 por ciento más bajos en promedio que los beneficios para los hombres. Los beneficios de la jubilación son una fuente fundamental de ingresos para los adultos en la vejez. De hecho, en ausencia de

---

17. Catherine Sylvain C., Miller M., Sarin N., "Social Security and Trends in Inequality", *Working Paper, Center for Economic and Policy Research, Washington, DC.*, 2020.

dicha pensión, más de un tercio de los adultos en la vejez vivirían en la pobreza[18].

A este respecto, de conformidad a la SSA, la mitad de la fuerza laboral no tiene cobertura de pensión privada y casi un tercio no tiene ahorros para la jubilación[19]. El seguro social relativo a la jubilación brinda más del 90 por ciento de los ingresos familiares para alrededor de un cuarto de los adultos en la vejez[20], teniendo en cuenta que en ausencia de los beneficios del Seguro Social e impuestos sobre la nómina relacionados para financiarlo, muchos hogares aumentarían su ahorro privado[21].

Median Replacement Rates for Long-Career Workers

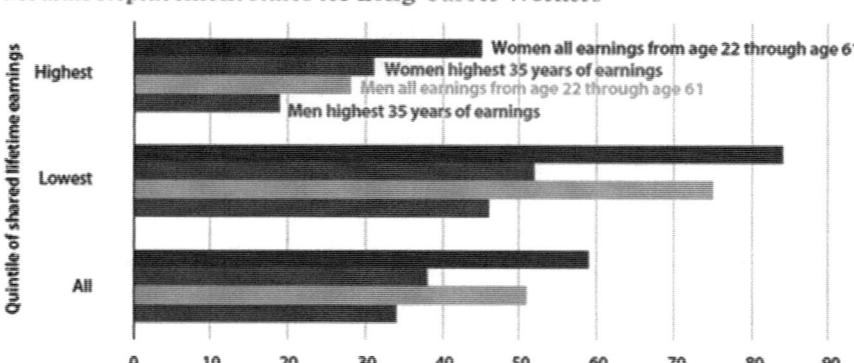

Fuente: Oficina de Presupuesto del Congreso, 2019.

Nota: Las barras que indican ingresos para hombres y mujeres de 22 a 63 años incluyen años sin ingresos o con ingresos muy bajos.

1.4. DI, Disability Insurance: invalidez

Las cuantías destinadas a la discapacidad se suministran a través de dos programas: el Programa de Seguro de Discapacidad del Seguro Social (SSDI) y el programa de Seguridad de Ingreso Suplementario (SSI).

Social Security Disability Insurance (SSDI) o invalidez es otro de los componentes del sistema de pensiones OASDI, que proporciona pagos en efectivo a las personas que han trabajado durante algún tiempo en el pasado,

---

18. Romig, K., "Social Security Lifts More Americans Above Poverty than Any Other Program", *Center on Budget and policy Priorities*, Washington, DC, 2020.
19. Social Security Administration (SSA), "Fact Sheet: Social Security", *Social Security Administration*, Washington, DC, 2021.
20. Dushi, I., Howard I., Trenkamp, B., "The Importance of Social Security Benefits to the Income of the Aged Population", *Social Security Bulletin 77, vol. 2*, 2017.
21. Scholz J. K., Seshadri A., Khitatrakun S., "Are Americans Saving 'Optimally' for Retirement?", *Journal of Political Economy*, vol. 114, 2006, pp. 607-43.

pero se encuentra con una limitación para trabajar debida una discapacidad.

Dicho seguro social paga una cuantía destinada a las personas que no pueden trabajar porque tienen una condición médica negativa que se espera que dure al menos un año o que el resultado sea el fallecimiento, siempre que tengan menos de 65 años y hayan trabajado al menos un número específico de años, con el número exacto de años dependiendo de la edad a la que adquirieron la condición de la discapacidad.

La ley federal requiere esta definición muy estricta de discapacidad. Si bien algunos programas dan dinero a personas con discapacidad parcial o discapacidad a corto plazo, el Seguro Social no. Ciertos miembros de la familia de los trabajadores con discapacidad también pueden recibir dinero de por esta vicisitud[22].

Los requisitos para acceder a esta pensión sería el cumplimiento de dos pruebas diferentes relativas a los ingresos:

1. Una prueba de trabajo reciente, basada en la edad en el momento en que adquirió la condición de discapacidad la persona.
2. Una prueba de duración del trabajo para demostrar que trabajó lo suficiente.

A continuación, se muestra una tabla que señala los requisitos necesarios para la recepción de una pensión de incapacidad, indicando el tiempo mínimo de trabajo para cumplir con el límite de "empleo reciente" basada en la edad cuando la incapacidad tuvo inicio.

Momento de la incapacidad	Por lo general, será necesario:
En o antes del trimestre en el que cumple 24 años.	Haber trabajado 1 año y medio durante un periodo de 3 años, terminando en el trimestre en el que comenzó su incapacidad.
En el trimestre después de que cumpla 24 años pero antes de cumplir 31 años.	Haber trabajado durante la mitad del tiempo del periodo, comenzando con el trimestre después de cumplir 21 años y terminando en el trimestre en el que se incapacitó. Como ejemplo: si una persona se incapacita con 27 años, necesitaría haber trabajado 3 años durante los 6 años anteriores, terminando con el trimestre en el que se incapacitó.
En el trimestre después de cumplir 31 años o más.	Haber trabajado durante 5 años en el periodo de los 10 años anteriores, terminando con el trimestre en el que se incapacitó.

---

22. Gobierno de los Estados Unidos, "Disability Benefits", *Social Security Administration*, No. 05-10029, 2021.

La siguiente tabla, por su parte, muestra los trimestres cubiertos completos necesarios para el cumplimiento de la duración de tiempo trabajado. Por lo general, se puede calcular el número de trimestres o años necesarios de la siguiente manera: usando el año en el que comienza la incapacidad y restando el año en el que cumplió la edad de 22 años, para obtener el número de trimestres necesarios que necesita tener cubiertos con el lapso de tiempo trabajado. Es de indicar que la tabla no muestra todas las situaciones.

Si se incapacita...	Por lo general necesitará:
Antes de la edad de 28 años	1.5 años de trabajo
30 años	2 años
34 años	3 años
38 años	4 años
42 años	5 años
44 años	5.5 años
46 años	6 años
48 años	6.5 años
50 años	7 años
52 años	7.5 años
54 años	8 años
56 años	8.5 años
58 años	9 años
60 años	9.5 años

A modo ilustrativo, podemos establecer que en 2019, las personas recibieron en total en torno a $ 125 mil millones en beneficios de SSDI. En junio de 2020, 8,3 millones de trabajadores recibieron beneficios de SSDI (CBPP 2020). En época de recesión económica, las listas de SSDI aumentan ligeramente debido a que la gente con discapacidades tiene más dificultades para encontrar empleo que se adapte a su condición y una mayor cantidad se inscriben en el programa[23]. De la misma manera, en base a la mejora

---

23. Mark. D., David H., "The Rise in the Disability Rolls and the Decline in Unemployment", *The Quarterly Journal of Economics*, vol. 118 (1), 2003, pp. 157-206; Kearney, M. S., Brendan M. Price, Wilson R., "Disability Insurance in the Great Recession: Ease of Access, Program Enrollment, and Local Hysteresis", *AEA Papers and Proceedings*, vol. 111, 2021, pp. 486-90.; Maestas, N., Mullen, K. J., Strand, A., "Disability Insurance and the Great Recession", *American Economic Review*. Vol. 105 (5), 2015.

financiera que proporciona recibir este tipo de pensión, se produce una disminución de la participación en la fuerza laboral, aunque los efectos son relativamente pequeños[24].

Por otro lado, separado del sistema OASDI pero aplicando también en materia de discapacidad, encontramos el Supplemental Security Income (SSI), que proporciona pagos mensuales a las personas ciegas o que tienen una discapacidad a cualquier edad, así como a personas de muy bajos ingresos que tienen 65 años o más. Brinda una base de ingresos para aquellos que tienen un historial laboral limitado, generalmente debido a una discapacidad ocurrida demasiado temprano en la vida, impidiendo la acumulación de un historial laboral significativo o porque emigraron a los Estados Unidos demasiado tarde en la vida para la acumulación de tal historial en Estados Unidos. De la misma manera que el SSDI, el SSI es un beneficio federal administrado a través de la Administración de la Seguridad Social con pagos mensuales. Algunos beneficiarios de SSI también reciben Seguro Social, pero por ley el beneficio combinado es solo 20 $ por mes por encima del beneficio de SSI bajo; la mayoría de las personas mayores que trabajaron por salarios bajos a lo largo de sus carreras reciben beneficios del Seguro Social que los colocan por encima de los límites de ingresos de SSI.

SSI también tiene una estricta prueba de activos; activos contables (que excluyen cosas como la casa, el automóvil y los enseres domésticos) no pueden exceder los 2,000 $ para una persona y 3,000 $ para una pareja, niveles que no han sido ajustados por inflación desde 1989. Para el año 2021, el pago federal mensual máximo, para los beneficiarios con pocos o ningún otro ingreso, es 794 $ por un solo persona y 1,191 $ por pareja, que es aproximadamente tres cuartas partes de la línea de pobreza.

Muchos grupos de defensa de la discapacidad argumentan que estos niveles de beneficios y umbrales de elegibilidad son demasiado bajos y limitan la capacidad de las personas con discapacidad para establecer ahorros de emergencia (o incluso casarse, ya que el beneficio para una pareja es solo tres cuartas partes del beneficio para dos personas solteras) (SSA 2003). El recibo de SSI generalmente trae consigo elegibilidad para Medicaid[25].

Diversos académicos[26] han puesto de manifiesto que SSI mejora la

---

24. Katharine G.A., S. Kearney. M., "Explaining the Decline in the US Employment-to-Population Raito: A Review of the Evidence", *Journal of Economic Literature*, Vol. 58, 2020, pp. 585-643.

25. Medicaid: seguro de salud del gobierno que ayuda a personas de bajos ingresos con sus gastos en sanidad.

26. Duggan, M. G., and Kearney M. S., "The Impact of Child SSI Enrollment on Household Outcomes", *Journal of Policy Analysis and Management*, vol. 26, 2007, pp. 861–86; Schmidt, L., Shore-Sheppard, L., and Watson, T., "The Effect of Safety-Net Programs on Food Insecurity", *Journal of Human Resources*, vol. 51 (3), 2016, pp. 589-614.

seguridad económica del hogar. Debido a que los hogares pierden beneficios incluso a niveles de ingresos modestos, SSI crea algunos desincentivos en la oferta de mano de obra[27].

Para ilustrar lo anterior, un ejemplo de ello sería cuando los niños dejan de recibir SSI, esto produce un efecto en los padres, que aumentan su oferta laboral[28]. Sin embargo, en el momento en el que los niños de edades tempranas reciben SSI, los padres disminuyen su oferta laboral[29]. En relación con esta afirmación, se muestra en algunas investigaciones cómo que aumentando recursos del hogar a través del SSI se produce una mejora el desarrollo del capital humano de los niños y los ingresos de los adultos[30].

1.5. Las fuentes de financiación del sistema de pensiones[31]

La fuente de financiación de este sistema de pensiones proviene, en su mayoría, de las cotizaciones de los empresarios y los trabajadores por cuenta ajena y propia, realizadas a modo de impuesto sobre los salarios, abonados en partes iguales. En el momento en el que los ingresos del trabajador se ven interrumpidos o reducidos con causa en la jubilación, incapacidad o fallecimiento, el Seguro Social brinda prestaciones de manera mensual, con el motivo de reemplazar parte de esos ingresos que el trabajador y su familia han dejado de percibir[32].

Como se ha indicado en el apartado relativo al sistema de créditos, dentro de este sistema las personas acumulan créditos trabajando, a la vez que pagan impuestos. Estos créditos de Seguro Social brindan el derecho a la solicitud y recepción de las pensiones relativas a estas contingencias en el futuro, en base a los ingresos y el tiempo trabajado.

---

27. Wittenburg, D., Mann D. R., Thompkins, A., "The Disability System and Programs to Promote Employment for People with Disabilities", *IZA Journal of Labor Policy*, vol. 2 (4), 2013.
28. Deshpande, M., "The Effect of Disability Payments on Household Earnings and Income: Evidence from the SSI Children's Program", *The Review of Economics and Statistics*, vol. 98 (4), 2016, pp. 638-654.
29. Guldi et al., "Supplemental Security Income and Child Outcomes: Evidence from Birth Weight Eligibility Cutoffs". *Working Paper 24913, National Bureau of Economic Research*, 2018.
30. Deshpande, M., "Does Welfare Inhibit Success? The Long-Term Effects of Removing Low-Income Youth from the Disability Rolls". *American Economic Review*, vol. 106 (11), 2016, pp. 3300-3330.
31. Weidenslaufer, C., Álvarez, P., "Sistemas previsionales 2019: legislación comparada", *Biblioteca del Congreso Nacional de Chile*, 2019.
32. Ministerio de Empleo y Seguridad Social, "La Acción Protectora de la Seguridad Social. Pensiones", *Revista de Actualidad Internacional Sociolaboral*, Núm. 190, 2019, disponible en: http://bcn.cl/2aec7.

La mayor parte de las personas trabajadoras necesita 10 años de trabajo (que corresponden a 40 créditos) para tener derecho a dichas pensiones. No obstante, este sistema no fue diseñado para ser la única fuente de ingresos al jubilarse[33], como veremos en el punto referente al sistema privado de pensiones.

1.6. Cálculo de las pensiones y edad de jubilación

No podemos entender el sistema de pensiones sin hacer referencia a la fórmula utilizada para su cálculo, la cual consiste en una fórmula progresiva en función de los ingresos, quedando de la siguiente manera:

- Por los primeros 856 dólares mensuales, la tasa de reemplazo[34] es del 90%.
- Entre los 856 y los 5.157 dólares mensuales, la tasa de reemplazo es del 32%.
- En el último umbral (tope de ingresos), la tasa de reemplazo aplicada es del 15%.

En este sentido, otro aspecto que influye en el cálculo de las pensiones es su revalorización, ya que las prestaciones de la Seguridad Social se revalorizan en función del Índice de Precios al Consumo para trabajadores del ámbito urbano y personal administrativo[35]. El objetivo de la revalorización (COLA por sus siglas en inglés: Cost of Living Adjustment) es evitar las consecuencias de la inflación, y la fija la Oficina de Estadísticas del Departamento de Trabajo[36].

Los ingresos de años anteriores se revalorizan hasta el año en que el pensionado alcanza los 60 años de edad, en línea con el crecimiento de los ingresos promedio de toda la economía. No hay ajuste de ingresos después de los 60 años, y el beneficio básico se calcula para pago a la edad de 62 años, y con posterioridad se ajusta de acuerdo con la inflación. El beneficio se basa en los ingresos promedio de vida laboral del pensionista, pero de los 35 años de más altos ingresos y existe un tope anual de ingresos tanto para las contribuciones como para los beneficios.

---

33. Seguro Social, Comprendiendo los beneficios, 2018, disponible en: http://bcn.cl/2aecs.
34. La tasa de reemplazo de las pensiones hace referencia al porcentaje que supone la pensión pública por jubilación de un país respecto al último salario cobrado por un empleado. Por ejemplo, si un empleado cobraba 1.000 euros y su pensión pública al jubilarse es de 800 euros, su tasa de reemplazo es del 80%.
35. Consumer Price Index for Urban Wage Earners and Clerical Workers.
36. Bureau of Labor Statistics in the Department of Labor.

2.   SISTEMA PRIVADO DE PENSIONES EN ESTADOS UNIDOS

Llegados a este punto y, tras el análisis presentado del sistema público, no podemos olvidar el sistema privado de pensiones en Estados Unidos, ya que el peso del ahorro para la jubilación recae en el sector privado.

De esta manera, el sistema privado está compuesto por una gran cantidad y variedad de planes, dentro del cual destacan los de tipo empresarial u ocupacional, ofrecidos por empresas grandes y medianas, los sindicatos y los entes públicos (estatales y locales), que pueden diferir de actividad e incluso de empresa en empresa, los cuales se financian a través de las contribuciones del empleador (no obstante, en numerosas ocasiones también participan los trabajadores). En el caso de los trabajadores independientes o de las empresas pequeñas existen otras opciones, que tienen un tratamiento impositivo similar[37]. En estos casos, aunque la ley no obliga a las empresas a contratar tales planes para sus trabajadores, una vez que estos se establecen voluntariamente o por negociación colectiva, quedan obligados al cumplimiento de las normas contractuales y legales respectivas.

2.1.   Employee Retirement Income Security Act of 1974

Employee Retirement Income Security Act (ERISA) o Ley de Seguridad de Ingresos de Jubilación de Empleados de 1974 (ERISA) es una ley federal que establece estándares mínimos para la mayoría de los planes de salud y de jubilación establecidos de manera voluntaria en la industria privada, con el objetivo de ofrecer protección a las personas en estos planes[38]. Así, ERISA presenta y requiere los siguientes puntos clave:

- Que los planes brinden y faciliten a los participantes información sobre el plan, incluida información relevante acerca de las características y la financiación del plan.

- Establecimiento de estándares mínimos para la participación, la concesión, la acumulación de beneficios y la financiación.

- Proporciona responsabilidades fiduciarias para quienes administran y controlan los activos del plan.

- Requiere que los planes establezcan un proceso de quejas y apelaciones para que los participantes obtengan beneficios de sus planes.

---

37.   Chaves, Ronald, *El Sistema de Pensiones en los Estados Unidos. Superintendencia de Pensiones Costa Rica*, 1998. Disponible en: http://bcn.cl/2aeb3 (junio, 2019).
38.   Weidenslaufer, C., Álvarez, P., "Sistemas previsionales 2019: legislación comparada", *Biblioteca del Congreso Nacional de Chile*, 2019.

- Brinda a los participantes el derecho a demandar por beneficios e incumplimientos del deber fiduciario.
- Si se cancela un plan de beneficios definidos, garantiza el pago de ciertos beneficios a través de una corporación autorizada por el gobierno federal, conocida como Pension Benefit Guaranty Corporation (PBGC, en lo sucesivo)[39].

De manera usual, ERISA no cubre planes establecidos o mantenidos por entidades gubernamentales para sus empleados o planes que se mantienen únicamente para cumplir con las leyes aplicables de compensación de trabajadores, desempleo o discapacidad, a la vez que tampoco cubre planes mantenidos fuera de los Estados Unidos principalmente para el beneficio de extranjeros no residentes o planes de beneficios excedentes no financiados[40].

La Ley ERISA, por su parte, cubre dos tipologías de planes de pensiones: planes de pensiones de beneficio definido (BD) y planes de pensiones de contribución definida (CD)[41]. De manera habitual, dentro de los planes BD, los beneficios están protegidos, dentro de ciertas limitaciones, por el seguro federal provisto a través de la PBGC, antes mencionada[42]. Ello supone que si el plan finaliza sin dinero suficiente para afrontar el pago a todos los beneficiarios, el programa de seguro de la PBGC paga el beneficio proporcionado por su plan de pensión hasta los límites establecidos legalmente.

Su fuente de financiación, a diferencia del sistema público, no proviene de impuestos sino de las primas de seguros pagadas por las compañías cuyos planes protege, de sus propias inversiones, de los activos de los planes de pensiones que asume como fideicomiso y, de igual manera, de las recuperaciones de fondos de las empresas que eran responsables originariamente de los planes de pensiones. De esta manera, la pensión queda asegurada incluso si el empleador no paga las primas necesarias.

---

39. Gobierno de los Estados Unidos, "Employee Retirement Income Security Act (ERISA)", *U.S. Department of Labor*, 2021.
40. *Op. cit.*
41. U.S. Department of Labor (s/f). En un plan de contribución definida, el trabajador, el empleador o ambos contribuyen a la cuenta individual del empleado destinada al plan, a veces a una tasa establecida (por ej. 5% de la remuneración anual, como en el plan de saldo en efectivo o Cash Balance Plan).
42. PBGC fue creado por la Ley ERISA de 1974 para contribuir a la continuación y el mantenimiento de planes de pensión de beneficios definidos del sector privado, proporcionar pagos de beneficios de pensión de manera punctual y sin interrupción, y mantener las primas de seguro de pensión a un mínimo.

2.2. Algunos ejemplos de planes de pensiones privados

Algunos ejemplos de planes de pensiones CD que podemos destacar son los planes 401 (k), planes 403 (b), planes de propiedad de acciones de trabajadores (Employee Stock Ownership Plans) y planes de participación en las ganancias (Profit sharing Plans) o de bonificación de acciones (Stock Bonus Plan). En concreto, los sistemas de ahorro mayoritarios constan de: Sistema 401(k) y Sistema IRA.

El Sistema 401(k), por su parte, es un plan de pensiones que nace de la iniciativa empresarial, en el que el trabajador invierte un porcentaje de su salario, es decir, está destinado exclusivamente para empleados en activo. El sistema 401(k) es frecuente, aunque no obligatorio y en él, el empleado elige qué cantidad de su salario destinará en su cuenta del plan en cada período de paga. Tras esto, el empleado determina el tipo de inversión en la que destinar su ahorro, aunque de manera general se invierte en fondos de inversión. En adición, es común que las empresas aporten una cantidad adicional complementaria en proporción a lo que aporta el trabajador, acción que realizan aproximadamente un 75% de las empresas[43].

Siguiendo esta línea, el sistema IRA compone un sistema de ahorro individual que hace posible invertir un máximo de 5.500 dólares a individuos hasta 50 años y 6.500 dólares a individuos mayores de 50, con ausencia de efectos fiscales. La condición es que esta inversión sólo puede proceder de sus ingresos anuales[44]. Existen diversos tipos de cuentas IRA, y cada una de ellas posee sus propios requisitos y características, pero todas ofrecen ventajas fiscales importantes que pueden beneficiar el ahorro a futuro.

La diferencia principal entre el sistema IRA y el sistema 401(k) se basa en que en el primer sistema, la persona con un ingreso de trabajo puede abrir una cuenta IRA, la cual es diferente a un plan 401(k), en el que solo puede participar si lo ofrece la empresa[45].

Existen diversos tipos de cuentas IRA, y cada una de ellas posee sus propios requisitos y características, pero todas ofrecen ventajas fiscales importantes que pueden beneficiar el ahorro a su futuro.

---

43. Equipo Singular Bank, "El 401k y la jubilación en Estados Unidos", *Self Bank by Singular bank*, 2016, disponible en: https://blog.selfbank.es/el-401k-y-la-jubilacion-en-estados-unidos/.
44. Instituto BBVA de PENSIONES, "Estados Unidos: Una referencia en el ahorro para la jubilación", *BBVA*, 2020.
45. Bank of America, "¿Qué es una cuenta IRA? Todo lo que necesita saber", *Bank of America*, 2021, disponible en: https://bettermoneyhabits.bankofamerica.com/es/retirement/what-is-an-ira.

Cabe mencionar en este punto que, como se ha indicado previamente, la ley ERISA establece limitaciones a la inversión para los planes de pensiones privados, los fondos de pensiones de empleados del gobierno estatal y local (con límites específicos), y los fondos de pensiones del gobierno federal, pero dentro de un estándar flexible.

IV.　CONCLUSIONES

Para sorpresa de muchos y, en base a la creencia popular de la inexistencia de un sistema público de pensiones en Estados Unidos, queda constatada en este estudio la presencia de la cobertura pública en el país norteamericano en lo que a protección social y pensiones se refiere. Es cierto que el sistema de pensiones público se ciñe a servicios básicos muy limitados y deja en manos de la iniciativa privada, tanto en el ámbito personal como en el de la empresa, el peso de la provisión de ingresos en la jubilación.

Retomando el cálculo de las pensiones en Estados Unidos y, como ya hemos indicado, podemos comprobar que en pensionistas que hayan tenido ingresos bajos durante su vida laboral no se produce un cambio significativo en cuanto a los beneficios recibidos. En contraposición, nos encontramos con los beneficiarios de pensiones que hayan obtenido ingresos más elevados durante su vida laboral que, a consecuencia de la aplicación de la tasa de reemplazo, ven mermados sus ingresos de jubilación de un modo considerable, teniendo que acudir a planes de pensiones privados para mantener la misma calidad y ritmo de vida.

Poniendo el foco en la comparativa, podemos decir que, por una parte, en el norte del continente americano parece haber una mayor concienciación que en España respecto a la futura jubilación, debido a que el sistema americano se basa, en gran medida, en la previsión privada. Esto causa que la iniciativa de los individuos en el plano del ahorro privado se intensifique y sea fundamental (a través de herramientas flexibles, como los fondos de inversión), pues no existen muchas más alternativas. Es innegable que en Estados Unidos las pensiones públicas son mucho más limitadas que en España y, por ende, le brindan una gran importancia a la aportación de ahorros complementarios durante la vida laboral, con el objetivo de obtener un ingreso razonable cuando esta termine.

Para terminar, la primera diferencia relevante con respecto a los planes de pensiones que conocemos en España es que los planes de pensiones en nuestro país los puede contratar cualquiera, en contraste con estos planes de jubilación americanos, los cuales únicamente pueden contratarlos los empleados en activo. Otra distinción importante es que en los planes americanos existe una amplia y mayor variedad de formas de inversión en comparación con los planes de pensiones en España.

V.   BIBLIOGRAFÍA CITADA

Bank of America, "¿Qué es una cuenta IRA? Todo lo que necesita saber", *Bank of America, 2021*, disponible en: https://bettermoneyhabits.banko-famerica.com/es/retirement/what-is-an-ira.

Bureau of Labor Statistics in the Department of Labor.

Catherine Sylvain C., Miller M., Sarin N., "Social Security and Trends in Inequality", *Working Paper, Center for Economic and Policy Research*, Washington, DC., 2020.

Chaves, Ronald, "El Sistema de Pensiones en los Estados Unidos", *Superintendencia de Pensiones Costa Rica*, 1998. Disponible en: http://bcn.cl/2aeb3 (junio, 2019).

Clark, R. L. and McDermed, A. A., The Choice of Pension Plans in a Changing Regulatory Environment, *American Enterprise Institute*, number 920432, 1990.

Clark, R. L., Craig L. A., and Wilson, J. W., "A History of Public Sector Pensions in the United States", *University of Pennsylvania Press*, 2003.

Consumer Price Indexfor Urban Wage Earners and Clerical Workers.

Craig, L. A., "The Political Economy of Public-Private Compensation Differentials: The Case of Federal Pensions", *The Journal of Economic History*, Vol. 55, No. 2, 1995.

Deshpande, M., "Does Welfare Inhibit Success? The Long-Term Effects of Removing Low-Income Youth from the Disability Rolls", *American Economic Review*, vol. 106 (11), 2016, pp. 3300-3330.

– "The Effect of Disability Payments on Household Earnings and Income: Evidence from the SSI Children's Program", *The Review of Economics and Statistics*, vol. 98 (4), 2016, pp. 638–654.

Duggan, M. G., and Kearney M. S., "The Impact of Child SSI Enrollment on Household Outcomes", *Journal of Policy Analysis and Management*, vol. 26, 2007, pp. 861-86.

Dushi, I., Howard I., Trenkamp, B., "The Importance of Social Security Benefits to the Income of the Aged Population", *Social Security Bulletin 77*, vol. 2, 2017.

Employee Benefit Research Institute 1997.

Equipo Singular Bank, "El 401k y la jubilación en Estados Unidos", *Self Bank by Singular bank*, 2016, disponible en: https://blog.selfbank.es/el-401k-y-la-jubilacion-en-estados-unidos/.

Fishback, P. V. y Kantor, S.E., "The Political Economy of Workers' Compensation Benefit Levels, 1910-1930", *Explorations in Economic History*, vol. 35, 1998, pp. 109-139.

Gobierno de Estados Unidos, "Cómo usted acumula créditos", 2021, disponible en: https://www.ssa.gov/pubs/ES-05-10972.pdf.

Gobierno de Estados Unidos, "Historial de seguridad social", 2021, disponible en: https://www.ssa.gov/history/orghist.html.

Gobierno de Estados Unidos, "Plena edad de jubilación: Si usted nació entre 1943 y 1954", 2021, disponible en https://www.ssa.gov/espanol/jubilacion/1943_sp.htm.

Gobierno de los Estados Unidos, "Employee Retirement Income Security Act (ERISA)", U.S. Department of Labor, 2021.

Guldi et al., "Supplemental Security Income and Child Outcomes: Evidence from Birth Weight Eligibility Cutoffs", *Working Paper 24913, National Bureau of Economic Research*, 2018.

Hernández de Cos, P., "Sistema público de pensiones; situación actual y perspectivas", 2018, disponible en: http://bcn.cl/29qbp.

Instituto BBVA de PENSIONES, "Estados Unidos: Una referencia en el ahorro para la jubilación", *BBVA*, 2020.

Katharine G.A., S. Kearney. M., "Explaining the Decline in the US Employment-to-Population Raito: A Review of the Evidence", *Journal of Economic Literature*, Vol. 58, 2020, pp 585-643.

Kearney, M. S., Brendan M. Price, Wilson R., "Disability Insurance in the Great Recession: Ease of Access, Program Enrollment, and Local Hysteresis", *AEA Papers and Proceedings*, vol. 111, 2021, pp. 486-90.

Ley de Garantía de Ingreso de Jubilación para los Trabajadores (*Employee Retirement Income Security Act, ERISA*). Disponible en: http://bcn.cl/2aedf (junio, 2019).

Ley de Seguridad Social (*Social Security Act*). Disponible en: http://bcn.cl/2aede (junio, 2019).

Maestas, N., Mullen, K. J., Strand, A., "Disability Insurance and the Great Recession", *American Economic Review*. Vol. 105 (5), 2015.

Mark. D., David H., "The Rise in the Disability Rolls and the Decline in Unemployment", *The Quarterly Journal of Economics*, vol. 118 (1), 2003, pp. 157-206.

Millis, Harry A. and Royal E. Montgomery, "Labor's progress and some basic labor problems", *The Economics of Labor*, Volumen 1, 1938.

Ministerio de Empleo y Seguridad Social, "La Acción Protectora de la Seguridad Social. Pensiones", *Revista de Actualidad Internacional Sociolaboral*, Núm. 190, 2019, disponible en: http://bcn.cl/2aec7.

Romig, K., "Social Security Lifts More Americans Above Poverty than Any Other Program", *Center on Budget and policy Priorities*, Washington, DC, 2020.

Schmidt, L., Shore-Sheppard, L., and Watson, T., "The Effect of Safety-Net Programs on Food Insecurity", *Journal of Human Resources*, vol. 51 (3), 2016, pp. 589–614. University of Wisconsin Press.

Scholz J. K., Seshadri A., Khitatrakun S., "Are Americans Saving 'Optimally' for Retirement?", *Journal of Political Economy*, vol. 114, 2006, pp. 607–43.

Seguro Social, Comprendiendo los beneficios, 2018, disponible en: http://bcn.cl/2aecs.

Social Security Administration (SSA), "Fact Sheet: Social Security", *Social Security Administration*, Washington, DC, 2021.

W. Latimer, M., "Industrial Pension Systems in the United States and Canada", *The American Economic Review*, Vol. 23, No. 3, 1933, pp. 547-550.

Weidenslaufer, C., Álvarez, P., "Sistemas previsionales 2019: legislación comparada", *Biblioteca del Congreso Nacional de Chile*, 2019.

– "Sistemas previsionales 2019: legislación comparada", *Biblioteca del Congreso Nacional de Chile*, 2019.

Wittenburg, D., Mann D. R., Thompkins, A., "The Disability System and Programs to Promote Employment for People with Disabilities", *IZA Journal of Labor Policy*, vol. 2 (4), 2013.

Capítulo 13

Un análisis del modelo de pensiones de Canadá

Raquel Castro Medina

Trabajadora Social. Coordinadora de Centros de Participación Activa Granada

SUMARIO: I. INTRODUCCIÓN. II. ENVEJECIMIENTO DE LA POBLACIÓN: TEN-
DENCIAS DEMOGRÁFICAS Y SU IMPACTO EN EL SISTEMA DE PEN-
SIONES CANADIENSE. III. ALCANCE Y COMPONENTES DEL SISTEMA
DE PENSIONES CANADIENSE. *1. Primer pilar: el programa de seguridad para
la vejez: la pensión básica, el suplemento de renta garantizada y las subvenciones.
2. Segundo pilar: el Plan de Pensiones de Canadá. 3. Tercer pilar: pensiones y ahorros
privados. 4. Notas finales. 5. Bibliografía citada.*

I. INTRODUCCIÓN

A nivel mundial, el 68% de las personas que superan la edad de
jubilación perciben una pensión ya sea contributiva o no contributiva.
Lo cual evidencia que la mayoría de los países de los que disponemos de
información otorgan este tipo de prestaciones, generalmente consistentes
en una cantidad monetaria periódica, de conformidad con un régimen u
otro o en combinación de ambos[1]. Y es que, garantizar la seguridad de
los ingresos y evitar la pobreza entre los adultos mayores forman parte
de los principales objetivos de bienestar que las sociedades modernas
buscan alcanzar. En este sentido, los sistemas públicos de pensiones
han demostrado que pueden llegar a constituirse como un instrumento
sumamente útil para lograr tal fin.

Hasta el momento, el sistema de pensiones canadiense ha sido eficaz en
el cumplimiento de estos propósitos pero, como en el resto de los países del
mundo, el envejecimiento de la población junto con unas tasas realmente

---

1.   OIT, "La protección social de mujeres y hombres de edad: los sistemas de pensiones
     como medio para combatir la pobreza". *Informe Mundial sobre la Protección Social 2017-
     2019.*, Ginebra 2017.

bajas de fecundidad va a forzar nuevas medidas que le permitan adaptarse y afrontar los desafíos socioeconómicos derivados de esta realidad demográfica. Por consiguiente, el éxito o el fracaso en la consecución de sus objetivos, ahora y en el futuro, va a depender de que tan bien sea capaz de atender tales exigencias.

Por su parte, el presente documento se encuentra dividido en dos apartados o epígrafes que van a partir de las investigaciones contenidas en el artículo "Aproximación al sistema de pensiones canadiense" publicado en la revista Estudios Jurídico Laborales y de Seguridad Social[2]. El primer apartado queda destinado a ofrecer una visión general de las condiciones demográficas de la sociedad canadiense con el propósito de contextualizar el tema de estudio, mientras que a lo largo del segundo apartado analizaremos los elementos que conforman las bases del sistema de pensiones del país. Igualmente, de forma transversal, en los diferentes subapartados destinados a tratar las cuestiones más relevantes de los distintos niveles o pilares del sistema de pensiones canadienses, se abordaran temas como la evolución histórica de los mismos, los requisitos exigidos a los beneficiarios, la protección social ante la vejez desde un enfoque de género a partir de la participación de la mujer en el sistema y, como no puede ser de otra forma dado el calado social, sanitario y económico del COVID-19, haremos referencia a algunas medidas impulsadas por el gobierno canadiense para procurar la adaptabilidad de los beneficios a las nuevas circunstancias derivadas de la pandemia. Con todo ello se pretende ofrecer una visión general del funcionamiento del sistema en el cumplimiento de sus objetivos.

II. ENVEJECIMIENTO DE LA POBLACIÓN: TENDENCIAS DEMOGRÁFICAS Y SU IMPACTO EN EL SISTEMA DE PENSIONES CANADIENSE

El aumento de la esperanza de vida es considerado todo un éxito en la historia de la humanidad, fruto de los grandes avances en la medicina y la iniciativa de la mayoría de los países por proporcionar unos adecuados estándares de bienestar a sus ciudadanos. Sin embargo, si bien este logro es motivo de entusiasmo y signo de prosperidad, también constituye uno de los muchos retos que tienen o tendrán que afrontar las sociedades modernas cada vez más envejecidas. Y, es que, dado que la tasa de mortalidad en las edades más tempranas ha alcanzado cifras realmente bajas dentro de las economías avanzadas, la mayoría de los recientes cambios en la esperanza de vida se debe al aumento de la probabilidad

---

2. Castro Medina, R., "Aproximación al sistema de pensiones canadiense". *Revista De Estudios Jurídico Laborales Y De Seguridad Social (REJLSS)*, núm. 3, 2021. Obtenido del enlace web: https://revistas.uma.es/index.php/REJLSS.

de supervivencia en las edades más longevas. Es más, en el futuro, prácticamente todo el aumento de la esperanza de vida se deberá a la mejora de la tasa de mortalidad alrededor de la edad de jubilación y en edades superiores.

Según datos de la Organización para la Cooperación y el Desarrollo Económico (OCDE), Canadá ocupó el puesto número 14 entre los países miembros con una esperanza de vida al nacer de 82,10 años, ambos sexos combinados: 80 años para los hombres y 84,20 años para las mujeres. Japón lideró la mayor esperanza de vida (84,40 años) en 2020, seguido de países como Corea (83,30 años), Australia (83,0 años) y España, Suiza e Italia (82,40 años)[3]. Lamentablemente, estos datos deben ser analizados teniendo en cuenta las desastrosas consecuencias que hemos vivido, y continuamos viviendo, a raíz de la pandemia mundial provocada por el COVID-19. En concreto, en Canadá, las muertes por COVID-19 contribuyeron a una reducción estimada de 0,41 años en la esperanza de vida en 2020 para los canadienses[4]. Además, desde marzo de 2020 hasta mediados de mayo de 2021, la pandemia causó un exceso de 19,979 muertes en Canadá, o un 6,0% más de muertes de lo que se esperaría[5].

Dejando de lado las necesarias matizaciones respecto al impacto del COVID-19 en la demografía, el envejecimiento de la población se ha mantenido como una tendencia definitoria para la mayoría de los países industrializados, incluido Canadá. Los datos son claros, durante las últimas cuatro décadas, el número de personas mayores de 65 años por cada 100 personas en edad de trabajar de entre 20 a 64 años aumentó de 20 a 31 entre los países miembros de la OCDE. Esto supone, sin duda, una enorme presión para la sostenibilidad de los sistemas de pensiones que deberán enfrentar los diferentes países a la mayor brevedad posible puesto que, en el futuro, esta (des)proporción podrá llegar incluso a duplicarse[6].

Algunos autores apuntan hacia una inminente crisis que si bien afectará a los adultos mayores también repercutirá en las futuras generaciones, las cuales deberán asumir directa o indirectamente gran parte del esfuerzo que supone abastecer financieramente a todo el sistema de protección ante la vejez[7]. En efecto, desde finales del siglo pasado y lo que llevamos del presente esta desproporción entre el número de pensionistas y cotizantes

3. OECD, "Life expectancy at birth" (indicator), 2021. Obtenido del sitio web: https://doi.org/10.1787/27e0fc9d-en.
4. Dion, P., "Reductions in life experctancy directly associated with COVID-19 in 2020" *Demographic Documents, Statistics Canada*, núm. 19, 2021.
5. Statistics Canada, "Provisional death counts and excess mortality, January 2020 to May 2020" *The Daily*, 2020-08-09. https://www150.statcan.gc.ca/n1/daily-quotidien/210809/dq210809a-eng.htm.
6. OECD, *Pensions at a Glance 2019: OECD and G20 Indicators*, OECD Publishing, Paris, 2019. Obtenido del sitio web: https://doi.org/10.1787/b6d3dcfc-en.
7. Kato Vidal, E., Cárdenas Agilar, C., "Instituciones, transición demográfica y riesgos del sistema de pensiones" *Norteamérica*, núm. 2, 2013.

amenaza con erosionar la sostenibilidad de los sistemas de pensiones, lo cual implicaría que el futuro cercano los jubilados tendrán que invertir al menos parte de sus ahorros en planes privados de capitalización.

Ahora bien, y a pesar de que el envejecimiento de la población es una realidad que está presente en la mayoría de las sociedades, el ritmo al que aumenta la relación entre la población activa y el número de pensionistas difiere notablemente de unos países a otros. Por ejemplo, tal y como evidencian los históricos y las proyecciones de la siguiente tabla, el ratio existente entre población de entre 20 a 64 años y los mayores de 65 va a tender a aumentar de una manera más pausada en Canadá si lo comparamos con el promedio del resto de los países miembros de la OCDE. Esto trae su causa en los elevados índices de inmigración y en una tasa de fecundidad total que no se prevé que caiga tan bajo como Japón o algunos otros países del sur de Europa[8].

Figura 1

Relación demográfica entre la vejez y la edad laboral: valores históricos y proyectados, 1950-2080.

	1950	1960	1990	2020	2050	2080
OCDE	13,9	15,5	20,6	31,2	53,4	60,8
Japón	9,9	10,4	19,3	52	80,7	82,9
España	12,8	14,6	23,1	32,8	78,4	74,4
Canadá	14.0	15,1	18,4	29,8	44,9	54
Estados Unidos	14,2	17.3	21,6	28,4	40,4	51,1

Fuente: Demographic Old-Age to Working-Age Ratio. Pensions at Glance 2019: OECD and G20 Indicators. Obtenido del sitio web: https://www.oecd-ilibrary.org/sites/e2839a52-en/index.html?itemId=/content/component/e2839a52-en.

Como vemos, y a pesar de que en los próximos años le irá mejor que a muchos otros países de la OCDE en términos de la magnitud del envejecimiento, Canadá no es una excepción. El riesgo de que una combinación entre un crecimiento más lento de la fuerza laboral y un rápido aumento en el número de trabajadores que salen de ella influya en la prosperidad socioeconómica del país representa serios desafíos para los responsables de las políticas canadienses, especialmente a partir de 2011, cuando la primera generación de baby-boomers comenzó a ser beneficiaria del sistema de pensiones. Esta

---

8. OECD, *Ageing and Employment Policies/Vieillissement et politiques de l'emploi: Canada 2005.* Ageing and Employment Policies, OECD Publishing, Paris, 2005. Obtenido del sitio web: https://doi.org/10.1787/9789264012455-en.

generación representa a aquellas personas nacidas tras Segunda Guerra Mundial entre 1946 y 1965. Durante este periodo nacieron alrededor de 8.2 millones de bebés, un promedio de cerca de 412.000 al año. Según el censo de 2011 casi el 29% de la población canadiense pertenecía a esta generación que, por ese entonces, tendría entre 46 y 65 años de edad[9].

Figura 2

Tasa total de fecundidad y edad media de maternidad, Canadá, 1926 a 2017

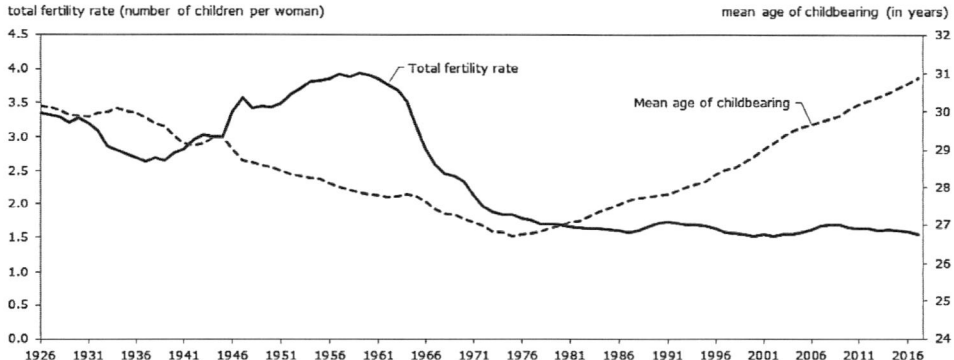

Fuente: Statistics Canada, Canadian Vital Statistics, Births Database, 1926 to 2017, Survey 3231 and Demography Division, Demographic Estimates Program. Obtenido del enlace web: https://www150.statcan.gc.ca/n1/pub/91-620-x/2019001/chap03-eng.htm.

En el futuro cercano, las proyecciones apunan a que el envejecimiento de la población en Canadá continuará durante las próximas décadas. Para 2030, año en que los baby-boomers más jóvenes cumplirán 65 años, la proporción de la población total de entre esa edad o más aumentaría entre el 21,4% y el 23,4%. En la mayoría de los escenarios de proyección, esta proporción continuaría aumentando en los años venideros, pero a un ritmo más lento, alcanzando entre el 21,4% y el 29,5% en 2068. Por consiguiente, si bien los nacidos durante el baby boom interrumpieron temporalmente el envejecimiento de la población durante los años 1950 y 1960, ahora contribuirán a acelerar el fenómeno durante las próximas dos décadas[10].

---

9. Statistics Canada, Generations in *Canada: Age and sex, 2011 Census*, 2011. Obtenido del sitio web: https://www12.statcan.gc.ca/census-recensement/2011/as-sa/98-311-x/98-311-x2011003_2-eng.cfm.

10. Statistics Canada, *Population Proyections for Canada (2018 to 2068), Provinces and Territories (2018 to 2043)*, 2019. Obtenido del sitio web: https://www150.statcan.gc.ca/n1/pub/91-520-x/91-520-x2019001-eng.htm.

A todo lo anterior debe sumarse el hecho de que las tasas de fecundidad total durante los últimos años han ido disminuyendo lenta pero continuamente estrechando cada vez más la base de la pirámide poblacional. Durante el baby boom, representado por la curvatura cóncava que dibuja la gráfica, el número medio de hijos por mujer fue de 3,7 tras lo cual, a partir de 1961 comenzó a caer notoriamente alcanzando su nivel más bajo a comienzos de 2017, con una tasa de 1,5 niños por mujer que se mantiene en la actualidad. Por este motivo, los expertos estiman que, en el futuro cercano, esta cifra persistirá a pesar de las consecutivas fluctuaciones anuales a causa, precisamente, de esa aparente estabilidad estancada entre los 1,6 y los 1,5 hijos por mujer.

De igual forma, la edad media de las mujeres al momento del nacimiento de su hijo ha seguido aumentando en el tiempo, alcanzando los 30,9 años en 2017. La tendencia generalizada a retrasar el primer embarazo presente en todas las sociedades que han experimentado la transición demográfica viene marcada por numerosos factores como pueden ser el deseo de las mujeres de tener una vida profesional exitosa fruto de las fuertes inversiones en su educación, los cambios en los roles de género y el aumento de la actividad de las mujeres en el mercado laboral, el deterioro de la situación económica de los jóvenes y el crecimiento del trabajo precario, los cambios relacionados con la formación de uniones y el matrimonio o la educación sexual entre otros.

Ante esta situación, algunos países han optado por poner sus esperanzas en la inmigración de trabajadores jóvenes que contribuyan a paliar el débil incremento natural de la población. Si bien es cierto que, la oportunidad que ofrece el factor migratorio de mitigar el impacto negativo del envejecimiento poblacional es altamente atractiva, para disminuir la tasa de dependencia futura es necesario incentivar una inmigración selectiva por edad con la premisa de que la pirámide de la población inmigrante sea lo más complementaria posible a la pirámide de la población nativa[11].

En el caso concreto de Canadá, la política migratoria es, al igual que la australiana una de las más abiertas del mundo. Representa una propuesta que responde no solamente a la necesidad de expansión, sino que a su vez, supone una medida de choque al grave desafío demográfico que podría causarle una fuerte desestabilidad económica al país. Esto explicaría, como apuntábamos, la prioridad migratoria a favor de personas jóvenes que mantengan la mano de obra[12].

---

11. Conde-Ruiz, J., Jimeno Serrano, J., Valera Blanes, G. *Inmigración y pensiones ¿Qué sabemos?*, Fundación BBVA, 2006.
12. Barragán Castellanos, C., La política migratoria de Canadá en contexto. *Revista Estudios Jurídicos. Segunda Época*, núm. 20, 2020. https://doi.org/10.17561/rej.n20.a3.

Figura 4

Tasa de crecimiento promedio anual observada (1851 a 2011) y proyectada (2011 a 2061), aumento natural y aumento migratorio en Canadá por período intercensal

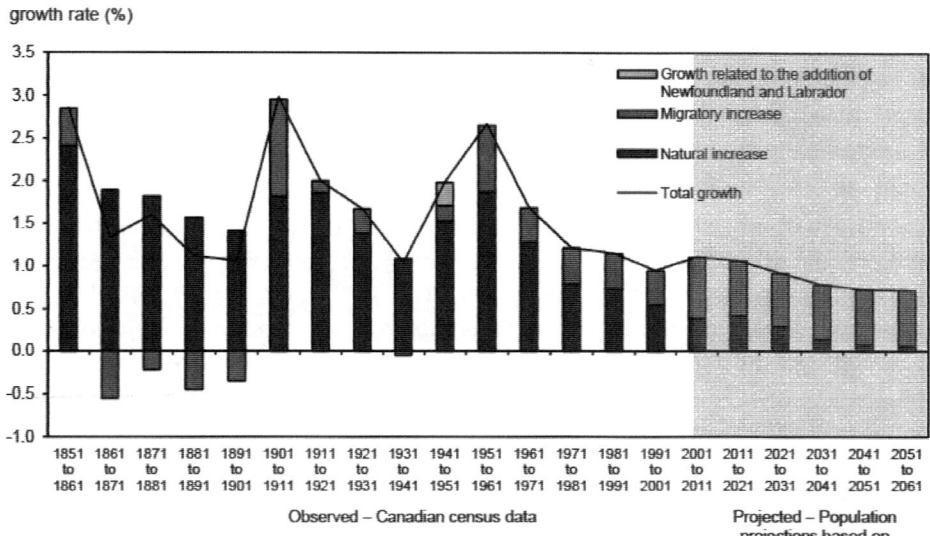

Fuente: Statistics Canada, Canadian Vital Statistics, Births Database, 1926 to 2017, Survey 3231 and Demography Division, Demographic Estimates Program. Obtenido del enlace web: https://www150.statcan.gc.ca/n1/pub/91-620-x/2019001/chap03-eng.htm.

Para Canadá, la migración internacional ha llegado a representar hasta tres cuartas partes del crecimiento de la población total desde 2016 alcanzando el 85,7% en 2019. Tiempo después, una vez instauradas las restricciones fronterizas y de movilidad para frenar la propagación de COVID-19, en marzo de 2020, este porcentaje se redujo a 58.0%. Es por esta causa que, el aumento de la población a través de la migración internacional en el pasado año, fue más de un 80% menor que en 2019[13].

De cualquier forma lo cierto es que la inmigración seguirá siendo un factor clave en el avance de la economía de Canadá, en especial dentro de contexto protagonizado por bajas tasas de fecundidad, su papel será de gran relevancia para el crecimiento de la población en edad de trabajar, y seguirá siéndolo en el futuro. Tal será su implicación en los años venideros

13. Statistic Canada, *Canada´s population estimates, fourth quarter 2020*, 2021. Obtenido del sitio web: https://www150.statcan.gc.ca/n1/daily-quotidien/210318/dq210318c-eng.htm.

que para principios de la década de 2030, se espera que el crecimiento de la población de Canadá dependa exclusivamente de la inmigración[14]. Además, casi la mitad de la población del país estará compuesto por inmigrantes y personas de segunda generación, es decir, no inmigrantes con al menos uno de los padres nacido en el extranjero, en 2036[15].

III. ALCANCE Y COMPONENTES DEL SISTEMA DE PENSIONES CANADIENSE

Idealmente, un programa o sistema de pensiones tendría un nombre único con criterios de elegibilidad bien definidos para determinar claramente quiénes pertenecen al grupo destinatario y a que tienen derecho. También tendría una organización administrativa dedicada a la promoción y entrega de beneficios, mecanismos de financiación adecuados y una estructura de responsabilidad política para el diseño, implementación, administración y seguimiento del esquema[16]. De ser así, el sistema de pensiones canadiense debería poder ser identificado fácilmente como el conjunto de disposiciones sobre la materia cuya finalidad sea lograr proporcionar un conveniente reemplazo de los ingresos durante la jubilación mediante una serie de instituciones y beneficios destinados a evitar o reducir tanto la pobreza como la vulnerabilidad entre los adultos mayores. De hecho, los dos objetivos fundamentales que persigue este sistema son, precisamente, esos: por un lado, asegurar un ingreso suficiente para las personas mayores y, por otro, contribuir a mantener los niveles de vida que venían disfrutando antes de la jubilación. O dicho de otra forma, aliviar o evitar en la medida de lo posible los índices de pobreza entre este sector poblacional y procurar un adecuado remplazo de sus ingresos. Sin embargo, delimitar o definir el sistema de pensiones canadiense dista considerablemente de ese ideal tan simplificado.

Ciertamente, el origen de la complejidad que rodea a todo el sistema de pensiones de Canadá reside en el hecho de que es un área de legislación compartida entre el gobierno federal y el provincial desde sus inicios. En sus comienzos, la Constitución de 1867, concedía a las provincias importantes competencias en materia de política social, especialmente en lo referente a

---

14. Government of canada, 2020 Annual Report to Parliament on Inmigration, 2019. Obtenido del sitio web: https://www.canada.ca/en/immigration-refugees-citizenship/corporate/publications-manuals/annual-report-parliament-immigration-2020.html#immigration2019.

15. Statistic Canada, *The Canadian Immigrant Labour Market: Recent Trends from 2006 to 2017*, 2018. Obtenido del sitio web: https://www150.statcan.gc.ca/n1/pub/71-606-x/71-606-x2018001-eng.htm.

16. Walker, R. *Social Security and Welfare*: concepts anda comparisons. McGraw-Hill Education, 2005. ProQuest Ebook Central, https://ebookcentral.proquest.com/lib/ugr/detail.action?docID=295509.

la educación, instituciones caritativas u hospitales. Tal otorgamiento quedó reforzada tiempo después como una importante decisión de los tribunales en 1937 que dejó son efecto un programa de seguros sociales de carácter federal por considerarlo una intromisión en los poderes provinciales. Ahora bien, a pesar del aparente monopolio de la jurisdicción provincial, el gobierno federal también contó con una presencia significativa en este ámbito de la política social. Así pues, en 1951, una enmienda constitucional otorgó al gobierno federal la capacidad de proporcionar pensiones durante la vejez directamente a los ciudadanos. Por ese entonces, el gobierno de Quebec no mostró interés por elaborar su propio programa pero consideró esta opción como una posibilidad futura, insistiendo en que tal enmienda protege la supremacía provincial al señalar que el plan de pensiones federal no deberá afectar el funcionamiento de cualquier futura legislación provincial[17].

A pesar lo expuesto, el sistema público de pensiones canadiense se ha posicionado como uno de los mejores del mundo[18]. Las redes de seguridad de ingresos para la vejez en Canadá se encuentran entre las más altas de la OCDE, proporcionando unos niveles de pobreza bastante bajos en relación con los ingresos medios. Lograr este objetivo tan ansiado por todas las sociedades modernas vinculado al derecho humano a la seguridad social no es fácil, puesto que para ello es necesario idear mecanismos fiables que garanticen esa protección[19]. Y, en la experiencia, los países que han conseguido afrontar de una manera más constructiva los grandes retos a los que se enfrenta un mundo que avanza en edad han hecho uso de un sistema de protección de pilares múltiples[20]. Este sistema asienta sus bases en las políticas promulgadas en Suiza que estudiaban ofrecer una vía alternativa a través de la cual se consiguiera frenar el ímpetu de las redes empresariales por introducir soluciones privadas en el seno del Estado de Bienestar pero también fuera, de alguna manera, acogida por las mismas[21]. Más adelante, este germen doctrinal gestado durante las décadas de los sesenta y setenta, quedó fuertemente reforzado a nivel internacional con la implementación real del segundo pilar obligatorio suizo en 1985. Sin embargo, no será hasta la edición del informe del Banco Mundial *Evitar la*

---

17 Banting, G., "The three federalisms: Social policy and intergovernmental decision-making", *Canadian federalism: Performance, effectiveness, and legitimacy*, vol. 2, 2008.

18 Pozzebon, S., "The Future of Pensions in Canada" en AA.VV. Robert L. C., Olivia S. M., *Reinventing the Retirement Paradigm.*, OXFORD, United States 2005.

19 OIT, "La protección social de mujeres y hombres de edad: los sistemas de pensiones como medio para combatir la pobreza". *Informe Mundial sobre la Protección Social 2017-2019.*, Ginebra 2017.

20 Banco Mundial, "Combinación de los pilares" *Envejecimiento sin crisis: Políticas para la protección de los ancianos y la promoción del crecimiento*. Washington, D.C.: Oxford University Press, 1994.

21 Leimgruber, M., "The historical roots of a diffusion process: The three-pilar doctrine and European pension debates (1972-1994)". *Global Social Policy,* 12 (1), 2012.

crisis de la vejez publicado en 1994 cuando realmente el concepto de protección multinivel alcance su máxima difusión y aceptación llegando a ser, incluso, la idea predominante.

Así pues, durante los últimos años, Canadá ha desarrollado un sistema de pensiones integral que consta de tres pilares entre los que distinguimos elementos públicos y privados. Por un lado, encontramos dos pilares de naturaleza pública: un primer pilar no contributivo por el cual se dota de la cobertura necesaria a todos los canadienses en edad de jubilación, y, un segundo pilar que abarca un sistema contributivo obligatorio constituido por el Plan de Pensiones de Canadá y su equivalente, el Plan de Pensiones de Quebec. Por otro lado, aunque si es cierto que en conjunto los dos elementos o pilares públicos proporcionan en cierta medida una base de ingresos algo modesta pero estable durante la jubilación, se espera que los canadienses hagan uso de los ahorros del tercer pilar para lograr tener unos ingresos más adecuados que les permita mantener el nivel de vida del que disfrutaban antes de retirarse del mercado laboral.

1. PRIMER PILAR: EL PROGRAMA DE SEGURIDAD PARA LA VEJEZ: LA PENSIÓN BÁSICA, EL SUPLEMENTO DE RENTA GARANTIZADA Y LAS SUBVENCIONES

El Gobierno de Canadá dispone de distintos tipos de beneficios financieros destinados a las personas que tienen 60 años o más y que cumplen con los requisitos de residencia. Entre ellos se encuentra el programa de Seguridad de Vejez (OAS, por sus siglas en inglés) que proporciona una pensión mensual básica modesta, para personas de 65 años o más. Además, los beneficios de este programa se dividen en una pensión básica para todas las personas mayores que cumplen con las exigencias de residencia y edad, una complementación de ingresos garantizada para las personas de bajos ingresos, y un subsidio o compensación para el superviviente o cónyuge.

- *Pensión básica*

La pensión básica del programa OAS se remonta a 1927, cuando se aprobó la primera Ley de pensiones para la vejez de Canadá. Por ese entonces, los beneficios resultantes no alcanzaban más de los $240 al año, unos $20 al mes para aquellos británicos de 70 años o más que habían vivido en el país durante al menos 20 años y cuyos ingresos fueran inferiores a $365 al año. Posteriormente, el 1 de enero de 1952, entró en vigor la Ley federal de la seguridad social para la vejez. Esta ley, al contrario de su predecesora, ya si preveía un sistema de pensiones destinado a todas las personas que cumplieran con los requisitos mínimos de edad y residencia sin necesidad de pasar la "prueba de recursos" exigida en la anterior regulación. Dicho lo cual, si bien estos logros fueron de gran importancia para el Estado de Bienestar canadiense, uno de los acontecimientos más relevantes en relación con el programa de seguridad para la vejez se produjo en 1965, cuando la edad para poder disfrutar de la pensión de jubilación pasó de los 70 a los 65 años.

En la actualidad, la pensión básica, está definida como un programa de residencia no contributivo financiado con cargo a los ingresos del gobierno federal. Es por ello que, a través de esta prestación, se persigue hacer cumplir el tan ansiado objetivo de proporcionar un ingreso mínimo a todos los canadienses en edad de jubilación capaz de luchar contra la vulnerabilidad y la pobreza en este sector poblacional. Además, las referidas exigencias basadas simplemente en la edad y en los años de residencia permiten a las mujeres mayores reclamar los mismos derechos que los hombres con independencia de cualquier otro factor social o biológico. Como resultado, las mujeres que no hayan trabajado fuera del hogar o cuya participación en la fuerza laboral haya sido insuficiente, recibirán los beneficios que les corresponda como titulares del programa sin que los ingresos de su pareja o cónyuge infieran[22].

Cubre, por tanto, a todas aquellas personas que tengan cumplidos 65 años o más siempre que acrediten un mínimo de 10 años de residencia legal en Canadá a computar desde que alcanzaron la mayoría de edad. No obstante, para poder recibir la pensión completa será necesario un periodo de al menos 40 años, de no ser así, la persona en cuestión ingresará un importe inferior en función del tiempo que haya vivido en el país. En su caso, las pensiones parciales se calcularán en proporción de 1/40 de la pensión completa por cada año que esa persona ha residido en Canadá después de los 18 años. Quiere decir que, si el valor de la pensión completa es de $618,45 por mes, unos $7.421 por año, entonces la pensión parcial solo alcanzará los $15,46 por mes, que en un año representará 186$ adicionales para el beneficiario.

Por otro lado, si bien el futuro beneficiario tendría derecho a cobrar la pensión que le corresponda (total o parcial) a partir del mes siguiente a su 65 cumpleaños o al mes siguiente de que reúna los requisitos mínimos de residencia o estado legal, puede optar por retrasar dicho pago hasta la edad de los 70 años. De ser así, por cada mes que lo retrase, la cuantía de su pensión básica aumentará en un 0,6%. Lo cual se traduce en que al año se vería engrosada en un 7,2%; por ejemplo, una pensión de 613,53$ al mes a los 65 años alcanzaría la suma de 834,40$ al mes. Pero, si optara por esta última opción de retrasar el cobro, deberá tener en cuenta que no podrá será elegible para el Suplemento de Renta Garantizada y su cónyuge o pareja de hecho tampoco lo será para el Subsidio durante el período que no esté cobrando la pensión del programa OAS. Es decir, no es una decisión fácil que se deba tomar a la ligera, sino que requiere de un proceso de reflexión

---

22. Townson M., "Old Age Security: Can We Afford It?": *Canadian Centre for Policy Alternatives,* Ottawa, Ontario, Canada, 2012.

y baremación en el que entran en juego su situación personal, laboral y familiar tanto presente como futura[23].

En cualquier caso, para cumplir con el propósito de garantizar unos ingresos suficientes que cubran, al menos, los gastos normales y necesarios de una persona, las tasas de pago se revisan en enero, abril, julio y octubre con el fin de ajustarlas a un posible aumento del costo de vida según los datos del IPC en cada momento. De esta forma, si el costo de la vida media aumenta, entonces también subirán los beneficios para los pensionistas.

Por otro último, respecto al tratamiento tributario de esta figura, el importe del beneficio garantizado por el programa OAS se considerará ingreso gravable por la Ley del Impuesto sobre la Renta y estará sujeto, por tanto, a un impuesto de recuperación siempre que la persona tenga unos ingresos netos individuales que superen el umbral establecido para el año vigente ($79.845 en 2021). Con este mecanismo introducido por el gobierno federal en 1989 se pretendía que los pensionistas con ingresos suficientes para superar el umbral tuvieran que reembolsar parte de sus beneficios en forma de impuestos sobre la renta. De manera análoga, tras esta medida, los beneficios netos una vez descontados los impuestos, adquirieron un carácter más o menos progresivo, puesto que la cuantía de la pensión queda gravada por unas tasas progresivamente más altas a medida que aumenta el ingreso general[24]. En otras palabras, únicamente aquellos pensionistas de rentas más altas recibirán una cantidad totalmente afectada por el impuesto.

- *El Suplemento de Renta Garantizada*

El Suplemento de Renta Garantizada (GIS por sus siglas en inglés) fue propuesto en 1967 como una medida, en principio temporal, para impulsar la lucha contra la pobreza entre la población de la tercera edad. Estaba previsto para aquellas personas que, teniendo derecho a la pensión básica, se habían jubilado antes de poder acceder al Plan de Pensiones o no contaban con ingresos suficientes para mantener los estándares de un nivel de vida adecuado. Básicamente, consistía en una cantidad de dinero adicional para compensar la insuficiencia de una pensión escasa capaz de cubrir poco más que los gastos mínimos necesarios para la supervivencia.

En la actualidad, el cometido del Suplemento de Renta Garantizada continúa intacto, puesto que consiste en un pago mensual no imponible destinado a los beneficiarios del programa OAS con bajos ingresos. Y, al igual que sucede con la pensión básica, los beneficios de GIS no están

---

23   Government of Canada, *Employment and social Development: Old Age Security pension*, 2018, Obtenido del sitio web: https://www.canada.ca/en/employment-social-development/corporate/service-canada/reports/oas.html#h2.2.

24   Battle, K., Tamago, E., "Public Pensions in a Development Context, The Case of Canada." *Social Policy and Development Programme* Paper núm. 3, Switzerland, 2007.

vinculados a la actividad laboral de la persona, por lo que él interesado puede cobrarlos si todavía está trabajando o nunca ha tenido un empleo. De hecho, la titularidad y elegibilidad para este pago mensual complementario vienen determinadas por factores fundamentalmente económicos. Es decir, al solicitante se le va a exigir como requisito indispensable que la suma de todos sus ingresos, excluyendo los percibidos por parte del programa OAS, se mantengan por debajo de una cantidad mínima preestablecida[25].

Para calcular ese umbral base se tendrá en cuenta si él solicitante es soltero, viudo o divorciado o, si por el contrario, está casado o en una relación de análoga afectividad. En el primero de los casos, se les concederá el derecho a disfrutar de este suplemento a aquellas personas que cuenten con unos ingresos totales no superiores a $18.984 al año. Mientras que, en el segundo de los escenarios, tal como se muestra la tabla, el cálculo de la cuantía dependerá de los beneficios anuales que, en total, ingrese la pareja.

Llegados a este punto conviene matizar que, con el objetivo de focalizar esta ayuda entre las personas que más lo necesitan, la cantidad máxima a ingresar a través del GIS se reduce a medida que aumentan los ingresos. Si la persona está soltera, divorciada, separada o viuda la cuantía máxima que le corresponde recibir va a disminuir uno por cada dos dólares que obtuvo a través de otras fuentes. En cambio, para los supuestos en los que ambos miembros de la pareja tienen derecho a la pensión del OAS o, por el contrario, solo uno de los integrantes es elegible bien para el programa OAS o bien para el subsidio, la cuantía máxima en ambos casos se reduce un dólar por cada cuatro de sus ingresos combinados.

Figura 5

Importe del suplemento de ingresos garantizados: julio a septiembre de 2021

Situación de él/la solicitante	Cantidad máxima de pago mensual	Ingresos anuales totales de la pareja
Su cónyuge / pareja de hecho recibe la pensión completa del programa OAS	$ 563,27	Menos de $ 25.104
Su cónyuge / pareja de hecho no recibe una pensión del programa OAS ni el subsidio	$ 935,72	Menos de $ 45.504
Su cónyuge / pareja de hecho recibe el subsidio	$ 563,27	Menos de $ 45.504

Fuente: Government of Canada. Old Age Segurity payment amounts. Enlace web: https://www.canada.ca/en/services/benefits/publicpensions/cpp/old-age-security/payments.html#tbl2.

---

25   Government of Canada, *Guaranteed Income Suplement*, 2021. Obtenido del sitio web: https://www.canada.ca/en/services/benefits/publicpensions/cpp/old-age-security/ guaranteed-income-supplement.html.

Como vemos, los pensionistas solteros van a disfrutar de recargos más bajos y umbrales más altos aunque, por su parte, los pensionistas que están casados o en una relación de análoga afectividad al ser cada miembro de la pareja titular del derecho, el beneficio combinado total es más alto que para una persona soltera.

- *Subsidio del cónyuge o superviviente*

El subsidio del cónyuge se introdujo en el programa de Seguridad para la Vejez en 1975 por primera vez como un beneficio adicional sujeto a prueba de ingresos diseñado para asistir a las parejas de edad avanzadas que intentan vivir con solo una pensión. En pocas palabras, el objetivo de este subsidio es procurarles a las parejas en las que solo un miembro es pensionista y el otro tiene entre 60 y 64 años un ingreso mínimo similar al que tendrían derecho si ambos pudieran acceder a la pensión básica del OAS o/y al suplemento del GIS. Históricamente las titulares de este subsidio han sido las mujeres puesto que tienden a casarse con hombres más mayores. Además, los hombres han sido tradicionalmente los proveedores de ingresos, lo que supuso para muchas familias canadienses enfrentarse a situaciones altamente precarias cuando ya solo podían contar con los beneficios de una sola pensión[26].

Una década más tarde, el gobierno federal propuso una variante de este beneficio al cual nombro el Subsidio para el Sobreviviente. A diferencia de su predecesor, esta figura, disponible también en función de los ingresos, estaba pensada para las viudas y viudos de 60 a 64 años que no se han vuelto a casar ni han entablado una relación de análoga afectividad desde la muerte de su cónyuge o pareja. Desgraciadamente, el gobierno no se planteó extender este subsidio a todas las demás personas solteras de 60 a 64 años excusándose en lo costoso que sería mantener esta medida.

- **Tendencias del programa OAS y el impacto del COVID-19**

Como hemos apuntado, las pensiones públicas juegan un papel crucial en la reducción de la pobreza entre las personas mayores y en garantizar el mantenimiento de unos estándares de bienestar social en alza. Los encargados de las políticas sociales canadienses son muy conscientes de ello y la preocupación por dotar de un alcance mayor al sistema de pensiones ante las nuevas realidades demográficas, sociales y sanitarias ocupa gran parte de los esfuerzos financieros del país.

En este sentido, merece especial atención el programa OAS por ser un beneficio al que puede acceder cualquier persona que cumpla unos requisitos mínimos de residencia y edad. Después de todo, se espera que a causa del

---

26. Baker, M., "The Retirement Behavior of Married Couples: Evidence from the Spouse's Allowance". *The Journal of Human Resources*, vol 37. núm. 1, 1999.

notable envejecimiento de la población, el número de beneficiarios de esta pensión básica aumente en un 53% durante el período de 2020 a 2035, pasando de 6,6 millones en 2020 a 10,1 millones en 2035. Lógicamente, tan elevado porcentaje de crecimiento se verá reflejado en los gastos anuales totales destinados al programa que, de manera análoga, experimentarán un aumento considerable desde 2020 con un presupuesto de $ 46,3 mil millones hasta los $ 94,3 mil millones en 2035 y $ 195,5 mil millones en 2060.

Por su parte, el número de beneficiarios de las subvenciones y del GIS también incrementarán en un 52% durante el período de 2020 a 2035, superado por los 2,3 millones en 2020 y 3,5 millones para 2035. Es más, la proporción de la población canadiense que ha recibido, recibe, o se prevé que reciba el GIS posiblemente aumentará su nivel actual del 32,3% a 33,1% para 2035 y luego disminuya paulatinamente a 26,3% para 2060. Igualmente, en los gastos anuales para cubrir los costos de las subvenciones y el suplemento del GIS también se proyecta un crecimiento de $ 14,3 mil millones en 2020 a $ 28,6 mil millones en 2035 y $ 46,9 mil millones para 2060[27]. Además, a fin de reducir las cargas de los costos administrativos y agilizar al mismo tiempo el proceso de solicitud de los elementos sujetos a prueba de ingresos para los futuros beneficiarios, la replicación anual del Suplemento de Ingresos Garantizados, la subvención del cónyuge y la subvención para Sobrevivientes se realiza automáticamente utilizando los datos de ingresos obtenidos del sistema de impuesto sobre la renta.

En otro orden de cosas, la relación entre los gastos del programa OAS y el PIB se verá afectado lamentablemente por el impacto negativo del COVID-19. Los beneficios del programa de Seguridad para la Vejez se ajustan en relación a los precios, que generalmente aumentan a un ritmo menor que el PIB y los salarios. Por ello, durante la pandemia, muchas personas mayores que dependen de los ingresos de sus pensiones se han visto en dificultades financieras ante la necesidad de frente a gastos adicionales para mantenerse a salvo.

Para paliar esta situación, el gobierno se ha comprometido a aumentar los beneficios del programa OAS para los mayores de 75 años en dos vertientes; la primera será poner a disposición de las personas que cumplirán 75 años o más a parir de junio de 2020 un pago único de $ 500 en agosto de 2021, y la segunda consistirá en aumentar los pagos del OAS para los jubilados de 75 años o más en un 10% de manera continua a partir de julio de 2022 a través de una reforma legislativa. Con ello se pretende otorgar alrededor de $ 766 en beneficios adicionales a un gran número de adultos mayores en el primer año ajustados a la inflación en el futuro. Esto les daría a las personas mayores más seguridad

---

27. Government of Canada, *Actuarial Report (16th) on the Old Age Security Program*, OSFI, 2020. Obtenido del sitio web: https://www.osfi-bsif.gc.ca/eng/oca-bac/ar-ra/oas-psv/Pages/oas16.aspx#tbl27.

financiera en el momento en que enfrentan mayores gastos de atención y un mayor riesgo de quedarse sin ahorros. En total, estas dos medidas representarán $ 12 mil millones durante cinco años como apoyo financiero adicional, a partir de 2021/22, y al menos $ 3 mil millones por año en curso[28].

2. SEGUNDO PILAR: EL PLAN DE PENSIONES DE CANADÁ

Implementados en 1966, el Plan de Pensiones de Canadá y su homólogo el Plan de Pensiones de Quebec, son regímenes de seguros sociales contributivos y de carácter obligatorio que proporcionan prestaciones en caso de jubilación, invalidez o fallecimiento a los cotizantes[29]. El hecho de que ambos planes estén catalogados como contributivos implica un método de financiación basado en el "pago por uso" en el que los costos están cubiertos por las aportaciones de los empleados y empleadores sin que requiera ningún aporte gubernamental. Todo ello se traduce en una mayor flexibilidad y, por tanto, un menor riesgo de quiebra[30].

Para ser titular de los beneficios de jubilación del plan de pensiones canadiense, se debe cumplir con el requisito de edad y haber realizado aportes al programa a través del empleo. Por lo general, la edad mínima establecida para reclamar una pensión completa son los 65 años aunque, existe la posibilidad de adelantar o atrasar el cobro. En el primero de los casos, el solicitante deberá tener cumplidos los 60 años y asumir una reducción permanente del importe mensual de su pensión. Por el contrario, si la persona decide atrasar el cobro hasta los 70 años como máximo, ingresará una cifra mayor. No obstante, en cualquiera de los escenarios, la cuantía final dependerá en todo caso de los ingresos promedios del contribuyente y de las aportaciones que haya realizado al CPP en función de sus ganancias.

Los planes de CPP están orientados a la sustitución de ingresos y lógicamente, cuanto más se gane y se contribuya al plan, mayores serán los beneficios que le otorgarán tras la jubilación. Es por ello que, para paliar ciertas desventajas asociadas a este hecho se contempla algunas circunstancias que pueden llegar a perjudicar los beneficios futuros de jubilación por parte del CPP. Tales circunstancias hacen referencia a periodos de tiempo que pueden excluirse del tanteo contributivo a efectos del cálculo del importe del beneficio. Por ejemplo, los padres o madres que deciden dejar de trabajar o reducir su jornada laboral para cuidar de sus hijos menores de 7 años pueden acogerse a la disposición conocida como

---

28. Government of Canada, *A Recovery Plan for Jobs, growth, and resilience, Budget 2021*. Obtenido del sitio web: https://www.budget.gc.ca/2021/report-rapport/p3-en.html.
29. Battle, K., Tamago, E., "Public Pensions in a Development Context, The Case of Canada". *Social Policy and Development Programme* Paper núm. 3, Switzerland, 2007.
30. MacDonald, B., *Canada Pension Plan*. Ontario Ministry of Agriculture and Food, 1989.

"beneficio de crianza" y así suprimir esos años de ingresos bajos o nulos del cálculo que determine su prestación. De esta forma, los padres o madres que optan por dedicar más tiempo a la crianza no sufren la consecuente reducción en sus contribuciones al plan. Además, existen otras medidas que permiten aplicar esta metodología o similar a los periodos de discapacidad transitoria o a aquellos peores 7 años en los que una persona ha tenido ingresos bajos o nulos independientemente de las razones que lo motivaron.

Por su parte, las contribuciones al plan, vendrán marcadas por el total de los ingresos derivados la actividad laboral correspondiente (por cuenta propia o ajena) hasta el máximo anual conocido como los años de ingresos máximos pensionables, que es aproximadamente igual al salario industrial promedio[31].Prácticamente todos los trabajadores mayores de 18 años, de acuerdo con las regulaciones de cotización del CPP, deben aportar una parte de sus ingresos pensionables al CPP siempre y cuando excedan de $ 3.500 anuales. Este límite conocido como la cantidad de extensión básica (YBE) se ha mantenido intacto desde prácticamente 1996[32]. En cambio, como apuntábamos, las ganancias pensionables máximas para el Plan de Pensiones si suelen ser variar con mayor facilidad ya que se ajustan cada enero en función de los aumentos del salario promedio. Este año 2021, las ganancias máximas para el CPP alcanzaron la cifra de $ 61.600 en comparación con los $ 58.700 del pasado año 2020.

Añadir que, estas contribuciones obligatorias, se comparten por igual entre los empleados y sus empleadores. Actualmente, cada parte contribuye con el 5,45% de los ingresos pensionables frente al 5,25% del 2020, mientras que la tasa de cotización de los trabajadores por cuenta propia supone el 10,9%, frente al 10,5% en 2020. La subida en la tasa de cotización se explica por la puesta en marcha del plan de mejora del CPP.

- **Mejora del Plan de Pensiones de Canadá**

Esta mejora, fue diseñada en dos fases con el fin de aumentar de manera progresiva los ingresos de jubilación hasta en un 50%. La primera fase comenzó en 2019 y llegará a su fin en 2023, y la segunda y última fase se extenderá desde 2023 hasta 2024 y solo afectará a las personas de ingresos más elevados.

Así pues, en 2018, antes de la mejora, la división de la tasa de contribución para el empleado y el empleador era del 4,95% y de 9,9% para los autónomos, mientras que en 2019 ya se habían alcanzado valores del 5,1% para el primer

---

31. Battle, K., Tamago, E. "Public Pensions in a Development Context...". *Social Policy and Development Programme* Paper núm. 3, Switzerland, 2007.
32. Government of Canada, *Canada Pension Plan contribution rates, maximums and exemptions*, 2021. Obtenido del sitio web: https://www.canada.ca/en/revenue-agency/services/tax/businesses/topics/payroll/payroll-deductions-contributions/canada-pension-plan-cpp/cpp-contribution-rates-maximums-exemptions.html.

grupo y 10,2% para el segundo. De esta forma, cada año que avanza el plan, el objetivo final estará más cerca. Para 2023 se espera que los porcentajes sean del 5,95% y 11,9% respectivamente. Además, al igual que la proporción en la que contribuye cada parte, el límite de ingresos y la contribución anual máxima también se verá afectada. No obstante, a partir de 2030, si el contribuyente gana menos del límite máximo de ingresos no se le aplicará el aumento de las tarifas, y, en cualquier caso, la mejora de CPP afectará solo a las personas que trabajaron y contribuyeron en 2019 en adelante[33]

Figura 6

Aumento de la tasa de contribución por el Plan de Mejora del CPP.

Año	Aumento de empleado / empleador	Incremento de autónomos	Tasa de empleador / empleado	Tasa de autónomos
2019	0,15%	0,3%	5,10%	10,2%
2020	0,15%	0,3%	5,25%	10,5%
2021	0,2%	0,4%	5,45%	10,9%
2022	0,25%	0,5%	5,70%	11,4%
2023	0,25%	0,5%	5,95%	11,9%

Fuente: Government of Canada. Canada Pension Plan enhancement. Enlace web: https://www.canada.ca/en/services/benefits/publicpensions/cpp/cpp-enhancement.html.

Con anterioridad al 2019, la pensión de jubilación del CPP supuso para sus titulares un remplazo de hasta una cuarta parte de los ingresos laborales promedio a completar, claro está, con resto de los ingresos correspondientes del programa OAS y los suplementos o subvenciones que les sean de aplicación. Tras la mejora, con el aumento final previsto en su cuantía, esta abarcará un tercio de las ganancias de los beneficiarios. Igualmente, el límite máximo utilizado para determinar las ganancias laborales también aumentará gradualmente hasta un 14% para 2025.

En 2021, la cantidad máxima mensual que podría recibir como nuevo beneficiario que comienza a cobrar la pensión a los 65 años es $ 1.203,75 siendo el ingreso mensual promedio es de $ 619,44, aunque la situación particular de la

---

33. Government of Canada, The Canada Pension Plan enhacement-businesses, individuals and self-employed: what it means for you, Canada Revenue Agency, 2020. Obtenido del sitio web: https://www.canada.ca/en/revenue-agency/news/2018/10/the-canada-pension-plan-enhancement--businesses-individuals-and-self-employed-what-it-means-for-you.html.

persona es la que va a determinar cuánto recibirá mensualmente como máximo. La mejora también se aplica al beneficio post-jubilación de CPP y, por lo tanto, si la persona que está recibiendo la pensión de jubilación de CPP (o QPP) continúa trabajando y haciendo contribuciones de CPP durante 2019 o después, los beneficios posteriores a recibir serán más altos. Sea como fuere, el cobro de esta pensión se extenderá en el tiempo desde que adquiera la condición de beneficiario hasta su muerte. Esto supone que, debido a la mayor esperanza de vida de las mujeres, se espera sean ellas las que reciban durante un período más largo los beneficios del CPP en comparación con los hombres.

Figura 7

Beneficiarios de la pensión de jubilación por sexo y año en miles (2019-2095)

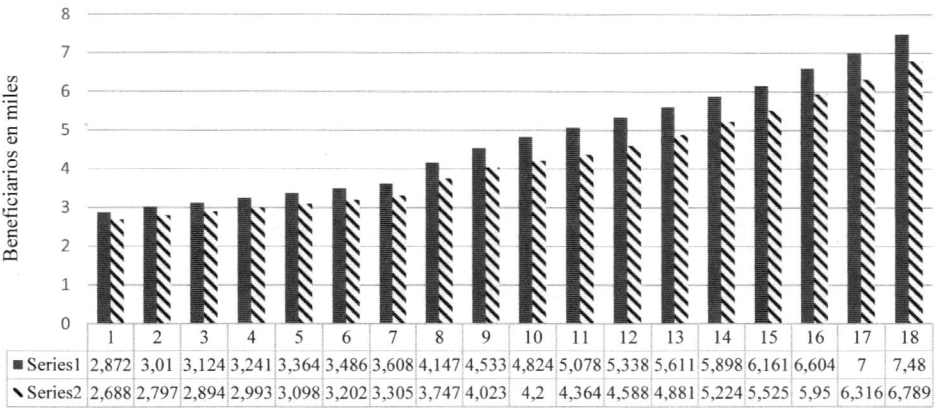

	1	2	3	4	5	6	7	8	9	10	11	12	13	14	15	16	17	18
■ Series1	2,872	3,01	3,124	3,241	3,364	3,486	3,608	4,147	4,533	4,824	5,078	5,338	5,611	5,898	6,161	6,604	7	7,48
❧ Series2	2,688	2,797	2,894	2,993	3,098	3,202	3,305	3,747	4,023	4,2	4,364	4,588	4,881	5,224	5,525	5,95	6,316	6,789

Fuente: Actuarial Report (30th) on the Canada Pensión Plan. Enlace web: https://www.osfi-bsif.gc.ca/Eng/oca-bac/ar-ra/cpp-rpc/Pages/cpp30.aspx#tbl6.

Al comienzo del programa en 1966, el índice de pobreza entre las mujeres mayores era un tema muy sensible para la política canadiense de la época. Los responsables políticos optaron por buscar soluciones basadas únicamente en el estereotipo de la viuda desprovista de los ingresos del hombre proveedor, un enfoque que no tomaba en consideración a la mujer como trabajadora. Además, por ese entonces, las mujeres apenas comenzaban a incorporarse al mercado laboral y los cimientos sobre los que se asentaban los planes de pensiones canadienses (CPP o QPP) no estaban preparados para afrontar esa nueva realidad. Sin embargo, los reformadores si vieron ventajas significativas para las mujeres trabajadoras en el diseño de los beneficios del CPP o, en su caso, del QPP. Claro está, si lo comparamos con las fórmulas típicas de los planes privados las contribuciones al CPP o QPP proporcionaban a la trabajadora cierta certeza de contar con una pensión de jubilación sin importar que tipo de empleo o jornada laboral vinieran desarrollando[34].

En cualquier caso, una mayor participación femenina en el empleo remunerado también significó una mayor participación en el CPP. En el gráfico podemos ver como en los años más recientes la proporción de hombres y mujeres que disfrutan de los beneficios de la pensión de jubilación del CPP crecen prácticamente a la par desde 2019 en adelante. Esto implica que, en la actualidad, las necesidades financieras de las mujeres son diferentes a las de las generaciones predecesoras que contribuyeron mínimamente al CPP, o no lo hicieron.

A la luz de estas observaciones, podemos pensar que el CPP se ha sabido adaptar a los cambios socioeconómicos y, es que según datos del CPP y OAS Stats Book[35], en junio de 2020 el 52% de los beneficiarios de la pensión de jubilación del CPP fueron mujeres en comparación al 48% del total representado por los hombres. No obstante, la viudez sigue siendo sustancialmente femenina, el 83.4% de los beneficiarios de la pensión del superviviente son mujeres frente a tal solo el 16.6% que son hombres, con todos los factores de vulnerabilidad y desprotección que ello conlleva. Además, existe otra cuestión de vital importancia que debemos tener en cuenta y es la siguiente: por lo general, las mujeres suelen escoger parejas que la superan en edad, y al tener una mayor esperanza de vida es probable que sobrevivan a sus cónyuges e incluso opten por volver a casarse. En estos casos, el legislador limita a la mujer que enviuda nuevamente tras la muerte de su segundo marido a percibir únicamente una pensión de sobreviviente (subsección 63 (6) del CPP). Este es un tema de gran relevancia que ha llegado a los tribunales canadienses como una infracción del art. 15 (1) de la Carta Canadiense de Derechos y Libertades. El reciente caso de Weatherley v. Canada 2021 ante el Tribunal Federal, una mujer que enviudó por segunda vez lucho por su derecho a disfrutar de los beneficios de la pensión del sobreviviente del plan de pensiones canadiense alegando discriminación por razón de sexo. Lamentablemente, el Tribunal rechazó la petición de la solicitante alegando que en conclusión *"twice-widowed women do not receive as much as they might if they were permitted to collect two survivor's benefits at the same time, they still do better than many recipients of the survivor's pension"*[36].

---

34. Shilton, E. "Gender risk and employment pension plan in Canada" *Canadian Lab. And Emp. LJ*, vol. 17, 2013.
35. Government of Canada, CPP and OAS Stats Book, Statistics Related to Canada Pension Plan and Old Age Security Program, 2020. Obtenido del enlace web: https://publications.gc.ca/site/eng/9.858997/publication.html.
36. Weatherley v. Canada (Attorney General), 2021 FCA 158 (CanLII), https://canlii.ca/t/jh8cf.

En cuanto a la cantidad máxima que pueda recibir el cónyuge sobreviviente a depender de la edad del viudo o la viuda en el momento del fallecimiento de su pareja aunque también se tendrán en cuenta los demás beneficios que venía disfrutando antes de la perdida. Por ejemplo, los beneficios combinados entre la pensión de supervivencia y la correspondiente por jubilación a los 65 años no podrán superar el máximo de $1.203,73 o, para el caso de la combinación entre la pensión de supervivencia e invalidez, el ingreso máximo será de $1.413,66. En la siguiente tabla se muestran las tasas de pago más recientes y la cantidad media del beneficio que le corresponda según su situación personal y familiar.

Figura 8

Pensiones y beneficios del Plan de Pensiones de Canadá – ingreso máximo y mensual de enero a diciembre de 2021.

Tipo de pensión o beneficio	Monto promedio para nuevos beneficiarios (marzo de 2021)	Importe máximo de pago (2021)
Pensión de jubilación (a los 65 años)	$ 706,57	$ 1.203,75
Prestación posterior a la jubilación (a los 65 años)	$ 13.,84	$ 30,09
Beneficio por discapacidad	$ 1.038,95	$ 1.413,66
Beneficio por discapacidad posterior a la jubilación	$ 510,85	$ 510,85
Pensión de supervivencia: menores de 65 años	$ 457,07	650,72 $
Pensión de sobrevivientes: mayores de 65 años	$ 315,15	$ 722,25
Hijos de contribuyentes de CPP discapacitados	$ 257,58	$ 257,58
Hijos de contribuyentes de CPP fallecidos	$ 257,58	$ 257,58
Beneficio por muerte (pago único)	$ 2.495,71	$ 2.500,00

Fuente: Canada Pension Plan: Pensions and benefits monthly amounts. Enlace web: https://www.canada.ca/en/services/benefits/publicpensions/cpp/payment-amounts.html.

3. TERCER PILAR: PENSIONES Y AHORROS PRIVADOS

Mientras que algunos planes pensiones privados existían ya a fines del siglo XIX, no estuvieron plenamente disponibles hasta el 1960[37]. Hoy en día, los trabajadores, utilizan dos tipos de planes para ahorrar a largo plazo para su jubilación, esto son: los planes de pensiones de los empleadores y los planes de pensiones personales. En Canadá, estos planes privados, junto con los ahorros son una parte importante de los ingresos de jubilación, especialmente para los trabajadores de mayores ingresos que desean mantener su nivel de vida tras la jubilación[38].

- **Planes de pensión registrados (RPPs)**

Los Planes de Pensiones Registrados (RPPS) nacen de un acuerdo llevado a cabo por el empleador o un sindicato con el fin de proporcionar ingresos a los empleados una vez jubilados a través de unos pagos periódicos. Estos planes también le son de aplicación a los trabajadores del sector público por parte del gobierno. Es más, la membresía en los planes de pensiones del sector público experimentó un aumento de 80.700 mujeres y 6.200 hombres, lo que representó un 52% del total de los RPP en 2019. Por el contrario, en ese mismo año, el número de miembros en los planes del sector privado aumentó en 21.800 hombres y 16.800 mujeres. Como vemos, la afiliación femenina a los RPP es mayor en el sector público, en comparación con la masculina que resulta más representativa en el sector privado.[39] En cambio, los trabajadores por cuenta ajena no están cubiertos por los RPP pero si pueden contribuir a los RRSP. En cualquiera de los casos, sea cual sea la modalidad (pública o privada) deberán de quedar registrados en la Agencia Tributaria de Canadá a efectos fiscales y cumplir con los estándares que la legislación (federal o provincial según corresponda) les imponga respecto a los requisitos sobre la elegibilidad de la membresía, la concesión, la financiación u otras cuestiones que puedan afectar al buen funcionamiento del servicio.

Hay dos categorías de RPP: Contribución definida (CD) y Beneficio definido (DB). En el primero de los casos, bajo un plan de contribución definida (CD), cada empleado dispone de una cuenta en la cual el empleador y, si se trata

---

37. Baldwin, B., Research study on the Canadian retirement income system. Prepared for the Government of Ontatario, 2009. Obtenido del sitio Web: https://www.fin.gov.on.ca/en/consultations/pension/dec09report.pdf.

38. Bustillo, I., Velloso, H. Vézina, F. The Canadian Retirement Income System, Chile, 2006. Obtenido del sitio web: https://repositorio.cepal.org/handle/11362/3682?locale-attribute=es.

39. Statistic Canada, *Pension plans in Canada, as of January 1, 2020*, 2021. Obtenido del enlace web: https://www150.statcan.gc.ca/n1/daily-quotidien/210629/dq210629c-eng.htm.

de un plan contributivo, el empleado hace contribuciones periódicas. Por lo tanto, los niveles de beneficios van a depender de las contribuciones finales más las ganancias de inversión acumuladas en la cuenta. Por contra partida, en un plan de beneficios definidos (DB), las prestaciones referentes a la pensión del empleado se determinan mediante una fórmula que tiene en cuenta en exclusiva los años de servicio y, en la mayoría de los casos, el sueldo o salario[40].

De todo lo anterior se deduce que los planes de BD aportan mayor seguridad a los empleados puesto que están predefinidos y el riesgo derivado de in inversión es soportado principalmente por los empleadores. Mientras que, para los empleadores, estos planes se traducen en obligaciones financieras y un gran esfuerzo por mantener su solvencia. En cambio, con los planes de CD el riesgo de inversión lo asumen los afiliados, puesto que sus beneficios de jubilación van a depender totalmente de sus contribuciones y del desempeño del plan[41].

- **Planes de ahorro para la jubilación registrados (RRSP)**

Un plan de ahorro para la jubilación registrado (RRSP) es una cuenta de inversión voluntaria destinada, principalmente, a completar las prestaciones del sistema público y poder disfrutar de unos niveles de ingresos mayores durante la vejez. En Canadá, los RRSP están disponibles a través de instituciones financieras como bancos autorizados, cooperativas de créditos, compañías de seguros u otras sociedades financieras.

Desde sus inicios, los planes de ahorro individuales se introdujeron con el objetivo de proporcionar una vía alternativa con ciertos beneficios fiscales para aquellos trabajadores, principalmente autónomos, que no podían acceder a los Planes de Pensiones Registrados[42]. Sin embargo, actualmente, cualquier trabajador puede hacer ingresos en estos planes de ahorro y disfrutar de las ventajas que de ellos se derivan. Entre estas ventajas se incluyen:

- En primer lugar, los contribuyentes pueden deducir sus aportaciones al plan de sus ingresos brutos al cierre del año fiscal. De esta manera, reducirán la cuantía de sus impuestos sobre la renta.

- En segundo lugar, el crecimiento de las inversiones realizadas en los RRSP está asociadas a impuestos diferidos. Esto le permitirá

---

40. Zvi Bodie, A., Alan J, M., Merton C., R. "Defined Benefits versus Defined Contribution Pension Plan: What are the Real Trade-offs?", en AA.VV Shoven B.,J., Wise A.,D. Ed, *Pensions in the U.S Economy*, University of Chicago Press, 1988.

41. Statistics Canada, *Perspective on Labour and Income*, 2009. Obtenido del sitio web: https://www150.statcan.gc.ca/n1/pub/75-001-x/2009105/article/10866-eng.htm#a1.

42. Bustillo, I., Velloso, H. Vézina, F. The Canadian Retirement Income System, Chile, 2006. Obtenido del sitio web: https://repositorio.cepal.org/handle/11362/3682?locale-attribute=es.

a los contribuyentes retrasar el pago de esos impuestos hasta que retiren sus ganancias en el momento de la jubilación cuando su tasa impositiva marginal suele ser más baja que durante sus años de actividad laboral.

Hasta los 71 años es posible mantener la contribución a estos planes de ahorro privados pero, una vez alcanzada esa edad, los ahorros o ganancias obtenidas deberán convertirse en una forma admitida de ingresos destinados a la jubilación o ser retirado como efectivo.

4. NOTAS FINALES

A lo largo de este trabajo, hemos tenido la oportunidad de estudiar el alcance de la protección ofertada por el sistema de pensiones canadiense a través de un recorrido por los tres niveles o pilares sobre el que asienta sus bases. Hasta ahora, este sistema ha resultado ser bastante eficaz en el cumplimiento de sus objetivos posicionándose como uno de los mejores del mundo. A pesar de ello, la inminente transformación demográfica y la desproporción entre el número de pensionistas y cotizantes resultante supone un gran reto al que deberá enfrentarse las políticas canadienses ahora y en el futuro. Además, la incidencia del COVID-19 y su trágica repercusión en los niveles de salud y bienestar de los adultos mayores también ha forzado al gobierno del país a promulgar medidas de refuerzo complementarias como la mejora del Plan de Pensiones Canadiense o el beneficio adicional de la pensión básica del programa OAS.

Por otro lado, a pesar de los esfuerzos del gobierno de Canadá por proporcionar una sustitución de ingresos adecuada tras la jubilación a través de los mecanismos públicos que conforman los dos primeros pilares, lo cierto es que, es de esperar que los canadienses hagan uso de los ingresos obtenidos a través de planes privados de ahorro para mantener el nivel de vida que venían disfrutando con anterioridad. Es complicado abordar la información sobre el bienestar financiero de los pensionistas como indicador de la eficacia o no del sistema público de pensiones puesto que las circunstancias de cada persona varían al igual que sus necesidades y sus gastos. No obstante, podemos recurrir a la tasa de reemplazo como indicador simple y útil de medición para evaluar dicha eficacia. La OCDE define la tasa de reemplazo neta como *"el derecho de pensión neto individual dividido por los ingresos netos previos a la jubilación, teniendo en cuenta los impuestos sobre la renta y las contribuciones a la seguridad social que pagan los trabajadores y los pensionistas"*. En el caso de Canadá, la tasa de reemplazo alcanzó un 50,7% mientras que el promedio de entre los países miembros fue del 57,6%.[43] Cabe mencionar al respecto que las pensiones públicas proporcionan una alta tasa de reemplazo para las personas de bajos ingresos medios aunque, por el contrario las personas con ingresos por encima del promedio experimentarían un fuerte deterioro de sus ganancias si dependieran exclusivamente de los programas públicos[44].

Finalmente señalar que a pesar de la lucha por paliar o disminuir la pobreza entre la población de edad avanzada, las mujeres canadienses continúan sufriendo una gran probabilidad de enfrentarse a una situación financiera más desfavorable que los hombres. Para las mujeres mayores la jubilación puede suponer todo un reto económico, según una encuesta global del HSBC, el 50% viven con la preocupación de no saber si contaran con los suficientes recursos para cubrir los gastos médicos o de cuidados durante la vejez y el 44% temen tener dificultades para afrontar económicamente incluso las necesidades más básicas durante este periodo de sus vidas. La causa puede encontrarse en que son las mujeres las que dependen en mayor proporción de las pensiones básicas del OAS o del GIS en comparación con los hombres.

5.   BIBLIOGRAFÍA CITADA

Baker, M., "The Retirement Behavior of Married Couples: Evidence from the Spouse's Allowance". *The Journal of Human Resources*, vol 37. núm. 1, 1999.

Baldwin, B., Research study on the Canadian retirement income system. Prepared for the Government of Ontatario, 2009. Obtenido del sitio Web: https://www.fin.gov.on.ca/en/consultations/pension/dec09report. pdf.

Banco Mundial, "Combinación de los pilares" *Envejecimiento sin crisis: Políticas para la protección de los ancianos y la promoción del crecimiento.* Washington, D.C.: Oxford University Press, 1994.

Banting, G., "The three federalisms: Social policy and intergovernmental decision-making", *Canadian federalism: Performance, effectiveness, and legitimacy*, vol. 2, 2008.

Barragán Castellanos, C., La política migratoria de Canadá en contexto. *Revista Estudios Jurídicos. Segunda Época*, núm. 20, 2020. https://doi. org/10.17561/rej.n20.a3.

---

43. OECD, "Net pension replacement rates" 2021 (indicator), https://doi.org/10.1787/4b03f028-en.
44. Marier, P., "Improving Canada's retirement saving: lessons from abroad, ideas from home". *IRPP Study* núm. 9, 2010.

Battle, K., Tamago, E., "Public Pensions in a Development Context...", *Social Policy and Development Programme* Paper núm. 3, Switzerland, 2007.

Bustillo, I., Velloso, H. Vézina, F., The Canadian Retirement Income System, Chile, 2006. Obtenido del sitio web: https://repositorio.cepal.org/handle/11362/3682?locale-attribute=es.

Castro Medina, R., "Aproximación al sistema de pensiones canadiense". *Revista De Estudios Jurídico Laborales Y De Seguridad Social (REJLSS)*, núm. 3, 2021. Obtenido del enlace web: https://revistas.uma.es/index.php/REJLSS.

Conde-Ruiz, J., Jimeno Serrano, J., Valera Blanes, G., *Inmigración y pensiones ¿Qué sabemos?*, Fundación BBVA, 2006.

Dion, P., "Reductions in life experctancy directly associated with COVID-19 in 2020" *Demographic Documents, Statistics Canada,* núm 19, 2021.

Gougeon, P., "Shifting pensions", *Perspectives on Labour and Income*, Statistic Canada, vol. 10, núm. 5, 2009.

Government of Canada, 2020 Annual Report to Parliament on Inmigration, 2019. Obtenido del sitio web: https://www.canada.ca/en/immigration-refugees-citizenship/corporate/publications-manuals/annual-report-parliament-immigration-2020.html#immigration2019.

Government of Canada, *A Recovery Plan for Jobs, growth, and resilience, Budget 2021*. Obtenido del sitio web: https://www.budget.gc.ca/2021/report-rapport/p3-en.html.

Government of Canada, *Actuarial Report (16th) on the Old Age Security Program*, OSFI, 2020. Obtenido del sitio web: https://www.osfi-bsif.gc.ca/eng/oca-bac/ar-ra/oas-psv/Pages/oas16.aspx#tbl27.

Government of Canada, *Canada Pension Plan contribution rates, maximums and exemptions*, 2021. Obtenido del sitio web: https://www.canada.ca/en/revenue-agency/services/tax/businesses/topics/payroll/payroll-deductions-contributions/canada-pension-plan-cpp/cpp-contribution-rates-maximums-exemptions.html.

Government of Canada, CPP and OAS Stats Book, Statistics Related to Canada Pension Plan and Old Age Security Program, 2020. Obtenido del enlace web: https://publications.gc.ca/site/eng/9.858997/publication.html.

Government of Canada, *Employment and social Development: Old Age Security pension*, 2018, Obtenido del sitio web: https://www.canada.ca/en/employment-social-development/corporate/service-canada/reports/oas.html#h2.2.

Government of Canada, *Guaranteed Income Suplement*, 2021. Obtenido del sitio web: https://www.canada.ca/en/services/benefits/publicpensions/cpp/old-age-security/guaranteed-income-supplement.html.

Government of Canada, *The Canada Pension Plan enhacement-businesses, individuals and self-employed: what it means for you*, Canada Revenue Agency, 2020. Obtenido del sitio web: https://www.canada.ca/en/revenue-agency/news/2018/10/the-canada-pension-plan-enhancement--businesses-individuals-and-self-employed-what-it-means-for-you.html.

Kato Vidal, E., Cárdenas Agilar, C., "Instituciones, transición demográfica y riesgos del sistema de pensiones" *Norteamérica*, núm. 2, 2013.

Leimgruber, M., "The historical roots of a diffusion process: The three-pilar doctrine and European pension debates (1972-1994)". *Global Social Policy*, 12 (1), 2012.

MacDonald, B., *Canada Pension Plan*. Ontario Ministry of Agriculture and Food, 1989.

Marier, P., "Improving Canada's retirement saving: lessons from abroad, ideas from home". *IRPP Study* núm. 9, 2010.

OECD, "Net pension replacement rates" 2021 (indicator), https://doi.org/10.1787/4b03f028-en.

OECD, "Life expectancy at birth" (indicator), 2021. Obtenido del sitio web: https://doi.org/10.1787/27e0fc9d-en.

OECD, *Ageing and Employment Policies/Vieillissement et politiques de l'emploi: Canada 2005*. Ageing and Employment Policies, OECD Publishing, Paris, 2005. Obtenido del sitio web: https://doi.org/10.1787/9789264012455-en.

OECD, *Pensions at a Glance 2019: OECD and G20 Indicators*, OECD Publishing, Paris, 2019. Obtenido del sitio web: https://doi.org/10.1787/b6d3dcfc-en.

OIT, "La protección social de mujeres y hombres de edad: los sistemas de pensiones como medio para combatir la pobreza". *Informe Mundial sobre la Protección Social 2017-2019.*, Ginebra 2017.

Pozzebon, S., "The Future of Pensions in Canada" en AA.VV. Robert L. C., Olivia S. M., *Reinventing the Retirement Paradigm.*, OXFORD, United States 2005.

Shilton, E., "Gender risk and employment pension plan in Canada" *Canadian Lab. And Emp. LJ*, vol. 17, 2013.

Statistic Canada, *Canada´s population estimates, fourth quarter 2020*, 2021. Obtenido del sitio web: https://www150.statcan.gc.ca/n1/daily-quotidien/210318/dq210318c-eng.htm.

Statistic Canada, *Pension plans in Canada, as of January 1, 2020*, 2021. Obtenido del enlace web: https://www150.statcan.gc.ca/n1/daily-quotidien/210629/dq210629c-eng.htm.

Statistic Canada, *The Canadian Immigrant Labour Market: Recent Trends from 2006 to 2017*, 2018. Obtenido del sitio web: https://www150.statcan.gc.ca/n1/pub/71-606-x/71-606-x2018001-eng.htm.

Statistics Canada, "Provisional death counts and excess mortality, January 2020 to May 2020" *The Daily*, 2020-08-09. https://www150.statcan.gc.ca/n1/daily-quotidien/210809/dq210809a-eng.htm.

Statistics Canada, *Generations in Canada: Age and sex, 2011 Census*, 2011. Obtenido del sitio web: https://www12.statcan.gc.ca/census-recensement/2011/as-sa/98-311-x/98-311-x2011003_2-eng.cfm.

Statistics Canada, *Population Proyections for Canada (2018 to 2068), Provinces and Territories (2018 to 2043)*, 2019. Obtenido del sitio web: https://www150.statcan.gc.ca/n1/pub/91-520-x/91-520-x2019001-eng.htm.

Townson M., "Old Age Security: Can We Afford It?": *Canadian Centre for Policy Alternatives*, Ottawa, Ontario, Canada, 2012.

Walker, R., *Social Security and Welfare:* concepts and a comparisons. Mc-Graw-Hill Education, 2005. *ProQuest Ebook Central*, https://ebookcentral.proquest.com/lib/ugr/detail.action?docID=295509.

Zvi Bodie, A., Alan J, M., Merton C., R., "Defined Benefits versus Defined Contribution Pension Plan: What are the Real Trade-offs?", en AA.VV Shoven B.,J., Wise A.,D. Ed, *Pensions in the U.S Economy*, University of Chicago Press, 1988.

TÍTULO III

LA PROTECCIÓN DE LOS MAYORES FRENTE AL RETO DE LA GARANTÍA DE LA SOSTENIBILIDAD DEL SISTEMA. UNA PARTICULAR REFERENCIA A ESPAÑA

A. EL SISTEMA ESPAÑOL DE PENSIONES: ALGUNOS RASGOS DE SU CONFIGURACIÓN ACTUAL FRENTE A OTROS SISTEMAS

Capítulo 1

El sistema multipilar de pensiones en España y su caracterización jurídico-social y económica: el viejo debate entre lo público y lo privado[1]

Miguel Ángel Gómez Salado

Profesor Ayudante Doctor (acreditado como Profesor Contratado Doctor)
de Derecho del Trabajo y de la Seguridad Social
Universidad de Málaga

SUMARIO: I. LA PREOCUPACIÓN POR LAS PENSIONES Y EL DEBATE SOBRE LO PÚ-BLICO EN ESPAÑA Y EN LOS PAÍSES DE NUESTRO ENTORNO: A MODO DE INTRODUCCIÓN. II. UNA APROXIMACIÓN AL CONCEPTO DE SISTEMA DE PENSIONES. III. MARCO JURÍDICO DE REFERENCIA EN MATERIA DE PENSIONES. *1. Previsiones constitucionales en materia de pensiones. 2. Desarrollo legislativo del mandato del art. 41 de la Constitución Española: una breve referencia a la Ley General de la Seguridad Social y a la Ley de Regulación de los Planes y Fondos de Pensiones.* IV. ANÁLISIS DEL SISTEMA MULTIPILAR DE PENSIONES EN ESPAÑA: ¿SE CEDE CADA VEZ MÁS ESPACIO DE PROTECCIÓN SOCIAL PÚBLICA AL ÁMBITO PRIVADO? *1. La teoría de los tres pilares en los sistemas de pensiones. 2. Clasificación de los tres pilares del modelo de pensiones en España: del ámbito público al privado. 2.1. Protección pública a través del sistema de la Seguridad Social. 2.2. Protección mediante la previsión social complementaria.* 2.2.1. Protección privada a través de la previsión social en la empresa o institución. 2.2.2. Protección privada en el ámbito individual.

---

1. Este análisis se realiza dentro de los siguientes proyectos: Proyecto de I+D+i del Programa Estatal "Retos Investigación" orientado a los Retos de la Sociedad, *"Retos, reformas y financiación del sistema de pensiones: ¿sostenibilidad versus suficiencia?"* (ref. RTI2018-094696-B-I00), dirigido por Francisco Vila Tierno y Miguel Gutiérrez Bengoechea, y financiado por el Ministerio de Ciencia e Innovación; y Proyecto de I+D+i del Plan Andaluz de Investigación, Desarrollo e Innovación (PAIDI 2020) orientado a los Retos de la Sociedad Andaluza, *"Los mayores en el contexto del empleo y la protección social: un reto para el crecimiento y el desarrollo económico. Un análisis de la realidad andaluza"* (ref. P18-RT-2585), dirigido por Francisco Vila Tierno y Miguel Gutiérrez Bengoechea, y cofinanciado por la Unión Europea (FEDER) y por la Junta de Andalucía. Asimismo, se realiza a raíz de una estancia investigadora de carácter postdoctoral en la Universidad de Sevilla (2020).

V. PENSIONES PÚBLICAS DE REPARTO VS. PENSIONES PRIVA-
DAS DE CAPITALIZACIÓN: ¿CÓMO SE PLANTEA EL FUTURO? VI.
BIBLIOGRAFÍA.

I. LA PREOCUPACIÓN POR LAS PENSIONES Y EL DEBATE SOBRE LO PÚBLICO EN ESPAÑA Y EN LOS PAÍSES DE NUESTRO ENTORNO: A MODO DE INTRODUCCIÓN

Las recientes encuestas que se publican sobre las opiniones y actitudes de la ciudadanía española y europea suelen indicar que el presente y el futuro de las pensiones es uno de los temas que más interesan y preocupan en los momentos actuales, junto con la sanidad, el desempleo, la violencia, la pobreza, la corrupción, la vivienda y los problemas de índole económica motivados por la COVID-19.

El interés y la inquietud de las personas por este tema se han visto incrementados con una de las principales consecuencias del aumento tan significativo de la esperanza de vida y de las reducidas tasas de natalidad que se registran en España y en Europa desde hace varias décadas: el envejecimiento de la población y su repercusión en la sostenibilidad de los sistemas de pensiones.

En España, según las recientes estimaciones del Instituto Nacional de Estadística (INE), el porcentaje de población de 65 años y más, que en 2020 se sitúa en el 19,6% del total de la población, alcanzaría un máximo del 26,5% en 2035 y del 31,4% en torno a 2050 (a partir de entonces comenzaría a descender)[2]. Sin duda, ello podrá conllevar un incremento importante en el número de pensiones públicas a pagar[3], especialmente en el de pensiones de jubilación, y teniendo en cuenta que la esperanza de vida sigue aumentando a razón de un año por década (de manera aproximada), las mismas se tendrán que pagar durante más tiempo.

De este modo, los habituales análisis llevados a cabo, desde finales del último siglo, sobre las tendencias demográficas futuras y sus posibles consecuencias económicas han contribuido a que las pensiones públicas del régimen de reparto se hayan ido convirtiendo en uno de los elementos centrales del debate económico, jurídico, social y político de la sociedad española, y de otras sociedades desarrolladas de todo el mundo (entre ellas las europeas). En concreto, el debate en torno al protagonismo de las pensiones del régimen público (financiadas mediante reparto), frente a la creciente participación de las pensiones del régimen privado (financiadas

---

2. INE, "Proyecciones de Población 2020-2070", nota de prensa, 22 de septiembre de 2020, disponible en: https://www.ine.es/prensa/pp_2020_2070.pdf.
3. Ahora bien, no hay que descartar posibles escenarios más benignos.

a través de capitalización), no es nada nuevo, ni tampoco se va a acabar en los próximos años; compartimos la opinión de que acompañará durante un largo tiempo a los diferentes sistemas públicos de pensiones de los países de nuestro entorno, ya que este tema siempre suscita un gran interés en el ámbito internacional.

En el presente capítulo, abordamos, a partir de nuestra experiencia y antes de conocer –mediante otros capítulos– el funcionamiento de los sistemas de pensiones de otros países del mundo, un análisis del sistema de pensiones en España. Primeramente, este estudio aborda el concepto de sistema de pensiones y señala el marco jurídico de referencia en materia de pensiones, partiendo del examen de varios preceptos constitucionales. En segundo lugar, define los tres pilares esenciales en los que se apoya el sistema español de pensiones, explica cómo funcionan y pretende mostrar, aunque sea de modo esquemático, en qué situación se encuentra el sistema a día de hoy. En tercer lugar, incluye unas breves notas sobre cómo se plantea el futuro de las pensiones públicas y privadas en nuestro país.

II. UNA APROXIMACIÓN AL CONCEPTO DE SISTEMA DE PENSIONES

A pesar de que en algunos entornos académicos se alude a la "*Seguridad Social*" para hacer referencia a los "*sistemas de pensiones*"[4], creemos que es necesario establecer una distinción entre el concepto más amplio de Seguridad Social y el concepto más específico de sistema de pensiones.

La Seguridad Social, por una parte, es un concepto relativamente joven, atribuido al Estado moderno. Se encarga de cubrir las situaciones de necesidad de una colectividad, normalmente la ciudadanía de un determinado país, a través del diseño de un complejo entramado normativo de protección social (que comprende un sistema de pensiones, un sistema general de salud, un sistema de protección por desempleo, un sistema de servicios sociales, etc.) y la definición legal de aquellas situaciones que, a criterio del legislador, son merecedoras de protección[5]. En tal sentido,

---

4.   Así lo expone también Rojas, J., *El sistema privado de pensiones en el Perú*, Fondo Editorial de la PUCP, Lima, 2016.

5.   De este modo, se puede definir el "*Derecho de la Seguridad Social*" como aquel conjunto de normas, técnicas y procedimientos que tienen por objeto la determinación de las diferentes necesidades sociales sobre las que intervendrá el Estado, así como la fijación de los mecanismos para cubrirlas, previa concreción del grado que dicha intervención tiene que lograr. En este sentido, *vid.* Desdentado Daroca, E., *Lecciones de Derecho de la Seguridad Social*, segunda edición revisada, Bomarzo, Albacete, 2017, pp. 1-364; Desdentado Daroca, E., *Seguridad Social: una introducción práctica*, Bomarzo, Albacete, 2009, pp. 1-358; y Monereo Pérez, J.L., Molina Navarrete, C., Quesada Segura, R., Moreno Vida, M.N. y Maldonado Molina, J.A., *Manual de Seguridad Social*,

hay quien ha señalado que *"el concepto de Seguridad Social alude usualmente a un conjunto de provisiones, generalmente promovidas por el Estado, que buscan proveer a los ciudadanos de 'protección social', y que puede comprender un sistema de pensiones, un seguro de salud, un seguro de desempleo, así como también programas de asistencia social o de ayuda a los más necesitados en la forma de ayuda alimentaria, hospitales y albergues públicos, educación pública, créditos educativos etcétera"*[67].

Por otra parte, los denominados sistemas de pensiones forman parte de la política de protección social y, en este sentido, pueden concebirse como los elementos clave de los modelos sociales de muchos países, con la finalidad fundamental de garantizar un nivel de vida adecuado para determinadas personas, normalmente mediante el pago de una renta (que, en muchos casos, tiene carácter vitalicio). En esta línea, se ha indicado que *"el concepto de sistema de pensiones por lo general alude a esquemas de diverso tipo que tienen como propósito específico el pago de una renta, casi siempre vitalicia, a aquellas personas que se retiran del mercado laboral, sea esto en razón de su edad o por problemas de salud (invalidez o discapacidad), y en el cual la participación del Estado suele ser de menor importancia que en la Seguridad Social"*[8].

En lo que queda de este capítulo, realizaremos un análisis sobre el sistema de pensiones en España, prestando especial atención a los principales pilares en los que se fundamenta. Pero antes de ello, creemos que es necesario conocer cómo se configura el sistema en nuestro ordenamiento jurídico.

III. MARCO JURÍDICO DE REFERENCIA EN MATERIA DE PENSIONES

1. PREVISIONES CONSTITUCIONALES EN MATERIA DE PENSIONES

Si lo que queremos es conocer cómo está configurado nuestro sistema de pensiones en el ordenamiento jurídico español, necesariamente vamos

---

decimoséptima edición, 2021, pp. 1-608.

6. Rojas, J., *El sistema privado de pensiones en...*, *op. cit.* En este sentido, *vid.* Acevedo Tarazona, Á., "La Seguridad Social. Historia, marco normativo, principios y vislumbres de un Estado de Derecho en Colombia", *Anuario de historia regional y de las fronteras*, vol. 15, 2010, p. 194.

7. En los últimos años, hay autores que están analizando el concepto de Seguridad Social inclusiva y sostenible en el marco de la revolución tecnológica, como Vela Díaz, R., "Reflexiones en torno a una Seguridad Social inclusiva y sostenible en la era de la economía tecnológica y digital: ¿hacia una protección social 'decente'?", *Revista de Derecho Social*, núm. 87, 2019, pp. 233-256. Al respecto, *vid.* también el trabajo de Villar Cañada, I.M., "La digitalización y los sistemas de protección social: oportunidades y desafíos", *Revista de Trabajo y Seguridad Social CEF*, núm. 459, 2021, pp. 173-205.

8. Rojas, J., *El sistema privado de pensiones en...*, *op. cit.*

a tener que hacer referencia a las siguientes previsiones de la Constitución Española[9] (en adelante, CE)[10]:

- Art. 1.1 de la CE: *"España se constituye en un Estado social y democrático de Derecho, que propugna como valores superiores de su ordenamiento jurídico la libertad, la justicia, la igualdad y el pluralismo político"*.

- Art. 9.2 de la CE *"Corresponde a los poderes públicos promover las condiciones para que la libertad y la igualdad del individuo y de los grupos en que se integra sean reales y efectivas; remover los obstáculos que impidan o dificulten su plenitud y facilitar la participación de todos los ciudadanos en la vida política, económica, cultural y social"*.

Sin duda, el art. 1.1 de la CE es importante, ya que caracteriza como "social" al Estado diseñado en la norma suprema del ordenamiento jurídico de España (según algún autor, *"superando así a la consideración liberal, que implica en general la abstención de injerencia por parte del Estado en la realidad material"*[11]) y sitúa la justicia y la igualdad, entre otros, en el lugar preeminente de los principios que la conforman.

Por lo que respecta a la igualdad, conviene señalar que la misma no solo se plantea en términos formales (*vid.* art. 14 de la CE[12]), sino que también materiales[13], en la medida en que el art. 9.2 de la CE ordena a los poderes públicos favorecer las condiciones para que la libertad y la igualdad sean reales y efectivas, requiriendo que –si es necesario– los mismos remuevan algunos de los obstáculos más importantes que impiden o dificulten su plenitud, y faciliten la participación de todos las personas en la vida política, económica, cultural y social[14].

---

9. BOE núm. 311, de 29 de diciembre de 1978.
10. Así lo entiende también Rodríguez-Piñero y Bravo-Ferrer, M., "La configuración constitucional de la Seguridad Social", *Relaciones laborales: Revista crítica de teoría y práctica*, núm. 1, 2008, p. 70.
11. Costa Reyes, A., "¿Reformar las pensiones de nuevo? Cambio o desconfiguración", *Revista Española de Derecho del Trabajo*, núm. 198, 2017.
12. Que indica: *"Los españoles son iguales ante la ley, sin que pueda prevalecer discriminación alguna por razón de nacimiento, raza, sexo, religión, opinión o cualquier otra condición o circunstancia personal o social"*.
13. Costa Reyes, A., "¿Reformar las pensiones de...", *op. cit.*
14. En esta línea, hay quien ha indicado que *"La Seguridad Social no responde a una idea pietista de atender a los menesterosos, sino que es pieza esencial del Estado Social y Democrático de Derecho en que España se constituye (art. 1.1 de la CE) porque su fin no es otro que colocar a los ciudadanos al abrigo de la necesidad para hacer posible la igualdad en sentido material. Eso implica que los poderes públicos, a través de la Seguridad Social, remueven algunos de los obstáculos más importantes que impiden a los individuos que la igualdad y la libertad sean reales y efectivas, como quiere el art. 9.2 de la Constitución española"*. *Vid.* Aparicio Tovar, J., "La sostenibilidad como excusa para una reestructuración del sistema de la Seguridad Social", *Cuadernos de Relaciones Laborales*, vol. 33, núm. 2, 2015, p. 290.

Por lo tanto, nuestra CE requiere que el Estado no solo desempeñe un papel pasivo (no lesionar), sino que actúe, que intervenga sobre la realidad para transformar (crear o eliminar) todo aquello que lo imposibilite o dificulte[15]. Y desde este punto de vista, a ninguna persona *"se le escapa que la insuficiencia de recursos es una realidad que puede hacer que muchas personas no puedan ser libres ni iguales"*[16].

Además de estas previsiones constitucionales de carácter general, debemos considerar aquellas otras que se ocupan precisamente del sistema público de Seguridad Social, y más concretamente, de la necesidad de garantizar unas pensiones suficientes y adecuadas, así como la protección de las personas de edad y de su jubilación[17]:

- Art. 41 de la CE: *"Los poderes públicos mantendrán un régimen público de Seguridad Social para todos los ciudadanos, que garantice la asistencia y prestaciones sociales suficientes ante situaciones de necesidad, especialmente en caso de desempleo. La asistencia y prestaciones complementarias serán libres"*.

- Art. 50 de la CE: *"Los poderes públicos garantizarán, mediante pensiones adecuadas y periódicamente actualizadas, la suficiencia económica a los ciudadanos durante la tercera edad. Asimismo, y con independencia de las obligaciones familiares, promoverán su bienestar mediante un sistema de servicios sociales que atenderán sus problemas específicos de salud, vivienda, cultura y ocio"*.

Como se puede comprobar, estos mandatos a los poderes públicos (neutros desde un punto de vista funcional y territorial, Estado y Comunidades Autónomas, y al margen de que cada uno en su proceder para su consecución tenga que respetar su diferente fundamento competencial[18]) se dirigen a "mantener" un modelo público de Seguridad Social que se encargue, entre otras muchas cosas, de garantizar unas pensiones que sean suficientes. De esta manera, podemos señalar que nos encontramos ante una importante garantía constitucional, cuya concreción requiere del correspondiente desarrollo legal.

En este sentido, hay quien ha señalado que la idea de sostenibilidad (*"mantenimiento"*) remite tanto a la sostenibilidad económica como social (y

---

15. Marcilla Córdoba, G., *Racionalidad legislative: crisis de la ley y nueva ciencia de la legislación*; Centro de Estudios Políticos y Constitucionales, Madrid, 2005, pp. 177 y ss.

16. *Vid.* Costa Reyes, A., "¿Reformar las pensiones de...", *op. cit.*, donde se cita a Rousseau, J.J., *El contrato social*, Sarpe, 1983, p. 89, haciendo mención a la relación entre la igualdad y la libertad.

17. Sobre la edad y las pensiones de jubilación, *vid.* Ortega Lozano, P.G., "Pensión de jubilación y esperanza de vida: el factor de sostenibilidad", en AA.VV., *Por una pensión de jubilación, adecuada, segura y sostenible*, Laborum, Murcia, vol. 1, 2019, pp. 325-343.

18. SSTC de 27 noviembre de 1997 (RTC 1997, 206) y 11 de diciembre de 2002 (RTC 2002, 239). *Vid.* Costa Reyes, A., "¿Reformar las pensiones de...", *op. cit.*

adecuación social) y contiene un mandato constitucional (arts. 41 y 50 de la CE –antes mencionados–, en conexión con el art. 12 de la Carta Social Europea Revisada) *"en virtud del cual es responsabilidad directa del Estado la organización y la financiación correspondiente para garantizar pensiones suficientes y adecuadas (sea a través de la exigencia legal de cotizaciones, o sea complementariamente a través de impuestos generales o especiales, o sea, por último, a través de un modelo mixto de financiación mediante cotizaciones e impuestos)"*[19].

Así, la interpretación de los citados arts. 41 y 50 de la CE (y, por lo general, de la totalidad del bloque normativo regulador de los derechos de Seguridad Social que se recogen en el Capítulo III), tendrá que realizarse de manera necesaria –por mandato del art. 10.2 de la CE– en el marco concreto del sistema internacional multinivel de garantía de los derechos fundamentales. *"En este contexto sistemático hay que interpretar la referencia del art. 41 de la CE a que los poderes públicos deberán 'mantener' un régimen público de Seguridad Social*[20] *y el art. 50 de la CE ('Los poderes públicos garantizarán mediante pensiones adecuadas y periódicamente actualizadas la suficiencia económica a los ciudadanos durante la tercera edad...'). Es posible pensar que con ello el constituyente no ha pretendido consagrar el principio de irregresividad del nivel de Seguridad Social alcanzado en cada momento. Pero no cabe duda que esa referencia a mantener debe ponerse en relación con la configuración del derecho a la Seguridad Social y de su contenido esencial tal como se impone deducir del sistema multinivel de garantías de los derechos fundamentales (que incluye, evidentemente, a los derechos fundamentales sociales) por el cauce del art. 10.2 de la CE (en relación los arts. 93 a 96 de la CE). Y para decirlo con la mayor brevedad y precisión esa configuración y delimitación del contenido esencial se contiene lege data en el art. 12 de la Carta Social Europea Revisada (1996), que significativamente utiliza los mismos términos y precisa su alcance"*[21].

2. DESARROLLO LEGISLATIVO DEL MANDATO DEL ART. 41 DE LA CONSTITUCIÓN ESPAÑOLA: UNA BREVE REFERENCIA A LA LEY GENERAL DE LA SEGURIDAD SOCIAL Y A LA LEY DE REGULACIÓN DE LOS PLANES Y FONDOS DE PENSIONES

De lo expuesto se deduce que el sistema de pensiones en España queda determinado a partir del mandato del art. 41 de nuestra CE, donde se

---

19. Monereo Pérez, J.L., "La garantía de las pensiones: desafíos para la sostenibilidad económica y social", *Revista de Estudios Jurídico Laborales y de Seguridad Social (REJL-SS)*, núm. 3, 2021.

20. La CE no prevé, en su art. 41, un *"derecho a la Seguridad Social"*, sino la obligación de los poderes públicos de mantener un régimen público de Seguridad Social. *Vid.* López Cumbre, L., "El 'derecho' a la pensión future", *Revista de Estudios Jurídico Laborales y de Seguridad Social (REJLSS)*, núm. 3, 2021.

21. *Ibid. Vid.* también. Monereo Pérez, J.L., Ojeda Avilés, A. y Gutiérrez Bengoechea, M., *Reforma de las pensiones públicas y planes privados de pensiones*, Laborum, Murcia, 2021, pp. 7-8.

revela que existe un modelo público y de carácter obligatorio para proteger las necesidades de la sociedad, que constituye lo que conocemos como Seguridad Social. Ahora bien, además de todo ello, la propia CE establece que pueden complementarse las prestaciones que proceden del sistema público mediante la llamada iniciativa privada.

Este peculiar modo de estructurar la protección social mediante un modelo público y obligatorio, por una parte, y mediante otros métodos de previsión privados y voluntarios, por otra parte, ha permitido establecer en España un sistema de pensiones sustentado por tres pilares que se encuentran regulados de la siguiente manera (y que describiremos con más detalle en el siguiente subepígrafe):

- Un primer pilar que se refiere al sistema de pensiones públicas soportadas por el Estado, a través de la Seguridad Social. La regulación de este sistema público de pensiones se encuentra recogida en el Real Decreto Legislativo 8/2015, de 30 de octubre, por el que se aprueba el texto refundido de la Ley General de la Seguridad Social[22] y en su normativa de desarrollo.

- Un segundo y un tercer pilar que conforman lo que se conoce como previsión o protección social complementaria. La regulación relativa a estos otros dos pilares se encuentra recogida básicamente en el Real Decreto Legislativo 1/2002, de 29 de noviembre, por el que se aprueba el texto refundido de la Ley de Regulación de los Planes y Fondos de Pensiones[23], así como en su normativa de desarrollo.

IV. ANÁLISIS DEL SISTEMA MULTIPILAR DE PENSIONES EN ESPAÑA: ¿SE CEDE CADA VEZ MÁS ESPACIO DE PROTECCIÓN SOCIAL PÚBLICA AL ÁMBITO PRIVADO?[24]

Tras exponer brevemente el marco jurídico básico del sistema español de pensiones, vamos a ofrecer un resumen de la llamada teoría de los tres pilares, para poder estudiar posteriormente el modelo de aplicación de dicho esquema teórico en nuestro país.

---

22. BOE núm. 261, de 31 de octubre de 2015.
23. BOE núm. 298, de 13 de diciembre de 2002.
24. El epígrafe que ahora se presenta ha sido elaborado sobre la base de un artículo anterior publicado en la revista *Iuslabor*: Gómez Salado, M.Á., "Los tres pilares fundamentales en los que se apoya el modelo español de pensiones: ¿hacia dónde vamos?", *Iuslabor*, núm. 3, 2021.

1. LA TEORÍA DE LOS TRES PILARES EN LOS SISTEMAS DE PENSIONES

Primeramente, interesa señalar que desde la década de 1960 se empezó a diseñar y acuñar[25] lo que a día de hoy se conoce como *Código de Lovaina* o *teoría de los tres pilares o cimientos* en los que tiene que apoyarse el sistema de pensiones de cualquier país: un primer pilar referido al sistema público de previsión; un segundo pilar integrado por los regímenes privados y complementarios de carácter profesional, que nacen en el entorno de las empresas y de las relaciones laborales; y, asimismo, un tercer pilar constituido por las denominadas cuentas individuales de ahorro previsor a largo plazo. Los pilares segundo y tercero (especialmente el último mencionado, según algunos autores[26]), son los más proclives a la incidencia de las políticas fiscales.

A través de los diferentes esfuerzos que han realizado numerosos investigadores y organismos –tanto nacionales como internacionales–, se ha venido prestando una atención particular y continuada a este tema, poniéndose de manifiesto que la aplicación de la citada teoría puede conllevar una disminución sustancial de la vulnerabilidad de los sistemas de pensiones, así como un importante estímulo al ahorro por parte del ámbito familiar[27].

Este modelo teórico alcanza una significación particular desde la óptica jurídico-social y constitucional, y se percibe, una vez que se aplica de manera práctica en cada uno de los países, como una forma peculiar de delimitar y distinguir los variados sistemas de protección social. En nuestra CE, como ya hemos adelantado, la teoría de los tres pilares no aparece determinada ni descrita de manera expresa, pero sí que está presente de algún modo (aunque sea de manera difusa), concretamente en la redacción del art. 41 de la CE, donde se establece que "*los poderes públicos mantendrán un régimen*

---

25. Dupeyroux, J.J., *Évolution et tendances des systèmes de Sécurité Sociale des pays membres des Communautés Européennes et de la Grande-Bretagne*, Services des publications des Communautés Européennes, Luxembourg, 1966, disponible accediendo a través del siguiente enlace web: http://aei.pitt.edu/36107/1/A2119.pdf. Este autor ha sido uno de los primeros investigadores que enunciaron este concepto o esquema básico, denominado como *Código de Lovaina*. Sobre este tema, también se pronuncian otros autores como: Hernández Solís, M., Topa Cantisano, G. y Herrador-Alcaide, T.C., "Análisis de la actitud financiera personal para la jubilación: un sondeo en España", *Economía industrial*, núm. 413, 2019, pp. 105 y ss.; y Sitjar de Togores Calvo, A.I., "Planes de pensiones: cuestiones transfronterizas. Una aproximación a la normativa y jurisprudencia de la Unión Europea", *Cuadernos de información*, vol. 7., 2009, pp. 115 y ss.
26. Como Sitjar de Togores Calvo, A.I., "Planes de pensiones: cuestiones...", *op. cit.*, p. 115.
27. Pieschacón Velasco, C., *Sistemas de pensiones: experiencia española e internacional*, tomo II, Fundación Inverco, Madrid, 2005, p. 540.

público de Seguridad Social para todos los ciudadanos, que garantice la asistencia y prestaciones sociales suficientes ante situaciones de necesidad (...). La asistencia y prestaciones complementarias serán libres".

La propia OIT ha defendido también un sistema de pensiones más amplio, por ejemplo, cuando ha señalado que *"todos los países necesitan desarrollar diseños pluralistas y estructuras flexibles para sus sistemas de Seguridad Social. Para cumplir los objetivos de aliviar la pobreza en la vejez y proporcionar prestaciones de jubilación de bajo riesgo, generalmente se necesitan prestaciones que procedan de múltiples fuentes"*[28], o al indicar que *"para reducir el riesgo a través de la diversificación, el mejor enfoque para los países desarrollados puede ser caracterizado como un sistema multipilar, donde los pilares se determinen en base a su riesgo y a características redistributivas"*[29].

Igualmente, se puede señalar que la OIT ha venido promoviendo un sistema definido por cuatro pilares: un primer pilar para la lucha contra la pobreza, financiado con los ingresos generales del Estado y que se correspondería con las pensiones no contributivas o asistenciales; un segundo pilar contributivo, obligatorio y gestionado por el propio Estado; un tercer pilar que sería un componente de contribución definida y obligatorio hasta un cierto nivel, gestionado por las instituciones privadas; y un cuarto pilar de contribución definida y voluntario, también gestionado por las instituciones privadas[30].

Ahora bien, en palabras de la OIT, el aspecto esencial del referido enfoque no reside tanto en el número concreto de pilares, sino en que las pensiones procedan de distintas fuentes que tengan diferentes características para conseguir una oportuna diversificación de los riesgos[31] (situación que, según algún autor, no se da en nuestro propio país por la –a su juicio– *"relativa inflexibilidad del respectivo marco legal"*[32]).

Según algunos autores, los referidos tres o cuatro pilares tienen que tener un radio de acción suficiente para poder garantizar a la población un nivel óptimo de protección, siendo, por ello, una función fundamental del Estado la consecución de una razonable coordinación de las tres posibilidades de previsión[33].

Una vez expuesta la teoría de los tres pilares, vamos a estudiar la clasificación de los tres pilares del sistema español de pensiones[34].

---

28. Gillion, C., Turner, J., Bailey, C. y Latulippe, D., *Social Security pensions: development and reform*, International Labour Organization, Geneva, 2000, p. 18.
29. *Ibid.*
30. *Ibid.*
31. *Ibid.*
32. Pieschacón Velasco, C., *Sistemas de pensiones: experiencia española...*, *op. cit.*, p. 541.
33. *Ibid.*
34. Un trabajo reciente que trata sobre la situación actual de nuestro sistema de pensiones,

2. CLASIFICACIÓN DE LOS TRES PILARES DEL MODELO DE PENSIONES EN ESPAÑA: DEL ÁMBITO PÚBLICO AL PRIVADO

En cualquiera de los países de nuestro entorno, la dotación de recursos para hacer frente a algunas contingencias como la jubilación, la invalidez y la viudedad, entre otras, suele estar anclada en tres pilares o columnas. En función del país, la relevancia de cada uno de estos pilares podrá ser mayor o menor.

Seguidamente, explicamos en qué consiste cada uno de los tres pilares fundamentales en los que se apoya el sistema de pensiones en España (*vid.* gráfica 1).

Gráfica 1: Sistema de pensiones de tres pilares (España)

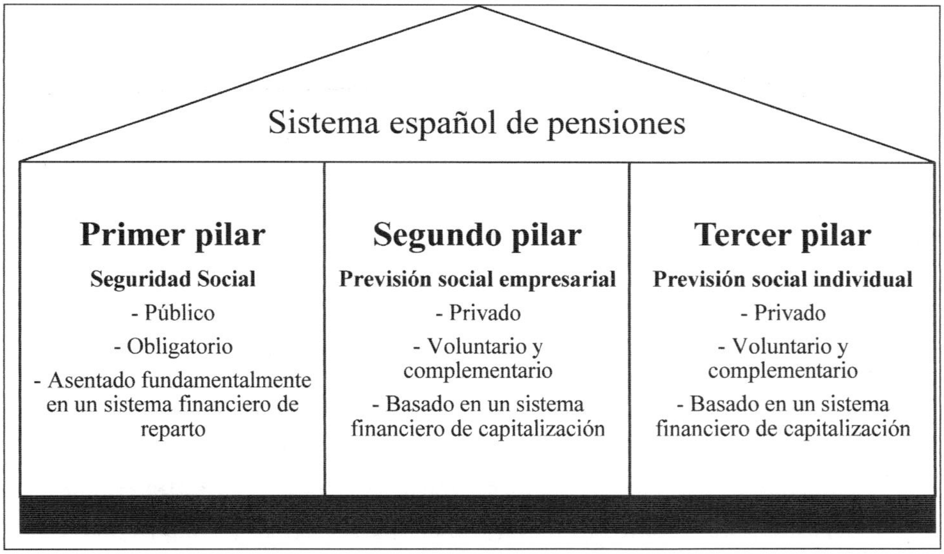

Sistema español de pensiones		
Primer pilar	**Segundo pilar**	**Tercer pilar**
Seguridad Social	**Previsión social empresarial**	**Previsión social individual**
- Público	- Privado	- Privado
- Obligatorio	- Voluntario y complementario	- Voluntario y complementario
- Asentado fundamentalmente en un sistema financiero de reparto	- Basado en un sistema financiero de capitalización	- Basado en un sistema financiero de capitalización

Gráfica de elaboración propia.

2.1. Protección pública a través del sistema de la Seguridad Social

El primero de los pilares se encuentra representado por la propia Seguridad Social, mediante la cual el Estado permite cubrir un conjunto de contingencias relacionadas con la vejez (*jubilación*), el fallecimiento (*viudedad*, *orfandad* y *en favor de familiares*) y la enfermedad (*incapacidad*).

---

haciendo hincapié en el envejecimiento poblacional, es el elaborado por Aguilar Segado, C.D., "Situación actual de las pensiones en España: perspectiva económica-financiera", *Revista de Estudios Jurídico Laborales y de Seguridad Social*, núm. 2, 2021, pp. 279-295.

Sin duda alguna, de todos los riesgos cubiertos por la Seguridad Social consistentes en defectos de rentas, el más relevante es el de la vejez. Y ello, porque se trata de una contingencia que se caracteriza *por la frecuencia de su cristalización, al constituir el término previsible y normal de la vida profesional del individuo, tan sólo alterada por situaciones cuantitativamente irrelevantes de invalidez y muerte. Podemos decir, por tanto, que la jubilación es receptora, en términos generales, del conjunto de ciudadanos que se incorporan a la población activa, de ahí la importante dependencia de las estructuras demográficas de cada país y de los fenómenos que inciden sobre aquéllas*[35].

Dicho esto, debemos señalar que este primer pilar, es decir, el modelo público de pensiones de la Seguridad Social, continúa siendo en la actualidad el elemento principal del sistema español de previsión social y presenta, entre otros, los siguientes caracteres[36]:

a. Tiene un *carácter obligatorio*.

b. Se configura como un sistema mayoritariamente *contributivo* con una serie de elementos asistenciales. Ello conlleva, evidentemente, la existencia de una relación teórica de *proporcionalidad* entre lo que se tiene derecho a percibir y lo que se ha cotizado o contribuido, de tal manera que aquellas personas que no han contribuido (o no lo han hecho de manera suficiente) con sus aportaciones solo tendrán derecho a los servicios sanitarios/sociales y a una serie de prestaciones no contributivas.

c. Está asentado fundamentalmente en un *régimen público (financiado mediante reparto*[37]), basado en el principio de *solidaridad intergeneracional*.

---

35. Tortuero Plaza, J.L., "Los retos históricos del sistema de pensiones proyectados en tiempos de crisis económico financiera", *Areas: revista internacional de ciencias sociales*, núm. 32, 2013, p. 56.

36. En este mismo sentido, *vid.* los siguientes trabajos, entre otros: Monereo Pérez, J.L., Ojeda Avilés, A. y Gutiérrez Bengoechea, M., *Reforma de las pensiones públicas..., op. cit.*, pp. 7-39; Instituto BBVA de Pensiones, "Los tres pilares de la previsión social: del ámbito público al privado", 2019, disponible en: https://www.jubilaciondefuturo.es/es/blog/los-tres-pilares-de-la-prevision-social-del-ambito-publico-al-privado.html; Redacción de Ekonomiaz, "Guía de la previsión social complementaria", *Revista vasca de economía (Ekonomiaz)*, núm. 85, 2014, pp. 287-288; y Monereo Pérez, J.L. et al., *Manual de Seguridad Social*, Tecnos, Madrid, 2020.

37. Este sistema exige, según Francisco Vila y Miguel Gutiérrez, "*una fuerte vinculación del pensionista con el trabajador a través de un contrato social entre generaciones, por lo que es esencial un equilibrio entre población ocupada y jubilada que está igualmente ligado a la relación existente entre natalidad y mortalidad*". *Vid.* Vila Tierno, F., "El difícil equilibrio entre la sostenibilidad y la suficiencia. Una visión general dela situación general del sistema de pensiones pensando en el futuro", en AA.VV. (Vila Tierno, F., y Gutiérrez Bengoechea, M., Dirs.; Gómez Salado, M.Á., Coord.), *La incidencia de los diferentes factores endógenos y exógenos sobre sostenibilidad y suficiencia en el sistema de pensiones*, Comares, Granada, 2020, p. 12; Vila Tierno, F. y Moreno Romero, F., "Equilibrio entre suficiencia y sostenibili-

Esto supone que el dinero que se recauda cada año con las cotizaciones de los empleados activos (y de los empleadores que los han tenido contratados) y otros mecanismos impositivos, sirve para el pago de las prestaciones públicas que se satisfacen ese mismo año a los beneficiarios (pasivos o pensionistas)[38]. Asimismo, las cotizaciones sociales de los empresarios y trabajadores activos se utilizan para mantener el llamado Fondo de Reserva[39] (pura capitalización), habitualmente conocido como "hucha" de las pensiones, cuyo objetivo es conformar un colchón financiero que permita cubrir las necesidades futuras en materia de prestaciones contributivas ocasionadas por desviaciones entre ingresos y gastos de la Seguridad Social (como se sabe, el envejecimiento de la población, unido a la grave crisis económica que ha sufrido España en los últimos años y al dato objetivo del descenso de las cotizaciones sociales, ha motivado[40] que el Gobierno haya tenido ya que recurrir en numerosas ocasiones a este fondo).

d. Está *gestionado por el Estado.*

Dicho lo anterior, conviene señalar que el actual sistema público de pensiones español (*vid.* gráfica 2) está conformado por dos subsistemas principales[41]:

---

dad: pensiones mínimas, revalorización automática y factor de sostenibilidad", en AA.VV. (Álvarez Cortés, J.C., Dir.), *Trabajadores maduros y Seguridad Social*, Thomson Reuters Aranzadi, Cizur Menor, 2018, pp. 69-92; y Gutiérrez Bengoechea, M., "El sistema de reparto de la Seguridad Social versus envejecimiento poblacional", *Revista de Estudios Jurídico Laborales y de Seguridad Social*, núm. 1, 2020, pp. 235 y ss.

38. Por tanto, en un sistema de reparto como el de España, las pensiones públicas actuales son pagadas con las cotizaciones y los impuestos de aquellas personas –especialmente las más jóvenes– que trabajan en la actualidad, mientas que las pensiones futuras se pagarán con el dinero que se recaude con los trabajadores de ese momento. En esta línea, señala David Natali que el método de financiación de nuestro sistema español es el modelo *"de reparto"*, según el cual *"las cotizaciones actuales que los trabajadores y los empresarios pagan (o los ingresos procedentes de la recaudación de impuestos actual) no se acumulan, sino que se utilizan inmediatamente para financiar las prestaciones actuales"*. Natali, D., "La reforma de las pensiones en la Unión Europea: Cambios en las políticas nacionales y coordinación de la Unión Europea", en AA.VV. (Frades Pernas, J., Coord.), *El sistema público de pensiones de jubilación. Desafíos y respuestas*, Fundación Largo Caballero, Madrid, 2011, p. 479.
39. Creado en el año 2000 en el marco del Pacto de Toledo.
40. Sánchez-Rodas Navarro, C., "La cuadratura del círculo: sostenibilidad del sistema de pensiones y desempleo juvenil", *Revista Galega de Dereito Social*, núm. 2, 2016, p. 67.
41. Ahora bien, hemos encontrado otros trabajos en los que se establece esta otra clasificación (también aceptada por la doctrina científica): a. sistema contributivo; b. sistema no contributivo; y c. sistema de clases pasivas.

Gráfica 2: Primer pilar (Seguridad Social) Público y obligatorio

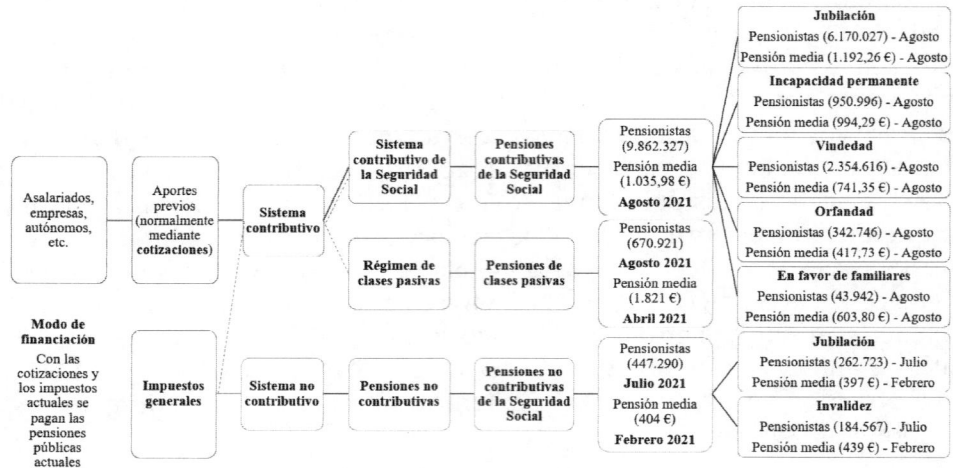

Gráfica de elaboración propia[42].

a. Un sistema *contributivo*: reconoce pensiones que tienen la finalidad de garantizar la protección ante determinadas contingencias (como la enfermedad y el fallecimiento) y ante determinadas situaciones vitales, como la jubilación. Estas proveen un determinado nivel de prestaciones (en virtud de ello, se conocen como pensiones de "*prestación definida*"[43])

---

42. Para la elaboración de esta imagen, hemos partido de los datos obtenidos en los siguientes portales web: a) sistema contributivo: Gobierno de España, "La nómina de las pensiones contributivas a 1 de agosto se sitúa en 10.217,15 millones de euros", 27 de agosto de 2021, disponible en: https://www.lamoncloa.gob.es/serviciosdeprensa/notasprensa/inclusion/Paginas/2021/270821-pensiones_contributivas.aspx; y Gobierno de España, "Estadísticas e informes (clases pasivas)", disponible en: https://www.portalclasespasivas.gob.es/sitios/clasespasivas/es-ES/QuienesSomos/EstadisticasInformes/Paginas/EstadisticasInformes.aspx. b) sistema no contributivo: Gobierno de España, "Estadísticas (Prestaciones no contributivas)", Boletín de Estadísticas Laborales, https://www.mites.gob.es/es/estadisticas/prestaciones_SS_otra_proteccion/PNC/welcome.htm; y La Información, "La prestación media es de 404 euros: El 35% de las pensiones del Imserso se queda en un cajón... Estas son las causas", 2021, https://www.lainformacion.com/economia-negocios-y-finanzas/solicitar-pension-contributiva-invalidez-jubilacion-dinero-imserso/2833332/.

43. Los sistemas de pensiones de "*prestación definida*" (que no de "*aportación definida*"), si bien adoptan distintas formas, básicamente consisten en que los trabajadores financian con sus aportes previos –normalmente mediante cotizaciones– "*las pensiones de los jubilados en ese momento, y la pensión que reciben se establece según unos parámetros predeterminados y conocidos, por lo que la prestación está definida con antelación. Por ejemplo, en función de los años cotizados y el último salario o en función del mejor salario entre un periodo de años cotizados. El sistema de pensiones español, por poner un ejemplo, es un sistema de prestación definida*". *Vid.* Rodríguez Canfranc, M., "¿Qué son los sistemas de

a todas aquellas personas que han contribuido al sistema con aportes previos –normalmente mediante cotizaciones– durante un número de años determinado (o a sus beneficiarios, en el supuesto de fallecimiento)[44].

El sistema contributivo tiene, a su vez, estos dos niveles[45]:

a.1. Un sistema ***contributivo de la Seguridad Social***: este primer sistema, diseñado originalmente en la década de 1960, posibilita el reconocimiento de prestaciones económicas y de duración indefinida, aunque no siempre, por vejez (*jubilación*), enfermedad (*incapacidad*), muerte y supervivencia (*viudedad*, *orfandad* y *en favor de familiares*), cuya concesión está por lo general supeditada a una previa relación jurídica con la Seguridad Social (acreditar un período mínimo de cotización en determinados casos), siempre que se cumplan los demás requisitos requeridos[46].

Este sistema, cuyas pensiones contributivas están financiadas fundamentalmente con las cotizaciones o cuotas abonadas por los trabajadores y empresarios[47], es el más importante y el que siempre ocupa el centro del debate político nacional, ya que su número de pensionistas se acerca progresivamente a los 10.000.000 de personas en España (concretamente, en el mes de agosto de 2021, el número de pensionistas ascendió a, nada más y nada menos, que 9.862.327 de personas; *vid.* gráfica 2).

Se puede destacar que la pensión media del sistema contributivo de la Seguridad Social (*vid.* gráfica 3) se situó en 1.035,98 € en agosto de 2021. Esta cifra, que abarca los diferentes tipos de pensión (jubilación,

---

pensiones de aportación definida?", *BBVA*, agosto de 2020, disponible en: https://www.bbva.com/es/que-son-los-sistemas-de-pensiones-de-aportacion-definida/.

44. Dentro del sistema contributivo, podemos encontrar un régimen general, así como varios regímenes especiales.
45. Hemos comprobado que la clasificación del sistema contributivo en estos dos niveles diferenciados también ha sido incluida en otros trabajos como el de Rodríguez Cabrero, G., "La reforma del sistema público de pensiones en España", *Documentos de trabajo (CSIC. Unidad de Políticas Comparadas)*, núm. 13, 2002, p. 3. *Vid.* también, Rodríguez Cabrero, G., "La reforma permanente del sistema público de pensiones", en AA.VV., *Actores sociales y reformas del bienestar*, CSIC, Madrid, 2005, pp. 27-52.
46. También se hace mención a los requisitos requeridos para el acceso a las pensiones contributivas en España en los siguientes trabajos, entre otros: Moreno Romero, F., "Requisitos generales de acceso a la protección y sus vicisitudes: hacia un necesario replanteamiento", en AA.VV. (Vila Tierno, F., y Gutiérrez Bengoechea, M., Dirs.; Gómez Salado, M.Á., Coord.), *La incidencia de los diferentes factores endógenos y exógenos sobre sostenibilidad y suficiencia en el sistema de pensiones*, Comares, Granada, 2020, pp. 115-132; y Ruiz Santamaría, J.L., "Las pensiones en el marco del actual Convenio Bilateral de Seguridad Social suscrito entre España y Colombia", *e-Revista internacional de la protección social*, vol. 3, núm. 2, p. 244.
47. Estas se obtienen a través de la aplicación de determinados porcentajes o tipos sobre una base de cotización calculada sobre el salario percibido o, en su caso, tarifada o fija, en función del riesgo o contingencia objeto de protección.

incapacidad permanente, viudedad, orfandad y en favor de familiares), se vio incrementada en el último año en un 2,27%. La pensión media (contributiva de la Seguridad Social) de los hombres fue de 1.257,15 € en dicho mes, mientras que la mensualidad percibida por las mujeres ascendió de media a 833,40 €.

Gráfica 3: Evolución del importe de la pensión media en España.
Mes de agosto. Total del sistema contributivo de la Seguridad Social

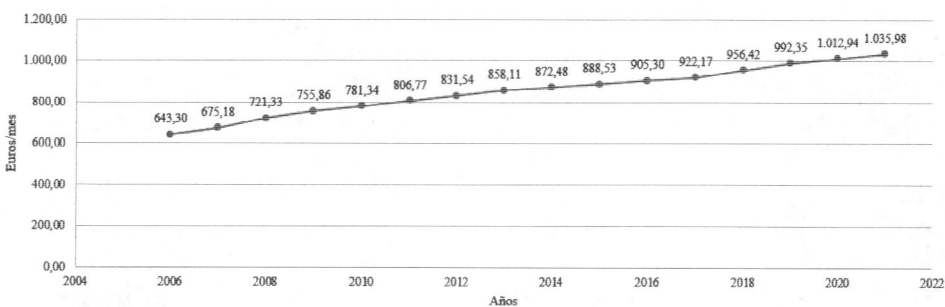

Gráfica de elaboración propia[48].

En particular, podemos decir que la pensión media de jubilación del sistema fue de 1.192,26 € en agosto de 2021 (*vid.* gráfica 2), lo que evidencia un aumento del 2,40% en relación al del mismo mes de 2020. Por su parte, la pensión media de viudedad fue de 741,35 € al mes (*vid.* gráfica 2).

En definitiva, el sistema contributivo de la Seguridad Social, cuyas pensiones se encuentran financiadas principalmente con las cotizaciones o cuotas que abonan los trabajadores y empresarios, ocupa una posición dominante en el modelo de pensiones español. Esta posición destacada se ve reflejada particularmente en el elevado número de pensiones que ofrece mensualmente (cerca de 10 millones de pensiones contributivas abonadas, como ya se ha indicado[49]) y en la importante nómina mensual de las prestaciones contributivas de la Seguridad Social (más de 10.200 millones de euros[50]; *vid.* tabla 1).

48. La gráfica se ha elaborado a partir de los datos incluidos en la siguiente nota de prensa del Ministerio de Inclusión, Seguridad Social y Migraciones:
   Gobierno de España, "La nómina de las pensiones contributivas a 1 de agosto se sitúa en 10.217,15 millones de euros", 27 de agosto de 2021, disponible en: https://www.lamoncloa.gob.es/serviciosdeprensa/notasprensa/inclusion/Paginas/2021/270821-pensiones_contributivas.aspx.
49. Como ya hemos señalado, a 1 de agosto de 2021 fueron abonadas 9.862.327 pensiones contributivas (un 0,87 % más que en agosto de 2020).
50. La nómina mensual de las prestaciones contributivas de la Seguridad Social se ha situado en 10.217,15 millones de euros a 1 de agosto, lo que supone un 3,16% más que

Tabla 1: Importe mensual de la nómina de pensiones contributivas de la
Seguridad Social en España (en miles de euros)
Pensiones en vigor a día 1 de cada mes

Periodo		Incapacidad permanente	Jubilación	Viudedad	Orfandad	F. Familiar	Total
2020	Ene	939.764	6.975.564	1.690.756	137.868	25.039	9.768.990
	Feb	945.690	7.056.005	1.706.215	139.178	25.233	9.872.321
	Mar	945.839	7.060.520	1.706.549	139.552	25.315	9.877.775
	Abr	943.806	7.064.534	1.705.849	139.617	25.355	9.879.161
	May	940.178	7.049.446	1.698.649	139.195	25.312	9.852.781
	Jun	937.750	7.057.662	1.702.316	139.293	25.329	9.862.349
	Jul	936.927	7.072.760	1.708.029	139.535	25.410	9.882.662
	Ago	936.228	7.092.191	1.710.389	139.801	25.419	9.904.029
	Sep	934.109	7.103.243	1.708.997	139.620	25.456	9.911.425
	Oct	933.248	7.121.518	1.710.741	139.137	25.469	9.930.113
	Nov	932.897	7.144.386	1.713.309	138.979	25.520	9.955.091
	Dic	934.831	7.168.760	1.716.601	139.481	25.586	9.985.260
2021	Ene	943.238	7.246.794	1.731.033	140.771	25.861	10.087.697
	Feb	941.036	7.262.417	1.730.238	140.992	25.837	10.100.521
	Mar	941.425	7.277.049	1.733.762	141.410	25.942	10.119.588
	Abr	941.360	7.289.055	1.737.843	141.906	26.032	10.136.196
	May	942.060	7.303.066	1.740.518	142.375	26.118	10.154.137
	Jun	944.093	7.322.908	1.744.071	142.884	26.273	10.180.229
	Jul	945.580	7.340.712	1.746.269	143.309	26.425	10.202.294
	Ago	945.564	7.356.292	1.745.590	143.176	26.532	10.217.155

Tabla de elaboración propia[51].

a.2. Un sistema *de clases pasivas del Estado*: este sistema, con casi 200 años de antigüedad[52], forma parte del llamado Régimen Especial de la Seguridad Social de los Funcionarios y garantiza la protección frente a los riesgos de *vejez*, *incapacidad*, *muerte* y *supervivencia* de determinados colectivos[53] que prestan o han prestado servicios al Estado. Desde el día 1 de enero de 2011, el personal de

---

en el mismo mes del año anterior. Más de dos tercios de la nómina, 7.356,29 millones de euros, fueron destinados al pago de las pensiones de jubilación. Esta cuantía experimentó un crecimiento del 3,72 % en los últimos doce meses.

51. La tabla se ha elaborado a partir de los datos incluidos en la siguiente nota de prensa del Ministerio de Inclusión, Seguridad Social y Migraciones: Gobierno de España, "La nómina de las pensiones contributivas a 1 de agosto se sitúa en 10.217,15 millones de euros", 27 de agosto de 2021, disponible en: https://www.lamoncloa.gob.es/serviciosdeprensa/notasprensa/inclusion/Paginas/2021/270821-pensiones_contributivas.aspx.

52. En algunos trabajos se indica que el nacimiento del sistema de clases pasivas se sitúa concretamente en el año 1835. *Vid.* Berraquero Escribano, I., "La supresión de las clases pasivas. Implicaciones a largo plazo para las Comunidades Autónomas", *ASOCEX*, disponible en: https://asocex.es/la-supresion-de-las-clases-pasivas-implicaciones-a-largo-plazo-para-las-comunidades-autonomas.

53. Están incluidos: funcionarios de carrera de la Administración General del Estado, de la Administración de Justicia, de las Cortes Generales, de otros órganos constitucionales o estatales que lo prevean y funcionarios transferidos a las Comunidades Autónomas (que no ingresen en cuerpos propios de las mismas); militares de carrera, de las escalas de complemento, de tropa y marinería profesional y los caballeros cadetes, alumnos y aspirantes de las escuelas y academias militares; expresidentes, vicepresidentes y exministros del Gobierno de la nación y otros altos cargos.

nuevo ingreso en los cuerpos y escalas mencionados en la nota a pie de página inmediatamente anterior se integra en el Régimen General de la Seguridad Social[54] (esto significa que este sistema continúa en vigor pero, desde 2011, no incorpora nuevos funcionarios, lo que provocará su extinción futura).

La nómina mensual de pensiones de clases pasivas ascendió a 1.220,73 millones de euros en el mes de julio de 2021. La variación interanual fue de 5,23%[55].

En la nómina del referido mes de junio, el número de pensionistas del régimen de clases pasivas ascendió a 670.921 personas (su importe medio se situó en abril del mismo año en 1.821 €; *vid.* gráfica 2). En la actualidad, estas pensiones se financian con ingresos procedentes de los impuestos generales[56].

b. Un sistema *no contributivo* o *asistencial*: se creó en 1990 y reconoce prestaciones, fundamentalmente de *jubilación* e *invalidez* (que se financian mediante los impuestos generales, con cargo a las partidas correspondientes de los Presupuestos Generales del Estado), a aquellas personas que, encontrándose en una situación de necesidad protegible, carezcan de los recursos suficientes para su subsistencia en los términos legalmente fijados, aun cuando no hayan cotizado nunca o el tiempo suficiente para alcanzar las prestaciones del nivel contributivo.

Las pensiones no contributivas[57] de la Seguridad Social solo llegaron a 447.290 en julio de 2021 y su importe medio se situó en aproximadamente 404 € en el mes de febrero del mismo año (a diferencia de las pensiones contributivas de la Seguridad Social, cuyo importe medio alcanzó, como hemos visto, los 1.035,98 € en agosto de 2021; *vid.* gráfica 2)

Aunque estas pensiones están bajo el control de la Seguridad Social, se gestionan por los órganos competentes de las Comunidades Autónomas y las Direcciones provinciales del Instituto de Mayores y Servicios Sociales (IMSERSO) en las ciudades de Ceuta y Melilla.

---

54. Con esta medida, el legislador ha pretendido incrementar el número de cotizantes a la Seguridad Social y, asimismo, extinguir progresivamente el sistema de clases pasivas (en lo que se refiere al subsistema de pensiones).

55. Gobierno de España, "La nómina de las pensiones contributivas a 1 de agosto se sitúa en 10.217,15 millones de euros", 27 de agosto de 2021, disponible en: https://www.lamoncloa.gob.es/serviciosdeprensa/notasprensa/inclusion/Paginas/2021/270821-pensiones_contributivas.aspx.

56. Los fondos para abonar las prestaciones correspondientes de las clases pasivas proceden de los Presupuestos Generales del Estado.

57. Para profundizar sobre este tipo de pensiones, *vid.* los trabajos de Maldonado Molina, J.A., "Las pensiones no contributivas", en AA.VV., *Tratado de Derecho de la Seguridad Social*, tomo II, Laborum, Murcia, 2017, pp. 285-304; y Álvarez Cortés, J.C., "La pensión de jubilación no contributiva: su futuro papel de malla de seguridad social ante el repliegue contributivo", en AA.VV. (Álvarez Cortés, J.C., Dir.), *Trabajadores maduros y Seguridad Social*, Thomson Reuters Aranzadi, Cizur Menor, 2018, pp. 265-299.

2.2. Protección mediante la previsión social complementaria

Dentro del sistema español de pensiones, tal y como se establece en la propia CE, es posible diferenciar dos bloques muy importantes, las *pensiones públicas* obligatorias (estudiadas anteriormente), ya sean contributivas o no contributivas, y las *pensiones privadas* complementarias y voluntarias. Estas segundas, las pensiones privadas, configuran la llamada *previsión o protección social complementaria*, que conforma los denominados segundo y tercer pilares del sistema.

Cabe señalar que la cobertura de estos otros dos pilares, es decir, de la previsión social privada, se realiza a través de las aportaciones a diferentes instrumentos (como los planes de pensiones[58], los seguros, las mutualidades... que luego estudiaremos), en régimen de capitalización.

A pesar de que la protección social complementaria está presente en nuestro país desde hace muchos años, no es hasta el año 1987 (época en la cual *"la situación económico-financiera de la Seguridad Social era bastante crítica"*)[59], en el momento en el que fue aprobada la Ley 8/1987, de 8 de junio, de Regulación de los Planes y Fondos de Pensiones[60][61], cuando realmente se hace un intento de promover los diversos sistemas de previsión complementarios, para favorecer su extensión y desarrollo.

Dicho lo anterior, podemos señalar que los caracteres más importantes de la protección social complementaria en España son los siguientes[62]:

a. Tiene un *carácter voluntario* y *libre*.

b. Genera un capital *no sustitutivo* de las pensiones públicas a las que se puede tener derecho en el régimen correspondiente de la Seguridad Social,

---

58. Para quienes deseen profundizar en el tema de los planes de pensiones, nos permitimos recomendar los siguientes trabajos: Monereo Pérez, J.L. y Fernández Bernat, J.A., "Planes y fondos de pensiones", en AA.VV., *Tratado de Derecho de la Seguridad Social*, tomo II, Laborum, Murcia, 2017, pp. 807-824; Moreno Gené, J. y Romero Burillo, A.M., "Los planes y fondos de pensiones ante las nuevas formas de organización de la empresa", *Revista de trabajo y seguridad social CEF*, núm. 245-246, 2003, pp. 15-74; y Gutiérrez Bengoechea, M., "Fiscalidad de los planes de pensiones privados", *Revista de Derecho de la Seguridad Social*, núm. 26, 2021, pp. 255-279.
59. Según García Padrón, Y. y García Boza, J., "Análisis legislativo de los planes y fondos de pensiones en España. Instauración y desarrollo", *Ciencia y Sociedad*, vol. XXXI, núm. 2, 2006, p. 259.
60. BOE núm. 137, de 9 de junio de 1987.
61. Ahora bien, tal y como señalan algunos autores, esta norma *"no estuvo operativa hasta 1988, cuando se publicó su Reglamento de desarrollo"*. *Vid.* Pieschacón Velasco, C., *La Ley de Planes y Fondos de Pensiones: 20 Años después*, Fundación Inverco, Madrid, 2007, p. VII.
62. En este sentido, *vid.* los siguientes trabajos, entre otros: Monereo Pérez, J.L., Ojeda Avilés, A. y Gutiérrez Bengoechea, M., *Reforma de las pensiones públicas...*, *op. cit.*, pp. 7 y ss.; Instituto BBVA de Pensiones, "Los tres pilares de...", 2019, *op. cit.*; Redacción de Ekonomiaz, "Guía de la previsión social...", *op. cit.*, pp. 289 y ss.; y Monereo Pérez, J.M. et al., *Manual de Seguridad...*, *op. cit.*

teniendo, en consecuencia, un *carácter privado* y *complementario* de aquellas.

c. Está basada en un *régimen privado (financiado mediante capitalización)*, frente al régimen público de reparto (financiado mediante reparto). Esto conlleva la realización de aportaciones previas durante la vida activa y el pago de la prestación en el momento en que sobrevenga la contingencia protegida, de tal manera que la cuantía de la pensión se corresponde con los recursos acumulados (es decir, las cuotas que han ido abonando las personas y entidades asociadas) más los intereses o rendimientos de dichos capitales (que participan de las fluctuaciones del mercado). O lo que es lo mismo, la pensión se concibe en este caso como una renta que procede del ahorro acumulado.

d. Está *gestionada por entidades privadas*.

Una vez expuesto lo anterior, pasamos a realizar un análisis de los pilares segundo y tercero.

2.2.1. Protección privada a través de la previsión social en la empresa o institución

Dentro de la previsión social complementaria, se encuentra el segundo pilar[63] (*vid.* gráfica 4), referido a los sistemas profesionales de protección social complementaria de carácter colectivo[64]. Dicho en otras palabras, ello significa que el segundo pilar está conformado por los sistemas de pensiones promovidos por las empresas o instituciones con sus empleados y que están dirigidos a generar un capital complementario a las futuras pensiones públicas.

Gráfica 4: Segundo pilar (Previsión social empresarial)

Privado, colectivo y voluntario

Principales magnitudes (2019)

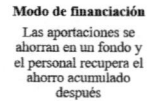

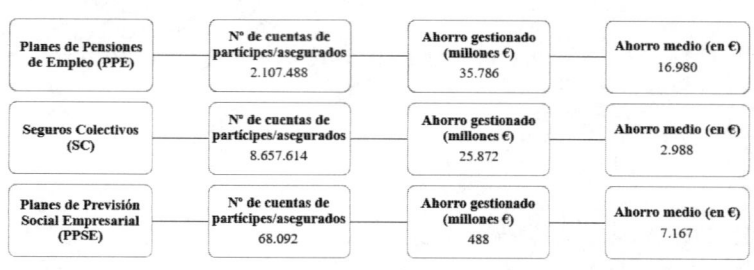

Gráfica de elaboración propia[65].

---

63.   El ahorro complementario a través de la compañía.
64.   Monereo Pérez, J.L., "La garantía de las pensiones: desafíos para la ...", *op. cit.*
65.   Para la elaboración de esta gráfica, hemos partido de los datos contenidos en el Informe Estadístico de Instrumentos de Previsión Social Complementaria (2019 y avance

Este segundo pilar, en contraste con el primero (público, obligatorio y basado en el régimen de reparto), se caracteriza por ser privado, voluntario y estar asentado en el sistema de capitalización, según el cual las contribuciones y aportaciones que realizan las empresas (o instituciones) y los empleados a lo largo del tiempo sirven para financiar las futuras pensiones y los resultados logrados de su inversión[66]. De igual modo, podemos señalar que no está presente en este sistema el elemento de solidaridad intergeneracional del primer pilar.

Por otro lado, cabe destacar que la financiación de este sistema de previsión social complementaria de carácter empresarial, cuyos beneficiarios son los empleados, suele ser asumida por el promotor (el empleador), estando también admitida la contribución de los partícipes (los trabajadores).

En la actualidad, la cobertura de este pilar privado-colectivo se realiza mediante aportaciones (de las entidades, como hemos indicado, y en favor de los empleados) a diversos instrumentos que se definen a continuación: *planes de pensiones de empleo, seguros colectivos que exteriorizan compromisos por pensiones, planes de previsión social empresarial* y *mutualidades de previsión social empresarial*. A finales de 2019, estos instrumentos (*vid.* gráfica 5) tenían un patrimonio bajo gestión de 62.146 millones de euros y un número acumulado de cuentas de partícipes/asegurados de 10 millones ochocientos treinta y tres mil ciento noventa y cuatro cuentas.

a. *Planes de pensiones de empleo* (PPE): están presentes en nuestro país desde la promulgación de la Ley de Planes y Fondos de Pensiones del año 1987, cuando se posibilitó la transformación voluntaria de fondos internos y otros sistemas de previsión del personal de las empresas en planes de pensiones.

Pueden ser definidos como aquellos instrumentos de ahorro-previsión a largo plazo que promueve cualquier empresa o institución para sus empleados (partícipes), con la finalidad de complementar las pensiones públicas a percibir por el sistema de la Seguridad Social.

2020), publicado por el propio Ministerio de Asuntos Económicos y Transformación Digital.

66. Las futuras prestaciones, por tanto, no van a depender únicamente de la cuantía de las aportaciones realizadas, sino también de la evolución financiera y temporal de dichas aportaciones.

Gráfica 5: Ahorro gestionado

Peso que en el año 2019 tenían los distintos instrumentos en el ahorro gestionado mediante el segundo pilar

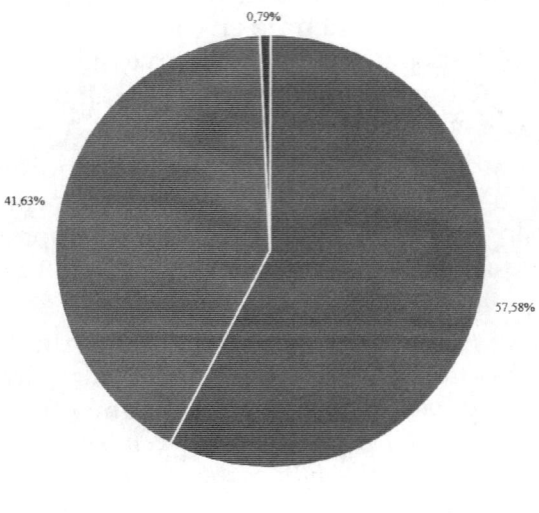

Gráfica de elaboración propia[67].

Según los datos del Ministerio de Asuntos Económicos y Transformación Digital, los planes de pensiones de empleo tenían, a fecha de 31 de diciembre de 2019, un patrimonio bajo gestión de 35.786 millones de euros y un número acumulado de cuentas de partícipes que superó la cifra de 2 millones ciento siete mil cuentas. La primera de estas dos cifras representa aproximadamente un 3% del PIB anual de España, muy por debajo de otros países de la Unión Europea que cuentan con sistemas complementarios bastante más desarrollados.

El Gobierno español ha decidido revisar el modelo de previsión social complementaria en el ámbito empresarial y profesional, impulsando el ahorro a través de los planes de pensiones de empleo. Para ello, los Presupuestos Generales del Estado para el año 2021 incorporan estas dos propuestas:

–   En primer término, un desplazamiento de las ventajas fiscales de los planes de pensiones individuales hacia los planes de pensiones de empleo procedentes de la negociación colectiva. De este modo, el límite

---

67.   Para elaborar esta gráfica, hemos partido de los datos contenidos en el Informe Estadístico de Instrumentos de Previsión Social Complementaria (2019 y avance 2020), publicado por el Ministerio de Asuntos Económicos y Transformación Digital.

de deducción por aportaciones a planes de pensiones individuales se rebaja de 8.000 a 2.000 euros anuales, mientras que el límite para los planes de empleo se eleva de 8.000 a 10.000 euros al año.

– En segundo lugar, la promoción de fondos de pensiones públicos de empleo de carácter abierto, que permitirán extender los planes de pensiones al conjunto de los trabajadores por medio de la negociación colectiva. Con estos nuevos fondos, se prevé aumentar la población cubierta por modelos complementarios (que, como se ha señalado, es mucho menor que la de otros países de nuestro entorno), atrayendo a rentas mediadas y bajas, así como a los jóvenes.

b. *Seguros colectivos que instrumentan compromisos por pensiones de la empresa con trabajadores y beneficiarios* (SC): pueden definirse como seguros colectivos de ahorro para dar cobertura a los compromisos por pensiones de la empresa con sus empleados. Se encuentran incluidos en este grupo los seguros concertados con las *mutualidades de previsión social empresarial* (MPSE).

A 31 de diciembre del año 2019, los seguros colectivos se concebían como el segundo instrumento más utilizado por las empresas para exteriorizar los compromisos por pensiones asumidos con sus trabajadores, contando con un patrimonio bajo gestión de 25.872 millones de euros y más de 8 millones y medio de cuentas, según datos facilitados por el Ministerio de Asuntos Económicos y Transformación Digital.

Su tratamiento fiscal es diferente al de los planes de pensiones de empleo y los planes de previsión social empresarial. Por este motivo, son compatibles en una misma empresa con estos otros dos instrumentos.

c. *Planes de previsión social empresarial* (PPSE): son otra de las soluciones de ahorro colectivo en la empresa más habituales. Se configuran como una modalidad de seguros colectivos de instrumentación de compromisos por pensiones y pueden cubrir las mismas contingencias que los planes de pensiones, ofreciendo un tipo de interés garantizado.

A finales del año 2019, los planes de pensiones de previsión social empresarial eran el tercer instrumento más usado para la exteriorización de compromisos por pensiones de las empresas con sus empleados. Tenían un patrimonio bajo gestión de 488 millones de euros y alrededor de 68 mil noventa y dos cuentas, según datos del Ministerio de Asuntos Económicos y Transformación Digital. Este importe de ahorro acumulado sigue siendo muy reducido en relación con el de los demás instrumentos de segundo pilar existentes (planes de pensiones de empleo y otros seguros colectivos).

Este instrumento se caracteriza por contar con los mismos incentivos fiscales que los ya mencionados planes de pensiones de empleo. De hecho, el régimen financiero y fiscal de las contingencias, aportaciones y prestaciones de los planes de previsión social empresarial se rige por la normativa referida a Planes y Fondos de Pensiones en todo lo que no se encuentre regulado específicamente por la Ley 35/2006, de 28 de noviembre, del Impuesto sobre la Renta de las Personas Físicas[68] (en adelante, Ley del IRPF), y por el Real Decreto 439/2007, de 30 de marzo, por el que se aprueba el Reglamento del Impuesto sobre la Renta de las Personas Físicas[69] (en lo sucesivo, Reglamento del IRPF).

2.2.2. Protección privada en el ámbito individual

El llamado tercer pilar (*vid.* gráfica 6) se encuentra conformado por aquellos productos de previsión personal que la persona ahorradora decide contratar por iniciativa propia con una entidad financiera o compañía de seguros, generalmente sin la figura promotora de la empresa, institución o asociación. En virtud de ello, podemos señalar que no están ligados al desarrollo de la actividad profesional de la persona.

Gráfica 6: Tercer pilar (Previsión individual)

Privado, individual y voluntario

Principales magnitudes (2019)

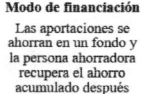

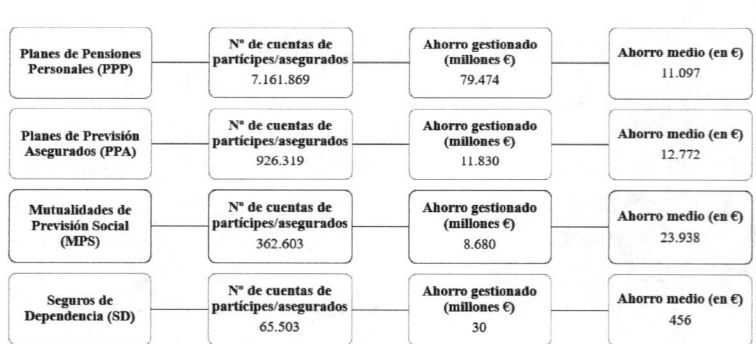

Gráfica de elaboración propia[70].

Este pilar se caracteriza por ser privado, voluntario e individual. Y al igual que el pilar privado-colectivo, está basado en un sistema de capitalización, según el cual la persona partícipe se encarga de hacer una serie de aportaciones periódicas a lo largo de su vida activa que van generando su propia bolsa de ahorro (también conocida como "*derechos*

---

68. BOE núm. 285, de 29 de noviembre de 2006.
69. BOE núm. 78, de 31 de marzo de 2007.
70. Para la elaboración de esta gráfica, hemos partido de los datos contenidos en el Informe Estadístico de Instrumentos de Previsión Social Complementaria (2019 y avance 2020), publicado por el propio Ministerio de Asuntos Económicos y Transformación Digital.

consolidados", que podrán hacerse efectivos cuando acaezca alguna de las contingencias o supuestos que permiten el rescate). Las prestaciones a percibir van a depender tanto del valor de las aportaciones realizadas a lo largo del tiempo como del resultado de dicha capitalización.

Este pilar privado-individual conforma la fuente más relevante de la previsión social privada en España y se desarrolla a través de planes de *pensiones individuales* y *asociados* (los segundos son muy peculiares porque el promotor de los mismos es una asociación o sindicato y el partícipe es un asociado), que conjuntamente constituyen los planes de pensiones personales, *planes de previsión asegurados, mutualidades de previsión social* y *seguros de dependencia.* A finales de 2019, estos instrumentos (*vid.* gráfica 7) tenían un patrimonio bajo gestión de 100.014 millones de euros y un número acumulado de cuentas de partícipes/asegurados de 8 millones quinientos dieciséis mil doscientos noventa y cuatro cuentas. Seguidamente, se analizan los referidos instrumentos.

Gráfica 7: Ahorro gestionado

Peso que en el año 2019 tenían los distintos instrumentos en el ahorro gestionado mediante el tercer pilar

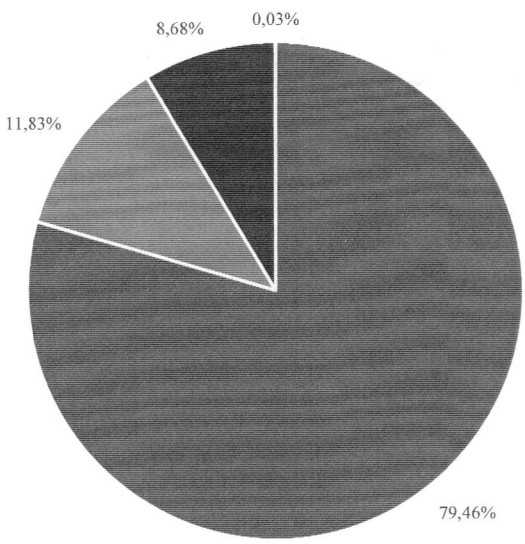

Gráfica de elaboración propia[71].

---

71. Para elaborar esta gráfica, hemos partido de los datos contenidos en el Informe Estadístico de Instrumentos de Previsión Social Complementaria (2019 y avance

a. *Planes de pensiones personales* (PPP): los planes de pensiones individuales y asociados son distintos productos de previsión privados enfocados principalmente en el ahorro para la jubilación. Considerados conjuntamente conforman lo que actualmente conocemos como planes de pensiones personales. Seguidamente, se definen estas dos modalidades:

  o Sistema individual: en este primer caso, estamos hablando de los planes cuyo promotor es una o diferentes entidades de carácter financiero y cuyos partícipes son las personas físicas. Evidentemente, en este bloque se encuadran los planes de pensiones más conocidos en España, es decir, aquellos que se suscriben a iniciativa propia de los inversores mediante una entidad bancaria o cooperativa de crédito.

  o Sistema asociado: en este segundo caso, nos referimos a aquellos planes cuyo promotor es cualquier asociación, sindicato o colectivo, siendo los partícipes sus asociados, miembros o afiliados.

A 31 de diciembre del año 2019, los planes de pensiones personales eran concebidos como como el instrumento más utilizado para gestionar el ahorro voluntario incluido en el tercer pilar, contando con un patrimonio bajo gestión de 79.474 millones de euros y cerca de 7 millones doscientos mil cuentas de partícipes, según datos facilitados por el Ministerio de Asuntos Económicos y Transformación Digital.

En relación a las novedades fiscales, podemos señalar que la Ley 11/2020, de 30 de diciembre, de Presupuestos Generales del Estado para el año 2021[72], que entró en vigor el 1 de enero del presente año, incorpora estos cambios que afectarán a todos los partícipes de planes de pensiones:

  – Ha sido reducido a un máximo de 2.000 euros anuales el límite conjunto de reducciones por un mismo contribuyente (en el territorio común) por todas las aportaciones a los planes de pensiones personales. Hasta el 31 de diciembre del año 2020 este límite era el montante menor entre 8.000 euros anuales o el 30% de los rendimientos netos de trabajo y de actividades económicas[73].

2020), publicado por el Ministerio de Asuntos Económicos y Transformación Digital.

72. BOE núm. 341, de 31 de diciembre de 2020.
73. *Vid.* Bankinter, "Planes de Pensiones: cambios en la fiscalidad 2021 y alternativas para ahorrar para la jubilación", *Blog de Economía y Finanzas Bankinter*, 2021, disponible en el siguiente enlace: https://www.bankinter.com/blog/finanzas-personales/planes-pensiones-cambios-fiscalidad.

– Es posible aumentar el nuevo límite de reducción de 2.000 euros en hasta 8.000 euros adicionales (hasta 10.000 euros en total; como ya se ha dicho anteriormente) por contribuciones del empleador a favor del empleado a instrumentos de previsión social empresarial (como planes de pensiones de empleo, planes de previsión social empresarial y mutualidades de previsión social). En este supuesto, también tendría que cumplir que como máximo sea el 30% de los rendimientos netos del trabajo. De este modo, si sumamos estos 8.000 euros, el límite máximo podrá alcanzar los 10.000 euros[74].

b. *Planes de previsión asegurados* (PPA): se definen en base al art. 51.3 de la Ley del IRPF[75] como seguros individuales de vida especiales que permiten cubrir exactamente las mismas contingencias que los planes de pensiones (es decir, la jubilación, la incapacidad laboral, la dependencia, el fallecimiento, la enfermedad grave y el desempleo de larga duración), siendo la jubilación su principal cobertura. Ofrecen una rentabilidad mínima asegurada durante un determinado periodo de tiempo, pero, por lo general, la misma es peor que la de los planes de pensiones.

A finales del año 2019, los planes de pensiones de previsión social empresarial eran el segundo instrumento más usado para la gestión del ahorro voluntario incluido en el tercer pilar. Tenían un patrimonio bajo gestión de 11.830 millones de euros y de 926 mil trescientos diecinueve cuentas de asegurados, según datos del Ministerio de Asuntos Económicos y Transformación Digital.

Las aportaciones tienen idénticos límites que los planes de pensiones. De hecho, el límite máximo de aportación anual para un ahorrador aplica como límite conjunto. En el territorio común, el conjunto de las aportaciones anuales máximas realizadas a los sistemas de previsión social incluyendo, en su caso, las que hubiesen sido imputadas por los promotores, que puedan dar derecho a reducir la base imponible general no podrá exceder de 2.000 euros[76].

Será posible aumentar el referido límite de deducción de 2.000 euros en hasta 8.000 euros adicionales tan solo por contribuciones del empleador a favor del trabajador a instrumentos de previsión social empresarial (planes de pensiones de empleo, planes de previsión social empresarial y mutualidades de previsión social)[77].

---

74. *Ibid.*
75. También se regulan en el art. 49 del Reglamento del IRPF y en algunos aspectos en el Real Decreto 304/2004, de 20 de febrero, por el que se aprueba el Reglamento de planes y fondos de pensiones (BOE núm. 48, de 25 de febrero de 2004).
76. *Vid.* Instituto BBVA de Pensiones, "Los planes de previsión asegurados (PPA)", 2021, disponible en: https://www.jubilaciondefuturo.es/es/blog/los-planes-de-prevision-asegurados-ppa-semejanzas-y-diferencias-con-los-planes-de-pensiones-pp.html.
77. *Ibid.*

c. *Mutualidades de previsión social* (MPS): según el marco normativo aplicable (Real Decreto Legislativo 6/2004, de 29 de octubre, por el que se aprueba el texto refundido de la Ley de ordenación y supervisión de los seguros privados[78] y Real Decreto 1430/2002, de 27 de diciembre, por el que se aprueba el Reglamento de mutualidades de previsión social[79]), pueden ser definidas como entidades aseguradoras privadas sin ánimo de lucro que ejercen una modalidad aseguradora de carácter voluntario y que cubren riesgos muy diversos.

Según los datos del Ministerio de Asuntos Económicos y Transformación Digital, las mutualidades de previsión social tenían, a fecha de 31 de diciembre de 2019, un patrimonio bajo gestión de 8.680 millones de euros y un número acumulado de cuentas de partícipes de 362 mil seiscientas tres cuentas.

d. *Seguros de dependencia* (SD): pueden ser definidos como contratos de seguro privados que cubren el riesgo de dependencia severa o de gran dependencia conforme a la definición legal de dichas contingencias (*vid.* el art. 26[80] de la Ley 39/2006, de 14 de diciembre, de Promoción de la Autonomía Personal y Atención a las personas en situación de dependencia[81]), pudiendo generar también prestaciones por fallecimiento. Dichos contratos de seguro tendrán obligatoriamente que ofrecer una garantía de interés y utilizar técnicas actuariales.

A 31 de diciembre de 2019, tenían un patrimonio bajo gestión de tan solo 30 millones de euros y algo más de 65 mil quinientas cuentas de asegurados, de acuerdo con los datos ofrecidos por el Ministerio de Asuntos Económicos y Transformación Digital.

El régimen fiscal de las aportaciones es similar al de los planes de pensiones (*vid.* art. 51.5 de la mencionada Ley del IRPF). En los seguros privados que cubren exclusivamente el riesgo de dependencia severa o de gran dependencia, el conjunto de las reducciones practicadas por todas las personas que satisfagan primas a favor de un mismo contribuyente, incluidas las del propio contribuyente, no podrán exceder de 2.000 euros anuales (con anterioridad el límite era de 8.000 euros anuales).

---

78. BOE núm. 267, de 5 de noviembre de 2004.
79. BOE núm. 15, de 17 de enero de 2003.
80. El art. 26 se refiere a los grados de dependencia y establece que: "*la situación de dependencia se clasificará en los siguientes grados: (...) b) Grado II. Dependencia severa: cuando la persona necesita ayuda para realizar varias actividades básicas de la vida diaria dos o tres veces al día, pero no quiere el apoyo permanente de un cuidador o tiene necesidades de apoyo extenso para su autonomía personal. c) Grado III. Gran dependencia: cuando la persona necesita ayuda para realizar varias actividades básicas de la vida diaria varias veces al día y, por su pérdida total de autonomía física, mental, intelectual o sensorial, necesita el apoyo indispensable y continuo de otra persona o tiene necesidades de apoyo generalizado para su autonomía personal. (...)*".
81. BOE núm. 299, de 15 de diciembre de 2006.

V. PENSIONES PÚBLICAS DE REPARTO VS. PENSIONES PRIVADAS DE CAPITALIZACIÓN: ¿CÓMO SE PLANTEA EL FUTURO?

En numerosas ocasiones, las pensiones privadas, de capitalización (que acabamos de estudiar), a parecen descritas como mejores y muy superiores a las pensiones públicas, de reparto. En nuestra humilde opinión, y como se evidencia en muchos trabajos, esto está muy lejos de ser cierto. Sencillamente, porque *"tienen un coste elevado de gestión, no garantizan rentabilidades altas, conllevan riesgos individuales y colectivos sustanciales, sólo cubren* (determinadas contingencias y situaciones) *pagando primas altas, no son siquiera inmunes al envejecimiento y pueden no aumentar mucho el ahorro nacional. Las pensiones públicas de reparto, por contra, solventan todos estos problemas"*[82]. Y si admitimos que las pensiones públicas de reparto, del mismo modo que cualquier otro gasto público, sean financiadas con ingresos –distintos a las cotizaciones– que procedan de impuestos socialmente más progresivos u otros mecanismos similares, serán muy sostenibles en términos financieros[83].

Por ello, es evidente que las pensiones públicas del régimen de reparto adoptado por nuestro sistema de Seguridad Social –régimen no sólo más resistente a la inestabilidad financiera, sino también más acorde a la propia naturaleza y noción de Seguridad Social–, deben seguir siendo las grandes protagonistas[84] –al ser superiores y absolutamente más eficaces–, no debiendo jugar las pensiones privadas (financiadas mediante capitalización) ningún papel sustancial en el

---

82. Zubiri Oria, I., "Un análisis económico de la reforma de las pensiones: el camino que aún falta por recorrer", en AA.VV. (Frades Pernas, J., Coord.), *El sistema público de pensiones de jubilación. Desafíos y respuestas*, Fundación Largo Caballero, Madrid, 2011, pp. 171-172. Sobre los problemas y obstáculos al desarrollo de las pensiones privadas, *vid.* en profundidad: Monereo Pérez, J.L., "La garantía de las pensiones: desafíos para la ...", *op. cit.*

83. En los siguientes trabajos se menciona la idea –que compartimos– de que es posible, legítima y adecuada la participación de los impuestos en la financiación de las pensiones: Zubiri Oria, I., "Un análisis económico de la reforma de las pensiones...", *op. cit.*, p. 128 y ss.; Frades Pernas, J., "Respuestas solidarias de protección ante la vejez", en AA.VV. (Frades Pernas, J., Coord.), *El sistema público de pensiones de jubilación. Desafíos y respuestas*, Fundación Largo Caballero, Madrid, 2011, p. 376; Olarte Encabo, S., "Respuestas paramétricas y cambios sistémicos", en AA.VV. (Frades Pernas, J., Coord.), *El sistema público de pensiones de jubilación. Desafíos y respuestas*, Fundación Largo Caballero, Madrid, 2011, pp. 307 y ss.; y Natali, D., "La reforma de las pensiones en la Unión...", *op. cit.*, p. 479.

84. En este mismo sentido, *vid.* los siguientes trabajos: Zubiri Oria, I., "Un análisis económico de la reforma de las pensiones...", *op. cit.*, p. 172; Monereo Pérez, J.L., Ojeda Avilés, A. y Gutiérrez Bengoechea, M., *Reforma de las pensiones públicas..., op. cit.*, p. 77; Olarte Encabo, S., "Respuestas paramétricas y cambios...", *op. cit.*, p. 309; y Frades Pernas, J., "Respuestas solidarias de protección...", *op. cit.*, p. 332.

presente y futuro modelo español de pensiones, ni siquiera con carácter complementario[85].

Ahora bien, aunque en España y en otros países europeos se ha logrado mantener el gran protagonismo del sistema público de reparto, las numerosas y sucesivas reformas operadas lo han ido recortando, produciéndose así un desplazamiento desde las fórmulas de reparto hacia las privadas o de capitalización que tienen numerosos inconvenientes[86]. En otras palabras, se puede señalar que en los últimos tiempos se está –y posiblemente se seguirá– ofreciendo un espacio más amplio a los pilares segundo y tercero del sistema (en la mayoría de los supuestos, mediante el apoyo financiero y fiscal por parte del Estado)[87].

VI. BIBLIOGRAFÍA

Acevedo Tarazona, Á., "La Seguridad Social. Historia, marco normativo, principios y vislumbres de un Estado de Derecho en Colombia", *Anuario de historia regional y de las fronteras*, vol. 15, 2010.

Aguilar Segado, C.D., "Situación actual de las pensiones en España: perspectiva económica-financiera", *Revista de Estudios Jurídico Laborales y de Seguridad Social*, núm. 2, 2021.

Álvarez Cortés, J.C., "La pensión de jubilación no contributiva: su futuro papel de malla de seguridad social ante el repliegue contributivo", en AA.VV. (Álvarez Cortés, J.C., Dir.), *Trabajadores maduros y Seguridad Social*, Thomson Reuters Aranzadi, Cizur Menor, 2018.

---

85. A sí lo entiende también Zubiri Oria, I., "Un análisis económico de la reforma de las pensiones...", *op. cit.*, p. 172.

86. Entre ellos, este que hemos encontrado: en *"los sistemas de capitalización, (...) al no existir una cobertura redistributiva, existe la posibilidad de que la prestación obtenida sea insuficiente –bien por un ahorro inadecuado del individuo o bien por una mala gestión de los fondos–. Además, el coste administrativo de este sistema es superior al del modelo de reparto, debido a la complejidad de la gestión financiera de las contribuciones sociales"*. Benítez Llamazares, N., "El Covid-19 y sus efectos sobre la financiación del sistema público de pensiones español (i): el impacto demográfico de la pandemia", en AA.VV. (Vila Tierno, F., y Gutiérrez Bengoechea, M., Dirs.; Gómez Salado, M.Á., Coord.), *La incidencia de los diferentes factores endógenos y exógenos sobre sostenibilidad y suficiencia en el sistema de pensiones*, Comares, Granada, 2020, p. 32.

87. Del mismo modo, se ha manifestado el profesor José Luis Monereo, al señalar que *"hemos asistido, por tanto, en los últimos 32 años a un proceso de creación lento pero progresivo de un sistema de capitalización que conviva con un sistema público de reparto"*. Monereo Pérez, J.L., "La garantía de las...", *op. cit. Vid.* también, Zufiaur Narvaiza, J.M., "Las diferentes visiones ideológicas con las que se abordan las reformas de los sistemas de pensiones", en AA.VV. (Frades Pernas, J., Coord.), *El sistema público de pensiones de jubilación. Desafíos y respuestas*, Fundación Largo Caballero, Madrid, 2011, p. 202.

Aparicio Tovar, J., "La sostenibilidad como excusa para una reestructuración del sistema de la Seguridad Social", *Cuadernos de Relaciones Laborales*, vol. 33, núm. 2, 2015.

Bankinter, "Planes de Pensiones: cambios en la fiscalidad 2021 y alternativas para ahorrar para la jubilación", *Blog de Economía y Finanzas Bankinter*, 2021, disponible en el siguiente enlace: https://www.bankinter.com/blog/finanzas-personales/planes-pensiones-cambios-fiscalidad.

Benítez Llamazares, N., "El Covid-19 y sus efectos sobre la financiación del sistema público de pensiones español (i): el impacto demográfico de la pandemia", en AA.VV. (Vila Tierno, F., y Gutiérrez Bengoechea, M., dirs.; Gómez Salado, M.Á., coord.), *La incidencia de los diferentes factores endógenos y exógenos sobre sostenibilidad y suficiencia en el sistema de pensiones*, Comares, Granada, 2020.

Berraquero Escribano, I., "La supresión de las clases pasivas. Implicaciones a largo plazo para las Comunidades Autónomas", *ASOCEX*, disponible en: https://asocex.es/la-supresion-de-las-clases-pasivas-implicaciones-a-largo-plazo-para-las-comunidades-autonomas.

Costa Reyes, A., "¿Reformar las pensiones de nuevo? Cambio o desconfiguración", *Revista Española de Derecho del Trabajo*, núm. 198, 2017.

Desdentado Daroca, E., *Lecciones de Derecho de la Seguridad Social*, segunda edición revisada, Bomarzo, Albacete, 2017.

– *Seguridad Social: una introducción práctica*, Bomarzo, Albacete, 2009.

Dupeyroux, J.J., *Évolution et tendances des systèmes de Sécurité Sociale des pays membres des Communautés Européennes et de la Grande-Bretagne*, Services des publications des Communautés Européennes, Luxembourg, 1966, disponible accediendo a través del siguiente enlace web: http://aei.pitt.edu/36107/1/A2119.pdf.

Frades Pernas, J., "Respuestas solidarias de protección ante la vejez", en AA.VV. (Frades Pernas, J., Coord.), *El sistema público de pensiones de jubilación. Desafíos y respuestas*, Fundación Largo Caballero, Madrid, 2011.

García Padrón, Y. y García Boza, J., "Análisis legislativo de los planes y fondos de pensiones en España. Instauración y desarrollo", *Ciencia y Sociedad*, vol. XXXI, núm. 2, 2006.

Gillion, C., Turner, J., Bailey, C. y Latulippe, D., *Social Security pensions: development and reform*, International Labour Organization, Geneva, 2000.

Gómez Salado, M.Á., "Los tres pilares fundamentales en los que se apoya el modelo español de pensiones: ¿hacia dónde vamos?", *Iuslabor*, núm. 3, 2021.

Gutiérrez Bengoechea, M., "El sistema de reparto de la Seguridad Social versus envejecimiento poblacional", *Revista de Estudios Jurídico Laborales y de Seguridad Social*, núm. 1, 2020.

– "Fiscalidad de los planes de pensiones privados", *Revista de Derecho de la Seguridad Social*, núm. 26, 2021.

Hernández Solís, M., Topa Cantisano, G. y Herrador-Alcaide, T.C., "Análisis de la actitud financiera personal para la jubilación: un sondeo en España", *Economía industrial*, núm. 413, 2019.

INE, "Proyecciones de Población 2020-2070", nota de prensa, 22 de septiembre de 2020, disponible en: https://www.ine.es/prensa/pp_2020_2070.pdf.

Instituto BBVA de Pensiones, "Los planes de previsión asegurados (PPA)", 2021, disponible en: https://www.jubilaciondefuturo.es/es/blog/los-planes-de-prevision-asegurados-ppa-semejanzas-y-diferencias-con-los-planes-de-pensiones-pp.html.

Instituto BBVA de Pensiones, "Los tres pilares de la previsión social: del ámbito público al privado", 2019, disponible en: https://www.jubilaciondefuturo.es/es/blog/los-tres-pilares-de-la-prevision-social-del-ambito-publico-al-privado.html.

López Cumbre, L., "El 'derecho' a la pensión future", *Revista de Estudios Jurídico Laborales y de Seguridad Social (REJLSS)*, núm. 3, 2021.

Maldonado Molina, J.A., "Las pensiones no contributivas", en AA.VV., *Tratado de Derecho de la Seguridad Social*, tomo II, Laborum, Murcia, 2017.

Marcilla Córdoba, G., *Racionalidad legislative: crisis de la ley y nueva ciencia de la legislación*; Centro de Estudios Políticos y Constitucionales, Madrid, 2005.

Monereo Pérez, J.L., "La garantía de las pensiones: desafíos para la sostenibilidad económica y social", *Revista de Estudios Jurídico Laborales y de Seguridad Social (REJLSS)*, núm. 3, 2021.

Monereo Pérez, J.L. et al., *Manual de Seguridad Social*, Tecnos, Madrid, 2020.

Monereo Pérez, J.L. y Fernández Bernat, J.A., "Planes y fondos de pensiones", en AA.VV., *Tratado de Derecho de la Seguridad Social*, tomo II, Laborum, Murcia, 2017.

Monereo Pérez, J.L., Molina Navarrete, C., Quesada Segura, R., Moreno Vida, M.N. y Maldonado Molina, J.A., *Manual de Seguridad Social*, decimoséptima edición, 2021.

Monereo Pérez, J.L., Ojeda Avilés, A. y Gutiérrez Bengoechea, M., *Reforma de las pensiones públicas y planes privados de pensiones*, Laborum, Murcia, 2021.

Moreno Gené, J. y Romero Burillo, A.M., "Los planes y fondos de pensiones ante las nuevas formas de organización de la empresa", *Revista de trabajo y seguridad social CEF*, núm. 245-246, 2003.

Moreno Romero, F., "Requisitos generales de acceso a la protección y sus vicisitudes: hacia un necesario replanteamiento", en AA.VV. (Vila Tierno, F., y Gutiérrez Bengoechea, M., dirs.; Gómez Salado, M.Á., Coord.), *La incidencia de los diferentes factores endógenos y exógenos sobre sostenibilidad y suficiencia en el sistema de pensiones*, Comares, Granada, 2020.

Natali, D., "La reforma de las pensiones en la Unión Europea: Cambios en las políticas nacionales y coordinación de la Unión Europea", en AA.VV. (Frades Pernas, J., Coord.), *El sistema público de pensiones de jubilación. Desafíos y respuestas*, Fundación Largo Caballero, Madrid, 2011.

Olarte Encabo, S., "Respuestas paramétricas y cambios sistémicos", en AA. VV. (Frades Pernas, J., Coord.), *El sistema público de pensiones de jubilación. Desafíos y respuestas*, Fundación Largo Caballero, Madrid, 2011.

Ortega Lozano, P.G., "Pensión de jubilación y esperanza de vida: el factor de sostenibilidad", en AA.VV., *Por una pensión de jubilación, adecuada, segura y sostenible*, Laborum, Murcia, vol. 1, 2019.

Pieschacón Velasco, C., *La Ley de Planes y Fondos de Pensiones: 20 Años después*, Fundación Inverco, Madrid, 2007.

Pieschacón Velasco, C., *Sistemas de pensiones: experiencia española e internacional*, tomo II, Fundación Inverco, Madrid, 2005.

Redacción de Ekonomiaz, "Guía de la previsión social complementaria", *Revista vasca de economía (Ekonomiaz)*, núm. 85, 2014.

Rodríguez Cabrero, G., "La reforma del sistema público de pensiones en España", *Documentos de trabajo (CSIC. Unidad de Políticas Comparadas)*, núm. 13, 2002.

– "La reforma permanente del sistema público de pensiones", en AA.VV., *Actores sociales y reformas del bienestar*, CSIC, Madrid, 2005.

Rodríguez Canfranc, M., "¿Qué son los sistemas de pensiones de aportación definida?", *BBVA*, agosto de 2020, disponible en: https://www.bbva.com/es/que-son-los-sistemas-de-pensiones-de-aportacion-definida/.

Rodríguez-Piñero y Bravo-Ferrer, M., "La configuración constitucional de la Seguridad Social", *Relaciones laborales: Revista crítica de teoría y práctica*, núm. 1, 2008.

Rojas, J., *El sistema privado de pensiones en el Perú*, Fondo Editorial de la PUCP, Lima, 2016.

Rousseau, J.J., *El contrato social*, Sarpe, 1983.

Ruiz Santamaría, J.L., "Las pensiones en el marco del actual Convenio Bilateral de Seguridad Social suscrito entre España y Colombia", *e-Revista internacional de la protección social*, vol. 3, núm. 2.

Sánchez-Rodas Navarro, C., "La cuadratura del círculo: sostenibilidad del sistema de pensiones y desempleo juvenil", *Revista Galega de Dereito Social*, núm. 2, 2016.

Sitjar de Togores Calvo, A.I., "Planes de pensiones: cuestiones transfronterizas. Una aproximación a la normativa y jurisprudencia de la Unión Europea", *Cuadernos de información*, vol. 7., 2009.

Tortuero Plaza, J.L., "Los retos históricos del sistema de pensiones proyectados en tiempos de crisis económico financiera", *Áreas: revista internacional de ciencias sociales*, núm. 32, 2013.

Vela Díaz, R., "Reflexiones en torno a una Seguridad Social inclusiva y sostenible en la era de la economía tecnológica y digital: ¿hacia una protección social 'decente'?", *Revista de Derecho Social*, núm. 87, 2019.

Vila Tierno, F., "El difícil equilibrio entre la sostenibilidad y la suficiencia. Una visión general dela situación general del sistema de pensiones pensando en el futuro", en AA.VV. (Vila Tierno, F., y Gutiérrez Bengoechea, M., Dirs.; Gómez Salado, M.Á., Coord.), *La incidencia de los diferentes factores endógenos y exógenos sobre sostenibilidad y suficiencia en el sistema de pensiones*, Comares, Granada, 2020.

Vila Tierno, F. y Moreno Romero, F., "Equilibrio entre suficiencia y sostenibilidad: pensiones mínimas, revalorización automática y factor de sostenibilidad", en AA.VV. (Álvarez Cortés, J.C., Dir.), *Trabajadores maduros y Seguridad Social*, Thomson Reuters Aranzadi, Cizur Menor, 2018.

Villar Cañada, I.M., "La digitalización y los sistemas de protección social: oportunidades y desafíos", *Revista de Trabajo y Seguridad Social CEF*, núm. 459, 2021.

Zubiri Oria, I., "Un análisis económico de la reforma de las pensiones: el camino que aún falta por recorrer", en AA.VV. (Frades Pernas, J., Coord.), *El sistema público de pensiones de jubilación. Desafíos y respuestas*, Fundación Largo Caballero, Madrid, 2011.

Zufiaur Narvaiza, J.M., "Las diferentes visiones ideológicas con las que se abordan las reformas de los sistemas de pensiones", en AA.VV. (Frades Pernas, J., Coord.), *El sistema público de pensiones de jubilación. Desafíos y respuestas*, Fundación Largo Caballero, Madrid, 2011.

Capítulo 2

Los instrumentos de previsión privados en España: los planes de pensiones y su fiscalidad

Miguel Gutiérrez Bengoechea
Profesor Titular de Derecho Financiero y Tributario
Universidad de Málaga

SUMARIO: I. INTRODUCCIÓN. II. LOS PLANES DE PENSIONES: SUBJETIvidad tributaria y sus principios rectores. 1. Principios rectores. 1.1. Principio de no discriminación. 1.2. Principio de capitalización. 1.3. Principio de irrevocabilidad. 1.4. Principio de atribución de derechos. 1.5. Principio de integración obligatoria. 1.6. Principio de inembargabilidad. 2. *Sujetos y clases de los planes de pensiones*. III. BENEFICIOS FISCALES DE LOS PLANES DE PENSIONES CON LA LPGE PARA 2021. IV. FISCALIDAD DE LAS PERCEPCIONES DE LOS PLANES DE PENSIONES. V. CONCLUSIONES. VI. BIBLIOGRAFÍA.

I. INTRODUCCIÓN

El Estado consciente de los cambios sociales producidos en las últimas décadas, ha previsto mecanismos para proteger a las personas más vulnerables y unos de los mecanismos en los que el Estado puede actuar es a través de la fiscalidad.

El sistema fiscal español regula una serie de beneficios fiscales, sobre todo, en la imposición directa estatal que tienen en cuenta la discapacidad de las personas físicas.

Los incentivos fiscales que se aplican en función de la discapacidad de las personas se tornan en reducciones en la base imponible o en deducciones en la cuota tributaria del impuesto.

Este trabajo enfoca el estudio en el Impuesto sobre la Renta Persona Físicas y lo concreta, sobre todo, en el régimen de reducciones tributarias para las aportaciones a instrumentos de previsión social privados (fundamentalmente los planes de pensiones) a personas físicas con discapacidad reconocida fiscalmente.

Como ha habido un cambio significativo en los beneficios fiscales de los planes de pensiones en la Ley de Presupuestos Generales del Estado para el 2021, es necesario un estudio previo de los principios rectores que regula la normativa reguladora de los Planes y Fondos de pensiones para después profundizara el estudio en la fiscalidad de las aportaciones y percepciones a estos instrumentos de previsión social.

II. LOS PLANES DE PENSIONES: SUBJETIVIDAD TRIBUTARIA Y SUS PRINCIPIOS RECTORES

El Derecho a una seguridad social digna está recogido en la Constitución Española, en cuyo artículo 41 dispone que "Los poderes públicos garantizarán, mediante pensiones adecuadas y periódicamente actualizadas, la suficiencia económica de los ciudadanos durante la tercera edad..."[1].

Del precepto se infiere que todos los ciudadanos que hayan contribuido durante su vida laboral activa a la seguridad social o a las mutualidades públicas tienen garantizados unos Derechos económicos que les permitirán disfrutar durante su inactividad laboral de recursos financieros para afrontar sus necesidades[2].

Esta situación no impide que los ciudadanos complementen las contribuciones a los sistemas públicos de previsión social con otras aportaciones a sistemas privados de previsión social tendentes a percibir unas pensiones complementarias que en conjunto permitan a los perceptores de las mismas disfrutar del mismo bienestar del que disponían antes de llegar a su inactividad laboral[3].

La necesidad de complementar las percepciones públicas para la jubilación se basa en la crisis que está sufriendo el sistema de reparto de la seguridad social, que responde esencialmente a un pacto intergeneracional de modo que los pagos de la población activa del sistema sirven para

---

1. La ventaja de un sistema público obligatorio de previsión social es que proporciona solidaridad intergeneracional, mitiga la pobreza en la tercera edad, no resulta discriminatorio para la movilidad laboral y favorece el bienestar social. Cfr *Fiscalidad de las operaciones financieras*, ed. CISS, 2008, p. 412.
2. Hay que decir que el sistema de seguridad social cubre otras contingencias (a parte de la jubilación), y así, lo expresa la Constitución Española al recoger en el artículo 41, que la seguridad social también tiene como finalidad el cubrir contingencias como el desempleo, asistencia socio sanitaria que constituyen una pieza esencial en el estado de bienestar.
3. En la Exposición de Motivos de la Ley 35/2006 (IRPF), en el quinto objetivo, alude a que los individuos puedan obtener a través del sistema público de pensiones y de su plan de pensiones privados, una prestación que permita la aproximación de sus rentas al último salario percibido.

financiar en cada período las pensiones de la población jubilada; a su vez, las pensiones que recibirán los trabajadores que están en activo, cuando se jubilen, procederán de los pagos que para entonces realice la población activa[4].

Ante esta realidad socioeconómica toman auge los sistemas privados de previsión social que, basados en el sistema de capitalización, complementan al sistema público de pensiones de la seguridad social[5].

Sin embargo, el sistema público de la seguridad social no debe relajarse en favor de los sistemas complementarios porque hay muchas personas que no tienen ingresos suficientes como para contratar planes de pensiones complementarios al de la seguridad social. Los ciudadanos pretenden completar con sus esfuerzos aquello que no satisface el sector público. Ya Beveridge preconizaba que no esperásemos todo del Estado, que cada cual en la medida de sus posibilidades debe colaborar en salir de la situación de necesidad en que las circunstancias le pudieran haber situado en un momento dado, por lo que cada persona debe adoptar una actitud positiva frente a la adversidad.

Dentro de los sistemas de previsión social destacan a los Planes y Fondos de pensiones, por su permanencia en nuestro Ordenamiento jurídico y por su aceptación social como instrumento de ahorro privado a largo plazo. Además, y no menos importante, las aportaciones a los planes de pensiones dan derecho a importantes beneficios fiscales tanto a las personas físicas que los contraten como a las personas jurídicas que los promuevan[6].

Actualmente los planes de pensiones están regulados por el RDL 1/2002, de 29 de noviembre (texto refundido de la Ley de regulación de los Planes

---

4. El motivo por el que este sistema no es muy viable viene condicionado principalmente por variables demográficas y dado que la natalidad ha experimentado un proceso de reducción muy notable a la vez que la esperanza de vida se ha alargado, las fuentes de financiación en que se asienta el sistema estén experimentando una reducción progresiva.

5. En este sentido, el Pacto de Toledo, aboga por la necesidad de complementar el modelo de previsión con las prestaciones complementarias de naturaleza libre y gestión privada a las que pueden acceder quienes voluntariamente deseen complementar sus prestaciones públicas. El motivo por lo que en las recomendaciones del Pacto de Toledo se apueste por los sistemas privados de pensiones se debe a que hoy en día es imposible el establecimiento de un sistema de capitalización público por los enormes costes financieros que conllevaría el tránsito desde el sistema de reparto al de capitalización pública. Sin embargo, estos instrumentos privados de previsión social pueden tener alguna desventaja como que están desprotegidos frente a la inflación, su rentabilidad es variable e incluso podría ser negativa y, por supuesto, no existe solidaridad intergeneracional.

6. En relación a los planes de pensiones se aprecia por parte del legislador un uso extrafiscal del mismo, al someter el interés jurídico tributario a un interés distinto generalmente identificado con objetivos de política económica o social. Soler Roch, M. T., *Incentivos a la inversión y justicia tributaria*, Cívitas, Madrid, 1983, p. 105.

y Fondos de Pensiones) y el reglamento que lo desarrolla viene dado por el RD 304/2004, de 20 de febrero, ambos modificados parcialmente por la Ley 35/2006 reguladora del Impuesto sobre la Renta de las Personas Físicas y por el RD 439/2007, de 30 de marzo: Reglamento del Impuesto sobre la Renta de las Personas Físicas[7].

La protección de los sistemas de previsión social, en general, constituye para casi todos los Estados un objetivo prioritario que, como tal, aparece regulado como un derecho fundamental en sus cartas magnas.

Así cuando un Estado sospeche que los derechos consolidados por las personas a través de estos instrumentos de previsión pueden peligrar económicamente, asumen la gestión de los mismos, como ha ocurrido recientemente en Argentina[8].

Para que los planes de pensiones puedan acceder a un determinado régimen fiscal y financiero ventajoso deben cumplir con unos principios regulados en el artículo 5 TRPFP que, además, se muestran como garantes de los derechos consolidados de los partícipes y son fundamentales para su integración como intermediarios financieros.

Los planes de pensiones no son sujetos pasivos del Impuesto sobre Sociedades al tener una naturaleza contractual y de carácter asociativo. En este sentido los planes de pensiones no tienen un patrimonio independiente que les permita obtener rentas de forma autónoma y así, otorgarle subjetividad tributaria.

El artículo 29 del TRPFP no aclara en mi opinión la cuestión pues solamente dispone que: "Las rentas correspondientes a los planes de pensiones no serán atribuibles a los partícipes, quedando, en consecuencia, sin tributación en el régimen de atribución de rendimientos".

El precepto citado da a entender que el plan de pensiones puede constituir una unidad económica susceptible de imputar rendimientos, pero esta consideración no es cierta porque existe una separación entre el aspecto contractual representado por el plan de pensiones y el fondo de pensiones en cual sí está integrado por el patrimonio de todos los partícipes y que al final tendrá que realizar las prestaciones[9].

---

7. Vid. Disposición Adicional décima y Final quinta de la Ley 35/2006 y Disposición Final primera del RD 439/2007, de 30 de marzo.
8. La crisis financiera que están padeciendo todas las economías motivado por una desregulación del sistema financiero con la actual globalización económica ha instado a las autoridades públicas de muchos estados han intervenir y asumir la gestión o participación activa en las entidades financieras ubicadas en dichos estados.
9. Como manifiestan Moreno Royes, F. Santidrián Alegre y Ferrando Piñol, A., *Los planes y fondos de pensiones. Comentarios al Reglamento*, CDN, Ciencias de la Dirección, Madrid, 1988, p. 171, el plan de pensiones cualquiera que sea su modalidad podría defenderse la existencia de un patrimonio separado compuesto por las aportaciones realizadas por

A diferencia de los planes de pensiones, los fondos de pensiones si tienen una autonomía patrimonial con lo que perfectamente podrían quedar sujetos a la atribución de rendimientos porque carecen de personalidad jurídica.

Sin embargo, el artículo 30.1 TRPFP dispone que: "los fondos de pensiones constituidos e inscritos según lo requerido en esta Ley estarán sujetos al Impuesto sobre Sociedades a un tipo de gravamen cero teniendo en consecuencia, derecho a la devolución de las retenciones que se practiquen sobre los rendimientos del capital mobiliario".

Es precisamente este precepto el que otorga la subjetividad tributaria considerando a los fondos de pensiones como sujetos pasivos del Impuesto sobre Sociedades, evitando el sistema de atribución de rendimientos.

El aplicar un tipo impositivo del 0% garantiza que los fondos de pensiones no van a soportar presión fiscal, a diferencia de otras de otras entidades exentas que, antes de 1996 quedaban sujetas a una tributación mínima por el importe de las retenciones. Además, la tributación a un tipo impositivo de cero posibilita el derecho a la devolución de las retenciones que se practiquen a los rendimientos de capital mobiliario. Tan sólo estarían estas entidades a las obligaciones formales que están reguladas en el Impuesto sobre Sociedades con carácter general[10]. Sin embargo, actualmente, no resulta preciso el tipo cero, puesto que las entidades exentas no están sometidas a retención, de manera que se obtendría el mismo resultado declarando exentos los fondos de pensiones.

1. PRINCIPIOS RECTORES

1.1. Principio de no discriminación

El primer principio que recoge el TRPFP en su artículo 5.1.a es el de no discriminación.

Este principio básico en los planes de pensiones garantiza el acceso como partícipe de un plan de pensiones a cualquier persona física que reúna las condiciones de vinculación o de capacidad de contratación con el promotor que caracterizan cada tipo de contrato[11].

---

los promotores y partícipes, en la medida en que tales contribuciones recibidas por el plan resulten integradas en el correspondiente fondo de pensiones a través de la cuenta de posición del plan, que habría de reflejar los rendimientos netos asignados al mismo. Sin embargo, se produce una ausencia de tributación de los planes, tanto directamente como por la atribución de rentas sobre los partícipes y beneficiarios.

10. Manrique López, F., Arrieta Idiakex, F., Átxabal Rada, A., *Las Entidades de Previsión Social Voluntarias*, Ed Aranzadi, 2014, pp. 212-213.

11. Hinojosa Torralvo J.J., "Artículos 28 y 29. Gastos deducibles y rendimiento neto del trabajo", en AA.VV. (Simón Acosta, E.A. Coord.) *Comentarios a la Ley del Impuesto*

Como señala MALVÁREZ PASCUAL, en relación con un plan de sistema de empleo, se entiende que no es discriminatorio cuando la totalidad del personal empleado por el promotor con, por lo menos dos años de antigüedad, esté acogido o en condiciones de acogerse al citado plan, aunque se permita la existencia de varios subplanes, siendo admisibles también distintas aportaciones y prestaciones en cada subplan[12].

Sin embargo, el principio de no discriminación presenta algunas vicisitudes que flexibilizan su contenido; así, aunque hemos expuesto que el principio de no discriminación no resulta vulnerado cuando cualquier trabajador tiene acceso al plan de pensiones, siempre que tenga una antigüedad de dos años en la empresa, esto no es óbice para que no puedan integrarse en el plan de pensiones trabajadores con una antigüedad laboral inferior a dicho periodo, siempre a discreción de la empresa. Por otra parte, en estos planes, cuando sean de las modalidades de prestación definida o mixto, el empleado en condiciones de acogerse podrá ejercitar su derecho de adhesión dentro del año natural en que alcance aquellas condiciones.

Por otra parte, el principio de no discriminación se flexibiliza en relación con el *quantum* de las aportaciones que la empresa realice a cada uno de los trabajadores, es decir, pueden existir diferencias en las imputaciones que la empresa realice a sus trabajadores conforme a criterios derivados de un acuerdo colectivo o disposición equivalente o bien, establecidos en las propias especificaciones del plan de pensiones.

Por último, hay que destacar la posibilidad de que la empresa promotora decida crear distintos subplanes dentro de un mismo plan de pensiones, adhiriéndose distintos colectivos (trabajadores, directivos, etc..) de la empresa. Estos subplanes tendrán sus propias especificidades, siempre bajo negociación colectiva, atendiendo a las prestaciones que garantizarán o a las aportaciones que habrá que materializar[13].

En los planes de pensiones asociados el principio de no discriminación no se cuestionará cuando todos los asociados de una entidad puedan acceder en régimen de igualdad de condiciones y derechos al plan de pensiones; no obstante, como existe la posibilidad de que los distintos partícipes realicen las aportaciones que deseen, puede haber desigualdad

---

sobre la Renta de las Personas Físicas y a la Ley del Impuesto sobre el Patrimonio, Aranzadi, Pamplona, 1995, p. 424.

12. Malvárez Pascual, L., "El régimen jurídico tributario de los sistemas de previsión social", *Quincena Fiscal*, núm. 2, 1998, p. 12.

13. Tan sólo puntualizar que las empresas sólo pueden constituir un plan de pensiones de forma unitaria o de promoción conjunta con otras empresas pero sí podrá subdividir el plan de pensiones en subplanes como ya se ha especificado.

en los derechos consolidados sin que por ello se vea lesionado el principio de no discriminación[14].

Por último, a tenor del artículo 46 del reglamento de los Planes y Fondos de Pensiones (en adelante RPFP), el plan del sistema individual no será discriminatorio cuando cualquier persona con capacidad de obligarse sea admitida en el plan de pensiones que ofrezca la entidad financiera[15].

1.2. Principio de capitalización

Este principio informa sobre el procedimiento que la entidad promotora va a seguir para ir constituyendo el fondo de pensiones y, por tanto, los derechos consolidados de los partícipes.

En este sentido, la entidad promotora según el artículo 8 del TRPFP, debe seguir un sistema actuarial basado en la capitalización de sus inversiones, que serán en la mayor parte el resultado de las aportaciones de los partícipes. Por otra parte, para mayor garantía de los partícipes, el coste anual de cada una de las contingencias en que está definida la prestación se calculará individualmente para cada partícipe, sin que la cuantía de la aportación imputable a un partícipe por tales conceptos pueda diferir la imputación fiscal soportada por el mismo[16].

1.3. Principio de irrevocabilidad

El principio de irrevocabilidad significa que las aportaciones efectivamente realizadas no podrán ser retiradas por el promotor y, además, que el promotor no podrá desvincularse libre y unilateralmente de los compromisos de aportación asumidos previamente[17].

Este compromiso *ex lege* tiene su fundamento, tal como aduce SANZ GADEA, en el derecho de crédito que los partícipes tienen frente al promotor, en virtud del cual éste está obligado a la realización por cuenta de aquellos, de determinadas aportaciones a un plan de pensiones del que son partícipes[18]; de otro lado, habría que justificar la irrevocabilidad,

---

14. Vid artículo 52 RD 304/2004.
15. Con anterioridad el artículo 7.2 RD 1307/1988 (antiguo reglamento de los Fondos y Planes de Pensiones) para que no se produjesen discriminaciones negaba expresamente la posibilidad de que las personas físicas empleadas en la entidad financiera, así como sus unidades familiares y sus parientes hasta el tercer grado inclusive puedan tener la condición de partícipes.
16. Font de Mora Sainz, P. y otros, *Planes de pensiones y exteriorización de los compromisos empresariales*, Tirant Monografías, Valencia, 2000, p. 26.
17. Vid artículo 2.4.c RPFP.
18. Cfr Sanz Gadea, E., "Tributación de las rentas obtenidas por las instituciones de inversión.

entendiendo que las aportaciones que la empresa realiza al trabajador forman parte de sus retribuciones básicas, o sea, del sueldo de éste[19].

Este principio de irrevocabilidad, sin embargo, no se predica para los partícipes, es decir, el participe no queda obligado a realizar las aportaciones, sino que puede modificarlas o suspenderlas pasando desde ese momento a la condición de partícipe en suspenso, sin que por ello se vean mermado sus derechos consolidados, no obstante, las aportaciones ya realizadas no puede retirarlas pues son indisponibles e innegociables[20].

1.4. Principio de atribución de derechos

Las aportaciones de los partícipes determinan para éstos la consolidación de unos derechos que vendrán dados no sólo por la aportación realizada sino también por el régimen financiero aplicado a tales fondos constituidos[21].

1.5. Principio de integración obligatoria

Los Planes de Pensiones se integrarán obligatoriamente en un Fondo de Pensiones, que viene así a recoger los aspectos contables de las aportaciones al Plan de Pensiones.

1.6. Principio de inembargabilidad

Como su propio nombre indica, hace referencia a que los derechos que se van consolidando no son embargables ni tampoco pueden ser objeto de traba judicial o administrativa hasta que se produzca la contingencia que dé lugar al rescate de los mismos[22].

---

colectiva (IIC) y sus partícipes". *Revista de Contabilidad y Tributación, CEF*, núm. 443, 2020, p. 7.

19. Por esta razón cuando un trabajador es despedido de la empresa de forma procedente o improcedente puede movilizar sus derechos consolidados de su plan de pensiones a otro plan de pensiones o rescatarlo si se encuentra jurídicamente en situación de desempleo de larga duración.

20. Según el artículo 9 RPFP establece como supuestos excepcionales de rescate, la enfermedad grave o el paro de larga duración.

21. Tal como expone Marcos Cardona, M., *Tributación de los Planes y Fondos de Pensiones*. Colección de Estudios de Derecho, Universidad de Murcia, 2003, p. 42, a diferencia de lo que acontece con las prestaciones procedentes del sistema público de la seguridad social que al utilizar el sistema de reparto como régimen financiero no existe acumulación fondos y por tanto derechos consolidados, en los planes de pensiones las aportaciones, tanto las directamente realizadas como las imputadas por el promotor, determinan unos derechos económicos a favor de los partícipes y, en última instancia, las prestaciones de los beneficiarios.

22. En este sentido la Ley 66/1997 en su modificación del artículo 8.8 de la Ley 8/1987, ponía punto y final a la problemática, al no admitir el embargo de los derechos conso-

Es ilustrativa la STC 88/2009, de 20 de abril, la cual aclara que la imposibilidad de embargar los derechos consolidados tiene su fundamento en la propia naturaleza jurídico-económica de los derechos consolidados de estos planes de previsión social.

Por su propia regulación jurídica los derechos económicos que van consolidando los partícipes son indisponibles hasta que no se produzcan las contingencias reguladas en el artículo 8.7 TRPFP.

En este sentido el artículo 8.7 TRPFP dispone que las contingencias que otorgará al partícipe-beneficiario al cobro de la prestación serán las siguientes: "La jubilación: para la determinación de esta contingencia se estará a lo previsto en el régimen de seguridad correspondiente.

Cuando no sea posible el acceso de un partícipe a la jubilación, la contingencia se entenderá producida a partir de que cumpla los 65 años de edad, en el momento en que el partícipe no ejerza o haya cesado en la actividad laboral o profesional, y no se encuentre cotizando para la contingencia de jubilación para ningún Régimen de la Seguridad Social.

No obstante, podrá anticiparse la percepción correspondiente a partir de los sesenta años de edad, en los términos que se establezcan reglamentariamente.

Incapacidad laboral total y permanente para toda profesión, habitual o absoluta y permanente para todo trabajo, y la gran invalidez determinada conforme al Régimen correspondiente de la seguridad social.

Muerte del partícipe o beneficiario, que puede generar derecho a prestaciones de viudedad, orfandad o favor de otras personas designadas.

Dependencia severa o gran dependencia del partícipe regulado en le Ley de promoción de la autonomía personal y atención a las personas en situación de dependencia".

A estas contingencias habrá que añadir el supuesto de que el partícipe o beneficiario esté en situación de desempleo o esté padeciendo una enfermedad grave tal como dispone el artículo 8.8 TRPFP.

Además, se establece la posibilidad de rescatare el plan de pensiones como consecuencia de un procedimiento de ejecución sobre la vivienda habitual. En este caso la Disposición adicional séptima del TRPFP dispone que: "Durante cuatro años desde la entrada en vigor de la Ley 1/2003, de 14 de mayo, de medidas para reforzar la protección de deudores hipotecarios, reestructuración de deuda y alquiler social, excepcionalmente, los partícipes de los planes de pensiones podrán hacer efectivos sus derechos consolidados

---

lidados en los planes y fondos de pensiones, hasta el momento de causarse el derecho a la prestación.

en el supuesto de procedimiento de ejecución sobre la vivienda habitual del partícipe.

Reglamentariamente podrán regularse las condiciones y términos en que podrán hacerse efectivos los derechos consolidados en dicho supuesto, debiendo concurrir al menos los siguientes requisitos:

a)   Que el partícipe se halle incurso en un procedimiento de ejecución forzosa judicial, administrativa o venta extrajudicial para el cumplimiento de obligaciones, en el que se haya acordado proceder a la enajenación de su vivienda habitual.

b)   Que el partícipe no disponga de otros bienes, derechos o rentas en cuantía suficiente para satisfacer la totalidad de la deuda objeto de la ejecución y evitar la enajenación de la vivienda.

c)   Que el importe neto de sus derechos consolidados en el plan o planes de pensio nes sea suficiente para evitar la enajenación de la vivienda.

De la redacción de la Disposición adicional séptima (en adelante DA) surgen las siguientes cuestiones: cuando la DA7 que el partícipe podrá recuperar los derechos consolidados cuando no tenga bienes o rentas suficientes para satisfacer la totalidad de la deuda objeto de la ejecución, en principio hay que entender que se refiere a toda la garantía hipotecaria y no solo a la deuda nominal contraída con la entidad financiera.

En segundo lugar, podría ser que no tuviese rentas monetarias para saldar la totalidad de la deuda hipotecaria pendiente pero que el sujeto tuviese, por ejemplo, algún bien mobiliario que cuyo valor de mercado cubra la deuda pendiente; en este caso, el sujeto no podría rescatar los derechos consolidados porque con el valor de sus bienes podría cancelar la deuda que pende sobre la vivienda habitual.

Y la tercera cuestión hace referencia a que el derecho consolidado en el plan de pensiones sea suficiente para evitar la enajenación de la vivienda habitual lo que en mi opinión, no tiene por qué cubrir el derecho consolidado exactamente el importe de la deuda asociada a la vivienda habitual, sino que, basta con que el sujeto acreedor acepte un determinado importe como suficiente para extinguir la deuda o para conseguir un aplazamiento de la misma, para que el sujeto pueda rescatar el plan de pensiones.

Al igual que en otras figuras impositivas como el Impuesto sobre el Patrimonio de las Personas Físicas los derechos consolidados de los Planes de pensiones no tributan pese a realizar el hecho imponible del impuesto. En este caso, sin duda, se generan unos derechos de tipo económico en parecidos términos a los de los seguros de vida.

Quizás el principal motivo en el que se apoya el operador jurídico es la importante función que tienen estos sistemas complementarios de pensiones públicas y de modernización, desarrollo y estabilidad de los mercados financieros"[23].

2. SUJETOS Y CLASES DE LOS PLANES DE PENSIONES

Los planes de pensiones se configuran como sistemas de previsión voluntarios complementarios al sistema de prestación de pensiones de la seguridad social pública, cuyo fin es proporcionar a sus partícipes una renta en el caso de jubilación u otras contingencias legalmente admitidas. Sin embargo, el carácter voluntario de las aportaciones a estos sistemas de previsión social hace que las prestaciones de los planes de pensiones nunca puedan considerarse como sustitutivas de las preceptivas en el régimen correspondiente a la seguridad social.

El artículo 3 texto refundido de los Planes y Fondos de Pensiones (en adelante TRPFP) distingue los siguientes elementos personales en los Planes de pensiones:

a) El promotor del plan de pensiones: Puede ser cualquier entidad ya sea pública o privada que inste la creación de un plan de pensiones; lo normal es que sean instituciones financieras y empresas las que promuevan planes de pensiones de tipo individual y de empleo.

b) Los partícipes: Son las personas a cuyo favor se constituye el plan de pensiones; generalmente son ellos mismos los que realizan las aportaciones al plan de pensiones; no obstante, en algunos sistemas, las aportaciones las realiza el promotor, adquiriendo los partícipes la titularidad de las mismas.

c) Los beneficiarios: Son las personas con derecho a la percepción de las cantidades cuando se cumpla la contingencia prevista en el plan de pensiones, estas personas no tienen por qué coincidir con el partícipe.

Los planes de pensiones podemos subdividirlos atendiendo a dos criterios fundamentalmente: en primer lugar, atendiendo a quién promueva el plan de pensiones y en segundo, a las obligaciones estipuladas.

Comenzando la clasificación en relación a las personas que promuevan el plan de pensiones y a tenor del artículo 4 TRPFP (texto refundido de planes y fondos de pensiones) debemos distinguir fundamentalmente tres tipos de planes de pensiones. En primer lugar, el sistema de empleo; en este sistema, los sujetos promotores suelen ser las sociedades que, en el deseo de

---

23. En la resolución del Alto tribunal se manifiesta una ponderación en favor del principio de garantizar unas pensiones dignas frente al Derecho de los acreedores del titular del plan de pensiones.

complementar las prestaciones futuras de sus trabajadores, promueven la constitución de estos instrumentos de ahorro privado, quedando la figura del trabajador como partícipe[24].

El segundo sistema es el asociado; en este plan de pensiones, el promotor es cualquier asociación, sindicato, gremio o colectivo, siendo los partícipes sus asociados.

Y por último, el tercer sistema es el individual, en los cuales los promotores son las entidades financieras y sus partícipes son las personas físicas[25].

En cuanto a las obligaciones estipuladas, a tenor del artículo 4.2 TRPFP, los planes de pensiones se clasifican en las siguientes modalidades:

Planes de prestación definida: en los que se define como magnitud predeterminada o estimada la cuantía de todas las prestaciones a percibir por los beneficiarios. La determinación de la prestación que recibirán los partícipes estará en función generalmente de parámetros subjetivos, como la antigüedad en la empresa o de los salarios, aunque también son susceptibles de tomarse como referencia otras variables cualitativas de carácter objetivo.

Planes de aportación definida: en este sistema, pensado fundamentalmente para los sistemas de pensiones por el sistema individual, la magnitud objeto de referencia es la cuantía de las contribuciones de los promotores y, en su caso, de los partícipes al plan[26].

Planes mixtos: su objeto es simultánea o separadamente la cuantía de la prestación y la cuantía de la contribución[27].

Por otra parte, se pueden crear subplanes dentro de un mismo plan de pensiones del sistema de empleo, incluso aunque tengan diferentes modalidades o se articulen en cada subplan diferentes aportaciones y prestaciones[28].

---

24. No obstante, las personas que ejerzan actividades económicas pueden también constituir planes de pensiones para sus trabajadores. Asimismo, en el caso de entidades de economía social como las sociedades laborales, la condición de partícipe puede también extenderse a los socios trabajadores. Cfr. Gutiérrez Bengoechea, M., "Beneficios Fiscales de las Sociedades Laborales", *Nueva Fiscalidad*, núm. 2, 2008, p. 78.

25. Se consideran entidades financieras, los Bancos, Cajas de Ahorro, Entidades oficiales de créditos etcétera.

26. En este tipo de planes de pensiones, las prestaciones se cuantificarán en el momento de producirse la contingencia, como resultado del proceso de capitalización desarrollado por el plan.

27. En esta modalidad se entenderán incluidos aquellos planes que en los que estando definida la cuantía de las aportaciones queda definido el importe de las prestaciones correspondientes a todas o a algunas de las contingencias previstas. Así como, aquellos planes que combinan la aportación definida para alguna contingencia, con la prestación definida para otras u otras de las contingencias cubiertas por tales planes.

28. Cfr. Font de Mora Sainz, P. y otros, *Planes de pensiones y exteriorización de los compromisos empresariales*, Tirant Monografías, Valencia, 2000, p. 21.

Esta posibilidad conlleva a que las empresas puedan ofrecer a los trabajadores integrarse en distintos planes de pensiones que cubran distintas contingencias o bien que estén basados en distintas aportaciones o prestaciones, siendo éstos los que en última instancia decidan sobre su inclusión en alguno de ellos[29].

III. BENEFICIOS FISCALES DE LOS PLANES DE PENSIONES CON LA LPGE PARA 2021

La modificación que la LPGE ha realizado en la LIRPF va dirigida a incrementar los beneficios fiscales cuando se contrate un plan de pensiones empresarial frente a los planes de pensiones individuales y asociados que ven disminuidas las cantidades que pueden ser objeto de reducción por parte de los partícipes en estos instrumentos privados de previsión complementaria.

Estos cambios en el IRPF se dirigen a incrementar la tributación de los contribuyentes, sobre todo, a los sujetos pasivos con altos ingresos. Una de estas modificaciones va referida a los planes de pensiones privados tanto en sus aportaciones como en las percepciones.

El *leitmotiv* de esta decisión legislativa va avocada a incrementar la productividad de la empresa al considerar los trabajadores que la entidad les incrementa sus retribuciones totales cuando alcancen la jubilación.

En relación a las aportaciones, se producen un cambio bimodal de signo contrario. Esta consideración tiene su explicación en la reducción de la cantidad máxima que los contribuyentes pueden reducir la base imponible general del IRPF, en el caso de planes de pensiones individuales y asociados, que disminuyen de 8000 a 2000 euros anuales[30].

No obstante, podría ser incluso menor al permanecer el segundo límite que está constituido por el 30 por ciento de la suma de los rendimientos netos del trabajo personal más los rendimientos de actividad económica, como tope máximo los 2000 euros.

---

29. La posibilidad de crear subplanes fue vedada inicialmente por el Alto Tribunal que en la sentencia de 3 de marzo de 1999, declaraba la nulidad de determinados preceptos del Reglamento de Planes y Fondos de Pensiones, debido a la falta de cobertura legal por la Ley 8/1987. Esta posibilidad fue posteriormente subsanada por la Ley 30/1995 de Ordenación y supervisión del Seguro Privado.
30. La cantidad máxima que se puede aportar a un plan de pensiones individual o asociado es de 2000 euros anuales. Si se produce un exceso de aportación sobre este límite debe retirarse antes de 30 de junio del año siguiente con cargo al derecho consolidado del partícipe. La rentabilidad que se pudiera imputar a este exceso va a engrosar el patrimonio del Plan de pensiones y, si es negativa la rentabilidad sería a cuenta del partícipe.

Sin embargo, las aportaciones a los planes de pensiones de empleo están más incentivados fiscalmente ya que aumenta la cantidad que el partícipe puede reducir en la base imponible general del IRPF; en este caso, el beneficio fiscal aumenta hasta los 10.000 euros de esta cantidad si el partícipe aporta 2000 euros y la empresa 8000 euros.

A tenor de lo expuesto, el partícipe de un plan de pensiones de empleo puede optar a reducir en la base imponible del IRPF 10.000 euros (excepto para supuestos de aportación al cónyuge con bajos ingresos y en los casos de discapacidad en los cuales la cantidad total reducida puede ser superior), aunque el trabajador estuviese contratado en más de una empresa, y en todas, se hubiera contratado una Plan de pensiones al mismo trabajador, o bien, tuviese adicionalmente un plan de pensiones individual.

Este cambio en la cuantía de los beneficios fiscales según el tipo del Plan de Pensiones puede conllevar situaciones donde se podría plantear un expediente de conflicto en la aplicación de la norma tributaria. A título ilustrativo, si una persona tiene arrendados varios inmuebles y para su gestión tiene contratado a su cónyuge a tiempo parcial, las rentas percibidas, en este supuesto, tributarán como rendimiento de capital inmobiliario en el IRPF. No obstante, el arrendador puede diseñar una estrategia fiscal para que su actividad inmobiliaria fuese calificada como actividad económica. Tan sólo tendría que modificar el contrato laboral del cónyuge de tiempo parcial en fijo.

De esta forma se desarrolla una actividad económica y con la operación descrita, el empresario podría optar a aportar a su plan de pensiones de empleo 8000 euros más 2000 como aportación individual. Su cónyuge, en igual sentido, tendría la opción de aportar a su plan de pensiones 10.000 euros[31]. Esta actuación, podría constituir un abuso de las formas jurídicas con el único propósito de obtener un mayor beneficio fiscal en el IRPF, a través de los planes de pensiones de empleo.

La LIRPF mantiene la opción de compensar las cantidades aportadas y no reducidas por insuficiencia de base imponible general o por exceder del límite porcentual fijado para la suma de los rendimientos. No obstante, se produce un perjuicio para los contribuyentes que tengan la opción de compensar cantidades pendientes por la sencilla razón de que la cantidad a compensar como máximo es de 2000 euros e incluso inferior sí, el 30 por ciento de la suma de los rendimientos netos del trabajo personal más los de la actividad económica están por debajo de los 2000 euros.

---

31.   La opción a poder reducir 10.000 euros.

En mi opinión, esta situación va a dificultad la posibilidad de compensar las cantidades pendientes lo que va a revertir en un exceso de tributación para el contribuyente y en falta de neutralidad fiscal.

Se puede hacer una doble interpretación sobre la cantidad a compensar:

La primera de carácter extensivo permitiría la compensación de la totalidad de todas las aportaciones a planes de pensiones pendientes de compensar en la base imponible general del IRPF, siempre que esta sea positiva y disponga del montante suficiente para absorber el saldo pendiente. En este supuesto, por tanto, tan sólo estaría sometido a los límites del artículo 52 de la LIRPF las aportaciones realizadas durante el ejercicio fiscal objeto de declaración tributaria.

La segunda tesis, se focaliza en la agrupación de todas las aportaciones pendientes de reducción más las realizadas durante el ejercicio fiscal que se declara para someterla a los límites del artículo 52 de la LIRPF. En concreto, esta interpretación es expresada en el artículo 51.1 del Reglamento del Impuesto sobre la Renta de las Personas Físicas (RIRPF) el cual dispone que:" Los partícipes, mutualistas o asegurados podrán solicitar que las cantidades apostadas que no hubieran podido ser objeto de reducción en la base imponible según lo previsto en los artículos 52.2 y 53.1, c) y disposición adicional undécima de la Ley del impuesto lo sean en los cinco años siguientes".

El mismo precepto en el tercer apartado dispone que: "La imputación del exceso se realizará respetando los límites establecidos en el artículos 51,52 y 53 y en la disposición adicional undécima de la Ley del Impuesto cuando concurran aportaciones realizadas en el ejercicio con aportaciones de ejercicios anteriores que no hayan podido ser objeto de reducción por insuficiencia de base imponible o por exceder del límite porcentual establecido en el artículo 52.1 de la Ley del impuesto, se entenderá reducidas en primer lugar, las aportaciones correspondientes a años anteriores".

Del precepto en cuestión se dilucida que tanto las cantidades pendientes de reducción como las aportaciones del ejercicio fiscal objeto de autoliquidación por el contribuyente están sometidas a los límites del artículo 52 de la LIRPF.

Esta regulación en la compensación de las aportaciones no reducidas perjudica al contribuyente porque los límites que fija la LIRPF a partir de 2021 son menores, aunque las aportaciones se hubieran realizado cuando los límites que regulaba la LIRPF eran superiores.

IV. FISCALIDAD DE LAS PERCEPCIONES DE LOS PLANES DE PENSIONES

Tras suceder la contingencia, lo que continuará es la exigibilidad tributaria, y consecuentemente la tributación diferida del instrumento de previsión social. No obstante, sería necesario que se produjera, hasta ese determinado momento, la materialización del rescate de los derechos consolidados.

La prestación que ha de englobar la capitalización de las prestaciones se encuentra sujeta y gravada por el Impuesto sobre la Renta de las Personas Físicas, cuyo beneficiario de dicha prestación incrementaría su capacidad económica, al haber incrementado sus rentas[32].

Las percepciones se pueden recibir de tres formas:

a) En forma de capital, en las que el sujeto percibiría en un pago único el derecho consolidado. Se podría aplicar una reducción del 40%, que se debería cobrar en los dos años siguientes de la contingencia. Al acumular el capital percibido en la parte general de la base imponible del IRPF y al someterse a una tarifa impositiva de carácter progresivo, los sujetos beneficiados por los derechos consolidados podrían sufrir una "sobre" imposición. La LIRPF introdujo una modificación normativa al suprimir la reducción del 40% en las prestaciones de los planes de pensiones privados que se hubieran percibido en forma de capital, sin perjuicio del mantenimiento de un derecho transitorio en caso de las aportaciones realizadas antes del 2007 y no necesariamente que se haya contratado el plan de pensiones antes del 2007[33]. Respecto al cómputo

---

32. Artículo 23.1 TRPFP: "Las prestaciones recibidas por los beneficiarios de los planes de pensiones se integrarán en su base imponible del Impuesto sobre la Renta de las Personas Físicas".

33. Disposición transitoria duodécima LIRPF. Régimen transitorio aplicable a los planes de pensiones, de mutualidades de previsión social y de planes de previsión asegurados.
"1. Para las prestaciones derivadas de contingencias acaecidas con anterioridad al 1 de enero de 2007, los beneficiarios podrán aplicar el régimen financiero y, en su caso, aplicar la reducción prevista en el artículo 17 del texto refundido de la Ley del Impuesto sobre la Renta de las Personas Físicas vigente a 31 de diciembre de 2006.
2. Para las prestaciones derivadas de contingencias acaecidas a partir del 1 de enero de 2007, por la parte correspondiente a aportaciones realizadas hasta 31 de diciembre de 2006, los beneficiarios podrán aplicar el régimen financiero y, en su caso, aplicar la reducción prevista en el artículo 17 del texto refundido de la Ley del Impuesto sobre la Renta de las Personas Físicas vigente a 31 de diciembre de 2006.
3. El límite previsto en el artículo 52.1.a) de esta Ley no será de aplicación a las cantidades aportadas con anterioridad a 1 de enero de 2007 a sistemas de previsión social y que a esta fecha se encuentren pendientes de reducción en la base imponible por insuficiencia de la misma.
4. El régimen transitorio previsto en esta disposición únicamente podrá ser de aplicación, en su caso, a las prestaciones percibidas en el ejercicio en el que acaezca la contingencia correspondiente, o en los dos ejercicios siguientes.

del plazo, la DGT 15-09-1999 establece que se ha de realizar de fecha a fecha. Si el sujeto pasivo tuviera varios planes de pensiones, sólo podría aplicar la reducción a uno de ellos. A partir del año 2015, el capital con derecho a reducción se debería cobrar en los dos años siguientes a la contingencia sucedida.

b) En forma de renta, que son integrados en la base imponible general del IRPF como rendimientos del trabajo. Sin posibilidad de aplicar reducción, para los contribuyentes con baja capacidad económica[34] o para aquellos que rescaten de modo anticipado el plan de pensiones al encontrarse en situación de desempleo de larga duración, cuya obtención de una renta vitalicia o temporal garantizara un mínimo de subsistencia y a su vez, anule la tributación de dichas rentas[35]. Se podría producir un rescate en forma de renta por el beneficiario, en el caso de personas discapacitadas, con una minusvalía igual o superior al 33%, con una exención de la cantidad percibida con el límite de 3 veces el Indicador Público de Renta a Efectos Múltiples (IPREM)[36].

c) En forma mixta, que combinaría ambas formas, es decir, una parte en forma de capital y otra en forma de renta. Estarían sujetas al IRPF como rendimientos del trabajo personal. Estaría dirigido a aquellas personas que se jubilen anticipadamente, así como a aquellas personas que desearan complementar las pensiones públicas con una renta proveniente de un instrumento de previsión social privado, y que en el caso de tener un alto grado de minusvalía rescatara el resto de su prestación del plan de pensiones en forma de capital[37].

No obstante, en el caso de contingencias acaecidas en los ejercicios 2011 a 2014, el régimen transitorio solo podrá ser de aplicación, en su caso, a las prestaciones percibidas hasta la finalización del octavo ejercicio siguiente a aquel en el que acaeció la contingencia correspondiente. En el caso de contingencias acaecidas en los ejercicios 2010 o anteriores, el régimen transitorio solo podrá ser de aplicación, en su caso, a las prestaciones percibidas hasta el 31 de diciembre de 2018". *Vid.* DGT 16-06-2006.

34. Esta situación acontecería en el caso de que las empresas promuevan planes de pensiones a sus empleados que percibieran salarios bajos.

35. El artículo 92.2.a LIRPF aclara que no tendrán obligación de declarar aquellos contribuyentes con rendimientos íntegros del trabajo inferiores a 22.000 euros anuales.

36. Artículos 15 RPFP y 7 w) LIRPF.

37. A efectos del procedimiento de rescate, el artículo 10.3 RPFP expresa que "El beneficiario del plan de pensiones o su representante legal, conforme a lo previsto en las especificaciones del plan, deberá solicitar la prestación señalando en su caso la forma elegida para el cobro de la misma y presentar la documentación acreditativa que proceda según lo previsto en las especificaciones". Recoge un requisito constitutivo para poder percibir los derechos consolidados, aunque no impondría la obligación de solicitar el reconocimiento de la prestación, al tener un carácter dispositivo, así como adjuntar una serie de documentos justificativos que legitimen el derecho a la prestación. La entidad gestora examinará la documentación y en el plazo máximo de 15 días notificará una serie de elementos definitorios de la prestación conforme a las especificaciones o a la opción señalada por el beneficiario.

Los planes de pensiones se caracterizan fiscalmente por estar sometidos a un diferimiento en su tributación. La tributación se produce cuando el beneficiario (normalmente el partícipe u otra persona designada por éste) percibe los derechos económicos que se han ido generando como consecuencia de producirse algunas de las contingencias previstas en el artículo 8 del TRLPFP. No obstante, con la pandemia originada por la COVID-19 el gobierno aprobó normas legales que permiten en ciertos casos el rescate anticipado de los derechos consolidados del plan de pensiones en sus tres modalidades[38]. A este respecto, con carácter excepcional se permite que las personas que hayan pasado a una situación de expediente regulador temporal de empleo (ERTE) puedan rescatar parte de los derechos consolidados.

En este sentido, el artículo 23 RD-ley 15/2020, de 21 de abril, *de medidas urgentes complementarias para apoyar la economía y el empleo,* permite hacer efectivo los derechos consolidados por los partícipes del sistema individual y asociados y, los partícipes de los planes de pensiones de empleo de aportación definida o mixtos para aquellas contingencias definidas en régimen de aportación definida.

En el supuesto de planes de pensiones de empleo de prestación definida podrá disponer de los derechos consolidados para aquellas contingencias definidas en este régimen[39].

El hecho que los partícipes hayan optado por rescatar el derecho consolidado no implica que sea por la totalidad del derecho consolidado, sino que la norma legal antes aludida, marca unos límites en el *quantum* de la percepción.

De forma descriptiva, se puede rescatar la menor de las dos siguientes cantidades:

a) Los salarios netos dejados de percibir mientras se mantenga la vigencia del ERTE con un período máximo igual a la vigencia del Estado de alarma más un mes adicional.

b) El resultado de prorratear el Indicador Público de Renta de Efectos Múltiples (IPREM) anual para doce pagas vigente para el ejercicio 2020 multiplicado por tres en la proporción que corresponda al período de duración del ERTE.

---

38. Vid. Disposición Adicional Vigésima RD-ley 11/2020, de 31 de marzo y RD-ley 15/2020, de 21 de abril.

39. En el supuesto de que un plan de pensiones de empleo recoja como contingencia el desempleo a largo plazo, no habría problema en que el partícipe opte en rescatar el derecho consolidado porque la situación producida por un ERTE se asimila al desempleo.

Respecto a la naturaleza jurídico-tributaria de los ingresos percibidos por el partícipe, se consideran rendimientos del trabajo personal y, por tanto, se integran en la base imponible general de este impuesto, al tipo impositivo progresivo que podría llegar al 47 por ciento si la base liquidable general del IRPF del partícipe es superior a 300.000 euros.

Según lo anterior, en el supuesto de que el partícipe rescate el plan de pensiones en forma de capital tendría que contribuir al fisco con casi la mitad de lo percibido. Según lo anterior, en el supuesto de que el partícipe rescate el plan de pensiones en forma de capital tendría que contribuir al fisco con casi la mitad de lo percibido.

Esta forma de rescate puede interesar si el partícipe ha realizado aportaciones antes del 2007 ya que los derechos consolidados correspondientes a estas aportaciones se pueden reducir en un 40 por ciento.

Parece lógico que, dado que el derecho consolidado por el partícipe se integre en su totalidad en la base liquidable regular del IRPF sometiéndose a la tarifa impositiva del IRPF a veces es conveniente percibir los derechos económicos en forma de renta para eludir la progresividad del impuesto.

De este modo, encontramos en el IRPF el artículo 17.2.a). 3.ª LIRPF en el que se consideran rendimientos del trabajo "Las prestaciones percibidas por los beneficiarios de planes de pensiones y las percibidas de los planes de pensiones regulados en la Directiva (UE) 2016/2341 del Parlamento Europeo y del Consejo, de 14 de diciembre de 2016, relativa a las actividades y la supervisión de fondos de pensiones de empleo"[40].

En cambio, determinados autores discrepan sobre la tributación, al hacer referencia del supuesto en el que el partícipe de los planes de pensiones no fuera el mismo que el sujeto beneficiario de dicha prestación. Por tanto, existiría una transmisión de carácter lucrativo hacia el beneficiario, cuyo argumento se basaría en la analogía de la tributación de los seguros de vida en el supuesto de no coincidir el beneficiario con el del tomador del seguro, así pues, el beneficiario de los planes de pensiones tributaría por el Impuesto sobre Sucesiones y Donaciones[41].

---

40. Tienen el mismo tratamiento las reguladas en la normativa de los planes de pensiones, las prestaciones del resto de instrumentos de previsión social siempre y cuando se regulen como contingencias susceptibles de rescate.
41. Así lo estima Pérez Royo, I., *La nueva regulación del Impuesto sobre la Renta de las Personas Físicas*, Marcial Pons, Madrid, 1991, p. 59 expresa que sería lógico la tributación por el Impuesto sobre Sucesiones y Donaciones en el caso de que coincidiera el beneficiario y el partícipe, al tratarse de una atribución patrimonial de carácter gratuito. De igual manera Arias Velasco, J., *Manual del Impuesto sobre Sucesiones y Donaciones*, Generalitat de Catalunya, Barcelona, 1992, p. 38 explica que el plan de pensiones es

La derogada Ley 18/1991, de 6 de junio, del Impuesto sobre la Renta de las Personas Físicas, dejaba abierta la posibilidad de que las prestaciones de los planes de pensiones pudieran ser gravadas por el Impuesto sobre Sucesiones y Donaciones. En el artículo 25 de la derogada Ley, expresaba que las prestaciones de los planes de pensiones serían incluidas como rendimientos del trabajo personal con la salvedad de la tributación en el Impuesto sobre Sucesiones y Donaciones.

En cambio, el Real Decreto 1629/1991, de 8 de noviembre, por el que se aprueba el Reglamento del Impuesto sobre Sucesiones y Donaciones, establecía la no sujeción a dicho impuesto de las prestaciones de los planes de pensiones. Por tanto, el legislador quiso referirse a las prestaciones de seguros de vida con idénticas contingencias a los planes de pensiones.

Por un lado, NIETO MONTERO, hace referencia al importe de las percepciones en los planes de pensiones y considera que no ha estado integrado en el patrimonio del sujeto fallecido. Por tanto, la contingencia del fallecimiento, fruto de la voluntad contractual vinculado a su plan de pensiones, muestra que los beneficiarios sean los designados por el sujeto partícipe, sin que se traslade la adquisición al patrimonio del fallecido[42].

Por otro lado, CALVO VÉRGEZ expresa que para que el beneficiario de un plan de pensiones sea sometido al Impuesto sobre Sucesiones y Donaciones sería necesario de un hecho imponible autónomo, del mismo modo que ocurre con las percepciones relacionadas con los seguros de vida[43].

Dicha cuestión, se resuelve en el artículo 3.e del Real Decreto 1629/1991, de 8 de noviembre, por el que se aprueba el Reglamento del Impuesto sobre Sucesiones y Donaciones que expresa que "Las cantidades que en concepto de prestaciones se perciban por los beneficiarios de Planes y Fondos de Pensiones o de sus sistemas alternativos, siempre que esté dispuesto que estas prestaciones se integren en la base imponible del Impuesto sobre la Renta del perceptor". Por tanto, la prestación del instrumento de previsión social será gravada a través del IRPF[44].

---

un contrato de seguro "sobre la vida", a pesar de regularse específicamente en su disciplina jurídica.

42. Nieto Montero, J.J., "Régimen Tributario de las prestaciones de los planes de pensiones", en AA.VV. (Delgado García, A.M., Oliver Cuello, R. Coord.), *Fiscalidad de los Planes de pensiones y otros sistemas de previsión social*, Ed. Bosch, 2014., p. 169.

43. Calvo Vérgez, J., "Fiscalidad de las prestaciones derivadas de los planes de pensiones en el Impuesto sobre la Renta de las Personas Físicas". *Nueva fiscalidad*, 2010, p. 31.

44. De la Peña Velasco, G., "Régimen tributario del beneficiario de planes de pensiones",

Otro aspecto que resaltar es la tributación, la cual no debería ser gravosa, puesto que quienes la perciben serían los jubilados, cuyos ingresos se verían mermados y su acumulación de la prestación en su base imponible general no tendría que ser muy elevada[45]. De todos modos, dicha tributación definitiva dependería de la forma de rescatar el plan de pensiones, es decir, de la cuantía de la prestación, pero no por la condición de beneficiario[46].

Si tuviera el beneficiario un porcentaje igual o superior al 33 por ciento de minusvalía física o psíquica, tendría derecho a una serie de deducciones en el IRPF. Sin embargo, no ocurriría lo mismo si el partícipe percibiera la prestación del plan de pensiones como consecuencia de tener reconocida la invalidez absoluta o permanente, ya que dicha exención se aplicaría únicamente a las remuneraciones en concepto de pensión que provenga de los entes públicos.

Respecto a la calificación jurídica de las prestaciones, el artículo 17.2.a) LIRPF[47] expresa que las prestaciones producidas, una vez

---

en AA.VV. (Martínez Lafuente. Dir.), *Estudios sobre planes y Fondos de Pensiones*, Ed. Ariel, Barcelona, 1989, p. 331.

45. Artículo 10.1 RPFP: "Las prestaciones son el derecho económico de los beneficiarios de los planes de pensiones como resultado del acaecimiento de una contingencia cubierta por éstos.
Salvo que las especificaciones del plan dispongan lo contrario, con carácter general, las fechas y modalidades de percepción de las prestaciones serán fijadas y modificadas libremente por el partícipe o el beneficiario, con los requisitos y limitaciones establecidas en las especificaciones o en las condiciones de garantía de las prestaciones".

46. Por tanto, si el partícipe recibe la prestación del plan de pensiones al tener atribuida la gran invalidez o la invalidez permanente para todo trabajo, tributará la prestación del plan de pensiones como rendimientos del trabajo personal. No obstante, se verían exentas las prestaciones públicas de los organismos de la seguridad social.

47. Artículo 17.2.a) LIRPF "2. En todo caso, tendrán la consideración de rendimientos del trabajo:
a) Las siguientes prestaciones:
1.ª Las pensiones y haberes pasivos percibidos de los regímenes públicos de la Seguridad Social y clases pasivas y demás prestaciones públicas por situaciones de incapacidad, jubilación, accidente, enfermedad, viudedad, o similares, sin perjuicio de lo dispuesto en el artículo 7 de esta Ley.
2.ª Las prestaciones percibidas por los beneficiarios de mutualidades generales obligatorias de funcionarios, colegios de huérfanos y otras entidades similares.
3.ª Las prestaciones percibidas por los beneficiarios de planes de pensiones y las percibidas de los planes de pensiones regulados en la Directiva (UE) 2016/2341 del Parlamento Europeo y del Consejo, de 14 de diciembre de 2016, relativa a las actividades y la supervisión de fondos de pensiones de empleo.
Asimismo, las cantidades percibidas en los supuestos contemplados en el artículo 8.8 del texto refundido de la Ley de Regulación de los Planes y Fondos de Pensiones, aprobado por el Real Decreto Legislativo 1/2002, de 29 de noviembre, tendrán el mismo tratamiento fiscal que las prestaciones de los planes de pensiones.

realizada la contingencia en el plan de pensiones, se consideraría como rendimiento del trabajo, independientemente de si el beneficiario fuera o no el partícipe y de si sus prestaciones se percibirían en forma de renta temporal o vitalicia, ya sea en forma de capital o mixta.

Las pensiones públicas se califican como rendimientos del trabajo personal, y es por esta razón que el legislador considera a las prestaciones como tales, al ser rentas que provienen de una actividad laboral y perciben las personas físicas una vez alcanzada la jubilación. Sin embargo, ALONSO MURILLO los consideraría como rendimientos de capital mobiliario, puesto que, en los planes de pensiones asociados o individuales, el perceptor recibe una serie de contraprestaciones o utilidades derivadas de un elemento patrimonial de naturaleza mueble no afecta a actividad económica[48].

En casos de enfermedad grave o desempleo de larga duración, podría desenvolverse una problemática en la tributación de las prestaciones anticipadas, puesto que no resultaría acorde asimilar las percepciones con las pensiones, en cambio, la invalidez es una de las contingencias que estaría cubierta por los planes de pensiones, que podría tener cierta

---

4.ª Las prestaciones percibidas por los beneficiarios de contratos de seguros concertados con mutualidades de previsión social, cuyas aportaciones hayan podido ser, al menos en parte, gasto deducible para la determinación del rendimiento neto de actividades económicas, u objeto de reducción en la base imponible del Impuesto.

En el supuesto de prestaciones por jubilación e invalidez derivadas de dichos contratos, se integrarán en la base imponible en el importe de la cuantía percibida que exceda de las aportaciones que no hayan podido ser objeto de reducción o minoración en la base imponible del Impuesto, por incumplir los requisitos subjetivos previstos en el párrafo a) del apartado 2 del artículo 51 o en la disposición adicional novena de esta Ley.

5.ª Las prestaciones percibidas por los beneficiarios de los planes de previsión social empresarial.

Asimismo, las prestaciones por jubilación e invalidez percibidas por los beneficiarios de contratos de seguro colectivo, distintos de los planes de previsión social empresarial, que instrumenten los compromisos por pensiones asumidos por las empresas, en los términos previstos en la disposición adicional primera del texto refundido de la Ley de Regulación de los Planes y Fondos de Pensiones, y en su normativa de desarrollo, en la medida en que su cuantía exceda de las contribuciones imputadas fiscalmente y de las aportaciones directamente realizadas por el trabajador.

6.ª Las prestaciones percibidas por los beneficiarios de los planes de previsión asegurados.

7.ª Las prestaciones percibidas por los beneficiarios de los seguros de dependencia conforme a lo dispuesto en la Ley de promoción de la autonomía personal y atención a las personas en situación de dependencia".

48. Alonso Murillo, F., *Los sistemas privados de pensiones en la imposición estatal sobre la renta*. Lex Nova, 2000. P. 102.

similitud con la de enfermedad grave[49], pero no se asimilaría a la del desempleo de larga duración[50].

El artículo 7.g) LIRPF expresa que estarían exentas del Impuesto sobre la Renta de las Personas Físicas "Las pensiones por inutilidad o incapacidad permanente del régimen de clases pasivas, siempre que la lesión o enfermedad que hubiera sido causa de aquéllas inhabilitara por completo al perceptor de la pensión para toda profesión u oficio". Por tanto, son aquellas percepciones motivadas por incapacidad laboral que provengan de entidades públicas provenientes de mutualidades obligatorias o alternativas al régimen de seguridad

---

49. Artículo 9.2. RPFP: "Las especificaciones de planes de pensiones podrán prever la facultad del partícipe de hacer efectivos sus derechos consolidados en el caso de que se vea afectado por una enfermedad grave bien su cónyuge, bien alguno de los ascendientes o descendientes de aquéllos en primer grado o persona que, en régimen de tutela o acogimiento, conviva con el partícipe o de él dependa.
Se considera enfermedad grave a estos efectos, siempre que pueda acreditarse mediante certificado médico de los servicios competentes de las entidades sanitarias de la Seguridad Social o entidades concertadas que atiendan al afectado:
a) Cualquier dolencia o lesión que incapacite temporalmente para la ocupación o actividad habitual de la persona durante un período continuado mínimo de tres meses, y que requiera intervención clínica de cirugía mayor o tratamiento en un centro hospitalario.
b) Cualquier dolencia o lesión con secuelas permanentes que limiten parcialmente o impidan totalmente la ocupación o actividad habitual de la persona afectada, o la incapaciten para la realización de cualquier ocupación o actividad, requiera o no, en este caso, asistencia de otras personas para las actividades más esenciales de la vida humana.
Los supuestos anteriores se reputarán enfermedad grave en tanto no den lugar a la percepción por el partícipe de una prestación por incapacidad permanente en cualquiera de sus grados, conforme al régimen de la Seguridad Social, y siempre que supongan para el partícipe una disminución de su renta disponible por aumento de gastos o reducción de sus ingresos".
50. Artículo 9.3. RPFP: "Los derechos consolidados en los planes de pensiones podrán hacerse efectivos en el supuesto de desempleo de larga duración. A los efectos previstos en este artículo se considera que el partícipe se halla en situación de desempleo de larga duración siempre que reúna las siguientes condiciones:
a) Hallarse en situación legal de desempleo.
Se consideran situaciones legales de desempleo los supuestos de extinción de la relación laboral o administrativa y suspensión del contrato de trabajo contemplados como tales situaciones legales de desempleo en el artículo 208.1.1 y 2 del texto refundido de la Ley General de la Seguridad Social, aprobado por el Real Decreto Legislativo 1/1994, de 20 de junio, y normas complementarias y de desarrollo.
b) No tener derecho a las prestaciones por desempleo en su nivel contributivo, o haber agotado dichas prestaciones.
c) Estar inscrito en el momento de la solicitud como demandante de empleo en el servicio público de empleo correspondiente.
d) En el caso de los trabajadores por cuenta propia que hubieran estado previamente integrados en un régimen de la Seguridad Social como tales y hayan cesado en su actividad, también podrán hacerse efectivos los derechos consolidados si concurren los requisitos establecidos en los párrafos b) y c) anteriores".

social o directamente de ésta. Por tanto, el ente público sería el que satisfaría la pensión.

Se debería destacar también, la situación en el caso de que el partícipe disponga de derechos consolidados antes de producirse las contingencias reguladas en el TRPFP. Por tanto, se ha de acudir al artículo 51.8 LIRPF que expresa que "Si el contribuyente dispusiera de los derechos consolidados así como los derechos económicos que se derivan de los diferentes sistemas de previsión social previstos en este artículo, total o parcialmente, en supuestos distintos de los previstos en la normativa de planes y fondos de pensiones, deberá reponer las reducciones en la base imponible indebidamente practicadas, mediante las oportunas autoliquidaciones complementarias, con inclusión de los intereses de demora. Las cantidades percibidas que excedan del importe de las aportaciones realizadas, incluyendo, en su caso, las contribuciones imputadas por el promotor, tributarán como rendimiento del trabajo en el período impositivo en que se perciban". Por tanto, esta situación no se debería producir al ser las entidades financieras las que gestionan los planes de pensiones, que han de respetar la normativa de los planes de pensiones respecto a estos supuestos de rescate, que son tasados.

V.   CONCLUSIONES

Los planes de pensiones son instrumentos de previsión privados que pueden llegar a ser complementarios de las pensiones públicas en un sistema de reparto de la Seguridad Social como en España.

El legislador español al igual que otros países de nuestro entorno ha apostado por los planes de pensiones de empleo respecto a los individuales y asociados con el propósito de fidelizar la relación entre empresa y los trabajadores y proteger a estos, cuando alcancen la edad de jubilación. No obstante, dado que el tejido empresarial español está formado en el 95 por ciento por pequeñas y medianas empresas en mi opinión no creo que las medidas tomadas por el legislador sean efectivas para incrementar la contratación de estos planes de pensiones.

De *lege ferenda* las percepciones de los planes de pensiones deberían tener el tratamiento de renta de capital y tributar la percepción en la base imponible del ahorro a los tipos impositivos de las rentas y ganancias de capital.

VI.   BIBLIOGRAFÍA

Alonso Murillo, F., *Los sistemas privados de pensiones en la imposición estatal sobre la renta*. Lex Nova, 2000.

Arias Velasco, J., *Manual del Impuesto sobre Sucesiones y Donaciones*, Generalitat de Catalunya, Barcelona, 1992.

Calvo Vérgez, J., "Fiscalidad de las prestaciones derivadas de los planes de pensiones en el Impuesto sobre la Renta de las Personas Físicas". *Nueva fiscalidad*, 2010.

De la Peña Velasco, G., "Régimen tributario del beneficiario de planes de pensiones", en AA.VV. (Martínez Lafuente. Dir.), *Estudios sobre planes y Fondos de Pensiones*, Ed. Ariel, Barcelona, 1989.

Font de Mora Sainz, P. y otros, *Planes de pensiones y exteriorización de los compromisos empresariales*, Tirant Monografías, Valencia, 2000.

Gutiérrez Bengoechea, M., "Beneficios Fiscales de las Sociedades Laborales", *Nueva Fiscalidad*, núm. 2, 2008.

Hinojosa Torralvo J.J., "Artículos 28 y 29. Gastos deducibles y rendimiento neto del trabajo", en AA.VV. (Simón Acosta, E.A. Coord.) *Comentarios a la Ley del Impuesto sobre la Renta de las Personas Físicas y a la Ley del Impuesto sobre el Patrimonio*, Aranzadi, Pamplona, 1995.

Malvárez Pascual, L., "El régimen jurídico tributario de los sistemas de previsión social", *Quincena Fiscal*, núm. 2, 1998.

Manrique López, F., Arrieta Idiakex, F., Atxabal Rada, A., *Las Entidades de Previsión Social Voluntarias*, Ed Aranzadi, 2014.

Marcos Cardona, M., *Tributación de los Planes y Fondos de Pensiones*. Colección de Estudios de Derecho, Universidad de Murcia, 2003.

Moreno Royes, F., Santidrián Alegre y Ferrando Piñol, A., *Los planes y fondos de pensiones. Comentarios al Reglamento*, CDN, Ciencias de la Dirección, Madrid, 1988.

Nieto Montero, J.J., "Régimen Tributario de las prestaciones de los planes de pensiones", en AA.VV. (Delgado García, A.M., Oliver Cuello, R. Coord.), *Fiscalidad de los Planes de pensiones y otros sistemas de previsión social*, Ed. Bosch, 2014.

Pérez Royo, I., *La nueva regulación del Impuesto sobre la Renta de las Personas Físicas*, Marcial Pons, Madrid, 1991.

Sanz Gadea, E., "Tributación de las rentas obtenidas por las instituciones de inversión colectiva (IIC) y sus partícipes". *Revista de Contabilidad y Tributación, CEF*, núm. 443, 2020.

Soler Roch, M.T., *Incentivos a la inversión y justicia tributaria*, Cívitas, Madrid, 1983.

B. SOSTENIBILIDAD DEL SISTEMA EN ESPAÑA: VARIABLES

Capítulo 3

Algunas reflexiones sobre la incidencia de los cambios del ciclo y otras variables económicas en la sostenibilidad de las pensiones

José Luis Sánchez Ollero
Catedrático de Economía Aplicada
Universidad de Málaga

Elisa Isabel del Cubo Arroyo
Jefa de Sección del Servicio de Investigación
Universidad de Málaga

SUMARIO: I. INTRODUCCIÓN. II. RASGOS BÁSICOS DE LOS SISTEMAS PÚBLICOS DE PENSIONES. *1. Objetivos de los sistemas de pensiones en Europa. 2. El sistema de pensiones en España.* 2.1. El sistema de reparto y sus consecuencias económicas y sociales. III. CIFRAS MACROECONÓMICAS Y SOSTENIBILIDAD FINANCIERA. IV. PREVISIONES DE SOSTENIBILIDAD PARA UN FUTURO INMEDIATO. V. RESUMEN Y CONCLUSIONES. VI. BIBLIOGRAFÍA.

I. INTRODUCCIÓN

Suele señalarse tanto en ámbitos académicos y profesionales, como en los medios de comunicación, que la sostenibilidad de nuestro sistema español de pensiones (como, por otra parte, del resto de países desarrollados) se basa en un *mix* que incluye el análisis de la cobertura del sistema a largo plazo, el volumen que supone para el gobierno en términos de gasto público reflejado en el Producto Interior Bruto (PIB) y un cierto número de indicadores demográficos entre los que destacan la edad de jubilación, la esperanza de vida de la población y la tasa de dependencia. A ellos hay que añadir, en países como España, la incidencia de las decisiones políticas no basadas en cálculos actuariales sino de oportunidad política, entre los que destacan, igualmente, la existencia de ciertas pensiones no contributivas y la forma en que se produce la revalorización anual de las pensiones. En este *mix*, endiabladamente complejo en la práctica, mantener el equilibrio a largo plazo entre equidad y sostenibilidad se vuelve tarea harto complicada.

El propio concepto *sostenibilidad* se vuelve opinable y discutible, pues no es lo mismo hablar de *sostenibilidad financiera* que hablar de *sostenibilidad social*. La Comisión Europea (CE) mantiene que la sostenibilidad está basada en el equilibrio presupuestario y financiero, entre ingresos y gastos, en el propio sistema de pensiones, abundando en el hecho de que el sistema debe ser capaz de asimilar el envejecimiento de los trabajadores en el contexto del equilibrio presupuestario de las cuentas públicas (Comisión Europea, 2021). El enfoque financiero es pues el adoptado por la CE. El actual Gobierno de España (GE), con el apoyo de los sindicatos mayoritarios, relaciona la revalorización anual de las pensiones al índice de Precios al Consumo (IPC); en los Presupuestos Generales del Estado (PGE) de 2021, dicha revalorización se sitúa en el 0,9% para las pensiones contributivas y del 1,8% (el doble) para las no contributivas, en tanto que las pensiones de orfandad causadas por violencia contra la mujer siguen un criterio diferente al situarse igual que la subida del Salario Mínimo Interprofesional (SMI) para ese año (Gobierno de España, 2021). El SMI, por otra parte, ha tenido dos incrementos a lo largo del año con la intención de ajustarlo a la subida de la inflación y a la corrección de ciertos desajustes en el mercado. El equilibrio presupuestario del sistema se fía a las transferencias del Estado a la Seguridad Social (SS). El enfoque del Gobierno de España, pues, está sesgado hacia la sostenibilidad social con tintes de redistribución de renta, al menos a corto plazo. Resulta en este sentido clarificador las declaraciones de M.ª Carmen Barrera, Secretaria de Políticas Europeas de UGT y participante en las negociaciones gobierno-sindicatos en este campo, en un reciente debate público y referente al acuerdo alcanzado en pensiones: *"este acuerdo es, en definitiva, una apuesta por un modelo de país y un modelo de sociedad más social, más justo y más equitativo"* (Barrera, 2021).

En este debate, en el que de fondo subyace la orientación o ideología política del debatiente, resulta difícil poner de acuerdo a todas las partes. Las actuaciones del actual Gobierno español de coalición PSOE-Podemos con el apoyo de otras fuerzas de corte nacionalista en relación con este tema han ido encaminadas a acabar con la reforma del Gobierno de Mariano Rajoy (PP), planteada en 2013 con el apoyo de alguna de esas mismas fuerzas nacionalistas y en un momento crítico en el ciclo contractivo de la economía española, que pretendió reformar el sistema de reparto y promover la financiación privada de las pensiones personales de forma extensiva entre los trabajadores. Atrás quedó el Pacto de Toledo en el que se estableció por consenso la necesidad de alejar el debate de las pensiones del debate político.

Por nuestra parte, en este capítulo, no pretendemos apostar por una u otra visión, ya que ambas tienen sus pros y sus contras, sino aportar algunos elementos al debate que habitualmente no suelen ponerse encima de la mesa. Entre ellas, la necesidad de ajustar la evolución de los gastos de cualquier naturaleza al ciclo económico, así como el análisis de las rentas, tasas de ocupación, participación y desempleo y otras variables de análisis en la sostenibilidad de las pensiones. A ello nos dedicaremos en las páginas siguientes.

II. RASGOS BÁSICOS DE LOS SISTEMAS PÚBLICOS DE PENSIONES

1. OBJETIVOS DE LOS SISTEMAS DE PENSIONES EN EUROPA

Los planes de pensiones públicos, seguros sociales o, simplemente, los sistemas de pensiones son un invento relativamente moderno que tiene su origen en la Revolución Industrial. Sin entrar en un innecesario recorrido histórico, el antecedente de los actuales sistemas de pensiones hay que situarlo en el Plan Beveridge de 1941. En aquella fecha, el gobierno británico encargó a una comisión presidida por William Beveridge la remodelación del sistema de protección británico. Éste revolucionó el sistema de protección vigente, basado en la protección a los indigentes, incorporando un punto de vista más centroeuropeo centrado en la idea de proporcionar rentas a los trabajadores que por cualquier causa (enfermedad o accidente de trabajo, principalmente) no pudieran trabajar. La unión de esas dos sensibilidades en un mismo plan y la incorporación incipiente del derecho a la jubilación configuraron la base de la mayor parte de los sistemas actuales.

No obstante, la evolución entre los diferentes países que han ido aplicando un sistema amplio de protección social ha sido dispar, como lo han sido los gobiernos que los han ido aplicando, desarrollando o reformando a lo largo del tiempo, cada uno con su característico perfil ideológico. Y es esa disparidad ideológica, y también social y cultural, la que no permite establecer unos objetivos ideales incontestables de aplicación universal.

En el conjunto de Europa, el objetivo principal de los sistemas de pensiones ha sido proteger a las personas mayores una vez egresados del mercado laboral para que puedan mantener un nivel de vida adecuado o, al menos, aceptable. Cómo se responde a este objetivo principal en los distintos países es otra cuestión. Para la Comisión Europea, como ya se ha indicado anteriormente, uno de los principios esenciales del pilar europeo de derechos sociales es que los trabajadores lleguen a la jubilación percibiendo una pensión "proporcional a sus cotizaciones" que deben garantizar unos "ingresos adecuados" que garanticen una "vida digna" (CE, 2021). Y como casi todo lo que emana de la Unión en el ámbito de la protección social utiliza conceptos que pueden medirse según las necesidades dada su subjetividad. Porque, ¿qué se considera *"adecuado"* o *"digno"*? Con todo, y no obstante, los principios que mueven las políticas de pensiones en Europa responden a: *"i) proporcionar unos ingresos adecuados en la vejez, que al mismo tiempo garanticen ii) la sostenibilidad financiera y iii) la maximización del empleo (es decir, mediante incentivos de apoyo a las carreras profesionales formales estables y una vida laboral más larga para mujeres y hombres)"* (CE, 2021).

2. EL SISTEMA DE PENSIONES EN ESPAÑA

En España, el Art. 41 de la Constitución Española establece que *"los poderes públicos mantendrán un régimen público de Seguridad Social para todos los ciudadanos, que garantice la asistencia y prestaciones sociales suficientes ante situaciones de necesidad, especialmente en caso de desempleo. La asistencia y prestaciones complementarias serán libres"*. Difícilmente puede tener el artículo una redacción mas genérica y laxa en sus contenidos. Sin embargo, la interpretación que del mismo viene realizándose en la práctica convierte este precepto en el valedor de existencia de un sistema público de pensiones, dejando como complementario las posibles aportaciones de origen privado.

El sistema español tiene carácter universal y se ha basado tradicionalmente en los principios de proporcionalidad entre la contribución económica y la aportación realizada, la naturaleza profesional de la protección y la no consideración de la capacidad económica del sujeto protegido, a la que se sumó a partir de 1990 las rentas de subsistencia independientes de la aportación previa al sistema. Finalmente, el Pacto de Toledo, aprobado por el Congreso de los Diputados en 1995, terminó de configurar los principios actuales del sistema de pensiones que se sintetiza en el objetivo básico de *"garantizar en el futuro un sistema público de pensiones, justo, equilibrado y solidario, de acuerdo con los principios contenidos en el art. 41 de la Constitución Española"* que, aunque se han realizado continuamente disposiciones reglamentarias y legales no ha visto variar la esencia de este objetivo básico. El sistema en su conjunto debe considerarse en cada momento como resultado de los diferentes estados históricos y en el contexto de la mejora de las condiciones de vida y trabajo resultado de las luchas sociales.

2.1.   El sistema de reparto y sus consecuencias económicas y sociales

Entre los principios que rigen el sistema de pensiones en España, el más controvertido sin duda es el sistema de reparto en el que se basan las prestaciones. Como bien señala Domínguez Martínez (2021), *"es un sistema que desafía la lógica económica y que fía su continuidad a la progresiva incorporación de cohortes al mercado de trabajo con altas tasas de ocupación. Por su propia configuración, al carecer de una consistencia económica intrínseca, se muestra altamente vulnerable al juego de variables económicas y demográficas que pueden ocasionar agudos desequilibrios entre los flujos de entrada y de salida de recursos"*. En efecto, el sistema de reparto fía su validez y sostenibilidad a que deben existir más trabajadores en activo que pensionistas y, además, en una proporción elevada. Resulta dependiente, por lo tanto, de la pirámide poblacional: los trabajadores en activo han de generar suficientes recursos para mantener las prestaciones de los actuales beneficiarios, quienes a su vez contribuyeron en su pasado laboral a mantener a sus mayores. Nada que decir si las generaciones actuales son más numerosas que las anteriores, pero lamentablemente esto no es así. Si bien en los años 60 y 70 del pasado siglo podría haber parecido un sistema sostenible, dada la configuración entonces de la pirámide lo cierto es que, con posterioridad, hasta el momento presente y con expectativas de mantenerse así en un futuro más o menos inmediato, la elevada tasa de desempleo, la baja tasa de natalidad, la contención de los salarios reales y la longevidad creciente de la población han puesto de manifiesto las carencias y debilidades del sistema.

Con notable y acertada intención pedagógica, Domínguez Martínez (2012), sintetiza el problema desde un punto de vista matemático tal como recoge la Figura 1. El autor, siguiendo a Doménech (2019), establece que la condición de equilibrio implica que la pensión media sobre el salario medio debe ser igual al producto de los ingresos totales sobre los salarios de la economía por la relación entre cotizantes por pensión. En consecuencia, en momentos como los actuales donde la tasa de dependencia está desequilibrada, las únicas posibles alternativas son mejorar los salarios reales significativamente (algo que depende fundamentalmente del mercado y difícilmente controlable), aumentar las cotizaciones (con todo lo que ello implica sobre las rentas disponibles de los trabajadores y/o los costes de las empresas) o disminuir las prestaciones. Respecto de esto último se comentará en otro apartado; tan sólo dejar constancia aquí de que la política del actual Gobierno va dirigida en la dirección contraria.

Figura 1. Condición de equilibrio financiero en un sistema de reparto.

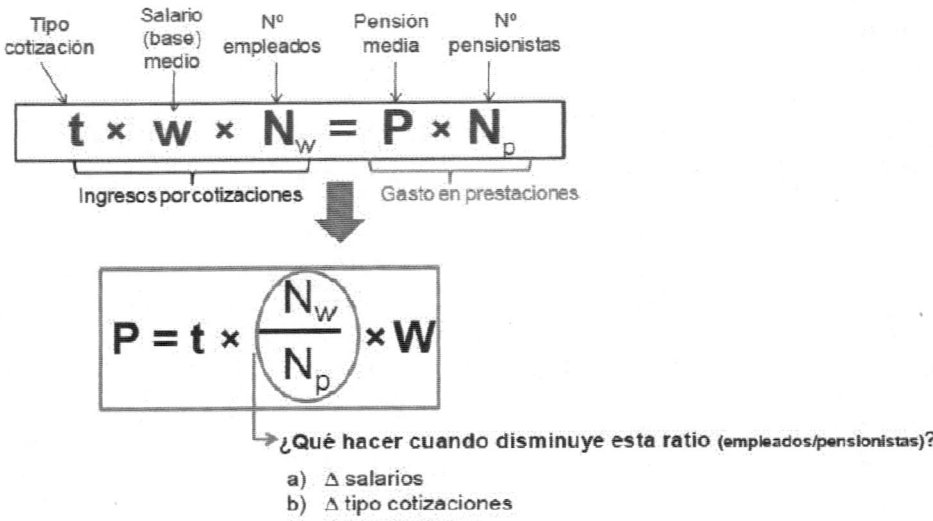

Fuente: Domínguez Martínez (2012), tomado de Domínguez Martínez (2021)2.

El sistema de reparto, además, es fuertemente dependiente del ciclo económico y de las decisiones de carácter político y empresarial que sobre él se tomen. También de las decisiones laborales y de vida tomadas por los propios trabajadores. Aunque cualquier sistema de pensiones es difícil de establecer a largo plazo de una forma exacta, dada la multitud de variables y la imposibilidad de predecir con total seguridad el futuro, las dos crisis económicas del siglo XXI han puesto de manifiesto la especial debilidad del sistema de reparto para ello. En el siguiente epígrafe pondremos de manifiesto algunas variables económicas cuyo análisis ayudará a comprender mejor lo aquí expuesto.

III. CIFRAS MACROECONÓMICAS Y SOSTENIBILIDAD FINANCIERA

En agosto de 2021, y según datos del Ministerio de Trabajo y Economía Social, el gasto total mensual en pensiones en España fue de 10.217,16 millones de euros, lo que comparado con los 9.904,03 millones de agosto 2020 supone un incremento del 3,16%. Si comparamos el dato con el gasto en pensiones en agosto 2013, último año del periodo de crisis provocado por las *subprime*, que se situó en 7.798 millones de euros, el incremento en apenas 8 años ha sido de un 31%. Por tipos de pensión, en agosto 2021 las pensiones por jubilación supusieron el 72% del total de gasto frente al 68,85% de agosto 2013.

El importe total de la nómina de las pensiones, tras la bajada extraordinaria e histórica en el número de pensionistas en mayo de 2020, no ha parado de subir en los últimos meses debido no solo al incremento en el número de pensionistas sino sobre todo en el aumento del coste de las prestaciones debido a los mecanismos de revalorización adoptados por el Gobierno de España. El importe medio por pensión pagada en el mes de agosto de 2021 ha sido de 1.036 euros por pensión, ascendiendo a 1.192,26 en el caso de las pensiones de jubilación (Gráfico 1).

Gráfico 1. Importe medio mensual de las pensiones contributivas del sistema de la Seguridad Social 2003-2021.

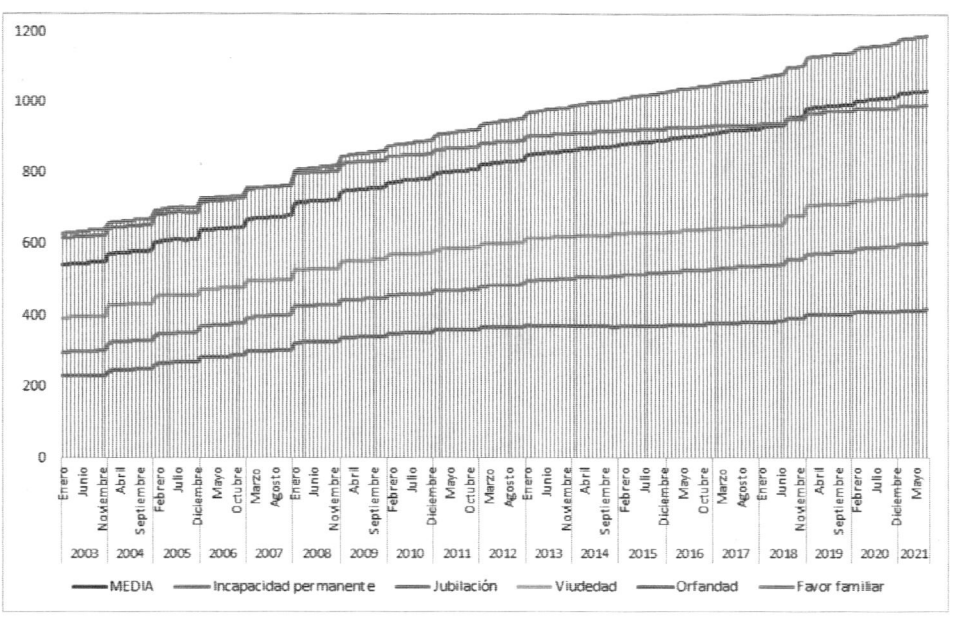

Fuente: Elaboración propia a partir de datos del Ministerio de Trabajo y Economía social.

El número total de pensionistas se ha situado en agosto de 2021 en 8.947.574 pensionistas que han recibido un total de 9.862.327 pensiones. Por su parte, el número de ocupados se situó en dicho mes en 19.671.700 personas. Estos últimos datos son importantes, pues en España el sistema de pensiones se basa en un sistema de reparto en el que las cotizaciones de los trabajadores en activo financian las prestaciones de los pensionistas en ese momento, generando un derecho a percibir igualmente las prestaciones en un futuro cuando pasen a la situación de pensionistas. Para que el sistema funcione, debe darse un equilibrio entre los trabajadores cotizantes y el número de pensionistas. Ese equilibrio se mide por la tasa de dependencia.

La tasa de dependencia, recogida junto a otras variables en el Gráfico 2, es una ratio sencilla que pone en relación ambas variables, ocupados y pensionistas, que fueron anotados como NW y NP respectivamente en la Figura 1. Su interpretación también es sencilla: cuanto mayor sea esa tasa, menor será la sostenibilidad del sistema. La tasa puede utilizarse para medir solo la cobertura de jubilación o bien para medir la cobertura total del sistema, también llamada *escudo social*.

Gráfico 2. Número de ocupados, pensionistas y tasas de dependencia en España.

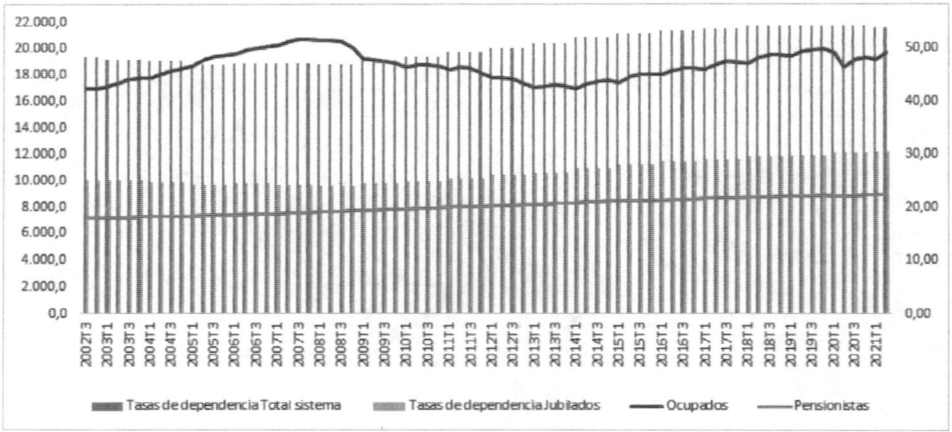

Fuente: Elaboración propia a partir de datos del INE.

De acuerdo con los datos obtenidos del INE y presentados en el Gráfico 2, en agosto 2021 la tasa de dependencia total del sistema muestra un porcentaje del 54,02%, con tasas de crecimiento moderadas e incluso negativas en los dos últimos años. Por su parte la tasa de dependencia que mide a los jubilados es sensiblemente menor, situándose en el 30,46%, pero con tasas de crecimiento anual sostenidas que suman una media del 1.77% anual desde el fin de la crisis, en 2013.

Si bien la tasa de dependencia puede ser una medida o indicador útil en el contexto de las pensiones entendemos, siguiendo el trabajo de Hernández de Cos (2021) y otros autores, que se queda corta si no va acompañada de otros indicadores que ayuden a completar el dibujo de la cuestión. Porque no basta con que haya un número de trabajadores en activo y ocupados en una determinada proporción sobre los inactivos sino que el salario que aquellos perciban debe ser suficiente para poder sufragar el coste económico de las pensiones a que han de contribuir. Y es aquí donde los datos no son precisamente halagüeños pues los salarios de las nuevas cohortes que se incorporan al mercado laboral están siendo significativamente inferior que el de las nuevas pensiones que pasan a depender del sistema.

Gráfico 3. Empleo por sectores en el Mundo. Evolución 1991-2020.

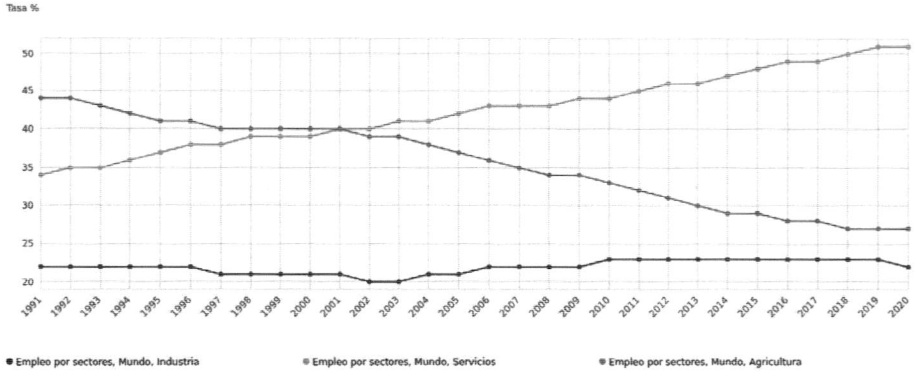

Fuente: Organización Internacional del Trabajo, 2021.

En una perspectiva amplia como se señala en los Gráficos 3 y 4, a lo largo de las últimas décadas se ha producido un proceso de terciarización de la economía, especialmente acusado en el caso español. Si en 1991, a nivel mundial la agricultura y en general el sector primario daba empleo a casi un 45% de los trabajadores, 10 puntos más que al sector servicios, en 2020 el 51,40% de los trabajadores mundiales se encontraba ya en el sector servicios con una tendencia, además, creciente, en tanto que el empleo en el sector primario tiende a estabilizarse en torno al 27% de los trabajadores mundiales. En el caso español, ya comenzamos la década de los 90 con cifras cercanas al 60% de participación laboral del sector servicios, como consecuencia de la irrupción del fenómeno turístico en nuestra economía tras el Plan de Estabilización de 1959, y la tendencia de crecimiento es aún más acusada que la media mundial, cerrando el año 2019 en torno al 77% de los trabajadores con empleo en los servicios.

515

Gráfico 4. Empleo sector servicios España-Mundo. Evolución 1991-2020.

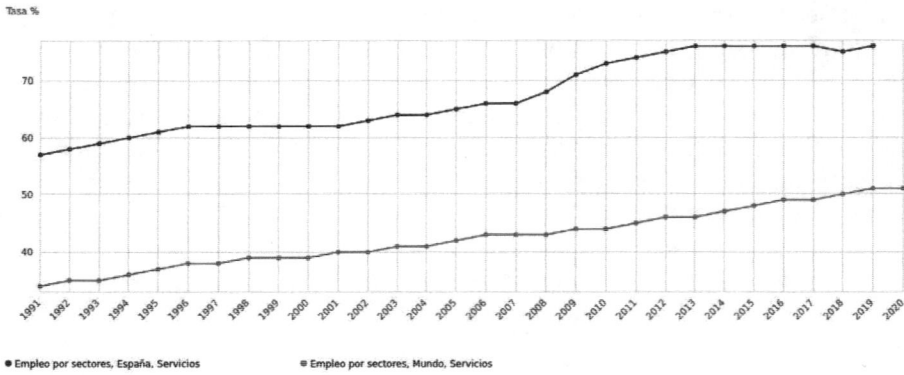

Fuente: Organización Internacional del Trabajo, 2021.

Gráfico 5. Tasa de desempleo España-Europa del Norte, Sur y Occidental
Evolución 1991-2020.

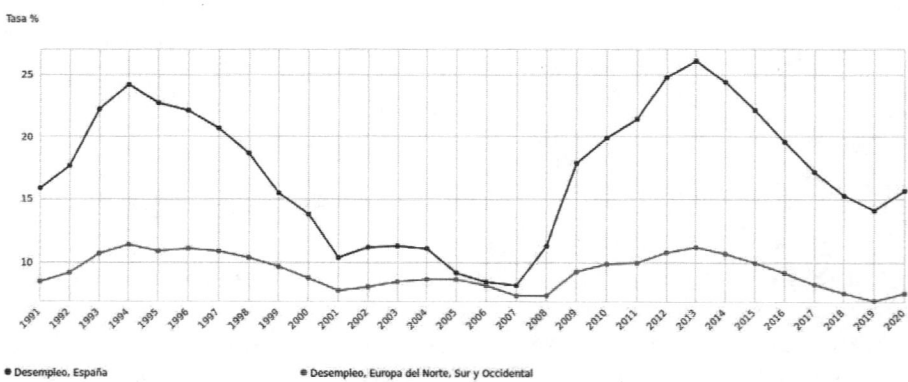

Fuente: Organización Internacional del Trabajo, 2021.

La fuerte dependencia nacional de los servicios añade elementos de incertidumbre dada la fragilidad demostrada de este sector a las crisis económicas, con sus consecuencias sobre el desempleo y, en consecuencia, sobre la generación de rentas. Rentas que son las que deben nutrir el fondo de las pensiones. Comparativamente con los países de nuestro entorno socioeconómico, la Europa Occidental y particularmente la Unión Europea, la evolución del empleo/desempleo con las crisis económicas es muy negativa para el caso de España. En el Gráfico 5 se recoge la evolución de la tasa de desempleo entre 1991 y 2020 en dichos países y España; como puede observarse, la tasa de desempleo crece en ambos casos en las crisis económicas (1991-1994 y 2008-2013) y decrece en los periodos de crecimiento económico, pero lo hace de forma mucho más acusada en el caso español. Esto es así porque el sector servicios, y particularmente la industria del turismo y el ocio, son extremadamente sensibles a la disminución de la renta disponible de los trabajadores que en situaciones económicas adversas suelen reducir de forma significativa su gasto en estos epígrafes de consumo.

Estos elementos tienen una notable influencia en el salario de los trabajadores y, en particular, en la evolución de las ganancias medias que éstos perciben, la cual se recoge en la Tabla 1 para el caso de España.

Tabla 1. Ganancia media anual por trabajador y variaciones con respecto a la media.

	2009	2019	Variación 2019/2009	Variación respecto a la media
Media	22.511,47	24.395,98	8,4%	
Menos de 20 años	9.624,47	9.101,30	-5,4%	-62,69%
De 20 a 24 años	12.784,44	12.640,65	-1,1%	-48,19%
De 25 a 29 años	17.530,28	17.772,31	1,4%	-27,15%
De 30 a 34 años	20.818,91	20.969,47	0,7%	-14,05%
De 35 a 39 años	22.824,94	23.283,02	2,0%	-4,56%
De 40 a 44 años	23.822,65	25.734,87	8,0%	5,49%
De 45 a 49 años	24.846,62	26.627,90	7,2%	9,15%
De 50 a 54 años	26.182,26	27.183,07	3,8%	11,42%
De 55 a 59 años	27.208,98	28.240,07	3,8%	15,76%
De 60 a 64 años	22.332,16	26.735,18	19,7%	9,59%
65 y más años	24.748,59	24.857,33	0,4%	1,89%

Fuente: Elaboración propia a partir de datos del INE.

Como puede observarse, la ganancia media por trabajador ha crecido en nuestro país un 8,4% en 10 años, los comprendidos entre 2009 y 2019. Sin embargo, la evolución ha sido dispar si tenemos en cuenta la cohorte de edad. Así, mientras los trabajadores que se encuentran cercanos a la jubilación, la cohorte de 60 a 64 años ha tenido un incremento que dobla la media, situándose en un 19,7%, los más jóvenes y particularmente aquellos que se incorporan al mercado laboral sin estudios universitarios (menores de 24 años) han visto cómo se reducían sus ganancias en hasta un -5,4% con respecto a lo que ganaban sus iguales en 2009.

Por otro lado, son también trabajadores veteranos, en este caso los de la cohorte de entre 55 a 59 años, los que perciben más sueldo, un 15,76% por encima de la media, lo que hace aventurar la evolución al alza de forma significativa en la cohorte siguiente y, por consiguiente, en ambos casos, en las bases salariales que inciden más en el importe de la pensión. Conviene recordar que, con carácter general, las pensiones percibidas en España rondan como media el 80% del último sueldo percibido (aunque con notables variaciones con respecto a la media) y con un tope máximo que, en estos momentos, se sitúa en 2.707,49 euros mensuales, o lo que es lo mismo 37.904,86 euros al año distribuidos en 14 pagas.

En un ámbito más global y macroeconómico, los costes de las pensiones constituyen una parte importante del gasto público de los países desarrollados que deben hacer compatible el envejecimiento de su población sin desequilibrar las finanzas públicas. Con datos de Eurostat (2021) referidos a 2018, el gasto público en pensiones medio en la Unión Europea (EU-27) se situó en el 12,7% del PIB, con fuertes oscilaciones entre sus miembros. Así, mientras Grecia destina el 16,1% de su PIB al pago de pensiones, seguida de cerca por países como Italia o Francia con un 15,8 y 14,9% respectivamente, a la cola de la distribución se encuentran Lituania (7%), Malta (6,9%) y cerrando la lista, Irlanda (5,3%). España dedicó ese año el 12,6% de su PIB al pago de la nómina de las pensiones y, mientras que el esfuerzo presupuestario medio europeo creció en torno al 27% en la última década, en España el incremento rondó el 40%.

Como se recoge en la Figura 2, en términos de gasto medio en pensiones por habitantes del país, en euros constantes de 2010 y de acuerdo con los datos de Eurostat, en 2018 Suiza, Noruega y Dinamarca encabezaban el ranking de nuestra zona económica con un gasto medio por habitante en pensiones de 5.326,38 en el primer caso. Comparativamente, la media de la EU-19 se situó en 3.119,11, un 41,4% menos, y España se situó en 1.939,51 es decir, un 66,3% menos que suiza y un 37,82% menos que la media europea.

En el Gráfico 6, por su parte, se recoge el incremento en este concepto registrado entre los años 2010 y 2018, igualmente a euros constantes de 2010. El mayor incremento, con diferencia, lo registra Islandia con un 85,73% de variación, seguida de Polonia y Eslovenia. La media europea se coloca en un incremento del 15,45% mientras que el incremento en el caso de España fue del 30,47%, casi el doble que la media europea.

Figura 2. Gasto en pensiones por habitante del país. Euros constantes de 2010.

Fuente: Elaboración propia a partir de datos de Eurostat.

Los factores que justifican estas diferencias son múltiples, destacando los diferentes sistemas de revalorización de las pensiones públicas, que van desde el caso de España, donde están vinculadas al IPC con algunas modificaciones adicionales de tipo político, a otros países que tienen en cuenta otras variables como el avance los salarios o el PIB, así como los diferentes métodos de cálculo y sus importes de partida.

En el conjunto de Europa, al igual que en España, la mayor parte de esas pensiones lo son de jubilación, con una media de participación del 76,1% en el conjunto de las prestaciones. Así mismo, al igual que ocurre en España, existen dificultades estadísticas a la hora de interpretar los datos pues una misma persona puede recibir varias pensiones de diferente naturaleza y no todas se contabilizan igual en los diferentes países, variando en función de su propia legislación y estructura social. En este sentido, Eurostat pone de manifiesto la necesidad de tener en cuenta que las pensiones de vejez son solo una parte del sistema nacional de pensiones y que debe valorarse el sistema en su conjunto.

Gráfico 6. Gasto en pensiones por habitante del país. Variación 2010-2018.

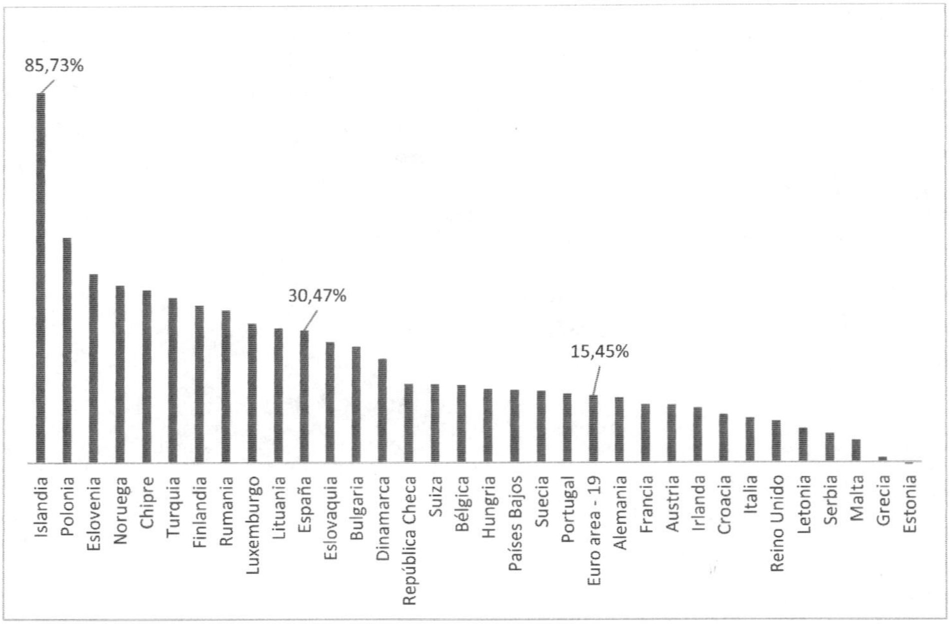

Fuente: Elaboración propia a partir de datos de Eurostat.

IV. PREVISIONES DE SOSTENIBILIDAD PARA UN FUTURO INMEDIATO

Según el Índice Global de Pensiones editado anualmente por Mercer & CFA Institute, el país del mundo que goza de una mayor sostenibilidad en su sistema de pensiones es Holanda seguido muy cerca por Dinamarca (que intercambian posiciones respecto al índice anterior) en tanto que los peores son Tailandia, que cierra el índice, y Argentina, la cual era el farolillo rojo en el último listado (Mercer, 2021).

Este índice, que ofrece la comparación más completa del mundo de sistemas de pensiones a través de un sistema con medio centenar de indicadores, compara los sistemas de pensiones de los países a través de tres subíndices: adecuación (primer puesto para Holanda), sostenibilidad (liderado por Dinamarca) e integridad (donde Finlandia supera ampliamente al resto), no deja en muy buen lugar a España. Nuestro país se encuentra en la zona media de la tabla, en el puesto 22 de 39 países, con un índice general en 2020 de 57,7 (por 82,6 de Holanda y 40,8 de Tailandia, en ambos extremos) quedando situada entre Colombia y Arabia Saudita y dentro de un grupo de países en el que los analistas de Mercer consideran que deben darse medidas de ajuste ya que, sin ellas, la eficacia y sostenibilidad del sistema a largo plazo es cuestionable. En particular, señalan la necesidad de aumentar el número de activos en el mercado de trabajo e incrementar las cotizaciones sociales, retrasar la edad de jubilación y aumentar el ahorro privado destinado a pensiones. Es decir, la receta clásica de los modelos más liberales.

No son los únicos que claman por estas reformas pues, tanto dentro como fuera del país son numerosos los economistas que vienen señalando insistentemente en esa dirección. Recientemente, la Unión Europea ha instado a los Estados miembros a que adecúen sus sistemas de pensiones a la nueva realidad de un mercado golpeado fuertemente por la pandemia y que ha puesto de manifiesto las múltiples debilidades de los sistemas hasta ahora implementados en los diversos países. No se trata de que todos los países tengan el mismo sistema, dado el universo de realidades diversas, sino de intentar resolver los problemas comunes que han sido detectados. En este sentido, el Gobierno de España se ha comprometido con la Unión Europea a establecer algunas reformas que figuran en el Anteproyecto de Ley de Reforma de la Seguridad Social, aprobado en Consejo de Ministros y presentado en agosto de 2021 ante el Parlamento en el que está pendiente de tramitación parlamentaria.

Las claves de esta reforma contemplan disposiciones de gran relevancia que afectan, a la edad de jubilación, la cuantía de las pensiones, la cotización obligatoria de los programas de formación e investigación de los jóvenes que se incorporen por esta vía al mercado de trabajo, el aumento de las pensiones mínimas para determinados colectivos, y algunas medidas que afectan a las Mutuas de Accidentes de Trabajo y Enfermedades Profesionales. En buena medida, se atienden en el plan de reforma gran parte de las recomendaciones internacionales, especialmente en lo referente al retraso en la edad de jubilación estándar (que se sitúa en 67 años) y las limitaciones a las prejubilaciones y contratos de relevo, así como en la introducción de incentivo para la prolongación voluntaria de la vida laboral. También en lo referente a una mayor proporcionalidad entre lo aportado al sistema por el trabajador y la retribución que percibirá ya jubilado, mediante la ampliación progresiva del período de cómputo desde los 15 años actuales a los 25 y la revisión de los parámetros del sistema cada cinco años para garantizar dicha proporcionalidad.

Con ello el Gobierno, además de cumplir con Bruselas, deroga de facto dos de los aspectos más polémicos de la reforma del Gobierno de Mariano Rajoy: el factor de estabilidad, que es sustituido por el nuevo mecanismo denominado de "equidad intergeneracional" y la limitación de subida de las pensiones al 0,25% en momentos de crisis económica. Es en este segundo apartado dónde se pueden plantear algunas debilidades de futuro. En efecto, el Gobierno de España ha fijado en el nuevo plan la revalorización automática de las pensiones de acuerdo con la inflación media anual registrada en el ejercicio anterior, sea cual sea su cuantía salvo si es negativa la inflación en cuyo caso las pensiones permanecerán inalteradas. Es decir, en otras palabras, que el importe de las pensiones siempre subirá o, al menos, no bajará.

Gráfico 7. Variación anual del Índice de Precios al Consumo 1965-2021.

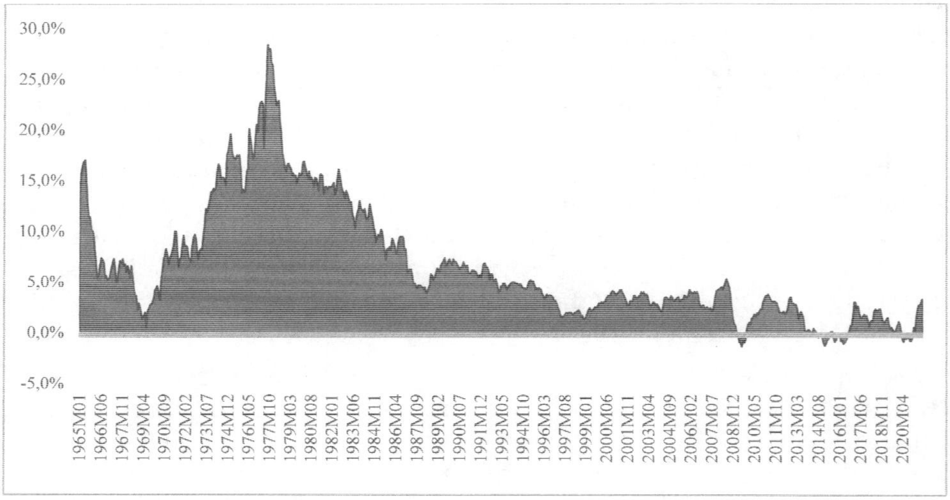

Fuente: Elaboración propia a partir de datos del INE.

Cualquier economista sabe que, en una economía abierta, una de las variables macroeconómicas más difíciles de controlar es, precisamente, el índice de precios. Y también de las más peligrosas e impredecibles. En el Gráfico 7 se observa la evolución del IPC para el caso de España en una serie amplia de datos mensuales, desde enero de 1965 a agosto de 2021. Los precios se han disparado coincidiendo tanto en periodos de crisis económica como de fuerte crecimiento económico, aunque por diferentes motivos. Se observa claramente los efectos de la primera crisis del petróleo (1973-74), de la segunda (1979-81), aunque en este segundo caso moderado por las consecuencias positivas de los Pactos de la Moncloa alcanzados en 1977, año en que se llegó al máximo nivel de crecimiento del IPC, con un 28,4% de crecimiento interanual en el mes de agosto de ese año. A partir de esas medidas consensuadas, los tipos y las variaciones del IPC han ido siendo mucho más comedidas tanto al alza como a la baja, situándose en los últimos tiempos en cifras inferiores al 5% y generalmente en torno al 2,5%.

Sin embargo, si algo enseña el Gráfico 7 es que no se puede bajar la guardia. A los valores bajos de inflación conseguidos en 2018 y 2019, la crisis provocada por la pandemia hizo pasar de valores negativos en 2020 a un fuerte rebote inflacionista en 2021, donde el último dato interanual sitúa la inflación anual para 2021 en el 3,3%. ¿Motivo? Nuevamente, las consecuencias del incremento de precios en el mercado de la energía: hoy la luz y ayer, hoy y probablemente en el futuro, el petróleo, sobre la economía. Con los precios de la energía en máximos es difícil contener los precios ya que, indirectamente, tienen un efecto demoledor en los precios de otros sectores, sobre todo por el incremento del precio de los transportes. Si a ello se le suman las dificultades de producción en algunos sectores como consecuencia de la falta de materias primas y suministros (consecuencia a su vez del cierre pandémico) que está provocando nuevos ERTEs, reducción de horas de empleo y menores rentas disponibles, el coctel resultante es preocupante. Si hay algo a temer más que a una fuerte inflación es a que se produzca una estanflación; esto es: que se produzca dicha inflación en un contexto de estancamiento económico y aumento del desempleo. En el ámbito de las cuentas públicas y centrándonos en el sistema de pensiones, el incremento de la inflación supondrá un coste aproximado para las arcas públicas de unos 4.200 millones en 2022 como consecuencia de ligar la revalorización de las pensiones al IPC.

Si esta situación es transitoria, como se apunta desde la Reserva Federal Estadounidense o el Banco Central Europeo, el tiempo lo dirá. De momento, en el segundo caso, se ha decidido flexibilizar el objetivo de inflación a los países miembros de la Unión siempre que sea moderada y han optado por mantener los tipos de interés del dinero bajos para favorecer la reactivación económica. Sin ella, sí que es seguro que no habrá sostenibilidad.

V. RESUMEN Y CONCLUSIONES

El sistema de pensiones en España constituye un pilar esencial de la cohesión social. Cualquier actuación en él debe ir acompañada de un gran diálogo social en la búsqueda del mayor consenso posible, dada la sensibilidad de la población española hacia la protección proporcionada por el denominado *escudo social*. La sostenibilidad a largo plazo del sistema está siendo puesta cada vez más en cuestión, fundamentalmente por las dudas sobre la viabilidad financiera de los sistemas actualmente empleados. La creciente incidencia de variables económicas externas difícilmente controlables, como los precios de la energía y su influencia sobre el nivel general de precios, por ejemplo, o la falta de suficiente equidad intergeneracional, han llevado al Gobierno de la Nación, en parte empujado por la Unión Europea, a proponer un Plan de Reforma de las Pensiones que corrige parte de los errores detectados en modelos anteriores pero sigue dependiendo de algunas variables sobre los que manifestamos nuestra preocupación en las líneas precedentes y sobre los que, al margen del propio sistema de pensiones y con una visión más general de la economía, debería trabajarse intensamente. Entre ellos, los bajos salarios de las nuevas cohortes de empleo no sólo alimentan las dudas sobre la capacidad de generación de ingresos del propio sistema, sino que, en un plazo inmediato, coartan y limitan el bienestar de las nuevas generaciones. El bajo número de activos en relación con los pensionistas, la tasa de dependencia, sugiere la necesidad de actuar en planos tan alejados como el fomento de la natalidad o el incremento de la inmigración regulada, al objeto de garantizar una base social amplia de presente y futuro que equilibre la pirámide poblacional y, con ella, de tiempo a reformular el sistema en su conjunto.

Aunque intencionadamente no se ha hecho incidencia, aunque si referencia, con anterioridad en este texto, es forzoso hablar de la necesidad del fomento del ahorro privado con vistas a la edad de retiro. Ya sea como complemento o como fuente principal de los recursos en la tercera edad. En este sentido, creemos que debe incentivarse de manera decidida, vía fiscal principalmente, los planes de ahorro privados y debe regularse de manera precisa la conocida como "hipoteca inversa", una alternativa para una parte más o menos significativa de la población española de mayor edad, pero muy poco usada, por desconocida, en estos momentos.

Finalmente, no hay que perder de vista que el aumento de la esperanza de vida de la población unida a una mejora en su calidad de vida ha favorecido lo que viene denominándose bajo el acrónimo anglosajón "silver-aged" o "silver tsunami". Esto es, un segmento cada vez más numerosos de personas en la tercera edad que si bien no están activos en el mercado laboral si permanecen activos en el resto de los ámbitos de la vida humana y, particularmente, en los relacionados con la industria cultural, deportiva y de ocio. Una mejor comprensión de este segmento, bajo la perspectiva de las economías circular y del bien común, proporcionarían sinergias al sistema mediante un mayor crecimiento económico y, por ende, facilitando más ingresos al sistema.

VI. BIBLIOGRAFÍA

Ayuso, M. y Bravo, J., "El necesario enfoque actuarial de los sistemas de pensiones. La relevancia de la esperanza de vida, también en España", en Conde-Ruíz, J.I. Coord., *El Futuro de las Pensiones en España*, Cajamar Caja Rural, Almería, 2021.

Barrera, M.C., "El futuro de las pensiones, las pensiones del futuro", *El diálogo social desde una perspectiva europea y otros desafíos de la era post-Covid 19*, Unión General de Trabajadores, Madrid, 2021, recuperable en: https://www.ugt.es/la-reforma-de-pensiones-cambia-el-rumbo-de-la-politica-europea-recuperando-derechos.

Comisión Europea, *European semester thematic factsheet. Adequacy & sustainability of pensions*, Bruselas, 2021, recuperable en: https://ec.europa.eu.

Comisión Europea, The 2021 ageing report, *Institutional Paper*, núm. 142, November, 2020.

Doménech, R., "El sistema público de pensiones en España: proyecciones y perspectivas de mejora", *BBVA Research*, 12 de enero, 2019.

Domínguez Martínez, J.M., "La reforma de las pensiones en España. Una aproximación económica", *Instituto de Análisis Económico y Social, Documentos de Trabajo*, núm. 2, 2012.

– "La sostenibilidad de las pensiones públicas en España. Aspectos básicos", *Revista de Estudios Jurídico Laborales y de Seguridad Social*, núm. 3, 2021.

EUROSTAT, *Social Protection statistics*, recuperable en: https://ec.europa.eu/Eurostat/.

Gobierno de España, *Trabajo y las organizaciones sindicales acuerdan subir el Salario Mínimo Interprofesional en 15 euros*, Ministerio de Trabajo y Economía Social, Madrid, 2021, recuperable en: https://prensa.mites.gob.es/WebPrensa/inicio.

Hernández de Cos, P., El sistema de pensiones en España. Una actualización tras el impacto de la pandemia, *Documentos Ocasionales*, núm. 2106, Madrid, 2021.

Instituto Nacional de Estadística (INE), recuperable en: https://www.ine.es.

– *Encuesta de Población Activa.*

– *Encuesta de Estructura Salarial.*

– *Encuesta de Presupuestos Familiares.*

– *Indicadores Demográficos Básicos. Indicadores de Estructura de la Población.*

– *Índice de Precios al Consumo.*

MAPFRE Economics, *Sistemas de pensiones en perspectiva global*, Fundación MAPFRE, Madrid, 2021.

Ministerio de Trabajo y Economía Social (MITES), recuperable en: https://expinterweb.mites.gob.es/series/.

— *Encuesta de Coyuntura Laboral.*

— *Afiliación de Trabajadores al Sistema de la seguridad Social.*

— *Pensiones Contributivas del Sistema de la Seguridad Social.*

Mercer, *Mercer CFA Institute Global Pensión Index 2020*, Mercer, Melbourne, 2020.

Organización para la Cooperación y el Desarrollo en Europa (OCDE), Funded and private pensions, recuperable en: https://www.oecd.org/finance/private-pensions/.

Organización Internacional del Trabajo (OIT), *Perspectivas sociales y del empleo en el mundo*, Data Finder, Tendencias 2021, recuperable en: https://222.ilo.org.

Pacolet, J., "Protección social de personas mayores dependientes. Sostenibilidad del Estado del Bienestar y ámbito del seguro de cuidados de larga duración", *Revista Española del Tercer Sector*, núm. 3, mayo-agosto, 2006.

Capítulo 4

Prolongación de la vida activa laboral como factor de sostenibilidad del sistema de pensiones: diagnosis actual de una medida clave

Marina Fernández Ramírez
Profesora Titular de Derecho del Trabajo y de la Seguridad Social
Universidad de Málaga

SUMARIO: I. INTRODUCCIÓN. II. LA NECESARIA APUESTA POR LA PROLONGA-CIÓN DE LA VIDA ACTIVA LABORAL COMO MEDIDA CLAVE PARA LA SOSTENIBILIDAD DEL SISTEMA. III. UN REPASO POR SU ACTUAL RE-GULACIÓN. *1. Diferencias con la jubilación flexible y a tiempo parcial.* IV. LA NUEVA HOJA DE RUTA EN MATERIA DE REFORMA DE LAS PENSIO-NES. *1. Una mirada crítica desde la Unión Europea. 2. Los fondos de ayuda y re-cuperación Next Generation. 3. Alargar la edad activa de empleo en el marco de la actual reforma de las pensiones 2021.* V. CONCLUSIONES. VI. BIBLIOGRAFÍA.

I.   INTRODUCCIÓN

El sistema de pensiones español es un sistema de reparto, de modo que su estabilidad financiera depende crucialmente de la *ratio* entre beneficiarios y contribuyentes al Sistema de la Seguridad Social. Tanto en España como en Europa, las pensiones siguen siendo la principal fuente de ingresos de las personas mayores y proceden de ese régimen de reparto público. Las personas jubiladas que perciben una pensión son, por las razones apuntadas, una parte importante y creciente de la población de la UE[1]. En este marco, el actual objetivo clave de los sistemas de pensiones es proteger a las personas mayores de la pobreza y permitirles disfrutar de unos niveles de vida aceptables y de independencia económica al envejecer,

---

1.   Unos ciento veinticuatro millones, o una cuarta parte de la población total.

y la sostenibilidad financiera del sistema es imprescindible para alcanzar dicho objetivo. Las pensiones afectan a los presupuestos públicos y a la oferta de mano de obra de manera importante, por lo que la política de pensiones debe tener en cuenta estas repercusiones.

Es en atención a este hecho, por lo que venimos asistiendo desde hace varias décadas, a continuas e importantes reformas en materia de pensiones de la Seguridad Social. Inmersos en una crisis que, planteada en tres dimensiones (de medios, objetivos y estructura)[2], reclamaba y reclama un urgente, profundo y serio reajuste del sistema de protección social, ha sido necesario acomodar nuestro sistema de pensiones (y en particular la pensión de jubilación) a la evolución del ciclo vital de las personas. Pero también a las transformaciones económico-sociales en curso, con formas de empleo diversificadas[3], y con un paro estructural y de larga duración que se ceba especialmente en los colectivos más vulnerables: el empleo joven, quienes carecen de cualificación, personas mayores de 50 y con un notable aumento de la mano de obra femenina.

En los años de crisis económica que llevamos, mientras la tasa de empleo ha ido disminuyendo, al mismo tiempo, factores asociados a la propia crisis como la caída en la afiliación o el aumento del gasto en desempleo, han jugado un papel desencadenante en el desequilibrio de gastos e ingresos[4]. A esto se suman problemas estructurales de profundo calado tales como la reducción de la natalidad (con 1,2 hijos por familia) y la ampliación de la esperanza de vida de la población española (82 años)[5] que implicará una

2. González Rabanal, M. C., "La crisis de la Seguridad Social en el marco de la Constitución", *Revista de Política Social*, núm. 148. octubre-diciembre 1985, p. 63 y ss.
3. Romagnoli, U., *El Derecho, el Trabajo y la Historia*, Madrid (Consejo Económico y social), 1977, p. 170.
4. Todo ello aderezado por el "vaciado" del Fondo de Reserva de la Seguridad Social (la conocida hucha de las pensiones) y las proyecciones de déficit entre los ingresos por cotizaciones y el gasto en pensiones. En el Fondo de Reserva apenas quedan 5.000 millones –de los 64.000 que llegó a tener en 2011– y distintos cálculos estiman que la Seguridad Social repetirá en 2019 un déficit del entorno de los 18.500 millones. Por ello, hará falta retirar unos 3.000 millones más para completar los préstamos del Tesoro. Atención porque la deuda del sistema de pensiones contraída por la Seguridad Social con el Estado podría superar los 56.000 millones de euros a finales de 2019. (Vid Deuda pública, Banco de España. https://www.bde.es/webbde/es/estadis/infoest/bolest13.html).
5. Mientras que en el año 1900 sobrevivía a los 65 años el 26,2% de una generación, hoy sobrevive el 90. *Vid.* Valero Carreras, D., "Perspectivas del sistema público de pensiones y el papel de la previsión complementaria en: La previsión social complementaria. Papel y claves de desarrollo", Vitoria-Gasteiz, *Revista Vasca de Economía, Ekonomiaz*, núm. 85, 2014, p. 5. *Vid.* Informe Panorama de las pensiones de la OCDE, 2018, según el cual España será en 2050, por detrás de Japón, el segundo país más envejecido del mundo. Asimismo, según datos del INE, se ha estimado que en España entre los años 2010 y 2050, la población mayor de 65 pasará a representar un porcentaje del 16,8 al 30%; la población de 16 a 64 años, disminuirá del 67,5 al 57,1%,

menor población activa futura y, por tanto, el incremento de una mayor tasa de dependencia[6]. Tan es así, que el aumento de la esperanza de vida y su impacto económico y presupuestario a largo plazo es uno de los factores que más presiona no ya al sistema público de pensiones de nuestro país, sino al de todos los países miembros de la UE y al conjunto de la zona Euro[7].

Se suma a este panorama desolador la combinación de dos efectos que se van a dar de forma simultánea, la ultralongevidad de las sociedades avanzadas y la "algoritmización" de los procesos, que terminarán de generar la tormenta perfecta en los sistemas de seguridad social europeos. Cada vez más gente viviendo más tiempo en mejores condiciones, en una sociedad que progresivamente aumenta los procesos automatizados. Tampoco debemos olvidar los plazos, pues mientras que la primera llevará un tiempo, la segunda será infinitamente más rápida[8].

Llegados aquí se han apuntado diversas vías de actuación que van desde aumentar las cotizaciones sociales hasta cubrir parcialmente el gasto en pensiones contributivas vía impuestos[9] o, como en el caso de las políticas europeas, orientar la reforma de las pensiones en establecer condiciones de

---

y la población de 0 a 15 años, descenderá del 16,5 al 13,1%. Otro dato significativo es el de que, en 2050, las personas que superarán la barrera de los 100 años ascenderá a 50.000. %. No obstante, como indicó la Comisión Europea en su Comunicación de 11 de octubre de 2001: *"El envejecimiento de la población y la jubilación de la generación del 'boom' demográfico representan un reto de envergadura para este logro histórico. El envejecimiento de la población será de tal escala que, de no efectuarse las reformas oportunas, podría comprometer el modelo social europeo, así como el crecimiento económico y la estabilidad en la Unión Europea"*. Vid., "Evolución futura de la protección social desde una perspectiva a largo plazo: Pensiones seguras y viables", COM (2000) 622 final.

6. Según el Informe Panorama de las pensiones de la OCDE, cit., *"España tendrá 76 jubilados por cada 100 personas en activo en 2050"*.

7. La Dirección General de Asuntos Económicos y Financieros de la Comisión Europea acaba de presentar el informe provisional de envejecimiento 2018 (*Vid.* The Ageing Report 2018 Underlying Assumptions & Projection Methodologies. Institutional Paper 065 | november 2017), que detalla los supuestos subyacentes y las metodologías de proyección utilizadas para estimar el impacto económico y presupuestario a largo plazo del envejecimiento de la población en los países miembros de la UE y todo el conjunto de la zona Euro. Las proyecciones a largo plazo muestran dónde (en qué países), cuándo y en qué medida las presiones del envejecimiento se acelerarán a medida que la generación del baby boom se retire y la población de la UE continúe extendiendo su esperanza de vida en el futuro. La sostenibilidad de las finanzas públicas en la UE puede salvaguardarse mejor si su análisis cuenta con información confiable y comparable sobre posibles desafíos para la sostenibilidad fiscal, incluidas las tensiones causadas por los cambios demográficos que se avecinan.

8. Fernández Ramírez, M., "Empleo juvenil, jubilación y Previsión Social Complementaria: La incierta transición desde el modelo de compartimentos estancos a la estrategia de los vasos comunicantes", *Revista de derecho de la seguridad social. Laborum*, Núm. 22, 2020, p. 67.

9. En esta línea, Hernández de Cos, P., Jimeno, J.F. y Ramos, R., "El sistema público de pensiones en España: situación actual, retos y alternativas de reforma", Documentos Ocasionales, Banco de España, 1701/2017, p. 39.

accesibilidad más duras para adquirir una pensión pública, bajar la calidad de la prestación pública, o prolongar la vida laboral[10].

Curiosamente, la percepción de la mayor edad en el perfil del trabajador, se ha valorado negativamente en nuestra sociedad occidental, con muchísimos prejuicios y estereotipos, tanto desde el punto de vista de la empresa como también desde el punto de vista del trabajador que espera su salida a una edad no muy avanzada y con una renta suficiente[11]. No obstante, y sin perjuicio de la conveniencia de conjugar otros parámetros a la hora de abordar una estrategia, nos parece determinante que la edad legal de la jubilación se adapte a los cambios experimentados por la edad biológica. En especial, si atendemos a que, cuando nuestro sistema de pensiones se gesta, los trabajadores de 65 años tenían escasas posibilidades de supervivencia por encima de esa edad, mientras que, actualmente, la esperanza de vida en España ronda los 83 años y podría acercarse a los 90 a mediados de siglo. De modo que, con el envejecimiento de la población, estamos ante un reto no meramente coyuntural sino estructural[12], que incide directamente sobre la línea de flotación del entero sistema de pensiones, y, complementariamente, sobre la capacidad y el deber institucional de instaurar una sociedad para todas las edades.

Todo apunta a que, como vía para reforzar la sostenibilidad del sistema en el medio y largo plazo, es ineludible la aplicación del principio de prolongación de la vida laboral, que, además, debe llevar aparejado el establecimiento por parte de la legislación vigente de mecanismos que coadyuven a que los trabajadores séniores continúen en el mercado laboral, al menos hasta la edad legal de jubilación y, cuando así lo estimen conveniente, más allá de este momento. Ciertamente, en los últimos años, se han ido introduciendo diversas medidas normativas que incentivan esta situación y que tienen el doble objetivo de contribuir a la sostenibilidad del sistema de pensiones, y favorecer la continuidad de la vida laboral de los trabajadores de mayor edad.

En concreto, la jubilación activa, es la medida que se ha aprobado más recientemente en este sentido y se suma a otras posibilidades que ya contemplaba la normativa española de compatibilizar pensión y actividad

---

10. *Vid.* Monereo Pérez, J. L., *Gestión pública y gestión privada de las pensiones*, Madrid, X Congreso Nacional de la Asociación Española de Salud y Seguridad Social, 2013, p. 35 y ss.

11. Villanueva Gimeno, V, y Andrés Costa, T., ¿Prejubilaciones o "envejecimiento activo"?, RRHH Digital, 13/07/2014, p. 1. (https://www.cuatrecasas.com/es/publicaciones/Prejubilaciones_o_ envejecimiento activo.html).

12. Denau, D. y Domínguez-Mujica, J., "Determinantes demoeconómicos de los gastos de la Seguridad Social en materia de jubilaciones", *Documentación Laboral*, núm. 103, 2015, pp. 83 a 85.

laboral. No obstante, quizá es el momento para que figuras como la jubilación activa, flexible y el contrato a tiempo parcial, sean repensadas con el fin de establecer un nuevo marco de trabajo para este colectivo[13]. Igualmente, la apuesta por un nuevo contrato (el contrato compatible), que promocione continuar la vida laboral más allá de la edad legal de jubilación, podría ser un elemento fundamental para dar respuesta a esta nueva realidad social[14].

El reto actual exige que las instancias políticas y los actores implicados asuman su responsabilidad colectivamente en la elaboración de nuevas formas de organización de la sociedad que aseguren un futuro más justo y más sostenible para todas las generaciones. Ello, en el marco de una estrategia holística de protección de los trabajadores de edad avanzada[15]. En base a ello, y como se explicará *infra*, se hace preciso un desarrollo adecuado en políticas de coordinación institucionales para la protección de la dependencia, que promuevan la autonomía, la participación y el derecho de los mayores a un envejecimiento activo, dado que para la consecución de este objetivo, es ineludible la implicación de los sujetos, las políticas sociales y de la sociedad en su conjunto[16].

II. LA NECESARIA APUESTA POR LA PROLONGACIÓN DE LA VIDA ACTIVA LABORAL COMO MEDIDA CLAVE PARA LA SOSTENIBILIDAD DEL SISTEMA

El término envejecimiento activo fue acuñado por la OMS a finales de los 90, su objetivo fue ampliar la visión de lo que hasta entonces se conocía como envejecimiento saludable, cuyo énfasis quedaba en los factores socio-sanitarios y de salud. Por su parte, esta noción de envejecer de forma activa reconoce la influencia de otras variables y confiere a la actividad un papel esencial en las diversas expresiones del envejecimiento[17]. Esta forma de

---

13. Ortiz González-Conde, F. M., "La jubilación parcial, flexible y activa como fórmulas para el envejecimiento activo", *Revista Derecho social y empresa*, Núm. 10, 2019 (Ejemplar dedicado a: La protección de la salud desde una perspectiva jurídica y económica: un análisis con enfoque de género), pp. 168-190.

14. Blázquez Agudo, E. M.: "Soluciones laborales: jubilación activa. El camino hacia un contrato compatible", *Ekonomiaz* Núm. 96, 2.º semestre, 2019, p. 266.

15. Monereo Pérez, J. L., *La protección sociolaboral multinivel de los trabajadores de edad avanzada*, ed. Bomarzo, 2019. pp. 101 y ss. Arrieta Idiakez, F. J., "Consecuencias del envejecimiento sobre la economía y el mercado laboral", *Revista Española de Derecho del Trabajo*, 183, 173-200.

16. Ramos Monteagudo, A.M., Yordi García, M., Miranda Ramos, M. A., "El envejecimiento activo: importancia de su promoción para sociedades envejecidas", *Revista Archivo Médico de Camagüey*; versión On-line ISSN 1025-0255, AMC vol.20 no.3 Camagüey, mayo-jun. 2016.

17. OMS [Internet]. Ginebra: OMS; c1999-2006 [actualizado 10 Abr 2016; citado 12

jubilación permite a los trabajadores jubilarse, pero seguir manteniendo su actividad laboral, a tiempo completo o parcial, con sus correspondientes ingresos. Asímismo, también perciben parte de la pensión que les pertenece al jubilarse, el 50 por ciento de la cuantía.

Conviene señalar desde este momento que, para la Seguridad Social, jubilación activa no es sinónimo de flexible, de modo que hablamos de figuras jurídicas distintas. La jubilación flexible es *a posteriori*, es decir, cuando un jubilado que ya cobra la jubilación y dejó de trabajar por esta razón en su momento, reinicia posteriormente su actividad laboral. Aunque solo puede hacerlo con un trabajo que sea a jornada parcial. Al contrario de lo que ocurre con la jubilación parcial y activa, en la flexible es indispensable que la actividad laboral comience una vez que ya se es pensionista. Y siempre ha de ser mediante una jornada reducida, no completa. Esta debe ser de entre el 75% y el 50% del tiempo de un trabajo a tiempo completo.

Por el contrario, en la jubilación activa la persona –aún, habiendo llegado a la edad de jubilación– no ha dejado todavía su carrera profesional cuando decide, a la vez, incorporar a sus ingresos una parte que provenga de la jubilación. Percibe mes a mes el 50% de la pensión de jubilación que nos correspondería por jubilación ordinaria. Se debe haber cumplido la edad de jubilación vigente y, además, haber cotizado el tiempo mínimo que se exigiría para disfrutar del 100% de la base reguladora (en 2021, 36 años). Este sistema no es válido para quienes trabajan en empresas públicas. Y hay que recordar que el empresario debe aceptar la jubilación activa del empleado, porque no está obligado a ello.

Finalmente, para las personas que se plantean seguir trabajando durante al menos una parte de su día a día, la modalidad de jubilación parcial puede ser una opción aconsejable. Con ella se cobra una parte de la pensión de jubilación, al tiempo que un sueldo por jornada parcial. La empresa debe reducir la jornada del empleado, al menos, un 25%. Pero también se puede seguir trabajando al 50% o, incluso, el jubilado parcial puede ver disminuida su jornada en un 75% en determinados casos –trabajando solo una cuarta parte de lo que lo hacía si tenía un contrato a tiempo completo–.

Abr 2016]. 52 Asamblea Mundial de la Salud, Proyecto A 52/34 del 22 de mayo de 1999; [aprox. 2 pantallas]. Disponible en: http://apps.who.int/iris/bitstream/10665/84566/1/s7.pdf; *cfr.* Arrieta Idiakez, F. J., "Consecuencias del envejecimiento sobre la economía y el mercado laboral", *Revista Española de Derecho del Trabajo*, 183, 173-200; Ordóñez Casado, I., "La prolongación de la vida laboral más allá de la edad de jubilación y su repercusión en la pensión a percibir", AA.VV.: *Por una pensión de jubilación, adecuada, segura y sostenible: III Congreso Internacional y XVI Congreso Nacional de la Asociación Española de Salud y Seguridad Social*: [Madrid, 17 y 18 de octubre de 2019], Vol. 1, 2019, pp. 311-324.

En síntesis, puede apreciarse que el envejecimiento activo se trata de un concepto de difícil conceptualización, por la variedad de significados que puede adoptar, y, por tanto, no resulta tarea fácil su regulación. Para ello, el legislador debe plantearse con claridad cuáles son las notas definitorias u objetivos del envejecimiento activo, si extender la vida laboral, o equilibrar la sostenibilidad del sistema de pensiones[18].

Sobre esta premisa, la propuesta normativa del Gobierno español se centra en cómo incentivar la permanencia en el mercado de trabajo más allá de la edad legal de jubilación, mediante fórmulas flexibles de jubilación activa, es decir, compatibilizando salario y pensión. Esta flexibilidad, habría que empezar a aplicarla a los que tienen edades de jubilación más livianas, no a los que las tienen peores, los que hacen trabajos manuales, hacen actividades que requieren mayor esfuerzo físico o tienen menos esperanza de vida. Es decir, se debería empezar a pensar en situaciones en las que uno trabaja a media jornada y está pensionado a media jornada y después pasa a estar pensionado en la totalidad. Asimismo, ven necesario que se empiecen a realizar acuerdos entre las empresas y los trabajadores recién jubilados con contratos de compatibilidad sin generar antigüedad ni indemnizaciones, situación que, en la actualidad solo está disponible para los trabajadores autónomos que tengan asalariados en su plantilla.

III. UN REPASO POR SU ACTUAL REGULACIÓN

La incompatibilidad tradicional entre la pensión de jubilación y el trabajo, es un principio que en los últimos años ha venido siendo modificado con un conjunto de regulaciones que flexibilizan dicha incompatibilidad, además de los mecanismos de jubilación parcial, y jubilación flexible. En concreto, con la Ley 27/2011, de 1 de agosto, sobre actualización, adecuación y modernización del sistema de Seguridad Social, se posibilitó la compatibilidad actualmente regulada en el artículo 213 TRLGSS, donde se establece que el percibo de la pensión de jubilación será compatible con la realización de trabajos por cuenta propia cuyos ingresos anuales totales no superen el salario mínimo interprofesional, en cómputo anual. Quienes realicen estas actividades económicas no estarán obligados a cotizar por las prestaciones de la Seguridad Social.

Dado que las graves dificultades de empleo, sumado a la baja natalidad e incremento de las expectativas de vida llevan a un camino sin salida, el Consejo de la UE incluyó en el Programa de Estabilidad de España para 2012–2015, una serie de medidas para promover el "envejecimiento activo" entre las que destacan: el aprendizaje permanente, la mejora de las

---

18.   Ortiz González-Conde, F. M., "La jubilación parcial, flexible y activa...". *op. cit.*, p. 173.

condiciones laborales, y el fomento de la reincorporación de los trabajadores de más edad al mercado de trabajo.

En este marco se aprobó el RD-ley 5/2013, de 15 de marzo, de medidas para favorecer la continuidad de la vida laboral de los trabajadores de mayor edad y promover el envejecimiento activo, que reguló la denominada jubilación activa actualmente recogida en el artículo 214 TRLGSS, determinando que, la pensión de jubilación, en su modalidad contributiva, sería compatible con la realización de cualquier trabajo por cuenta ajena o por cuenta propia del pensionista (a jornada parcial o incluso completa), siempre y cuando se acreditasen los requisitos exigidos[19].

Lo esencial: haber cumplido la edad de jubilación ordinaria que nos corresponda. La norma no exige correlación entre el tipo de trabajo o actividad anterior a la jubilación y el que posteriormente en jubilación activa se pueda realizar, por ello, es posible que el trabajo previo a la jubilación ordinaria haya sido por cuenta ajena en el Régimen General y el desarrollado en jubilación activa por cuenta propia o viceversa. El importe a ingresar por jubilación activa no es el 100%, sino solo de un 50%. Cualquiera que sea la jornada laboral o la actividad por cuenta ajena que realice. Y la cantidad resultante se revalorizará según lo establecido en la ley, aunque también esa revalorización será aplicada al 50%. Una vez que se finaliza el trabajo, se vuelve a recuperar el total de la jubilación ordinaria.

Sin embargo, esta reforma únicamente abordaba la restricción de prestaciones por desempleo y jubilación, pero no se enmarcaba en una política global de cambio de sistema[20]. Por mencionar algunos de las medidas acometidas en esta reforma, cabe destacar:

- El endurecimiento de los requisitos para poder acceder a la jubilación parcial por parte del trabajador, al tiempo que resulta menos atractivo para la empresa al incrementar sus costes;

- Se retrasa paulatinamente la edad de acceso a la jubilación anticipada, incorporando nuevos requisitos e incrementando los coeficientes reductores de pensiones;

- Se exige a las empresas con beneficios que decidan despedir a trabajadores mayores de 50 años, una aportación económica al Tesoro que compense el gasto en prestaciones que ello va a suponer al Estado.

---

19. López Aniorte, M. C., "Hacia el envejecimiento activo: análisis crítico del nuevo régimen de compatibilidad entre el trabajo y la jubilación", *Nueva Revista Española de Derecho del Trabajo*, núm. 164, 2014, pp. 55-86.

20. Sempere Navarro, A. V., "El debate sobre incompatibilidad entre pensiones y trabajo productivo". *Aranzadi Social. Revista Doctrinal*, 9(5), 2013, pp. 15-32.

La norma constituye un claro ejemplo de lo mal que reformamos dado que, sin entrar a valorar el hecho de que esta reforma incluye normas que nunca se han llegado a aplicar, los datos disponibles indican que no funciona, especialmente para los trabajadores por cuenta ajena.

Posteriormente, y con efectos desde 26/10/2017, se establece la compatibilidad de la realización de trabajos por cuenta propia con la percepción del 100 por 100 una pensión de jubilación contributiva en determinados supuestos. Ello, tras las modificaciones normativas realizadas sobre el artículo 214 del TRLGSS por la D.F. 5.ª de la Ley 6/2017, de 24 de octubre, de reformas urgentes del trabajo autónomo, a la hora de lucrar la pensión de jubilación contributiva compatible con el trabajo por cuenta propia se diferencian los siguientes supuestos:

- Compatibilidad de la percepción del 50% de la pensión de jubilación contributiva con la realización de trabajos por cuenta propia por parte del autónomo (resultante en el reconocimiento inicial, una vez aplicado, si procede, el límite máximo de pensión pública, o del que se esté percibiendo, en el momento de inicio de la compatibilidad con el trabajo, excluido, en todo caso, el complemento por mínimos, cualquiera que sea la jornada laboral o la actividad que realice el pensionista).

- Compatibilidad de la percepción del 100% de la pensión de jubilación contributiva con la realización de trabajos por cuenta propia por parte del autónomo (siempre que el autónomo acredite tener contratado, al menos, a un trabajador por cuenta ajena).

- Compatibilidad de la pensión de jubilación contributiva del autónomo con la realización de trabajos por cuenta ajena.

La Ley 6/2017 constituye un nuevo alarde de incompetencia legislativa, teniendo en cuenta que, la indeterminación de la fórmula jurídica utilizada, plantea problemas de tipo interpretativo diverso que dificultan su aplicación. Especialmente, en lo relativo a la compatibilización de la jubilación activa y el percibo del 100 % de la prestación para los trabajadores autónomos societarios, cuya disparidad de criterios entre la entidad gestora y los distintos órganos judiciales conlleva un escenario de inseguridad jurídica y alta litigiosidad.

Pues bien, con carácter general, el marco normativo actual establece que la compatibilidad entre la pensión de jubilación y el trabajo será aplicable a todos los regímenes del sistema de la Seguridad Social excepto al Régimen de clases pasivas del Estado, que se regirá por lo dispuesto en los artículos 213 y 214 del TRLGSS. Respetando el histórico régimen de incompatibilidades establecido por el art. 213.1 del TRLGSS, el disfrute de la pensión de jubilación en su modalidad contributiva será compatible con la realización de cualquier trabajo por cuenta ajena (o por cuenta propia) del pensionista, en los siguientes términos:

- El acceso a la pensión deberá haber tenido lugar una vez cumplida la edad ordinaria de jubilación que en cada caso resulte de aplicación, siendo inadmisibles las jubilaciones acogidas a bonificaciones o anticipaciones de la edad de jubilación que pudieran ser de aplicación al interesado.

- Haber alcanzado una tasa de reposición de la base reguladora del 100% (también es posible recibir la pensión de jubilación y trabajar por cuenta propia si los ingresos anuales totales no superan el Salario Mínimo Interprofesional en cómputo anual y sin la obligación de cotizar por las prestaciones de la Seguridad Social). Finalmente, la empresa que los contrata deberá mantener el (resto) del empleo durante un periodo substancial.

- La cuantía de la pensión será equivalente al 50% del importe resultante en el reconocimiento inicial. Durante el periodo en el que se siga realizando el trabajo, los empresarios y los trabajadores cotizarán a la Seguridad Social únicamente por IT y por contingencias profesionales,

- Aunque estarán sujetos a una cotización especial de solidaridad del 8% (lo cual es discriminatorio respecto a otros trabajadores). Este porcentaje de ocho puntos se aplica sobre la base de cotización por contingencias comunes. Importante destacar que la cotización acumulada durante la jubilación activa no incrementa la cuantía de la pensión de jubilación. A mayor abundamiento, la D.F. 38.ª de la LPGE 2021[21] (modificando el artículo 153 del TRLGSS), con efectos de 1 de enero de 2022, ha elevado al 9% la cotización especial de solidaridad prevista para los supuestos de jubilación activa tanto en el Régimen General como en el RETA. También estarán sujetos a esta cotización de solidaridad los pensionistas de jubilación que compatibilicen la pensión con una actividad profesional por cuenta propia estando incluidos en una mutualidad alternativa al RETA.

En fin, con restricciones de tal calibre, cualitativas y cuantitativas, es posible entender por qué, pese a las múltiples ventajas que presenta, la jubilación activa sea un espécimen que raramente se avista en las relaciones de trabajo. Una figura *de iure*, pero cuya práctica pone en tela de juicio su existencia efectiva. En España, de los 4.412.931 de trabajadores en situación

---

21. Ley 11/2020, de 30 de diciembre, de Presupuestos Generales del Estado para el año 2021. (BOE de 31-12-2020).

de jubilación en el Régimen General, solo 5.777 son jubilados activos, es decir, el 0'13%, lo que demuestra que, a pesar de los esfuerzos del legislador por instaurar esta modalidad de retiro, el sistema parece no haber cuajado en nuestra realidad laboral[22]. La tasa de empleo a partir de los 65 es irrisoria, especialmente si se compara con los 70 y primeros 80s[23]. En los últimos años se detecta un leve crecimiento, seguramente forzado por el retraso de la edad de jubilación normal.

Es más, los flujos anuales de personas que compatibilizan por cuenta ajena son siempre varias órdenes de magnitud inferiores a los que utilizan la jubilación parcial (cara y discriminatoria) y la jubilación anticipada, que no permite compatibilizar[24]. Por tanto, no compensa al trabajador, pero tampoco al empresario, con lo cual, en su regulación actual, es una medida bastante inefectiva.

1. DIFERENCIAS CON LA JUBILACIÓN FLEXIBLE Y A TIEMPO PARCIAL

La jubilación flexible se define como la posibilidad que tiene el jubilado de compatibilizar su pensión de jubilación con un contrato a tiempo parcial. Obviamente la cuantía de la prestación es reducida proporcionalmente a la jornada que se realiza. Sus requisitos son:

- Que el pensionista inicie un trabajo con un contrato parcial con una reducción de jornada de entre un 25 y un 50% en relación a un trabajador a tiempo completo comparable.
- También se pueden realizar varios trabajos, siempre que el total de la jornada no supere el 50%.
- No puede ser una actividad por cuenta propia, ni trabajos en el sector público.
- Durante el tiempo que dure el contrato a tiempo parcial, se cotizará, aplicando las mismas reglas que para cualquier otro trabajador.

En su momento, la novedad de esta regulación radicaba en que, tras el cumplimiento de la edad ordinaria de jubilación, quien reúna los requisitos para acceder a la pensión puede acogerse a ésta sin necesidad de la celebración simultánea de un contrato de relevo. Si bien, la flexibilidad

---

22. *Vid.*: https://www.eleconomista.es/empresas-finanzas/noticias/11113147/03/21/A-proposito -de-la- jubilacion-activa.html.
23. *Vid.* % Ocupados respecto de la población total en el rango de edad y sexo. EPA. 1977-2020 (TII). España. 65-69 años.
24. Sánchez Martín, A. R. y Jiménez Martín, S., "La compatibilidad del trabajo y el cobro de pensión en España: análisis institucional en el contexto europeo", *Studies on the Spanish Economy* eee2021-11, FEDEA, pp. 19 y ss.

en la jubilación también refiere al momento en que la misma se pone en práctica; con diversos condicionantes normativos, viene admitiéndose que cada persona elija si desea jubilarse coincidiendo con la edad prevista en su situación (paradigmáticamente, los 65 años), más adelante o anticipadamente[25]. Cuando el trabajador vuelve a la jubilación total, por finalizar el contrato a tiempo parcial, se le recalcula la pensión de jubilación de acuerdo con las nuevas cotizaciones realizadas durante el tiempo que se realizó la actividad a tiempo parcial.

Por su parte, la jubilación parcial es la forma más tradicional de compatibilizar trabajo y pensión y está vigente en España desde 2001. Solo puede ser parcial, es decir, no permite compatibilizar un trabajo a tiempo completo con el cobro de la pensión. Tienen derecho a acceder a este tipo de pensión los trabajadores por cuenta ajena, los socios trabajadores o de trabajo de las cooperativas y los que cumplan las condiciones necesarias para obtener una pensión contributiva de jubilación[26].

Tiene su principal seña de identidad en la compatibilidad de la pensión con el trabajo por cuenta ajena que se viniera prestando –artículo 166.3 TRLGSS–, que no tendrá que extinguirse a diferencia de las tres especies de jubilación total vistas hasta el momento. Además de la situación laboral del jubilado, los otros dos elementos claves de toda jubilación, la edad de acceso y el periodo de cotización previa o carencia, también presentan diferencias en comparación con la jubilación ordinaria, en una de las dos variantes de la jubilación parcial eso sí[27].

A esta jubilación se puede acceder de dos formas: con o sin contrato de relevo, un tipo de contrato que se celebra con una persona desempleada, generalmente joven, que ocupa parcialmente el puesto del beneficiario como relevista. Para acceder a la modalidad con contrato de relevo, el beneficiario debe estar contratado a tiempo completo y tener 60 años si es mutualista, 62 años si tiene cotizados al menos 35 años y tres meses o 63 años si tiene 33 años cotizados. Deberá reducirse la jornada entre un mínimo del 25% y un máximo del 50%, o del 75% si el contrato de relevo es a jornada completa y por tiempo indefinido. Además, tendrá que tener una antigüedad en la empresa de al menos seis años.

---

25. *Vid.* Sempere Navarro, A.V., "Una primera reflexión sobre la jubilación –flexible–", *Revista Doctrinal Aranzadi Social*, núm. 12/2002 parte Tribuna. Editorial Aranzadi, S.A.U., Cizur Menor. 2002.

26. *Vid.* Palomino Saurina, P., "Aspectos relevantes de la jubilación parcial", Revista Española de Derecho del Trabajo núm. 172/2015 parte Estudios. Editorial Aranzadi, S.A.U., Cizur Menor. 2015.

27. Vivero Serrano, J. B., "La compatibilidad entre la pensión de jubilación y el trabajo a título lucrativo: todo por el envejecimiento activo", *Documentos Laborales*, núm. 103-Año 2015-Vol. I., p. 123.

IV. LA NUEVA HOJA DE RUTA EN MATERIA DE REFORMA DE LAS PENSIONES

1. UNA MIRADA CRÍTICA DESDE LA UNIÓN EUROPEA

El compromiso de la Unión Europea (UE) con la agenda de envejecimiento activo se basa en sus valores fundamentales, definidos en los Tratados. En concreto, el Tratado de Lisboa de 2009, y la manifestación más firme y explícita de estos valores que se encuentra en la Carta de los Derechos Fundamentales de la UE, jurídicamente vinculante en las acciones de cualquier organismo de la UE y que, asimismo, se aplica a los Estados miembros en la ejecución de la legislación de la UE[28].

Asimismo, el envejecimiento activo constituye una parte esencial de la Estrategia Europa 2020, cuyo éxito depende en gran medida de que se permita que las personas mayores contribuyan plenamente tanto dentro como fuera del mercado laboral. La Estrategia Europa 2020[29] tiene por objetivo alcanzar un crecimiento inteligente, sostenible e integrador con altos niveles de empleo, productividad y cohesión social. Ha fijado cinco objetivos específicos que la UE debe alcanzar en 2020, incluyendo una tasa de empleo del 75 % entre las personas de 20 a 64 años y reducir al menos en 20 millones el número de personas en situación o riesgo de pobreza y exclusión social. El envejecimiento activo constituye una parte esencial de la Estrategia Europa 2020, cuyo éxito depende en gran medida de que se permita que las personas mayores contribuyan plenamente tanto dentro como fuera del mercado laboral.

El envejecimiento activo se recoge también entre los Objetivos Europa 2030, donde se señala la urgente necesidad de modificar radicalmente nuestra forma de percibir la jubilación, advirtiendo que deberán desalentarse las actuales prácticas de jubilación anticipada. La vida activa debe prolongarse aumentando la edad de jubilación real y legal. Los programas educativos y de formación para adultos, los regímenes salariales, las condiciones laborales y los sistemas de pensiones deben adaptarse para crear un mercado de trabajo para la franja de edades comprendida entre los 50 y los 70 años, haciendo más atractivos la contratación y el empleo de trabajadores de edad avanzada[30].

---

28. *Vid.* "La aportación de la UE al envejecimiento activo y a la solidaridad entre las generaciones", 2012, p. 5. (https://op.europa.eu/es/publication-detail/-/publication/5f78f31d-1cac-4263-a76d-7077555349da/language-es).
29. "EUROPA 2020. Una estrategia para un crecimiento inteligente, sostenible e integrador". Bruselas, 3.3.2010 COM(2010) 2020 final.
30. *Vid.* "PROYECTO EUROPA 2030. Retos y oportunidades". Informe al Consejo Europeo del Grupo de Reflexión sobre el futuro de la UE en 2030. Luxemburgo 2010, pp. 25 y ss.

Como se ha señalado *supra*, en coherencia con este marco, las instituciones europeas han marcado entre todos los Estados miembros unas líneas políticas claras, centradas en la prolongación de la vida activa y la desincentivación de la jubilación anticipada[31]. A la zaga de este objetivo, gran parte del presupuesto de la UE se emplea para respaldar los esfuerzos de los Estados miembros en materia de creación de empleo, fomento del desarrollo económico y consecución de la cohesión social, económica y territorial en la Unión. Un envejecimiento activo y saludable constituye un elemento esencial para alcanzar dichos fines globales y, en consecuencia, ocupa un lugar privilegiado en los proyectos y programas de financiación. En concreto, el Fondo Social Europeo (FSE), constituye una de las principales fuentes de innovación, experimentación y progreso europeos en el fomento del envejecimiento activo en el trabajo[32].

Por tanto, no cabe duda de que, la actividad normativa en esta materia, está estrechamente relacionada con la política económica y monetaria que viene impuesta desde la UE. Es más, hay que situarla en el contexto de la reforma del artículo 135 de la Constitución, hecha en septiembre de 2011; la LO 2/2012, de 27 de abril, de estabilidad presupuestaria y sostenibilidad financiera; el Tratado Constitutivo del Mecanismo Europeo de Estabilidad, de 2 de febrero de 2012 y el Tratado de Estabilidad, Coordinación y Gobernanza de 2 de marzo de 2012[33].

2.   LOS FONDOS DE AYUDA Y RECUPERACIÓN NEXT GENERATION

Ante la situación de crisis provocada por la pandemia, España ha depositado todas sus esperanzas en los fondos europeos. Un asidero que ha propiciado la UE estableciendo inicialmente ayudas financieras de hasta 540 mil millones, cuyo grado de uso depende de lo que soliciten los Estados Miembros en última instancia. Se hicieron a través de instrumentos financieros y de programas del Banco Europeo de Inversiones; el Programa SURE, para cubrir los costes salariales derivados de la paralización de la actividad económica; y el Mecanismo Europeo de Estabilidad (MEDE).

---

31. Pérez del Prado, D., "El debate actual sobre el futuro de las pensiones: algunos datos para el análisis", *Revista de Información Laboral* núm. 9/2018 parte Estudios sobre el mercado de trabajo. Editorial Aranzadi, S.A.U., Cizur Menor. 2018, p. 236.

32. *Vid.* "La aportación de la UE al envejecimiento activo y a la solidaridad entre las generaciones", 2012, p. 8 y ss. (https://op.europa.eu/es/publication-detail/-/publication/5f78f31d-1cac-4263-a76d-7077555349da/language-es).

33. Aparicio Tovar, J., "La sostenibilidad como excusa para una reestructuración del sistema de la Seguridad Social", *Cuadernos de relaciones laborales*, Vol. 33, Núm. 2, 2015 (Ejemplar dedicado a: Las pensiones de jubilación: una perspectiva alternativa), p. 305.

También, posteriormente, ha aprobado un Fondo de Recuperación europeo, el Next Generation EU, que, por primera vez, empleará como garantía al presupuesto europeo para emitir deuda pública europea, por un potencial financiero de 750.000 millones de euros. De estos, 390.000 millones de euros lo serán en forma de transferencias, el resto en forma de préstamos. A estos últimos se recurrirá menos, o posteriormente, dado que la política monetaria del BCE va a facilitar financiarse barato en los mercados financieros. Desafortunadamente, y en una Europa llena de contradicciones, y a pesar de que esta brutal pandemia ha evidenciado las grandes carencias de servicios públicos como la sanidad, los fondos destinados a iniciativas de utilidad social, en materia sanitaria y ecológica, que son los que representan una prioridad, apenas tienen reservado 11.900 millones de euros para toda la UE. Además, gran parte de los fondos se aplicarán mediante los denominados PERTEs, que serán empresas con capital público al 50% y en el que las empresas privadas podrán obtener su beneficio cargando al erario público los riesgos de las operaciones. Lo de siempre, privatizando beneficios, socializando pérdidas.

La UE ha alcanzado un acuerdo sobre el paquete de recuperación y el presupuesto 2021-2027 que contribuirá a la reconstrucción europea tras la pandemia del coronavirus y apoyará la inversión en transición ecológica y digital. En el Consejo Europeo del pasado mes de julio se acordó un paquete global de fondos europeos de 1,82 billones de euros, que abarca el nuevo Marco Financiero Plurianual (MFP), el Fondo de Garantía del BEI y medidas extraordinarias agrupadas en el Plan Europeo de Recuperación (Next Generation EU). Lo que parecía un claro salvoconducto para el Gobierno que garantizaba el acceso a los fondos europeos para la reconstrucción económica se confirma: la reforma de pensiones es condición de Bruselas para la recepción de esta financiación para aplacar los efectos de la crisis económica provocada por la pandemia[34].

El plan de recuperación debe dar respuesta a las recomendaciones específicas de país de la Comisión Europea. En el caso de España, estas peticiones se centran desde hace años en la reforma del sistema público de pensiones. Recordemos que desde 2017 el Consejo Europeo viene preguntando a España sobre el revertimiento de las medidas aplicadas tras la reforma de 2013, y el escenario financiero previsto de la Seguridad Social en el medio plazo, pues la situación generó incertidumbre entre nuestros socios europeos.

En este sentido, la falta de consenso social de la reforma de 2013, que provocó que se dejara en suspenso, había generado preocupación en

---

34.   Chacón, P., "Los fondos Next Generation UE, al alcance de las agencias", *Ipmark: Información de publicidad y marketing*, Núm. 884, 2021, pp. 32-34.

Bruselas ya que las medidas aplicadas validaban el mensaje catastrófico sobre la situación financiera de la Seguridad Social y asegura que "ayudará a recuperar la credibilidad perdida por nuestro país en Europa en los años anteriores". "Supuso un coste de credibilidad de España frente a las instituciones europeas. Pero ya la estamos recuperando", afirmaba el ministro Escrivá recordando que el de la semana pasada es el primer acuerdo sobre la materia de pensiones en España después de 10 años.

3.   ALARGAR LA EDAD ACTIVA DE EMPLEO EN EL MARCO DE LA ACTUAL REFORMA DE LAS PENSIONES 2021

Desde los años 70, la pensión de jubilación se ha ido reformando en dos direcciones:

- De mejora, que ha tenido como efecto el incremento de las cuantías, la multiplicación de los supuestos de anticipación de la edad de jubilación, o la ampliación de supuestos de compatibilidad con el trabajo y otras prestaciones.

- De racionalización, que se ha concretado en el ajuste de las reglas de cálculo de los montos de las pensiones para que se adecúen, de modo cada vez más exacto y proporcional, al esfuerzo contributivo.

En la historia del Derecho de la Seguridad Social española, las reformas de las pensiones se han venido basando en el diálogo social, sobre todo al tratarse de reformas racionalizadoras. Como ejemplo, la Ley 26/1985, garantizó el sostenimiento del poder adquisitivo de las pensiones, mientras que con el Pacto de Toledo (1995), se fijó el diálogo Gobierno-patronales-sindicatos como esquema operativo para las reformas.

Sin embargo, desde 2011 hasta hoy la normativa reguladora de las pensiones de jubilación ha sido un producto de creación unilateral por parte del Estado. La Ley 27/2011, de 1 de agosto, sobre actualización, adecuación y modernización del sistema de Seguridad Social, fue el último producto del diálogo social para el crecimiento y la garantía de las pensiones.

A partir de 2012, en el marco de un cambio de Gobierno, las reformas de la pensión de jubilación dejaron de sustentarse en el diálogo con los interlocutores sociales. Es más, el Pacto de Toledo quedó pendiente de renovación y se llevaron a cabo distintas reformas legislativas como la ley reguladora del factor de sostenibilidad y del índice de revalorización de las pensiones o el Real Decreto-Ley 28/2012, de 30 de noviembre, de medidas de consolidación y garantía del sistema de la Seguridad Social[35]. Estas reformas hicieron que:

- La actualización de las pensiones quedase sujeta a indicadores ajenos al IPC.
- Se concretase el uso del factor de sostenibilidad para ajustar las cuantías de las pensiones causadas conforme a elementos demográficos ajenos a los esfuerzos contributivos (monto de la pensión/esperanza de vida)[36].

Posteriormente, la reforma del sistema de pensiones por la Ley 23/2013, reguladora del Factor de Sostenibilidad y del Índice de Revalorización del Sistema de Pensiones de la Seguridad Social, de 23 de diciembre, se estructurará en dos partes. Por una parte, se desliga la revalorización año a año de las pensiones del incremento de los precios, pasando a usarse una nueva fórmula de revalorización. Por otra, se vincula el importe de la pensión inicial a la evolución de la esperanza de vida (el factor de sostenibilidad). Tanto la reforma en el sistema de pensiones de 2011 como la de 2013 se acometieron intentando adaptarlo a las transformaciones demográficas y a la evolución del ciclo económico, y supusieron un cambio estructural de calado sobre el sistema de pensiones, ya que la evolución de las prestaciones quedaba ligada a la capacidad del sistema para generar ingresos[37].

Tras las "suaves" recomendaciones de la Comisión del Pacto de Toledo aprobadas a final de octubre de 2020[38] y las primeras propuestas del Ministro de Inclusión y Seguridad Social en sus dos últimas comparecencias ante el mismo (en marzo y septiembre de 2020), el Consejo de Ministros del pasado día 24 de agosto ha aprobado, en segunda vuelta, el "Proyecto de Ley de garantía del poder adquisitivo de las pensiones y de otras medidas de refuerzo de la sostenibilidad financiera y social del sistema público de pensiones"[39], *requisito sine qua non* impuesto por la UE para

---

35. BOE núm. 289, de 01/12/2012.
36. *Vid.* Monereo Pérez, J.L. y Fernández Bernat, J.A., *La sostenibilidad de las pensiones públicas. Análisis de la Ley 23/2013, de 23 de diciembre, reguladora del factor de sostenibilidad y del índice de revalorización del sistema de pensiones de la seguridad social*, Madrid: Tecnos, 2014, p. 36.
37. Ramos, R., "El nuevo factor de revalorización y de sostenibilidad del sistema de pensiones español", Boletín económico - Banco de España, Núm. 7-8, 2014, p. 85.
38. Monereo Pérez,, J.L. y Rodríguez Iniesta, G., "El Pacto de Toledo 25 años después (A propósito del Informe de Evaluación y Reforma del Pacto de Toledo de 2020)", *Revista de derecho de la seguridad social. Laborum*, Núm. 25, 2020, pp. 23 y ss.; Hierro Hierro, J., *Perspectivas jurídicas y económicas del "Informe de Evaluación y Reforma del Pacto de Toledo" (2020)*, Aranzadi, 2021.
39. Boletín oficial de las Cortes Generales. Congreso de los Diputados. Proyectos de ley, 6 de septiembre de 2021, núm. 66-1.

que España acceda con normalidad a los Fondos de ayuda y recuperación Next Generation. La reforma de pensiones que el Gobierno va a presentar a Bruselas busca compensar otras medidas adoptadas o en vías de adoptar que incrementan el gasto en pensiones, como por ejemplo la revalorización de las pensiones en línea del IPC, y que se sobreentiende acabaran con la reforma de 2013.

Esta reforma, se ha discutido en la mesa de diálogo social con sindicatos y patronales en aras a buscar el mayor consenso que permita su permanencia en el tiempo, y garantiza el modelo de reformas en el marco del Pacto de Toledo, en tanto que medidas negociadas con sindicatos y empresarios, y no por imposición de ningún Gobierno. Es más, la sustitución del Pacto de Toledo (negociación con sindicatos y empresarios) por una comisión de expertos independientes (FEDEA), se ha desechado en el proyecto de ley final, de modo que el Pacto de Toledo sigue vigente.

Tiene como pilar fundamental garantizar el poder adquisitivo de las pensiones y aproximar la edad efectiva de jubilación a la edad legal mediante mayores incentivos para alargar la edad activa de empleo, y un endurecimiento de las prejubilaciones o jubilaciones anticipadas, que según estimaciones del Ministerio cuestan a las arcas públicas 8.200 millones de euros anuales al anticiparse a la edad real de jubilación y, por tanto, no cotizar esos últimos años. Además, ha blindado las pensiones del sistema público de reparto frente a los que defendían sustituirlo por un sistema privado o uno "mixto" con capitalización obligatoria. Supone compartir los riesgos entre todos sin dejar de reconocer las contribuciones de cada uno, frente a la alternativa de la individualización que favorece a quien tienen mayor renta. Con ella se han reforzado, además, los instrumentos de solidaridad del sistema, de modo que no tengan impacto negativo sobre los colectivos con mayores dificultades de acceso al empleo.

Señalar que estamos ante la primera parte de una reforma que el Gobierno ha comprometido con Bruselas dentro del Plan de Recuperación, Transformación y Resiliencia (PRTR). La futura modificación apuesta por que el ajuste en el sistema recaiga principalmente en la generación del "baby boom", los nacidos entre 1960 y 1970. Está pendiente una segunda fase en la que se afrontarían otros aspectos como el factor de sostenibilidad, que liga la pensión a la esperanza de vida y calcula la cuantía de acuerdo con estadísticas demográficas para estimar los años que vivirá el jubilado y, por tanto, durante cuánto tiempo disfrutará de la prestación, y la ampliación del periodo de cálculo de la pensión.

Así las cosas, y en un cambio radical de tendencia, se ha alcanzado un consenso inicial en torno a materias que persiguen, como se ha señalado *supra*, garantizar la sostenibilidad y alargar la edad activa de empleo:

1. La revalorización de las pensiones conforme al IPC. Que se contempla pese a la crítica abierta de Bruselas a esta medida. En concreto, y con el objetivo de garantizar el mantenimiento del poder adquisitivo de las pensiones, como manifestación básica del principio de suficiencia, se regulará un sistema de revalorización que las vincule a la inflación real, es decir al incremento de precios al consumo (IPC).

Esto, que había venido siendo una demanda recurrente de los pensionistas españoles tiene, además, amparo jurídico-político en las Recomendaciones 13 y 17 del acuerdo de renovación del Pacto de Toledo[40] y en el pilar europeo de derechos sociales (Principio 12)[41]. De hecho, España es en la actualidad el único país de la UE que cuenta con el IRP como mecanismo automático de equilibrio para revalorizar las pensiones.

Ya durante la tramitación parlamentaria del Proyecto de Ley de Presupuestos para 2018, el Ejecutivo se comprometió a actualizar todas las pensiones con el IPC en 2018 y 2019, incumpliendo así el IRP, que impone subidas mínimas del 0,25% mientras el sistema de Seguridad Social tenga déficit. Con posterioridad, y tras el cambio de Gobierno producido durante la primera semana del mes de junio de 2018, la Comisión parlamentaria del Pacto de Toledo acordó que el IPC volviese a ser el "elemento medular" para actualizar las pensiones en épocas normales del ciclo e incluso por encima de la inflación en épocas de bonanza económica[42].

Esta medida, busca compensar otras medidas adoptadas o en vías de adoptar que incrementan el gasto en pensiones, como por ejemplo la revalorización de las pensiones en línea del IPC, y que se sobreentiende acabarán con la reforma de 2013. Principalmente supondrá la eliminación del IRP, principalmente supondrá la eliminación del IRP-Índice de la revalorización de las Pensiones, que actualizaba las mimas teniendo en cuenta una serie de factores, además de la inflación, entre los cuales estaba la relación entre ingresos y gastos del sistema de Seguridad Social y que condenaba *de facto* a los pensionistas a una

---

40. Suárez Corujo, B., *El derecho a la revalorización de las pensiones*, Bomarzo, 2018, pp. 33 y ss.
41. Proclamado por el Parlamento Europeo, el Consejo y la Comisión en 2017 en la Cumbre de Gotemburgo.
42. Ya que Suecia y Alemania, que también tienen aplican un Índice de Revalorización similar, incluyen además los salarios en el proceso.

revalorización futura durante años de su tope mínimo de incremento, un 0,25% anual.

Las recomendaciones del Pacto de Toledo contienen los principios de sostenibilidad, suficiencia y equidad, ideas todas que materializan la defensa del principio de adecuación de las pensiones como corrector del protagonismo dado al principio de viabilidad financiera.

2. *La derogación del factor de sostenibilidad.* Que ajustaría la pensión final de cada perceptor en función de la variación de la esperanza de vida de su generación (que se actualizaría cada 5 años), y que de momento está suspendido hasta una fecha indeterminada no posterior a 2023. Actualmente, se encuentra regulado en el artículo 211 del Real Decreto Legislativo 8/2015, de 30 de octubre.

El Factor de Sostenibilidad, calcula por tanto la prestación inicial teniendo en cuenta la esperanza de vida. Con carácter general, persigue que dos personas con la misma carrera de cotización que se jubilen en momentos distintos cobren la misma pensión, pero no en términos mensuales, sino entendida como el importe total que debe recibir cada jubilado a lo largo de toda su vida. La Seguridad Social fijaría la primera pensión del nuevo jubilado de acuerdo con la esperanza de vida de su generación, teniendo en cuenta el último lustro. Además de la cuantía y el tiempo de cotización que haya podido logar el beneficiario durante su vida laboral la Seguridad Social tendría también en cuenta un presupuesto de gasto de la cohorte del jubilado[43].

La medida, que conlleva superar la reforma operada a través de la Ley 23/2013 y sus consecuencias, es acertada dado que la aplicación del Factor de Sostenibilidad y del IRP regulados en la norma no iban a garantizar las pensiones futuras, al menos no para muchos trabajadores, que no podrían alcanzarla, ni de manera adecuada para otros tantos, aunque sí la obtengan[44]. Pero es que, además, en puridad este factor nunca estuvo vigente, dado que, inicialmente, debía en vigor en 2019. Sin embargo, en la Ley 6/2018, de Presupuestos Generales del Estado para el año 2018, después de múltiples debates políticos y técnico-jurídicos, se acordó suspender la implantación de este instrumento hasta que no hubiera un acuerdo en el seno del Pacto de Toledo, o hasta 2023[45]. La razón básicamente se debió a

---

43. Monereo Pérez, J.L. y Fernández Bernat, J.A., *La sostenibilidad de las pensiones públicas...*, *op. cit.*, p. 141.

44. Rojas Rivero, G., "La sostenibilidad del sistema de Seguridad Social a través de fórmulas de financiación que procuren pensiones de jubilación adecuadas y suficientes" *Doc. Labor.*, núm. 104-Año 2015-Vol. II. p. 132.

45. Calvo Vérgez, J., "El índice de revalorización y el factor de sostenibilidad en el sistema de pensiones español", *Revista Aranzadi Doctrinal* núm. 8/2019 parte Legislación. Doctrina. Editorial Aranzadi, S.A.U., Cizur Menor. 2019.

que no había consenso sobre si el coeficiente garantizaba por sí mismo la sostenibilidad de las pensiones, y si no podría afectar a la suficiencia de las mismas[46].

En su lugar, la reforma pretende crear un nuevo mecanismo de equidad intergeneracional que entrará en vigor en el año 2027, que aún se está negociando y cuya aprobación se espera para noviembre, en el segundo paquete de medidas. Lógicamente, no se conoce como funcionará el nuevo mecanismo, pero, para que ayude a asegurar la sostenibilidad del sistema, debería parecerse al que se deroga. Lo que sí se sabe es que, el hecho de que se prevea su puesta en marcha para el año 2027, no es casual. Llegará en uno de los momentos críticos para el sistema de pensiones: las jubilaciones de la generación del "baby boom", especialmente numerosa.

En fin, se trata de cambios que operan en el marco de las denominadas "reformas paramétricas", es decir, aquéllas en las que se mantiene la estructura y la filosofía del sistema de pensiones y sólo se introducen cambios cuantitativos en algún parámetro del mismo[47]. Cambios concretos desde un valor del parámetro a otro valor, sin ningún tipo de indexación automática a la evolución de ningún factor importante para los sistemas de reparto, como la esperanza de vida.

3. *La prolongación de la vida laboral*. Como se ha puesto de relieve *supra*, España ha sufrido una profunda transformación demográfica durante las últimas décadas. Partiendo de la base de buscar un modelo que dote de mayor equidad a la relación entre las contribuciones y las prestaciones y que aporte la sostenibilidad financiera necesaria, conviene destacar que el actual modelo contributivo de prestación definida y de reparto, no se adapta a la realidad, en la que los mayores problemas vienen originados por un aumento de la longevidad[48]. Es por ello que esta norma garantiza el poder adquisitivo de las pensiones y persigue acercar la edad efectiva de jubilación a la edad legal.

Es cierto que la edad efectiva de jubilación ha tendido a aumentar en los últimos años como resultado del incremento neto de la edad de jubilación dentro de cada modalidad de jubilación, compensado el efecto contrario propiciado por el mayor peso de las diferentes modalidades de jubilación anticipada. Pero no es suficiente. En España, la edad efectiva media de jubilación, es decir, a la que los españoles realmente se retiran, está actualmente en los 64 años y seis meses; mientras que la legal se sitúa en 65 años para aquellas personas que han cotizado 37

46. Rojas Rivero, G., "La sostenibilidad del sistema de Seguridad Social...", *op. cit.*, p. 132.
47. Devesa Carpio, J. E. *et al*, "El factor de sostenibilidad en el sistema de pensiones español: regulaciones alternativas y efectos sobre los jubilados", *Actuarios*, núm. 31, 2012, p. 51.
48. Calvo Vérgez, J., "El índice de revalorización y el factor de sostenibilidad...", *op. cit.*

años y tres meses o más y en 66 años para las que han cotizado menos tiempo[49]. Con base en ello, con la actual reforma, la edad de jubilación continuará retrasándose dos meses cada año hasta llegar a los 67 años en 2027. El Gobierno, en línea con la recomendación 12 del Pacto de Toledo, apuesta por una jubilación flexible[50] entre 61 y 67 años, en función de la carrera de cotización del trabajador y de su situación profesional, establece la edad ordinaria de jubilación en 65 y 67 años, y mantiene la jubilación anticipada por actividades especialmente penosas para edades inferiores a 61 años.

Pero, además, a efectos de sostenibilidad del sistema, es necesario alargar la vida laboral más allá de la edad de jubilación. Y, dado que el esquema que teníamos no ha surtido el efecto buscado debido quizá a la falta de incentivos financieros, la reforma introduce nuevos estímulos para promocionar el mantenimiento en activo de las personas trabajadoras en edad próxima a la jubilación, de modo que:

–   Para aquellos que retrasen su retiro más allá de la edad legal de jubilación, la reforma prevé un "premio" consistente en elevar un 4% la cuantía de la pensión por cada año completo que retrase la jubilación. Al llegar a la edad legal de jubilación y seguir trabajando, se eliminará la cotización a la Seguridad Social por contingencias comunes, con lo cual hay una subida efectiva en el sueldo de un 4,07%. Esto supone un aumento, pues la subida actual, antes de la aplicación de la reforma se sitúa en el 2% y el 4%.

–   O bien, a elección del beneficiario, recibir el importe anterior en un pago único al retirarse, mediante la creación de un "cheque". La cantidad de pago único se determina en función del importe de la pensión y de los años cotizados, con lo que oscilará entre 4.786 euros y 12.060 euros. La iniciativa de aumentar la cantidad de años para calcular la pensión hasta los 35 parte de la AIREF[51].

–   Por último, el trabajador podrá optar por una combinación de ambos incentivos. Esto no afectará a las profesiones de alta

---

49.   De acuerdo con el estudio "Tendencias recientes en la edad de acceso a la jubilación", elaborado por el Banco de España. (https://www.jubilaciondefuturo.es/es/pensiones-en-cifras/fondo-documental/tendencias-recientes-en-la-edad-de-acceso-a-la-jubilacion.html).

50.   Ortiz de Solórzano Aurusa, C., "Las recomendaciones del Pacto de Toledo sobre la edad de jubilación en un sistema abierto y flexible de acceso a la pensión", AA.VV.: *Perspectivas jurídicas y económicas del "Informe de Evaluación y Reforma del Pacto de Toledo" (2020)*, (dir.) J. Hierro Hierro, Aranzadi, 2021.

51.   Autoridad Independiente de Responsabilidad Fiscal, de la que, por cierto, de la que Escrivá fue presidente hasta su nombramiento como ministro.

penosidad, que engloba a trabajadores mineros, personal del transporte aéreo o ferroviario, entre otros, que mantienen las ventajas del retiro laboral por la peligrosidad de su labor.

– Con el fin de favorecer la permanencia en el mercado laboral de trabajadores de más edad, se establece una reducción del 75% de las cuotas empresariales a la Seguridad Social por contingencias comunes durante la situación de incapacidad temporal de los trabajadores que hayan cumplido 62 años.

4. *Modificación de algunos requisitos de acceso a la jubilación parcial*. Esta medida no estaba entre las recomendaciones del Pacto de Toledo. No obstante, con el fin de preservar la función de esta figura, que facilita la jubilación gradual y favorece la inserción de los jóvenes. Para acceder a la jubilación parcial, habrá que esperarse hasta los 62 años, después de haber cotizado un periodo mínimo de 35 años y tres meses. En el caso de disponer de 33 años cotizados, deberán haberse cumplido los 63 años. Por un lado, se limitaría la posibilidad de concentración de jornada, para evitar que la jubilación parcial se utilice como mecanismo de jubilación anticipada sin coeficientes penalizadores. Por otro, se haría incompatible la jubilación parcial con el cobro de la prestación por desempleo.

5. *Penalización de la jubilación anticipada*. Que, según las estimaciones del propio Ministerio, suponen un gasto a las arcas del Estado de unos 8.200 millones de euros al año. La reforma busca inducir a las personas a trabajar más en la medida en que la salud lo permita y facilitar fórmulas mixtas para compatibilizar la pensión con el trabajo y, por tanto, restar atractivo a la jubilación anticipada voluntaria. Con este objetivo, las personas que se jubilen anticipadamente percibirán pensiones más bajas que las que corresponden al régimen ordinario. Se quiere acabar con las excepcionalidades y reducciones que se producen ahora, de modo que una pensión media perdería 164 euros al mes. La diferencia clave es que mientras que antes los coeficientes reductores se aplicaban de forma trimestral, ahora pasarán a ser mensuales, además, solo habrá periodos transitorios de aplicación de los mismos en el caso de las pensiones máximas:

• Para quienes tengan cotizados menos de 38 años y 6 meses, adelantar su jubilación 24 meses supondrá una reducción en su pensión de entre el 21% y el 3,26% (1 mes antes)

• Para los que tengan más de 38 años cotizados y 6 meses, pero menos de 41 años y 6 meses, la reducción máxima será del 19% (24 meses) y la mínima del 3,11% (1 mes).

- Para los que tengan más de 41 años y 6 meses cotizados, el coeficiente reductor pasará a ser del 17%, si tienen menos de 44 años y 6 meses, se jubilan dos años antes. Si lo hacen un año antes, la reducción será del 2,96%.
- Para los que tengan más de 44 años y medio cotizados tendrán una reducción del 13% por jubilarse dos años antes y del 2,81% un mes antes.

Los nuevos coeficientes reductores incluidos en esta reforma se aplicarán sobre la cuantía de la pensión, y siempre respetando la limitación máxima. Cuando la pensión supere el límite establecido para el importe de las pensiones, los coeficientes reductores se aplicarán de manera gradual, en un plazo de diez años, a contar desde el 1 de enero de 2024. Por otro lado, en los dos años inmediatamente anteriores a la edad de jubilación ordinaria, se pasarán a aplicar en determinación de la pensión de jubilación anticipada involuntaria los mismos coeficientes que en la modalidad voluntaria en aquellos supuestos en los que el nuevo coeficiente es más favorable que el que había hasta ahora.

6. *Prohibición de cláusulas de jubilación forzosa*. Advertir que, en España, desde principios de los años ochenta, la jubilación obligatoria es inconstitucional. El único sistema de empleo que practica la jubilación forzosa a los 70 años es el Régimen Especial de Clases Pasivas del Estado, un vestigio galdosiano a extinguir que, no obstante, sigue practicando esta figura, como decimos, contraria a la CE. La compatibilidad plena de los asalariados, bajo las actuales figuras contractuales, trufadas de trienios y clausulas indemnizatorias, sin posibilidad de invocar la jubilación obligatoria (algo, por cierto, más que indicado) no encuentra entre los empleadores y sus organizaciones apoyo a la generalización de la deseable meta de la compatibilidad plena para todos los trabajadores, tal como ya queda indicado en la Disposición final quinta de la Ley 6/2017.

Con la nueva reforma, se prohíbe establecer cláusulas de jubilación forzosa para trabajadores de menos de 68 años. En los convenios suscritos con anterioridad, estas cláusulas podrán ser aplicadas hasta tres años después de la finalización de la vigencia inicial pactada para el convenio. Además, si se establecen estas cláusulas en los convenios, las empresas tendrán que contratar como mínimo a tiempo completo y de manera indefinida a un trabajador por cada jubilado forzoso.

Excepcionalmente, el límite de edad establecido (menos de 68 años) podrá rebajarse hasta la edad legal ordinaria de jubilación cuando la tasa de ocupación de las trabajadoras en las actividades económicas del ámbito funcional del convenio sea inferior al 15% de las personas ocupadas y siempre que se cumplan varios requisitos, entre ellos la contratación simultánea de al menos una mujer de manera indefinida y a tiempo completo.

7. *Desde la vertiente financiera.* Se rematerializa la separación de las fuentes de financiación del sistema de pensiones. Con esto se busca contener el agotamiento del Fondo de Reserva de la Seguridad Social (la hucha de las pensiones), que desde 2011 no ha dejado de consumirse. Tras el acuerdo alcanzado, se habrán de compensar aquellos gastos impropios, no directamente ligados al pago de pensiones, que han venido imputándose a ese fondo cuya funcionalidad era la de garantizar el sistema público de Seguridad Social. En el contenido acordado parecen subyacer algunas consideraciones (ligadas a la equidad y al modelo constitucional de Seguridad Social), que deberían cumplirse siempre para legitimar eventuales reformas legislativas de las pensiones. Por simplificar, parece que:

- Se busca garantizar que la sostenibilidad del sistema no penalice la suficiencia de las pensiones (prevención de la pobreza de las personas de mayor edad).

- Se pretende actuar simultánea y paralelamente en el mercado de trabajo, para incrementar el número de personas activas, estabilizar los flujos de contribución y elevar las cotizaciones medias de las personas que continúan activas más allá de las edades establecidas para su retirada del mercado laboral.

En fin, a la vista de lo expuesto parece claro que, en ausencia de compatibilidad entre trabajo y pensión, o incluso bajo la actual figura de compatibilidad al 50%, más las cotizaciones de solidaridad, incapacidad transitoria y accidentes de trabajo y enfermedad profesional, la inmensa mayoría de los trabajadores opte por finalizar sus carreras laborales llegada la edad ordinaria de jubilación, o incluso anticipadamente. Desde la perspectiva empresarial, esta situación es perfectamente explicable desde el momento en el que los trabajadores que han superado su edad ordinaria de jubilación suponen un lastre económico importante para sus empresas. Primero, por las pesadas cargas salariales que implican los trienios e indemnizaciones por despido (normalmente no provisionadas mediante un seguro de capitalización) y, segundo, porque, en contraposición, los salarios de los trabajadores más jóvenes se han abaratado con la crisis.

Al final, resulta complicado reformar para que todos los agentes involucrados ganen o, al menos no pierdan, respecto a una situación de partida. Especialmente, dada la escasa evidencia empírica disponible sobre las pautas de compatibilización en España[52].

Lo que si puede avanzarse es que, para poder alcanzar los objetivos esperados de los programas de compatibilización, es preciso mejorar notablemente su diseño. Las extensiones más obvias de la jubilación activa actual no son, en modo alguno, suficientes. Para llegar a una reforma relativamente efectiva y que tenga efectos importantes sobre la oferta laboral de los trabajadores mayores (aparte de una muy necesaria mejora del mercado de trabajo en general), será preciso optimizar la normativa en aspectos tales como los detalles contributivos durante la fase de compatibilización, el porcentaje de la pensión a recibir, el grado de actualización de la pensión al final de la fase de compatibilidad, etc.

Asimismo, y desde un punto de vista cualitativo, no parece vislumbrarse un horizonte muy alentador respecto a las medidas incentivadoras de prolongar la vida laboral recogidas en reforma. De hecho, todo apunta a que, en su formulación actual, la jubilación activa no va a ser capaz de mantener el grado de compatibilidad conseguido por la jubilación parcial. La jubilación activa actual no dará problemas si, por el contrario, la prioridad es contener costes, en cuyo caso debe ponerse un esfuerzo especial por continuar limitando el uso de la jubilación parcial[53].

Lo positivo, es que estas medidas suponen un paso más en el sistema internacional multinivel de garantía de los derechos de los trabajadores de edad avanzada. Es necesario ofrecer claves para el análisis del envejecimiento demográfico y los derechos ciudadanos; por ello el concepto de ciudadanía aplicada al proceso de envejecimiento, ha de ser una cuestión central junto con los relativos al envejecimiento y los modelos que se plantean como son el envejecimiento activo, el saludable, el exitoso o el productivo[54].

V. CONCLUSIONES

1. La vida laboral de los empleados en los próximos años será más larga, no solo como resultado directo del incremento de la esperanza de vida, sino también como consecuencia del retraso en la edad de acceso a la jubilación. No hay consenso sobre lo que tardaremos en recobrar los niveles de empleo anteriores a la crisis. Nuestras proyecciones nos

---

52. Sánchez Martín, A. R. y Jiménez Martín, S., "La compatibilidad del trabajo...", *op. cit.*, p. 33.
53. *Ibid.*, p. 34.
54. Monereo Pérez, J. L., "*La protección sociolaboral multinivel...*", *op. cit.*, pp. 35 y ss.

dicen que entre 15 y 20 años, pero no lo sabemos a ciencia cierta. Lo que sí sabemos es que España tendrá menos población y que será más vieja. El reto actual será instaurar una sociedad para todas las edades lo que exigirá que las instancias políticas y los actores implicados asuman su responsabilidad colectivamente en la elaboración de nuevas formas de organización de la sociedad que aseguren un futuro más justo y más sostenible para todas las generaciones. Precisamente, el cambio demográfico actual puede ser no sólo un reto sino también una oportunidad para trabajar conjuntamente en la creación de una sociedad (y más cercanamente una Unión Europea) más sensible a las cuestiones relacionadas con las personas mayores en el horizonte de 2030.

2. Retrasar la edad de jubilación para alargar la vida laboral permitiría también aumentar la población activa de nuestro país, a la vez que se reduciría la población jubilada, con un impacto directo positivo en el sistema de pensiones. Asimismo, nos enfrentamos al reto de mantener a la población jubilada parcialmente activa, así como de integrar a los profesionales de mayor edad en plantilla mediante el reciclaje continuo y nuevas modalidades de carrera profesional.

En este contexto, la jubilación activa se presenta como una simbiosis necesaria para las partes de un contrato. De un lado, para un empleado que llega a la edad de jubilación y quiere prolongar su carrera profesional puede continuar trabajando para su empresa, a tiempo completo o parcial, y, al mismo tiempo, percibir la mitad de la pensión que le correspondería en caso de jubilarse. Por su parte, la empresa consigue mantener en su equipo a un trabajador con un alto nivel de conocimientos y experiencia. Con todo, pese a las múltiples ventajas que presenta, los datos ponen en tela de juicio su existencia efectiva, lo que demuestra que, a pesar de los esfuerzos del legislador por instaurarla, el sistema parece no haber cuajado en nuestra realidad laboral.

Es necesario ofrecer claves para el análisis del envejecimiento demográfico y los derechos ciudadanos; por ello el concepto de ciudadanía aplicada al proceso de envejecimiento, ha de ser una cuestión central junto con los relativos al envejecimiento y los modelos que se plantean como son el envejecimiento activo, el saludable, el exitoso o el productivo.

3. En cómputo global, la actual reforma que se propone en España, tiene aspectos positivos. Como pilar fundamental, persigue garantizar el poder adquisitivo de las pensiones y aproximar la edad efectiva de jubilación a la edad legal mediante mayores incentivos al retraso de la jubilación, así como un endurecimiento de las prejubilaciones o jubilaciones anticipadas. Asimismo, ha blindado las pensiones del

sistema público de reparto frente a los que defendían sustituirlo por un sistema privado o uno "mixto" con capitalización obligatoria. Persigue compartir los riesgos entre todos sin dejar de reconocer las contribuciones de cada uno, frente a la alternativa de la individualización que favorece a quien tienen mayor renta. Con ella se han reforzado, además, los instrumentos de solidaridad del sistema, de modo que no tengan impacto negativo sobre los colectivos con mayores dificultades de acceso al empleo.

No obstante, no parece vislumbrarse un horizonte muy alentador respecto a las medidas incentivadoras de prolongar la vida laboral, si no se optimiza la normativa en aspectos tales como los detalles contributivos durante la fase de compatibilización, el porcentaje de la pensión a recibir, el grado de actualización de la pensión al final de la fase de compatibilidad, etc. De hecho, todo apunta a que, en su formulación actual, la Jubilación Activa no sea capaz de mantener el grado de compatibilidad conseguido por la Jubilación Parcial.

VI. BIBLIOGRAFÍA

Aparicio Tovar, J., "La sostenibilidad como excusa para una reestructuración del sistema de la Seguridad Social", *Cuadernos de relaciones laborales*, Vol. 33, Núm. 2, 2015 (Ejemplar dedicado a: Las pensiones de jubilación: una perspectiva alternativa), pp. 289-309.

Arrieta Idiakez, F. J., "Consecuencias del envejecimiento sobre la economía y el mercado laboral", *Revista Española de Derecho del Trabajo*, 183, pp. 173-200.

Blázquez Agudo, E. M., "Soluciones laborales: jubilación activa. El camino hacia un contrato compatible", *Ekonomiaz* Núm. 96, 2.º semestre, 2019.

Calvo Vérgez, J., "El índice de revalorización y el factor de sostenibilidad en el sistema de pensiones español", *Revista Aranzadi Doctrinal* núm. 8/2019 parte Legislación. Doctrina. Editorial Aranzadi, S.A.U., Cizur Menor. 2019.

Chacón, P., "Los fondos Next Generation UE, al alcance de las agencias", *Ipmark: Información de publicidad y marketing*, Núm. 884, 2021, pp. 32-34.

Denau, D. y Domínguez-Mujica, J., "Determinantes demoeconómicos de los gastos de la Seguridad Social en materia de jubilaciones", *Documentación Laboral*, núm. 103, 2015, pp. 63-86.

Devesa Carpio, J. E. *et al.*, "El factor de sostenibilidad en el sistema de pensiones español: regulaciones alternativas y efectos sobre los jubilados", *Actuarios*, núm. 31, 2012.

Díaz Muñoz, G. A. y Quintana Lombeida, M. D., "La gestión del talento humano y su influencia en la productividad de la organización", *Gestión Joven*, Vol. 22, Núm. 1, 2021, pp. 29-48.

Fernández Ramírez, M., "La jubilación de los trabajadores a tiempo parcial: vicisitudes de una ordenación en la línea roja de la protección social. Consideraciones críticas y propuestas de mejora", *Revista de información laboral*, Núm. 11, 2015, pp. 19-49.

– "Empleo juvenil, jubilación y Previsión Social Complementaria: La incierta transición desde el modelo de compartimentos estancos a la estrategia de los vasos comunicantes", *Revista de derecho de la seguridad social. Laborum*, Núm. 22, 2020, pp. 27-69.

González Rabanal, M. C., "La crisis de la Seguridad Social en el marco de la Constitución", *Revista de Política Social*, núm. 148. octubre-diciembre 1985, pp. 63-90.

Hernández de Cos, P., Jimeno, J. F. y Ramos, R., "El sistema público de pensiones en España: situación actual, retos y alternativas de reforma", *Documentos Ocasionales*, Banco de España, 1701/2017, pp. 1-51.

Hierro Hierro, J., *Perspectivas jurídicas y económicas del "Informe de Evaluación y Reforma del Pacto de Toledo" (2020)*, Aranzadi, 2021.

IMSERSO. *Libro blanco del envejecimiento activo*. Madrid: Edita el Ministerio de Sanidad, Política Social e Igualdad; 2011.

López Aniorte, M. C., "Hacia el envejecimiento activo: análisis crítico del nuevo régimen de compatibilidad entre el trabajo y la jubilación", *Nueva Revista Española de Derecho del Trabajo*, núm. 164, 2014, pp. 55-86.

Monereo Pérez, J. L., "Gestión pública y gestión privada de las pensiones", Madrid, X Congreso Nacional de la Asociación Española de Salud y Seguridad Social, 2013.

Monereo Pérez, J. L. y Fernández Bernat, J.A., *La sostenibilidad de las pensiones públicas. Análisis de la Ley 23/2013, de 23 de diciembre, reguladora del factor de sostenibilidad y del índice de revalorización del sistema de pensiones de la seguridad social*, Madrid: Tecnos, 2014.

Monereo Pérez, J. L. y Rodríguez Iniesta, G., "Repensar críticamente el modelo de regulación de la pensión de jubilación. AA.VV.: *Por una pensión de jubilación, adecuada, segura y sostenible"*, III Congreso Internacional y XVI Congreso Nacional de la Asociación Española de Salud y Seguridad Social*: [Madrid, 17 y 18 de octubre de 2019]; ed. Laborum, 2019, pp. 21-89.

– "El Pacto de Toledo 25 años después (A propósito del Informe de Evaluación y Reforma del Pacto de Toledo de 2020)", *Revista de derecho de la seguridad social. Laborum*, Núm. 25, 2020, pp. 13-32.

Monereo Pérez, J. L., *La protección sociolaboral multinivel de los trabajadores de edad avanzada*, ed. Bomarzo, 2019.

Ordóñez Casado, I., "La prolongación de la vida laboral más allá de la edad de jubilación y su repercusión en la pensión a percibir", AA.VV.: *Por una pensión de jubilación, adecuada, segura y sostenible: III Congreso Internacional y XVI Congreso Nacional de la Asociación Española de Salud y Seguridad Social*: [Madrid, 17 y 18 de octubre de 2019], Vol. 1, 2019, pp. 311-324.

Ortiz González-Conde, F. M., "Medidas dirigidas a prolongar la vida activa. Una mirada desde el derecho de la Unión Europea", en AA. VV.: *Medidas de Seguridad Social de fomento del empleo y su incidencia en la sostenibilidad del sistema en España e Italia* / José Luis Monereo Pérez (dir.), 2016, pp. 185-207.

– "La jubilación parcial, flexible y activa como fórmulas para el envejecimiento activo", *Revista Derecho social y empresa*, Núm. 10, 2019 (Ejemplar dedicado a: La protección de la salud desde una perspectiva jurídica y económica: un análisis con enfoque de género), pp. 168-190.

Ortiz de Solórzano Aurusa, C., "Las recomendaciones del Pacto de Toledo sobre la edad de jubilación en un sistema abierto y flexible de acceso a la pensión", AA.VV.: *Perspectivas jurídicas y económicas del "Informe de Evaluación y Reforma del Pacto de Toledo" (2020)*, (dir.) J. Hierro Hierro, Aranzadi, 2021.

Pérez del Prado, D., "El debate actual sobre el futuro de las pensiones: algunos datos para el análisis", *Revista de Información Laboral* núm. 9/2018 parte Estudios sobre el mercado de trabajo. Editorial Aranzadi, S.A.U., Cizur Menor. 2018, pp. 233-246.

Ramos Monteagudo, A. M., Yordi García, M., Miranda Ramos, M. A., "El envejecimiento activo: importancia de su promoción para sociedades envejecidas", *Revista Archivo Médico de Camagüey*; versión On-line ISSN 1025-0255, AMC vol.20 no.3 Camagüey, mayo-jun. 2016.

Rojas Rivero, G., "La sostenibilidad del sistema de Seguridad Social a través de fórmulas de financiación que procuren pensiones de jubilación adecuadas y suficientes" *Doc. Labor.*, núm. 104-Año 2015-Vol. II. pp. 131 a 138.

Romagnoli, U., *El Derecho, el Trabajo y la Historia*, Madrid (Consejo Económico y social), 1977.

Sánchez Martín, A. R. y Jiménez Martín, S., "La compatibilidad del trabajo y el cobro de pensión en España: análisis institucional en el contexto europeo", *Studies on the Spanish Economy* eee2021-11, FEDEA, pp. 2-46.

Sempere Navarro, A. V., "Una primera reflexión sobre la jubilación – flexible–", *Revista Doctrinal Aranzadi Social*, núm. 12/2002 parte Tribuna. Editorial Aranzadi, S.A.U., Cizur Menor. 2002.

– "El debate sobre incompatibilidad entre pensiones y trabajo productivo". *Aranzadi Social. Revista Doctrinal*, 9(5), 2013, pp. 15-32.

Valero Carreras, D., "Perspectivas del sistema público de pensiones y el papel de la previsión complementaria en: La previsión social complementaria. Papel y claves de desarrollo", Vitoria-Gasteiz, *Revista Vasca de Economía, Ekonomiaz*, núm. 85, 2014, pp.

Villanueva Gimeno, V, y Andrés Costa, T., Prejubilaciones o "envejecimiento activo", RRHH Digital, 13/07/2014, p. 1. https://www.cuatrecasas.com/es/publicaciones/Prejubilaciones_o_ envejecimiento_activo.html.

Vivero Serrano, J. B., "La compatibilidad entre la pensión de jubilación y el trabajo a título lucrativo: todo por el envejecimiento activo", Documentos Laborales, núm. 103, Año 2015-Vol. I., pp. 117 a 128.

Capítulo 5

La robotización en el empleo y la (in) sostenibilidad del sistema de pensiones

Lucía Aragüez Valenzuela

Profesora Ayudante Doctora de Derecho del Trabajo y de la Seguridad Social
Universidad de Málaga

I. MARCO INTRODUCTORIO: LA INDUSTRIA 4.0 Y EL IMPACTO DE LAS TECNOLOGÍAS DE LA INFORMACIÓN Y DE LA COMUNICACIÓN EN LAS RELACIONES DE TRABAJO

Las tecnologías de la información y de la comunicación se han incorporado al mercado de trabajo de manera irreversible y vertiginosa[1], ocasionando nuevas maneras de comprender las relaciones en el ámbito de las relaciones individuales y colectivas[2]. Su utilización ha transformado

---

1. Manzano Santamaría, N., "Las tecnologías de la comunicación y la información (TIC's) y las nuevas formas de organización del trabajo: factores psicosociales de riesgos", en AA.VV.: García de la Torre, A. (Dir.), Fernández Avilés, J. A. (Coord.), Anuario Internacional sobre Prevención de Riesgos Psicosociales y Calidad de Vida en el Trabajo, 2016, p. 28.
2. Trillo Párraga, F., "Economía digitalizada y relaciones de trabajo", *Revista de derecho social*, núm. 76, p. 60.

el mundo laboral, donde la cotidianidad en el uso de las tecnologías de la información y de la comunicación está relacionada con el proceso de globalización[3] del mercado, el aumento de la competitividad, la agilización de los procesos de producción, la optimización de los recursos y, en líneas generales, la obtención de un mayor lucro a un menor coste. Esta situación ha conllevado que las empresas alcancen una mayor flexibilidad en la organización del trabajo, dando lugar a nuevas formas de organización diferentes a las tradicionales[4].

De esta manera, podemos hablar de que el fenómeno que se está produciendo es la "digitalización" de las relaciones laborales, aunque resulte ser un concepto que se antoja algo reductivo ya que, en ocasiones, va más allá de la mera digitalización[5]. En cualquier caso, las tecnologías se han incorporado a la sociedad de forma no homogénea[6] –la intensidad y alcance de los mismos puede registrar variaciones significativas entre los diferentes países y sectores productivos y puede afectar asimismo de forma heterogénea a los distintos grupos de población[7]–. De hecho, puede observarse este impacto en el empleo y en los diferentes modelos de relaciones laborales –sobre los que nos centraremos en los siguientes apartados–, donde incluso parece que nos encontramos ante una etapa transitoria entre los empleos tradicionales y los digitales[8].

---

3. "La globalización constituye un excelente caldo de cultivo para que desplieguen todas sus potencialidades las tecnologías de la información y las comunicaciones, al mismo tiempo que la penetración de la revolución digital ensancha y agranda las raíces de la globalización. En suma, los efectos acumulados de ambos fenómenos redoblan exponencialmente su impacto sobre devenir del empleo y las relaciones laborales", Cruz Villalón J., "Las transformaciones de las relaciones laborales ante la digitalización de la economía", *Temas Laborales*, núm. 138/2017, pp. 15-16.
4. Serrano Argüeso, M., "Digitalización, tiempo de trabajo y salud laboral", *IUSLabor 2/2019*, p. 11.
5. "Es una realidad compleja, heterogénea, con múltiples aristas, que se califica como global y exige profundizar en la ética, creación de valores (distribución de los beneficios de forma justa) y en su impacto social, orientado hacia la garantía de que esa revolución esté dirigida y centrada en el ser humano y procurando que las tecnologías fortalezcan a las personas". Sin embargo, por simplicidad terminológica y por ser el término más relevante de los profundos cambios que se están produciendo, se considera la palabra "digitalización" de las relaciones laborales la más apropiada para abordar este fenómeno tecnológico, en Sánchez-Urán Azaña, M.ª Y., "Economía de plataformas digitales y servicios compuestos. El impacto en el Derecho, en especial, en el Derecho del Trabajo. Estudio a partir de la STJUE de 20 de diciembre de 2017, C-434/15, Asunto Asociación Profesional Élite Taxi y Uber Systems Spain S.L", La Ley Unión Europea, núm. 57, 2018, p. 2.
6. Rocha Sánchez, F., "La digitalización y el empleo decente en España. Retos y propuestas de actuación", en AA.VV.: Conferencia Nacional Tripartita: El futuro del trabajo que queremos, Vol. II, 2017, p. 261.
7. Rocha Sánchez, F., "La digitalización y el empleo decente en España. Retos y propuestas de actuación", *Conversación núm. 2: Trabajo decente para todos*, p. 2.
8. Sánchez Rodas, C.; "Poderes Directivos y Nuevas Tecnologías", en AA.VV.: *Mono-

Como puede observarse, el ámbito de las relaciones de trabajo se contextualiza en un momento de cambios. El contexto tecnológico es de tal magnitud que, a pesar de que tratemos de calificarlo como una nueva revolución tecnológica o, más concretamente, como la Cuarta Revolución Industrial[9], debe ser entendido con un enfoque más amplio y no como una simple descripción del cambio impulsado por la tecnología. "Es una realidad compleja, heterogénea, con múltiples aristas, que se califica como global y exige profundizar en la ética, creación de valores (distribución de los beneficios de forma justa) y en su impacto social, orientado hacia la garantía de que esa revolución esté dirigida y centrada en el ser humano y procurando que las tecnologías fortalezcan a las personas"[10]. Así, podemos decir que actualmente nos encontramos ante la Cuarta Revolución Industrial caracterizada a su vez por la robótica, la inteligencia artificial y, en general. el uso de las herramientas tecnológicas en el mercado de trabajo.

La Cuarta Revolución Industrial es también conocida como la "Industria Digital". "Esta era se caracteriza por el internet de las cosas, a través del cual se consigue mejorar el mantenimiento predictivo y prevenir los fallos en los equipos antes de que ocurran; otra característica es la conectividad, esto es, la conexión de miles de millones de personas mediante internet ha dado lugar al comercio online, a las redes sociales y aplicaciones móviles entre otros; y, por último, la automatización que consiste en que las máquinas pasan de la actividad programada a trabajar de manera autónoma y flexible"[11]. A ello se suma, como no podría ser de otra manera, los diferentes avances tecnológicos que se vengan produciendo (inteligencia artificial, robotización, nanotecnología, vehículos autónomos, etc.). Sin embargo, en este sentido es necesario profundizar acerca de la Industria 4.0 como concepto. Podemos decir que no es más que una iniciativa estratégica impulsada por el gobierno alemán donde recoge algunas recomendaciones para hacer frente a los retos que plantea el objetivo europeo "Horizonte 2020"[12]. Con ello se pretendía la optimización del trabajo y de los procesos

---

gráfico sobre el *Impacto de las Tecnologías de la Información y las Comunicaciones sobre las Relaciones Laborales*, núm. 138/2017, pp. 163-184.

9. Para profundizar en los cambios que se han acontecido en relación a esta nueva era laboral basada en la digitalización, se recomienda la lectura de: Gómez Salado, M. A., *La cuarta revolución industrial y su impacto sobre la productividad, el empleo y las relaciones jurídico-laborales: desafíos tecnológicos del siglo XXI*, Aranzadi, 2021.

10. Sánchez-Urán Azaña, M.ª Y., "Economía de plataformas digitales y servicios compuestos. El impacto en el Derecho, en especial, en el Derecho del Trabajo. Estudio a partir de la STJUE de 20 de diciembre de 2017, C-434/15, Asunto Asociación Profesional Élite Taxi y Uber Systems Spain S.L", *La Ley Unión Europea*, núm. 57, 2018, p. 2.

11. Ispizua Dorna, E., "Industria 4.0: ¿Cómo afecta la digitalización al sistema de protección social?", *Lan Harremanak*, núm. 40, 2018, p. 3.

12. "El gobierno alemán lo describió como 'una organización de los procesos de producción basada en la tecnología y en dispositivos que se comunican entre ellos de forma

y cadenas de trabajo y suministro, haciéndose indispensable recurrir a la incorporación de las nuevas tecnologías desde una perspectiva amplia.

Desde un primer término, esta revolución suponía un importante desafío para los mercados de trabajo siendo, entre los mismos, el establecimiento de una mejor posición competitiva en el mercado laboral; el fomento de un sistema laboral más flexible, facilitando la conexión con los proveedores, clientes y empleados en todo el proceso de elaboración del producto; la adaptación a los cambios en el proceso de producción debido a la conectividad; la potenciación de mecanismos dedicadas a la formación de los diferentes agentes sociales del mercado de trabajo, siendo igualmente necesario un aumento de la seguridad en el uso de las herramientas tecnológicas y una actitud activa al aprendizaje y al desarrollo personal y profesional[13].

No obstante, esta transformación laboral y empresarial debiera haber ido acompañado de una regulación acorde a los cambios que se han ido aconteciendo. Sin embargo, podemos decir con todo fundamento, como además abordaremos a lo largo del trabajo, que existe una patente ausencia de normativa jurídica-laboral al respecto, planteándose no solo "nuevos conflictos en las relaciones entre el empleador y el trabajador, sino también la falta de operatividad de las normas laborales y de seguridad social tanto para aquéllos como para los poderes públicos"[14]. Además, se puede constatar que la Industria 4.0 está generando grandes incertidumbres, que algunos aspectos se pueden trasladar en beneficiosos, pero otros pueden resultar perjudiciales, siendo necesario en cualquiera de los casos su regulación para, entre otros aspectos, proteger jurídicamente a la persona trabajadora.

Concretamente nos encontramos ante un modelo de trabajo digitalizado que, a pesar de los retos planteados anteriormente en relación a su prácticamente inexistente regulación, entre sus ventajas[15], se destacan:

–   La anticipación en los fallos en la producción: la utilización de la maquinaria en el desempeño del trabajo puede enviar avisos en el entorno de trabajo de posibles fallos en su ejecución o incluso de una configuración errónea para la orden prevista.

---

autónoma a lo largo de la cadena de valor'", Blanco R., Fontrodona J., Poveda, C., "La industria 4.0: el estado de la cuestión", *Ministerio de Industria, Comercio y Turismo*, 2017.

13.   Ispizua Dorna, E., "Industria 4.0: ¿Cómo afecta la digitalización al sistema de protección social?", *op. cit.* p. 5.

14.   Sierra Benítez, E. M., "La protección social de los trabajadores ante el desafío del nuevo trabajo a distancia, del trabajo digital y la robótica", *Revista de Derecho de la Seguridad Social*, núm. 11, 2017, p. 135.

15.   Ispizua Dorna, E., "Industria 4.0: ¿Cómo afecta la digitalización al sistema de protección social?", *op. cit.* p. 5.

- La reducción de las tasas de absentismo laboral: las tecnologías facilitan en cierta medida el trabajo, creando incluso entornos laborales más flexibles (teniendo en este caso muy presente el teletrabajo o trabajo a distancia). Ello permite que algunas personas trabajadoras se sientan más motivadas ante condiciones de trabajo tendentes a la conciliación de la vida personal, familiar y laboral.

- El aumento del valor de producto en el mercado laboral: el uso de medios tecnológicos para efectuar un producto puede implicar una mayor rapidez en la creación del mismo, haciendo que una determinada empresa se encuentre en una posición más favorable – desde una perspectiva de competitividad empresarial–, que aquellas otras que no utilizan las herramientas tecnológicas. De hecho, ello incluso puede incrementar el valor del mismo dentro del mercado de trabajo.

- La deslocalización: con anterioridad al uso de las tecnológicas de la información y de la comunicación, era habitual que las empresas desarrollasen su fase de producción en países donde el coste de la mano de obra era inferior. No obstante, con esta nueva revolución se recuperan todos los procesos de la cadena de valor y, en consecuencia, se generan más puestos de trabajo donde se encuentra la empresa.

- Una mayor flexibilización en el trabajo: Indudablemente el uso de las tecnologías de la información y de la comunicación provoca un trabajo tendente a la flexibilización puesto que, en algunos casos, no sólo facilita la mano de obra en el ámbito productivo, sino también facilita el trabajo desde otros muchos ámbitos, tales como: posibilidad de trabajar desde cualquier lugar, mejoras en el ámbito de la conciliación de la vida personal y familiar, flexibilización en las jornadas laborales, entre otros aspectos.

Sin embargo, lo cierto es que también la incorporación del factor tecnológico en el empleo puede provocar aspectos negativos. La destrucción de empleo o la incorporación de modelos de trabajo tendentes a la precarización son algunos de los más preocupantes existentes hoy en día, aunque también existen otros como la sensación de aislamiento social, el reforzamiento del poder de vigilancia empresarial, situaciones de discriminación en el empleo, el aumento de riesgos en el trabajo, etc. En este contexto, es necesario que, de manera sucinta, se mencione algo más sobre los mismos:

- La destrucción de empleo: en un primer término, es necesario puntualizar que este estudio será objeto de análisis en mayor profundidad en el resto de apartados del presente trabajo; sin

563

embargo, es necesario puntualizar de manera sucinta algunos aspectos que posteriormente serán mayormente desarrollados. No cabe duda de que la robótica presenta innumerables ventajas, ya hemos visto anteriormente algunas de ellas, pero también presenta nuevos retos en el ámbito del trabajo como son, en este caso, la posible destrucción de empleo o la pérdida masiva de los mismos. "Los beneficios empresariales y sociales que se han obtenido en la industria gracias a los robots alcanzan a la productividad, en cuanto que aumenta la producción y se reducen costes laborales, y a la seguridad, ya que, al reducir la presencia de mano de obra humana al reemplazar a los operarios en los procesos de fabricación peligrosos, disminuye la posibilidad de accidentes laborales. Entre los beneficios sociales que ofrece se ha señalado la mejora de la calidad de vida de los ciudadanos mediante la reducción de horas de trabajo y de riesgos laborales. Entre los beneficios económicos, aumenta la competitividad de las empresas, dinamizando la creación de nuevas empresas y nuevos modelos de negocio y profesiones"[16].

– La exclusión social: al hilo de lo citado con anterioridad, si se produce una posible destrucción de ciertos empleos, esta situación puede provocar problemas de exclusión social debido a que, para acceder a puestos laborales digitalizados, se requiere, en la mayoría de los casos, una formación específica en la materia, dejando fuera del mercado a muchas personas trabajadoras[17] que presentan problemas de formación o de adaptación a esta nueva realidad laboral. A ello se suma que es probable que los empleos menos cualificados en sectores donde predomina la mano de obra sean más vulnerables a la automatización. De este modo, podemos hablar que se está produciendo el efecto de la "polarización de la ocupación", en el sentido de que parece que el empleo "se está concentrando en puestos de trabajo más cualificados y en puestos que exigen un gran conocimiento tecnológico, a la vez que se está produciendo una pérdida progresiva de puestos de trabajo manuales y rutinarios"[18].

– La sensación de aislamiento social derivado del uso –y abuso– de las tecnologías en el trabajo: La empresa debería dotar a los trabajadores de los recursos suficientes y necesarios para la utilización de programas

---

16. Sierra Benítez, E. M., "El trabajo digital y la robótica en la Unión Europea", *Ponencia presentada en el I International Congress Labpur 2030: Rethinking the future of work*, p. 15.
17. Sierra Benítez, E. M., "El trabajo digital y la robótica en la Unión Europea", *op. cit. Ibid.*
18. Gómez Salado, M. A., "Robótica, empleo y seguridad social. La cotización de los robots para salvar el actual estado del bienestar", *Revista Internacional y Comparada de Relaciones Laborales y Derecho del Empleo*, Vol. 6, núm. 3, 2018, p. 154.

informáticos[19], equipos, plataformas virtuales, etc., con el objetivo de que se lleve a cabo un uso de las tecnologías de la información y de la comunicación razonable. La razonabilidad implica la utilización de estos medios informáticos con conciencia, empleando el tiempo estrictamente imprescindible para desarrollar la actividad laboral.

Además de la puesta a disposición de estos medios informáticos, es necesario el mantenimiento de una formación de los trabajadores en la utilización de las tecnologías. A ello se suma que, indiscutiblemente, la digitalización implica una menor cercanía o proximidad relacional, ya que las interacciones personales o profesionales se llevan a cabo a través de canales virtuales de comunicación (correos electrónicos, chats, plataformas virtuales, etc.), provocando en la persona trabajadora una pérdida en los lazos cercanos en el trabajo –e incluso fuera del mismo–, siendo considerado una posible causa de exclusión social. Así, resulta imprescindible el apoyo social de los trabajadores, el trato cercano y el estrechamiento de lazos afectivos, aun estableciéndose únicamente canales virtuales de comunicación.

Para poder evitar la posible falta del trato personal debido a la utilización –quizá excesiva– de las tecnologías en el trabajo, es necesario que las empresas traten de evitar o reducir la utilización de estos medios tecnológicos para relacionarse entre los mismos. En el caso en el que parte de dichas interacciones debiesen efectuarse mediante las herramientas informáticas, es necesario que el empresario mantenga sistemas eficaces de comunicación, donde pueda mantenerse un intercambio fluido de información que mejore el clima laboral.

- El reforzamiento del poder de vigilancia empresarial: uno de los principales deberes por parte de las personas trabajadoras es cumplir con las órdenes y directrices empresariales en el cumplimiento de sus obligaciones laborales. En relación al poder de control y vigilancia empresarial, debemos decir que lo que en un primer momento se venía estableciendo en la empresa como una supervisión presencial, ahora se ha visto profundamente transformado por un control a distancia de su comportamiento mediante el empleo de instrumentos tecnológicos, provocando quizá una invasión más notable e invasiva en relación a los derechos más básicos de las personas trabajadoras.

---

19. Cedrola Spremolla, G., "Competencias, Organización del Trabajo y Formación Profesional en el Trabajo del Futuro: Algunas reflexiones para posibilitar cambios imprescindibles", *Revista Internacional y Comparada de Relaciones Laborales y Derecho del Empleo*, Vol. 7, núm. 1, 2019, p. 30.

De hecho, las empresas han tratado de establecer determinadas aplicaciones y herramientas informáticas que vigilasen el cumplimiento –o no– de la persona trabajadora de sus obligaciones laborales. Sin embargo, este acceso en remoto a determinados dispositivos, pueden captar una serie de información no solo relacionada con la prestación laboral, sino también otra confidencial –y más sensible–, que nada tiene que ver con el desarrollo óptimo o no del trabajo, de carácter privado, viéndose en estos casos desprotegida la persona trabajadora.

–   Situaciones de discriminación en el empleo: Un fenómeno revolucionado para el mundo del trabajo, de entre otros muchos escenarios, es el *big data* y el empleo de la inteligencia artificial para diversos fines. Con ello, se pretende por parte del empresario la posibilidad de cotejar una serie de datos, ya sean personales o no, respecto a la persona trabajadora para realizar un perfil concreto. De esta manera, el empresario tendrá la facultad de tomar decisiones –incluso automatizadas– de la información extraída mediante el empleo de las tecnologías. Una de las formas más usuales para el intercambio de datos y su automatización es a través del empleo de algoritmos digitales.

–   El aumento de riesgos en el trabajo: Las tecnologías de la información y de la comunicación pueden afectar de forma negativa a la salud de los trabajadores, dando lugar a la aparición de –nuevos– riesgos en el trabajo. Estos riesgos dependen de diferentes condicionantes, tales como: los factores de seguridad, factores de origen físico, químico o biológico, factores derivados de las características del trabajo o factores derivados de la organización del trabajo.

Por consiguiente, el uso de la inteligencia artificial para la toma automatizada de decisiones empresariales puede ser considerado un acierto, pero siempre va a depender de otros factores. Y es que hoy en día parece que muchas empresas recurren a la utilización de algoritmos digitales para establecer situaciones de discriminación, ya que la complejidad técnica de este sistema de control empresarial resulta ser poco transparente y casi imposible de detectar o, al menos, en un primer momento. De hecho, podemos incluso decir que los algoritmos son considerados prácticamente un secreto industrial por parte de las empresas, ocultando de esta manera cierta información relativa a su procedencia y al tratamiento de los datos recabados.

Estos sesgos se pueden producir una vez que los algoritmos establecen un perfil determinado de las personas que, o bien ya se encuentran trabajando en la empresa o pretenden hacerlo tras un proceso de selección; no siendo algo éticamente aceptado el ocultar una lógica discriminatoria. Por tanto, estamos hablando de una discriminación creada por el ser humano, aunque aplicando la inteligencia artificial, que resulta igual de reprochable que si se hubiese realizado dicha actuación de manera personal. A ello se suma que estas situaciones discriminatorias controladas por la empresa pueden pasar de forma inadvertida para las propias personas trabajadoras, por lo que se dificulta de una mayor manera su detección.

– Algunos problemas en materia de Seguridad Social: Con la entrada de la digitalización y robotización se han generado diversas dudas respecto al futuro del empleo y, sobre todo, en relación a la viabilidad de los sistemas recaudatorios, tanto tributarios[20] como de Seguridad Social. No podemos únicamente tener en cuenta los efectos que tienen estos mecanismos nuevos a corto plazo, sino también hay que prestar atención a las consecuencias a largo plazo –como es el caso de la sostenibilidad del sistema público de las pensiones del que nos centraremos en los próximos apartados–.

A ello se suma que estos sistemas se financian a través de los impuestos y cotizaciones de los empresarios y trabajadores. Por tanto, estamos ante unos sistemas que dependen de unos niveles elevados de los empleos tradicionales, los cuales, como veíamos con anterioridad, están en un proceso progresivo de cambio hacia parámetros que presentan una menor seguridad jurídica por, entre otros factores, la ausencia de normativa al respecto y el aumento de empleos "informales".

Así, esta Cuarta Revolución Industrial se ha considerado como la aplicación en el trabajo de sistemas automatizados, esto es, de los robots en los procesos productivos. Por ello, es necesario mostrar una especial referencia a la caracterización de los mismos y, más concretamente, a su impacto en el ámbito de la protección social, siendo este el aspecto central objeto de estudio y análisis del presente trabajo.

II. RETOS JURÍDICO-LABORALES DEL ESTADO DE BIENESTAR: LA SUSTITUCIÓN DE LA MANO DE OBRA POR MÁQUINAS INTELIGENTES, ROBOTS E INTELIGENCIA ARTIFICIAL

Hoy en día podemos señalar que hay un fenómeno que ha revolucionado el mundo del trabajo: el *big data* y la inteligencia artificial con diversos fines. Una de las formas más usuales para el intercambio de

---

20. En este sentido, se recomienda la lectura de: Sánchez-Archidona Hidalgo, G., "La tributación de la robótica y la inteligencia artificial como límites del Derecho financiero y tributario", *Revista Quincena Fiscal*, núm. 12, 2019, pp. 69-95.

datos y su automatización es a través del empleo de algoritmos digitales. "El algoritmo como procedimiento sistemático y efectivo para resolver un problema se compone de un número concreto de instrucciones que deben estar bien definidas para operar sobre un tipo concreto de datos, a través de un número finito de pasos, que aporta una solución –generalmente matemática– a todos los casos analizados. La solidez de la formulación de un algoritmo dependerá de que sea sistemático y consistente, pero también de que sea no ambiguo, es decir que no deje abierta la solución a interpretaciones. La misión de un algoritmo no es el cálculo de una solución exacta o precisa, sobre todo porque como objetivo se convierte en inalcanzable en muchos casos; su misión está más próxima a facilitar una respuesta"[21]. Por consiguiente, realmente la finalidad del algoritmo es aportar una información objetiva al empresario sobre un hecho concreto, esto es, ajeno a cualquier tipo de sentimientos o de sensibilización.

Los datos están, por tanto, cargados de poder para las empresas, permitiéndose tomar importantes decisiones –automatizas, sin apenas esfuerzos y de manera objetiva– relacionadas con el trabajo de una manera eficiente y rápida. El factor clave de todo este desarrollo tecnológico digital radica en la inteligencia artificial[22] (IA en adelante). En este sentido, cabría preguntarse si esta automatización en la toma de decisiones, sin intervención humana o siendo la misma francamente mínima, se ajusta –o no– a los parámetros relacionados con la justicia, siendo este un aspecto que abordaremos en las siguientes líneas pero que, en cualquier caso, merece la pena adelantar aquí. Y, por supuesto, la manera en la que se produce la sustitución de la persona trabajadora por una cierta maquinaria. Y es que "Bien es cierto que los trabajos que desaparecían en los inicios de una revolución tecnológica podían ser reciclados en otros ámbitos o para otras tareas, pero actualmente, la IA está haciendo temblar esos cimientos, creando el riesgo de personas 'inempleables', es decir, que en términos de eficiencia un algoritmo pueda hacer la misma tarea en un tiempo considerablemente inferior y, por ende, no resulte rentable para la actividad económica"[23]. Sin embargo, antes de abordar estas cuestiones –fundamentalmente en relación a la destrucción del empleo y la sustitución de la persona trabajadora por la maquinaria–, es necesario, en un primer término, realizar una serie de apreciaciones conceptuales.

---

21. Benítez Eyzaguirre L., "Ética y transparencia para la detección de sesgos algorítmicos de género", *Estudios sobre el Mensaje Periodístico*, 2019, p. 1308.
22. Goñi Sein J. L., *Defendiendo los derechos fundamentales frente a la inteligencia artificial*, Universidad Pública de Navarra, Pamplona, 2019, p. 7.
23. Sánchez-Archidona Hidalgo, G., "La tributación de la robótica y la inteligencia artificial como límites del Derecho financiero y tributario", *op. cit.*, p. 76-77.

En este sentido, verdaderamente estamos haciendo referencia a lo que comúnmente se conoce como robots inteligentes. Actualmente el término robot presenta numerosas dificultades[24] ya que, en la mayoría de los casos y desde una perspectiva jurídica, se solapa con otros conceptos, e incluso parece existir una cierta obsolescencia en las definiciones o una inadecuación de los términos utilizados por otras disciplinas para su uso en el ámbito jurídico[25]. En cualquier caso, lo cierto es que dicho término se centra en la inteligencia o el sistema de control.

Desde una perspectiva internacional, debemos mencionar que la Unión Europea ha tenido ciertos intentos en ocuparse de la concreción conceptual del término "robot" desde una perspectiva jurídica. Las dos instituciones que por excelencia se han preocupado sobre dicha cuestión son la Comisión y el Parlamento Europeo.

En el año 2016 ya se comenzaba a indicar que "es necesario crear una definición generalmente aceptada de robot y de inteligencia artificial que sea flexible y no lastre la innovación"[26]. Ya entonces, se pensaba que la consideración de "robot" tenía una serie de características propias relativas a la capacidad de adquirir autonomía mediante sensores y/o mediante el intercambio de datos con su entorno y el intercambio y análisis de dichos

---

24. Para profundizar sobre dicho ámbito, se recomienda la lectura de: Tirado Robles C., "¿Qué es un robot? Análisis jurídico comparado de las propuestas japonesas y europeas", *Mirai, Estudios Japoneses*, núm. 4, 2020, la cual analiza el concepto de robot desde el ámbito de la cultura japonesa y europea. Este trabajo resulta muy interesante puesto que lo aborda desde una perspectiva jurídica. Así, concretamente es necesario señalar que: "Las cuestiones a tratar concretamente y los planes de acción se organizan de la siguiente manera: en primer lugar, se tiene en cuenta el criterio de la reciprocidad a nivel internacional, por lo que la aplicación de nuevas regulaciones se hará bajo el supuesto de que se aplican recíprocamente tanto en el país como en el extranjero". En este contexto, además mencionar las principales dificultades técnicas en relación al concepto europeo de robot, de las que se destacan: "La primera dificultad surge de la diferencia conceptual entre el mercado japonés y el euro-americano de lo que es un robot y lo que es un manipulador. Así, mientras que para los japoneses un robot industrial es cualquier dispositivo mecánico dotado de articulaciones móviles destinado a la manipulación, el mercado occidental es más restrictivo, exigiendo una mayor complejidad, sobre todo en lo relativo al control. En segundo lugar, y centrándose ya en el concepto occidental, aunque existe una idea común acerca de lo que es un robot industrial, no es fácil ponerse de acuerdo a la hora de establecer una definición formal. Además, la evolución de la robótica ha ido obligando a diferentes actualizaciones de su definición. Ya hemos mencionado antes a la RIA, según la cual un robot industrial es un manipulador multifuncional reprogramable, capaz de mover materias, piezas, herramientas, o dispositivos especiales, según trayectorias variables, programadas para realizar tareas diversas".
25. Tirado Robles C., "¿Qué es un robot? Análisis jurídico comparado de las propuestas japonesas y europeas", *op. cit*, p. 39.
26. El 31 de mayo de 2016 tuvo origen un proyecto de informe –del que es ponente la socialista Mady Delvaux–, presentada el 16 de febrero de 2017, con una serie de recomendaciones destinadas a la Comisión sobre normas de Derecho civil sobre robótica.

datos; cierta capacidad de autoaprendizaje a partir de la experiencia y la interacción; es necesario para su desarrollo un soporte físico mínimo; capacidad de adaptar su comportamiento y acciones al entorno; e inexistencia de vida en sentido biológico[27].

En cualquier caso, con esta iniciativa por parte del Parlamento Europeo, es ahora la Comisión la que decide presentar más formalmente una Comunicación sobre Inteligencia Artificial para Europa[28] en la que se hace referencia directa a la Resolución del Parlamento anteriormente referenciada. En la misma no parece que se muestre una respuesta directa en relación al concepto de robot, aunque si se hace una especial referencia a su distinción en relación a la inteligencia artificial (IA en adelante): "Los sistemas basados en la IA pueden consistir simplemente en un programa informático (por ejemplo, asistentes de voz, programas de análisis de imágenes, motores de búsqueda, sistemas de reconocimiento facial y de voz), pero la IA también puede estar incorporada en dispositivos de hardware (p. ej. robots avanzados, automóviles autónomos, drones o aplicaciones del internet de las cosas)".

Tras estas propuestas por parte del Parlamento y la Comisión, el Comité Económico y Social Europeo presentó un Dictamen[29] sobre la Inteligencia artificial relativo a las consecuencias de la inteligencia artificial para el mercado único (digital), la producción, el consumo, el empleo y la sociedad, tomándose igualmente como referencia la Resolución del Parlamento. Sin embargo, en este Dictamen se aporta algo novedoso que posteriormente recobra una especial relevancia en el ámbito jurídico relativo a la oposición frontal por parte del Comité de la creación de cualquier estatuto jurídico para los robots o sistemas de IA. Y es que la posible creación de un estatuto jurídico puede ocasionar una confusión en relación a las personas, que son las que verdaderamente deben tener reconocida personalidad física y, por supuesto, jurídica ya que, en caso contrario, parece que estuviésemos asemejando un robot a una persona, provocándose así la "humanización" de la tecnología.

---

27. Tirado Robles C., "¿Qué es un robot? Análisis jurídico comparado de las propuestas japonesas y europeas", *op. cit.*, p. 43.
28. Comunicación de la Comisión al Parlamento Europeo, al Consejo Europeo, al Consejo, al Comité Económico y Social Europeo y al Comité de las Regiones Inteligencia Artificial para Europa (com/2018/237), disponible en el siguiente enlace: https://eur-lex.europa.eu/legal-content/ES/ALL/?uri=COM%3A2018%3A237%3AFIN (Consultado el 27 de abril de 2021).
29. Dictamen del Comité Económico y Social Europeo sobre la "Inteligencia artificial: las consecuencias de la inteligencia artificial para el mercado único (digital), la producción, el consumo, el empleo y la sociedad" (2017/C 288/01), disponible para su consulta en el siguiente enlace https://eur-lex.europa.eu/legal-content/ES/TXT/PDF/?uri=CELEX:52016IE5369&from=BG (Consultado el 27 de abril de 2021).

Del mismo modo, el Comité muestra su disconformidad en relación a la posible responsabilidad de los robots puesto que, hasta el momento, el responsable en última instancia es siempre una persona física o, en su caso, una sociedad. Por consiguiente, se opone a que se compare la posible responsabilidad de los robots con la responsabilidad limitada de las sociedades. Por consiguiente, parece que el Comité lo que pretende verdaderamente señalar es que es necesaria una normativa adecuada en la materia, siendo necesario a su vez examinar el impacto a nivel mundial, ya que las tecnologías –y más concretamente la inteligencia artificial– no conoce de fronteras, siendo insuficiente una normativa meramente regional al respecto[30].

En este sentido, la Comisión inicia los trámites presentando un documento preparatorio para iniciar un procedimiento legislativo, a través de una Propuesta de Reglamento, por el que se establece el programa Europa Digital para el período 2021-2027 "cuyo fin es establecer los objetivos del programa, el presupuesto para el período 2021-2027, las formas de financiación de la Unión Europea y las normas para la concesión de dicha financiación. Entre sus definiciones no aparece el término robot, aunque sí integra entre sus prioridades la robótica y hace referencia a la inteligencia artificial. Hay que decir que, a los efectos de definir el concepto de robot, no añade nada a lo presentado hasta ahora por las instituciones de la UE"[31].

En este sentido, la Comisión creó una unidad específica dedicada a la Robótica y a la Inteligencia Artificial (Unidad A.1) cuya misión consistía en el desarrollo de una industria competitiva en este ámbito en Europa, que incluya robots industriales y de servicio, así como el creciente campo de sistemas autónomos que abarcan desde drones y vehículos sin conductor hasta la visión cognitiva e informática. Asimismo, también es objeto de análisis la responsabilidad y la seguridad, los aspectos relacionados con el impacto de la automatización y la robótica en el entorno laboral entre otros aspectos.

En este mismo periodo, se creó por parte de la Comisión un grupo de expertos que presentó en el año 2019 un primer borrador de unas "Pautas éticas para el desarrollo y uso de la Inteligencia Artificial", documento que tiene su base en un primer proyecto de directrices éticas publicado por el mismo Grupo en diciembre de 2018. El Parlamento Europeo presenta, por su parte, una Resolución de 12 de febrero de 2019, sobre una política industrial global europea en materia de inteligencia

---

30. Tirado Robles C., "¿Qué es un robot? Análisis jurídico comparado de las propuestas japonesas y europeas", *op. cit.*, p. 43.
31. Tirado Robles C., "¿Qué es un robot? Análisis jurídico comparado de las propuestas japonesas y europeas", *op. cit*, p. 43.

artificial y robótica[32] que no incluye una nueva definición de robot, pero sí recomienda la creación de normas comunes en materia de robots e IA. Sin embargo, un aspecto a destacar de esta Resolución es que indica la necesidad de que exista un principio de reconocimiento mutuo en el uso transfronterizo de "bienes inteligentes", incluidos los robots y los sistemas robóticos. Ello denota la necesidad de globalizar su concepción a escala internacional, para así mantener un mínimo grado de seguridad jurídica.

En cualquier caso, de entre estas iniciativas en relación a la posible regulación de los robots y la inteligencia artificial desde una perspectiva interdisciplinar, parece que hay una cierta predisposición a otorgarles a los mismos de cierta personalidad jurídica al proponerse un marco legal claro en la materia. "Esta propuesta ha sido analizada con cuidado por algunos expertos, por ejemplo, Aransay Alejandre que, con mucha sensatez, dice que la eventual creación de una personalidad jurídica para los robots, si se avanzara en esta línea, no se debería limitar a otorgar una serie de derechos y obligaciones para los robots, sino que sería necesario plantear si esta capacidad sería plena o limitada. La autora piensa que eso obligaría al legislador a adoptar figuras propias del Derecho de familia. En todo caso, dice, carecer de una definición de robot en el plano jurídico nos impide todavía dar estos pasos con garantías de éxito. Más aún, añaden otros autores, como Rosales De Salamanca, que el problema no es tanto atribuir o no personalidad jurídica a los robots sino dotarles de capacidad de obrar, determinar qué acciones pueden realizar como sujetos de Derecho. Y continúa diciendo que, si reconocemos la personalidad jurídica de un robot, lo difícil será fijar el límite entre la personalidad jurídica y la propiedad del objeto, pues las relaciones jurídicas siempre se entablan entre personas y no entre personas y cosas o entre cosas, y porque hay tantos tipos de robots posibles, que en ocasiones habrá que acudir a la personalidad jurídica y en otras a la figura de la propiedad. Otros especialistas proponen analizar quién es titular de los robots y quién puede usarlos pues, como sabemos, el aprendizaje de ciertos robots es progresivo y, en consecuencia, sus actos pueden ser resultado del programa que usan o del aprendizaje y del uso que de dicho programa haya realizado su dueño o persona encargada de la formación de la máquina en cuestión"[33]. Sin embargo, a nuestro entender, resulta fundamental dirigir estas reflexiones hacia la persona trabajadora, es decir, teniendo puesta la mirada en el propio ser humano. En este sentido,

---

32. Disponible para su consulta en el siguiente enlace: https://www.europarl.europa.eu/doceo/document/TA-8-2019-0081_ES.html (Consultado el 27 de abril de 2021).
33. Tirado Robles C., "¿Qué es un robot? Análisis jurídico comparado de las propuestas japonesas y europeas", *op. cit.*, p. 45.

es necesario analizar la destrucción del empleo teniendo a la persona trabajadora siempre muy presente. De hecho, existen ciertos estudios que analizan el fenómeno de la robotización con un especial enfoque hacia la persona trabajadora o el ser humano[34].

Por otro lado, desde una perspectiva meramente nacional, debemos decir que también se mantiene una escasa normativa en relación al impacto de la robótica en la sociedad digital. A ello se suma que, en esos pocos intentos de definición, los autores han tomado como base la Resolución del Parlamento Europeo de 2017, por lo que en este sentido las iniciativas a nivel nacional se consideran prácticamente inexistentes.

En cualquier caso, habiendo ya presentado una breve aproximación al concepto de robot, maquinaria e inteligencia artificial –y por supuesto a sus problemas en el plano jurídico–, debemos ahora reflexionar en relación al impacto de la digitalización en el trabajo y en cómo están afectando a la consecuente destrucción del empleo motivada por la sustitución de la mano de obra. En la actualidad, "la problemática del empleo constituye uno de los temas que más preocupa a los distintos gobiernos y a los ciudadanos. Es por ello que ocupe un lugar prioritario el análisis del impacto de la robótica y de la inteligencia artificial en el mercado de trabajo, especialmente el análisis sobre hasta qué punto pueden los robots y la inteligencia artificial sustituir, complementar o perfeccionar el trabajo realizado por los seres humanos[35]".

En este contexto, es necesario señalar que efectivamente la introducción de la máquina en el ámbito laboral implica una mejora en los niveles de eficiencia y de seguridad, ofreciendo mejores servicios y, como no podría ser de otro modo, creando nuevos puestos de trabajo[36]. La composición sectorial y ocupacional del empleo se ha visto modificado debido a los avances tecnológicos, ocasionándose problemas en relación a la reinserción laboral de los trabajadores desplazados, ya que en la mayoría de los casos ha sido difícil y traumática[37]. Así, parece que se ha producido un cierto aumento del empleo en el sector servicios (a costa del de los sectores primario e industrial). "No obstante, desarrollos demográficos (envejecimiento de la población) y laborales (aumento de la participación laboral femenina)

---

34. Sánchez-Urán Azaña, M. Y., Grau Ruiz, M. A., "El impacto de la robótica, en especial la robótica inclusiva en el trabajo: aspectos jurídico-laborales y fiscales", *Estudio realizado en el Marco de los Proyectos CertificaRSE, DER 2015-65374-R (MINECO-FEDER); e INBOTS CSA, Inclusive Robotics for a better Society, Programa H2020-ICT-2017-1; Núm. Proyecto 780073, Coordinador general CSIC*, 2018, p.

35. Gómez Salado, M. A., "Robótica, empleo y seguridad social. La cotización de los robots para salvar el actual estado del bienestar", *op. cit.*, p. 147.

36. Agenda Estratégica de Investigación sobre la Robótica para el período 2014-2020.

37. Jimeno J. F., "Las consecuencias de los cambios tecnológicos sobre la reforma de las pensiones", *Documento de Trabajo 2020/17, FEDEA*, 2020, p. 3.

explican también cambios en las pautas de consumo de bienes y servicios que han acelerado los cambios sectoriales y ocupacionales del empleo"[38]. De esta manera, de entre los aspectos positivos de las tecnológicas, debemos mencionar que se ha visto incrementada la productividad de los trabajadores más cualificados, en tareas no-manuales y abstractas que requieren un elevado nivel educativo, produciéndose una cierta perdida de mano de obra en aquellos puestos de trabajo donde se producen tareas rutinarias por la capacidad de codificación de tareas y su replicación por las nuevas tecnologías.

Sin embargo, la digitalización del empleo también está produciendo la destrucción de determinados puestos de trabajo, siendo imprescindible tener una perspectiva amplia en relación al impacto de las tecnologías en el mundo del trabajo. Centrándonos en este último ámbito, aunque tratando de mantener una visión positiva de las herramientas tecnológicas en el empleo, es necesario mencionar algunos aspectos relevantes. En primer lugar, han tenido lugar en los últimos años numerosos informes[39] que demuestran que la creación de nuevos puestos de trabajo debido al impacto de las tecnológicas no será proporcional al número de empleos que se destruyen, viéndose la balanza poco compensada. Así, parece que realmente tendría lugar una gran destrucción de puestos de trabajo tanto en los países desarrollados como en aquellos que estén en vías de serlo[40].

De este modo, parece fomentarse una transformación del empleo a través de la maquinaria, los robots o la inteligencia artificial donde se sustituye la mano de obra por máquinas autónomas en las que no es necesaria la intervención del ser humano. Además, su implantación se puede producir no solo en tareas rutinarias, manuales y de baja cualificación, sino que también parece capaz de acometer las tareas no manuales, abstractas y de alta cualificación. Ello a su vez tiene como consecuencia la inestabilidad laboral en el sentido de producirse una mayor rotación de puestos de trabajo causada por la automatización y la reinserción laboral en otro tipo de actividades, así como directamente la posible pérdida de los mismos. Así, podemos decir que uno de los principales desafíos de nuestra época consiste en determinar la forma de abordar la tecnología, tanto actual como

38. Jimeno J. F., "Las consecuencias de los cambios tecnológicos sobre la reforma de las pensiones", *op. cit. Ibid.*
39. World Economic Forum, *The future of jobs: Employment, skills and workforce strategy for the fourth industrial revolution,* 2016. Disponible para su consulta en el siguiente enlace: https://www.weforum.org/reports/the-future-ofjobs; OCDE, *The risk of automation for jobs in OECD countries,* 2016. Disponible para su consulta en: http://www.oecd-ilibrary.org/social-issues-migration-health/the-risk-ofautomation-for-jobs-in-oecd-countries_5jlz9h56dvq7-en.
40. Gómez Salado, M. A., "Robótica, empleo y seguridad social. La cotización de los robots para salvar el actual estado del bienestar", *op. cit.,* p. 153.

futura, para no dejar fuera del mercado de trabajo a muchas personas trabajadoras, con independencia de su grado de cualificación o del sector al que pertenezcan[41].

En este sentido, parece evidente la necesidad de fomentar una verdadera regulación jurídica que atienda no solo a las características concretas, intrínsecas, de los robots, sino también al tipo de problemas que plantean en el ámbito laboral. Así, aunque no exista una posición unánime sobre su modo y alcance[42] –puesto que aún no hay posición común–, la misma debiera tener en cuenta, no solo la multiplicidad de las aplicaciones tecnológicas, sino la variedad de problemas jurídicos que éstas generan y la dificultad de reconducirlos hacia un paradigma homogéneo, donde se establezca un nuevo marco de reglas jurídicas claras que puedan conferir certeza respecto de los deberes y responsabilidades de los actores involucrados en el proceso de innovación robótica.

III. LA DIGITALIZACIÓN Y EL SISTEMA DE PROTECCIÓN SOCIAL

En los últimos años las organizaciones internacionales y nacionales han tomado partido en algunos intentos, por ahora, tímidos[43], de abordar la cuestión de la robótica desde diversas perspectivas. Concretamente en el ámbito jurídico-laboral, estas posibles iniciativas son consideradas insuficientes ante la transformación que se viene produciendo en el mercado de trabajo. Partiendo de esta ausencia de norma en ambas perspectivas (internacional y nacional), es necesario mencionar las más relevantes y recientes.

1. PERSPECTIVA COMUNITARIA

En un primer término, es necesario mencionar una Resolución del Parlamento Europeo, de 16 de febrero de 2017[44], la cual efectuó una serie de recomendaciones relacionadas con la robótica a la Comisión Europea desde una perspectiva civilista[45]. Es necesario destacar esta Resolución

---

41. Sierra Benítez, E. M., "Trabajo decente, digitalización y robótica en la Unión Europea", *Revista Internacional y Comparada de Relaciones Laborales y Derecho del Empleo*, vol. 7, núm. 4, 2019, p. 341.

42. Sánchez-Urán Azaña, M. Y., Grau Ruiz. A., "El impacto de la robótica, en especial la robótica inclusiva, en el trabajo: aspecto jurídico-laborales y fiscales", *op. cit.* p. 5.

43. Sánchez-Archidona Hidalgo, G., "La tributación de la robótica y la inteligencia artificial como límites del Derecho financiero y tributario", *op. cit.*, p. 72.

44. Resolución del Parlamento Europeo, de 16 de febrero de 2017, con recomendaciones destinadas a la Comisión sobre normas de Derecho Civil sobre robótica, 2015.

45. En este contexto, debemos advertir que, teniendo en cuenta la ausencia de previsiones normativas en lo que respecta a la robótica, muchas de ellas ni tan siquiera se

puesto que propone una serie de recomendaciones centralizadas en la educación, formación y la necesidad de mantener el empleo.

En este contexto, parece que a nivel comunitario se reflexiona sobre la posible exclusión social que supone la destrucción de empleo en determinados colectivos y, por tanto, muestra una especial referencia al apoyo y ayuda en competencias digitales a determinados grupos de personas que, bien sea por edad, categoría, educación, entre otros aspectos, pueden presentar dificultades para adaptarse a la oferta y la demanda en el mercado de trabajo. Asimismo, la Resolución reflexiona sobre los conocimientos adquiridos en determinados centros escolares, la cual no es suficiente para la posible adaptación de la persona trabajadora a las nuevas tecnologías.

En segundo lugar, "constata el aspecto positivo de la robótica en relación a la salud y seguridad en el trabajo, dado que pueden mejorar las condiciones de trabajo, asumiendo los robots las tareas perjudiciales y peligrosas que desempeñan los trabajadores"[46]. Y es que es cierto que en numerosas ocasiones las personas trabajadoras se pueden encontrar expuestas a una serie de riesgos que directamente afectan a su seguridad y salud en el desempeño de su actividad laboral. Si dichas tareas específicas pudieran ser realizadas por máquinas, la exposición se vería notablemente reducida hasta considerarse, en muchos de los casos, prácticamente nula.

En último término, de entre las diferentes aportaciones de la Resolución objeto de estudio, se reflexiona acerca de la viabilidad de los sistemas de Seguridad Social de los Estados miembros, sobre todo ante el reto del envejecimiento de la población. Sin embargo, lejos de aportar posibles soluciones para los Estados miembros o establecer un marco normativo mínimo que permita armonizar las diferentes legislaciones en esta materia, la Resolución se limita únicamente a presentar este desafío, ya conocido por todos debido al gran interés social, resultando no solo insuficiente, sino también muy pobre[47]. De esta manera, la Resolución no da respuesta al

---

centran en abordar la misma desde un enfoque laboral o de protección social, evidenciándose en este sentido una notable inseguridad jurídica.

46. Ispizua Dorna, E., "Industria 4.0: ¿Cómo afecta la digitalización al sistema de protección social?", *op. cit.* p. 7.

47. "Llama la atención que las recomendaciones previas que se propusieron a través del informe de propuesta del día 27 de enero de 2017, añadían la necesidad de emprender "un debate integrador sobre los nuevos modelos de empleo y sobre la sostenibilidad de nuestros sistemas tributarios y sociales tomando como base unos ingresos suficientes, incluida la posible introducción de una renta básica mínima (Recomendación 44) (Resolución del Parlamento Europeo, de 16 de febrero de 2017, con recomendaciones destinadas a la Comisión sobre normas de Derecho Civil sobre robótica, 2015) que no fueron recogidos en el texto final. Incluso de forma más específica, la Comisión de Empleo y Asuntos Sociales entre sus sugerencias destacaba que debido

posible pago –o no– de impuestos por parte de los robots o su contribución en las cotizaciones sociales que es lo que en este trabajo trataremos de abordar.

Por otro lado, es cierto que también la Unión Europea elaboró en el año 2016 una Estrategia[48] para el mercado único digital de Europa con el fin de transformar la sociedad europea y así garantizar su competitividad[49]. En la misma se muestra una especial atención a la necesidad de que los Estados miembros adopten actos legislativos o normas en relación al ámbito social y fiscal ante la digitalización en el empleo, fundamentalmente ante la posible destrucción de determinados puestos de trabajo. Y, este contexto, al igual que ocurría con la Resolución anteriormente citada, mostraba una especial atención a posibles supuestos de exclusión social en el trabajo, señalándose expresamente que: "La clase media baja se está viendo duramente golpeada, al igual que la generación de más edad. La sociedad tiene una clara responsabilidad de cara a aquellas personas que, debido a su edad o cualidad insuficiente, ya no pueden participar en el mercado de trabajo". En este sentido, lo cierto es que la Estrategia no muestra ninguna posible solución que puedan aplicar los estados miembros sobre la materia, sino simplemente manifiesta uno de los muchos retos a lo que los estados se están enfrentando en la actualidad, dejando plena libertad a los mismos para que desarrollen las políticas que estimen oportunas. Sin embargo, es cierto, que la Estrategia mantiene la necesidad de realizar una evaluación de las consecuencias éticas y morales de las nuevas tecnologías, puesto que los robots deben respetar los derechos fundamentales de las personas y los derechos sociales protegidos en la UE. Para ello, será necesario que los estados miembros elaboren políticas que garanticen en su máximo término las garantías personales de las personas trabajadoras y también en relación a su seguridad en el trabajo. Así, parece que la Estrategia pretende de manera directa la protección de la intimidad de los trabajadores, la formación e información en el uso de las tecnológicas y su implantación en el trabajo, así como el mantenimiento de determinados requisitos relacionados con la privacidad, teniendo muy presente "la complejidad y progresiva

---

al desarrollo y la utilización de robots colaborativos inteligentes y la inteligencia artificial, el diferencial entre la creación y la pérdida de empleo podría repercutir en la sostenibilidad financiera de los regímenes de seguridad social, los regímenes de pensiones y los sistemas de seguro de desempleo de los Estados miembros...", en Ispizua Dorna, E., "Industria 4.0: ¿Cómo afecta la digitalización al sistema de protección social?", *op. cit.* p. 7.

48. Dictamen del Comité Económico y Social Europeo sobre el tema "Industria 4.0 y transformación digital: camino a seguir", [COM (2016) 180 final] (DOUE 21.10.2016, C 389/50).

49. Sierra Benítez, E. M., "La protección social de los trabajadores ante el desafío del nuevo trabajo a distancia, del trabajo digital y la robótica", *op. cit.* p. 157.

interconexión de los robots asistenciales y médicos, así como revisar los códigos de conducta (secreto profesional médico) en relación con los datos almacenados y a los que puedan acceder terceros (creación de comités de ética de la investigación)"[50].

En este contexto, merece una especial atención resaltar algunos aspectos reseñados en este sentido por la eurodiputada Dña. Delvaux, ya que plantea la necesidad de exigir a las empresas que informen acerca de la medida y proporción en la que la robótica contribuye a sus resultados económicos para determinar los correspondientes impuestos y calcular las cotizaciones a la Seguridad Social. En este sentido, parece que la eurodiputada pretende dar respuesta a la posible contribución de una renta básica universal como medida de solución por parte de los Estados miembros hasta la posible destrucción del empleo y los problemas planteados en materia de pensiones. En cualquier caso, estas, junto a otras precisiones, serán objeto de un análisis en mayor profundidad en el próximo apartado.

2.   PERSPECTIVA NACIONAL

Por otro lado, en el ámbito nacional, al igual que en el resto de Estados miembros, estos cambios afectan de manera directa a nuestro sistema de Seguridad Social, debido a que se basa en un sistema de reparto y de prestación definida. "Esta forma de reparto de las pensiones se organiza en una base de aporte obligatorio que es realizado por los trabajadores que se encuentran en activo para atender las pensiones y jubilaciones de los trabajadores inactivos. Por lo tanto, se rige por el principio de solidaridad, es decir, la generación que cotiza financia la pensión de la generación jubilada y a su vez, la primera será financiada por la siguiente generación. Este último principio se aprecia en las prestaciones por desempleo. En este sentido, la financiación de la Seguridad Social podemos decir que se encuentra condicionada principalmente por la situación del empleo y, por ende, con la era de la digitalización y la introducción de los robots, este sistema puede tambalear y deberán buscarse otras alternativas para paliar el descenso de ingresos del sistema de Seguridad Social. Además de la incorporación de los robots y la digitalización, no debemos olvidar el envejecimiento de la población como un reto fundamental de este sistema de reparto"[51]. Sin embargo, a pesar de analizar brevemente nuestro sistema de reparto en materia de pensiones a la Seguridad Social, lo cierto es que la normativa nacional

---

50.   Sierra Benítez, E. M., "La protección social de los trabajadores ante el desafío del nuevo trabajo a distancia, del trabajo digital y la robótica", *op. cit.* p. 158.
51.   Ispizua Dorna, E., "Industria 4.0: ¿Cómo afecta la digitalización al sistema de protección social?", *op. cit.* p. 8.

no parece dar respuesta a los desafíos que presentan en este sentido la digitalización de las relaciones laborales.

Ante esta ausencia de un marco normativo consolidado, nos encontramos con dos corrientes o posibles alternativas incentivadas por los estudiosos del derecho. Algunos autores señalan la necesidad de establecer la obligación de que las empresas que sustituyan puestos de trabajo ocupados por personas por robots realicen aportaciones específicas al sistema de Seguridad Social y, en segundo término, que se efectúe un tributo específico a las empresas por la sustitución de trabajadores por robots. En cualquiera de las dos opciones, el legislador cuando vaya a realizar las modificaciones legislativas oportunas, deberá ser cauteloso para que la solución no impacte negativamente en la productividad y la competitividad de las empresas, y tampoco en la creación de nuevos puestos de trabajo relacionados con estas nuevas formas de organización[52]. Además, será necesario que dicha regulación vaya siempre enfocada a proteger jurídicamente a la persona trabajadora, la cual se encuentra directamente afectada no solo como trabajador en la empresa, sino también como ciudadano.

IV. ANÁLISIS CRÍTICO DE LA FINANCIACIÓN DEL SISTEMA DE PENSIONES Y LA POSIBLE COTIZACIÓN DE LOS ROBOTS: ¿RENTA BÁSICA UNIVERSAL?

Como hemos mencionado anteriormente, la robotización ha afectado de manera drástica en el empleo, de entre otros muchos escenarios. Durante los últimos años –y como efecto directo de la crisis económica, el envejecimiento de la población y la implantación de los robots y la digitalización–, la viabilidad y sostenibilidad de las pensiones ha sido muy cuestionada[53]. Ello ha ocasionado incluso la inseguridad jurídica de ciertas instituciones, haciendo vibrar sus cimientos. Concretamente en este apartado vamos a tratar de centrarnos en cómo ha influido la robotización en los sistemas de protección social, mostrando una especial referencia al sistema de pensiones.

Como es sabido, el Real Decreto 2064/1995, de 22 de diciembre, por el que se aprobó el Régimen General sobre Cotización y Liquidación de otros Derechos de la Seguridad Social establece quiénes son los sujetos de la cotización (art. 7.2), haciendo referencia que "están sujetas a la obligación de cotizar a la Seguridad Social las personas físicas o jurídicas, en los términos

---

52. Ispizua Dorna, E., "Industria 4.0: ¿Cómo afecta la digitalización al sistema de protección social?", *op. cit. Ibid.*
53. Ispizua Dorna, E., "Industria 4.0: ¿Cómo afecta la digitalización al sistema de protección social?", *op. cit.* p. 11.

y condiciones que se determinen en el presente Reglamento para cada uno de los diferentes regímenes que integran el sistema de la Seguridad Social...". En este sentido, debemos preguntarnos de qué manera pudiera tener en ello encaje la posible cotización de los robots, ya que en el precepto se indica que deberán ser las personas físicas o jurídicas los que mantengan la obligación de cotizar al sistema, no aportando ningún tipo de respuesta en relación a los robots. Ello además se debe a que los mismos tampoco merecen la consideración de trabajadores puesto que, obviamente, no tienen la consideración de persona. De entre otras razones, los robots nunca podrán tener una de las características fundamentales para la consideración de trabajadores como es la voluntariedad.

En este contexto, se aboga por que en el caso de que debieran efectuar algún tipo de cotización en el régimen de la Seguridad Social, tendrán que realizarlo a través de sus representantes, es decir, mediante la propia empresa que ha optado por la robotización de una serie de puestos de trabajo o sectores. La empresa en este caso si que tendría encaje en el precepto anteriormente referenciado como persona jurídica sujeta de derechos y obligaciones. De este modo, parece que el propio empresario podría tener la obligación de compensar la sustitución del empleo humano y, por tanto, la reducción de sus ingresos en el sistema de la Seguridad Social a través de algún tipo de pago o cotización a la misma para mantener el equilibrio del sistema social[54].

Otro de los debates planteados hasta el momento es la extensión de dicha posible responsabilidad por parte de las empresas de pagar algún tipo de tasa por la sustitución de mano de obra por maquinaria. Con ello se plantea si el empresario debe cotizar por todas las máquinas o tan solo por algunas de ellas. Parece que tras el análisis de la normativa internacional al respecto, únicamente cotizaría la empresa por los robots que hayan sustituido a personas en el trabajo y que reúnan una serie de características, tales como la capacidad de adquirir autonomía, de aprender a través de la experiencia y la interacción, la capacidad de adaptar su comportamiento al entorno concreto, entre otras. En este caso nos referimos a cuando la robotización produce frontalmente el desplazamiento de la persona trabajadora en el puesto de trabajo que venía ocupando o que podría haber desempeñado personalmente.

Sin embargo, lo cierto es que hasta el momento el legislador no ha mantenido ningún tipo de porcentaje en relación a la posible "cotización"

---

54. Concretamente el apartado K del Informe con recomendaciones destinadas a la Comisión sobre normas de Derecho Civil sobre robótica señala que "...deberá estudiarse la posibilidad de someter a impuesto el trabajo ejecutado por robots o exigir un gravamen por el uso y mantenimiento de cada robot, a fin de mantener la cohesión social y la prosperidad".

de los robots, por lo que el debate sigue estando abierto. En cualquier caso, el legislador debería concretar un porcentaje donde si el empresario rebasase dicha cantidad, entonces existiría la posibilidad de exigirle el pago de algún tipo tasa al sistema de Seguridad Social. El ofrecer dicha información por parte de las empresas debiera ser obligatoria para que así esta normativa al respecto resulte suficientemente eficaz. En este sentido, no nos referimos a que dicha cantidad sea una cotización concreta, puesto que el término "cotizar" directamente se asemeja a la persona trabajadora –no mereciendo dicha calificación la maquinaria o los robots como anteriormente hemos referenciado–. Ello nos hace entrar en otro debate relacionado con la posible nomenclatura que ello recibiría. Podemos señalar a continuación, como meras sugerencias, el pago de un impuesto, una tasa o tributo sobre la utilización de las tecnológicas cuando se produzca la sustitución al trabajo. En caso contrario, estaríamos hablando de incluso una posible subordinación del hombre frente a la máquina, la cual parece tener un estatuto jurídico similar al establecido a las personas trabajadoras en el ámbito de la protección social. Así, es necesario mostrar una especial preocupación en el lenguaje empleado, teniendo siempre muy presente el componente ético y humano, los cuales resultan fundamentales.

Otras de las cuestiones relacionadas con esta posibilidad de pago de tasas por parte de las empresas son en relación a la cantidad que las mismas debieran abonar por la sustitución de la mano de obra. Algunos autores consideran que dicho pago debiera ser inferior a la vinculada con un trabajador presencial, puesto que los robots no causarían derecho a prestaciones al sistema de Seguridad Social, sino que encontrarían su base en el principio de solidaridad. Sin embargo, lo cierto es que ello ocasionaría que muchas empresas encuentren en ello un ahorro añadido en relación a la cotización a la Seguridad Social, mostrándose en este sentido un enfoque no dirigido hacia la persona trabajadora que encuentra dificultades para acceder a un puesto de trabajo –debido a la sustitución de la maquinaria–, sino únicamente en la obtención de un mayor ahorro económico por parte de las empresas. En este contexto, consideramos que lo conveniente sería tratar en la medida de lo posible de equiparar dicho pago con las cantidades que hasta el momento viniese abonando la empresa.

Obviamente, todas estas cuestiones que han sido planteadas y son debatidas, deberán ser clarificarlas por los poderes públicos y el legislador, pretendiendo en todo caso reformar el Estado de Bienestar. En este contexto, aunque parezca algo utópico hasta el momento, se ha planteado la necesidad de implantar una renta básica universal. "Quizás pueda parecer algo precipitado plantear su implantación, puesto que en la mayoría de las comunidades autónomas se están implantando rentas mínimas para las personas que carecen de recursos suficientes, pero ¿basta esto para reducir los índices de pobreza y desigualdad? En este sentido, son varios los países que, de alguna manera y con mayor o menor acierto, han regulado su aplicación como Alaska, Brasil, Canadá, Finlandia u Otjivero en Namibia, teniendo en cuenta que la noción de la renta básica universal debe partir de que estamos ante un Derecho del ciudadano, puesto que no se trata de una concesión del Estado Social sino de que la fuente del derecho es la ciudadanía, con lo que este derecho alcanza una mayor protección jurídica que si se tratara de un simple derecho social"[55].

La aplicación de una renta básica universal o de ciudadanía es una propuesta ciertamente innovadora que consiste en "el pago por parte de la administración de una prestación monetaria a todos los ciudadanos, sin tener en cuenta su renta, su historial laboral o disponibilidad para el empleo, ni la composición de su hogar familiar. En resumen, es una prestación totalmente universal, individual e incondicional, que se cobraría por el mero hecho de existir como miembro de una comunidad política"[56]. De este modo, todo ciudadano tendrá garantizado un umbral de ingresos, por lo que las actuales prestaciones asistenciales y no contributivas carecerían de sentido y quedarían absorbidas por esta renta básica. Así, esta renta únicamente reemplazaría a las prestaciones monetarias que se encuentren por debajo de la establecida por la renta básica, de tal manera que el resto de prestaciones se mantendrían como están actualmente.

El objetivo del posible establecimiento de una renta básica supondría proporcionar una mayor seguridad económica debido al pago a cada residente habitual de una comunidad, provincia o país al tener el carácter de "universal". Sería igualmente una renta individual, sin tener en cuenta el estatus familiar o doméstico y, además, incondicional, en el sentido de que el ciudadano no tendría que probar que tiene una renta por debajo de cierta cantidad ni tampoco existirían condiciones de gasto, es decir, el ciudadano no tendría que justificar en qué y dónde gasta el dinero[57]. En este sentido, quizá debamos preguntarnos acerca de la manera en la que se pudiera financiera esta utópica renta básica. Algunos autores[58] consideran que con la automatización y el uso de los robots aumentará la productividad

55. Sierra Benítez, E. M., "trabajo decente, digitalización y robótica en la Unión Europea", *Revista Internacional y Comparada de Relaciones Laborales y Derecho del Empleo,* núm. 4, vol. 7, 2019, p. 345.

56. Noguera J. A., "La renta básica universal: razones y estrategias", *Fundación Centro de Estudios Andaluces,* Junta de Andalucía, 2014.

57. Ispizua Dorna, E., "Industria 4.0: ¿Cómo afecta la digitalización al sistema de protección social?", *op. cit.* p. 11.

58. Ispizua Dorna, E., "Industria 4.0: ¿Cómo afecta la digitalización al sistema de protección social?", *op. cit.* p. 12.

y, por consiguiente, esos beneficios extraordinarios conseguidos por el aumento de dicha productividad podrían ser destinados a la financiación de la misma. Sea de una manera u otra, lo cierto es que la incorporación de la renta básica puede tener una serie de ventajas y desventajas que debieran ser abordados.

En relación a las ventajas[59]:

- Puede tener lugar una mejora respecto a las negociaciones de las relaciones laborales, debido a que el ciudadano dispone de un suelo sobre el que podrá apoyarse a la hora de negociar con el empresario.
- Esta renta reemplazaría las exenciones y bonificaciones que puede tener el empresario a la Seguridad Social.
- La Renta Básica no estaría gravada por el IRPF y aumentaría la seguridad económica de los ciudadanos.
- La aceptación de un trabajo no supondría la extinción de la renta, y en este sentido, desaparecería el desincentivo al empleo como ocurre actualmente con las prestaciones sociales condicionadas.
- El Estado abonaría la Renta de oficio, sin que existiese ninguna discrecionalidad al otorgarla por parte de las diferentes administraciones.

Por otro lado, en lo que respecta a las desventajas debemos mencionar que dicha implantación pudiera ocasionar que menos personas encontrasen un empleo y que los trabajos penosos serían llevados a cabo por extranjeros que no tengan derecho a percibir dicha renta. Asimismo, destacan otro problema relacionado con la inmigración y el control de sus fronteras, derivado del efecto llamada que podría producirse por esa redistribución de la riqueza. En cualquier caso, también pueden producirse problemas relacionados con su implantación, ya que no parece existir una única fórmula (posibilidad de implantación parcial de la cuantía o de la población, creándose situaciones de discriminación y perdiendo la esencia de que la misma sea "universal").

En cualquier caso, podemos observar que entre las propuestas más destacadas se incentiva la sustitución o complementación a los sistemas de protección social con una renta básica universal. Esta solución a la realidad existente nos puede parecer utópica, pero debemos tener presente que las soluciones utópicas [...] son la única opción en este momento, ya que retocar los bordes del sistema actual ha demostrado no funcionar[60]. De

---

59. Ispizua Dorna, E., "Industria 4.0: ¿Cómo afecta la digitalización al sistema de protección social?", *op. cit. ibid.*
60. Sierra Benítez, E. M., "trabajo decente, digitalización y robótica en la Unión Europea", *op. cit.* p. 346.

hecho, este debate también se ha propuesto a nivel internacional a través de la Sra. Delvaux que plantea la necesidad de exigir a las empresas que informen acerca de en qué medida y proporción la robótica contribuye a sus resultados económicos para determinar los correspondientes impuestos y calcular las cotizaciones a la Seguridad Social, invitando a los Estados miembros a considerar seriamente la posibilidad de establecer una renta básica universal.

En todo caso, lo importante es "preservar el sostenimiento del estado de bienestar basado en los postulados del trabajo decente de la OIT, y el medio principal que tiene la OIT para el logro de la justicia social es la acción normativa y la promoción de los principios y derechos fundamentales en el trabajo"[61].

V. PROPUESTAS SOBRE LA REFORMA DEL SISTEMA DE PENSIONES Y REFLEXIONES FINALES: HACIA UN MARCO JURÍDICO SOSTENIBLE

El impacto de las tecnologías en el mundo del trabajo es más que notable. Actualmente nos encontramos ante un mundo globalizado en el que la conexión y la utilización de las herramientas tecnológicas se encuentra a la orden del día. Sin embargo, parecen existir ciertos retos que merecen una especial reflexión en relación a dicha transformación en el empleo. Así, en el presente marco conclusivo, trataremos de referenciar las conclusiones más destacadas del artículo, haciendo una especial referencia a posibles propuestas de mejora para evitar o, en su caso, reducir las consecuencias negativas de la disrupción tecnológica.

1. Uno de los principales retos a los que debe enfrentarse el derecho laboral –y que a su vez asentaría los cimientos para otros posibles futuros desafíos–, hace referencia a la concreción conceptual de robot, el cual no parece encontrarse suficientemente definido ni a nivel nacional ni internacional. Es cierto que existen algunas aproximaciones tímidas que señalan las características básicas que cualquier aparato debiera reunir para ser considerado formalmente como robot; sin embargo, lejos de poder encontrarnos en este sentido con posibles zonas grises, lo cierto es que desde una perspectiva jurídica la concreción terminológica del mismo es prácticamente inexistente.

En relación a las características que debe reunir una maquinaria para ser calificado como robot, nos inclinamos por pensar que debe considerarse como aquel sistema capaz de realizar tareas al servicio del ser humano

---

61. Sierra Benítez, E. M., "trabajo decente, digitalización y robótica en la Unión Europea", *op. cit.* p. 348.

de forma automática, captando información del entorno, analizándola y respondiendo en función de ella. Del mismo modo, respecto a su consideración jurídica, es importante que se incluya entre sus características el uso de la inteligencia artificial, teniendo siempre muy presente que "lo que constituye una diferencia fundamental es la capacidad del robot de actuar más allá de unas instrucciones dadas, usando el aprendizaje progresivo, y no tanto el ámbito industrial, sanitario u otros en que el robot vaya a ser utilizado"[62].

Finalmente, en lo que respecta a la posible consideración de estos robots como verdaderos sujetos con derechos y obligaciones, debemos mostrar nuestro rechazo por el momento, puesto que no deben ser considerados como sujetos de derecho al precisamente no ser considerados como personas a efectos jurídicos, sino, en todo caso, como objeto de derecho. De esta manera, también descartamos la idea de la posible creación de un marco jurídico específico para la robotización.

En cualquier caso, estas reflexiones debieran ser consideradas como unas primeras aproximaciones, puesto que estamos analizando un fenómeno emergente en el ámbito jurídico el cual está sujeto a numerosos cambios en un corto periodo de tiempo. A pesar de ello, por el momento, debemos quedarnos con aquellos intentos a nivel internacional de concretar dicho fenómeno, donde claramente se ha apreciado hasta el momento una evidente ausencia de norma y de seguridad jurídica, aunque, sin lugar a dudas, no dejan de ser pasos determinantes para analizar la repercusión de los robots en nuestra disciplina.

2. Otra de las preocupaciones que merecen ser destacadas hace referencia al impacto de la robotización en el empleo. De entre las características positivas para el mercado de trabajo que supone la introducción del factor tecnológico, parece que se ha detectado la posible destrucción del empleo como uno de los desafíos más reflexionados en el ámbito jurídico-laboral siendo incluso en la actualidad un debate candente. En este sentido, lejos de tratar de aportar una solución para evitar la posible destrucción del empleo, es necesario reflexionar acerca de tres cuestiones fundamentales. La primera de ellas hace referencia a la creación de nuevas formas de trabajo mediante el uso de las herramientas tecnológicas y las plataformas virtuales, las cuales parecen estar en auge en estos últimos años; en segundo término, los sectores y las personas trabajadoras en las que existe una tendencia al alza en relación a la eliminación de determinados puestos de trabajo; y, en último lugar, la preocupación generalizada acerca de la precarización de estos nuevos

---

62. Tirado Robles C., "¿Qué es un robot? Análisis jurídico comparado de las propuestas japonesas y europeas", *op. cit.*, p. 46.

modelos de trabajo basados en el uso de herramientas tecnológicas, robots, e inteligencia artificial.

En lo que respecta a la primera de las cuestiones, es necesario señalar que efectivamente las tecnologías están ocasionando la creación de nuevos puestos de trabajo, donde se requiere en la mayoría de ellos unos mínimos conocimientos en relación a la utilización de las mismas en el trabajo. Así, parece que debe mantenerse una visión positiva en comparación a los trabajos que se crean con respecto a aquellos que se están destruyendo[63], ya que numerosos estudios apuntan a que parecen ser más los nuevos puestos de trabajo. Sin embargo, en este sentido es necesario mostrar una especial preocupación a los sectores en los que existe una cierta tendencia a la destrucción del empleo y es que, como se ha citado en el presente estudio, parece que esta eliminación se centra en sectores muy específicos, produciéndose la ocupación marginal de los mismos. Ello implica la necesidad de recurrir a una mayor protección por parte del ordenamiento jurídico laboral.

En último término, también es necesario recapacitar respecto a la precarización de estas nuevas formas de trabajo puesto que, aunque parezcan existir estudios que mantengan una visión positiva, los trabajos que se vienen creando hasta el momento se caracterizan por ser escasamente remunerados, por abusar en relación a las jornadas de trabajo y por calificar incorrectamente a sus trabajadores. Un ejemplo característico lo hemos observado recientemente con la empresa Glovo, la cual calificaba a sus *riders* como trabajadores autónomos cuando verdaderamente debieran haber sido considerados laborales[64].

3. Pensiones sostenibles y posible pago de una tasa. Una de las principales preocupaciones en el ámbito laboral versa sobre la posible sostenibilidad del sistema de pensiones debido, entre otros ámbitos, a la sustitución de la mano de obra por maquinaria, ya que repercute negativamente en la financiación del sistema público de la Seguridad Social. En este contexto, se han planteado diferentes alternativas, tales como: el pago de una tasa o el establecimiento de una renta mínima universal. Ambas opciones parecen no ser del todo honestas puesto que es necesario perfilar ciertos matices.

En relación al pago de una tasa, podemos caer en el supuesto de que el pago de la misma resulte ser suficientemente inferior en relación al mantenimiento de la persona trabajadora asegurada en su puesto de

---

63. En este sentido se pronuncia en su obra Castells M., "Transformación del trabajo y del empleo y Estado de Bienestar en la sociedad de la información", *Gaceta sindical: reflexión y debate*, núm. 2, 2002.

64. En este sentido, se recomienda la lectura de la Sentencia del Tribunal Supremo de 25 de septiembre de 2020 (rec. 4746/2019).

trabajo, lo que fomentaría el reemplazo del factor humano por el elemento tecnológico. Por consiguiente, sería importante establecer un cierto equilibrio entre ambos casos para que no exista un abuso en la sustitución de la mano de obra.

Por otro lado, en relación a la renta mínima universal, el escenario que se pudiera plantear es bastante similar al anteriormente citado. En este supuesto, el hecho de establecer el pago sistemático de una renta por aquella parte de la población que ha perdido su empleo a causa de la robótica puede ocasionar, en un primer término, que las empresas prefieran el reemplazo de la mano de obra, puesto que se vendrían reduciendo gastos y riesgos; y, por otro lado, las personas trabajadoras podrían tener la intención de no mantener su puesto de trabajo al recibir un tipo de "contraprestación" sin ningún esfuerzo.

En cualquier caso, lo que se pretende vislumbrar es que debemos entender que nos encontramos ante un estado social de derecho que debiera aportar soluciones óptimas relacionadas con los diferentes problemas de financiación de los sistemas de Seguridad Social para asegurar su sostenibilidad del sistema de pensiones (los cuales, hasta el momento, no se están planteando). Para ello, es necesario reforzar la normativa, haciendo frente a los efectos de desprotección social resultante de los trabajos desarrollados mediante la robótica y la inteligencia artificial. Es necesario que estos debates en relación a la contribución del pago de pensiones resulten ser un impulso para continuar avanzando en el ámbito social.

4. Normativa hacia la persona trabajadora en términos de justicia. La última de las conclusiones, ya manifestada a lo largo de todo el trabajo, versa sobre la regulación de la materia. En este sentido, se aboga por regular el ámbito de las pensiones para garantizar su sostenibilidad, puesto que la introducción de las tecnologías está afectando negativamente a su financiación.

De esta manera, la normativa debiera tener en cuenta, a título de propuesta, los siguientes factores:

- Tratar de regular igualmente los trabajos informales incluyéndolos en su caso en el sistema de cotización para así mantener un sistema de pensiones sostenible.

- Mostrar una especial referencia a los trabajos "no declarados", tratando de combatir estas formas de trabajo que defraudan el sistema.

- Regular el ámbito de las tecnologías de la información y de la comunicación de una manera más concisa, mostrando una mayor atención a la robotización, a la inteligencia artificial y al uso de los algoritmos digitales en el trabajo puesto que todos estos conceptos cada vez están siendo más utilizado en el entorno de trabajo y se está creando una gran inseguridad jurídica en relación a la protección que merecen las personas trabajadoras.

– A ello se suma la tendencia de legislar la sostenibilidad de las pensiones ante estos factores tecnológicos teniendo siempre muy presente el factor humano. Por ello, se aboga por una normativa que no equipare la maquinaria a la mano de obra, esto es, reconociendo un estatuto jurídico equiparable al del resto de la ciudadanía, ya que ello implicaría la pérdida del trato humano, de la humanización y la desnaturalización del propio trabajo. De este modo, se propone una regulación transparente, que evite la precariedad, la opacidad y la instrumentalización tecnológica, caracterizada en separar a la persona que trabaja del esfuerzo laboral que presta.

Por consiguiente, desde las instancias internacionales y nacionales se debe seguir avanzando en estas propuestas para hacer frente a los efectos de desprotección social resultante de los trabajos desarrollados mediante la robótica y la inteligencia artificial, estableciéndose un marco normativo sólido que dote al sistema de una seguridad jurídica orientada, principalmente, a priorizar a la persona del trabajador en las relaciones de trabajo.

VI. BIBLIOGRAFÍA

Benítez Eyzaguirre L., "Ética y transparencia para la detección de sesgos algorítmicos de género", *Estudios sobre el Mensaje Periodístico*, 2019, p. 1308.

Blanco R., Fontrodona J., Poveda, C., "La industria 4.0: el estado de la cuestión", *Ministerio de Industria, Comercio y Turismo*, 2017.

Castells M., "Transformación del trabajo y del empleo y Estado de Bienestar en la sociedad de la información", *Gaceta sindical: reflexión y debate*, núm. 2, 2002.

Cedrola Spremolla, G., "Competencias, Organización del Trabajo y Formación Profesional en el Trabajo del Futuro: Algunas reflexiones para posibilitar cambios imprescindibles", *Revista Internacional y Comparada de Relaciones Laborales y Derecho del Empleo*, Vol. 7, núm. 1, 2019, p. 30.

Cruz Villalón J., "Las transformaciones de las relaciones laborales ante la digitalización de la economía", *Temas Laborales*, núm. 138/2017, pp. 15-16.

Gómez Salado, M. A., "Robótica, empleo y seguridad social. La cotización de los robots para salvar el actual estado del bienestar", *Revista Internacional y Comparada de Relaciones Laborales y Derecho del Empleo*, Vol. 6, núm. 3, 2018, p. 154.

– *La cuarta revolución industrial y su impacto sobre la productividad, el empleo y las relaciones jurídico-laborales: desafíos tecnológicos del siglo XXI*, Aranzadi, 2021.

Goñi Sein J. L., *Defendiendo los derechos fundamentales frente a la inteligencia artificial*, Universidad Pública de Navarra, Pamplona, 2019, p. 7.

Ispizua Dorna, E., "Industria 4.0: ¿Cómo afecta la digitalización al sistema de protección social?", *Lan Harremanak*, núm. 40, 2018, p. 3.

Jimeno J. F., "Las consecuencias de los cambios tecnológicos sobre la reforma de las pensiones", *Documento de Trabajo 2020/17, FEDEA*, 2020, p. 3.

Manzano Santamaría, N., "Las tecnologías de la comunicación y la información (TIC's) y las nuevas formas de organización del trabajo: factores psicosociales de riesgos", en AA.VV.: García de la Torre, A. (Dir.), Fernández Avilés, J. A. (Coord.), Anuario Internacional sobre Prevención de Riesgos Psicosociales y Calidad de Vida en el Trabajo, 2016, p. 28.

Noguera J. A., "La renta básica universal: razones y estrategias", *Fundación Centro de Estudios Andaluces,* Junta de Andalucía, 2014.

Rocha Sánchez, F., "La digitalización y el empleo decente en España. Retos y propuestas de actuación", en AA.VV.: Conferencia Nacional Tripartita: El futuro del trabajo que queremos, Vol. II, 2017, p. 261.

Sánchez Rodas, C.; "Poderes Directivos y Nuevas Tecnologías", en AA.VV.: *Monográfico sobre el Impacto de las Tecnologías de la Información y las Comunicaciones sobre las Relaciones Laborales*, núm. 138/2017, pp. 163-184.

Sánchez-Archidona Hidalgo, G., "La tributación de la robótica y la inteligencia artificial como límites del Derecho financiero y tributario", *Revista Quincena Fiscal*, núm. 12, 2019, pp. 69-95.

Sánchez-Urán Azaña, M. Y., Grau Ruiz, M. A., "El impacto de la robótica, en especial la robótica inclusiva en el trabajo: aspectos jurídico-laborales y fiscales", *Estudio realizado en el Marco de los Proyectos CertificaRSE, DER 2015-65374-R (MINECO-FEDER); e INBOTS CSA, Inclusive Robotics for a better Society, Programa H2020-ICT-2017-1; Núm. Proyecto 780073, Coordinador general CSIC*, 2018, p.

Sánchez-Urán Azaña, M.ª Y., "Economía de plataformas digitales y servicios compuestos. El impacto en el Derecho, en especial, en el Derecho del Trabajo. Estudio a partir de la STJUE de 20 de diciembre de 2017, C-434/15, Asunto Asociación Profesional Élite Taxi y Uber Systems Spain S.L", La Ley Unión Europea, núm. 57, 2018, p. 2.

Serrano Argüeso, M., "Digitalización, tiempo de trabajo y salud laboral", *IUSLabor 2/2019*, p. 11.

Sierra Benítez, E. M., "El trabajo digital y la robótica en la Unión Europea", *Ponencia presentada en el I International Congress Labour 2030: Rethinking the future of work*, p. 15.

– "La protección social de los trabajadores ante el desafío del nuevo trabajo a distancia, del trabajo digital y la robótica", *Revista de Derecho de la Seguridad Social*, núm. 11, 2017, p. 135.

– "Trabajo decente, digitalización y robótica en la Unión Europea", *Revista Internacional y Comparada de Relaciones Laborales y Derecho del Empleo*, vol. 7, núm. 4, 2019, p. 341.

Tirado Robles C., "¿Qué es un robot? Análisis jurídico comparado de las propuestas japonesas y europeas", *Mirai, Estudios Japoneses*, núm. 4, 2020,

Trillo Párraga, F., "Economía digitalizada y relaciones de trabajo", *Revista de derecho social*, núm. 76, p. 60.

C. MAYORES, PROTECCIÓN Y EMPLEO

Capítulo 6

El impacto de la COVID-19 en la protección social de las personas mayores

Juan Antonio Maldonado Molina

Profesor Titular (Acreditado como Catedrático) de Derecho del Trabajo y de
la Seguridad Social
Universidad de Granada

I. EL BRUTAL IMPACTO DE LA COVID-19 EN LA POBLACIÓN MAYOR

1. LOS DATOS

Uno de los aspectos más alarmantes de pandemia provocada por el SARS-CoV-2 ha sido su altísimo impacto entre las personas mayores, en especial las institucionalizadas en residencias, por el número de contagiados pero sobre todo por la letalidad que en ellos tuvo.

Como es sabido, los datos de mortalidad en residencias han generado cierta controversia (más de la que ya de por sí hubo con el número de afectados en general), dado que –sobre todo en los primeros meses– no siempre se realizaba una prueba de diagnóstico que reflejara si la causa del fallecimiento era el virus; y además en ocasiones el fallecido expiraba en un centro sanitario sin contabilizarlo como mayor residente.

Esta divergencia de datos no ha sido exclusiva de España (ni el que los centros residenciales hayan sido altamente vulnerables a los efectos de la infección por COVID-19)[1], sino que internacionalmente han existido criterios muy diferentes para contabilizar la mortalidad en residencias: hay países que solo los registraron si ése era el lugar de la muerte, mientras que otros también informaron de las muertes hospitalarias de residentes; igualmente, hay países que solo contabilizaron muertes de personas que dieron positivo (antes o después de su muerte)[2] mientras que otros (como España) en unos datos oficiales de Sanidad reflejaban las muertes de personas sospechosas de tener COVID-19, pero otro Ministerio (Derechos Sociales) optó en noviembre de 2020 por no contabilizarlos, como ahora veremos. Y todo ello al margen del dato de exceso de mortalidad, que en muchos casos son "víctimas colaterales": personas que fallecen por la parálisis sanitaria que se produjo, o temor a acudir a centros sanitarios por miedo a posibles contagios, personas que no encajan para nada en con los casos "compatibles" con muerte con COVID-19[3].

Partiendo de estas limitaciones, es obligado comenzar recordando los datos de personas institucionalizadas fallecidas a consecuencia del COVID-19. Para ello, tomaremos los datos oficiales del Ministerio de Sanidad a 21 de marzo de 2021[4] (un año después de la declaración del estado de alarma), poniendo en relación las cifras absolutas con las relativas a las personas usuarias de residencias. Así, el número de personas contagiadas fue –a esa fecha– 3.232.440, de los que murieron 74.326, lo que supone una tasa de letalidad del 2,3 por ciento. De los 74.326 fallecidos, el número total de *exitus* de residentes con COVID-19 (compatible o confirmado), fue de 30.123 (con una tasa de letalidad del 20,8 por ciento)[5].

Vistas así las cifras, se evidencia la terrible tragedia que ha supuesto la pandemia en las residencias: el 40,5 por ciento de los fallecidos estaban

1. OMS, "Impact of COVID-19 on long-term care: what the evidence tells us", *Preventing and managing COVID-19 across long-term care services*, Policy Brief, 24 July 2020, pp. 2-3. Disponible en https://www.who.int/publications/i/item/WHO-2019-nCoV-Policy_Brief-Long-term_Care-2020.1.
2. Gallego Berciano, P., "Impacto de COVID-19 en los centros sociosanitarios", *Revista Española de Salud Pública*, 13 de mayo de 2020, p. 2. Disponible en https://www.mscbs.gob.es/biblioPublic/publicaciones/recursos_propios/resp/revista_cdrom/Suplementos/Perspectivas/perspectivas2_gallego.pdf.
3. https://www.mscbs.gob.es/profesionales/saludPublica/ccayes/alertasActual/nCov/documentos/Actualizacion_340_COVID-19.pdf.
4. https://www.mscbs.gob.es/profesionales/saludPublica/ccayes/alertasActual/nCov/documentos/Actualizacion_340_COVID-19.pdf.
5. https://www.imserso.es/InterPresent1/groups/imserso/documents/binario/inf_resid_20210321.pdf.

institucionalizados. Ahora bien, si ponemos el foco en la primera ola (datos hasta el 22 de junio de 2020)[6], los porcentajes que se reflejan son espeluznantes: 20.301 fallecidos (confirmados o compatibles) en residencias del total de 29.672 decesos[7], es decir, el 68,4 por ciento pertenecían a este grupo. Este porcentaje fue notablemente superior al que sufrieron los países de nuestro entorno, en los que se rondó el 50 por ciento[8].

El que siete de cada diez fallecidos de la primera ola fueran personas institucionalizadas no es una cifra que se admita desde el Ministerio de Derechos Sociales y Agenda 2030. En el Informe del Grupo de Trabajo COVID-19 y Residencias[9], se argumenta que para tener una imagen comparable con lo sucedido en otros países:

a) no deben contabilizarse los no confirmados, dado que "obviamente no pueden constar en esa estadística, atendiendo a los estándares internacionales de notificación, por no haberse confirmado la infección mediante pruebas diagnósticas"[10]. En el siguiente gráfico, el IMSERSO recoge tanto los fallecimientos "confirmados" por COVID-19 como los "compatibles". Estos últimos son los que el Ministerio de Derechos Sociales estima que no hay que contabilizar:

---

6. Tomamos esa fecha en tanto que la finalización del primer estado de alarma fue el 21 de junio (RD 555/2020, de 5 de junio, por el que se prorroga el estado de alarma declarado por el RD 463/2020, de 14 de marzo, por el que se declara el estado de alarma para la gestión de la situación de crisis sanitaria ocasionada por el COVID-19).

7. https://www.mscbs.gob.es/profesionales/saludPublica/ccayes/alertasActual/nCov/documentos/Actualizacion_144_COVID-19.pdf.

8. Así –aunque con reservas porque los datos son de mayo de 2020– en Alemania la tasa de fallecidos en este colectivo sería del 35 por ciento, Portugal el 40 por ciento, Francia el 50 por ciento, Bélgica el 55 por ciento, Irlanda el 59.7 por ciento y Noruega el 60 por ciento (Gallego Berciano, P., *op. cit.*). En otro artículo científico (Comas-Herrera A, Zalakaín J, Litwin C, Hsu AT, Lemmon E, Henderson D y Fernández J-L. "Mortality associated with COVID-19 outbreaks in care homes: early international evidence", *LTCcovid.org*, International Long-Term Care Policy Network, CPEC-LSE, 14 octubre 2020), que es el que asume –con cautela– el Informe del Grupo de Trabajo Covid 19 y Residencias de noviembre de 2020, se apuntan los siguientes datos (de menos a más): Dinamarca (35%), Austria (36%), Israel (39%), Alemania (39%), Reino unido (45%), Francia (46%), Suecia (46%), Escocia (47%), Irlanda del Norte (49%), Bélgica (61%), España (63%), Australia (75%), Canadá (80%) y Eslovenia (81%).

9. https://www.imserso.es/InterPresent1/groups/imserso/documents/binario/inf_resid_20210321.pdf.

10. Previamente indica, literalmente: "En algunos medios de comunicación, e incluso en algunos ámbitos especializados, se han relacionado, entendemos que erróneamente, esos 20.000 fallecidos en residencias con los más de 29.000 *fallecidos confirmados* por la Red Nacional de Vigilancia Epidemiológica para ese periodo. Esto ha llevado a afirmar que casi el 70% de las personas fallecidas en España estaban en residencias. Sin quitar un ápice de gravedad a lo sucedido, creemos que esto no ha sido así".

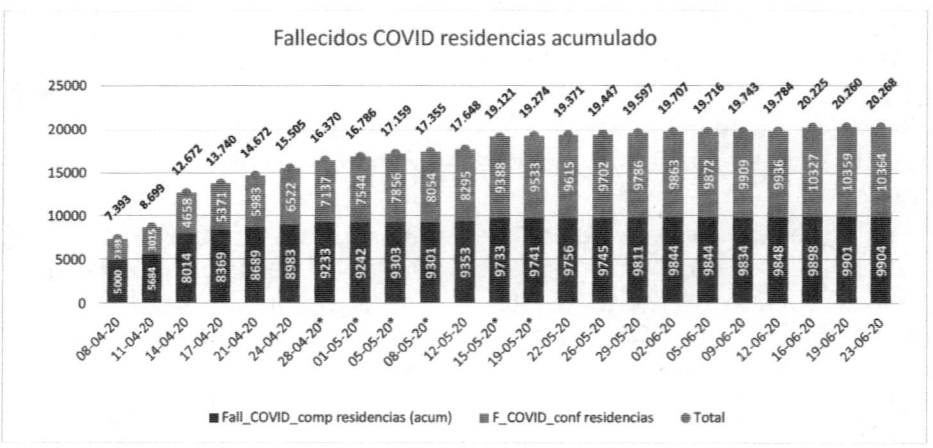

Fuente: IMSERSO. Gráfica recogida en el Informe del Grupo de Trabajo COVID-19 y Residencias, noviembre 2020, p. 12.

b) Y si se optara por contabilizarlos, para que la estadística fuera fiel con el global de fallecidos, también habría que sumar dentro de los no institucionalizados aquellas personas que fallecieran con síntomas compatibles. Pero como tales datos no existen, lo que habría que hacer es sumar en ambos colectivos el exceso de mortalidad. Literalmente, indica:

> "La suma de fallecidos confirmados COVID-19 en la RENAVE (29.000) y de fallecidos con síntomas compatibles (sin confirmación) de residencia ascendería a 39.000 personas. El resto de fallecimientos hasta una hipótesis de 43.600 (deducida de exceso de fallecimientos MoMo) bien podría deberse a fallecimientos por COVID-19 no confirmados y producidos en ámbitos domiciliarios y otros en los que la ausencia de diagnóstico de confirmación fue mucho menor que en las residencias, sumados a fallecimientos no-COVID"[11].

Con esos matices, el Informe del Grupo de Trabajo COVID-19 y Residencias concluye que "Se podría por lo tanto estimar como plausible un rango entre el 47% y el 50% de afectación en residencias respecto al total de fallecimientos por la enfermedad COVID-19 en la primera oleada".

Consideramos que –ciertamente– en la cifra de fallecidos globales no se contabilizaron los casos "compatibles", haciendo ese recuento solo para las

---

11. *Informe del Grupo de Trabajo Covid 19 y Residencias*, noviembre 2020, p. 13. https://www.imserso.es/InterPresent1/groups/imserso/documents/binario/inf_resid_20210321.pdf.

personas institucionalizadas, lo cual es una limitación en la investigación, que puede adulterar el resultado final. Pero no entendemos que sea coherente subsanar esa divergencia contando como fallecidos por COVID-19 a todo lo que sería exceso de mortalidad, en tanto que oficialmente ese exceso de mortalidad no se incluye en las cifras que suministra el Ministerio de Sanidad como fallecidos por esta pandemia. Y en las cifras que aporta Sanidad sí se recogen los "compatibles" como víctimas del patógeno SARS-CoV-2, cosa que no ocurre con el exceso de mortalidad. Por tanto, atendiendo a los datos oficiales, el porcentaje de fallecidos en residencias en la primera ola sí fue cercano al 70 por ciento del total de muertes.

Por ello, a continuación procedemos a revisar cuáles son las causas de esa altísima letalidad, para discriminar las que han sido comunes por el perfil de los afectados, y las causas que pueden considerarse "responsables" de que la cifra sea superior en España.

2.   LAS CAUSAS

Como hemos indicado, en todos los países el grupo poblacional con más elevada tasa de mortalidad ha sido el de los mayores. Las causas de esta mayor afectación son:

2.1.   La edad

Este grupo se caracteriza por sus frecuentes pluripatologías, comorbilidad y presentar más fragilidad que otros grupos etarios lo que complica la enfermedad en estas personas y dificulta el tratamiento exitoso. En este sentido, la mortalidad ha sido alta no solo en los mayores institucionalizados, sino en la población adulta mayor en general. Así, de las 74.421 personas fallecidas por COVID-19 a 26 de marzo de 2021, 63.553 tenían más de 70 años (el 85,4 por ciento de los finados), con una especial incidencia en los mayores de 80 años (47.611, el 64 por ciento de los fallecidos)[12]. Por tanto, la mortalidad ha sido alta en esa franja de edad, afectando también a los que permanecían en sus domicilios, aunque en la primera ola fue especialmente grave para los institucionalizados. A 29 de mayo de 2020, el porcentaje de mayores de 70 años fallecidos era ya el predominante (el 86,4 por ciento de los fallecidos)[13], pero más del 70 por ciento estaban institucionalizados. Por el contrario, en la segunda ola se redujo (debido a la introducción de sistemas organizativos eficientes y la

---

12.   https://rubenfcasal.github.io/COVID-19/COVID-19-tablas.html.
13.   https://github.com/datadista/datasets/blob/master/COVID%2019/PDFs%20 originales%20de%20resumen%20de%20situacio%CC%81n/Actualizacion_120_CO-VID-19.pdf.

dotación de medios preventivos); y de forma sobresaliente disminuyó en la tercera ola, ya que fue el primer colectivo en ser inmunizado con el plan de vacunación, mientras que los mayores no institucionalizados del mismo grupo etario tardaron más en quedar inmunizados. En la cuarta ola pasó a ser el colectivo menos afectado.

En el siguiente gráfico se observa cómo desde febrero de 2021 ha descendido el porcentaje de mayores de 80 años entre los fallecidos, lo cual se debe claramente al proceso de vacunación realizado en las residencias:

Evolución de las muertes de **mayores de 80**, **entre 70 y 79**, **60 y 69** y **menores de 59**
Porcentaje de fallecidos diarios sobre el total. Se filtran los días con menos de 30 fallecidos.

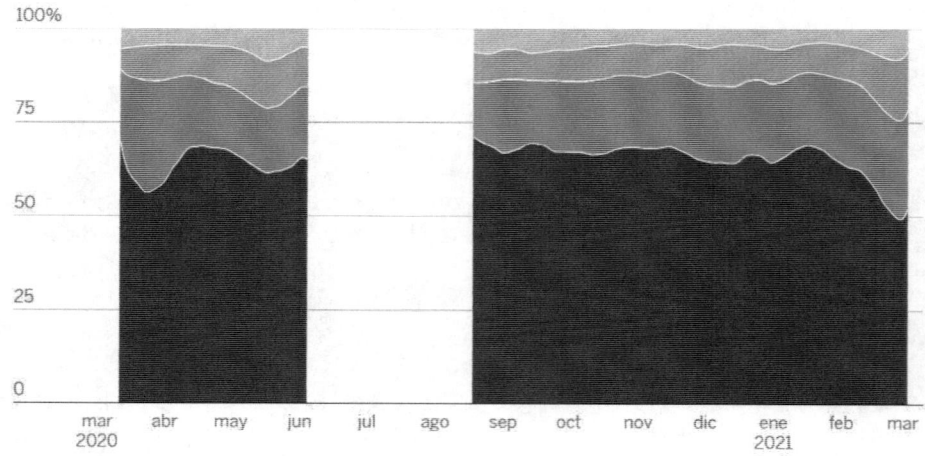

Fuente: El País, "Los datos de una pandemia en tres olas", 11 de marzo de 2021, https://elpais.com/sociedad/2021-03-10/los-datos-de-una-pandemia-en-tres-olas.html.

Por tanto, no solo se vieron afectados con mayor virulencia los mayores institucionalizados, sino el conjunto de ese grupo de edad, como queda patente por el hecho de que no se mantiene la constante la variable "institucionalizado" frente a la de "edad", y no solo desde que comienza la vacunación, sino ya en la segunda ola, y ello porque en ese momento sí se dio prioridad a la coordinación sanitaria y se dotó de medios a los centros. Esta prevalencia de la variable "edad" frente a "institucionalizado" queda clara si comparamos los datos del Ministerio de Sanidad (cifras absolutas y por edad) y los publicados por el IMSERSO (residentes)[14]:

---

14. Hasta enero de 2021, los datos se recogieron por el IMSERSO en dos períodos (el

Períodos (oleadas)	Núm. total fallecidos	Núm. institucionalizados fallecidos
Del 14/03/20 al 22/06/20	29.672	20.301 (68,4 %)
Del 23/06/20 al 03/01/21	24.616	6.044 (24,5 %)
Del 04/01/21 al 21/03/21	19.645	3.788 (19,3 %)

Fuente: Tabla de elaboración propia sobre datos del Ministerio de Sanidad y del IMSERSO

La misma conclusión obtenemos si estamos a los datos de casos notificados a la Red Nacional de Vigilancia Epidemiológica (RENAVE), del Ministerio de Ciencia e Innovación, donde se comprueba que aunque el porcentaje de contagiados no sea mayoritario entre los mayores de 60 años (al contrario, es algo inferior), sí lo es en el de hospitalizados y fallecidos, tanto en la primera ola como las siguientes. Así, si sumamos los datos recogidos por la RENAVE hasta el 10 de mayo 2020 (fecha en la que la RENAVE cambió su metodología) y con posterioridad de esa fecha, los datos serían:

Grupo de edad	Población* N (%)	Casos totales N (%)	Hospitalizados	Defunciones N (%)
Menores de 60 años	35.319.740 (74,43 %)	2.488.765 (76,29 %)	103.482 (33,48 %)	3.111 (4,86 %)
60 o más años	12.131.055 (25,57 %)	773.467 (23,71 %)	205.608 (66,52 %)	60.849 (95,14 %)
Total	47.450.795	3.262.232	309.090	63.960

*Población a 31-12-2020.

Fuente: Tabla de elaboración propia sobre datos del Instituto de Salud Carlos III (RENAVE).

Desagregados por esas dos etapas (antes y después del 10 de mayo de 2020, fecha en la que se modifica la metodología), resultan del siguiente modo:

---

primero del 14 de marzo de 2020 al 22 de junio de 2020; el segundo, del 23 de junio de 2020 al 3 de enero de 2021). Pero el Consejo Territorial de Servicios Sociales y del Sistema para la Autonomía y Atención a la Dependencia acordó el 2 de diciembre de 2020 que en 2021 –y mientras dure la pandemia– se elaboraría una estadística semanal pública de la situación de los centros residenciales.

Grupo de edad (años)	Casos totales N	Hospitalizados n (%)[1]	UCI n (%)[1]	Defunciones n (%)[1]
<2	348	171 (55,3)	26 (11,1)	2 (0,6)
2-4	168	44 (31,0)	4 (4,3)	0 (0,0)
5-14	717	144 (22,9)	22 (5,1)	0 (0,0)
15-29	13879	1579 (13,4)	94 (1,2)	27 (0,2)
30-39	21639	3689 (19,8)	246 (2,0)	55 (0,3)
40-49	33482	8412 (28,8)	690 (3,5)	194 (0,6)
50-59	40931	13662 (38,3)	1434 (5,7)	583 (1,4)
60-69	33174	16783 (57,1)	2345 (10,9)	1616 (4,9)
70-79	31603	20152 (71,5)	2097 (10,1)	4436 (14,0)
≥80	53956	23952 (51,6)	340 (1,1)	11418 (21,2)
Total	**231765**	**88707 (44,0)**	**7306 (5,3)**	**18352 (7,9)**

[1]Los porcentajes se calculan sobre los casos de COVID-19 de los que se dispone de información de cada variable. Datos actualizados a 11-05-2020.

Fuente: Instituto de Salud Carlos III[15].

Grupo de edad (años)	Casos totales N	Hospitalizados[1] N (%)	UCI[1] N (%)	Defunciones[1] N (%)
<2	36209	877 (2,4)	29 (0,1)	2 (0,0)
2-4	58961	357 (0,6)	12 (0,0)	1 (0,0)
5-14	291029	1205 (0,4)	81 (0,0)	6 (0,0)
15-29	597907	7315 (1,2)	352 (0,1)	59 (0,0)
30-39	426782	11498 (2,7)	743 (0,2)	123 (0,0)
40-49	516366	21751 (4,2)	1914 (0,4)	446 (0,1)
50-59	450347	32778 (7,3)	4112 (0,9)	1613 (0,4)
60-69	285591	38881 (13,6)	6346 (2,2)	4247 (1,5)
70-79	181559	42439 (23,4)	5592 (3,1)	9416 (5,2)
≥80	187584	63401 (33,8)	1132 (0,6)	29716 (15,8)
Total	**3042127**	**221118 (7,3)**	**20362 (0,7)**	**45797 (1,5)**

[1] n (%) calculado sobre el total de casos en cada grupo de edad

*Las defunciones notificadas a la RENAVE en estos grupos de edad disminuye en este informe respecto a informes previos, después de una verificación y actualización de los datos de vigilancia realizada el 17 de marzo de 2021.

Fuente: Instituto de Salud Carlos III[16].

2.2.   La dependencia

A la edad se añade que el nivel de dependencia funcional de las personas institucionalizadas multiplica el riesgo de exposición al virus, dado que ha habido una transmisión cruzada trabajadores-residentes en el origen de los brotes[17]. Hay factores de riesgo que han estado presentes en los mayores

15. *Informe núm. 30. Situación de COVID-19 en España a 11 de mayo de 2020* https://www.isciii.es/QueHacemos/Servicios/VigilanciaSaludPublicaRENAVE/EnfermedadesTransmisibles/Documents/INFORMES/Informes%20COVID-19/Informe%20n%c2%ba%2030.%20Situaci%c3%b3n%20de%20COVID-19%20en%20Espa%c3%-b1a%20a%2011%20de%20mayo%20de%202020.pdf.
16. *Informe núm. 72. Situación de COVID-19 en España a 30 de marzo de 2021* https://www.isciii.es/QueHacemos/Servicios/VigilanciaSaludPublicaRENAVE/Enfermedades-Transmisibles/Documents/INFORMES/Informes%20COVID-19/INFORMES%20COVID-19%202021/Informe%20COVID-19.%20N%C2%BA%2072_30%20de%20marzo%20de%202021.pdf.
17. Causa, R., Almagro Nievas, D., Bermúdez Tamayo, C., "COVID-19 y dependencia

institucionalizados frente al resto de mayores, y uno es su situación de dependencia. Es imposible concebir distanciamiento social entre cuidador y dependiente, contacto que además se produce en un entorno cerrado, y que es más fácil de contagiar dado que un cuidador no atiende a un solo dependiente, como sí puede suceder en otros ámbitos. Edad y Dependencia no son variables completamente alejadas, dado que si bien las situaciones de dependencia pueden darse en cualquier franja de edad, entre los dependientes son mayoría los octogenarios[18].

Si atendemos a los datos del SISAAD (Sistema de Información del Sistema para la Autonomía y Atención a la Dependencia), queda patente que si hay un colectivo en el que la letalidad ha sido demoledora es el de las personas en situación de dependencia. En este sentido, ya es elocuente el hecho de que a 31 de diciembre de 2020, el número absoluto de beneficiarios con prestación hubiera aumentado solo un 0,8 por ciento, mientras que en el año precedente se incrementó un 5,8 por ciento (2019)[19]. Pero no es necesario quedarnos con esos datos, ya que en septiembre de 2020 el IMSERSO publicó un Informe sobre el Impacto del COVID-19 en el SAAD (Sistema para la Autonomía y Atención a la Dependencia), en el que se refleja que[20]:

– Entre marzo y julio de 2020 se observa un exceso de mortalidad de 35.120 personas en el SAAD (incremento del 43,4% de la esperada) afectando al 1,85% del total de solicitantes del SAAD.

– Por rangos de edad, el 82,5% de las personas fallecidas en exceso tenía 80 o más años (28.974 personas).

– Se observa un impacto muy elevado en la mortalidad excesiva en personas con atención en residencia, con un exceso de fallecimientos de 18.911 personas (7,59% del total de personas dependientes atendidas en residencia), mientras que los dependientes que recibían la prestación de cuidados en el entorno familiar tuvieron un exceso de mortalidad (respecto de la prevista) de 3.222 personas (0,75%

---

funcional: análisis de un brote en un centro sociosanitario de personas mayores", *Revista Española de Salud Pública*, núm. 95, 2021, 26 de marzo de 2021. Disponible en https://www.mscbs.gob.es/biblioPublic/publicaciones/recursos_propios/resp/revista_cdrom/VOL95/ORIGINALES/RS95C_202103045.pdf.

18. El 30 de abril de 2021, el 53,56% de los dependientes tenía más de 80 años (https://www.imserso.es/InterPresent2/groups/imserso/documents/binario/estsisaad20210430.pdf).

19. En términos netos, de durante 2020 solo aumentó en 9.047 personas el número de beneficiarios, mientras que en 2019 fueron 60.908 personas. Consultado en https://www.imserso.es/InterPresent1/groups/imserso/documents/binario/estsisaad_compl20210228.pdf.

20. https://www.imserso.es/InterPresent1/groups/imserso/documents/binario/inf_momo_dep_20200831.pdf.

sobre el total de atendidos con estos cuidados), y los que eran usuarios de Servicios de proximidad (ayuda a domicilio, centro de día...) presentaron un exceso de mortalidad de 6.492 personas (un 1,47% sobre el total).

2.3. La organización de los centros y la densidad convivencial

Las pautas preventivas frente al COVID-19 pasaban por implementar diferentes medidas, algunas de tipo organizativo, medidas que chocaban con la tradicional organización interna de los centros sociosanitarios, que tuvo un claro impacto en la propagación del virus. Habitaciones compartidas, personal que atiende a todos los usuarios, zonas de uso común y masivo en espacios cerrados, hicieron que en caso de que entrar el virus en una residencia, su propagación se extendiera rápidamente entre el conjunto de trabajadores y residentes.

Una residencia admite distintos modelos organizativos. Sin entrar ahora a desarrollar los modelos alternativos existentes, queremos subrayar que desde hace años se trata de promover el llamado "modelo de atención centrado en la persona", que sitúa en el eje de la organización las necesidades singulares del usuario, y que en la práctica se concretaba –entre otras cuestiones– en la compartimentación de los centros residenciales, creando unidades de convivencia de menor tamaño. Por eso, ya en marzo de 2020 un grupo de personas defensoras de ese modelo en España (lideradas por la Fundación Matia y la Fundación Pilares) redactaron una Declaración (al que nos adherimos más de mil especialistas en este campo), publicado el 1 de abril de 2020[21], en el que se abogada por la necesidad de que "las alternativas de alojamiento que dispensen cuidados e intervenciones profesionales se orienten desde una atención centrada en las personas y no desde objetivos de mera custodia".

Esos modelos de compartimentación no buscaban atajar contagios. Ese escenario no se imaginaba. Pero realmente ha sido el que ha servido de inspiración al Ministerio de Sanidad para reorganizar los centros ante la expansión de la COVID-19. Así, la Orden Ministerial SND/265/2020, de 19 de marzo, de adopción de medidas relativas a las residencias de personas mayores y centros sociosanitarios, estableció la división de los usuarios según su situación sanitaria, procurando el aislamiento vertical

---

21. Se publicó en varios sitios web bajo el título "Ante la crisis de COVID-19: una oportunidad de un mundo mejor. Declaración en favor de un necesario cambio en el modelo de cuidados de larga duración de nuestro país". Consultar en https://www.fundacionpilares.org/wp-content/uploads/2020/08/Declaracio%CC%81n-en-favor-de-un-cambio-de-modelo-en-el-a%CC%81mbito-de-los-cuidados-de-larga-duracio%CC%81n.pdf.

o por plantas, como criterio de agrupación preferible para cada uno de los grupos de residentes, utilizando la sectorización de incendios ya definida como área de ubicación de cada uno de los grupos señalados, salvo que esto no sea posible por el tamaño de la residencia.

Y respecto de los trabajadores de estos centros, se exigía que fueran asignados a cada uno de los grupos de residentes, garantizando que sean los mismos los que interactúen en los cuidados de cada uno de estos grupos, y sin que se produjeran rotaciones de personal asignado a diferentes zonas de aislamiento. En el mismo sentido, se aprobó la Orden SND/275/2020, de 23 de marzo, por la que se establecen medidas complementarias de carácter organizativo (modificada por Orden SND/322/2020, de 3 de abril).

Pues bien, estas reglas excepcionales y de emergencia, hubieran sido innecesarias si previamente el modelo organizativo de las residencias ya estuviera adaptado al modelo de atención centrada en la persona. A nivel organizativo, los centros de atención para las personas mayores establecen unas ratios de personal que han demostrado ser insuficientes para atender a las personas que allí residen, y el no asignar un cuadro de profesionales estable a los usuarios, sino con un sistema de gestión de recursos humanos altamente rotatorio, ha facilitado la propagación del virus.

II.   LA ATENCIÓN SANITARIA

1.   CENTROS SOCIOSANITARIOS *VS.* CENTROS SANITARIOS: UNA DIFERENCIACIÓN SUSTANCIAL

No debemos confundir conceptos. El que una persona dependiente necesite una atención integral, integrada, continua y simultánea en los ámbitos social y sanitario en su lugar de residencia, no debe llevar a considerar como "sanitario" ese lugar de residencia (sea su domicilio o una institución). Los centros residenciales son centros de naturaleza sociosanitaria, pero su cometido natural (lo indica su denominación) es el residencial: son el hogar de los usuarios, que en atención a su mayor fragilidad debe estar dotado de una atención sanitaria básica para la atención de las patologías crónicas que sufren.

El hecho de que la atención sociosanitaria se preste por parte del SNS, no debe llevarnos a pensar que los centros sociosanitarios forman parte de tal Sistema. Son centros no sanitarios que incorporan servicios que realizan actividades sanitarias. Esa es la indicación que se recoge en el punto C.3 del Anexo II del RD 1277/2003, de 10 de octubre, por el que se establecen las bases generales sobre autorización de centros, servicios y establecimientos sanitarios. No forman parte del Sistema Nacional de Salud. El que dentro de un centro no sanitario –como es una residencia– exista un servicio sanitario, no le otorga naturaleza de centro sanitario, al igual que ocurre con otras entidades como pueden ser balnearios, prisiones, empresa, hoteles, centros comerciales, en los que se incluye un Servicio sanitario[22].

El modelo de atención sociosanitaria tiene unos destinatarios con un perfil en el que es posible combinar la atención a las situaciones de dependencia con sus problemas de salud estructurales. No está concebido para atender problemas de salud que no puedan ser atendido en los espacios residenciales donde viven (por requerir servicios sanitarios especializados), al igual que tampoco está orientado a las "personas con enfermedades que pueden ser crónicas y además pluripatológicas que, precisando un amplio nivel de servicios sanitarios especializados, no quedan incluidas en el espacio sociosanitario por carecer de necesidades sociales continuadas"[23]. Solo debe prestarse a las personas que tienen un perfil sociosanitario, que son aquéllas que cumplen tres notas: necesidad simultánea de atención en las áreas social y sanitaria; necesidad de atención significativa, cuantitativa o cualitativamente en ambos campos, tanto en la intensidad de la intervención como en la duración en el tiempo; y para quienes las intervenciones desde ambos sectores son sinérgicas en su efecto[24].

Como es fácil de colegir, y centrándonos en el objeto de nuestro estudio, estos servicios sanitarios no son los necesarios para hacer frente al virus SARS-CoV-2. Por ello, la coordinación sociosanitaria era más imprescindible que nunca, concretada en que los Sistemas de Salud prestaran la atención sanitaria adecuada a las personas que enfermaran en centros de mayores o dependientes, pero en el sentido de que se atendieran las necesidades de salud extraordinarias que se estaban viviendo y que sobrepasaban las previstas para un centro sociosanitario. Sin embargo, el colapso de los sistemas sanitarios (y en otros casos el temor a que se produjera ese colapso, sin que llegara a suceder), determinó que en alguna Comunidad (Madrid)[25]

---

22. Tales servicios deben inscribirse en el Registro general de centros, servicios y establecimientos sanitarios del Ministerio de Sanidad (art. 5 RD 1277/2003). Dicho Registro puede consultarse en la web http://regcess.mscbs.es/regcessWeb/inicioBuscarCentrosAction.do. La consulta debe realizarse acotando la búsqueda al Código C.3. En el caso de las Residencias, los Servicios Sanitarios que suelen incluir su oferta asistencial son: U1 Medicina general/de familia; U2 Enfermería; U4 Podología; U59 Fisioterapia; U60 Terapia ocupacional; U84 Depósito de medicamentos; U900 Otras unidades asistenciales.

23. Fundación Economía y Salud, *Lo sociosanitario: de los casos reales al modelo*, 2018, p. 42. Disponible en http://www.fundacioneconomiaysalud.org/wp-content/uploads/Lo-sociosanitario_De-los-casos-reales-al-modelo.pdf.

24. Fundación Economía y Salud, *Lo sociosanitario: de los casos reales al modelo*, cit. p. 41.

25. Dirección General de Coordinación Socio-Sanitaria, *Protocolo de coordinación para la atención a pacientes institucionalizados en residencias de personas mayores de la Comunidad de Madrid durante el periodo epidémico ocasionado por el COVID-19*, 25 de marzo de 2020, disponible –entre otros sitios web- en https://amyts.es/wp-con-

se implementara un protocolo de admisión de pacientes en los que el triaje implicada no atender a los que estuvieran institucionalizados que no dieran un perfil[26], que en algunos casos se ha impedido directamente que se deriven a centros sanitarios, lo que algunas instancias[27] han denunciado que ha costado la vida a muchas personas (aunque otros lo han negado: Sociedad Española de Geriatría y Gerontología[28]). Uno de los objetivos de dicho Protocolo era, explícitamente, "Contribuir a la sostenibilidad del Sistema de Salud evitando las graves consecuencias que el colapso del mismo tendría tanto para la población afectada por el COVID-19 como para los pacientes no afectados por el virus y cuya salud debiera sufrir las menores consecuencias posibles de la actual crisis". En Cataluña no se implementó un Protocolo prohibiendo las derivaciones. Sí se aprobó un Protocolo del Servicio de Emergencias Médicas en el que se recomendaba no ingresar en la UCI a determinados pacientes de más de 80 años con coronavirus, y hacía referencia al criterio de futilidad[29].

---

tent/uploads/2020/01/COVID-CAM-coordinaci%C3%B3n-residencias-sinfe-cha-20200412.pdf.

26. En el punto 5 de dicho Protocolo, se recomienda "Valorar clínicamente la derivación al hospital a los pacientes que cumplan estos criterios: Pacientes en situación de final de vida subsidiarios de cuidados paliativos; Pacientes con criterios de terminalidad oncológica, de enfermedades de órgano avanzada; Pacientes con criterios de terminalidad neurodegenerativa (GDS de 7); Criterio de Fragilidad igual o mayor de 7.

27. Así, Médicos Sin Fronteras, *Poco, tarde y mal El inaceptable desamparo de los mayores en las residencias durante la COVID-19 en España*, agosto de 2020, disponible en https://msfCOVID-19.org/wp-content/uploads/2020/08/aaff-msf-informe-CO-VID-19-residencias-baja-nota.pdf; (en concreto, apartado 50: Denegación de derivaciones a los servicios hospitalarios: ¿negligencia u omisión del deber de socorro?); Amnistía Internacional, *Abandonadas a su suerte: la desprotección y discriminación de las personas mayores en residencias durante la pandemia COVID-19 en España*, 3 de diciembre de 2020, disponible en https://www.es.amnesty.org/en-que-estamos/reportajes/residencias-en-tiempos-de-covid-personas-mayores-abandonadas-a-su-suerte/.

28. Ese fue el caso del Presidente de la Sociedad Española de Geriatría y Gerontología, que el día 7 de junio de 2020 hizo público un comunicado, con el título *Residencias de mayores: ya tenemos al culpable*, en el que literalmente indica: "Que no se ha negado el ingreso hospitalario a los ancianos de la Comunidad de Madrid también lo dicen los datos: 10.300 residentes han sido trasladados desde su residencia a hospitales desde el 1 de marzo hasta el día 5 de junio (una media de 106 cada día); el día 6 de abril se alcanzó un pico de 206 traslados de residencias a hospitales; de los 2.226 pacientes ingresados en La Paz entre el 25 de febrero y el pasado 19 de abril, el 32% (709 personas) provenían de una residencia de mayores...y así en el resto de hospitales". En su escrito subraya que "lo ocurrido en España no ha sido diferente a lo ocurrido en nuestro entorno" y que "no ha fallado el sistema de atención geriátrica instalado". Disponible en https://www.segg.es/media/descargas/Carta-geriatria-residencias-Madrid.pdf.

29. Recomanacions per suport a les decisions d'adequació de l'esforç terapèutic (AET) per pacients amb sospita d'infecció per COVID-19 i insuficiència respiratòria aguda (IRA) hipoxèmica. Grup de treball de Ventilació, Cap Àmbit Emergències, Direcció Mèdica i Direcció Infermera de SEM, 25 de març de 2020. https://

Esta falta de coordinación se detectó y trató de corregirse. Así, en la reunión entre la Secretaría de Estado de Derechos Sociales y las Comunidades Autónomas del 4 de agosto de 2020, dentro del documento "Marco común de aplicación a los centros residenciales del Plan de Respuesta Temprana en un escenario de control de la pandemia por COVID-19" (puntos 10 y 11).

Antes de la Declaración del estado de alarma, el Ministerio de Sanidad publicó unas Recomendaciones a residencias de mayores y centros sociosanitarios para el COVID-19 (5 de marzo de 2020), de tipo organizativo fundamentalmente, en el que indicaba que "todo centro sociosanitario que detecte que un residente pueda haber sido contacto de un caso de COVID-19 indicará a esta persona que permanezca en el centro o residencia y se lo comunicará a los servicios de salud pública que valoren dicha identificación según el 'Procedimiento de actuación frente a casos de infección por el nuevo Coronavirus (SARSCoV-2)'". Añadiendo: "Si una persona clasificada como contacto de un caso probable o confirmado cumple criterios de caso en investigación, se informará a las autoridades de salud pública y se realizará el seguimiento según lo establecido por las mismas. No es necesario su traslado al centro sanitario si su estado general es bueno"[30]. Es decir, si su estado general no era bueno, era inimaginable que se quedara en el centro residencial. En caso de tener contacto o incluso positivo asintomático, confinamiento individual. Las mismas pautas que actualmente se siguen con las residencias donde ya se han vacunado[31].

La Orden SND/265/2020, de 19 de marzo, de adopción de medidas relativas a las residencias de personas mayores y centros sociosanitarios, ante la situación de crisis sanitaria ocasionada por el COVID-19, estableció una primera batería de medidas, fundamentalmente de carácter organizativo, encaminadas a luchar contra el COVID-19 en estos centros. Pero su insuficiencia, hizo que pronto hubiera que ampliar las medidas, cuestión que se abordó con Orden SND/275/2020, de 23 de marzo, por la que se establecen medidas complementarias de carácter organizativo, así como de suministro de información en el ámbito de los centros de servicios sociales de carácter residencial en relación con la gestión de la crisis sanitaria ocasionada por el COVID-19.

---

d3cra5ec8gdi8w.cloudfront.net/uploads/documentos/2020/07/07/_protocolo-catalua_179628f4.pdf.

30. Disponible en https://www.mscbs.gob.es/profesionales/saludPublica/ccayes/alertasActual/nCov/documentos/Centros_sociosanitarios.pdf.

31. Adaptación de las medidas en residencias de mayores y otros centros de servicios sociales de carácter residencial en el marco de la vacunación. Ministerio de Sanidad, 15 de marzo de 2021. Disponible en https://www.mscbs.gob.es/profesionales/saludPublica/ccayes/alertasActual/nCov/documentos/Centros_sociosanitarios_actuacion_vacunados.pdf.

La Orden SND/322/2020, de 3 de abril[32] buscó dar prioridad en la realización de pruebas diagnósticas de los residentes y del personal que presta servicio en los mismos, así como la disponibilidad de equipos de protección individual para ambos colectivos, y se aclara en qué casos concretos un centro residencial podrá ser intervenido por la autoridad autonómica.

En estas normas ya no se habla de centros sociosanitarios, sino de centros de servicios sociales de carácter residencial. Igualmente, la normativa que se aprobó en durante los estados de alarma, para prevención, contención y coordinación para hacer frente a la crisis sanitaria ocasionada por el COVID-19, cuando habla de centros residenciales, no los califica como centros sociosanitarios. Esto ocurrió con el RDL 21/2020, de 9 de junio, y la Ley 2/2021, de 29 de marzo[33].

2. MEDIDAS PARA CORREGIR SU LIMITADA PRESENCIA DURANTE LA PRIMERA OLA

Tras el fracaso de la coordinación sociosanitaria durante la primera ola (en buena parte de las CC.AA.), el RDL 21/2020, de 9 de junio, y la Ley 2/2021, de 29 de marzo, de medidas urgentes de prevención, contención y coordinación para hacer frente a la crisis sanitaria ocasionada por el COVID-19, recogen en sus artículos 10, 23, 28 una serie de medidas a tomar bien por las Administraciones o por los centros de servicios sociales:

a) Obligaciones para las Administraciones:

– Vigilancia de la prevención por los centros. El número 1 del artículo 10 obliga a las Administraciones competentes a asegurar el cumplimiento por los titulares de centros de servicios sociales de carácter residencial y centros de día de las normas de desinfección, prevención y acondicionamiento de las instalaciones, que aquellas establezcan; y en particular, velar por que su normal actividad se desarrolle en condiciones que permitan en todo momento prevenir los riesgos de contagio.

---

32. Por la que se modifican la Orden SND/ 275/2020, de 23 de marzo y la Orden SND/295/2020, de 26 de marzo, y se establecen nuevas medidas para atender necesidades urgentes de carácter social o sanitario en el ámbito de la situación de la crisis sanitaria ocasionada por el COVID-19.

33. En ambas normas, en el artículo 10.2 indica que las autoridades competentes deberán garantizar la coordinación de los centros residenciales de personas con discapacidad, de personas mayores y de los centros de emergencia, acogida y pisos tutelados para víctimas de violencia de género y otras formas de violencia contra las mujeres, con los recursos sanitarios del sistema de salud de la comunidad autónoma en que se ubiquen.

– Coordinación sociosanitaria. El número 2 del artículo 10 exige a las autoridades competentes la coordinación de los centros residenciales con los recursos sanitarios del sistema de salud de la comunidad autónoma en que se ubiquen.

– Garantía de disponibilidad de profesionales sanitarios (artículo 28)[34].

b) Obligaciones para titulares de los centros

– Planes de contingencia por COVID-19. Han de disponer de planes de contingencia por COVID-19 orientados a la identificación precoz de posibles casos entre residentes y trabajadores y sus contactos, activando en su caso los procedimientos de coordinación con la estructura del servicio de salud que corresponda.

– Medias organizativas y EPI`s. Deben adoptarán las medidas organizativas, de prevención e higiene en relación con los trabajadores, usuarios y visitantes, adecuadas para prevenir los riesgos de contagio. Asimismo, garantizarán la puesta a disposición de materiales de protección adecuados al riesgo.

c) Obligaciones para Administraciones y centros

– Obligación de información. El artículo 23 establece la obligación de facilitar a la autoridad de salud pública competente todos los datos necesarios para el seguimiento y la vigilancia epidemiológica del COVID-19 que le sean requeridos por ésta, incluidos, en su caso, los datos necesarios para la identificación personal[35].

En el Informe del Grupo de Trabajo COVID-19 y Residencias[36], se recoge en su Anexo III las medidas de coordinación sociosanitaria implementadas por las Comunidades Autónomas (información transmitida por cada una), con objeto de asegurar la atención médica de las personas que conviven en ellas, mediante una coordinación adecuada entre los servicios sociales

---

34. En particular, garantizarán un número suficiente de profesionales involucrados en la prevención y control de la enfermedad, su diagnóstico temprano, la atención a los casos y la vigilancia epidemiológica.

35. Esta obligación recae sobre "el conjunto de las administraciones públicas, así como a cualquier centro, órgano o agencia dependiente de estas y a cualquier otra entidad pública o privada cuya actividad tenga implicaciones en la identificación, diagnóstico, seguimiento o manejo de los casos COVID-19". En particular, será de aplicación a todos los centros, servicios y establecimientos sanitarios y servicios sociales, tanto del sector público como del privado, así como a los profesionales sanitarios que trabajan en ellos. En ese sentido, la Orden SND/322/2020, de 3 de abril dio prioridad a la identificación e investigación epidemiológica de los casos por COVID-19 relacionados con residentes, trabajadores o visitantes de estos centros, disponiendo nuevas obligaciones de suministro de información por parte de las comunidades autónomas.

36. https://www.imserso.es/InterPresent1/groups/imserso/documents/binario/inf_resid_20210321.pdf.

y los sanitarios. En la mayor parte de los casos de trata de Protocolos de transmisión de información, facilitando que los centros residenciales puedan transmitir rápidamente sus necesidades y las de los mayores residentes.

III. EL SISTEMA PARA LA AUTONOMÍA Y ATENCIÓN A LA DEPENDENCIA (SAAD)

1. IMPACTO MOMO

Resulta obligado indicar que, en la primera ola, el colectivo de personas dependientes fue el que más mortalidad experimentó. Ya lo hemos corroborado con los datos indicados en la introducción, y que pueden inferirse también del exceso de mortalidad esperada habida entre las personas solicitantes y beneficiarias del SAAD, que ha sido cuantificado con precisión por el IMSERSO, en los Informes MoMo dependencia, en los que recoge la evolución desde marzo de 2020 de los fallecimientos observados, correlacionados con el cálculo de fallecimientos esperados para el mismo periodo en la población ligada al SAAD[37], aunque se advierte que el exceso de mortalidad no necesariamente deriva del COVID-19 de modo directo.

De forma resumida, los resultados recogidos por IMSERSO en lo relativo a exceso de mortalidad respecto de la esperada se sintetizan del siguiente modo (ámbito temporal: marzo de 2020 a marzo de 2021; ámbito personal: solicitantes y beneficiarios):

- Exceso de mortalidad sobre la esperada: 24,9% (54.945 personas).
- Edad: mayores de ochenta años. El 80,5% de las personas fallecidas en exceso tenía 80 o más años (44.222 personas).
- Género: muy equilibrado[38].
- Por situación administrativa, el exceso de mortalidad afectó más a los que ya eran beneficiarios de una prestación: al 2,89% del total de solicitantes, el 3,16% de los valorados, y el 4,73% de los ya atendidos con un servicio o prestación.
- Por Grados de Dependencia, el mayor impacto se observa en las personas con grado II 17-074- (28,3% de exceso de fallecimientos), grado III –24.362– y I –9-167– (28,0%) y el menor en las personas

---

37. IMSERSO, *Monitorización de la mortalidad en el Sistema para la Autonomía y Atención a la Dependencia (SAAD) (Datos a 30 de abril de 2021)*, Disponible en https://www.imser-so.es/imserso_01/documentacion/estadisticas/info_d/COVID-19_dep/index.htm.

38. Aunque en el grupo de edad de mayores de 80 años –que fue el mayoritario– hubo un porcentaje ligeramente superior de hombres (25,5%) frente a mujeres (24,4%), en el grupo de edad de menos de 80 años fue a la inversa: mayor exceso de mortalidad en mujeres (26,0%) que en hombres (24,6%).

valoradas sin grado de dependencia, con un 24,8% de exceso de fallecimientos –4.632–.

– Por prestaciones, los beneficiarios de la atención residencial sufrieron un impacto mucho mayor en la primera ola –en concreto de marzo a mayo–, mientras que en los meses siguientes se igualó a los mayores atendidos en su entorno familiar, y en los últimos fue menor el impacto en residencias. En las siguientes gráficas del IMSERSO se refleja claramente[39]

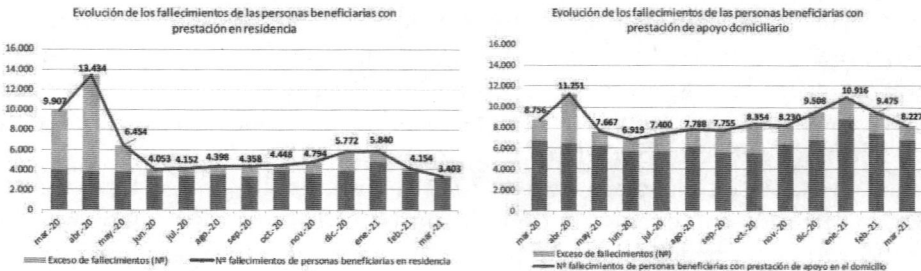

Fuente: IMSERSO. Gráficas recogidas en *Monitorización de la mortalidad en el Sistema para la Autonomía y Atención a la Dependencia (SAAD) (Datos a 30 de abril de 2021), p. 5.*

2. IMPACTO EN SERVICIOS PRESTADOS

Por primera vez desde 2015, el número de solicitudes, de resoluciones, y el de personas con derecho a prestaciones, descendió. Ahora bien, el número de prestaciones que se prestan (económicas, mixtas o en servicios, téngase en cuenta que un beneficiario puede recibir varias), continúo aumentando el número, pero con un incremento mucho más lento que el que hubiera correspondido a la tendencia de los años anteriores. También aumento ligeramente el de personas que efectivamente reciben alguna prestación, pero también en un porcentaje inferior al que normalmente hubiera acontecido.

En el siguiente cuadro podemos ver la foto fija a 31 de diciembre de 2019 y de 2020, en el que se concreta lo anteriormente indicado:

---

39. El 10,45% del total de personas dependientes atendidas en residencia entra en el exceso de mortalidad (26.027 personas), aunque de junio 2020 al inicio de la vacunación –enero de 2021– el exceso de mortalidad fue similar independientemente del lugar de la prestación, excepto en octubre de 2020 y desde febrero de 2021 donde hubo menor exceso de mortalidad en personas con atención residencial que en apoyo en el domicilio. Entre las personas atendidas con apoyos domiciliarios los excesos en fallecimientos en el periodo marzo 2020-marzo 2021 fueron de 26.975 fallecidos en exceso sobre un total de 872.358 de personas atendidas en marzo (3,09%).

	31-12-2019	31-12-2020	Variación
Solicitudes	1.894.744	1.850.950	-2,3%
Resoluciones	1.735.551	1.709.394	-1,5%
Personas con derecho a prestación	1.385.037	1.356.473	-2,1%
Personas beneficiarias de prestación	1.115.183	1.124.230	0,8%
Número prestaciones	1.411.021	1.427.207	1,1%

Fuente: Tabla de elaboración propia sobre datos del SISAAD.

Ahora, lo realmente destacable es que hay dos prestaciones, las más relevantes si atendemos a la financiación y las necesidades que cubren, que redujeron el número de prestaciones: centros residenciales y centros de día.

	2019	2020	Variación
Prevención	60.438	61.411	2%
Teleasistencia	246.617	254.644	3%
SAD	250.318	253.202	1%
Centro Día/noche	96.748	88.465	-9%
Residencia	170.785	156.437	-8%
Vinculada servicio	151.340	154.547	2%
Cuidado entorno familiar	426.938	450.517	6%
Asistente personal	7.837	7.984	2%

Fuente: Tabla de elaboración propia sobre datos del SISAAD.

El cuidado fuera del hogar se resiente claramente, tanto porque el número de beneficiarios descendió porque en sus beneficiarios hubo una mayor mortalidad que entre los que estaban cuidados en sus domicilios, como por la paralización de nuevos ingresos los primeros meses y sobre todo por el temor de los potenciales nuevos usuarios y sus familiares a ingresar en centros residenciales y centros de día, habiéndose producido una estigmatización de las residencias en especial, con una regresión en la imagen colectiva de tales centros a épocas pasadas, una imagen negativa injusta ya que la mortalidad en tales centros no puede reprocharse tanto a una mala gestión, sino fundamentalmente a que esta enfermedad ha tenido más incidencia en los grupos convivenciales y personas con salud frágil, y esas dos notas son propias de esas instituciones.

3.   IMPACTO EN EL PROCEDIMIENTO

El procedimiento de valoración de la dependencia, ya de por si tortuoso[40], se complicó con la pandemia. Como todo procedimiento administrativo, se vio afectado por el RD 463/2020, de 14 de marzo, que en su disposición adicional tercera estableció la suspensión de términos y la interrupción de plazos del sector público, hasta el 1 de junio de 2020.

Ello retrasó la resolución de los expedientes abiertos a la fecha. Pero lo que más impacto tuvo fue la paralización de los servicios sociales que gestionan las prestaciones por dependencia. El número de Resoluciones descendió en los primeros meses de pandemia, sin que ello derivara de una bajada de solicitantes, ya que aunque también descendió esa variable –obviamente–, el tiempo en tramitarse la solicitud, como media se sitúa en España en 430 días, según datos del Observatorio de la Dependencia[41]. Así, se pasaron de 1.748.292 resoluciones en marzo de 2020, a 1.699.216 a 30 de junio de 2020, un 2,8 por ciento menos. Mientras que el número de solicitudes de final de marzo de 2020 fue de 1.898.854, y el de 30 de junio 1.850.322: un 2,6 por ciento inferior[42].

4.   SERVICIO DE AYUDA A DOMICILIO

En el escenario de la pandemia, uno de los servicios clave que debía mantenerse era el de la Ayuda a Domicilio. Para garantizar la continuidad del servicio, la Consejería de Igualdad, Políticas Sociales y Conciliación adoptó diversas medidas para garantizar la financiación correspondiente al servicio de ayuda a domicilio prestado por las corporaciones locales y asumida por la Agencia de Servicios Sociales y Dependencia de Andalucía (Acuerdo de 16 de marzo de 2020)[43]

---

40. Maldonado Molina, J.A., "El Sistema para la Autonomía y Atención a la Dependencia tras sus reformas", en Monereo Pérez, Maldonado Molina y Rubio Herrera (Dirs.), *Prevención y Protección de la Dependencia: un enfoque transdisciplinar*. Ed. Comares, Granada, 2014.

41. Observatorio Estatal para la Dependencia, Asociación Estatal de Directores y Gerentes en Servicios Sociales, *XXI Dictamen del Observatorio de la Dependencia*, 15 de marzo de 2021, página 5. Disponible en https://directoressociales.com/wp-content/uploads/2021/03/N.PrensaXXI-Dictamen.-15-Marzo-21-jrn.pdf.

42. IMSERSO, *Impacto del COVID-19 en el Sistema para la Autonomía y Atención a la Dependencia (SAAD)(Datos a 30 de abril de 2021)*, páginas 11 y 10, respectivamente. Disponible en https://www.imserso.es/InterPresent2/groups/imserso/documents/binario/evo_sisaad_COVID-19_202104.pdf.

43. Se acordó que durante el periodo que durasen las medidas excepcionales adoptadas para contener el COVID-19, sin perjuicio de que se haya producido la suspensión del servicio en determinados supuestos, la financiación sería, como mínimo, la equivalente a las liquidaciones correspondientes al mes de febrero de 2020.

El Ministerio de Asuntos Sociales y Agenda 2030 también elaboró una serie de recomendaciones de actuación desde los servicios sociales de atención domiciliaria, en base al cual se adoptó el Acuerdo de 30 de marzo de 2020, del Consejo de Gobierno, por el que se toman en consideración las recomendaciones formuladas por la Consejería de Igualdad, Políticas Sociales y Conciliación y la Consejería de Salud y Familias para garantizar la prestación del servicio de ayuda a domicilio.

En el Acuerdo de 30 de marzo de 2020, se reconfiguró el servicio, fijando una serie de prioridades. En esa escala, los servicios a Dependientes Grado I podían quedan relegados al seguimiento y atención telefónica y en los casos de falta de apoyo familiar al servicio de comida a domicilio. Y para los Grados II y III, se distinguió entre cuidados domésticos no prioritarios, que podrían ser modificados o sustituidos por comida a domicilio o adquisición y entrega de alimentos o medicinas; y otros servicios, que se mantendrían, e incluso se ampliarían a nuevas necesidades derivadas del confinamiento[44]. Del mismo modo, se promueve la atención por vía telefónica o telemática, y se da prioridad a determinados cuidados esenciales[45]. Y se incorporan como usuarios los casos de personas que estaban siendo atendidas en Centros de Día.

Con el levantamiento del primer estado de alarma, la Orden de 19 de junio de 2020 marcó nuevas medidas preventivas en la prestación del servicio de ayuda a domicilio, centrándose en medidas básicas de higiene (EPI´s, ventilación) y de cuarentena para trabajadores con síntomas o contactos con positivos. Son unas reglas que en esencia se mantuvieron con el inicio de la segunda ola, que por tanto no fue abordada en unos términos tan restrictivos como la primera[46].

Los Acuerdos de 8 de septiembre y 17 de noviembre de 2020 volvieron a fijar medidas de apoyo a las corporaciones locales prestadoras del Servicio de Ayuda a Domicilio.

Tras las vacunaciones, las medidas preventivas en la prestación del servicio de ayuda a domicilio se recogen en el artículo 17 de la Orden de 8 de abril de 2021, en términos similares a lo previsto en las de 19 de junio de 2020 y 22 de septiembre de 2020. La principal novedad es que introduce un elemento de coordinación entre servicios sociales y sistema sanitario en caso

---

44. Tales como realizar compras de alimentos o medicinas, elaborar comida o proveer de la misma, promover contacto telefónico o telemático con familiares confinados en otros lugares, etc.).

45. Dar de comer y beber, el control de la administración del tratamiento médico en coordinación con los equipos de salud y los cuidados especiales para los grandes dependientes: apoyo en las situaciones de incontinencia, cambios posturales, levantarse y acostarse, ayuda en el vestir.

46. Artículo 9 Orden de 22 de septiembre de 2020.

de que se sospeche o se confirme un contagio de una persona atendida por el SAD[47]. Y que como regla general se exige que los nuevos usuarios del SAD estén vacunados con anterioridad suficiente al inicio de la prestación. Y en caso contrario, se programará la vacunación de forma inmediata y se extremarán las medidas de precaución hasta completar la pauta de la misma.

IV. SERVICIOS SOCIALES

La declaración del estado de alarma, y la implementación de las medidas preventivas sanitarias, impidieron mantener la actividad habitual de buena parte de los servicios sociales, que –de manera natural– se basan en la cercanía y en la proximidad. Pero no solo iban a dejarse de cubrir necesidades hasta ese momento atendidas presencialmente, sino que intuía que se generarían demandas adicionales por dos circunstancias: por un lado, porque un porcentaje de las personas que prestan esos servicios sociales (incluyendo cuidadores del servicio de ayuda a domicilio), previsiblemente acabarían causando baja por el virus o por quedar en cuarentena por contactos directos; y por otro, porque la crisis sanitaria abocaría a una crisis social y económica, con nuevas necesidades y una ampliación de los colectivos a atender.

Por ello, en el RD-ley 8/2020, de 17 de marzo, de medidas urgentes extraordinarias para hacer frente al impacto económico y social del COVID-19, se contempló la concesión de un suplemento de crédito en el Presupuesto del Ministerio de Derechos Sociales y Agenda 2030 para financiar un Fondo Social Extraordinario destinado exclusivamente a las consecuencias sociales del COVID-19, a cuyo cargo se harían las correspondientes transferencias a las comunidades y ciudades autónomas para financiar las prestaciones básicas de los servicios sociales de las comunidades autónomas, diputaciones provinciales, o las corporaciones locales[48], que tengan por objeto exclusivamente hacer frente a situaciones extraordinarias derivadas del COVID-19. A tal efecto, el artículo 1 del RD-Ley ejemplificó qué tipo de proyectos y contrataciones laborales podrían

---

47. En caso de sospecha, el SAD deberá comunicarlo inmediatamente a su familia o, si no es posible, al personal sanitario de referencia. Y en caso de casos confirmados, el personal sanitario de referencia deberá comunicarlo a los servicios sociales comunitarios para que las personas que intervengan en su cuidado sigan las recomendaciones sanitarias. Dicha obligación de comunicación también recae sobre las personas en situación de dependencia o sus familias.

48. Los fondos destinados a los servicios sociales prestados por las diputaciones o las corporaciones locales se formalizaron a través de la ampliación de los convenios existentes u otros nuevos, en los que se indicará expresamente la relación entre el empleo de los fondos y las prestaciones a financiar (art. 1.3 RD-L 8/2020).

financiarse, entre las que estaban las siguientes que corresponden a servicios sociales destinados a la atención de la población mayor. Se trataba de reforzar la atención domiciliaria que supliera la paralización de servicios prestados en centros, entre otras cuestiones, para lo que se preveía:

a) Reforzar los servicios de proximidad de carácter domiciliario para garantizar los cuidados, el apoyo, la vinculación al entorno, la seguridad y la alimentación, especialmente los dirigidos a personas mayores, con discapacidad o en situación de dependencia, compensando así el cierre de comedores, centros de día, centros ocupacionales y otros servicios similares, considerando el mayor riesgo que asumen estas personas en caso de contagio. Estos servicios comprendían la ayuda a domicilio en todas sus modalidades y cualquier otro de análoga naturaleza que se preste en el domicilio de la persona usuaria.

b) Incrementar y reforzar el funcionamiento de los dispositivos de teleasistencia domiciliaria de manera que incrementase el ritmo de contactos de verificación y la vigilancia de la población beneficiaria de dicho servicio.

c) Trasladar al ámbito domiciliario, cuando fuera considerado necesario, los servicios de rehabilitación, terapia ocupacional, servicios de higiene, y otros similares, considerando la suspensión de atención diurna en centros.

d) Reforzar los dispositivos de atención a personas sin hogar, con el personal y medios materiales adecuados, asegurando que tanto ellas como quienes las atienden estuvieran debidamente protegidas, y posibilitar la ampliación, tanto en el tiempo de estancia como en intensidad, de los mismos.

e) Reforzar las plantillas de centros de servicios sociales y centros residenciales en caso de que sea necesario realizar sustituciones por prevención, por contagio o por prestación de nuevos servicios o sobrecarga de la plantilla.

f) Adquisición de medios de prevención (EPI).

g) Ampliar la dotación de las partidas destinadas a garantizar ingresos suficientes a las familias, para asegurar la cobertura de sus necesidades básicas, ya sean estas de urgencia o de inserción.

h) Reforzar, con servicios y dispositivos adecuados, los servicios de respiro a personas cuidadoras y las medidas de conciliación para aquellas familias (especialmente monomarentales –sic– y monoparentales) que cuenten con bajos ingresos y necesiten acudir a su centro de trabajo o salir de su domicilio por razones justificadas y/o urgentes.

Al ser medidas implementadas por las Comunidades Autónomas, en colaboración con los servicios sociales de las entidades locales, el seguimiento de su puesta excede un trabajo de estas características.

En relación a los servicios sociales destinados a mayores (no SAAD), tuvo especialmente impacto el cierre de los Centros de Participación Activa, dado que supuso que las personas mayores usuarias de tales centros dejaran de recibir los servicios prestados por los mismos, lo cual fue particularmente grave en lo relativo al servicio de comedor.

A medida que las condiciones sanitarias fueron mejorando, se retomaron presencialmente algunos de estos servicios. Así, la Orden SND/399/2020, de 9 de mayo, para la flexibilización de determinadas restricciones de ámbito nacional, establecidas tras la declaración del estado de alarma en aplicación de la fase 1 del Plan para la transición hacia una nueva normalidad, en su artículo 17 (titulado "Servicios y prestaciones en materia de servicios sociales"), habilita a las autoridades competentes de las comunidades autónomas para que determinen la reapertura al público de los centros y servicios donde se presten dichos servicios y prestaciones, atendiendo a la situación epidemiológica de cada centro o servicio, y a la capacidad de respuesta del sistema sanitario concernido.

No obstante lo anterior, la norma da prioridad a que tales servicios y prestaciones sean realizados por vía telemática, reservando la atención presencial a aquellos casos en que resulte imprescindible, debiendo en todo caso garantizarse la prestación efectiva de todos los servicios y prestaciones recogidos en el Catálogo de Referencia de Servicios Sociales. En caso de que debieran ser presenciales se especifican las medidas preventivas a seguir.

Y para los servicios dirigidos al cuidado de personas vulnerables que impliquen contacto estrecho y/o alojamiento colectivo como es el caso de servicios de ayuda a domicilio, los servicios prestados en centros de día y los centros residenciales de carácter social, las autoridades competentes de las comunidades autónomas quedaban habilitadas a adoptar medidas adicionales en materia monitorización y seguimiento de casos, adopción de procedimientos de aislamiento o cuarentena, trazabilidad de los contactos, y realización de pruebas diagnósticas.

En todo caso, y como servicios que prioritariamente debían quedar garantizados, debía permitirse el acceso a los servicios de terapia, rehabilitación, atención temprana y atención diurna para personas con discapacidad y/o en situación de dependencia.

V.   PENSIONES Y PANDEMIA

1.   EL IMPACTO EN LOS PENSIONISTAS

Dado que, como se sabe, el perfil más afectado por la COVID-19, fue el de personas mayores, y éste compone el sustrato de buena parte de la población pensionista de este país[49], no sorprendió que el número de nuevas altas y bajas se viera notablemente afectado.

Los datos confirman claramente esta idea, de modo que –prácticamente en todas las pensiones– aumentó el número de bajas por fallecimiento e igualmente disminuyó el número de altas (salvo viudedad, también explicable por la pandemia). En la siguiente tabla podemos contrastar el número de altas y bajas por pensiones, con datos a 31 de diciembre de 2019 comparado con 2020:

	Nuevas Altas			Bajas		
	2019	2020	Variación	2019	2020	Variación
Jubilación	303.394	285.870	-5,78%	267.547	310.589	16,09%
Viudedad	132.114	140.362	6,24%	129.805	152.264	17,30%
IP	92.741	77.417	-16,52%	28.345	26.777	-5,53%
Orfandad	26.985	25.120	-6,91%	23.963	25.131	4,87%
En favor familiares	4.356	3.074	-29,43%	3.380	3.163	-6,42
Total	559.590	531.843	-4,96%	453.040	517.924	14,32%

Fuente: tabla de elaboración propia, extrayendo datos de Estadísticas Seguridad Social, Evolución altas iniciales y bajas definitivas (disponible en https://www.seg-social.es/wps/portal/wss/internet/EstadisticasPresupuestosEstudios/Estadisticas/EST23/EST44).

En el descenso de las altas, además de la mortalidad y la enfermedad, influyó –como asume la Seguridad Social en el Proyecto de Presupuestos– "la situación producida por el COVID-19 que ha limitado la movilidad y ha obligado al cierre de los centros de atención de la Seguridad Social durante un espacio de tiempo y derivado en la saturación de la Sede Electrónica de la Seguridad Social en momentos puntuales lo que puede estar dificultando la presentación de las solicitudes de prestaciones"[50].

El resultado del descenso de nuevas altas, y aumento de bajas, es que a 1 de diciembre de 2020 había solo un 0,1% más de pensionistas que en la misma fecha de 2019:

---

49. A 1 de mayo de 2021, en España hay 9.836.115 pensiones contributivas, de las 7.913.068 corresponden a beneficiarios mayores de 65 años (80,44 por ciento).
50. Proyecto de Presupuestos Seguridad Social 2021, Informe Económico-Financiero, Volumen V, tomo I, pp. 201 y 202 http://www.seg-social.es/wps/wcm/connect/wss/7fad23dd-65cf-4ff4-baf3-50c5d2fabf61/202120003.pdf?MOD=AJPERES&-CVID=.

	Número pensiones		
	2019	2020	Variación
Jubilación	6.089.294	6.125.792	0,6%
Viudedad	2.366.788	2.352.738	-0,6%
IP	962.035	948.917	-1,4%
Orfandad	340.106	338.540	-0,5%
En favor familiares	43.156	43.032	-0,3%
Total	9.801.379	9.809.019	0,1%

Centrándonos en la jubilación, el número acumulado de bajas por fallecimiento de pensiones de jubilación en los primeros ocho meses de 2020 fue superior en un 16,6% al mismo periodo de 2019[51], extremo recogido en una elocuente gráfica por la Seguridad Social en el Proyecto de Presupuestos para 2021:

El número de jubilados tuvo el incremento más bajo de las últimas décadas, situándose solo en un 0,6%[52].

---

51. Si vemos el incremento en el número de pensionistas de jubilación en los últimos quince años, se hace patente el impacto que el Covid-19 tuvo en los jubilados: 2005: 3,1%; 2006: 1,4%; 2007: 1,2%; 2008: 1,9%; 2009; 2,0%; 2010: 2,1%; 2011: 1,8%; 2012: 2,0%; 2013: 2,2%; 2014: 1,8%; 2015: 1,2%; 2016: 1,7%; 2017: 1,7%; 2018: 1,9%; 2019: 1,5%; 2020: 0,6%.

52. Si vemos el incremento en el número de pensionistas de jubilación en los últimos quince años, se hace patente el impacto que el Covid-19 tuvo en los jubilados: 2005: 3,1%; 2006: 1,4%; 2007: 1,2%; 2008: 1,9%; 2009; 2,0%; 2010: 2,1%; 2011: 1,8%; 2012: 2,0%; 2013: 2,2%; 2014: 1,8%; 2015: 1,2%; 2016: 1,7%; 2017: 1,7%; 2018: 1,9%; 2019: 1,5%; 2020: 0,6%.

En lo relativo al sistema de pensiones, al margen del número de bajas por muerte, fue un sistema que desde el punto de vista económico siguió funcionando sin problema, sin retrasos en los pagos, manteniendo la cobertura económica de los mayores. Solo hubo retrasos en la gestión de nuevas altas, pero que desde un punto de vista económico no generaron problemas sociales. Por lo general, en un Sistema que siguió cumpliendo su papel, dar cobertura económica, pasando en este sentido inadvertido, lo cual es lo mejor que puede ocurrirle a un sistema en plena pandemia.

2.   NUEVO SUPUESTO DE COMPATIBILIDAD CON EL TRABAJO

Junto con el análisis estadístico, que refleja además la ralentización que sufrió la gestión de las pensiones, desde un punto de vista técnico-jurídico hubo una medida excepcional relacionada con la jubilación, y es la compatibilidad de la pensión con la reincorporación de profesionales sanitarios que estuvieran en situación de jubilación. Se contempló en el punto cuarto de la Orden SND/232/2020, de 15 de marzo, y se enmarca dentro de una serie de medidas para incrementar el número de sanitarios disponibles[53].

La medida consistió en permitir la reincorporación al servicio activo de los médicos/as y enfermeras menores de setenta años jubilados, y personal emérito, siendo compatible su nombramiento estatutario (a tiempo completo o parcial) con la pensión de jubilación[54].

La disposición adicional decimoquinta del RD-ley 11/2020, de 31 de marzo[55], establece que se manteniendo el importe de la pensión (incluyendo el eventual complemento a mínimos), considerándose pensionista a todos los demás efectos, pero debiendo la Administración contratante cumplir con sus obligaciones en orden a afiliación, alta, cotización, e incluyéndose cuota obrera patronal en los mismos términos que cualquier actividad, sin ser de aplicación las reglas relativas a la "jubilación activa".

---

53.   Las medidas afectaban a profesionales sanitarios en formación (residentes de último año), licenciados o graduados en medicina sin plaza de especialista, facultativos con títulos obtenidos fuera de la UE, liberados sindicales, estudiantes de último año de enfermería y medicina.

54.   La norma indicó que se priorizará que estos profesionales presten sus servicios en los centros de Atención Primaria, para disminuir la carga asistencial en este ámbito, realizando funciones de triaje y atención domiciliaria, relacionadas con la atención al COVID-19. A 31 de agosto se han incorporado, y por tanto compatibilizan su actividad con el cobro de la pensión de jubilación, 28 médicos y 8 enfermeras (Proyecto de Presupuestos Seguridad Social 2021, Informe Económico-Financiero, Volumen V, tomo I, p. 204, http://www.seg-social.es/wps/wcm/connect/wss/7fa-d23dd-65cf-4ff4-baf3-50c5d2fabf61/202120003.pdf?MOD=AJPERES&CVID=.).

55.   Fue modificada por la disposición final 3.3 y 4 del RD-ley 13/2020, de 7 de abril.

VI.   CONCLUSIONES

Tras décadas debatiendo si los mayores eran un colectivo débil, y considerando que nuestra civilización tenía humanidad con ellos, y la realidad ha demostrado que se les tratado como un lastre que había que soltar para evitar que el barco del sistema de salud se hundiera.

Las personas cuyo alojamiento era un centro residencial han sido las principales víctimas mortales del virus, sobre todo durante la primera ola. En ellos confluyen una serie de características determinantes de su mayor fragilidad: la edad (que conlleva pluripatologías, comorbilidad) complica la enfermedad en estas personas y dificulta el tratamiento exitoso; la dependencia, que multiplica el riesgo de exposición al virus, dado que ha habido una transmisión cruzada trabajadores-residentes: es imposible concebir distanciamiento social entre cuidador y dependiente, contacto que además se produce en un entorno cerrado, y que es más fácil de contagiar dado que un cuidador no atiende a un solo dependiente, como sí puede suceder en otros ámbitos; y además el que las personas institucionalizadas vivan en centros con habitaciones compartidas, personal que atiende a todos los usuarios, zonas de uso común y masivo en espacios cerrados, hicieron que en caso de que entrar el virus en una residencia, su propagación se extendiera rápidamente entre el conjunto de trabajadores y residentes.

Pero junto con estas circunstancias, en muchos casos inevitables, han existido otras que sí podrían haber reducido la extensión o la letalidad de la pandemia. Por un lado, si el modelo organizativo de las residencias ya hubiera estado adaptado al modelo de atención centrada en la persona. Y por otro, que las Administraciones hubieran tenido claro qué papel juegan las residencias, que principalmente es servir de hogar a personas que requieren de apoyos, pero no son centros sanitarios.

En efecto, las residencias son centros sociosanitarios, lo cual quiere decir que son centros asistenciales dentro de los que se presta un servicio sanitario, con objeto de la institucionalización de una persona no ponga en peligro la continuidad de la atención sanitaria, y paralelamente que sus problemas de salud crónicos no obliguen a vivir en un centro sanitario. Se trata de que estas personas pueden beneficiarse de la actuación simultánea y sinérgica de los servicios sanitarios y sociales para aumentar su autonomía.

Los servicios sanitarios que se prestan son muy limitados, tanto en cometidos, personal y medios. Su función no es curar, sino cuidar. La ratio del personal sanitario en los centros es muy reducida, siendo obligatoria su presencia solo en centros acreditados para prestar el servicio concertado, y sin que sea necesario que haya médico/a. Sí es obligatorio contar con personal de enfermería, pero en una ratio 4/100 usuarios. Esta reducida ratio hizo que durante la pandemia las bajas por contagios de los profesionales dejaran totalmente desatendidos a los mayores. Junto con las bajas por enfermedad, hubo otro tipo de bajas, y fueron las de los profesionales que se marcharon a trabajar en la Sanidad Pública, por las enormes condiciones laborales y retributivas que hay entre lo privado y lo público en el sector sanitario.

Por su parte, la atención sanitaria prestada a los mayores por el SNS está fundamentalmente enfocada dentro de la Atención Primaria, complementada con coordinación en el ámbito farmacéutico. Pues bien, como es sabido, la Atención Primaria quedó desbordada, cerrándose para prestar una atención telefónica con objeto de evitar que los centros de salud fuesen focos de contagio, y derivando parte de su personal a los servicios hospitalarios.

El Sistema de Dependencia quedó parcialmente en suspenso. No todos sus recursos pudieron seguir funcionando, dejando de prestar servicios los Centros de Día. Y los Centros Residenciales se situaron en el epicentro de la crisis, sin recibir siempre una efectiva atención por parte de los poderes públicos, que se desentendieron de ellos en algunas situaciones.

El Sistema de servicios sociales también quedó paralizado los primeros meses. Se optó por la asistencia telemática, lo cual no siempre casa con unos servicios tan personalistas como los que debe cubrir ese servicio público.

En lo relativo al sistema de pensiones, al margen del número de bajas por muerte, fue un sistema que desde el punto de vista económico siguió funcionando sin problema, sin retrasos en los pagos, manteniendo la cobertura económica de los mayores. Solo hubo retrasos en la gestión de nuevas altas, pero que desde un punto de vista económico no generaron problemas sociales.

Pero lo más destacado y alarmante fueron los casos de negación de derivación a centros hospitalarios por razón de la edad o de la procedencia. Todo mayor fallecido por COVID-19 no es una víctima de violación de derechos humanos. Sí lo es cuando su fallecimiento se produce por una desatención institucional en base a su situación física o edad. Protocolos como los existentes en Madrid o Cataluña introdujeron triajes en los que vivir en una residencia dificultaba cuando no impedía poder recibir una asistencia en los mismos términos que el resto de ciudadanos, son ejemplos de que el miedo al colapso hospitalario se resolvió relegando a los más débiles, a los mayores, por sus menos probabilidades de sobrevivencia, y eso es edadismo.

Las denuncias de familiares, ONG´s, sindicatos y profesionales del sector residencial, apuntan a que se vulneró el derecho a la salud y la vida de las personas institucionalizadas por razón de su edad y lugar de residencia. La Fiscalía General del Estado ha tramitado cerca de medio millar de diligencias preprocesales penales. No es un tema pacífico, desde otras instancias se niega que se haya negado el ingreso hospitalario a residentes en Madrid. La Justicia lo aclarará. Pero en todo caso, debemos concluir que los centros residenciales no estaban adaptados (en general) a los modelos que desde hace tiempo vienen proponiéndose desde la Gerontología (modelo de atención centrado en la persona, con centros compartimentados en unidades convivenciales más reducidas), un aumento del personal sanitario (a la vista del incremento de las tasas de dependencia de los usuarios), y sobre todo, una verdadera coordinación sociosanitaria, que implica que una persona cuyo hogar sea una residencia, pueda mantener su derecho a la salud en los mismos términos de los demás ciudadanos.

VII. BIBLIOGRAFÍA

Amnistía Internacional, Abandonadas a su suerte: la desprotección y discriminación de las personas mayores en residencias durante la pandemia COVID-19 en España, 3 de diciembre de 2020, disponible en https://www.es.amnesty.org/en-que-estamos/reportajes/residencias-en-tiempos-de-covid-personas-mayores-abandonadas-a-su-suerte/.

Causa, R., Almagro Nievas, D., Bermúdez Tamayo, C., "COVID-19 y dependencia funcional: análisis de un brote en un centro sociosanitario de personas mayores", *Revista Española de Salud Pública*, núm. 95, 2021, 26 de marzo de 2021. Disponible en https://www.mscbs.gob.es/biblioPublic/publicaciones/recursos_propios/resp/revista_cdrom/VOL95/ORIGINALES/RS95C_202103045.pdf.

Comas-Herrera A., Zalakaín J., Litwin C., Hsu A.T., Lemmon E., Henderson D. y Fernández J.-L. "Mortality associated with COVID-19 outbreaks in care homes: early international evidence", *LTCcovid.org*, International Long-Term Care Policy Network, CPEC-LSE, 14 octubre 2020.

Dirección General de Coordinación Socio-Sanitaria, *Protocolo de coordinación para la atención a pacientes institucionalizados en residencias de personas mayores de la Comunidad de Madrid durante el periodo epidémico ocasionado por el COVID-19*, 25 de marzo de 2020, disponible –entre otros sitios web- en https://amyts.es/wp-content/uploads/2020/01/COVID-CAM-coordinaci%C3%B3n-residencias-sinfecha-20200412.pdf.

Fundación Economía y Salud, *Lo sociosanitario: de los casos reales al modelo*, 2018, Disponible en http://www.fundacioneconomiaysalud.org/wp-content/uploads/Lo-sociosanitario_De-los-casos-reales-al-modelo.pdf.

Gallego Berciano, P., "Impacto de COVID-19 en los centros sociosanitarios", *Revista Española de Salud Pública*, 13 de mayo de 2020. Disponible en https://www.mscbs.gob.es/biblioPublic/publicaciones/

recursos_propios/resp/revista_cdrom/Suplementos/Perspectivas/perspectivas2_gallego.pdf.

Grup de treball de Ventilació, Cap Àmbit Emergències, Direcció Mèdica i Direcció Infermera de SEM, *Recomanacions per suport a les decisions d'adequació de l'esforç terapèutic (AET) per pacients amb sospita d'infecció per COVID-19 i insuficiència respiratòria aguda (IRA) hipoxèmica*, 25 de marzo de 2020. https://d3cra5ec8gdi8w.cloudfront.net/uploads/documentos/2020/07/07/_protocolocatalua_179628f4.pdf.

IMSERSO, *Impacto del COVID-19 en el Sistema para la Autonomía y Atención a la Dependencia (SAAD)(Datos a 30 de abril de 2021).* Disponible en https://www.imserso.es/InterPresent2/groups/imserso/documents/binario/evo_sisaad_COVID-19_202104.pdf.

IMSERSO, *Informe del Grupo de Trabajo Covid 19 y Residencias*, noviembre 2020, https://www.imserso.es/InterPresent1/groups/imserso/documents/binario/inf_resid_20210321.pdf.

IMSERSO, *Monitorización de la mortalidad en el Sistema para la Autonomía y Atención a la Dependencia (SAAD) (Datos a 30 de abril de 2021)*, Disponible en https://www.imserso.es/imserso_01/documentacion/estadisticas/info_d/COVID-19_dep/index.htm.

Maldonado Molina, J.A., "El Sistema para la Autonomía y Atención a la Dependencia tras sus reformas", en Monereo Pérez, Maldonado Molina y Rubio Herrera (Dirs.), *Prevención y Protección de la Dependencia: un enfoque transdisciplinar*. Ed. Comares, Granada, 2014.

Médicos Sin Fronteras, *Poco, tarde y mal El inaceptable desamparo de los mayores en las residencias durante la COVID-19 en España*, agosto de 2020, disponible en https://msfCOVID-19.org/wp-content/uploads/2020/08/aaff-msf-informe-COVID-19-residencias-baja-nota.pdf.

Observatorio Estatal para la Dependencia, Asociación Estatal de Directores y Gerentes en Servicios Sociales, *XXI Dictamen del Observatorio de la Dependencia*, 15 de marzo de 2021. Disponible en https://directoressociales.com/wp-content/uploads/2021/03/N.PrensaXXI-Dictamen.-15-Marzo-21-jrn.pdf.

OMS, "Impact of COVID-19 on long-term care: what the evidence tells us", *Preventing and managing COVID-19 across long-term care services*, Policy Brief, 24 July 2020. Disponible en https://www.who.int/publications/i/item/WHO-2019-nCoV-Policy_Brief-Long-term_Care-2020.1.

Secretaría de Estado de la Seguridad Social, *Proyecto de Presupuestos Seguridad Social 2021, Informe Económico-Financiero*, Volumen V, tomo I, http://www.seg-social.es/wps/wcm/connect/wss/7fad23dd-65cf-4ff4-baf3-50c5d-2fabf61/202120003.pdf?MOD=AJPERES&CVID=.).

Sociedad Española de Geriatría y Gerontología, *Residencias de mayores: ya tenemos al culpable*, Disponible en https://www.segg.es/media/descargas/Carta-geriatria-residencias-Madrid.pdf.

AA.VV., "Ante la crisis de COVID-19: una oportunidad de un mundo mejor. Declaración en favor de un necesario cambio en el modelo de cuidados de larga duración de nuestro país". Consultar en https://www.fundacionpilares.org/wp-content/uploads/2020/08/Declaracio%CC%81n-en-favor-de-un-cambio-de-modelo-en-el-a%CC%81mbito-de-los-cuidados-de-larga-duracio%CC%81n.pdf.

Capítulo 7

Redes sociales y trabajo más allá de la edad de jubilación

María del Carmen Ordóñez de Haro
Profesora Contratada Doctora de Hacienda Pública
Universidad de Málaga

Carlos José Rivas Sánchez
Profesor Contratado Doctor de Hacienda Pública
Universidad de Málaga

I. INTRODUCCIÓN

El 1 de julio de 2021 culminó la primera fase de la reforma de la Seguridad Social emprendida por el Gobierno constituido a raíz de las elecciones generales celebradas en noviembre de 2019. Este "primer bloque de medidas" se plasmó en un acuerdo entre Gobierno, UGT, CCOO, CEOE y CEPYME, que, posteriormente, a finales de agosto de 2021, fue ratificado y aprobado por el Gobierno en forma de "Proyecto de Ley de garantía del poder adquisitivo de las pensiones y de otras medidas de refuerzo de la sostenibilidad financiera y social del sistema público de pensiones".

La sección más prolija de dicho acuerdo, y en realidad la única que aborda el problema de la sostenibilidad neta, es la dedicada a "medidas para favorecer el acercamiento voluntario de la edad efectiva con la edad legal de jubilación" con la idea de compensar el incremento de la esperanza de vida. En conjunto, se propone una combinación de medidas incentivadoras (de la permanencia en el puesto de trabajo pasada la edad mínima de jubilación) y desincentivadoras (de la jubilación anticipada).

Por tanto, el proyecto de ley pretende alcanzar el objetivo último (mejorar la sostenibilidad), a través de un objetivo intermedio (estirar las vidas laborales), el cual, a su vez, se confía lograr, no ya, como en 2011, aumentando por ley la edad legal de jubilación (también llamada edad normal de jubilación: aquella a la que se puede acceder a la pensión sin penalizaciones), sino dotando de flexibilidad al sistema. De este modo, se espera que los individuos respondan a los nuevos incentivos prolongando su permanencia en el mercado de trabajo, en la medida en que ahora tendrán, por ejemplo, mayores facilidades para compatibilizar pensión y salario. Esta medida debería suponer, en principio, un alivio para el sistema, aunque no de una manera tan unívoca como elevar la edad legal.

Las medidas que buscan eliminar rigideces en el mercado laboral tienen pleno sentido, ya que, como han comprobado J. S. Heywood y S. Siebert, la incompatibilidad legal de pensión y salario es la principal razón por la que se jubilan los trabajadores que desearían seguir activos[1]. De este modo, las políticas de flexibilidad están abriéndose paso y cada vez se encuentran con mayor frecuencia en el catálogo de recomendaciones realizadas desde diferentes instancias[2].

En nuestro trabajo queremos contribuir a explorar si estas políticas son realmente eficaces para contribuir de forma significativa al objetivo de sostenibilidad, ya que hay dudas legítimas sobre sus probabilidades de éxito. De hecho, A. Börsch-Supan et al. revisan las experiencias recientes en este mismo sentido y no encuentran que hayan tenido efectos significativos en la tasa de participación en la fuerza de trabajo, y en algunos casos, han contribuido a su descenso[3]. Por ello, alertan del peligro que conlleva confiar en que estas reformas orientadas a la flexibilidad realmente supongan una alternativa consistente a alargar legalmente la edad de jubilación. Del mismo modo, A. De la Fuente, M. A. García Díaz y A. R. Sánchez Martín también recogen dudas sobre su eficacia, tanto en términos de incentivos para alargar genuinamente las carreras laborales, como de ahorro para el sistema[4].

Para tratar de mejorar el conocimiento de todos los condicionantes que hay tras esta cuestión, nuestro trabajo se estructura del siguiente modo. En el primer apartado, observamos cómo ha evolucionado la decisión de abandonar

---

1. Heywood, J. S. y Siebert, S., Understanding the Labour Market for Older Workers: A Survey, IZA Discussion Paper No. 4033, 2009.
2. Por ejemplo, AIReF, *Opinión sobre la Sostenibilidad del Sistema de Seguridad Social*, Opinión 1/19, 2019.
3. Börsch-Supan, A., Bucher-Koenen, T., Kutlu-Koc, V. y Goll, N., "Dangerous Flexibility – Retirement Reforms Reconsidered", Economic Policy, 33 (94): 315–355, 2018.
4. De la Fuente, A., García Díaz, M. A. y Sánchez Martín, A. R., *Algunas reflexiones sobre el informe del Pacto de Toledo y los planes del gobierno en materia de pensiones*, en Conde-Ruiz (coord.), El futuro de las pensiones en España, Mediterráneo económico, 34, Cajamar, 2021.

el mercado de trabajo por parte de las personas mayores, tanto en España como a nivel internacional, a partir de los datos de la OCDE. En el segundo apartado, revisamos la literatura empírica dedicada a estudiar los factores que condicionan el comportamiento en torno a la jubilación de las personas mayores. En el tercer apartado, hacemos una aplicación empírica con la que pretendemos indagar en algunos de los factores que condicionan la decisión de permanecer en el trabajo por parte de los trabajadores mayores que ya han superado la edad normal de jubilación, y que por tanto tendrían derecho a la totalidad de su pensión. En especial, ponemos el foco en las redes familiares y sociales de estos trabajadores: nuestra hipótesis es que a mayor densidad de estas redes mayor es la probabilidad de permanencia en el puesto de trabajo de estos trabajadores. Otro motivo para centrarnos en este grupo de población es que, por un lado, las reformas de la seguridad social van dirigidas específicamente a hacerles más atractiva su permanencia en el mercado laboral, y, por otro lado, es el colectivo que presenta mayor potencial de incremento de participación.

De este modo, nuestro trabajo trata de incorporar factores explicativos frecuentemente dejados de lado en la literatura, y que permiten ampliar nuestro conocimiento del equilibrio entre la pura actividad laboral y el resto de actividades (familiares y de ocio, especialmente) que realizan las personas que están al borde de la jubilación.

En definitiva, se trata de conocer cuáles son los factores que realmente condicionan estas decisiones. Esto nos debe permitir determinar si los trabajadores responden a los incentivos para la prolongación de las vidas laborales que incorporaran las políticas públicas, y de este modo, determinar, por ejemplo, en qué medida y en qué sentido están dispuestos a hacer uso de la mayor flexibilidad, o si la compatibilidad pensión-trabajo es una opción relevante para ellos.

II. ENVEJECIMIENTO Y MERCADO DE TRABAJO

El crecimiento sostenido de la esperanza de vida desde mediados del siglo XX es un hecho justamente celebrado, aunque, al mismo tiempo, suponga un notable desafío para las políticas públicas tal y como las entendemos en la actualidad, en especial por lo que toca al sistema de pensiones. El riesgo que plantea esta situación tiene que ver con el consiguiente alargamiento de los periodos de retiro, dado que la edad de jubilación no aumenta en la misma medida. De hecho, si observamos el último medio siglo, la edad efectiva de jubilación no solo no ha aumentado, sino que ha disminuido. No obstante, la evolución conjunta de estos dos fenómenos, esperanza de vida (hacia arriba) y edad efectiva de jubilación (hacia abajo), han seguido pautas diferentes.

Aunque la dinámica que describimos atañe a todos los países desarrollados, vamos a centrarnos aquí en los datos para España para el periodo 1970-2018[5]: La esperanza de vida a los 65 años aumentó en 6,2 años para los hombres (13,3 años-19,5 años), y en 7,5 años para las mujeres (16 años-23,5 años)[6]. Al mismo tiempo, la edad efectiva de jubilación sufrió un descenso: 7,3 años en el caso de los hombres (69,4 años-62,1 años), y 7,7 años para las mujeres (69 años-61,3 años). De este modo, si tomamos 65 años como edad normal de jubilación, tenemos que, en el último medio siglo aproximadamente, la etapa de jubilación potencial ha aumentado en 14,3 años (Hombres: 13,5 años y mujeres: 15,2 años).

Ahora bien, si dejamos de observar los datos en la perspectiva del medio siglo y nos centramos meramente en los últimos 25 años, la lectura de la situación cambia. En el gráfico 1 comparamos la evolución de la *vida esperada a los 65* (que definimos como la suma de 65 años más *esperanza de vida a los 65*), y de la edad efectiva de jubilación. Observamos, efectivamente, un aumento constante de la vida esperada a los 65 años, a lo largo de todo el periodo. Sin embargo, la caída de la edad efectiva de jubilación se frena desde mediados de la década de 1990.

Gráfico 1. Vida esperada a los 65 (*vida 65*) y Edad efectiva de jubilación (*eej*), España

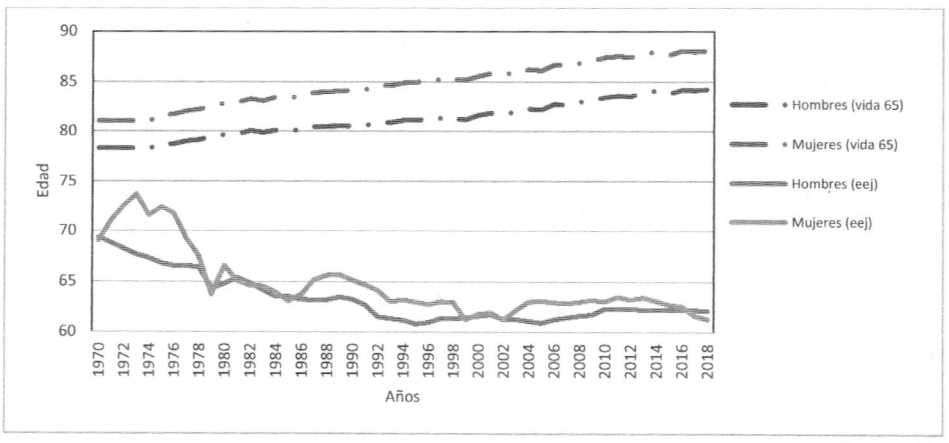

Fuente: OECD, *Ageing and Employment Policies - Statistics on average effective age of retirement*, 2021; INE, *Esperanza de vida a los 65 años, según sexo*, 2021 y Elaboración propia.

---

5. Es el periodo para el cual disponemos de las estimaciones OCDE sobre edad efectiva de jubilación: OECD, *Ageing and Employment Policies - Statistics on average effective age of retirement*, 2021.

6. INE, *Esperanza de vida a los 65 años, según sexo*, 2021. Hay que tener en cuenta que los datos desglosados por sexos solo están disponibles a partir de 1975, y hasta esa fecha solo se calculaba esta esperanza de vida para años terminados en cero, con lo cual en nuestros cálculos hemos aplicado el dato de 1970 (13,3 años, y 16 años, para hombres y mujeres, respectivamente) también a los años que van de 1971 a 1974.

Como resultado de ambos efectos, tenemos que ese crecimiento rápido de las etapas potenciales de jubilación de los trabajadores tiende a moderarse. En el gráfico 2, desarrollado a partir del gráfico 1, hemos llamado *etapa potencial de jubilación* a la diferencia entre vida esperada a los 65 y edad efectiva de jubilación. Esto significa, por ejemplo, que si las mujeres en 2018 presentan una vida esperada de 88,1 años y una edad efectiva de jubilación es de 61,3 años, entonces, su etapa potencial de jubilación es de 26,8 años.

Gráfico 2. Etapa potencial de jubilación 1970-2018, España

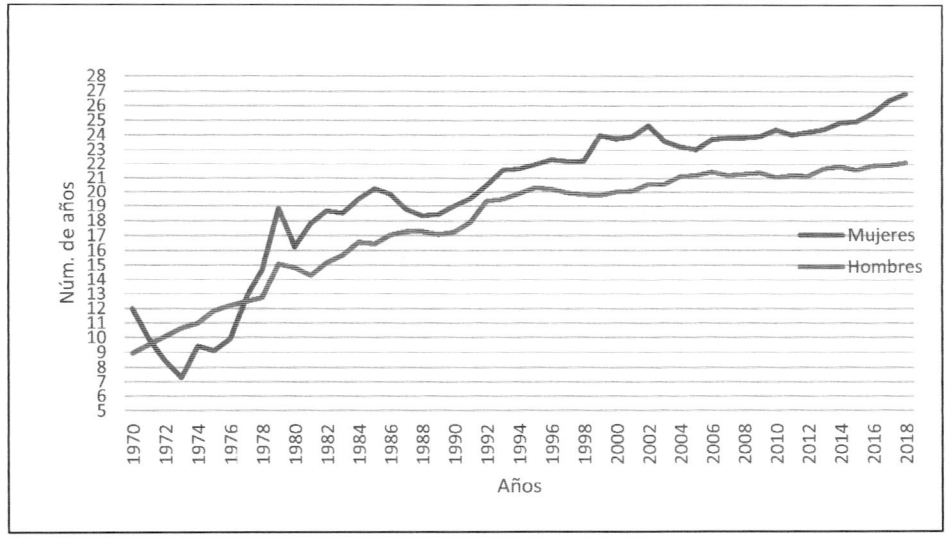

Fuente: OECD, *Ageing and Employment Policies - Statistics on average effective age of retirement*, 2021; INE, *Esperanza de vida a los 65 años, según sexo*, 2021 y Elaboración propia.

Por tanto, es cierto que los sistemas de seguridad social se han visto enfrentados a una evolución de los parámetros demográficos que pone en cuestión su sostenibilidad, aunque también es cierto que la ampliación del recorrido de las etapas de jubilación no ha sido constante y que su tendencia es hacia el estancamiento.

Si observamos la situación en perspectiva internacional[7], tenemos que esta tendencia a la moderación en las etapas de jubilación es la norma. Desde 1990 a 2018 (Gráfico 3), la etapa media de jubilación solo ha aumentado en 1,6 años para los hombres y 0,3 años para las mujeres. Hay que tener en cuenta que el incremento para el periodo 1970-1989 para hombres y mujeres fue, respectivamente, de 3,9 años y 5,1 años.

---

7.   OECD, Pensions at a Glance 2019.

En un contexto de aumento sostenido de la esperanza de vida, entonces, solo cabe explicar este freno en los incrementos del pasado en base a un aumento de la participación laboral de los más mayores. Efectivamente, como recoge el gráfico 4, la tasa de participación en la fuerza de trabajo de las personas entre 55 y 64 años ha mantenido un crecimiento robusto desde 2000. Además, observamos que esa misma tasa para personas de 65 años en adelante también ha aumentado, aunque en una cuantía menor, y lo que tal vez sea más reseñable, no existe una evolución paralela entre países en relación con las dos tasas. Esto nos sugiere que probablemente haya una divergencia importante entre las motivaciones para seguir trabajando, así como entre las posibilidades de seguir haciéndolo, de ambos grupos de edad.

Gráfico 3. Vida esperada tras jubilación, 1990-2018, media OCDE.

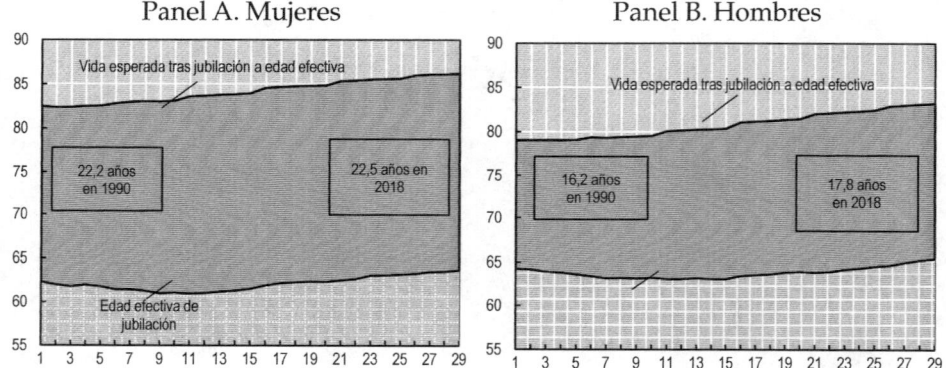

Fuente: OECD, Pensions at a Glance 2019: OECD and G20 Indicators, Paris, 2019.

Gráfico 4. Variación 2000 - 2018 tasa participación en el mercado de trabajo, por grupos de edad: 55-64 vs. 65 y más

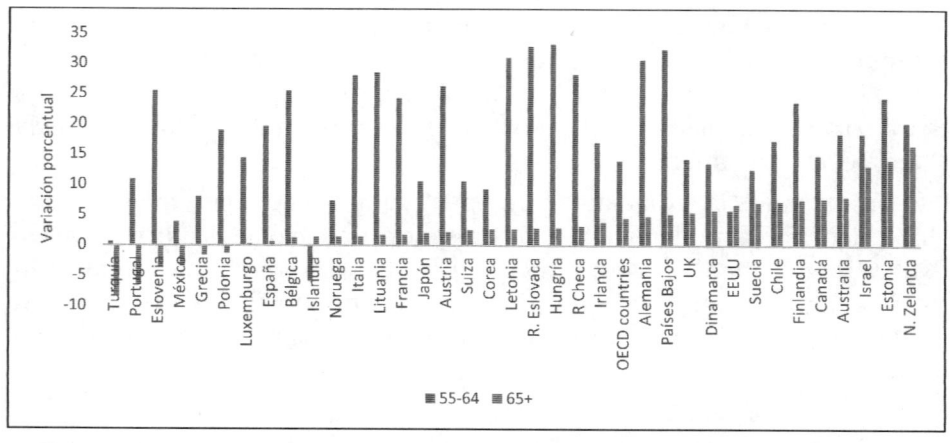

Fuente: OECD Stats, 2021 y Elaboración propia.

En relación con la participación laboral de los mayores de 65, la heterogeneidad a nivel internacional sugiere que hay factores institucionales, de oferta y demanda, que explican las diferencias. No obstante, en el estudio que sigue nos vamos a centrar en los factores individuales que condicionan la oferta.

III. FACTORES QUE INCIDEN EN LA DECISIÓN DE PROLONGAR LA VIDA LABORAL

En el apartado anterior hemos observado que todos los países desarrollados han logrado invertir la tendencia iniciada en la década de 1970 hacia jubilaciones cada vez más tempranas. Pero, ¿qué explica este incremento sustancial en la participación laboral de los trabajadores mayores? Las aportaciones realizadas dentro del grupo internacional dirigido por A. Börsch-Supan y C. Coile muestran que, en buena medida, debe atribuirse a las reformas introducidas en los sistemas nacionales de seguridad social, muchas de ellas orientadas, precisamente, a mejorar los incentivos financieros derivados de continuar trabajando[8]. De hecho, este grupo de estudio no encuentra evidencia sustantiva de que otros factores, en principio más previsibles, como las mejoras en salud y educación, tengan influencia en el alargamiento de las carreras laborales[9]. No obstante, sigue sin estar claro cómo y en qué medida influye cada factor específico en el aumento observado en las tasas de empleo de los mayores.

Existe una extensa literatura empírica, que va desde el campo de la Economía hasta la Psicología, dedicada a estudiar los factores que condicionan el paso a la jubilación. De hecho, hasta disponemos de algunas revisiones sistemáticas de esta literatura que proporcionan una clasificación de dichos análisis en función de los factores concretos en los que se pone el foco[10]. En el esquema 1 mostramos los cuatro dominios en que se pueden agrupar los factores generalmente estudiados.

---

8. Börsch-Supan, A. y Coile C., *Social Security Programs and Retirement Around the World: Reforms and Retirement Incentives–Introduction and Summary*, National Bureau of Economic Research; Report No.: 25280, 2018.

9. *Vid.* Coile, C., Milligan, K. S. y Wise, D. A., *Social Security Programs and Retirement Around the World: Working Longer – Introduction and Summary*, National Bureau of Economic Research; Report No.: 24584, 2018.

10. Fisher, G. G., Chaffee D. S. y Sonnega, A., "Retirement timing: A review and recommendations for future research", *Work, Aging and Retirement*, 2(2):230–261, 2016; Scharn, M., Sewdas, R., Boot, C. R., Huisman, M., Lindeboom. M. y Van Der Beek, A. J., "Domains and determinants of retirement timing: A systematic review of longitudinal studies", *BMC public health*;18 (1):1083, 2018; o Boissonneault, M., Mulders, J. O., Turek, K. y Carriere, Y., "A systematic review of causes of recent increases in ages of labor market exit in OECD countries", *PLoS ONE*, 15(4): e0231897, 2020.

El estado de salud es uno de los factores más previsibles a la hora de estudiar el retiro. En concreto, la mala salud es un importante factor a la hora de explicar esta decisión[11]. Este resultado se mantiene a nivel internacional, como han comprobado, por ejemplo, T. van den Berg et al., utilizando datos para los once países de las dos primeras olas de la encuesta SHARE. Allí muestran que la mala salud declarada es un factor importante en el abandono del mercado de trabajo, aunque su intensidad es menor para trabajadores más mayores (por encima de 60 años), en quienes los factores institucionales tienen mayor peso[12].

Esquema 1. Resumen por categorías de factores condicionantes de la decisión de salir del mercado de trabajo de acuerdo con la evidencia disponible

Individuo	Puesto de trabajo	Familia	Variables socio-económicas
– Demográficas (edad, educación, etc.) – Personalidad, necesidades, motivación, valores – Habilidades – Salud y estilo de vida – Historial laboral – Renta, riqueza y seguro de salud	– Características del puesto – Estereotipos sobre edad, diversidad y discriminación – Política de recursos humanos – Plan de pensiones promovido por empleador – Oportunidades de formación	– Responsabilidad cuidados – Estado civil – Jubilación de la pareja	– Normas sociales jubilación – Aspectos macroeconómicos – Cambios en los sistemas de Seguridad Social

Fuente: M. Boissenault et al., op. cit.

Otro grupo de factores decisivos son los que tienen que ver con la situación económica individual (renta, riqueza, pensión, seguro médico, ayuda financiera en el hogar, etc.). En general, los estudios corroboran la

---

11. *Vid.* Bound, J., Schoenbaum, M., Stinebrickner, T. R., y Waidmann, T., "The dynamic effects of health on the labor force transitions of older workers", *Labour Economics*, 6:179-202, 1999.
12. van den Berg, T., Schuring, M., Avendano, M., Mackenbach, J., & Burdorf, A., "The impact of ill health on exit from paid employment in Europe among older workers", *Occupational and Environmental Medicine*, 67, 845–852, 2010.

intuición de que la gente se retira cuando puede permitírselo, y que, por lo tanto, a mayor nivel de riqueza, más probable la jubilación[13].

El nivel educativo también es un factor del que se espera alto poder explicativo. Observando los datos a nivel internacional, tenemos que, dentro del grupo de edad entre 55 y 64 años, quienes poseen mayor nivel tienen tasas de empleo superiores entre un 20% y un 40%[14]. Por su parte, G. Burtless también ha demostrado que los trabajadores con mayor nivel educativo tienden a jubilarse más tarde frente a sus pares con menor nivel[15].

El hecho es que no son únicamente las características individuales o del puesto de trabajo las que determinan la permanencia en el mundo laboral. Las relaciones familiares pueden jugar un papel muy importante. Por ejemplo, C. Pérez, A. Martín-Román y A. Moral concluyen que existe un *efecto ocio complementario* (las parejas sincronizan su decisión de jubilarse), de tal modo que el 67% del aumento de participación laboral de los varones entre 55 y 65 años en la década 1995-2016 puede ser explicado por el incremento simultáneo de la participación laboral de sus esposas[16].

Por su parte, I. Madero-Cabib, J. A. Gauthier y J. M. Le Goff concluyen que la dinámica familiar influye en la decisión de jubilación. En un estudio para Suiza, muestran que la jubilación anticipada o a la edad legal es menos probable en aquellas personas (mayoritariamente, mujeres) con trabajos a tiempo parcial y responsabilidades en el hogar. Por el contrario, es más probable que pospongan la jubilación quienes no cuentan con una pareja que ofrezca apoyo financiero[17]. El hecho de ser responsable de cuidar a una persona en el propio hogar es un factor que afecta a la decisión de jubilarse, como han concluido E. Dentinger y M. Clarkberg, ahora bien, mientras que en el caso mujeres supone un incentivo para adelantar su jubilación, en el caso de los hombres actúa justo en sentido contrario, posponiendo su

---

13. *Vid.* Gruber, J., y Wise, D. A., "Social security and retirement around the world", *Research in Labor Economics*, 18, 1-40, 1999.

14. *Vid.* Coile, C., Milligan, K. S. y Wise, D. A., *op. cit.*

15. Burtless, G., "Who Is Delaying Retirement? Analyzing the Increase in Employment among Older Workers", en Burtless, G. y Aaron, H. J. (eds.), *Closing the deficit: How much can later retirement help?*, Washington, DC: Brookings Institution Press, 2013.

16. Pérez C, Martín-Román Á y Moral A., "Two decades of the complementary leisure effect in Spain", *The Journal of the Economics of Ageing*, 2020. También se ha comprobado que las personas casadas son menos proclives a aceptar incentivos para jubilación anticipada cuando su cónyuge sigue en el mercado laboral que cuando están fuera. *Vid.* Kim, S., y Feldman, D. C., "Healthy, wealthy, or wise: Predicting actual acceptances of early retirement incentives at three points in time", *Personnel Psychology*, 51, 623-642, 1998.

17. Madero-Cabib, I., Gauthier, J. A., y Le Goff, J. M., "The influence of interlocked employment-Family trajectories on retirement timing", *Work, Aging and Retirement*, 2, 38-53, 2016.

retiro[18]. Del mismo modo, el cuidado de los nietos es un factor significativo a la hora de explicar la jubilación[19].

Hay una literatura más reciente centrada en las causas de la tendencia a alargar las carreras laborales de los mayores descrita en el apartado anterior. El trabajo de M. Larsen y P. J. Pedersen, que se centra en el colectivo de trabajadores entre 65 y 69 años, a partir de la encuesta SHARE para tres países del norte de Europa (Alemania, Dinamarca y Suecia), concluye que las reformas en la seguridad social explican los aumentos en la tasa de empleo de este colectivo, y, al mismo tiempo, encuentra que la buena salud y el mayor nivel educativo también contribuyen a este resultado[20].

Andersen et al. estudian la decisión de seguir trabajando pasada la edad en la que se tiene derecho a la totalidad de la pensión pública. Distinguen entre aspectos puramente físicos del puesto de trabajo y aspectos psicosociales (influencia en el trabajo, reconocimiento, tiempo para hacer las tareas, etc.). Concluyen que los trabajadores con tareas más exigentes físicamente tienen a retirarse antes, mientras los factores psicosociales tienen una influencia importante, incluso para quienes tienen trabajos físicamente exigentes.[21] Otros estudios analizan la influencia de factores externos al mercado de trabajo, relativos a la intensidad o estructuración de la vida cotidiana. Por ejemplo, H. De Preter et al. muestran que hay una serie de factores vitales que inducen a adelantar la jubilación, entre ellos, la satisfacción con el ocio, pertenecer a un club o tener que cuidar a alguien[22].

IV. ANÁLISIS EMPÍRICO: REDES SOCIALES Y DECISIÓN DE TRABAJAR MÁS ALLÁ DE LA EDAD NORMAL DE JUBILACIÓN

En esta sección nos proponemos avanzar en nuestro análisis tratando de analizar los determinantes de la decisión de seguir trabajando cuando ya se ha alcanzado una edad cercana a la jubilación (medida en términos de edad

---

18. Dentinger, E., y Clarkberg, M., "Informal caregiving and retirement timing among men and women", *Journal of Family Issues*, 23(7): 857–879, 2002.
19. *Vid.* De Preter, H., Van Looy, D. y Mortelmans, D., "Individual and institutional push and pull factors as predictors of retirement timing in Europe: A multilevel analysis", *Journal of Aging Studies*, 27 (4): 299-307, 2013.
20. Larsen, M. y Pedersen, P. J., "Labour force activity after 65: what explain recent trends in Denmark, Germany and Sweden?", *Journal of Labour Market Research*, 50(1):15–27, 2017.
21. Andersen L.L., Thorsen S.V., Larsen M., Sundstrup E., Boot C.R. y Rugulies R., "Work factors facilitating working beyond state pension age: Prospective cohort study with register follow-up", *Scandinavian Journal of Work, Environment & Health*, 47:15-21, 2021.
22. De Preter, H., Van Looy, D., Mortelmans, D. y Denaeghel, K., "Retirement timing in Europe: The influence of individual work and life factors", *The Social Science Journal*, 50:2, 145-151, 2013.

legal de jubilación). En nuestro estudio incorporamos factores como salud, educación, pero también cargas familiares y redes sociales del trabajador.

Nuestro análisis emplea la base de datos de la *Survey of Health, Ageing and Retirement in Europe* (SHARE), encuesta realizada, en la actualidad, bianualmente, en un número creciente de países europeos (España está incluida desde la primera ola, en 2004). En esta encuesta se recaba información de todo tipo (demográfica, financiera, laboral, salud, redes sociales y familiares, etc.) de personas mayores de 50 años[23]. En nuestro caso, vamos a emplear la información relativa a las cinco primeras olas con cuestionarios homogéneos, abarcando un periodo de más de 10 años. La información se recogió, en general, aunque varía por países, en los años 2004 (ola 1), 2007 (ola 2), 2011 (ola 4), 2013 (ola 5) y 2015 (ola 6)[24].

1. MUESTRA

En el cuadro 1 se muestra la información de la muestra empleada (personas mayores de 64 años, diferenciando entre activas y no activas).

La muestra está formada por un panel no balanceado con 153.234 observaciones de individuos mayores de 64 años de los cuales, después de filtrar por la situación laboral, nos quedan 12.714 activos y 121.895 inactivos. Nótese que la suma de individuos activos e inactivos, mayores de 64 años, cuya situación laboral puede ser activa o inactiva, no coincide con el total de observaciones ya que algunos de los individuos no revelan información sobre su situación laboral. Así pues, el porcentaje de individuos que se mantiene activo en este tramo de edad es minoritario (solo un 10% del total), lo cual es lógico si tenemos en cuenta que la edad de jubilación en la mayoría de los países analizados está, por lo general, en torno a los 65 años.

El perfil mayoritario, en el total de la muestra, del individuo mayor de 64 años es: mujer, casado o en pareja, con nivel educativo de primaria o secundaria, con hijos, que goza de buena salud y sin dificultad para llegar a fin de mes y que no mantiene una red social importante (no presta ni recibe ayuda de fuera del hogar, ni de alguien dentro del hogar, no presta ni recibe ayuda financiera, y tampoco participa en el cuidado de los nietos, ni en actividades sociales).

---

23. Para mayor información, visitar la web de SHARE: http://www.share-project.org.
24. Los países incluidos en la muestra son Austria, Alemania, Suecia, Holanda, España, Italia, Francia, Dinamarca, Grecia, Suiza, Bélgica, Israel, República Checa, Polonia, Irlanda, Luxemburgo, Hungría, Portugal, Eslovenia, Estonia, Croacia.

Cuadro 1. Descripción de la muestra: Mayores de 64 años, activos e inactivos

Variables	TOTAL		Activo		Inactivo	
	N	%	N	%	N	%
Características socio-económicas:						
Hombres	69.497	45,4	7.562	59,5	53.301	43,7
Mujeres	83.737	54,6	5.152	40,5	68.594	56,3
Estado Civil						
Casado_pareja	92.477	66,8	9.170	73,3	79.803	66,1
Viudo_separado	40.189	29,0	2.712	21,7	35.967	29,8
Soltero	5.780	4,2	620	5,0	4.884	4,0
Nivel educativo						
Primaria	45.369	33,7	1.846	14,9	42.494	35,5
Secundaria	60.449	45,0	5.424	43,7	54.079	45,2
Post Secundaria	5.215	3,9	902	7,3	4.247	3,5
Superior	23.458	17,4	4.249	34,2	18.921	15,8
Salud						
Buena salud	71.450	52,3	9.300	73,2	61.460	50,5
Mala Salud	65.177	47,7	3.401	26,8	60.347	49,5
Dificultad para llegar a fin de mes	48.823	36,8	2.993	23,9	45.727	38,2
Familia y Redes Sociales:						
Recibe ayuda de alguien de fuera del hogar	33.838	24,8	2.221	17,5	30.824	25,3
Frecuencia con la que recibe ayuda de alguien de fuera del hogar:						
Ninguna	102.616	75,2	10.479	82,6	90.832	74,7
Mensual o menor	13.439	9,9	1.432	11,3	11.813	9,7
Diaria o semanal	20.323	14,9	782	6,2	18.944	15,6
Presta ayuda a alguien fuera del hogar	29.054	21,3	4.273	33,7	24.564	20,2
Frecuencia con la que presta ayuda a alguien fuera del hogar:						
Ninguna	107.433	78,7	8.426	66,4	97.118	79,8
Mensual o menor	13.940	10,2	2.427	19,1	11.430	9,4
Diaria o semanal	15.071	11,0	1.832	14,4	13.108	10,8
Presta ayuda a alguien dentro del hogar	9.737	7,1	621	4,9	9.069	7,5
Recibe ayuda de alguien del hogar	8.999	7,1	196	1,7	8.710	7,7
Hijos	123.299	90,4	11.629	91,6	109.904	90,5
Cuidado de nietos	42.762	31,6	5.772	45,7	36.831	30,5
Frecuencia cuidado de los nietos						
Ninguna	92.697	68,7	6.872	54,6	83.911	69,7
Mensual o menor	19.467	14,4	2.937	23,3	16.458	13,7
Diaria o semanal	22.850	16,9	2.780	22,1	19.987	16,6
Presta ayuda financiera	34.850	25,8	4.898	39,0	29.684	24,6
Recibe ayuda financiera	8.052	5,9	1.029	8,2	6.915	5,7
Actividad social						
Nada	86.572	65,8	5.849	46,4	80.687	67,8
Infrecuente	13.732	10,4	2.215	17,6	11.513	9,7
Frecuente	31.368	23,8	4.544	36,0	26.817	22,5
Olas						
Ola-1	15.107	9,9	817	6,4	12.532	10,3
Ola-2	19.893	13,0	1.362	10,7	16.121	13,2
Ola-4	33.102	21,6	2.426	19,1	26.721	21,9
Ola-5	40.624	26,5	3.843	30,2	31.748	26,0
Ola-6	44.508	29,0	4.266	33,6	34.773	28,5

Fuente: Elaboración propia.

En la muestra con la que finalmente vamos a realizar nuestro trabajo empírico, los individuos mayores de 64 años que declaran mantenerse activos en el mercado laboral (empleados o desempleados) son mayoritariamente hombres (60%), casados o cohabitando con su pareja (73%), con hijos (92%), nivel educativo equivalente a secundaria (44%) o educación superior (34%), buen estado de salud (73%), y sin dificultades para llegar a fin de mes (tan sólo un 24% de los individuos revela tener problemas). Con respecto a las variables relacionadas con las redes sociales, existe un porcentaje mayor de individuos en esta submuestra que presta más ayuda fuera del hogar (34%) que la que recibe del exterior (18%). Es destacable que sólo un porcentaje muy pequeño declara prestar (5%) o recibir ayuda de alguien de dentro del hogar (2%). Esto nos parece lógico, ya que son individuos que, como ya hemos avanzado, gozan de un buen estado de salud, y no necesitan ayuda para vestir, asearse, etc. y, a la vez, podemos interpretar que también tienen la oportunidad de mantenerse en activo, al no tener que dedicar parte de su tiempo al cuidado de una persona dependiente en casa. Con respecto al cuidado de los nietos, un 46% de los individuos declara tener nietos y cuidarlos con una periodicidad mensual o menor. En el caso de la ayuda financiera, un 39% de los individuos activos mayores de 64 años afirma prestar ayuda financiera (dinero para cubrir gastos médicos, escolarización, entrada de una casa, etc.), frente a un 8% que la recibe. Finalmente, si consideramos el indicador de actividad social, observamos que una mayoría (54%) realiza algún tipo de actividad (voluntariado, asistencia a cursos educativos, ir a un club deportivo o social, tomar parte en actividades religiosas o formar parte de una organización política), y un 36% de ellos lo hace con cierta frecuencia (semanal o diaria).

En cuanto a los inactivos mayores de 64 años (jubilados o fuera del mercado laboral) son: mayoritariamente mujeres (56%), casados o que cohabitan con su pareja (66%), con hijos (91%), con un nivel educativo bajo (36% y 45%, respectivamente, con primaria o secundaria), con una valoración subjetiva de su estado de salud positiva sólo en la mitad de los casos, y que en un 38% manifiesta llegar con dificultad a fin de mes. A diferencia de las personas que dicen estar activas, los inactivos declaran recibir más ayuda externa (25%, principalmente con una frecuencia diaria o semanalmente) de la que prestan (20%). De igual forma, en comparación con el grupo de individuos activos, las personas inactivas de la muestra revelan prestar más ayuda (o recibir más ayuda) para (por) alguien dentro del hogar. Si observamos la variable "cuidado de los nietos", observamos que sólo un 31% declara dedicar tiempo a ello. Con respecto a la ayuda financiera, un 25% de los individuos no activos de la muestra dice prestar ayuda financiera frente a un pequeño porcentaje (6%) que admite recibirla. Por último, también a diferencia con los resultados obtenidos para los individuos activos, las personas inactivas no realizan en su mayoría (68%) actividades sociales como las consideradas para la elaboración de nuestro indicador.

En resumen, las diferencias principales entre los individuos activos e inactivos, mayores de 64 años, de la muestra son: 1) La mayoría de los individuos activos laboralmente son varones; 2) Los individuos inactivos (jubilados y fuera del mercado laboral) tienen un nivel educativo inferior al relativo a los individuos activos; 3) Las personas que se mantienen activas gozan de mejor estado de salud; 4) Existe un mayor porcentaje de individuos inactivos que recibe ayuda exterior, diaria o semanalmente. Por el contrario, son los individuos activos los que en mayor medida prestan ayuda fuera del hogar; 5) En cuanto a la ayuda dentro del hogar, las personas inactivas prestan y reciben más ayuda de dentro del hogar que las personas activas laboralmente; 6) Los individuos activos dedican más tiempo al cuidado de los nietos y prestan más ayuda financiera; 7) Por último, los individuos inactivos tienen menos actividad social que los activos, siendo estos últimos los que desarrollan algún tipo de actividad social con más frecuencia.

2. VARIABLES UTILIZADAS

Nuestro objetivo es determinar si las redes sociales influyen en la decisión de alargar la vida laboral más allá de la edad de jubilación. Por eso, hemos creado nuestra variable dependiente como una *dummy "activo"* (=1, individuo mayor de 64 años, activo o desempleado; =0, individuo mayor de 64 años, jubilado o fuera del mercado laboral) a raíz de la siguiente pregunta en SHARE: *"En general, ¿cómo describiría su situación laboral actual?: 1. Jubilado; 2. Empleado o autoempleado; 3. Desempleado; 4. Enfermo o discapacitado permanente; 5. Trabaja en el cuidado de la casa o la familia; 97. Otros"*.

Variables Socioeconómicas:

Junto al conjunto de variables de control introducidas en la mayoría de los estudios econométricos sobre el tema (*sexo, estado civil, nivel educativo*), hemos incluido dos variables, *buen estado de salud* y *dificultad para llegar a fin de mes*, las cuales precisan de una explicación más detallada:

"Buen estado de salud" es una variable dicotómica que toma un valor igual a 1, si el individuo ha respondido que su estado de salud es excelente, muy bueno, o bueno y, por el contrario, toma un valor igual a cero, si ha contestado que éste es regular o malo.

A partir de la pregunta: *"Pensando en los ingresos mensuales totales de su hogar, diría que su hogar puede llegar a fin de mes: con gran dificultad, con alguna dificultad, casi fácilmente, fácilmente"*, hemos creado la variable *dummy "Dificultad para llegar a fin de mes"*, la cual toma un valor igual a 1, cuando el entrevistado ha contestado que llega a fin de mes con gran dificultad o con alguna dificultad, y 0 en el caso contrario (casi fácil o fácilmente).

Variables Familia y Redes Sociales:

Nuestra hipótesis es que las redes sociales juegan un papel muy importante en las decisiones de los individuos mayores de 64 años a la hora de mantenerse laboralmente activos más allá de la edad legal de jubilación. Para comprobarlo, hemos creado una serie de variables que recogen el apoyo o red social de los trabajadores.

Las variables *"recibe ayuda de alguien fuera del hogar"* o *"presta ayuda fuera del hogar"* son variables *dummy* que muestran, respectivamente, si algún miembro de la familia ha recibido ayuda (cuidado personal o ayuda doméstica) o, por el contrario, prestado ayuda exterior (algún familiar, amigo o vecino), en los últimos doce meses. Para recoger la frecuencia con la que se recibe o presta esta ayuda hemos creado, para ambos casos, variables que pueden tomar tres valores, de mayor a menor frecuencia: 2, si se hace diaria o semanalmente; 1, mensualmente o con menor frecuencia; y 0, si no existe frecuencia alguna.

Las variables *"presta ayuda a alguien dentro del hogar"* y *"recibe ayuda de alguien del hogar"* son variables dicotómicas que toman un valor igual a 1 si el individuo contesta que ha prestado ayuda regularmente a alguien dentro del hogar o recibido ayuda, respectivamente, en labores de cuidado personal, tales como lavar, hacer la cama o vestir, en los últimos doce meses.

La variable *"nietos"* es una variable *dummy* que toma valor igual a 1, si se cumple, o 0, en caso contrario. Considerando la frecuencia con la que el entrevistado manifiesta cuidar de sus nietos hemos creado la variable *"frecuencia cuidado de los nietos"* que puede tomar tres valores, de mayor a menor frecuencia: 2, si se hace diaria o semanalmente; 1, mensualmente o con menor frecuencia; y 0, si no existe frecuencia.

"Presta ayuda financiera" o "recibe ayuda financiera" son dos variables dicotómicas que atienden a la posibilidad de que el entrevistado o su pareja hayan realizado, o recibido en el segundo caso, algún obsequio o apoyo financiero (tales como dinero para cubrir gastos médicos, escolarización, entrada de una casa, etc.), de dentro o fuera del hogar, por un importe igual o superior a los 250 euros (no se incluyen los préstamos o donativos de caridad).

En último lugar, en la encuesta se pregunta por la participación del entrevistado en una serie de actividades sociales: voluntariado, asistencia a cursos educativos, ir a un club deportivo o social, tomar parte en actividades religiosas o formar parte de una organización política. Teniendo en cuenta la frecuencia con la que éste participa, o no, en cualquiera de estas actividades, hemos creado la variable *"actividad social"*, que puede tomar tres valores, de mayor a menor frecuencia: valor igual a dos, si la frecuencia es semanal o diaria; igual a 1, si es mensual o con menor frecuencia; y 0, si no participa en ninguna de estas actividades.

3. MODELO

En orden a probar nuestra hipótesis de partida: *"la decisión de seguir trabajando cuando ya se ha alcanzado la edad legal de jubilación está relacionada con la densidad de la red social del trabajador"*, realizamos inicialmente dos estimaciones simples (sin incluir las variables relacionadas relativas a frecuencias) para comparar los resultados obtenidos mediante un modelo de *Mínimos Cuadrados Generalizados (MCG)* con efectos aleatorios y un modelo *Probit*.

Los resultados obtenidos con ambos modelos resultan ser prácticamente similares por lo que, para facilitar la interpretación, realizaremos una estimación de los datos del panel de nuestra muestra mediante *MCG con efectos aleatorios*:

$$y_{it} = \text{ß}x'_{it} + v_i + e_{it}$$

Donde yit indica la situación activa o inactiva del individuo i-th en el tiempo t; x'_{it} representa el vector de características individuales; ß es el vector de los coeficientes que queremos estimar; v_i son los efectos aleatorios individuales no observados (características únicas de cada individuo no recogidas en "x"); y e_{it} representa el término de perturbación o error.

Antes de analizar los resultados obtenidos, debemos tener en cuenta que, si los efectos aleatorios están correlacionados con los regresores incluidos en nuestra ecuación, las estimaciones obtenidas con efectos aleatorios serán inconsistentes[25].

En el cuadro 3 incluimos una ampliación en la estimación original simple mediante *MCG con efectos aleatorios* (cuadro 2), incluyendo en este caso aquellas variables que recogen la frecuencia de la acción.

---

25. Para aclarar esta cuestión, hemos realizado el Test de Hausman, el cual compara los estimadores obtenidos a través de efectos aleatorios versus efectos fijos, y comprobamos que tenemos problemas de inconsistencia en nuestra estimación, esto es, existen diferencias entre ambas estimaciones (ßef ≠ßea) y, por tanto, los vi están correlacionados con las x´.

Cuadro 2. Estimación simple por Minimos Cuadrados Generalizados (efectos aleatorios) y Probit para el total de la muestra	GLS		PROB	
	Coef.	z	Coef.	z
Características socio-económicas:				
Mujeres	-0,040	-17,33 [c]	-0,246	-21,75 [c]
Estado Civil				
Soltero (ref)				
Casado_pareja	-0,031	-4,75 [c]	-0,193	-6,40 [c]
Viudo_separado	-0,039	-6,09 [c]	-0,243	-7,89 [c]
Nivel educativo				
Primaria (ref)				
Secundaria	0,034	16,52 [c]	0,258	18,11 [c]
Post Secundaria	0,117	15,77 [c]	0,646	25,39 [c]
Superior	0,110	29,15 [c]	0,551	33,55 [c]
Salud				
Buena salud	0,031	18,32 [c]	0,305	24,97 [c]
Dificultad para llegar a fin de mes	-0,013	-7,60 [c]	-0,074	-5,90 [c]
Familia y Redes Sociales:				
Recibe ayuda de alguien de fuera del hogar	-0,007	-3,99 [c]	-0,120	-8,60 [c]
Presta ayuda a alguien fuera del hogar	0,025	12,23 [c]	0,203	16,59 [c]
Presta ayuda a alguien dentro del hogar	-0,007	-2,58 [b]	-0,092	-3,81 [c]
Recibe ayuda de alguien del hogar	-0,027	-12,46 [c]	-0,419	-12,09 [c]
Hijos	0,040	8,66 [c]	0,244	9,58 [c]
Cuidado de nietos	-0,275	-8,03 [c]	-0,167	-10,37 [c]
Presta ayuda financiera	0,024	12,47 [c]	0,173	14,54 [c]
Recibe ayuda financiera	0,012	3,48 [c]	0,133	6,19 [c]
Actividad social	0,010	9,00 [c]	0,081	12,89 [c]
Olas				
Ola-1 (ref)				
Ola-2	0,006	2,63 [c]	0,094	3,88 [c]
Ola-4	-0,005	-1,91 [a]	0,105	4,77 [c]
Ola-5	-0,003	-1,30 [a]	0,198	9,33 [c]
Ola-6	-0,005	-2,08 [b]	0,273	12,63 [c]
cons	0,077	12,31 [c]	-1,817	-52,75 [c]
No. Observaciones	117.278		117.278	
Nota: Individuos > 64 años.				
a, b,c indican niveles de significatividad al 10%, 5% y 1% respectivamente.				
Los errores estándar son robustos.				

Cuadro 3. Estimación por Minimos Cuadrados Generalizados (efectos aleatorios) para el total de la muestra

	Sin var. frecuencias			Con var. frecuencias	
	Coef.	z		Coef.	z
Características socio-económicas:					
Mujeres	-0,040	-17,33 [c]		-0,040	-17,46 [c]
Estado Civil					
Soltero (ref)					
Casado_pareja	-0,031	-4,75 [c]		-0,036	-5,66 [c]
Viudo_separado	-0,039	-6,09 [c]		-0,420	-6,58 [c]
Nivel educativo					
Primaria (ref)					
Secundaria	0,034	16,52 [c]		0,032	15,82 [c]
Post Secundaria	0,117	15,77 [c]		0,115	15,59 [c]
Superior	0,110	29,15 [c]		0,107	28,48 [c]
Salud					
Buena salud	0,031	18,32 [c]		0,031	18,67 [c]
Dificultad para llegar a fin de mes	-0,013	-7,60 [c]		-0,012	-7,29 [c]
Familia y Redes Sociales:					
Recibe ayuda de alguien de fuera del hogar	-0,007	-3,99 [c]			
Frecuencia con la que recibe ayuda de alguien de fuera del hogar:					
Ninguna (ref)					
Mensual o menor				-0,016	-0,63 [a]
Diaria o semanal				-0,011	-6,71 [c]
Presta ayuda a alguien fuera del hogar	0,025	12,23 [c]			
Frecuencia con la que presta ayuda a alguien fuera del hogar:					
Ninguna (ref)					
Mensual o menor				0,030	10,25 [c]
Diaria o semanal				0,015	5,98 [c]
Presta ayuda a alguien dentro del hogar	-0,007	-2,58 [b]		-0,005	-1,98 [b]
Recibe ayuda de alguien del hogar	-0,027	-12,46 [c]		-0,025	-12,71 [c]
Hijos	0,040	8,66 [c]		0,013	3,64 [c]
Nietos	-0,275	-8,03 [c]			
Frecuencia cuidado de los nietos					
Ninguna (ref)					
Mensual o menor				0,027	10,29 [c]
Diaria o semanal				0,152	6,11 [c]
Presta ayuda financiera	0,024	12,47 [c]		0,022	11,58 [c]
Recibe ayuda financiera	0,012	3,48 [c]		0,110	3,26 [c]
Actividad social	0,010	9,00 [c]			
Nada (ref)					
Infrecuente				0,314	10,57 [c]
Frecuente				0,017	7,40 [c]
Olas					
Ola-1 (ref)					
Ola-2	0,006	2,63 [c]		0,006	2,81 [c]
Ola-4	-0,005	-1,91 [a]		-0,004	-1,89 [a]
Ola-5	-0,003	-1,30 [a]		-0,003	-1,27 [a]
Ola-6	-0,005	-2,08 [b]		-0,006	-2,23 [b]
cons	0,077	12,31 [c]		0,078	12,62 [c]
No. Observaciones	117.278			119.120	
Nota: Individuos > 64 años.					
a, b,c indican niveles de significatividad al 10%, 5% y 1% respectivamente.					
Los errores estándar son robustos.					

4.   RESULTADOS

Características socioeconómicas:

Los resultados de la estimación determinan que las *mujeres* tienen menos probabilidad de estar activas, una vez superada la edad legal de jubilación, a un nivel de confianza del 99%. Si analizamos el *estado civil* comprobamos que, a diferencia de lo comentado en el descriptivo, las personas viudas, casadas o que cohabitan en pareja, se mantienen menos activas que las solteras con un nivel de significatividad del 1%.

En cuanto al *nivel educativo*, los resultados obtenidos, a un nivel de confianza del 99%, nos confirman que son los individuos con un mayor nivel educativo (post secundaria o superior) los que continúan activos.

La variable *buen estado de salud* tiene un valor positivo y significativo al 1%. Así pues, como cabría esperar, los individuos mayores de 64 años que gozan de un buen estado de salud es más probable que continúen en activo.

El coeficiente de la variable *dificultad para llegar a fin de mes* es negativo y significativo al 1%. Esto supone que las personas activas laboralmente de nuestra muestra tienen menos probabilidad de tener problemas para llegar a fin de mes frente a las que ya se encuentran inactivas (jubiladas o fuera del mercado laboral).

Familia y redes sociales:

Con un nivel de significatividad del 1%, los individuos activos son más proclives a prestar ayuda externa a alguien fuera del hogar (familiar, amigo o vecino), en los últimos 12 meses, y menos probable que sean ellos los que reciban dicha ayuda. La estimación incluyendo la frecuencia con la que se presta o recibe esta ayuda externa muestra que los que prestan ayuda externa con una periodicidad mensual o menor tienen mayor probabilidad de estar activos y que, por el contrario, los que reciben ayuda mensual o con menor frecuencia tienen menos probabilidad de estar activos (nivel de significatividad del 1% en ambos casos).

El signo del coeficiente de las variables que recogen la ayuda prestada o recibida dentro del hogar (labores de cuidado personal, tales como lavar, hacer la cama o vestir) es negativo y significativo al 1%. Este resultado nos parece razonable, puesto que es lógico que aquellos individuos que precisen o demanden de ayuda para estas funciones no se encuentren en condiciones de desempeñar una actividad en el mercado de trabajo, o del mismo modo, dispondrán de menos tiempo, al tener que cuidar de una persona dependiente en el hogar.

Como ya observamos en el análisis descriptivo, en torno a un 90% de los individuos en el total de la muestra y submuestras (individuos activos e inactivos) tienen hijos. En nuestra estimación el resultado de la variable *hijos* es positivo y mantiene una significatividad del 1%.

Los individuos que tienen *nietos* tienen menor probabilidad de encontrarse en activo, con una significatividad del 1%. Sin embargo, si atendemos a los resultados de la estimación con la inclusión de la variable que incluye la *frecuencia en el cuidado de los nietos*, observamos que es más probable que sean los activos quienes cuidan de los nietos diaria o semanalmente (significatividad al 1%). Sería interesante analizar si los individuos activos que tienen, o no, nietos son los más jóvenes de la muestra, porque podría entenderse que estos, por lógica, aún no tengan nietos y si, por el contrario, los tienen se encuentren físicamente en buenas condiciones para cuidar de ellos.

El signo del coeficiente de las variables ficticias *presta ayuda financiera* o *recibe ayuda financiera* es, en ambos casos, positivo y significativo al 1%. Es decir, las personas activas es más probable que presten o reciban más ayuda financiera que los individuos inactivos.

Por último, a un nivel de significatividad del 1%, es más probable que los individuos activos mantengan una mayor *actividad social* (voluntariado, asistencia a cursos educativos, ir a un club deportivo o social, tomar parte en actividades religiosas o formar parte de una organización política) que los inactivos. Si incluimos la frecuencia de estas actividades sociales, también con una significatividad del 1%, son los que desarrollan cualquiera de estas actividades con una periodicidad mensual o menor los que con mayor probabilidad se mantengan en activo.

V. CONCLUSIONES

Las reformas de los sistemas de seguridad social en los últimos años, como se confirma para el caso español en 2021, vienen utilizando como recurso, por un lado, el refuerzo de los incentivos financieros para retrasar la edad de jubilación, y por otro lado, el aumento de la flexibilidad que permita compaginar trabajo y pensión, y por tanto, permita a los trabajadores sacar partido de aquellos incentivos.

En todo caso, ya sea a consecuencia de este tipo de reformas o de la propia evolución de las características socioeconómicas de los trabajadores mayores, en todos los países desarrollados, la participación laboral de este colectivo ha experimentado un incremento en las últimas décadas, y, como consecuencia, la edad efectiva de jubilación ha frenado su descenso y ha comenzado a remontar.

Aunque existe una abundante literatura empírica tratando de explicar esta tendencia a la mayor participación laboral de los trabajadores mayores, aún son escasos los trabajos que se centran en las decisiones laborales de aquellas personas que, por haber superado la edad legal de jubilación, tendrían derecho a recibir su pensión pública íntegra. El interés de la cuestión reside en que precisamente las reformas más recientes anunciadas en España van dirigidas específicamente a hacerles más atractiva su permanencia en el mercado laboral. Por tanto, conocer las claves de su decisión nos debería permitir anticipar el éxito de estas políticas, e incluso su rentabilidad.

Los resultados de nuestro estudio demuestran que las personas que optan por seguir trabajando pasada su edad legal de jubilación son aquellas que, controlando por salud, educación y situación, tienen una mayor actividad social independiente del trabajo, es decir, su disponibilidad para el mercado de trabajo va de la mano de su actividad en el resto de aspectos de la vida social y familiar.

Por tanto, una flexibilización del mercado laboral que permita compatibilizar salario y pensión es una condición necesaria para que las personas opten por extender sus vidas laborales, especialmente aquellas más proclives a hacerlo en la medida en que mantienen un alto nivel de actividad e implicación en su vida familiar y social.

VI. BIBLIOGRAFÍA CITADA

AIReF, *Opinión sobre la Sostenibilidad del Sistema de Seguridad Social,* Opinión 1/19, 2019.

Andersen L.L., Thorsen S.V., Larsen M., Sundstrup E., Boot C.R. y Rugulies R., "Work factors facilitating working beyond state pension age: Prospective cohort study with register follow-up", *Scandinavian Journal of Work, Environment & Health*, 47:15–21, 2021.

Boissonneault, M., Mulders, J. O., Turek, K. y Carriere, Y., "A systematic review of causes of recent increases in ages of labor market exit in OECD countries", *PLoS ONE*, 15(4): e0231897, 2020.

Börsch-Supan, A., Bucher-Koenen, T., Kutlu-Koc, V. y Goll, N., "Dangerous Flexibility-Retirement Reforms Reconsidered", *Economic Policy*, 33 (94): 315-355, 2018.

Börsch-Supan A. y Coile C., *Social Security Programs and Retirement Around the World: Reforms and Retirement Incentives–Introduction and Summary.* National Bureau of Economic Research; Report No.: 25280, 2018.

Bound, J., Schoenbaum, M., Stinebrickner, T. R., y Waidmann, T., "The dynamic effects of health on the labor force transitions of older workers", *Labour Econonomics*, 6:179-202, 1999.

Burtless, G., "Who Is Delaying Retirement? Analyzing the Increase in Employmen.

among Older Workers", en Burtless, G. y Aaron, H. J. (eds.), *Closing the deficit: How much can later retirement help?*, Washington, DC: Brookings Institution Press, 2013.

Coile, C., Milligan, K. S. y Wise, D. A., *Social Security Programs and Retirement Around the World: Working Longer-Introduction and Summary*, National Bureau of Economic Research; Report No.: 24584, 2018, https://www.nber.org/papers/w24584.

Conde-Ruiz, J. I. (coord.), "El futuro de las pensiones en España", *Mediterráneo económico*, 34, Cajamar, 202.

De la Fuente, A., García Díaz, M. A. y Sánchez Martín, A. R., "Algunas reflexiones sobre el informe del Pacto de Toledo y los planes del gobierno en materia de pensiones", en Conde-Ruiz (coord.), "El futuro de las pensiones en España", *Mediterráneo económico*, 34, Cajamar, 2021.

Dentinger, E., y Clarkberg, M., "Informal caregiving and retirement timing among men and women", *Journal of Family Issues*, 23(7): 857-879, 2002.

De Preter, H., Van Looy, D. y Mortelmans, D., "Individual and institutional push and pull factors as predictors of retirement timing in Europe: A multilevel analysis", *Journal of Aging Studies*, 27 (4): 299-307, 2013.

De Preter, H., Van Looy, D., Mortelmans, D. y Denaeghel, K., "Retirement timing in Europe: The influence of individual work and life factors", *The Social Science Journal*, 50:2, 145-151, 2013.

Fisher, G. G., Chaffee D. S. y Sonnega, A., "Retirement timing: A review and recommendations for future research", *Work, Aging and Retirement*, 2(2): 230–261, 201.

Gruber, J., y Wise, D. A., "Social security and retirement around the world", *Research in Labor Economics*, 18, 1-40, 1999.

Heywood, J. S. y Siebert, S., *Understanding the Labour Market for Older Workers: A Survey*, IZA Discussion Paper No. 4033, 2009.

INE [Instituto Nacional de Estadística] (23 de julio, 2021). *Esperanza de vida a los 65 años, según sexo*. Recuperado de https://www.ine.es/jaxiT3/Datos.htm?t=1415.

Kim, S., y Feldman, D. C., "Healthy, wealthy, or wise: Predicting actual acceptances of early retirement incentives at three points in time", *Personnel Psychology*, 51, 623-642, 1998.

Larsen, M. y Pedersen, P. J., "Labour force activity after 65: what explain recent trends in Denmark, Germany and Sweden?", *Journal of Labour Market Research*, 50(1):15–27, 2017. https://doi.org/10.1007/s12651-017-0223-7.

Madero-Cabib, I., Gauthier, J. A., y Le Goff, J. M., "The influence of interlocked employment-Family trajectories on retirement timing" Work, Aging and Retirement, 2, 38-53, 2016.

OECD, "Will future pensioners work for longer and retire on less?", *Policy brief on pensions*, July 2019.

OECD, *Ageing and Employment Policies - Statistics on average effective age of retirement*, 2021 (julio).

OECD, *Data*, 2021 (julio).

OECD, *Pensions at a Glance 2019: OECD and G20 Indicators*, Paris, 2019.

Pérez C, Martín-Román Á y Moral A., "Two decades of the complementary leisure effect in Spain", *The Journal of the Economics of Ageing*, 2020.

Scharn, M., Sewdas, R., Boot, C. R., Huisman, M., Lindeboom. M. y Van Der Beek, A. J., "Domains and determinants of retirement timing: A systematic review of longitudinal studies", *BMC public health*; 18 (1):1083, 2018.

Van den Berg, T., Schuring, M., Avendano, M., Mackenbach, J., & Burdorf, A., "The impact of ill health on exit from paid employment in Europe among older workers", *Occupational and Environmental Medicine*, 67, 845-852, 2010.

Agradecimientos

Para la obtención de los resultados alcanzados en la presente monografía han participado, con una función esencial de apoyo y asesoramiento a través de su intervención en diferentes jornadas de estudio y actividades investigadoras, el listado de profesores e investigadores que a continuación se reproduce:

- José Luis Monereo Pérez
- Álvaro Rodríguez Azcúe
- María Ascensión Morales
- José Luis Tortuero Plaza
- Hugo Cifuentes Lillo
- Juan Raso Delgue
- Francisco Tapia Guerrero
- Alfredo Sánchez Castañeda
- Cristóbal Molina Navarrete
- Juan José Hinojosa Torralvo
- Eduardo Rojo Torrecilla
- Juan Gorelli Hernández
- Stefano Bellomo
- Mª Nieves Moreno Vida
- Adriana Topo
- Isabel M. Villar
- Belén del Mar López Insua
- Iluminada Ordoñez Casado
- Antonio V. Sempere Navarro
- Lourdes López Cumbre
- Marco Esposito
- Pompeyo G. Ortega Lozano
- Riccardo del Punta
- Juan Antonio Maldonado Molina

- Juan Carlos Álvarez Cortés
- Guillermo Rodríguez Iniesta
- Susana Rodríguez Escanciano
- Angel de Val Tena
- Francisco Lozano Lares
- Aurora Vimercati
- Juan José Fernández Domínguez
- Angel Árias Domínguez
- Franco Scarpelli
- Sara Guindo Morales
- Estefanía González Cobaleda
- Ignacio García-Perrote Escartín
- Jordi García Viña
- Inmaculada Ballester Pastor
- Francisca Moreno Romero
- Juan García Blasco
- Cristina Sánchez Rodas-Navarro
- Margarita Miñarro Yanini
- Salvador Perán Quesada

Thomson Reuters Proview
Guía de uso

¡ENHORABUENA!

ACABAS DE ADQUIRIR UNA OBRA QUE **INCLUYE LA VERSIÓN ELECTRÓNICA.**
DESCÁRGATELO Y APROVÉCHATE DE TODAS LAS FUNCIONALIDADES.

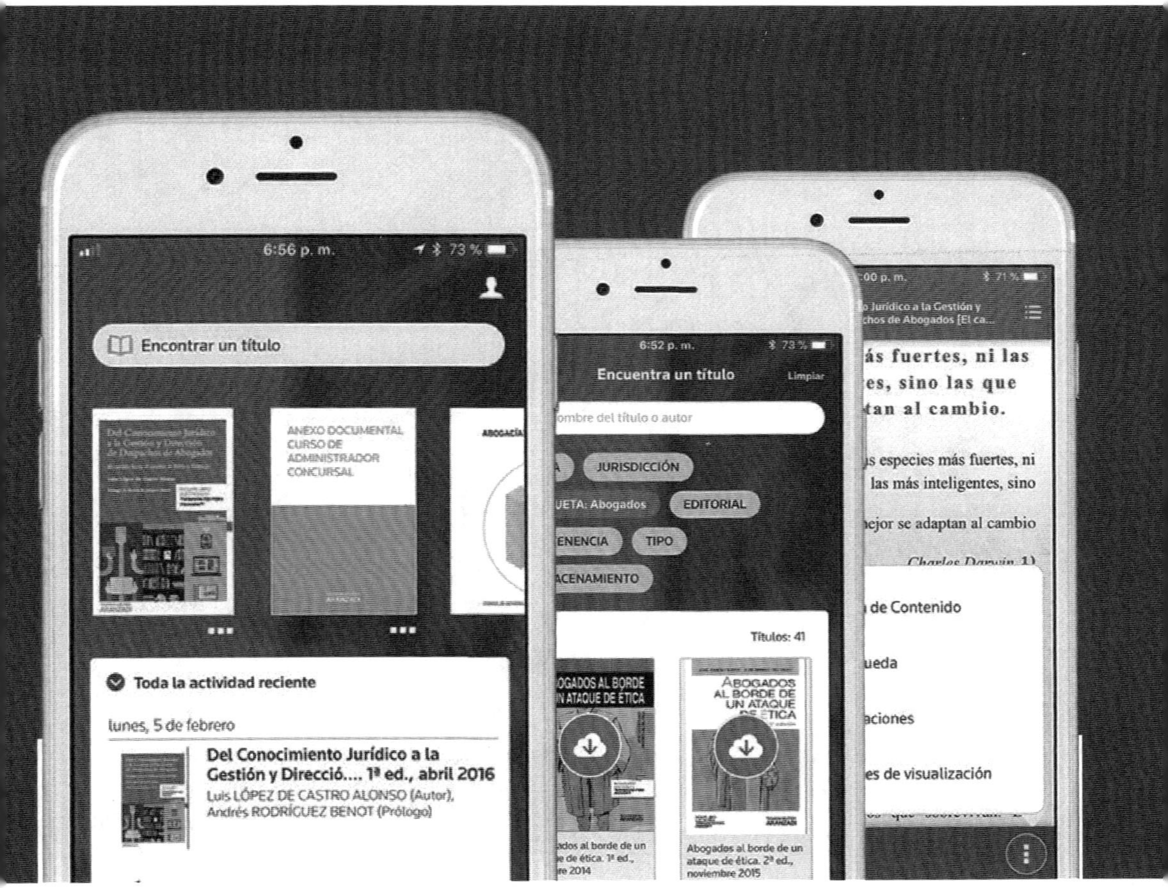

ACCESO INTERACTIVO A LOS MEJORES LIBROS JURÍDICOS
DESDE IPHONE, IPAD, ANDROID Y
DESDE EL NAVEGADOR DE INTERNET

Thomson Reuters Proview
Guía de uso

¡ENHORABUENA!

ACABAS DE ADQUIRIR UNA OBRA QUE **INCLUYE
LA VERSIÓN ELECTRÓNICA.**
DESCÁRGATELO Y APROVÉCHATE DE TODAS LAS FUNCIONALIDADES.

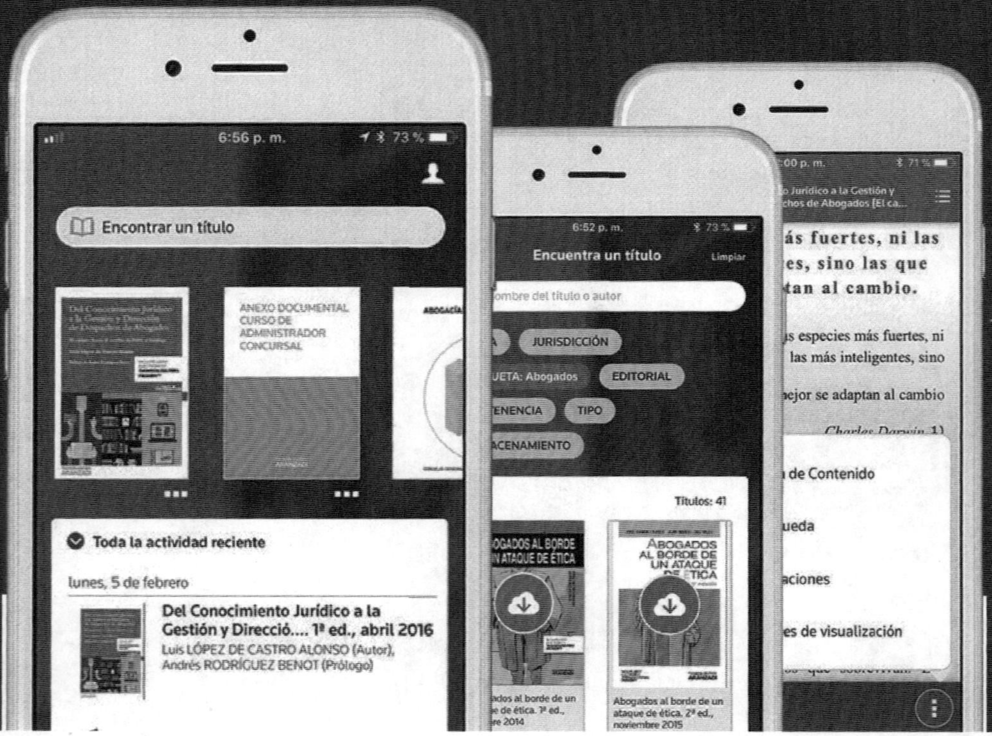

ACCESO INTERACTIVO A LOS MEJORES LIBROS JURÍDICOS
DESDE IPHONE, IPAD, ANDROID Y
DESDE EL NAVEGADOR DE INTERNET

the answer company™

Thomson Reuters Proview
Guía de uso

¡ENHORABUENA!

ACABAS DE ADQUIRIR UNA OBRA QUE **INCLUYE LA VERSIÓN ELECTRÓNICA.**
DESCÁRGATELO Y APROVÉCHATE DE TODAS LAS FUNCIONALIDADES.

ACCESO INTERACTIVO A LOS MEJORES LIBROS JURÍDICOS
DESDE IPHONE, IPAD, ANDROID Y
DESDE EL NAVEGADOR DE INTERNET

the answer company™
THOMSON REUTERS®